Dicionário da Língua Portuguesa

acepção no plural

esp
esp
p
d
g
p
(p
u
po
toureiro que mata o touro com espada; matador ❖ ~ *de dois gumes* aquilo que tem vantagens e inconvenientes; *entre a ~ e a parede* em situação de saída difícil ou impossível

el
a

exemplo geral

Estado *s. m.* nação politicamente organizada; ~ *de direito* nação cujos órgãos governativos foram eleitos democraticamente

exemplo

formação do plural

estado-membro *s. m.* {*pl.* estados-membros} país que pertence a uma comunidade internacional de países

distinção de acepções

estável *adj. 2 gén.* **1** constante; **2** firme; **3** equilibrado

distinção de palavras homógrafas

este[1] [ɛ] *s. m.* GEOG. ponto cardeal situado à direita do observador voltado para norte; leste

este[2] [e] *pron. dem.* designa pessoa ou coisa próxima da pessoa que fala ⟨*este rapaz, este trabalho*⟩

remete para

estéreo *adj. (coloq.)* vd. **estereofónico**

estereofonia *s. f.* técnica de gravação, transmissão e reprodução de sons por meio de dois canais diferentes, que torna possível a reconstituição do relevo sonoro

contexto

estereofónico *adj.* **1** relativo a estereofonia; **2** (sistema) que funciona pelo princípio de estereofonia

DICIONÁRIOS ACADÉMICOS

DICIONÁRIO LÍNGUA PORTUGUESA

O título **DICIONÁRIOS ACADÉMICOS**
está devidamente registado

PORTO EDITORA Rua da Restauração, 365 4099-023 PORTO · PORTUGAL

www.portoeditora.pt **E-mail** pe@portoeditora.pt **Telefone** (351) 22 608 83 00 **Fax** (351) 22 608 83 01

ABR/2003 Dep. Legal N.º 192424/03 ISBN 972-0-01118-1

Execução gráfica: Bloco Gráfico, Lda. · R. da Restauração, 387 4050-506 PORTO · PORTUGAL

ABREVIATURAS

abrev.	abreviatura
acad.	gíria académica
adj.	adjectivo, adjectival
adv.	advérbio, adverbial
ant.	antiquado
art.	artigo
aum.	aumentativo
Bras.	Brasil
cal.	calão
card.	cardinal
coloq.	coloquial
comp.	comparativo
conj.	conjunção, conjuncional
contr.	contracção
def.	definido
dem.	demonstrativo
depr.	depreciativo
dim.	diminutivo
elem.	elemento
f.	feminino
fig.	figurado
frac.	fraccionário
gír.	gíria
impess.	impessoal
indef.	indefinido
infant.	linguagem infantil
interj.	interjeição
interr.	interrogativo
irón.	irónico
loc.	locução
m.	masculino
mult.	multiplicativo
num.	numeral
ord.	ordinal
p. p.	particípio passado
pej.	pejorativo
pess.	pessoal
pl.	plural
pop.	popular
poss.	possessivo
prep.	preposição, prepositiva
pron.	pronome, pronominal
reg.	regionalismo
rel.	relativo
s.	substantivo
superl.	superlativo
téc.	técnico
vd.	ver
vulg.	vulgarismo
2 gén.	dois géneros
2 núm.	dois números

AERON.	Aeronáutica
AGRIC.	Agricultura
ANAT.	Anatomia
ARQUEOL.	Arqueologia
ARQ.	Arquitectura
ART. PLÁST.	Artes Plásticas
ASTROL.	Astrologia
ASTRON.	Astronomia
BIOL.	Biologia
BOT.	Botânica
CIN.	Cinema
CUL.	Culinária
DESP.	Desporto
DIR.	Direito
ECON.	Economia
ECOL.	Ecologia
ELECTR.	Electricidade
ENG.	Engenharia
FARM.	Farmácia
FIL.	Filosofia

FÍS.	Física
FISIOL.	Fisiologia
FOT.	Fotografia
GEOG.	Geografia
GEOL.	Geologia
GEOM.	Geometria
GRAM.	Gramática
HIST.	História
INFORM.	Informática
LING.	Linguística
LIT.	Literatura
MAT.	Matemática
MEC.	Mecânica
MED.	Medicina
METEOR.	Meteorologia
MIL.	Militar
MIN.	Mineralogia
MITOL.	Mitologia
MÚS.	Música
NÁUT.	Náutica
ÓPT.	Óptica
POL.	Política
PSIC.	Psicologia
QUÍM.	Química
RELIG.	Religião
RET.	Retórica
SOCIOL.	Sociologia
TEAT.	Teatro
TIP.	Tipografia
TV	Televisão
VET.	Veterinária
ZOOL.	Zoologia

A

a[1] [a] *s. m.* primeira letra e primeira vogal do alfabeto ❖ ***provar por a + b*** provar de modo incontestável

a[2] [ɐ] **I** *art. def.* antecede um substantivo, indicando referência precisa e determinada ⟨*a viagem*⟩; **II** *pron. pess.* designa a terceira pessoa do singular feminina com função de complemento directo ⟨*eu vejo-a*⟩; **III** *pron. dem.* equivale a *esta, essa, aquela*; **IV** *prep.* introduz expressões que designam: lugar para onde ⟨*ir a casa*⟩; lugar onde ⟨*à janela*⟩; tempo ⟨*a meio da tarde*⟩; modo ou meio ⟨*a correr, à mão*⟩; preço ⟨*a dez euros*⟩; distância ⟨*a cem metros*⟩

à *contr. da prep.* **a** + *art. def.* **a**

aba *s. f.* **1** parte inferior do chapéu; **2** parte pendente de peça de roupa; **3** sopé de monte; **4** margem

abacate *s. m.* BOT. fruto do abacateiro, com polpa verde-amarelada

abacateiro *s. m.* BOT. árvore tropical americana, que produz o abacate

abacaxi *s. m.* BOT. fruto tropical com coroa espinhosa e polpa suculenta

ábaco *s. m.* quadro que permite representar operações aritméticas por meio de pequenas argolas que deslizam em hastes fixas

abade *s. m.* **1** superior de um mosteiro ou de uma ordem religiosa; **2** *(fig.)* homem muito gordo

abadessa *s. f.* **1** superiora de um mosteiro ou de uma ordem religiosa; **2** *(fig.)* mulher muito gorda

abadia *s. f.* igreja ou mosteiro dirigida por um abade

abafado *adj.* **1** (som) que se ouve mal; **2** (atmosfera, tempo) quente; **3** (pessoa) sufocado; **4** (informação) que não foi divulgado; **5** *(coloq.)* (objecto) roubado

abafar **I** *v. tr.* **1** cobrir para manter o calor; tapar; **2** reduzir a intensidade de um som; **3** matar por asfixia; estrangular; **4** esconder; ocultar (facto ou informação); **5** apagar (incêndio); **6** *(coloq.)* roubar (objecto); **7** travar (conflito ou discussão); **8** reprimir (revolta); **II** *v. intr.* não poder respirar; morrer por asfixia

abafo *s. m.* peça de roupa que protege do frio; agasalho

abaixar **I** *v. tr.* **1** colocar em posição baixa ou mais baixa; **2** tornar menor; diminuir (valor ou intensidade); **3** *(fig.)* humilhar; **II** *v. intr.* **1** descer; **2** diminuir; **III** *v. refl.* **1** curvar-se; inclinar-se; **2** *(fig.)* humilhar-se

abaixo *adv.* **1** em local menos elevado; sob; **2** que se segue imediatamente a; depois de; **3** em direcção descendente; **4** em posição inferior; ***abaixo!*** exprime reprovação, rejeição ou recusa; **~ *de*** sob; depois de

abaixo-assinado *s. m.* {*pl.* abaixo-assinados} documento que exprime a opinião de um grupo ou representa os interesses das pessoas que o assinam

abajur *s. m.* peça de candeeiro que serve para atenuar a intensidade da luz; quebra-luz

abalada *s. f.* **1** partida; **2** correria; pressa; ***de ~*** apressadamente; a correr

abalado *adj.* **1** que não está firme ou seguro; instável; **2** (*fig.*) que sofreu choque ou comoção; perturbado

abalar I *v. tr.* **1** fazer tremer ou oscilar; sacudir; **2** fazer perder a firmeza ou a resistência; **3** (*fig.*) causar choque ou comoção; perturbar; **4** (*fig.*) fazer mudar de opinião; **II** *v. intr.* (*coloq.*) (pessoa) partir apressadamente; desaparecer

abalo *s. m.* **1** estremecimento; trepidação; **2** (*fig.*) comoção; ***~ de terra*** terramoto; sismo

abalroamento *s. m.* choque (de embarcações ou veículos); colisão

abalroar *v. tr.* colidir com (um obstáculo); embater em

abanador *s. m.* utensílio de palha, com cabo de madeira, para atear o lume

abanão *s. m.* sacudidela forte; safanão

abanar I *v. tr.* **1** deslocar o ar com abanador; refrescar; **2** deslocar de um lado para o outro; sacudir; **3** fazer mudar de opinião ou propósito; demover; **II** *v. intr.* oscilar; **III** *v. refl.* refrescar-se com abano ou leque ❖ (*coloq.*) ***~ o capacete/esqueleto*** dançar; ***ficar de mãos a ~*** perder tudo

abancar *v. intr.* (*coloq.*) sentar-se; instalar-se

abandalhar I *v. tr.* fazer perder a dignidade; **II** *v. refl.* perder própria dignidade

abandonado *adj.* **1** desprotegido; **2** desprezado; **3** desocupado

abandonar I *v. tr.* **1** largar; **2** não cuidar de; **3** renunciar a (princípio, plano); **4** negligenciar; **II** *v. refl.* dedicar-se inteiramente a

abandono *s. m.* **1** afastamento; partida; **2** falta de tratamento ou assistência; negligência; **3** desistência; renúncia ❖ ***ao ~*** sem protecção

abano *s. m.* **1** objecto próprio para avivar o fogo; abanador; **2** objecto usado para refrescar alguém; leque

abarcar *v. tr.* **1** incluir; conter; **2** cobrir; abranger

abarrotado *adj.* **1** cheio; superlotado; **2** (*fig.*) empanturrado

abarrotar I *v. tr.* encher totalmente; atestar; **II** *v. refl.* (*fig.*) comer demais; empanturrar-se

abastado *adj.* **1** rico; **2** abundante

abastecedor *adj. e s. m.* fornecedor

abastecer I *v. tr.* fornecer o que é necessário; **II** *v. refl.* munir-se do necessário

abastecimento *s. m.* **1** fornecimento; **2** sistema de captação e distribuição de água potável para as populações

abatatado *adj.* **1** em forma de batata; **2** (nariz) grosso e largo

abate *s. m.* **1** corte (de árvores); **2** matança (de animais)

abater I *v. tr.* **1** cortar (árvores); **2** matar (animais); **3** reduzir (preço); descontar (valor); **4** desanimar; **II** *v. intr. e refl.* **1** desabar; **2** (terreno) ceder; **3** perder as forças; ficar deprimido.

abatido *adj.* **1** caído; derrubado; **2** sem forças; cansado; **3** deprimido; desanimado

abatimento *s. m.* **1** (de preço) redução; desconto; **2** (de terreno) desnivelamento; depressão; **3** desânimo

abaular *v. tr. e intr.* tornar(-se) convexo; arredondar(-se)

abc *s. m.* **1** sistema baseado na aprendizagem de sílabas; **2** livro para aprender a ler; **3** noções básicas de uma disciplina, ciência ou arte

abcesso *s. m.* MED. acumulação de pus nos tecidos orgânicos, causada por inflamação

abdicação *s. f.* renúncia; desistência

abdicar *v. intr.* renunciar; desistir

abdómen *s. m.* ANAT. parte do corpo humano, entre o tórax e a bacia; ventre; barriga

abdominais *s. m. pl.* (ginástica) exercício para trabalhar os músculos do abdómen
abdominal *adj. 2 gén.* relativo ao abdómen
á-bê-cê *s. m.* vd. **abc**
abecedário *s. m.* **1** conjunto das letras de um sistema de escrita; alfabeto; **2** livro para aprender a ler
abeirar-se *v. refl.* aproximar-se
abelha *s. f.* ZOOL. insecto que produz mel e cera e vive em enxame
abelha-mestra *s. f.* {*pl.* abelhas-mestras} ZOOL. abelha fecunda de uma colónia; rainha
abelhão *s. m.* **1** ZOOL. abelha grande; **2** ZOOL. vespa
abelhudo *adj.* **1** indiscreto; **2** bisbilhoteiro
abençoado *adj.* **1** que recebeu bênção; **2** (*fig.*) próspero; **3** (*fig.*) protegido; **4** (*fig.*) fecundo
abençoar *v. tr.* **1** dar a bênção a; benzer; **2** louvar; **3** (*fig.*) proteger
aberração *s. f.* **1** desvio em relação à norma; **2** distorção; deformação; **~ *da natureza*** fenómeno natural de forma desconhecida ou incompreensível
aberta *s. f.* **1** abertura; **2** passagem; **3** intervalo; folga; **4** METEOR. interrupção da chuva; **5** oportunidade
aberto *adj.* **1** (porta, janela) que se abriu; descerrado; **2** (espírito, mentalidade) tolerante; liberal; **3** (caminho) sem obstáculos; desimpedido; **4** (espaço) descoberto; exposto; **5** (pessoa) franco; sincero ❖ ***em ~*** indefinido
abertura *s. f.* **1** (de porta) acto ou efeito de abrir; descerramento; **2** (de superfície) orifício; buraco; **3** (de espectáculo) início; princípio; **4** (de espírito) compreensão; tolerância; **5** franqueza; sinceridade; **6** MÚS. peça que inicia uma ópera ou outra grande composição lírica; prelúdio
abeto *s. m.* BOT. árvore alta e com folhagem persistente
abismal *adj. 2 gén.* **1** colossal; **2** assustador
abismo *s. m.* **1** precipício; despenhadeiro; **2** (*fig.*) distância; **3** (*fig.*) diferença profunda; **4** (*fig.*) situação difícil
abissal *adj. 2 gén.* **1** relativo a abismo; **2** imenso
abjecção *s. f.* baixeza; degradação
abjecto *adj.* desprezível; ignóbil
abnegação *s. f.* **1** sacrifício dos próprios desejos ou interesses; desprendimento; **2** dedicação total; altruísmo
abnegado *adj. e s. m.* **1** desprendido; **2** dedicado; altruísta
abnegar **I** *v. tr.* renunciar; abdicar; **II** *v. intr.* abster-se; sacrificar-se
abóbada *s. f.* **1** ARQ. construção arqueada de edifício; arco; **2** tecto abaulado; cúpula; **~ *celeste*** céu
abóbora *s. f.* **1** BOT. fruto da aboboreira, de cor alaranjada; cabaça; **2** (*fig.*) cabeça
aboboreira *s. f.* BOT. planta rasteira produtora de abóboras; cabaceira
abocanhar *v. tr.* **1** apanhar com a boca; morder; **2** (*coloq.*) roubar
abolição *s. f.* extinção total; supressão
abolicionismo *s. m.* HIST. (séculos XVIII e XIX) doutrina que defendia a abolição da escravatura negra
abolicionista **I** *adj. 2 gén.* relativo a abolição ou a abolicionismo; **II** *s. 2 gén.* pessoa que defende o abolicionismo
abolir *v. tr.* **1** pôr fora de uso; extinguir; suprimir; **2** afastar; banir
abominar *v. tr.* detestar; odiar
abominável *adj. 2 gén.* detestável; horrível
abonado *adj.* **1** digno de crédito ou confiança; **2** rico; abastado
abonar **I** *v. tr.* **1** declarar bom ou verdadeiro; assegurar; **2** confirmar; comprovar; **3** dar ou emprestar

(dinheiro); **II** *v. refl.* gabar-se; vangloriar-se

abono *s. m.* **1** ajuda financeira; subsídio; **2** fiança; garantia; **3** adiantamento (de dinheiro); **4** *(fig.)* elogio; louvor; ~ ***de família*** quantia atribuída pelo Estado ou empresas particulares por cada filho, até determinada idade, ou por cada pessoa de família dependente ❖ ***em ~ da verdade*** na realidade; de facto

abordagem *s. f.* **1** primeiro contacto com (assunto, problema); **2** aproximação a (alguém); **3** NÁUT. (embarcação) aproximação ao cais; acostagem; **4** *(fig.)* modo de encarar algo; perspectiva; ponto de vista

abordar I *v. tr.* **1** tratar de (assunto); **2** aproximar-se de (alguém); **3** NÁUT. aproximar (embarcação) do cais; acostar; **4** *(fig.)* encarar; perspectivar; **II** *v. intr.* NÁUT. atracar

aborígene *adj. e s. 2 gén.* que ou pessoa que habita a região de onde é natural; nativo; indígena

aborrecer I *v. tr.* **1** maçar; importunar; **2** irritar; enervar; **II** *v. refl.* **1** maçar-se; **2** irritar-se

aborrecido *adj.* **1** (livro, filme, pessoa) que causa tédio; maçador; **2** (pessoa) irritado; zangado; **3** (facto, situação) desagradável; triste

aborrecimento *s. m.* **1** tédio; **2** irritação; raiva; **3** contratempo

abortar I *v. intr.* **1** expulsar o feto do útero, naturalmente ou por meios artificiais, antes de completar o tempo de gestação que lhe permita sobreviver; **2** *(fig.)* (missão, plano) não se desenvolver; falhar; **3** INFORM. (comando, programa) terminar antes da sua conclusão normal; **II** *v. tr.* **1** frustrar (missão, plano); **2** INFORM. cancelar (comando ou programa)

aborto *s. m.* **1** expulsão do feto do útero, de forma espontânea ou provocada, antes de completar o seu desenvolvimento; **2** *(fig., pej.)* pessoa disforme; monstro; **3** *(fig., pej.)* anormalidade; anomalia ❖ ***~ da natureza*** coisa rara, disforme ou invulgar

abotoar *v. tr.* prender com botões; fechar (peça de vestuário)

abraçar I *v. tr.* **1** envolver (alguém) com os braços; **2** adoptar; seguir (ideia, crença); **3** dedicar-se a (causa, profissão); **II** *v. refl.* dar um abraço

abraço *s. m.* **1** acto de abraçar; amplexo; **2** união de coisas ou pessoas

abrandar I *v. tr.* **1** tornar mole ou flexível; **2** reduzir (velocidade, temperatura); **3** atenuar (dor, sofrimento); **4** apaziguar (irritação, fúria); **II** *v. intr.* **1** (automóvel) reduzir a velocidade; **2** (pessoa) acalmar-se; **3** (chuva, vento) diminuir de intensidade

abrangência *s. f.* **1** qualidade do que é abrangente; **2** alcance; extensão

abrangente *adj. 2 gén.* **1** que abrange ou inclui; inclusivo; **2** que se aplica a vários casos; amplo; vasto

abranger *v. tr.* **1** conter; compreender; incluir; **2** cobrir (assunto, tema)

abrasivo I *s. m.* substância usada para provocar desgaste por fricção (como lixa, esmeril, etc.); **II** *adj.* que desgasta por fricção ou raspagem

abre-cartas *s. m. 2 núm.* espátula com lâmina para abrir envelopes

abre-latas *s. m. 2 núm.* instrumento com que se abrem recipientes ou embalagens feitos de folha metálica

abrenúncio *interj.* exprime recusa ou desejo de afastamento

abreviação *s. f.* **1** redução no tempo ou no espaço; encurtamento; **2** abreviatura; **3** resumo

abreviado *adj.* **1** reduzido no tempo ou no espaço; encurtado; **2** (texto) resumido; condensado; 3 (acontecimento) antecipado; apressado

abreviar *v. tr.* 1 reduzir no tempo ou no espaço; encurtar; 2 resumir; condensar (texto); 3 antecipar (facto)

abreviatura *s. f.* forma encurtada ou contraída de uma palavra

abrigar I *v. tr.* 1 dar abrigo a; resguardar; 2 proteger; 3 acolher; II *v. refl.* resguardar-se; proteger-se

abrigo *s. m.* 1 protecção; defesa; 2 apoio; amparo; 3 refúgio; acolhimento; ~ ***antiaéreo*** construção subterrânea usada como defesa contra ataques aéreos; ~ ***nuclear*** construção subterrânea que protege do impacto e das radiações de uma explosão atómica ❖ ***ao ~ de*** a salvo de

Abril *s. m.* quarto mês do ano civil, com trinta dias

abrir I *v. tr.* 1 descerrar (janela, porta); 2 desimpedir; desobstruir (acesso, caminho); 3 acender (luz); 4 ligar (aquecimento); 5 dar início a (sessão); 6 fundar (empresa); II *v. intr.* (flor) desabrochar; III *v. refl.* 1 (porta, janela) descerrar-se; 2 (pessoa) desabafar com (alguém); ~ ***falência*** declarar judicialmente a incapacidade de cumprir os compromissos de uma empresa; ~ ***mão de*** renunciar a; ~ ***o apetite*** provocar um desejo; estimular; ~ ***os cordões à bolsa*** pagar muito (dinheiro); ***num ~ e fechar de olhos*** num instante

abrupto *adj.* 1 (terreno) íngreme; 2 (facto) inesperado; 3 (pessoa) rude

abrutalhado *adj.* que tem modos de bruto; grosseiro; rude

ABS [*sigla de* **a**nti-lock **b**raking **s**ystem] sistema de antibloqueio das rodas de um automóvel

absentismo *s. m.* 1 ausência sistemática (do local de trabalho, da escola); 2 POL. decisão de não votar; abstencionismo

absentista *adj. e s. 2 gén.* que ou pessoa que falta sistematicamente (ao trabalho, à escola, etc.)

absinto *s. m.* 1 BOT. planta aromática, espontânea e cultivada, cujas folhas têm um sabor amargo; 2 bebida alcoólica muito amarga, preparada com as folhas dessa planta

absolutamente *adv.* 1 inteiramente; totalmente; 2 de modo nenhum

absolutismo *s. m.* POL. sistema governativo em que o chefe exerce o poder sem limites; tirania; despotismo

absolutista *adj. e s. 2 gén.* que ou pessoa que é partidária do absolutismo

absoluto *adj.* 1 que não depende de nada; independente; soberano; 2 que não tem restrições; ilimitado; 3 (sistema político) em que predomina a autoridade arbitrária de um chefe; despótico; 4 forçoso; imperioso ❖ ***em ~*** de modo nenhum

absolver *v. tr.* 1 DIR. isentar de culpa; declarar inocente; 2 RELIG. conceder perdão a (alguém); 3 desobrigar; dispensar de (obrigação, compromisso)

absolvição *s. f.* 1 DIR. sentença que declara o réu isento de culpa; 2 RELIG. perdão de pecados; remissão

absolvido *adj.* 1 DIR. que foi declarado inocente e isento de pena; 2 RELIG. perdoado de pecados e culpas

absorção *s. f.* 1 acto ou efeito de absorver; 2 assimilação (de conhecimento, cultura, crença, etc.); 3 BIOL. entrada nas células de substâncias provenientes do meio externo; 4 BIOL. passagem para a circulação sanguínea das substâncias provenientes da digestão dos alimentos; 5 FÍS., QUÍM. penetração e fixação de uma substância no interior de outra ou de um meio poroso

absorto *adj.* 1 distraído; alheado; 2 concentrado; absorvido

absorvente I *adj. 2 gén.* 1 que absorve; 2 (livro, filme, história) que prende a atenção; cativante; 3 (*fig.*) que domina de forma exclusiva; que monopoliza; II *s. m.* 1 aquilo que absorve; 2 FÍS., QUÍM. meio ou substância no interior do(a) qual se verifica absorção

absorver I *v. tr.* 1 fazer desaparecer (líquido); embeber; 2 assimilar (conhecimentos); 3 cativar; 4 monopolizar; II *v. refl.* dedicar-se exclusivamente a

absorvido *adj.* 1 (líquido) embebido; 2 (alimento) assimilado; 3 (dinheiro, recurso) consumido; 4 (pessoa) concentrado

abstemia *s. f.* 1 privação da ingestão de bebidas alcoólicas; abstinência; 2 sobriedade; moderação

abstémio *adj. e s. m.* que ou pessoa que não ingere bebidas alcoólicas

abstenção *s. f.* 1 POL. recusa voluntária de votar; 2 renúncia; privação

abstencionismo *s. m.* POL. decisão de não votar; absentismo

abstencionista *s. 2 gén.* eleitor que se recusa a participar numa votação

abster I *v. tr.* impedir; privar; II *v. refl.* 1 não votar; 2 privar-se; abdicar; 3 conter-se; refrear-se

abstinência *s. f.* 1 privação voluntária da satisfação de uma necessidade ou de um desejo; 2 privação voluntária ou forçada de certos comportamentos (alimentares, sexuais) ou substâncias (álcool, droga); 3 jejum

abstracção *s. f.* 1 FIL. operação intelectual na qual o objecto de reflexão é isolado dos factores que lhe estão associados na realidade concreta; 2 noção; conceito; 3 distracção; 4 ART. PLÁST. obra de arte abstracta; 5 (*pej.*) devaneio; ilusão

abstraccionismo *s. m.* 1 FIL. tendência para considerar as representações mentais como realidades concretas; 2 ART. PLÁST. arte não figurativa; arte abstracta

abstraccionista I *adj. 2 gén.* relativo ao abstraccionismo; II *s. 2 gén.* 1 pessoa partidária do abstraccionismo; 2 ART. PLÁST. artista que adopta os princípios do abstraccionismo

abstracto *adj.* 1 que não é concreto; 2 (arte) que não descreve nem representa objectos concretos; não figurativo; 3 (substantivo) que designa acção, estado ou qualidade

abstrair I *v. tr.* 1 considerar separadamente; separar; 2 não considerar; pôr de parte; II *v. refl.* 1 afastar-se; alhear-se; 2 concentrar-se em; entregar-se a

absurdo I *adj.* 1 que se opõe à razão; 2 que não tem sentido; 3 disparatado; II *s. m.* 1 aquilo que é contrário à razão; 2 disparate; 3 utopia

abundância *s. f.* 1 grande quantidade; fartura; 2 grande número (de coisas ou pessoas); 3 opulência; luxo

abundante *adj. 2 gén.* 1 farto; 2 fértil; fecundo; 3 numeroso; 4 opulento

abundar *v. intr.* 1 existir em grande quantidade; 2 sobrar

abusar *v. intr.* 1 fazer mau uso de; 2 exceder-se no uso de; 3 aproveitar-se de; 4 violar

abusivo *adj.* 1 excessivo; 2 impróprio

abuso *s. m.* 1 uso impróprio ou excessivo; 2 exagero; 3 violação; ***~ de autoridade/poder*** uso do poder por uma entidade pública quando não tem essa competência ou quando excede a que tem; ***~ de confiança*** acto de tirar proveito da confiança de alguém para um fim indevido

abutre *s. m.* 1 ZOOL. ave de rapina diurna, de grande porte, existente na Europa, Ásia e África; 2 (*fig.*) pessoa cruel

a. C. [*abrev. de* antes de Cristo]

Ac QUÍM. [*símbolo de* **actínio**]

acabado *adj.* 1 concluído; terminado; 2 (pessoa) envelhecido; abatido

acabamento *s. m.* 1 (de produto, tecido) conclusão; remate; 2 [*pl.*] retoques finais

acabar I *v. tr.* 1 terminar; 2 rematar; 3 esgotar; 4 destruir; II *v. intr.* 1 terminar; 2 esgotar-se; 3 morrer; III *v. refl.* chegar ao fim

acabrunhado *adj.* 1 abatido; 2 desanimado; 3 humilhado

acabrunhar I *v. tr.* 1 aborrecer; 2 desanimar; II *v. refl.* 1 aborrecer-se; 2 envergonhar-se

acácia *s. f.* 1 BOT. planta leguminosa produtora de flores amarelas e perfumadas; 2 BOT. flor dessa planta

academia *s. f.* 1 FIL. escola criada por Platão; 2 escola de ensino superior; faculdade; 3 associação com caráter científico, literário ou artístico

académico I *s. m.* 1 estudante; 2 membro de academia; II *adj.* 1 relativo a academia; 2 (estilo) convencional; conservador

açafrão *s. m.* 1 BOT. planta de cuja flor se extrai um corante amarelo-alaranjado; 2 erva aromática, utilizada como condimento

açaime *s. m.* aparelho de couro ou metal que se põe no focinho dos animais para eles não morderem

acalmar I *v. tr.* 1 tranquilizar (alguém); 2 atenuar (dor); 3 reprimir (conflito); II *v. intr.* 1 (pessoa) ficar tranquilo; 2 (tempestade, vento) amainar; III *v. refl.* tranquilizar-se

acalorado *adj.* 1 (pessoa) cheio de calor; 2 (debate, discussão) inflamado

acalorar *v. tr. e refl.* 1 aquecer(-se); 2 animar(-se)

acamado *adj.* 1 deitado na cama; 2 (doente) que está de cama; 3 disposto em camadas; 4 alisado

açambarcamento *s. m.* acto ou efeito de açambarcar; apropriação

açambarcar *v. tr.* tomar posse de algo, prejudicando alguém; apropriar-se de; monopolizar

acampamento *s. m.* 1 acto de acampar; 2 MIL. instalação de tropas em tendas de campanha; 3 permanência provisória de pessoas (escuteiros, etc.); 4 parque de campismo

acampar *v. intr.* 1 MIL. instalar-se em acampamento; 2 fazer campismo; 3 instalar-se provisoriamente

acanhado *adj.* 1 tímido; 2 envergonhado; 3 pequeno; apertado

acanhamento *s. m.* 1 timidez; 2 embaraço; 3 falta de espaço

acanhar I *v. tr.* 1 embaraçar (alguém); 2 impedir o desenvolvimento de; atrofiar; 3 apertar; II *v. refl.* 1 envergonhar-se; 2 acobardar-se

acantonamento *s. m.* MIL. distribuição de tropas; aquartelamento

acantonar *v. tr.* MIL. distribuir tropas; aquartelar

acariciar *v. tr.* afagar; acarinhar

acarinhar *v. tr.* 1 mimar; acariciar; 2 alimentar (ideia, projecto)

ácaro *s. m.* ZOOL. parasita do homem e de alguns animais, causador de lesões cutâneas

acarretar *v. tr.* 1 transportar; levar; 2 ter como resultado; implicar

acasalar I *v. tr.* 1 juntar (macho e fêmea) para procriação; 2 reunir em casal; II *v. intr.* 1 juntar-se para procriação; 2 amancebar-se; amigar-se

acaso I *s. m.* 1 acontecimento incerto ou imprevisível; imprevisto; 2 destino; sorte; 3 casualidade; eventualidade; II *adv.* talvez; possivelmente ❖ ***ao ~*** à toa; ***por ~*** acidentalmente

acastanhado *adj.* que tem cor semelhante ao castanho

acatamento *s. m.* **1** veneração; respeito; **2** cumprimento (de ordem, regulamento)
acatar *v. tr.* **1** respeitar; venerar; **2** cumprir (ordem, regulamento)
acautelado *adj.* **1** prudente; precavido; **2** prevenido; avisado
acautelar *v. tr. e refl.* **1** precaver(-se); **2** prevenir(-se); **3** proteger(-se)
acção *s. f.* **1** acto de agir; actuação; **2** movimento; funcionamento; **3** influência; **4** (filme, romance) enredo; intriga; **5** DIR. processo judicial; **6** ECON. título de crédito; ***~ de formação*** sessão ou conjunto de sessões de actualização de conhecimentos profissionais ❖ ***entrar em ~*** dar início a; ***pôr em ~*** colocar em prática (plano ou projecto)
accionado *adj.* **1** posto em movimento ou em funcionamento; **2** ligado; activado; **3** DIR. processado
accionador *adj. e s. m.* que ou o que acciona; agente
accionamento *s. m.* **1** processo de colocar em movimento ou em funcionamento; activação; **2** execução (de plano, projecto)
accionar *v. tr.* **1** pôr em acção; activar; **2** ligar; **3** DIR. processar
accionista I *s. 2 gén.* ECON. pessoa que detém acções; **II** *adj. 2 gén.* ECON. relativo a acção (título de crédito)
aceder *v. intr.* **1** concordar; consentir; **2** alcançar (cargo, posição); **3** INFORM. obter acesso a (informação, dados)
acéfalo *adj.* **1** que não tem cabeça; **2** *(fig.)* sem vontade própria; fraco
aceitação *s. f.* **1** consentimento; permissão; **2** receptividade; acolhimento; **3** reconhecimento; aprovação
aceitar *v. tr.* **1** receber com agrado; **2** consentir; **3** aprovar
aceitável *adj.* **1** que se pode aceitar; **2** admissível; tolerável
aceite *adj. 2 gén.* **1** recebido; **2** admitido
acelera *s. 2 gén. (coloq.)* pessoa que conduz um veículo a alta velocidade
aceleração *s. f.* **1** aumento progressivo de velocidade; **2** rapidez; **3** pressa
acelerado *adj.* **1** rápido; **2** adiantado
acelerador *s. m.* **1** dispositivo para acelerar o motor de um veículo; **2** pedal com o qual se controla a aceleração de um veículo; ***carregar no ~*** aumentar a velocidade
acelerar I *v. tr.* **1** aumentar a velocidade de (veículo); **2** apressar (processo, trabalho); **II** *v. intr.* **1** aumentar a velocidade; **2** apressar-se
acenar *v. intr.* **1** fazer movimentos com a mão ou com a cabeça; gesticular; **2** despedir-se
acendalha *s. f.* tudo o que serve para atear fogo
acender I *v. tr.* **1** ligar (luz, aparelho); **2** despertar (sentimento, desejo); **3** provocar (debate, discussão); **II** *v. refl.* **1** pegar fogo; inflamar-se; **2** (debate, discussão) intensificar-se; avivar-se
aceno *s. m.* gesto com a mão ou com a cabeça
acento *s. m.* **1** sinal gráfico que indica maior intensidade ou altura de uma sílaba em relação às restantes sílabas da mesma palavra; **2** pronúncia própria de uma região; sotaque; **3** tom de voz; timbre
acentuação *s. f.* **1** inflexão de voz; **2** ênfase; destaque
acentuado *adj.* **1** (palavra) que tem acento gráfico; **2** (sílaba) que tem acento tónico; **3** *(fig.)* marcado; sublinhado; **4** *(fig.)* que se destaca; marcante
acentuar I *v. tr.* **1** colocar acento em (palavra); **2** dar ênfase a (um som); **3** realçar; destacar; **4** aumentar; intensificar; **II** *v. refl.* **1** intensificar-se; aumentar; **2** agravar-se; piorar

acepção *s. f.* sentido em que se usa uma palavra ou uma frase; significado; ***na verdadeira ~ da palavra*** em sentido literal

acepipe *s. m.* **1** aperitivo; **2** petisco

acerca *elem. da loc. prep.* ***~ de*** a respeito de; relativamente a

acercar I *v. tr.* aproximar; colocar perto; **II** *v. refl.* aproximar-se; abeirar-se

acerola *s. f.* BOT. fruto da aceroleira, em forma de baga pequena e vermelha

acérrimo *adj.* **1** ‹*superl. de* **acre**› muito azedo; **2** persistente; obstinado

acertar I *v. tr.* **1** descobrir; encontrar (caminho); **2** atingir (objectivo, alvo); **3** ajustar; endireitar; **4** fazer ficar certo (relógio); **5** atinar com; **II** *v. intr.* **1** dar no alvo; **2** coincidir ❖ ***~ contas com*** vingar-se; *(coloq.)* ***~ em cheio*** perceber perfeitamente

acerto *s. m.* **1** acto ou efeito de acertar; **2** correcção; **3** ajuste; acordo; ***~ de contas*** vingança; represália

acervo *s. m.* grande quantidade; montão

aceso *adj.* **1** (luz) ligado; **2** (discussão, debate) animado; inflamado; **3** *(fig.)* ansioso; excitado

acessibilidade *s. f.* **1** facilidade de acesso a; **2** conjunto das condições de acesso a serviços, equipamentos ou edifícios destinadas a pessoas com mobilidade reduzida ou com necessidades especiais

acessível *adj. 2 gén.* **1** (lugar) a que se pode ter acesso; onde se chega com facilidade; **2** (produto, mercadoria) fácil de obter; razoável; **3** (texto, teoria) fácil de entender; compreensível; **4** (pessoa) sociável; comunicativo

acesso *s. m.* **1** entrada; ingresso; **2** passagem; comunicação; **3** ataque súbito (de tosse, fúria); **4** INFORM. possibilidade de receber ou transmitir dados por meio de dispositivos computacionais (unidade de rede, memória, etc.); **5** INFORM. ligação à Internet

acessório I *s. m.* **1** complemento; **2** objecto de adorno (pulseira, colar, etc.); **3** peça de veículo automóvel; **II** *adj.* **1** que não é fundamental; secundário; **2** adicional; suplementar

acetato *s. m.* folha de plástico transparente para usar no retroprojector; transparência

acético *adj.* **1** relativo ao vinagre; **2** QUÍM. diz-se do ácido $C_2H_4O_2$, principal constituinte do vinagre

acetileno *s. m.* QUÍM. composto gasoso obtido por acção da água sobre o carboneto de cálcio, usado em iluminação e em soldadura

acetinado *adj.* **1** (tecido) semelhante a cetim; lustroso; **2** (pele) suave; macio

acetona *s. f.* QUÍM. composto líquido incolor, de cheiro forte, usado como solvente de ceras, vernizes, etc.

acha *s. f.* pequeno pedaço de madeira usado como lenha ❖ ***deitar achas na fogueira*** exaltar os ânimos

achacado *adj.* adoentado

achado *s. m.* **1** descoberta casual; **2** descoberta; encontrado; **3** *(coloq.)* pechincha ❖ ***não se dar por ~*** mostrar-se desentendido

achamento *s. m.* **1** descobrimento; **2** invenção

achaque *s. m.* doença ou sensação de mal-estar sem gravidade

achar I *v. tr.* **1** encontrar; descobrir; **2** pensar; julgar; **II** *v. refl.* encontrar-se; estar

achatado *adj.* que tem forma chata ou plana

achatar *v. tr.* tornar chato ou plano

achega *s. f.* **1** acrescento; **2** ajuda

achincalhar *v. tr.* **1** ridicularizar; gozar; **2** rebaixar; humilhar

achocolatado *adj.* **1** semelhante a chocolate; **2** que sabe a chocolate

acicatar *v. tr.* **1** fazer correr (cavalgadura); **2** *(fig.)* excitar; animar; **3** *(fig.)* incitar; instigar
acicate *s. m.* **1** espora com uma ponta de ferro; **2** *(fig.)* estímulo; incentivo
acidar *v. tr. e refl.* QUÍM. tornar(-se) mais ácido; acidificar(-se)
acidentado I *adj.* **1** (terreno) que apresenta desnivelamentos; irregular; **2** (vida) agitado; **II** *s. m.* **1** irregularidade de terreno; **2** pessoa que foi vítima de acidente; sinistrado
acidental *adj. 2 gén.* **1** casual; imprevisto; **2** adicional; suplementar
acidente *s. m.* **1** acontecimento casual ou inesperado; acaso; **2** desastre; **3** GEOG. irregularidade na superfície do solo; **4** MED. fenómeno patológico inesperado; *(fig.)* ~ ***de percurso*** facto imprevisto que interrompe a evolução de um fenómeno ou de um processo; ~ ***de terreno*** desnivelamento de uma porção de terreno relativamente a áreas próximas; ~ ***de trabalho*** lesão física ou doença que ocorre no exercício da actividade profissional, causando a perda, total ou parcial, permanente ou temporária, da capacidade de trabalho; ~ ***de viação*** desastre envolvendo veículos automóveis; ~ ***vascular cerebral*** hemorragia cerebral acompanhada da perda total ou parcial das funções cerebrais ❖ ***por*** ~ por acaso
acidez *s. f.* **1** qualidade do que é ácido; **2** *(fig.)* azedume
ácido I *adj.* **1** azedo; acre; **2** QUÍM. (solução) que tem pH menor que 7; **II** *s. m.* QUÍM. composto que contém um ou mais átomos de hidrogénio, substituíveis por metais para dar origem a sais
acima I *adv.* **1** em lugar mais alto; em cima; **2** em direcção a lugar ou parte superior; para cima; **3** na parte superior; **II** *interj.* indicativa de ordem ou de exortação ❖ ~ ***de qualquer suspeita*** sem lugar para dúvidas; ~ ***de tudo*** sobretudo
acinzentado *adj.* que tem cor semelhante a cinzento
acirrado *adj.* **1** irritado; **2** (animal) excitado
acirrar *v. tr.* **1** irritar; **2** excitar
aclamação *s. f.* **1** aplauso; **2** saudação; **3** POL. subida ao poder
aclamar *v. tr.* **1** aplaudir; **2** saudar; **3** POL. eleger ou escolher (alguém) para cargo ou função
aclarar I *v. tr.* **1** tornar (mais) claro; **2** esclarecer; resolver; **II** *v. intr. e refl.* tornar-se (mais) claro
aclimatação *s. f.* adaptação; habituação
aclimatado *adj.* **1** adaptado; habituado; **2** harmonizado
aclimatar I *v. tr.* **1** adaptar a; **2** harmonizar; **II** *v. refl.* adaptar-se; habituar-se
aclive *s. m.* inclinação de terreno; subida
acne *s. f.* MED. afecção da pele causada pela inflamação das glândulas sebáceas
aço *s. m.* **1** METAL. liga de ferro e carbono que endurece ao ser introduzida em água fria quando ainda está em brasa; **2** *(fig.)* força física; energia; resistência; ~ ***inoxidável*** liga de ferro e crómio resistente à corrosão ❖ ***ser de*** ~ ter muita resistência
acobardado *adj.* **1** amedrontado; **2** acanhado
acobardar I *v. tr.* amedrontar; intimidar; **II** *v. refl.* **1** amedrontar-se; **2** acanhar-se
acobreado *adj.* que tem a cor ou o aspecto do cobre
acocorar I *v. tr.* pôr de cócoras; abaixar; **II** *v. refl.* agachar-se

açoitar *v. tr.* **1** bater em; **2** castigar
açoite *s. m.* **1** palmada; **2** castigo; **3** chicote
acolá *adv.* naquele lugar; além
acolchoado *adj.* **1** (objecto) estofado; **2** (peça de roupa) forrado
acolchoar *v. tr.* **1** estofar (objecto); **2** forrar (roupa)
acolhedor *adj.* que recebe bem; hospitaleiro
acolher I *v. tr.* **1** receber (uma visita); **2** abrigar; hospedar; **II** *v. refl.* abrigar-se; hospedar-se
acolhimento *s. m.* **1** recepção; **2** hospitalidade
acolitado *s. m.* RELIG. quarta e última ordem menor da Igreja Católica
acolitar *v. tr.* **1** RELIG. ajudar (em serviço religioso); **2** acompanhar
acólito *s. m.* RELIG. aquele que acompanha e auxilia o sacerdote
acometer *v. tr.* **1** atacar (alguém); **2** combater (doença)
acomodação *s. f.* **1** alojamento; **2** adaptação; **3** arrumação
acomodar I *v. tr.* **1** hospedar; **2** adaptar; **3** arrumar; **II** *v. refl.* **1** adaptar-se; **2** conformar-se
acompanhamento *s. m.* **1** conjunto de pessoas que acompanham outra(s); comitiva; **2** cortejo fúnebre; séquito; **3** MÚS. parte instrumental ou vocal executada simultaneamente com a voz ou o instrumento solista; **4** CUL. prato (salada, arroz, batatas, etc.) que acompanha o prato principal
acompanhante *adj. e s. 2 gén.* **1** que ou pessoa que acompanha; **2** MÚS. que ou músico que acompanha (quem canta ou toca outro instrumento)
acompanhar *v. tr.* **1** fazer companhia a; ir com (alguém); **2** cobrir (acontecimento); **3** seguir (programa); **4** tratar (doente); **5** MÚS. seguir a melodia, com voz ou instrumento
aconchegado *adj.* **1** confortável; cómodo; **2** agasalhado; aquecido
aconchegante *adj. 2 gén.* acolhedor
aconchegar I *v. tr.* **1** tornar (mais) confortável; **2** agasalhar; aquecer; **II** *v. refl.* **1** colocar-se em posição confortável; **2** agasalhar-se
aconchego *s. m.* **1** conforto; bem-estar; **2** segurança; protecção
acondicionamento *s. m.* **1** adaptação a determinadas condições; **2** empacotamento; **3** embalagem
acondicionar *v. tr.* **1** embalar; empacotar; **2** dispor; arrumar
aconselhamento *s. m.* **1** consulta; **2** orientação
aconselhar I *v. tr.* **1** dar conselho a; **2** recomendar; **3** orientar; **II** *v. refl.* pedir conselho
aconselhável *adj. 2 gén.* recomendável; preferível
acontecer *v. intr.* ocorrer; suceder; ter lugar
acontecimento *s. m.* **1** ocorrência; facto; **2** acaso; eventualidade; **3** *(fig.)* sucesso; êxito
acoplagem *s. f.* **1** junção de dois ou mais corpos, formando um só conjunto; **2** (astronáutica) ligação, no espaço, de duas naves ou de componentes de uma nave ou de estação espacial
acoplamento *s. m.* vd. **acoplagem**
acoplar I *v. tr.* ligar (corpos ou objectos) de modo a formar um conjunto capaz de funcionar de forma integrada; **II** *v. refl.* ligar-se formando um só conjunto
açor *s. m.* ZOOL. ave de rapina, diurna, de cor acinzentada e com manchas brancas
açorda *s. f.* CUL. iguaria feita de pão, temperada com azeite, alho e ervas aromáticas, a que se pode acrescentar

ovos e outros ingredientes (bacalhau, marisco, etc.)

acordado *adj.* 1 despertado (do sono); 2 combinado; ajustado

acórdão *s. m.* DIR. sentença proferida por um tribunal

acordar I *v. tr.* 1 despertar do sono; 2 combinar; 3 conciliar; **II** *v. intr.* 1 despertar do sono; 2 concordar; **III** *v. refl.* resolver-se; decidir-se

acorde *s. m.* 1 MÚS. conjunto harmonioso de três ou mais sons sobrepostos; 2 MÚS. som musical

acordeão *s. m.* MÚS. instrumento musical de palhetas livres que vibram por acção de um fole

acordeonista *s. 2 gén.* pessoa que toca acordeão

acordo *s. m.* 1 concordância; assentimento; 2 convenção; pacto; ***~ de cavalheiros*** pacto verbal, em que as partes envolvidas dispensam formalidades legais; ***~ pré-nupcial*** entendimento estabelecido pelos noivos antes do casamento; ***chegar a um ~*** alcançar um consenso; ***de ~ com*** segundo a opinião ou informação de; ***de comum ~*** com a concordância de todos; ***estar de ~ com*** concordar com; ser da mesma opinião

açoriano I *s. m.* pessoa natural dos Açores; **II** *adj.* relativo aos Açores

acorrentar *v. tr.* 1 prender com corrente; encadear; 2 *(fig.)* subjugar

acorrer *v. tr. e intr.* acudir; socorrer (alguém)

acossar *v. tr.* 1 perseguir; 2 atormentar

acostagem *s. f.* 1 NÁUT. acto ou efeito de acostar; 2 NÁUT. aproximação ao cais ou a outra embarcação

acostar I *v. tr.* NÁUT. aproximar (embarcação) do cais ou de outra embarcação; **II** *v. intr.* NÁUT. navegar junto à costa; **III** *v. refl.* recostar-se

acostumado *adj.* habituado; adaptado

acostumar *v. tr. e refl.* habituar(-se); adaptar(-se)

açoteia *s. f.* terraço no alto de uma casa que substitui o telhado; mirante

acotovelamento *s. m.* 1 empurrão com o cotovelo; 2 (na multidão) aperto

acotovelar I *v. tr.* tocar ou empurrar com o cotovelo; **II** *v. refl.* (pessoas) amontoar-se

açougue *s. m.* 1 estabelecimento onde se vende carne; talho; 2 local onde se abatem animais; matadouro

acre I *s. m.* AGRIC. unidade de medida para superfícies agrárias; **II** *adj. 2 gén.* (sabor) azedo; picante

acreditado *adj.* 1 digno de confiança; 2 (diplomata) autorizado ou reconhecido por um país junto de outro

acreditar I *v. tr.* admitir; aceitar; **II** *v. intr.* ter fé; crer

acrescentar *v. tr.* 1 adicionar; juntar; 2 aumentar

acrescento *s. m.* 1 aquilo que se acrescentou; 2 aumento

acrescer I *v. tr.* aumentar; **II** *v. intr.* 1 juntar-se; 2 sobrar

acréscimo *s. m.* aumento

acriançado *adj.* (comportamento, dito) próprio de criança; infantil

acridez *s. f.* qualidade do que é acre

acrílico *s. m.* QUÍM. ácido orgânico, carboxílico, insaturado, de cheiro acre, usado no fabrico de plásticos

acrobacia *s. f.* 1 DESP. exercício de ginástica difícil e perigoso, geralmente com efeito espectacular; 2 exercício de equilibrismo; AERON. ***~ aérea*** conjunto de exercícios efectuados por aeronaves, que incluem a composição de figuras no ar, mudanças de altitude e de velocidade

acrobata *s. 2 gén.* 1 DESP. ginasta que executa acrobacias; 2 equilibrista;

3 AERON. aviador que pratica acrobacias aéreas

acrobático *adj.* relativo a acrobacia ou a acrobata

acromático *adj.* **1** que não tem cor; **2** que não distingue as cores; **3** MÚS. sem acidentes nem modulação

acrópole *s. f.* parte mais elevada e fortificada das antigas cidades gregas

acta *s. f.* registo escrito dos factos ocorridos e das decisões tomadas numa reunião, num congresso, etc.

actínia *s. f.* ZOOL. animal marinho de consistência mole, semelhante à flor da anémona

actínio *s. m.* QUÍM. elemento radioactivo com o número atómico 89 e o símbolo Ac

activação *s. f.* acto ou efeito de activar

activar *v. tr.* **1** dar actividade a; impulsionar; **2** aumentar a actividade de; intensificar; **3** estimular

actividade *s. f.* **1** faculdade de agir; movimento; **2** função (de um órgão ou mecanismo); **3** energia; **4** profissão

activismo *s. m.* doutrina que defende a participação activa na vida política e social; militância política

activista I *s. 2 gén.* pessoa que actua em defesa de uma causa; militante; **II** *adj. 2 gén.* **1** relativo a activismo; **2** que actua em defesa de uma causa; militante

activo I *adj.* **1** que prefere a acção à contemplação; prático; **2** enérgico; **3** efectivo; **4** GRAM. (verbo) que pede complemento directo; **5** INFORM. (programa) que está pronto a funcionar; operacional; **II** *s. m.* ECON. totalidade dos bens de uma empresa ou de uma pessoa

acto *s. m.* **1** aquilo que se faz; acção; **2** realização de uma vontade livre e consciente; **3** procedimento; conduta; **4** cerimónia; **5** TEAT. cada uma das partes em que se divide uma peça; ~ ***eleitoral*** escolha, por meio de votos, de uma pessoa para ocupar um cargo ou desempenhar uma função; ~ ***contínuo*** imediatamente; em seguida

actor *s. m.* {*f.* actriz} **1** pessoa que interpreta um papel (em filme ou peça); **2** pessoa que desempenha um papel importante num acontecimento; protagonista; **3** *(fig.)* pessoa que finge; hipócrita

actuação *s. f.* **1** CIN., TEAT. interpretação; representação; **2** procedimento; conduta

actual *adj. 2 gén.* **1** que diz respeito ao presente; moderno; **2** efectivo; real

actualidade *s. f.* **1** estado do que é actual; **2** momento ou época presente; modernidade; **3** característica do que tem interesse actual

actualização *s. f.* **1** acto ou efeito de tornar actual; **2** adequação ao (tempo) presente; modernização; **3** substituição total ou parcial de um programa ou equipamento através da instalação de uma versão mais recente

actualizar *v. tr. e refl.* tornar(-se) actual; modernizar(-se)

actualmente *adv.* **1** no momento presente; **2** hoje em dia

actuar *v. intr.* **1** agir; proceder; **2** CIN., TEAT. representar; interpretar

açúcar *s. m.* substância doce extraída da cana-sacarina e da beterraba

açucarado *adj.* misturado com açúcar; adoçado

açucarar *v. tr.* **1** misturar com açúcar; adoçar; **2** *(fig.)* suavizar

açucareiro I *s. m.* recipiente em que se serve açúcar; **II** *adj.* relativo a açúcar

açucena *s. f.* **1** BOT. planta bolbosa de flores brancas e perfumadas, de origem asiática; **2** BOT. flor desta planta

açude *s. m.* construção feita para deter o curso de água, represa
acudir *v. intr.* **1** ir em socorro de; auxiliar; **2** responder com rapidez (a pedido, convite); comparecer
acuidade *s. f.* **1** agudeza; perspicácia; **2** (de visão, audição) sensibilidade; **3** (de assunto, problema) importância; relevância
aculturação *s. f.* **1** adaptação de uma pessoa a uma cultura diferente da sua; **2** processo de fusão de culturas
aculturar-se *v. refl.* adaptar-se a uma cultura diferente da sua
acumulação *s. f.* **1** aumento; **2** conjunto de coisas reunidas; **3** associação
acumulado *adj.* **1** amontoado; empilhado; **2** armazenado; conservado; **3** (dinheiro) poupado; **4** (cargo, função) ocupado simultaneamente
acumular **I** *v. tr.* **1** amontoar; empilhar; **2** armazenar; conservar; **3** poupar (dinheiro); **4** ocupar (cargos ou funções) simultaneamente; **II** *v. refl.* **1** amontoar-se; **2** conservar-se
acupunctor *s. m.* pessoa que pratica acupuntura; especialista em acupuntura
acupunctura *s. f.* método de origem chinesa para tratar doenças e aliviar dores por meio de picadas com agulhas muito finas, em regiões específicas do corpo
acusação *s. f.* **1** atribuição de falta ou crime a; incriminação; **2** denúncia; **3** confissão
acusado **I** *s. m.* pessoa que é alvo de acusação; **II** *adj.* **1** incriminado; **2** denunciado; **3** que se acusou
acusador **I** *adj.* que acusa ou incrimina; denunciante; **II** *s. m.* **1** pessoa que acusa; **2** DIR. pessoa que procura demonstrar a um tribunal a responsabilidade de alguém num crime
acusar **I** *v. tr.* **1** atribuir falta ou crime a; incriminar; **2** denunciar; culpar; **II** *v. refl.* declarar-se culpado
acusativo **I** *s. m.* GRAM. (declinação) caso que exprime a função de complemento directo; **II** *adj.* **1** em que há acusação; **2** GRAM. (caso) que exprime a função de complemento directo
acústica *s. f.* **1** ciência que estuda as leis e os fenómenos próprios dos sons; **2** conjunto dos fenómenos que favorecem ou prejudicam a boa audição em determinado lugar
acústico *adj.* relativo ao ouvido ou à audição
acutângulo *adj.* GEOM. que tem todos os ângulos agudos
acutilância *s. f.* qualidade do que é acutilante ou penetrante
acutilante *adj. 2 gén.* agudo; penetrante
A.D. [*abrev. de* Anno **D**omini] Ano do Senhor
adaga *s. f.* arma branca, de lâmina curta e larga, com dois gumes
adágio *s. m.* **1** dito popular; provérbio; **2** MÚS. andamento lento
adaptação *s. f.* **1** acomodação de um organismo às condições de existência; **2** utilização de objecto ou equipamento para um fim diferente daquele a que se destinava; **3** modificação feita numa construção para servir uma nova finalidade; **4** transposição de obra (literária, musical, etc.) para outro género
adaptador *s. m.* **1** ELECTR. dispositivo que serve para ligar peças de máquina, aparelho ou instrumento; **2** INFORM. dispositivo que permite trocar dados entre equipamentos que não têm ligação directa
adaptar **I** *v. tr.* adequar; ajustar; **II** *v. refl.* **1** adequar-se; ajustar-se; **2** integrar-se; ambientar-se

adaptável *adj. 2 gén.* que se pode adaptar; ajustável

adega *s. f.* compartimento subterrâneo onde se guarda vinho; cave

adelgaçante I *adj. 2 gén.* que torna mais fino ou magro; **II** *s. m.* (creme, loção) produto que combate localmente os efeitos da acumulação de gordura

adelgaçar I *v. tr.* **1** tornar fino ou delgado; **2** diminuir; **3** desbastar; **II** *v. refl.* **1** tornar-se fino ou delgado; **2** emagrecer

adenda *s. f.* suplemento; apêndice

adenite *s. f.* MED. inflamação dos gânglios linfáticos

adentro *adv.* em direção à parte interior de; para dentro

adepto *s. m.* pessoa que é partidária de (equipa, doutrina); apoiante

adequação *s. f.* **1** conformidade; adaptação; **2** correspondência; concordância

adequado *adj.* **1** adaptado; ajustado; **2** conveniente; próprio

adequar *v. tr.* **1** adaptar; ajustar; **2** combinar; harmonizar

adereço *s. m.* **1** ornamento; enfeite; **2** [*pl.*] CIN., TEAT. acessórios de vestuário ou de decoração

aderência *s. f.* **1** (de objecto, substância) ligação; união; **2** (de veículo) atrito entre os pneus e o pavimento, que impede o deslizamento

aderente I *adj. 2 gén.* **1** que cola ou adere; **2** que está ligado a; **II** *s. 2 gén.* **1** pessoa que adere; **2** partidário; **3** companheiro; **4** amigo

aderir *v. intr.* **1** colar; unir; **2** (causa, partido) ligar-se a; abraçar

adernar *v. intr.* **1** NÁUT. (navio) inclinar-se sobre um dos lados; **2** NÁUT. (navio) submergir

adesão *s. f.* **1** aceitação dos princípios de (partido, ideologia); **2** concordância; **3** FÍS. atracção entre dois corpos cujas superfícies entram em contacto

adesivo I *s. m.* penso para proteger feridas; **II** *adj.* que adere; que cola

adestramento *s. m.* **1** instrução; **2** treino

adestrar *v. tr.* **1** instruir; ensinar (pessoa); **2** treinar; amestrar (animal)

adeus I *interj.* usada como cumprimento de despedida; **II** *s. m.* despedida; separação

adiamento *s. m.* mudança (de compromisso, evento) para outro dia

adiantado I *adj.* **1** que acontece antes do prazo previsto; antecipado; **2** que está à frente de algo ou de alguém; avançado; **II** *adv.* antes do tempo ou momento previsto

adiantamento *s. m.* **1** (dinheiro) pagamento feito antes de data prevista; **2** vantagem; **3** progresso

adiantar I *v. tr.* **1** mover para diante; **2** fazer progredir; desenvolver; **3** emprestar (dinheiro); **II** *v. intr.* **1** trazer vantagem; valer a pena; **2** progredir; evoluir; **III** *v. refl.* **1** colocar-se à frente de; **2** desenvolver-se; **3** precipitar-se; **4** (relógio) funcionar mais depressa do que o normal ❖ ***não adianta nada*** é inútil

adiante *adv.* **1** (direcção) na frente; **2** (posição) em primeiro lugar; **3** (tempo) no futuro

adiar *v. tr.* transferir (compromisso, evento) para outro dia; protelar

adiável *adj. 2 gén.* que pode ser adiado

adição *s. f.* MAT. operação que consiste em juntar quantidades homogéneas para obter o total; soma

adicional I *adj. 2 gén.* **1** que se acrescenta; **2** complementar; **II** *s. m.* acréscimo; complemento

adicionar *v. tr.* **1** acrescentar; juntar; **2** MAT. somar

adido *s. m.* funcionário de embaixada ou delegação que representa interesses específicos de um governo ou de um país no estrangeiro; ~ ***cultural*** funcionário que representa interesses culturais do seu país no estrangeiro; ~ ***militar*** funcionário que representa interesses militares do seu país no estrangeiro

adipose *s. f.* MED. acumulação excessiva de gordura no corpo; obesidade

adiposidade *s. f.* excesso de gordura; obesidade

adiposo *adj.* gordo; obeso

aditamento *s. m.* **1** acrescento; **2** suplemento

aditivo *s. m.* QUÍM. substância que se adiciona a outra para alterar as suas propriedades; ~ ***alimentar*** substância que se junta a um produto alimentar para melhorar a sua apresentação, intensificar o sabor, etc.

adivinha *s. f.* **1** enigma; **2** mulher que supostamente prediz o futuro

adivinhar *v. tr.* **1** descobrir; **2** pressentir; **3** prever

adivinho *s. m.* pessoa que supostamente prediz o futuro

adjacência *s. f.* **1** proximidade; **2** vizinhança

adjacente *adj. 2 gén.* **1** próximo; junto; **2** vizinho; contíguo

adjectivar *v. tr.* GRAM. dar função de adjectivo a; qualificar

adjectivo *s. m.* GRAM. palavra que acompanha um substantivo, qualificando-o ou determinando-o

adjudicação *s. f.* **1** atribuição (de obra, projecto) por concurso público; concessão; **2** DIR. transferência de bens para alguém

adjudicar *v. tr.* **1** atribuir (execução de obra, projecto) por meio de concurso público; **2** DIR. transferir bens (para alguém)

adjudicatário *s. m.* pessoa a quem algo é adjudicado

adjunto I *s. m.* **1** pessoa que auxilia; assistente; assessor; **2** pessoa que substitui outra; suplente; **II** *adj.* **1** que auxilia; **2** unido; próximo

administração *s. f.* **1** gestão de negócios públicos ou privados; governo; **2** (empresa) gerência; direcção; **3** acto de dar a tomar (medicamento); ~ ***pública*** conjunto dos serviços públicos ligados ao governo ou ao Estado

administrador *s. m.* pessoa responsável pela gestão de bens ou serviços públicos ou privados; gerente

administrar *v. tr.* **1** gerir (negócio, serviço); **2** dar a tomar (medicamento)

administrativo *adj.* relativo a administração

admiração *s. f.* **1** surpresa; **2** consideração; **3** adoração

admirado *adj.* **1** espantado; **2** considerado; **3** adorado

admirador *s. m.* **1** pessoa que admira (algo); apreciador; **2** pessoa que tem grande admiração por uma figura pública; fã

admirar I *v. tr.* **1** espantar; **2** adorar; **II** *v. refl.* ficar surpeendido; espantar-se

admirável *adj. 2 gén.* digno de admiração; notável

admissão *s. f.* **1** (em escola, instituição) entrada; ingresso; **2** aceitação

admissível *adj. 2 gén.* que se pode admitir; aceitável

admitir *v. tr.* **1** receber; acolher; **2** contratar; **3** aceitar; **4** permitir

admoestação *s. f.* **1** advertência; aviso; **2** repreensão; censura

admoestar *v. tr.* **1** advertir; avisar; **2** repreender; censurar

ADN QUÍM. [*sigla de* **á**cido **d**esoxirribo**n**ucleico]

adoçante *s. m.* substância usada para adoçar alimentos em vez de açúcar

adoçar *v. tr.* **1** pôr açúcar ou adoçante em; **2** *(fig.)* suavizar

adocicado *adj.* **1** levemente doce; **2** *(fig.)* afectado

adocicar *v. tr.* pôr um pouco de açúcar ou adoçante em

adoecer *v. intr.* ficar doente

adolescência *s. f.* período final do desenvolvimento humano, entre o início da puberdade e a idade adulta; juventude

adolescente *adj. e s. 2 gén.* jovem

adopção *s. f.* **1** (de criança) perfilhação; **2** (de princípio, ideia) aceitação; **3** (de lei, medida) aprovação

adoptar *v. tr.* **1** perfilhar (uma criança); **2** aceitar (um princípio, uma ideia); **3** aprovar (uma lei ou medida)

adoptivo *adj.* **1** relativo a adopção; **2** (filho, filha) que foi adoptado; perfilhado; **3** (pai, mãe) que adoptou; que perfilhou; ***família adoptiva*** família que recebe uma pessoa por adopção; ***filho ~*** filho de outra pessoa que se toma como próprio por adopção

adoração *s. f.* **1** culto de uma divindade; veneração; **2** *(coloq.)* admiração extrema; paixão

adorar *v. tr.* **1** prestar culto a; venerar; **2** *(coloq.)* gostar muito de; **3** *(coloq.)* amar apaixonadamente

adorável *adj. 2 gén.* que fascina; encantador

adormecer **I** *v. tr.* **1** embalar para fazer dormir; **2** *(fig.)* acalmar; **II** *v. intr.* **1** cair no sono; **2** ficar entorpecido; **3** *(fig.)* abrandar

adormecido *adj.* **1** que adormeceu; **2** entorpecido; dormente; **3** *(fig.)* acalmado

adornar *v. tr.* enfeitar; decorar

adorno *s. m.* enfeite; decoração

adquirir *v. tr.* **1** comprar; **2** conseguir; obter

adrenalina *s. f.* **1** hormona segregada pela medula supra-renal, importante na formação de reacções fisiológicas a estímulos externos; **2** *(coloq.)* energia; força

adriático *adj.* relativo ao mar Adriático

Adriático *s. m.* braço do Mediterrâneo que banha as costas da Itália e da Península Balcânica

adro *s. m.* pátio em frente de igreja; átrio

adstringente *adj. 2 gén.* MED. diz-se de uma substância que provoca contracção da mucosa bucal

adstringir *v. tr.* MED. contrair; encolher (mucosa, músculo)

adstrito *adj.* **1** ligado; unido; **2** obrigado a; **3** encolhido

aduaneiro *adj.* relativo a alfândega

adubar *v. tr.* AGRIC. fertilizar (a terra) com adubo; estrumar

adubo *s. m.* produto para fertilizar a terra; estrume

aduela *s. f.* **1** cada uma das tábuas que forma uma pipa; **2** pedra talhada em cunha, usada na construção de arcos e abóbadas; **3** peça de madeira que forra as ombreiras de portas e janelas

adulação *s. f.* bajulação; lisonja

adular *v. tr.* gabar com interesse próprio; bajular

adulteração *s. f.* **1** alteração das características próprias; **2** falsificação

adulterar **I** *v. tr.* falsificar; viciar; **II** *v. refl.* estragar-se

adultério *s. m.* infidelidade conjugal

adúltero *s. m.* pessoa que comete adultério

adulto **I** *s. m.* **1** pessoa que completou o seu desenvolvimento; **2** pessoa que amadureceu; **II** *adj.* crescido; amadurecido

adunco *adj.* curvo

adurente *s. m.* MED. medicamento que queima

adventício *adj.* **1** inesperado; casual; **2** que vem de fora; exterior; **3** BOT. (órgão vegetal) que nasce fora do lugar habitual; **4** BIOL. que se encontra fora do seu lugar ou da sua época habitual

adverbial *adj. 2 gén.* que tem valor ou função de advérbio

advérbio *s. m.* GRAM. palavra invariável que se junta a verbos, adjectivos e a outros advérbios para exprimir uma circunstância de tempo, modo, lugar, etc.

adversário *adj. e s. m.* rival; opositor

adversativo *adj.* GRAM. que indica oposição; ***conjunção adversativa*** conjunção que liga palavras, orações ou frases de natureza semelhante, estabelecendo contraste ou oposição entre elas

adversidade *s. f.* **1** situação hostil ou desfavorável; contrariedade; **2** infelicidade; infortúnio

adverso *adj.* **1** oposto; contrário; **2** hostil; inimigo

advertência *s. f.* **1** aviso; **2** repreensão; **3** informação

advertido *adj.* **1** avisado; **2** repreendido; **3** prevenido

advertir *v. tr.* **1** avisar; **2** prevenir

advir *v. intr.* **1** acontecer; **2** resultar

advocacia *s. f.* DIR. profissão que consiste em aconselhar pessoas sobre questões jurídicas e representá-las em tribunal

advogado *s. m.* DIR. pessoa formada em Direito e inscrita na Ordem dos Advogados; **~ *de acusação*** advogado que acusa o réu em tribunal; **~ *de defesa*** advogado que defende o réu em tribunal; *(coloq.)* **~ *do diabo*** pessoa que coloca objecções a qualquer opinião ou argumento

advogar **I** *v. tr.* **1** interceder por (alguém); **2** defender; **II** *v. intr.* exercer as funções de advogado

aéreo *adj.* **1** que anda no ar; **2** relativo ao ar; **3** *(fig.)* (pessoa) distraído

aeróbata *s. 2 gén.* pessoa que faz acrobacias aéreas

aeróbica *s. f.* DESP. ginástica para modelar o corpo através de movimentos acompanhados de música

aeroclube *s. m.* **1** centro de formação de pilotos; **2** lugar onde se reúnem pessoas que praticam ou se interessam por desportos aéreos

aerodinâmica *s. f.* estudo do movimento dos sólidos em relação ao ar

aerodinâmico *adj.* relativo à aerodinâmica

aeródromo *s. m.* recinto para descolagem e aterragem de aeronaves

aeroespacial *adj. 2 gén.* relativo ao espaço aéreo

aerofotografia *s. f.* fotografia aérea

aerogare *s. f.* área de aeroporto destinada a serviços ligados ao tráfego e à administração

aerólito *s. m.* meteorito

aeromodelismo *s. m.* construção de aviões em miniatura

aeromodelista *s. 2 gén.* pessoa que se dedica ao aeromodelismo

aeronauta *s. 2 gén.* pessoa que comanda ou tripula uma aeronave

aeronáutica *s. f.* **1** ciência e prática de navegação aérea; **2** MIL. força responsável pela aviação militar e pela defesa do espaço aéreo de um país

aeronave *s. f.* qualquer veículo tripulado que se desloca por ar

aeroplano *s. m.* veículo aéreo mais pesado que o ar; avião

aeroporto *s. m.* local com serviços e instalações destinados ao tráfego aéreo de passageiros e mercadorias

aerossol *s. m.* **1** suspensão de partículas sólidas ou líquidas num gás; **2** dispositivo que permite espalhar essas partículas

aerostática *s. f.* FÍS. estudo das leis do equilíbrio no ar

aerostático *adj.* **1** relativo a aerostática; **2** relativo a aeróstato

aeróstato *s. m.* aparelho que se eleva e desloca no espaço por meio de um gás mais leve do que o ar; balão

aerotransportado *adj.* (força militar) transportado em avião ou helicóptero

aerotransportar *v. tr.* transportar por via aérea

afã *s. m.* **1** fadiga; **2** ânsia

afabilidade *s. f.* delicadeza; cortesia

afagar *v. tr.* acariciar; mimar

afago *s. m.* carícia; mimo

afamado *adj.* famoso; célebre

afamar I *v. tr.* tornar famoso; celebrizar; **II** *v. refl.* ganhar fama; celebrizar-se

afastado *adj.* **1** rejeitado; **2** (lugar) isolado; **3** (facto) antigo

afastamento *s. m.* **1** separação; **2** rejeição; **3** ausência

afastar I *v. tr.* **1** distanciar; **2** rejeitar; **II** *v. refl.* **1** distanciar-se; **2** desviar-se; **3** retirar-se

afável *adj. 2 gén.* **1** delicado; **2** agradável

afazeres *s. m. pl.* tarefas a cumprir; obrigações

afecção *s. f.* MED. perturbação fisiológica ou psíquica

afectação *s. f.* **1** falta de naturalidade; **2** presunção

afectado *adj.* **1** pouco natural; artificial; **2** pedante

afectar *v. tr.* **1** influenciar; **2** atingir; **3** fingir

afectividade *s. f.* **1** capacidade para experimentar sentimentos e emoções; **2** laço afectivo; amizade

afectivo *adj.* **1** (relação, problema) que envolve afecto; **2** (gesto, linguagem) que revela afeição; afectuoso

afecto I *s. m.* **1** carinho; **2** amizade; **II** *adj.* atribuído; destinado

afectuoso *adj.* carinhoso; meigo

afegane I *s. 2 gén.* pessoa natural do Afeganistão; **II** *s. m.* **1** língua falada no Afeganistão; **2** unidade monetária do Afeganistão; **III** *adj. 2 gén.* relativo ao Afeganistão

afegani *s. m.* unidade monetária do Afeganistão

afeição *s. f.* ligação afectiva; afecto

afeiçoar I *v. tr.* adaptar; **II** *v. refl.* **1** moldar-se; **2** adaptar-se; **3** ligar-se afectivamente

afeito *adj.* habituado; acostumado

afélio *s. m.* ASTRON. ponto da órbita de um planeta que fica mais distante do Sol

aferição *s. f.* **1** avaliação; **2** comparação

aferido *adj.* **1** avaliado; **2** comparado

aferidor *s. m.* **1** instrumento para aferir; **2** termo de comparação

aferir *v. tr.* **1** avaliar; **2** comparar

aferrar I *v. tr.* prender; segurar; **II** *v. refl.* **1** agarrar-se; **2** (*fig.*) apegar-se obstinadamente a (ideia, princípio)

aferro *s. m.* teima; obstinação

aferroar *v. tr.* **1** picar; **2** provocar

afiado *adj.* **1** (objecto cortante, lápis) aguçado; **2** (*fig.*) (pessoa) irritado

afiador *s. m.* **1** instrumento usado para afiar objectos cortantes; **2** apara-lápis; aguça

afiançar *v. tr.* **1** responsabilizar-se por; **2** garantir; assegurar

afiar *v. tr.* aguçar (objecto cortante, lápis)

aficionado *s. m.* pessoa que é entusiasta de (actividade, desporto); fã

afigurar I *v. tr.* **1** representar; **2** imaginar; **II** *v. refl.* parecer-se; assemelhar-se

afilhado *s. m.* **1** pessoa em relação ao padrinho e/ou à madrinha; **2** *(fig.)* protegido
afiliado *s. m.* pessoa que se filiou (em grupo ou corporação); associado
afiliar I *v. tr.* admitir em (grupo, corporação); **II** *v. refl.* associar-se a
afim I *adj. 2 gén.* **1** semelhante; **2** próximo; **II** *s. 2 gén.* parente por afinidade
afinação *s. f.* **1** *(téc.)* regulação; ajuste; **2** apuro; cuidado; **3** MÚS. ajuste do tom de um instrumento ao tom de outro ou de uma voz; **4** MÚS. harmonia entre todas as notas de um instrumento
afinal *adv.* por fim; finalmente; **~ *de contas*** em conclusão; concluindo
afinar *v. tr.* **1** *(téc.)* ajustar (peça, motor); **2** MÚS. harmonizar (instrumentos, vozes); **3** tornar (mais) fino; adelgaçar
afinco *s. m.* **1** perseverança; **2** empenho
afinidade *s. f.* **1** parentesco por casamento; **2** coincidência de gostos ou de interesses; **3** semelhança
afirmação *s. f.* **1** proposição; declaração; **2** acto de dizer que sim; **3** confirmação; prova; **4** PSIC. necessidade de uma pessoa se fazer aceitar pelos outros
afirmar I *v. tr.* **1** declarar; **2** assegurar; **3** dizer sim; **II** *v. refl.* (pessoa) impor a própria vontade, opinião, etc.
afirmativa *s. f.* resposta positiva; confirmação
afirmativo *adj.* **1** que afirma; **2** concordante; **3** seguro
afixação *s. f.* **1** acto de afixar ou prender; **2** colagem (de cartaz ou aviso) em lugar público
afixar *v. tr.* **1** prender; segurar; **2** colar (cartaz, aviso) em lugar público
aflautado *adj.* **1** (som) semelhante ao timbre da flauta; **2** (voz) agudo; esganiçado
aflição *s. f.* **1** sofrimento; dor; **2** angústia; preocupação
afligir *v. tr. e refl.* preocupar(-se); angustiar(-se)
aflito *adj.* **1** preocupado; **2** ansioso; **3** *(coloq.)* com vontade de urinar ou defecar
aflorar I *v. tr.* **1** nivelar (uma superfície); **2** abordar (assunto, questão); **II** *v. intr.* manifestar-se; surgir
afluência *s. f.* **1** (de pessoas, veículos) enchente; **2** (de coisas, palavras) abundância
afluente *s. m.* rio que desagua noutro
afluir *v. intr.* **1** (rio) desaguar em; **2** (pessoas, veículos) concentrar-se em
afluxo *s. m.* **1** (de pessoas, veículos) grande quantidade; enchente; **2** (de sangue) fluxo; corrente
afogadilho *s. m.* pressa; precipitação ❖ ***de ~*** com muita pressa
afogado *adj.* **1** que se afogou; **2** sufocado; asfixiado
afogamento *s. m.* **1** morte por submersão; **2** sufocação; asfixia
afogar I *v. tr.* **1** matar por submersão; **2** sufocar; asfixiar; **II** *v. refl.* morrer por submersão
afogueado *adj.* **1** ardente; escaldante; **2** muito corado
afoito *adj.* ousado; corajoso
afolhamento *s. m.* AGRIC. divisão de terreno em folhas (ou lotes) para alternar as culturas
afonia *s. f.* MED. perda total ou parcial da voz
afónico *adj.* MED. que não tem voz
afonsino *adj.* **1** muito antigo; **2** antiquado ❖ ***nos tempos afonsinos*** antigamente
aforismo *s. m.* máxima; ditado
aforro *s. m.* **1** liberdade; **2** poupança

afortunado *adj.* **1** feliz; **2** sortudo
afortunar *v. tr. e refl.* tornar(-se) feliz
africano I *s. m.* {*f.* africana} pessoa natural de África; **II** *adj.* relativo a África
afrodisíaco *adj. e s. m.* que ou substância que estimula o desejo sexual
afronta *s. f.* ofensa; injúria
afrontado *adj.* **1** ofendido; insultado; **2** MED. que sofre de má digestão; enjoado
afrontar *v. tr.* **1** colocar frente a frente; confrontar; **2** encarar de frente; enfrentar; **3** ofender
afrouxar I *v. tr.* **1** diminuir o rigor de (normas, princípios); **2** relaxar (músculos); **3** diminuir (velocidade); **4** atenuar (dor); **II** *v. refl.* **1** tornar-se relaxado; **2** descuidar-se
afta *s. f.* MED. pequena ferida que se forma sobretudo na mucosa da boca
aftershave *s. m.* {*pl.* aftershaves} loção para aplicar na pele depois de fazer a barba
afugentar *v. tr.* expulsar; enxotar
afundar I *v. tr.* submergir (embarcação); **II** *v. refl.* **1** (embarcação) ir ao fundo; **2** (*fig.*) (projecto) fracassar
afunilado *adj.* **1** em forma de funil; **2** estreito; **3** pontiagudo
Ag QUÍM. [*símbolo de* **prata**]
agachar *v. tr. e refl.* **1** abaixar(-se); **2** esconder(-se)
agarrado I *adj.* **1** muito unido; ligado; **2** avarento; sovina; **II** *s. m.* pessoa que não gosta de gastar dinheiro; avarento; sovina
agarrar I *v. tr.* **1** apanhar; segurar; **2** aproveitar; **II** *v. refl.* **1** segurar-se; **2** unir-se ❖ ~ ***com unhas e dentes*** não perder a oportunidade
agasalhar I *v. tr.* **1** cobrir (com agasalho); **2** receber; hospedar; **II** *v. refl.* **1** cobrir-se (com agasalho); **2** abrigar-se (da chuva, do vento)
agasalho *s. m.* **1** roupa que protege da chuva ou do frio; **2** abrigo; protecção
agastado *adj.* **1** irritado; **2** zangado
ágata *s. f.* MIN. variedade de pedra de diversas cores, usada no fabrico de jóias
agência *s. f.* **1** função ou escritório de agente; **2** empresa especializada na prestação de serviços; **3** sucursal de banco, firma, repartição pública etc.; ~ ***funerária*** empresa comercial que se dedica a realizar funerais; ~ ***noticiosa*** empresa que elabora e fornece regularmente informações jornalísticas para órgãos de comunicação (jornais, televisão, rádio); ~ ***de publicidade*** empresa que se dedica à organização, execução, distribuição e controlo de campanhas de publicidade dos seus clientes; ~ ***de viagens*** empresa que organiza excursões e programas turísticos e presta serviços relacionados (guias, alojamento, transporte)
agenda *s. f.* **1** livro onde se registam os compromissos diários; **2** (reunião) ordem de trabalhos; INFORM. ~ ***electrónica*** dispositivo portátil ou programa de computador que permite registar os compromissos diários e outras informações úteis
agendamento *s. m.* **1** registo (de compromisso ou data) na agenda; **2** inclusão de um assunto para discussão (numa reunião)
agendar *v. tr.* **1** registar (compromisso, data) na agenda; **2** incluir (um assunto) na ordem de trabalhos
agente I *s. m.* **1** o que pratica uma acção; **2** causa; motivo; **3** QUÍM. princípio activo; **4** LING. aquele que executa a acção expressa pelo verbo; sujeito; **5** MED. produto ou substância capaz de produzir um efeito;

II *s. 2 gén.* **1** pessoa que trata de negócios alheios; representante; **2** membro de força policial; polícia; III *adj. 2 gén.* que actua; ***agentes atmosféricos*** fenómenos atmosféricos (chuvas, ventos, etc.) que provocam processos de erosão; ~ ***patogénico*** substância ou elemento externo capaz de produzir um estado mórbido; ~ ***secreto*** pessoa encarregada (por um governo ou por uma organização) de uma missão de espionagem, espião; ~ ***transmissor*** organismo responsável pela propagação das doenças, actuando como condutor ou como hospedeiro

ágil *adj. 2 gén.* **1** ligeiro; veloz; **2** desembaraçado; rápido

agilidade *s. f.* **1** destreza; **2** desembaraço; **3** *(fig.)* vivacidade

agilizar *v. tr. e refl.* **1** tornar(-se) mais ágil; **2** tornar(-se) mais rápido

agiota *adj. e s. 2 gén.* que ou pessoa que se dedica à especulação financeira

agiotagem *s. f.* especulação que procura obter lucro com as oscilações de preços de moedas, títulos de crédito e mercadorias

agiotar *v. intr.* praticar agiotagem; especular

agir *v. intr.* **1** proceder; actuar; **2** comportar-se

agitação *s. f.* **1** movimento; **2** alvoroço; **3** *(fig.)* (de pessoa) inquietação

agitado *adj.* **1** que se movimenta muito; **2** (mar) com muita ondulação; **3** *(fig.)* (pessoa) inquieto

agitador *s. m.* pessoa que provoca agitação (social, política, etc.)

agitar I *v. tr.* **1** sacudir (algo); **2** incitar à revolta; **3** *(fig.)* perturbar (alguém); II *v. refl.* **1** mover-se; **2** perturbar-se; inquietar-se

aglomeração *s. f.* **1** (de coisas) amontoado; **2** (de pessoas) ajuntamento

aglomerado I *s. m.* **1** concentração de pessoas ou de coisas; **2** mistura de fragmentos (de pedra, madeira, cortiça, etc.) ligados, compondo blocos que são usados em construção; argamassa; **3** material de construção composto por peças planas de madeira; **4** GEOL. massa rochosa formada de fragmentos de outras rochas; II *adj.* reunido; acumulado

aglomerar I *v. tr.* **1** reunir; juntar; **2** amontoar; II *v. refl.* reunir-se; juntar-se

aglutinação *s. f.* **1** junção; ligação; **2** LING. processo de formação de palavras, em que duas ou mais se fundem numa só; **3** MED. processo de aderência de tecidos

aglutinar *v. tr.* **1** colar; ligar; **2** LING. juntar duas ou mais palavras para formar um todo significativo; **3** MED. unir tecidos orgânicos

agnosticismo *s. m.* FIL. doutrina que defende a impossibilidade de se alcançar um conhecimento absoluto de determinados problemas (metafísicos)

agnóstico I *adj.* **1** relativo ao agnosticismo; **2** (pessoa) que defende o agnosticismo; II *s. m.* partidário do agnosticismo

agoirar *v. tr. e intr.* vd. **agourar**

agoirento *adj.* vd. **agourento**

agoiro *s. m.* vd. **agouro**

agonia *s. f.* **1** período que antecede a morte; **2** sofrimento; **3** *(coloq.)* enjoo

agoniado *adj.* **1** angustiado; aflito; **2** *(coloq.)* enjoado

agoniar I *v. tr.* **1** afligir; **2** *(coloq.)* provocar enjoo; II *v. refl.* **1** afligir-se; **2** *(coloq.)* sentir enjoo

agonizante I *s. 2 gén.* pessoa que está a morrer; moribundo; II *adj. 2 gén.* **1** que está a morrer; **2** aflitivo

agonizar I *v. tr.* causar aflição; atormentar; II *v. intr.* 1 estar a morrer; 2 sofrer

agora *adv.* 1 neste momento; neste instante; 2 hoje em dia; actualmente; 3 de hoje em diante; doravante; ~ ***mesmo*** há muito pouco tempo; há instantes; ~ ***ou nunca*** neste momento ou jamais; ***de ~ em diante*** daqui para a frente; futuramente; ***por ~*** para já; por enquanto

Agosto *s. m.* oitavo mês do ano civil, com trinta e um dias

agourar *v. tr. e intr.* 1 prever (algo); pressagiar; 2 ser sinal de; augurar

agourento *adj.* 1 que anuncia desgraça(s); 2 supersticioso

agouro *s. m.* 1 presságio baseado na observação de factos ou de objectos; 2 profecia; 3 sinal de coisa negativa

agraciado *adj.* que recebeu título ou distinção; condecorado

agraciar *v. tr.* conceder título ou galardão; condecorar

agradar *v. intr.* 1 ser agradável; 2 satisfazer

agradável *adj. 2 gén.* 1 que agrada; 2 amável

agradecer *v. tr.* 1 manifestar gratidão; 2 retribuir

agradecido *adj.* grato; reconhecido

agradecimento *s. m.* 1 manifestação de gratidão por (um favor); 2 gesto ou palavra com que se agradece; 3 reconhecimento

agrado *s. m.* 1 prazer; satisfação; 2 consentimento; aprovação

agrafador *s. m.* aparelho manual para agrafar (papel, etc.)

agrafar *v. tr.* prender com agrafo

agrafo *s. m.* 1 grampo metálico, curvo nas pontas, que serve para prender folhas de papel; 2 MED. pequena lâmina de metal usada para unir as partes de uma ferida

agrário *adj.* 1 relativo ao campo; rural; 2 relativo à agricultura

agravado *adj.* 1 que se tornou pior ou mais grave; 2 que aumentou; exacerbado

agravamento *s. m.* 1 acto ou efeito de (se) agravar; 2 aumento de intensidade (de doença, conflito, etc.)

agravante I *s. f.* circunstância que torna mais grave; II *adj. 2 gén.* que agrava; que piora

agravar I *v. tr.* 1 tornar mais grave; piorar; 2 aumentar; II *v. refl.* 1 tornar-se mais grave; ficar pior; 2 intensificar-se

agravo *s. m.* 1 ofensa; insulto; 2 DIR. recurso

agredir *v. tr.* 1 atacar; 2 bater em; 3 insultar

agregação *s. f.* reunião em grupo; aglomeração

agregado *s. m.* 1 conjunto; grupo; 2 material granuloso cujas partículas são ligadas por um aglutinante; ~ ***familiar*** conjunto de pessoas da mesma família que habitam juntas

agregar *v. tr.* 1 acrescentar; 2 reunir; juntar

agremiação *s. f.* grupo de pessoas; associação

agressão *s. f.* 1 ataque físico ou moral; 2 insulto; 3 provocação

agressividade *s. f.* 1 qualidade de agressivo; 2 tendência ou disposição para agredir; 3 combatividade

agressivo *adj.* 1 que envolve agressão; 2 hostil; 3 combativo

agressor *s. m.* pessoa que agride; atacante

agreste *adj.* 1 rústico; 2 grosseiro; 3 (clima) rigoroso

agrião *s. m.* BOT. planta herbácea com folhas de sabor acre, muito usada em sopas e saladas

agrícola *adj. 2 gén.* relativo à agricultura

agricultor *s. m.* pessoa que se dedica à agricultura

agricultura *s. f.* actividade de cultivo da terra; lavoura

agridoce *adj. 2 gén.* que é amargo e doce ao mesmo tempo

agrilhoar *v. tr.* **1** prender; acorrentar; **2** *(fig.)* oprimir

agrimensor *s. m.* **1** aquele que mede terrenos; **2** instrumento usado para medir terrenos

agronomia *s. f.* ciência que se dedica ao estudo da agricultura

agrónomo *s. m.* especialista em agronomia

agro-pecuária *s. f.* estudo do desenvolvimento e das relações mútuas da agricultura e da pecuária

agro-pecuário *adj.* relativo à agropecuária

agrupado *adj.* reunido em grupo; ligado

agrupamento *s. m.* **1** acção de agrupar; **2** grupo

agrupar *v. tr.* reunir em grupos

água *s. f.* **1** líquido incolor e transparente, insípido e inodoro, composto de hidrogénio e oxigénio, de fórmula química H_2O; **2** parte líquida que cobre grande parte da superfície terrestre, sob a forma de lagos, rios e mares; **3** qualquer secreção orgânica aquosa (suor, saliva, urina, etc.); **4** [*pl.*] líquido amniótico; ~ ***destilada*** água sem sais minerais, obtida por destilação; ~ ***doce*** água de rio, lago ou nascente, que não contém cloreto de sódio, em oposição à água do mar (salgada); ~ ***mineral*** água natural com elevada percentagem de substâncias minerais em dissolução, utilizada para fins terapêuticos; ~ ***potável*** água própria para se beber; ***águas residuais*** líquido de despejo que, num processo industrial, se forma na última fase de uso da água; ***águas territoriais*** extensão de mar sobre a qual cada Estado exerce a sua soberania ❖ ***dar ~ pela barba*** ser difícil ou penoso; ***deitar ~ na fervura*** acalmar os ânimos; *(coloq.)* ***ficar em águas de bacalhau*** fracassar; ***ir por ~ abaixo*** fracassar; ***levar a ~ ao seu moinho*** alcançar o(s) seu(s) objectivo(s); ***trazer ~ no bico*** ter uma intenção oculta; *(pop.)* ***verter águas*** urinar

aguaceiro *s. m.* chuva forte e passageira

água-de-colónia *s. f.* {*pl.* águas-de--colónia} solução aromática preparada com álcool, água e essências perfumadas

aguado *adj.* **1** misturado com água; **2** diluído

água-forte *s. f.* {*pl.* águas-fortes} **1** QUÍM. solução de ácido nítrico e água; **2** desenho obtido com chapa gravada por meio do ácido nítrico

água-marinha *s. f.* {*pl.* águas-marinhas} MIN. pedra semipreciosa, dura, transparente e brilhante, de cor verde-azulada

água-oxigenada *s. f.* {*pl.* águas-oxigenadas} QUÍM. peróxido de hidrogénio, usado para desinfectar feridas

água-pé *s. f.* {*pl.* água-pés} **1** bebida com baixo teor de álcool que se prepara deitando água no bagaço das uvas, depois de espremido; **2** *(pop.)* vinho de má qualidade

aguar I *v. tr.* **1** dissolver em água; **2** molhar; **3** adulterar (vinho, leite); **II** *v. intr. (coloq.)* salivar

aguardar *v. tr. e intr.* esperar

aguardente *s. f.* bebida alcoólica que se obtém da destilação do vinho ou do seu bagaço e de cereais, frutos e sementes, depois de fermentados

aguarela *s. f.* **1** tinta diluída em água, cuja aplicação resulta em tons transparentes; **2** técnica de pintura com esta tinta; **3** pintura feita com esta tinta

aguarrás *s. f. 2 núm.* essência de terebintina, usada como diluente

águas-furtadas *s. f. pl.* último andar de um edifício, com janelas sobre o telhado

aguça *s. m.* instrumento para aguçar lápis; apara-lápis

aguçado *adj.* **1** (lápis) afiado; **2** *(fig.)* (comentário) mordaz; **3** *(fig.)* (sentido) apurado

aguçar *v. tr.* **1** afiar (lápis, lâmina, etc.); **2** *(fig.)* incitar; estimular

agudo *adj.* **1** (objecto) que termina em ponta; afiado; bicudo; **2** (doença) que apresenta evolução rápida; **3** (dor) intenso; **4** (som) com frequência elevada; alto; **5** GRAM. (palavra) que tem acento tónico na última sílaba; **6** GRAM. (acento) que indica som vocálico tónico, geralmente aberto; **7** *(fig.)* (sentido) perspicaz; apurado; **8** *(fig.)* (comentário) irónico; mordaz

aguentar I *v. tr. e intr.* **1** apoiar; sustentar; **2** *(fig.)* suportar; tolerar; **II** *v. refl.* **1** equilibrar-se; **2** manter-se

aguerrido *adj.* **1** exaltado; **2** destemido

águia *s. f.* ZOOL. ave de rapina, diurna, de grande porte, com grande acuidade visual e capacidade de voo

agulha *s. f.* **1** pequena haste de metal pontiaguda e furada numa das extremidades, usada para costura; **2** pequena vareta de aço, madeira ou outro material, cortada numa das extremidades, usada para tricotar; **3** (caminhos-de-ferro) parte móvel e afilada do trilho que permite desviar um comboio de uma linha para outra; **4** lâmina magnética de bússola; **5** ponteiro de relógio ❖ ***procurar uma ~ num palheiro*** procurar uma coisa (quase) impossível de encontrar

agulhão *s. m.* NÁUT. pequena bússola de navegação

ah *interj.* exprime admiração, alegria, espanto ou lamento

Ah FÍS. [*símbolo de* **ampere-hora**]

ai I *interj.* exprime dor ou alegria; **II** *s. m.* grito de dor ou de alegria

aí *adv.* **1** nesse lugar; lá; ali; **2** nessa ocasião; nesse momento; **3** cerca de; aproximadamente; **4** então; nesse caso

aiatola *s. m.* RELIG. líder islâmico

ai-jesus I *s. m. 2 núm. (pop.)* o mais querido; o predilecto; **II** *interj.* exprime aflição

aikido *s. m.* DESP. vd. **aiquidô**

aileron *s. m.* {*pl.* ailerons} **1** cada um dos painéis articulados das asas de um avião, que permitem controlar a inclinação lateral do aparelho; **2** painel fixo colocado na parte de trás de um automóvel, que favorece a sua estabilidade

ainda *adv.* **1** até este momento; até agora; **2** até esse momento; até então; **3** agora mesmo; **4** um dia; no futuro; **5** além disso; mais; ***~ agora*** há muito pouco tempo; ***~ assim*** de qualquer forma; seja como for; ***~ bem*** tanto melhor; felizmente; ***~ mais*** sobretudo; ***~ que*** mesmo que; ***mas ~ assim*** mesmo assim; apesar disso

aipo *s. m.* BOT. planta herbácea, com um caule grosso e suculento, usado em culinária

aiquidô *s. m.* DESP. arte marcial japonesa cujo objectivo é neutralizar o adversário através de movimentos de rotação do corpo e da aplicação de chaves e torções às articulações do oponente

airbag *s. m.* {*pl.* airbags} almofada insuflável, frontal ou lateral, accionada por sensores colocados estrategicamente num automóvel, para proteger o condutor e os passageiros em situação de embate

airbus *s. m.* {*pl.* airbuses} avião para transporte de passageiros

airosidade *s. f.* elegância; graça

airoso *adj.* **1** (pessoa) elegante; **2** (local) luminoso

ajantarado *adj.* (lanche) servido mais tarde do que a hora habitual, para suprimir o jantar

ajardinado *adj.* semelhante a jardim

ajardinar *v. tr.* transformar em jardim

ajeitar I *v. tr.* arranjar; organizar; **II** *v. refl.* **1** arranjar-se; **2** instalar-se

ajoelhado *adj.* **1** posto de joelhos; **2** (*fig.*) humilhado

ajoelhar *v. refl.* **1** pôr-se de joelhos; **2** (*fig.*) humilhar-se

ajuda *s. f.* **1** auxílio; apoio; **2** (dinheiro) subsídio; ***ajudas de custo*** quantia paga a um funcionário por despesas de representação ao serviço de uma empresa, que abrange geralmente alojamento, refeições e deslocação

ajudante *s. 2 gén.* **1** pessoa que ajuda; **2** pessoa que trabalha sob as ordens de outra; auxiliar

ajudar *v. tr.* auxiliar; socorrer

ajuizado *adj.* sensato; prudente

ajuntamento *s. m.* grupo; multidão

ajustado *adj.* **1** que está de acordo; adaptado; **2** combinado; acordado

ajustar I *v. tr.* **1** adaptar; harmonizar; **2** afinar (máquina); **3** combinar (data, negócio); **4** acertar (contas); liquidar (dívida); **II** *v. refl.* **1** adaptar-se; **2** preparar-se; (*fig.*) ***~ contas com alguém*** castigar alguém ou pedir contas por uma ofensa; vingar-se

ajuste *s. m.* **1** adaptação; **2** (máquina) afinação; **3** combinação; acordo; **4** liquidação (de dívida); acerto (de contas); (*fig.*) ***~ de contas*** vingança; represália

Al QUÍM. [*símbolo de* **alumínio**]

ala *s. f.* **1** fila; fileira; **2** ARQ. corpo lateral de edifício; **3** MIL. metade de um batalhão; **4** sector de um determinado grupo; **5** DESP. cada um dos lados da linha de ataque, em jogos de equipa; ***abrir alas*** formar filas de modo a permitir passagem

alabastro *s. m.* pedra de gesso pouco dura, muito branca, utilizada em escultura

alado *adj.* **1** que tem asas; que voa; **2** leve; ligeiro

alagado *adj.* encharcado; inundado

alagar I *v. tr.* **1** encharcar; inundar; **2** deitar abaixo; demolir; **II** *v. refl.* **1** inundar-se; **2** desmoronar-se

alamar *s. m.* cordão de seda, lã ou metal, que forma uma presilha na parte da frente de uma peça de vestuário

alambazar-se *v. refl.* comer demasiado; empanturrar-se

alambique *s. m.* aparelho próprio para fazer destilação

alameda *s. f.* avenida ladeada por árvores

álamo *s. m.* BOT. árvore ornamental com flores pequenas e casca rugosa, que fornece madeira clara e leve

alapar I *v. tr.* esconder; ocultar; **II** *v. refl.* **1** esconder-se; **2** (*coloq.*) sentar-se; instalar-se

alar I *v. tr.* **1** levantar; erguer; **2** içar (bandeira); **II** *v. refl.* erguer-se

alarde *s. m.* **1** aparato; **2** vaidade; ***fazer ~ de*** gabar-se de

alargamento *s. m.* **1** ampliação; aumento; **2** dilatação; **3** prolongamento

alargar I *v. tr.* **1** tornar (mais) largo; soltar; **2** aumentar; expandir; **3** prolongar (prazo); **4** afrouxar; desapertar; **II** *v. intr.* (tecido) esticar; **III** *v. refl.* (orador, discurso) estender-se; prolongar-se
alarido *s. m.* **1** gritaria; algazarra; **2** lamúria; choradeira
alarmante *adj. 2 gén.* **1** preocupante; inquietante; **2** assustador
alarmar *v. tr. e refl.* **1** preocupar(-se); **2** assustar(-se)
alarme *s. m.* **1** sinal de perigo; alerta; **2** sobressalto; susto; **3** gritaria; ***falso ~*** aviso de perigo ou anúncio de notícia que não se concretiza
alarmismo *s. m.* **1** tendência para exagerar os aspectos perigosos de uma situação; **2** propensão para se assustar ou preocupar demasiado
alarmista *adj. e s. 2 gén.* **1** que ou pessoa que exagera os aspectos perigosos de uma situação; **2** que ou pessoa que se preocupa demasiado
alarve *adj. e s. 2 gén.* **1** que ou pessoa que come demasiado; **2** que ou pessoa que é grosseira
alastramento *s. m.* propagação; difusão
alastrar I *v. tr.* **1** espalhar; **2** difundir; **II** *v. intr.* (fogo) alastrar; **III** *v. refl.* (doença) propagar-se
alaúde *s. m.* MÚS. antigo instrumento de cordas, com a parte de trás curva, tampo plano com uma abertura redonda e braço largo
alavanca *s. f.* **1** barra de material resistente, apoiada num ponto fixo, usada para deslocar ou erguer qualquer objecto pesado; **2** peça que acciona um mecanismo; **3** *(fig.)* meio para alcançar um fim; expediente; AERON. ***~ de comando*** dispositivo situado na extremidade inferior de um avião que tem a finalidade de controlar a direcção do aparelho; (automóvel) ***~ de velocidades*** barra vertical apoiada num ponto fixo e com uma extremidade móvel utilizada pelo condutor para controlar o movimento do veículo
alavancar *v. tr.* promover; estimular
alazão *adj.* ZOOL. (cavalo) que tem o pêlo cor de canela
alba *s. f.* **1** primeira luz da manhã; aurora; **2** (de sacerdote) túnica de linho
albanês I *s. m.* {*f.* albanesa} **1** pessoa natural da Albânia; **2** língua falada na Albânia; **II** *adj.* relativo à Albânia
albarda *s. f.* sela própria para animais de carga
albardar *v. tr.* pôr albarda a (animal)
albarrã *s. f.* **1** ARQ. torre fortificada em castelo ou muralha; **2** BOT. cebola silvestre
albatroz *s. m.* ZOOL. ave marinha de cor branca e asas muito compridas
albergar I *v. tr.* **1** hospedar; **2** conter; **II** *v. refl.* hospedar-se
albergaria *s. f.* hospedaria; estalagem
albergue *s. m.* **1** lugar próprio para hospedagem; pousada; **2** lugar onde se recolhem pessoas necessitadas; asilo
alberguista I *adj.* relativo a albergue; **II** *s. 2 gén.* pessoa que pernoita em Pousadas de Juventude; ***cartão de ~*** cartão internacional com validade de um ano, que permite pernoitar nas Pousadas de Juventude
albinismo *s. m.* MED. anomalia congénita que consiste na diminuição ou falta total de pigmento em zonas superficiais do corpo
albino *adj. e s. m.* que ou aquele que apresenta albinismo
albufeira *s. f.* **1** lagoa formada pelo mar e suas marés; **2** lago artificial criado por barragem; represa

álbum *s. m.* **1** livro de folhas soltas ou encadernado, com bolsas de plástico, para coleccionar e proteger fotografias, selos, postais, moedas, etc.; **2** livro com ilustrações legendadas e textos breves com informações turísticas, geográficas, etc.; **3** gravação de temas musicais, geralmente apresentada num único disco

albume *s. m.* clara de ovo

albumina *s. f.* BIOL. cada uma das proteínas solúveis na água, existentes nos organismos animais e vegetais

alça *s. f.* **1** tira que segura algumas peças de vestuário pelos ombros; suspensório; **2** asa que permite levantar um objecto; pega

alcachofra *s. f.* BOT. planta herbácea utilizada em medicina e em culinária

alcáçova *s. f.* castelo fortificado; fortaleza

alçada *s. f.* **1** jurisdição; competência; **2** área de actuação

alçado I *s. m.* **1** projecção vertical de um objecto; **2** ARQ. desenho da fachada de um edifício; **3** TIP. operação de secagem e ordenação das folhas de um livro para serem dobradas e encadernadas; **II** *adj.* erguido; alteado

alcali *s. m.* **1** QUÍM. hidróxido dos metais alcalinos; **2** QUÍM. substância com características de base

alcalino *adj.* **1** QUÍM. que reage com ácidos para formar sais; básico; **2** QUÍM. que tem pH maior que 7

alcalóide *s. m.* QUÍM. substância orgânica azotada, com propriedades alcalinas; estupefaciente

alcançar *v. tr.* **1** chegar perto de (alguém); **2** apanhar (objecto); **3** atingir (objectivo); **4** (*fig.*) perceber

alcançável *adj. 2 gén.* que pode ser alcançado; atingível

alcance *s. m.* **1** conquista; obtenção; **2** (de tiro, visão) distância; **3** (*fig.*) compreensão; **4** (*fig.*) importância; **5** (*fig.*) intenção

alcantil *s. m.* rocha escarpada; despenhadeiro

alçapão *s. m.* **1** abertura no soalho, com tampa levadiça; **2** armadilha

alcaparra *s. f.* **1** BOT. arbusto com propriedades medicinais, cujo botão floral é utilizado em culinária; alcaparreira; **2** BOT. fruto verde da alcaparreira, aromático, conservado em vinagre e usado como condimento

alçar I *v. tr.* **1** elevar; erguer; **2** içar (bandeira); **3** construir; **II** *v. refl.* **1** erguer-se; **2** destacar-se; sobressair

alcateia *s. f.* bando de lobos

alcatifa *s. f.* tapete de lã, fibra ou outro material, com que se reveste totalmente o pavimento

alcatifar *v. tr.* cobrir um pavimento com alcatifa

alcatrão *s. m.* substância escura, de aspecto líquido e cheiro forte, usada no revestimento de pavimentos; asfalto

alcatroado *adj.* (pavimento) revestido com alcatrão; asfaltado

alcatroar *v. tr.* revestir com alcatrão; asfaltar

alcatruz *s. m.* cada um dos vasos que elevam a água na nora

alce *s. m.* ZOOL. grande veado com chifres largos, espalmados e recortados, oriundo dos países nórdicos

alcofa *s. f.* berço com ou sem rodas para transportar crianças de colo

álcool *s. m.* **1** QUÍM. nome genérico dos compostos orgânicos cuja fórmula se pode obter da de um hidrocarboneto, por substituição de um ou mais átomos de hidrogénio por igual número de grupos OH; **2** líquido incolor volátil e inflamável, obtido da destilação de substâncias açucaradas ou farináceas, utilizado na composição de bebidas (vinho, cerveja, etc.); **3** bebida espirituosa; ~ ***absoluto*** álcool quimicamente puro, que não contém água; ~ ***canforado*** solução aquosa de cânfora usada como desinfectante em aplicações locais; ~ ***desnaturado*** álcool etílico alterado com aditivo que o torna impróprio para a produção de bebidas, servindo apenas para queimar (como combustível) ou para fins industriais; ~ ***etílico*** substância obtida da fermentação de açúcares, usada em bebidas (cerveja, vinho, etc.) e perfumaria; etanol

alcoólatra *s. 2 gén.* pessoa viciada na ingestão de bebidas alcoólicas

alcoolemia *s. f.* MED. presença de álcool no sangue

alcoolémia *s. f.* MED. vd. **alcoolemia**

alcoólico I *s. m.* pessoa viciada na ingestão de bebidas alcoólicas; alcoólatra; **II** *adj.* **1** que contém álcool; **2** que é viciado em bebidas alcoólicas

alcoolismo *s. m.* MED. estado patológico causado pelo abuso de bebidas alcoólicas

alcoolizado *adj.* **1** misturado com álcool; **2** embriagado; bêbedo

alcoolizar I *v. tr.* **1** juntar álcool a; **2** embebedar; **II** *v. refl.* embebedar-se

Alcorão *s. m.* **1** RELIG. livro sagrado dos muçulmanos, que contém as revelações feitas por Alá ao profeta Maomé; **2** RELIG. religião muçulmana; islamismo

alcova *s. f.* pequeno quarto interior de dormir

alcovitar I *v. tr.* servir de intermediário em relações amorosas; **II** *v. intr.* fazer intrigas

alcoviteiro I *s. m.* **1** pessoa que serve de intermediário em relações amorosas; **2** pessoa que faz mexericos; **II** *adj.* **1** casamenteiro; **2** mexeriqueiro

alcunha *s. f.* nome ou apelido depreciativo

aldeamento *s. m.* **1** disposição de casas em aldeia; **2** conjunto de casas ou blocos de apartamentos com acesso a serviços de hotelaria para fins turísticos

aldeão I *s. m.* natural ou habitante de uma aldeia; camponês; **II** *adj.* camponês; rústico

aldeia *s. f.* povoação de pequenas dimensões, menor do que uma vila; povoado ❖ ***dividir/repartir o mal pelas aldeias*** partilhar tarefas difíceis ou responsabilidades com outras pessoas

aldeia global *s. f.* mundo actual, ligado por uma vasta rede de comunicações

al dente *adj. 2 gén.* CUL. (massa, arroz) cozido ligeiramente, de modo a manter a consistência

aldraba *s. f.* **1** tranca de porta ou janela; **2** batente de porta

aldrabado *adj.* **1** *(coloq.)* enganado; **2** *(coloq.)* feito à pressa; atrapalhado

aldrabão *s. m.* **1** pessoa vigarista; mentiroso; **2** pessoa desorganizada; trapalhão

aldrabar I *v. tr.* fazer (algo) de forma imperfeita; **II** *v. intr.* **1** mentir; enganar; **2** fazer (algo) de forma imperfeita

aldrabice *s. f.* **1** mentira; engano; **2** coisa feita à pressa; trapalhice

aleatoriamente *adv.* **1** casualmente; **2** à sorte

aleatório *adj.* **1** casual; fortuito; **2** imprevisível

alecrim *s. m.* BOT. arbusto aromático utilizado como condimento

alegação *s. f.* **1** DIR. argumentação; prova; **2** explicação; justificação

alegado *adj.* **1** que foi citado ou referido como argumento ou prova; **2** suposto

alegar **I** *v. tr.* **1** DIR. apresentar facto ou prova em defesa de; **2** explicar; justificar; **II** *v. intr.* referir-se a si próprio; citar-se

alegoria *s. f.* representação de uma realidade abstracta através de uma realidade concreta, por meio de analogias, metáforas, imagens e comparações

alegórico *adj.* relativo a alegoria; simbólico; ***carro ~*** veículo enfeitado com figuras ou motivos simbólicos, usado em desfiles de Carnaval

alegrar **I** *v. tr.* **1** causar alegria a; animar; **2** *(fig.)* enfeitar; **II** *v. refl.* **1** ficar alegre; **2** *(coloq.)* embriagar-se

alegre *adj. 2 gén.* **1** animado; divertido; **2** (cor) vistoso; vivo; **3** *(coloq.)* embriagado

alegria *s. f.* **1** satisfação; divertimento; **2** acontecimento feliz

alegro *s. m.* **1** MÚS. andamento vivo e alegre; **2** MÚS. trecho musical com esse andamento

aleijado **I** *s. m.* pessoa que apresenta lesão ou deficiência física; **II** *adj.* **1** ferido; magoado; **2** deformado

aleijão *s. m.* **1** ferida; lesão; **2** deformação física; mutilação

aleijar *v. tr. e refl.* magoar(-se); ferir(-se)

aleitamento *s. m.* amamentação

aleluia *s. f.* RELIG. canto de louvor; ***aleluia!*** exclamação usada para louvar a Deus; expressão de alegria ou júbilo

além **I** *adv.* **1** acolá; ali; lá; **2** mais adiante; mais à frente; **3** excepto; fora; **II** *s. m.* lugar distante ❖ ***não ser nada por aí ~*** não ser nada de especial

Além *s. m.* **1** vida depois da morte; **2** eternidade

alemão **I** *s. m.* {*f.* alemã} **1** pessoa natural da Alemanha; **2** língua oficial da Alemanha, da Áustria, de parte da Suíça e da Bélgica; **II** *adj.* relativo à Alemanha

além-fronteiras *adv.* do outro lado da fronteira; no estrangeiro

além-mar **I** *adv.* do outro lado do mar; **II** *s. m.* {*pl.* além-mares} território situado para lá do mar; ultramar

além-mundo **I** *adv.* na vida depois da morte; **II** *s. m.* {*pl.* além-mundos} vida depois da morte; eternidade; Além

alentado *adj.* **1** forte; corpulento; **2** encorajado; animado

alentar **I** *v. tr.* **1** encorajar; estimular; **2** *(fig.)* acalentar; alimentar (sonho, esperança); **II** *v. refl.* **1** animar-se; **2** ganhar fôlego

alentejano **I** *adj.* relativo ao Alentejo; **II** *s. m.* pessoa natural do Alentejo

alento *s. m.* **1** coragem; ânimo; **2** fôlego; respiração

alergénico *adj.* que produz alergia

alergia *s. f.* **1** MED. sensibilidade anormal do organismo a certas substâncias; **2** *(fig.)* aversão; antipatia

alérgico *adj.* relativo a alergia; próprio de alergia

alerta **I** *s. m.* **1** sinal de emergência ou perigo; **2** situação de vigilância; **II** *adj. 2 gén.* atento; vigilante

alertar **I** *v. tr.* **1** pôr alerta; **2** assustar; **II** *v. intr.* dar sinal de perigo

aletria *s. f.* **1** CUL. massa de farinha de trigo, em fios muito delgados; **2** CUL. doce feito com essa massa, ovos, leite, açúcar e canela

alfa *s. m.* primeira letra do alfabeto grego, correspondente ao *a*

alfabético *adj.* **1** relativo a alfabeto; **2** ordenado segundo a sequência das letras do alfabeto

alfabetismo *s. m.* **1** sistema de escrita que tem por base o alfabeto; **2** aprendizagem da leitura e da escrita; instrução

alfabetização *s. f.* processo de ensino e aprendizagem da leitura e da escrita; instrução

alfabetizar **I** *v. tr.* ensinar a ler e a escrever; **II** *v. refl.* aprender a ler e a escrever

alfabeto *s. m.* **1** conjunto das letras de um sistema de escrita, segundo uma ordem convencionada; abecedário; **2** qualquer sistema estabelecido para representar letras, sons, palavras, etc.; **3** livro para aprender a ler; **4** primeiras noções de uma ciência ou arte

alface *s. f.* BOT. planta herbácea comestível, cujas folhas são muito utilizadas em saladas; *(fig.)* ***fresco como uma ~*** bem-disposto; animado

alfacinha **I** *s. 2 gén.* pessoa natural de Lisboa; lisboeta; **II** *adj. 2 gén.* relativo a Lisboa; lisboeta

alfafa *s. f.* BOT. planta forraginosa da família das Leguminosas, semelhante à luzerna

alfaia *s. f.* **1** utensílio; ferramenta; **2** adorno; acessório; ***alfaias agrícolas*** instrumentos usados nas actividades de lavoura

alfaiataria *s. f.* oficina ou loja de alfaiate

alfaiate *s. m.* **1** indivíduo que confecciona vestuário masculino; **2** ZOOL. insecto aquático de pernas longas, que se desloca sobre a superfície das águas

alfândega *s. f.* **1** repartição onde se registam mercadorias de importação e exportação e se fiscalizam e cobram direitos de entrada e saída; **2** edifício onde funciona essa repartição

alfandegagem *s. f.* **1** cobrança de direitos aduaneiros; **2** permanência de mercadorias na alfândega; armazenagem

alfandegar *v. tr.* **1** armazenar em alfândega; **2** pagar taxas aduaneiras; **3** despachar mercadorias

alfandegário *adj.* relativo a alfândega; aduaneiro

alfanumérico *adj.* **1** (sistema de codificação) que utiliza, simultaneamente, letras do alfabeto e algarismos; **2** (dispositivo) que funciona com base naquele sistema

alfarrábio *s. m.* **1** livro antigo; **2** [*pl.*] registos antigos

alfarrabista *s. 2 gén.* **1** pessoa que negoceia em livros antigos ou usados; **2** loja onde se compram e vendem livros antigos ou usados

alfarroba *s. f.* BOT. vagem de sabor adocicado e grande valor nutritivo

alfarrobeira *s. f.* BOT. árvore da família das Leguminosas que produz a alfarroba

alfavaca *s. f.* BOT. planta aromática cujas folhas são utilizadas como condimento

alfazema *s. f.* BOT. planta subarbustiva aromática, com flores azuladas ou violáceas, de onde se extrai um óleo essencial usado em perfumaria; lavanda

alfena *s. f.* BOT. arbusto com flores brancas e aromáticas e bagas negras

alfenim *s. m.* **1** CUL. massa branca de açúcar e óleo de amêndoa; **2** *(fig.)* pessoa elegante

alferes *s. 2 gén. 2 núm.* MIL. oficial subalterno de posto imediatamente inferior ao de tenente

alfinetada *s. f.* **1** picada com alfinete; **2** dor aguda; **3** *(fig.)* crítica mordaz; censura

alfinetar *v. tr.* **1** picar com alfinete; **2** prender com alfinete; **3** *(fig.)* criticar; satirizar

alfinete *s. m.* **1** pequena haste de metal, pontiaguda de um lado e com cabeça no outro, que serve para pregar peças de roupa, etc.; **2** pequeno acessório usado para segurar a gravata; **3** broche

alfinete-de-ama *s. m.* {*pl.* alfinetes-de-ama} alfinete cujo bico encaixa numa cavidade, numa das extremidades, para não se desprender e não picar; alfinete de segurança

alfineteira *s. f.* pequena almofada onde se espetam alfinetes para não se perderem; pregadeira

alfombra *s. f.* **1** tapete; **2** relvado

alforge *s. m.* espécie de saco fechado nas extremidades que se coloca sobre o animal de carga

alforra *s. f.* AGRIC. ferrugem das searas, provocada por fungos

alforreca *s. f.* ZOOL. animal marinho de corpo mole, gelatinoso e transparente em forma de campânula; medusa

alforria *s. f.* **1** HIST. liberdade concedida ao escravo; **2** libertação; HIST. ***carta de ~*** documento passado pelo senhor que concedia a libertação a um escravo

alforriado *adj. e s. m.* HIST. que ou escravo que recebeu alforria

alforriar *v. tr.* HIST. conceder alforria a (escravo); libertar

alga *s. f.* BOT. espécime das algas

algáceo *adj.* **1** relativo a alga; **2** semelhante a alga

algália *s. f.* MED. sonda oca usada para extracção de urina ou observação de pedras na bexiga

algaliar *v. tr.* **1** MED. introduzir algália em; **2** MED. examinar com algália

algaraviada *s. f.* confusão de vozes; gritaria

algarismo *s. m.* MAT. cada um dos sinais gráficos com que se representam os números

algarvio **I** *s. m.* pessoa natural do Algarve; **II** *adj.* relativo ao Algarve

algas *s. f. pl.* BOT. grupo de plantas talófitas com clorofila, que apresentam núcleos celulares, germes e leucitos, e que vivem nas águas doces e salgadas ou em lugares húmidos

algazarra *s. f.* **1** gritaria; **2** confusão

álgebra *s. f.* **1** MAT. disciplina que trata por meio de fórmulas problemas nos quais as grandezas são representadas por símbolos; **2** tratado ou compêndio dessa disciplina

algébrico *adj.* **1** MAT. relativo à álgebra; **2** *(fig.)* rigoroso; preciso

algebrista *s. 2 gén.* especialista em álgebra

algema *s. f.* **1** objecto metálico circular que serve para prender alguém pelos pulsos; **2** *(fig.)* opressão

algemar *v. tr.* **1** prender com algemas; **2** *(fig.)* oprimir

algeroz *s. m.* pequeno canal colocado no extremo inferior do telhado para escoar as águas; caleira

algibeira *s. f.* bolso geralmente cosido do lado de dentro de uma peça de vestuário ❖ ***pergunta de ~*** pergunta difícil e inesperada com que se pretende confundir alguém

algo **I** *pron. indef.* alguma coisa; qualquer coisa; **II** *adv.* um tanto; um pouco

algodão *s. m.* **1** BOT. conjunto dos filamentos celulósicos que revestem as sementes do algodoeiro; **2** fio ou tecido fabricado com os filamentos do algodoeiro; ***~ em rama*** algodão simples, não desengordurado, que por isso não tem o poder absorvente do algodão hidrófilo; ~ ***hidrófilo*** algodão esterilizado, usado como absorvente

algodão-doce *s. m.* {*pl.* algodões-doces} doce, branco ou colorido, feito de fios finíssimos de açúcar que se juntam em flocos, semelhante a algodão em rama

algodoeiro I *s. m.* BOT. planta arbustiva que produz o algodão; **II** *adj.* relativo ao algodão

algorítmico *adj.* relativo a algoritmo

algoritmo *s. m.* **1** MAT. método e anotação das diversas operações e processos de calcular; **2** INFORM. conjunto de regras e operações que permitem resolver, num número finito de etapas, um problema

algoz *s. m.* **1** carrasco; **2** *(fig.)* pessoa cruel

alguém *pron. indef.* **1** alguma pessoa; **2** pessoa importante

alguidar *s. m.* vaso de barro, metal ou plástico com diâmetro maior na borda do que no fundo; bacia

algum *pron. indef.* **1** um de entre dois ou mais; **2** indica quantidade indeterminada ⟨*algum tempo*⟩

alguma *s. f.* **1** *(coloq.)* coisa negativa ou inconveniente; **2** *(coloq.)* asneira; disparate

algures *adv.* em algum lugar; em alguma parte

alhada *s. f.* *(coloq.)* situação confusa; trapalhada; ***estar metido numa ~*** estar envolvido numa situação difícil ou embaraçosa

alheado *adj.* **1** distraído; **2** esquecido

alheamento *s. m.* **1** distracção; **2** esquecimento

alhear I *v. tr.* **1** transmitir (direito ou domínio) a alguém; ceder; **2** distrair; **3** desviar; **II** *v. refl.* **1** distrair-se; **2** desviar-se; **3** isolar-se

alheio I *adj.* **1** que pertence a outra pessoa; **2** estranho; **3** distante; **4** desatento; **II** *s. m.* aquilo que pertence a outra pessoa

alheira *s. f.* CUL. enchido preparado com pão e picado de diversas carnes e temperado com alho

alheta *s. f.* NÁUT. parte curva do costado do navio junto à popa ❖ *(coloq.)* ***pôr-se na ~*** afastar-se sorrateiramente; fugir; raspar-se

alho *s. m.* **1** BOT. planta bolbosa de cheiro forte, muito utilizada como condimento em culinária; **2** BOT. bolbo dessa planta; **3** *(fig.)* pessoa muito esperta ❖ ***misturar alhos com bugalhos*** confundir coisas muito diferentes; fazer uma grande confusão

alho-francês *s. f.* {*pl.* alhos-franceses} BOT. vd. **alho-porro**

alho-porro *s. m.* {*pl.* alhos-porros} **1** BOT. planta com bolbo simples ou composto de cor lilás e flores brancas ou rosadas; **2** BOT. bolbo ou folha dessa planta

ali *adv.* naquele lugar; além

aliado I *adj.* **1** (organização, país) que está ligado (por tratado, convenção ou pacto); **2** (pessoa) que apoia alguém; cúmplice; **3** associado; **II** *s. m.* **1** pessoa, nação ou entidade que se liga a outra (por tratado, convenção ou pacto) para defender algo ou combater alguém; **2** pessoa que apoia outra; cúmplice; **3** membro de uma associação

aliança *s. f.* **1** pacto; acordo; **2** união; casamento; **3** anel de casamento

aliar *v. tr. e refl.* **1** unir(-se); ligar(-se); **2** associar(-se)

aliás *adv.* **1** de outra forma; de outro modo; **2** além disso; **3** no entanto; contudo

aliável *adj. 2 gén.* que pode ser ligado ou unido

álibi *s. m.* **1** prova de que o réu estava noutro local quando o crime aconteceu; **2** *(coloq.)* justificação aceitável

alicantina *s. f.* manha; astúcia

alicate *s. m.* peça formada por duas barras articuladas em forma de tesoura, que serve para segurar pequenas peças metálicas, torcer ou cortar arame, etc.

alicerçar *v. tr.* **1** ARQ. fazer os alicerces de; **2** *(fig.)* basear; **3** *(fig.)* consolidar

alicerce *s. m.* **1** ARQ. parte inferior de uma construção (de alvenaria, betão, enrocamento, etc.); fundação; **2** *(fig.)* base; fundamento

aliciado *adj.* **1** atraído; seduzido; **2** subornado

aliciamento *s. m.* **1** sedução; **2** suborno

aliciante *adj. 2 gén.* **1** atractivo; tentador; **2** fascinante

aliciar *v. tr.* **1** seduzir; atrair; **2** subornar

alienação *s. f.* **1** DIR. transmissão do direito de propriedade sobre um bem; **2** alheamento da realidade; afastamento; **3** PSIC. anomalia psíquica que torna uma pessoa incapaz de se comportar segundo as normas do seu grupo social

alienado I *adj.* **1** DIR. (propriedade, domínio) que foi transferido; cedido; **2** (pessoa) indiferente; alheado; **II** *s. m.* PSIC. pessoa que sofre de alienação mental

alienante *adj. 2 gén.* **1** que provoca alienação; **2** DIR. que transfere propriedade ou domínio

alienar I *v. tr.* **1** DIR. transferir (propriedade ou domínio); **2** perturbar; alucinar; **II** *v. refl.* PSIC. afastar-se da realidade circundante; alhear-se

alienatário *s. m.* DIR. pessoa para quem se transfere um bem

alienável *adj. 2 gén.* DIR. que se pode alienar; transferível

alienígena *adj. e s. 2 gén.* que ou pessoa que é natural de outro país; estrangeiro

alienismo *s. m.* PSIC. loucura

aligátor *s. m.* ZOOL. réptil cujo focinho é mais curto e mais largo que o do crocodilo e do jacaré

aligeirado *adj.* **1** leve; **2** atenuado; **3** apressado

aligeirar *v. tr.* **1** aliviar; **2** apressar; **3** facilitar

alimária *s. f.* **1** qualquer animal irracional; **2** *(fig.)* pessoa grosseira ou bruta

alimentação *s. f.* **1** ingestão de alimentos; **2** sustento; **3** ENG., ELECTR. (máquina, circuito) abastecimento; carregamento; **4** (fotocopiadora, impressora) introdução de papel no tabuleiro próprio; ENG., ELECTR. ***fonte de ~*** dispositivo que fornece corrente eléctrica a um circuito

alimentador *s. m.* **1** aquele que alimenta; **2** ENG., ELECTR. dispositivo de uma máquina onde é carregado o material necessário ao seu funcionamento; **3** (fotocopiadora, impressora) dispositivo onde é colocado o papel; tabuleiro; **4** (arma de fogo) peça que faz avançar os cartuchos

alimentar I *v. tr.* **1** dar alimento a; sustentar; **2** ENG. fornecer material (a máquina) para funcionar; **3** ELECTR. abastecer (um circuito) de corrente; **4** *(fig.)* fomentar; **II** *v. refl.* **1** ingerir alimentos; sustentar-se; **2** *(fig.)* fortalecer-se; **III** *adj. 2 gén.* **1** próprio para alimentação; **2** relativo a alimentação; **3** que alimenta; nutritivo

alimentício *adj.* que alimenta; nutritivo

alimento *s. m.* **1** tudo o que serve para alimentar; sustento; **2** aquilo que conserva alguma coisa; **3** *(fig.)* incentivo; estímulo; **4** [*pl.*] DIR. recursos considerados indispensáveis ao sustento de uma pessoa (habitação, vestuário, assistência médica e, quando menor, educação)

alínea *s. f.* **1** linha que abre novo parágrafo; **2** DIR. subdivisão de artigo, decreto ou contrato

alinhado *adj.* **1** colocado em linha recta; posto em fila; **2** *(fig.)* correcto; íntegro; **3** *(fig.)* bem vestido; elegante

alinhamento *s. m.* **1** conjunto de pessoas ou coisas em linha recta; fila; **2** (veículo) verificação e correcção do paralelismo das rodas; **3** ARQ. traçado; nivelamento; **4** *(fig.)* correcção; rectidão

alinhar I *v. tr.* **1** colocar em linha recta; **2** (automóvel) corrigir o paralelismo das rodas; **II** *v. intr.* **1** colocar-se em fila; **2** integrar-se em (grupo, equipa); **3** aderir a (causa, projecto)

alinhavar *v. tr.* **1** coser provisoriamente com pontos largos; apontar; **2** *(fig.)* delinear; esboçar

alinhavo *s. m.* **1** costura provisória com pontos largos; **2** *(fig.)* esboço

alinho *s. m.* **1** asseio; esmero; **2** *(fig.)* correcção

alisar *v. tr.* **1** tornar liso; aplanar; **2** esticar

alísio *adj. e s. m.* METEOR. que ou vento que sopra regularmente sobre extensas regiões do globo

alistamento *s. m.* MIL. inscrição para o serviço militar

alistar *v. tr. e refl.* MIL. inscrever(-se) para o serviço militar

aliteração *s. f.* LIT., RET. repetição das mesmas letras, sílabas ou sons, numa frase

aliviado *adj.* **1** livre de carga, peso ou dificuldade; **2** (pessoa) que se acalmou; tranquilo; **3** (situação, tempo) que abrandou; serenado

aliviar I *v. tr.* **1** reduzir o peso de; tornar mais leve; **2** consolar; **3** atenuar (dor); **II** *v. intr.* (tempo) serenar

alívio *s. m.* **1** diminuição de peso, carga ou dificuldade; **2** descanso; **3** consolo

alma *s. f.* **1** princípio da vida; **2** FIL. parte imaterial do ser humano; **3** FIL. conjunto das funções psíquicas e dos estados de consciência do ser humano que determinam o seu comportamento; **4** RELIG. espírito; **5** *(fig.)* personalidade; carácter; **6** *(fig.)* parte essencial; âmago; ***~ do outro mundo/penada*** visão; fantasma; ***dor de ~*** grande mágoa; aflição ❖ ***dar a ~ ao Criador*** morrer; ***de corpo e ~*** totalmente

almaço *adj.* (papel) encorpado e próprio para escrever

almanaque *s. m.* **1** publicação anual com calendário, informações científicas, tabelas, registo de aniversários e textos humorísticos ou recreativos; **2** publicação actualizada anualmente com informação sobre determinada área de actividade

almejar *v. tr.* desejar ardentemente; suspirar por

almejo *s. m.* desejo ardente; ânsia

almirante *s. m.* MIL. posto superior da marinha

almoçar I *v. tr.* comer (algo) ao almoço; **II** *v. intr.* comer o almoço

almoço *s. m.* uma das principais refeições do dia, que se toma geralmente ao fim da manhã

almofada *s. f.* **1** saco cheio de uma substância fofa para assento, recosto ou decoração; **2** travesseiro; **3** (de porta) peça saliente rectangular, contornada por moldura

almofadão *s. m.* almofada grande
almofadar *v. tr.* **1** cobrir com almofada(s); **2** acolchoar; estofar
almofariz *s. m.* vaso em que se tritura qualquer coisa com um pilão
almôndega *s. f.* CUL. pequena bola de carne picada, feita com miolo de pão, ovos e temperos, que é cozinhada em molho espesso
aló *adv.* NÁUT. para o lado donde sopra o vento; para barlavento
alô *interj.* **1** *(Bras.)* usada para chamar ao telefone; **2** *(Bras.)* usada para cumprimentar alguém
alocação *s. f.* **1** INFORM. atribuição de recursos a um sistema para ele poder funcionar; **2** ECON. divisão de verbas por diferentes sectores; INFORM. ***~ de memória*** processo no qual o sistema operativo fornece a memória necessária para uma aplicação ser executada
alocar *v. tr.* **1** INFORM. reservar um recurso na memória ou disco do computador; **2** ECON. destinar (verba) para determinado fim ou sector
alocução *s. f.* discurso breve em ocasião solene
aloé *s. m.* BOT. vd. **aloés**
aloés *s. m. 2 núm.* **1** BOT. planta medicinal; **2** substância extraída dessa planta
alofone *s. m.* LING. variante de um fonema definida pela sua posição na palavra e pelos fonemas contíguos
alofonia *s. f.* LING. relação de semelhança entre manifestações fonéticas de um fonema
alógeno *adj.* **1** que é proveniente de outra nação; **2** GEOL. (componente de rocha) que se formou em local diferente daquele onde se encontra; **3** BIOL. originário de outra espécie
alogia *s. f.* absurdo; contra-senso
aloirado *adj.* vd. **alourado**
aloirar *v. tr. e intr.* vd. **alourar**
alojamento *s. m.* **1** acto ou efeito de alojar; **2** local onde alguém se aloja; **3** MIL. aquartelamento; acampamento
alojar I *v. tr.* **1** hospedar; **2** MIL. aquartelar; **II** *v. refl.* **1** (pessoa) hospedar-se; **2** (bactéria, vírus) depositar-se; **3** MIL. aquartelar-se
alomorfia *s. f.* BIOL. metamorfose
alongado *adj.* **1** comprido; **2** esticado
alongamento *s. m.* **1** aumento de comprimento; prolongamento; **2** aumento de distância; afastamento; **3** (ginástica) exercício destinado especificamente a distender os músculos
alongar I *v. tr.* **1** tornar longo; **2** alargar; **3** prolongar; **II** *v. refl.* **1** prolongar-se; **2** demorar-se
alopata *s. 2 gén.* especialista em alopatia
alopatia *s. f.* MED. método terapêutico que consiste no uso de medicamentos que se opõem às causas das doenças
alopático *adj.* relativo a alopatia
aloquete *s. m.* fechadura móvel; cadeado
alourado *adj.* **1** (cabelo) um tanto louro; claro; **2** CUL. dourado; tostado
alourar *v. tr. e intr.* **1** tornar(-se) louro; **2** CUL. dourar; tostar
alpaca *s. f.* **1** ZOOL. ruminante da família dos Camelídeos, da América do Sul, também denominado lama; **2** lã desse animal; **3** tecido lustroso produzido dessa lã
alpendre *s. m.* cobertura saliente, inclinada, de um edifício
alpercata *s. f.* calçado de lona, assente sobre corda ou borracha, que se prende ao pé por tiras de couro ou de pano
alperce *s. m.* BOT. fruto do alperceiro, semelhante a um damasco grande, amarelo ou alaranjado, com polpa branca ou rosada

alperceiro *s. m.* BOT. árvore produtora de alperces
alpestre *adj. 2 gén.* **1** alpino; **2** *(fig.)* montanhoso
alpinismo *s. m.* DESP. subida ou escalada a lugares situados a grandes altitudes
alpinista *s. 2 gén.* praticante de alpinismo
alpino *adj.* próprio dos montes elevados; montanhoso
alpista *s. f.* BOT. planta utilizada como forragem e produtora de grãos usados na alimentação de pássaros
alpisteiro *s. m.* recipiente onde se deita a alpista, em gaiolas
alporca *s. f.* **1** MED. aumento de volume dos gânglios linfáticos do pescoço; escrófula; **2** AGRIC. ramo que, depois de enraizado na terra, é separado da planta a que pertencia e plantado noutro lugar
alporquia *s. f.* AGRIC. processo de multiplicação de plantas por meio de alporque
alqueivar *v. tr.* AGRIC. lavrar uma terra e deixá-la em descanso para a tornar mais produtiva
alqueive *s. m.* AGRIC. pousio
alquimia *s. f.* química medieval que procurava o remédio para todos os males e a pedra filosofal, que transformaria todos os metais em ouro
alquímico *adj.* relativo a alquimia
alquimista *s. 2 gén.* pessoa que se dedica à alquimia
alsaciano I *s. m.* {*f.* alsaciana} **1** pessoa natural da Alsácia (Nordeste da França); **2** dialecto germânico falado na Alsácia; **II** *adj.* relativo à Alsácia
alta *s. f.* **1** (de preço) subida; aumento; **2** (de cotação) valorização; **3** parte mais elevada de uma cidade; **4** MED. autorização para um doente sair do hospital
alta-costura *s. f.* {*pl.* altas-costuras} **1** actividade de criação de modelos exclusivos de vestuário; **2** indústria de produção desse tipo de vestuário
alta-fidelidade *s. f.* {*pl.* altas-fidelidades} **1** técnica de gravação e reprodução áudio que permite processar um impulso sonoro com um mínimo de distorção; **2** aparelhagem electrónica produzida segundo esta técnica
altamente I *adj. 2 gén.* *(coloq.)* excelente; genial; **II** *adv.* *(coloq.)* muitíssimo; **III** *interj.* exprime satisfação ou concordância
altaneiro *adj.* **1** (árvore, torre) que se eleva muito alto; **2** (pessoa) altivo; **3** (ave) que voa a grande altitude
altar *s. m.* **1** mesa sagrada sobre a qual o sacerdote faz sacrifícios à divindade; **2** mesa em que se celebra a missa; **3** *(fig.)* culto religioso; religião
altar-mor *s. m.* {*pl.* altares-mores} altar principal de uma igreja
alta-roda *s. f.* {*pl.* altas-rodas} elite social
altear I *v. tr.* tornar mais alto; elevar; **II** *v. intr.* crescer; aumentar; **III** *v. refl.* erguer-se; elevar-se
alterabilidade *s. f.* qualidade do que pode ser alterado; mutabilidade
alteração *s. f.* **1** modificação; transformação; **2** degeneração; corrupção
alterado *adj.* **1** que sofreu alteração; modificado; **2** adulterado; corrompido; **3** *(fig.)* agitado; zangado
alterar I *v. tr.* **1** modificar; transformar; **2** adulterar; corromper; **II** *v. refl.* **1** modificar-se; **2** irritar-se
alterável *adj. 2 gén.* que pode ser alterado; mutável
altercação *s. f.* **1** discussão; **2** polémica
altercar *v. intr.* **1** discutir com veemência; **2** provocar polémica
alter ego *s. m.* **1** PSIC. o outro eu; **2** *(fig.)* pessoa de confiança absoluta

alteridade *s. f.* qualidade ou estado do que é diferente

alternadamente *adv.* **1** um de cada vez; **2** por turnos

alternado *adj.* **1** disposto em alternância; **2** à vez; **3** ELECTR. (corrente) cuja intensidade e sentido variam periodicamente

alternador *s. m.* ELECTR. gerador de corrente eléctrica alternada

alternância *s. f.* **1** acto de alternar; revezamento; **2** AGRIC. cultura de diversos vegetais no mesmo terreno; **3** (desenho decorativo) repetição de dois motivos ou temas diferentes, sempre na mesma ordem

alternar **I** *v. tr.* fazer suceder em alternância; revezar; **II** *v. refl.* suceder-se em alternância; revezar-se

alternativa *s. f.* **1** sucessão de coisas que se excluem; **2** uma de duas ou mais possibilidades pelas quais se pode optar; **3** possibilidade de escolher uma entre várias coisas

alternativo *adj.* **1** que ocorre com alternação; alternado; **2** que oferece possibilidade de escolha; **3** (medicina, tratamento) que se propõe como substituto do sistema vigente; **4** (arte, estilo) que se desenvolve fora dos modelos convencionais

alterno *adj.* **1** que ocorre de modo alternado; revezado; **2** GEOM. diz-se de cada par de ângulos situados em lados opostos da secante que corta duas rectas

alteza *s. f.* grandeza moral; nobreza; ***sua ~*** tratamento dado a príncipes e princesas

altifalante *s. m.* aparelho destinado a amplificar e dirigir o som; megafone

altímetro *s. m.* aparelho destinado a medir altitudes

altíssimo *adj.* ‹*superl. de* **alto**› muito alto

Altíssimo *s. m.* RELIG. Deus

altista **I** *s. 2 gén.* ECON. pessoa que faz subir os valores na Bolsa; **II** *adj. 2 gén.* ECON. relativo à subida de valores; ***tendência ~*** tendência para a subida dos valores cotados na Bolsa

altitude *s. f.* altura em relação ao nível do mar

altivez *s. f.* **1** grandeza; majestade; **2** orgulho; arrogância

altivo *adj.* **1** majestoso; nobre; **2** orgulhoso; arrogante

alto **I** *adj.* **1** que está acima do plano em que se encontra o observador; **2** levantado; erguido; **3** (pessoa) ilustre; **4** (som) forte; **5** (preço) caro; **6** (mar) afastado da costa; profundo; **7** GEOG. (região) situado a Norte; **II** *s. m.* **1** ponto mais elevado; cimo; **2** altura; elevação; **3** *(fig.)* céu; **III** *adv.* **1** a grande altura; **2** com som forte; **IV** *interj.* usada para mandar parar ou para impor silêncio; ***altos e baixos*** momentos bons e momentos maus ❖ ***a altas horas da noite*** de madrugada; ***~ e bom som*** distintamente; ***de ~ a baixo*** totalmente; ***em ~ grau*** muito; extraordinariamente; ***por ~*** superficialmente

alto-astral **I** *s. m.* {*pl.* altos-astrais} **1** *(Bras.)* boa disposição; optimismo; **2** *(Bras.)* sorte; sucesso; **II** *adj.* **1** *(Bras.)* bem disposto; **2** *(Bras.)* agradável; **III** *s. 2 gén. (Bras.)* pessoa optimista ou feliz

alto-relevo *s. m.* {*pl.* altos-relevos} ART. PLÁST. figura esculpida sobre plano, que sobressai em relevo quase inteiro

altruísmo *s. m.* **1** sentimento de interesse e dedicação por alguém; **2** amor desinteressado pelo próximo; filantropia

altruísta **I** *adj. 2 gén.* relativo a altruísmo; **II** *s. 2 gén.* pessoa que pratica o altruísmo; filantropo

altura *s. f.* **1** dimensão de um corpo considerado verticalmente; **2** (de edifício) tamanho; **3** (de pessoa) estatura; **4** (montanha) altitude; **5** (mar) profundidade; **6** ocasião; oportunidade; **7** (passado) época; **8** (futuro) momento; **9** GEOM. distância do vértice de um triângulo, pirâmide ou cone, até à sua base; **10** valor; nível; ***estar à ~ de*** estar em condições de; ter competência para

aluado *adj.* **1** distraído; lunático; **2** amalucado

alucinação *s. f.* **1** perda momentânea do uso da razão; **2** imagem tomada como percepção; visão; **3** ilusão; delírio; **4** *(fig.)* fascínio

alucinado *adj.* **1** que sofreu alucinação; **2** louco; **3** *(fig.)* fascinado

alucinante *adj. 2 gén.* **1** que provoca alucinação; **2** *(fig.)* fascinante; deslumbrante; **3** *(fig.)* arrebatador; delirante

alucinar I *v. tr.* **1** privar momentaneamente do uso da razão; **2** *(fig.)* fascinar; deslumbrar; **II** *v. intr.* provocar delírio; **III** *v. refl.* **1** perder momentaneamente o uso da razão; **2** *(fig.)* apaixonar-se cegamente

alucinogénio *adj. e s. m.* que ou substância que provoca alucinações ou estados eufóricos artificiais

alude *s. m.* massa de neve que se desprende do alto dos montes; avalancha

aludir *v. tr.* **1** fazer alusão a; **2** referir

alugar *v. tr.* ceder ou adquirir temporariamente mediante pagamento; arrendar

aluguer *s. m.* **1** arrendamento; **2** renda

aluimento *s. m.* desabamento; derrocada

aluir I *v. tr.* **1** fazer desabar; **2** sacudir; **II** *v. intr.* desabar; ruir

alumiar *v. tr.* **1** iluminar; **2** *(fig.)* esclarecer

alumínio *s. m.* QUÍM. elemento com o número atómico 13 e símbolo Al, metálico, bom condutor do calor e da electricidade

aluminite *s. f.* MIN. sulfato hidratado de alumínio

alunagem *s. f.* descida na superfície da Lua

alunar *v. intr.* (astronauta, míssil) descer na Lua

aluno *s. m.* **1** pessoa que recebe instrução num estabelecimento de ensino; estudante; **2** discípulo; aprendiz

alusão *s. f.* **1** referência vaga ou indirecta; **2** sugestão

alusivo *adj.* **1** que contém alusão; **2** referente

aluviano *adj.* (terreno) formado por aluvião

aluvião *s. f.* GEOL. depósito de materiais provenientes da destruição das rochas e transportados pelas águas correntes

alva *s. f.* **1** primeira claridade da manhã; alvorada; **2** ANAT. membrana conjuntiva, exterior, do globo ocular

alvado *s. m.* **1** (de instrumento) orifício onde entra o cabo; **2** (de colmeia) alvéolo

alvará *s. m.* licença

alvejado *adj.* **1** tomado como alvo; **2** atingido (com arma de fogo)

alvejar *v. tr.* **1** tomar como alvo; **2** (com arma de fogo) acertar em; atingir

alvéloa *s. f.* ZOOL. pássaro de cauda muito comprida

alvenaria *s. f.* **1** profissão ou actividade de pedreiro; **2** arte de construir com pedra e cal

alveolado *adj.* que apresenta alvéolos

alveolar I *adj. 2 gén.* **1** relativo a alvéolo; **2** semelhante a alvéolo; **3** LING. (som) articulado com a ponta da língua na base dos dentes incisivos superiores; **4** ANAT. relativo à cavidade maxilar onde se alojam os dentes; **II** *s. f.* LING. consoante articulada com a ponta da língua na base dos dentes incisivos superiores

alvéolo *s. m.* **1** célula do favo das abelhas; casulo; **2** ANAT. pequena cavidade; ANAT. **~ *dentário*** cavidade ou bolsa onde se aloja a raiz de um dente; ANAT. **~ *pulmonar*** cavidade com paredes elásticas, existente no pulmão, através das quais se efectuam trocas de gases

alverca *s. f.* **1** terreno pantanoso; **2** tanque; reservatório

alvião *s. m.* AGRIC. instrumento que serve ao mesmo tempo de enxada e de machado

alvíssaras *s. f. pl.* recompensa dada por boas notícias, pela restituição de um objecto perdido ou pela prestação de um favor

alvitrar *v. tr.* sugerir; propor

alvitre *s. m.* sugestão; palpite

alvo I *s. m.* **1** objecto no qual se procura acertar, quando se dispara uma arma de fogo; **2** *(fig.)* objectivo; **II** *adj.* **1** branco; **2** *(fig.)* puro; ***errar o ~*** não conseguir o que se pretendia; falhar um objectivo; ***ser ~ de*** ser objecto de; estar sujeito a

alvor *s. m.* **1** alvorada; **2** brancura

alvorada *s. f.* **1** primeira claridade da manhã; **2** MIL. toque de clarim ao nascer do dia; **3** *(fig.)* princípio

alvoroçar *v. tr.* **1** agitar; **2** amotinar; **3** entusiasmar

alvoroço *s. m.* **1** agitação; **2** motim; **3** entusiasmo

alvura *s. f.* **1** brancura; **2** *(fig.)* pureza

a. m. [*abrev. de* **a**nte **m**eridiem] antemeridiano

Am QUÍM. [*símbolo de* **amerício**]

ama *s. f.* **1** mulher que amamenta uma criança que não é sua; ama-de-leite; **2** mulher que toma conta de crianças; ama-seca; **3** dona da casa; **4** governanta

amabilidade *s. f.* delicadeza; gentileza

amabilíssimo *adj.* ⟨*superl. de* **amável**⟩ muito amável

amachucar *v. tr.* amarrotar; achatar

amaciador I *s. m.* **1** produto usado na lavagem da roupa para a tornar mais macia; **2** creme que se utiliza depois do champô para tornar o cabelo mais fácil de pentear; **II** *adj.* que amacia; que suaviza

amaciar *v. tr.* tornar (mais) macio; suavizar

ama-de-leite *s. f.* {*pl.* amas-de-leite} mulher que amamenta uma criança que não é sua

amado *adj.* **1** estimado; **2** preferido

amador *s. m.* **1** pessoa que tem amor a alguém; amante; **2** pessoa que gosta muito de alguma coisa; entusiasta; **3** pessoa que exerce qualquer arte, desporto ou ofício por gosto, e não por profissão; curioso; **4** *(pej.)* pessoa inexperiente

amadorismo *s. m.* **1** dedicação, sem carácter profissional, a uma arte, desporto ou ofício; **2** *(pej.)* inexperiência

amadurecer *v. tr. e intr.* **1** tornar(-se) maduro; **2** *(fig.)* aperfeiçoar(-se); **3** *(fig.)* tornar(-se) experiente

amadurecido *adj.* **1** maduro; **2** *(fig.)* experiente

amadurecimento *s. m.* **1** estado de maduro; **2** maturação; **3** *(fig.)* experiência

âmago *s. m.* **1** BOT. cerne; medula; **2** parte central; **3** *(fig.)* núcleo; **4** *(fig.)* essência

amainar I *v. tr.* NÁUT. colher ou arriar (velas); **II** *v. intr.* (tempestade, ira) acalmar; serenar

amaldiçoar *v. tr.* **1** lançar maldição sobre; **2** maldizer

amálgama *s. m. ou f.* **1** QUÍM. liga de mercúrio com outro metal; **2** *(fig.)* mistura de coisas; confusão

amalgamar *v. tr.* **1** QUÍM. preparar liga de mercúrio com outro metal; **2** *(fig.)* misturar; combinar

amamentação *s. f.* aleitamento

amamentar *v. tr.* dar de mamar a; aleitar

amancebado *adj. e s. m.* que ou o que vive maritalmente, sem ser casado

amancebar-se *v. refl.* viver maritalmente com uma pessoa, sem estar casada com ela; amigar-se

amanhã **I** *s. m.* **1** o dia seguinte; **2** época futura; **II** *adv.* **1** no dia seguinte ao presente; **2** em época futura indeterminada; ***de hoje para ~*** de um momento para o outro; ***o dia de ~*** o futuro

amanhado *adj.* **1** (terra) lavrado; cultivado; **2** (peixe) preparado para ser cozinhado; **3** *(coloq.)* arranjado

amanhar *v. tr.* **1** lavrar; cultivar (a terra); **2** preparar para cozinhar (peixe); **3** *(coloq.)* arranjar

amanhecer **I** *v. intr.* **1** nascer o dia; **2** depontar; raiar; **II** *s. m.* aurora; alvorecer

amanho *s. m.* **1** cultivo (da terra); lavoura; **2** arranjo

amansado *adj.* domesticado; acalmado

amansar *v. tr. e intr.* **1** domesticar(-se); **2** dominar(-se)

amante *adj. e s. 2 gén.* **1** que ou pessoa que ama; apaixonado; **2** que ou pessoa que tem gosto ou inclinação por alguma coisa; entusiasta

amanteigado *adj.* **1** com sabor ou consistência de manteiga; **2** *(fig.)* macio; meigo

amar **I** *v. tr.* **1** ter amor a; **2** gostar de; apreciar; **II** *v. intr.* **1** sentir amor por; **2** estar apaixonado; **III** *v. refl.* **1** sentir amor por; **2** ter relação sexual

amaragem *s. f.* descida (do hidravião) na água

amarar **I** *v. intr.* **1** (embarcação) fazer-se ao mar; **2** (hidroavião) pousar na água; **II** *v. tr.* **1** pôr ao largo (embarcação); **2** encher de água; inundar; **III** *v. refl.* (olhos) encher-se de lágrimas

amarelado *adj.* **1** (cor) semelhante a amarelo; **2** (aparência) pálido; descorado

amarelo **I** *s. m.* cor da gema de ovo; **II** *adj.* **1** que tem a cor da gema de ovo; **2** pálido; descorado; ***sorriso ~*** sorriso forçado

amarelo-claro **I** *s. m.* tom claro de amarelo; **II** *adj.* que tem essa cor

amarelo-escuro **I** *s. m.* tom escuro de amarelo; **II** *adj.* que tem essa cor

amarelo-torrado **I** *s. m.* cor amarela um tanto carregada; **II** *adj.* que tem essa cor

amarfanhar *v. tr.* **1** amarrotar; amachucar; **2** *(fig.)* humilhar

amargamente *adv.* com amargura; com tristeza

amargar **I** *v. tr.* **1** tornar amargo; **2** sofrer; **II** *v. intr.* **1** ter sabor amargo; **2** sofrer

amargo *adj.* **1** adstringente; acre; **2** *(fig.)* triste; penoso

amargor *s. m.* **1** sabor amago; **2** *(fig.)* sofrimento; pena

amargoso *adj.* **1** amargo; **2** *(fig.)* triste; penoso

amargura *s. f.* **1** sabor amargo; **2** *(fig.)* aflição; angústia

amargurado *adj.* **1** que tem amargura; **2** angustiado; aflito

amargurar *v. tr. e refl.* **1** tornar(-se) amargo; **2** angustiar(-se); afligir(-se)

amarílis *s. f.* BOT. planta ornamental africana com flores de cores variadas

amarra *s. f.* **1** NÁUT. corrente que prende o navio à âncora ou à bóia;

2 (*fig.*) apoio; protecção; 3 (*fig.*) prisão; obstáculo; ***soltar as amarras*** libertar-se

amarração *s. f.* 1 NÁUT. acto ou efeito de amarrar; 2 NÁUT. conjunto de amarras; 3 (*Bras.*) (*coloq.*) ligação amorosa; paixão

amarrado *adj.* 1 NÁUT. preso com amarras; ancorado; 2 (*coloq.*) comprometido; 3 (*Bras.*) (*coloq.*) apaixonado

amarrar I *v. tr.* 1 prender com amarra; 2 NÁUT. ancorar; II *v. intr.* NÁUT. ancorar; fundear; III *v. refl.* 1 (com corda) prender-se; 2 (a ideia) ligar-se fortemente; 3 (*coloq.*) comprometer-se (com alguém); 4 (*Bras.*) (a pessoa) ligar-se afectivamente; apaixonar-se; (*coloq.*) ~ ***o bode*** ficar zangado; amuar

amarrotar *v. tr.* vincar; enrugar (tecido)

ama-seca *s. f.* {*pl.* amas-secas} mulher que toma conta de crianças; ama

amassadela *s. f.* pancada ou pressão ligeira; amolgadela; mossa

amassado *adj.* 1 que foi reduzido a massa; 2 misturado; 3 (veículo) amolgado; 4 (tecido) vincado; enrugado

amassar *v. tr.* 1 converter em massa ou em pasta; 2 misturar; 3 amolgar (veículo); 4 amarrotar; enrugar (tecido)

amável *adj. 2 gén.* simpático; atencioso

amazona *s. f.* 1 mulher que monta a cavalo; 2 guerreira

âmbar *s. m.* resina fóssil

ambárico *adj.* 1 feito de âmbar; 2 relativo a âmbar

ambição *s. f.* 1 expectativa de sucesso; aspiração; 2 cobiça; ganância

ambicionar *v. tr.* 1 ter ambição de; desejar ardentemente; 2 cobiçar

ambicioso *adj.* 1 que revela ambição; 2 ganancioso; 3 (projecto, desafio) ousado; arriscado

ambidestrismo *s. m.* 1 uso de ambas as mãos com a mesma destreza; 2 qualidade de ambidestro

ambidestro *adj.* que usa ambas as mãos com a mesma destreza

ambiência *s. f.* 1 meio natural e social em uma pessoa vive; meio ambiente; 2 espaço organizado esteticamente para determinada actividade; atmosfera

ambientação *s. f.* 1 adaptação ao meio ambiente; 2 acomodação a novos usos e costumes

ambientador *s. m.* produto ou dispositivo que elimina maus odores em locais fechados, através da evaporação de uma substância perfumada

ambiental *adj. 2 gén.* 1 relativo ao ambiente; 2 próprio do ambiente

ambientalismo *s. m.* 1 estudo do meio físico em que estão integrados os seres vivos com vista à sua protecção; 2 movimento que visa a protecção do meio ambiente e defende o equilíbrio entre o homem e o meio em que está integrado

ambientalista I *adj. 2 gén.* 1 relativo ao ambiente; 2 (perspectiva, política) que manifesta preocupação em relação ao meio ambiente e à sua protecção; II *s. 2 gén.* pessoa que se dedica ao estudo e à protecção do ambiente

ambientar *v. tr. e refl.* adaptar(-se); integrar(-se)

ambiente I *s. m.* 1 meio físico; 2 atmosfera; ambiência; 3 meio social; sociedade; 4 espaço; recinto; 5 INFORM. conjunto de elementos de hardware ou software onde os programas são executados; configuração; II *adj. 2 gén.* relativo ao meio circundante; atmosférico

ambiguidade *s. f.* 1 qualidade do que é ambíguo; 2 multiplicidade de sentidos (em palavra, frase ou expressão); 3 dúvida; incerteza

ambíguo *adj.* 1 que tem diferentes sentidos; obscuro; equívoco; 2 (palavra, expressão) que pode ter duas ou mais interpretações diferentes; **3** indefinido; vago

âmbito *s. m.* **1** espaço circundante; periferia; **2** recinto; **3** área de actividade

ambivalência *s. f.* **1** qualidade do que tem dois aspectos ou dois valores; **2** coexistência de sentimentos opostos em determinada situação

ambivalente *adj. 2 gén.* **1** relativo a ambivalência; em que há ambivalência; **2** que tem dois valores (opostos ou diferentes); **3** (palavra, expressão) que pode ter duas interpretações opostas ou diferentes

ambos *pron. indef.* **1** um e outro; os dois juntos; **2** tanto um como o outro

ambulância *s. f.* **1** veículo equipado para transportar e prestar os primeiros socorros a doentes e feridos; **2** MIL. hospital móvel que acompanha as tropas

ambulante *adj. 2 gén.* que se desloca de lugar em lugar; itinerante

ambulatório I *adj.* **1** que não tem lugar fixo; que se move; **2** MED. (doença, tratamento) que não obriga o doente a ficar de cama; **II** *s. m.* secção de hospital onde são prestados os primeiros socorros; banco

AME (União Europeia) [*sigla de* **A**cordo **M**onetário **E**uropeu]

ameaça *s. f.* **1** sinal indicativo do mal que se quer fazer a alguém; **2** aviso; advertência; **3** intimação; coacção; **4** indício (de coisa negativa, doença, etc.)

ameaçador *adj.* que ameaça; assustador

ameaçar I *v. tr.* **1** dirigir ameaça a; **2** intimidar; **3** pôr em perigo; prejudicar; **4** dar indícios de; anunciar (coisa negativa); **II** *v. intr.* estar prestes a; estar iminente

ameaço *s. m.* **1** MED. sintoma; **2** prenúncio

amealhar *v. tr. e intr.* juntar (dinheiro); poupar; economizar

ameba *s. f.* ZOOL. microrganismo unicelular comum nas águas dos charcos e na terra húmida

amedrontar *v. tr.* causar medo a; assustar

amêijoa *s. f.* ZOOL. molusco bivalve comestível, com concha dura, comum no Atlântico e no Mediterrâneo; berbigão

ameixa *s. f.* BOT. fruto suculento e saboroso produzido pela ameixeira

ameixal *s. m.* campo plantado de ameixeiras

ameixeira *s. f.* BOT. pequena árvore que produz ameixas

ameixoeira *s. f.* BOT. vd. **ameixeira**

amém I *interj.* designativa de concordância; **II** *s. m.* aprovação; concordância; consentimento ❖ ***dizer ~ a tudo*** concordar com tudo

amêndoa *s. f.* BOT. fruto da amendoeira, cuja semente fornece um óleo utilizado em cosmética e farmácia

amendoada *s. f.* CUL. doce ou bolo preparado com amêndoas

amendoado *adj.* **1** feito com amêndoas; **2** com sabor a amêndoa; **3** (olhos) com forma de amêndoa

amendoal *s. m.* campo plantado de amendoeiras

amendoeira *s. f.* BOT. árvore de semente oleaginosa, produtora de amêndoas

amendoim *s. m.* **1** BOT. planta herbácea cujas sementes fornecem um óleo muito usado na alimentação; **2** BOT. semente dessa planta, geralmente consumida torrada

amenidade *s. f.* **1** qualidade do que é ameno; **2** suavidade

ameninado *adj.* com aspecto ou modos de criança; pueril

amenizar *v. tr.* tornar ameno; suavizar

ameno *adj.* **1** agradável; **2** suave

amenorreia *s. f.* MED. ausência de menstruação na mulher

amenorreico *adj.* **1** MED. relativo a amenorreia; **2** (mulher) que sofre de amenorreia

americanice *s. f.* *(depr.)* procedimento característico do gosto americano; excentricidade

americanismo *s. m.* **1** estudo das culturas do continente americano; **2** admiração pela civilização americana; **3** cultura ou mentalidade característica do povo dos Estados Unidos da América

americanista **I** *s. 2 gén.* especialista em estudos americanos; **II** *adj. 2 gén.* que manifesta admiração pelo que é americano

americanizar **I** *v. tr.* dar carácter de americano a; **II** *v. refl.* **1** adquirir modos ou hábitos americanos; **2** obter naturalidade americana

americano **I** *s. m.* {*f.* americana} **1** pessoa natural da América; **2** pessoa natural dos Estados Unidos da América; **II** *adj.* **1** relativo à América; **2** relativo aos Estados Unidos da América

americanófilo *adj. e s. m.* que ou aquele que é admirador dos povos americanos, dos seus usos e costumes

amerício *s. m.* QUÍM. sexto elemento transuraniano, com o número atómico 95 e símbolo Am, radioactivo, obtido artificialmente

ameríndio **I** *s. m.* pessoa nativa do continente americano; **II** *adj.* relativo aos nativos do continente americano

amestrado *adj.* (animal) domado; treinado

amestrar *v. tr.* **1** domar; **2** ensinar

ametista *s. f.* MIN. variedade de quartzo de cor roxa, usada como pedra preciosa

AMI [*sigla de* **A**ssistência **M**édica **I**nternacional]

amial *s. m.* BOT. campo plantado de amieiros

amianto *s. m.* MIN. silicato natural hidratado de cálcio e magnésio, de estrutura fibrosa, branca e brilhante, resistente ao fogo e a altas temperaturas

amicíssimo *adj.* ⟨*superl. de* **amigo**⟩ muito amigo; grande amigo

amido *s. m.* QUÍM. composto formado por várias moléculas de glicose, abundante nos vegetais

amieiral *s. m.* campo plantado de amieiros

amieiro *s. m.* BOT. árvore frequente nas terras húmidas, cuja madeira é aproveitada para construção e a casca para preparar curtumes

amigalhaço *s. m.* *(pop.)* pessoa muito amiga

amigável *adj. 2 gén.* **1** dito ou feito por amizade; **2** (acordo, separação) por mútuo consentimento; **3** INFORM. de fácil aprendizagem ou utilização

amígdala *s. f.* ANAT. cada um dos órgãos em forma de amêndoa situados à entrada da garganta

amigdalite *s. f.* MED. inflamação das amígdalas

amigo **I** *s. m.* pessoa que tem com outra uma relação de amizade; companheiro; aliado; **II** *adj.* aliado; cúmplice; **~ *do peito*** amigo íntimo; *(coloq.)* **~ *do alheio*** ladrão

amigo-da-onça *s. m.* {*pl.* amigos-da-onça} *(coloq.)* falso amigo

amimar *v. tr.* **1** dar mimo a; **2** acarinhar

aminácido *s. m.* QUÍM. vd. **aminoácido**

aminoácido *s. m.* QUÍM. composto orgânico em cuja composição entram a função amina e a função ácido
amistoso *adj.* amigável; caloroso
amiúde *adv.* frequentemente
amizade *s. f.* **1** afecto; estima; simpatia; **2** camaradagem; companheirismo; **3** pessoa amiga
amnésia *s. f.* MED. perda total ou parcial da memória
amnesiar *v. tr.* causar amnésia a
amnésico I *s. m.* pessoa que sofre de amnésia; **II** *adj.* **1** que sofre de amnésia; **2** que provoca amnésia
amniocentese *s. f.* MED. (ginecologia) recolha de líquido amniótico para análise, durante a gravidez
amniótico *adj.* relativo à membrana que envolve o embrião; ***líquido ~*** líquido que envolve o feto durante a gestação; ***saco ~*** bolsa membranosa que contém o líquido amniótico e dentro da qual o feto se desenvolve
amnistia *s. f.* **1** DIR. medida de clemência que se traduz na anulação da pena; **2** perdão
amnistiar *v. tr.* **1** DIR. conceder amnistia a; **2** perdoar
amo *s. m.* chefe; patrão
amolação *s. f.* **1** afiação; **2** *(Bras.) (coloq.)* aborrecimento; maçada
amoladeira *s. f.* pedra de amolar; esmeril
amolar *v. tr.* **1** afiar; **2** *(Bras.) (coloq.)* aborrecer
amolecer *v. tr. e intr.* **1** tornar(-se) mole ou flexível; **2** *(fig.)* comover(-se)
amolecido *adj.* **1** flexível; **2** *(fig.)* comovido
amolecimento *s. m.* **1** diminuição da dureza ou da consistência; **2** *(fig.)* enfraquecimento; **3** *(fig.)* enternecimento
amolgadela *s. f.* amassadela ligeira ou superficial; mossa
amolgado *adj.* amassado; achatado
amolgadura *s. f.* **1** amolgadela; mossa; **2** marca em objecto que foi amolgado
amolgar *v. tr.* fazer mossa em; amassar
amónia *s. f.* QUÍM. solução aquosa de amoníaco
amoniacal *adj. 2 gén.* **1** que contém amoníaco; **2** que tem as propriedades do amoníaco
amoníaco *s. m.* QUÍM. composto gasoso de azoto e hidrogénio (NH_3), de cheiro intenso, usado em detergentes, fertilizantes, etc.
amontoação *s. f.* colocação de coisas em monte, de forma desordenada; acumulação
amontoado I *s. m.* conjunto de coisas amontoadas; montão; **II** *adj.* acumulado; empilhado
amontoamento *s. m.* vd. **amontoação**
amontoar I *v. tr.* colocar coisas em monte, de forma desordenada; empilhar; **II** *v. refl.* acumular-se; empilhar-se
amor *s. m.* **1** sentimento de afecto profundo; paixão; **2** atracção; **3** acto sexual; **4** pessoa muito simpática; **5** relação amorosa; caso; **6** dedicação (a uma causa ou actividade) ❖ ***fazer ~*** ter relações sexuais; ***(não) morrer de amores por*** (não) gostar; ***por ~ de Deus!*** por caridade; ***ter ~ à pele*** não arriscar a vida
amora *s. f.* BOT. fruto da amoreira, doce e de cor vermelho-escura
amoral *adj. e s. 2 gén.* que ou pessoa que não segue nenhuma obrigação moral; que ou pessoa que não é nem moral nem imoral
amoralidade *s. f.* **1** inexistência de princípios morais; **2** ausência de moralidade
amoralismo *s. m.* vd. **amoralidade**
amordaçar *v. tr.* **1** colocar mordaça em; **2** *(fig.)* calar; oprimir

amoreira *s. f.* BOT. árvore que produz amoras

amoreiral *s. m.* campo plantado de amoreiras

amorfismo *s. m.* **1** estado de amorfo; **2** ausência de forma definida; **3** deformação

amorfo *adj.* **1** que não tem forma determinada; **2** MIN. (mineral) sem estrutura cristalina; **3** QUÍM. (substância) que não tem organização interna regular; **4** (pessoa) sem iniciativa; apático

amorico *s. m.* amor passageiro; namorico

amornar I *v. tr.* tornar morno; **II** *v. refl.* **1** tornar-se morno; **2** (*fig.*) perder o entusiasmo

amoroso *adj.* carinhoso; meigo

amor-perfeito *s. m.* {*pl.* amores-per--feitos} BOT. planta herbácea com flores de corola larga, de cor roxa, branca e amarela

amor-próprio *s. m.* {*pl.* amores-próprios} sentimento de dignidade ou respeito que uma pessoa tem por si própria; auto-estima

amortalhar *v. tr.* **1** envolver em mortalha; **2** dispor (cadáver) em caixão

amortecedor *s. m.* MEC. dispositivo para reduzir o efeito dos choques e as vibrações das máquinas, aparelhos, etc.

amortecer *v. tr.* **1** reduzir a intensidade de; enfraquecer; **2** fazer perder o ímpeto; abrandar; **3** interromper o movimento de; amparar

amortecimento *s. m.* **1** perda de força ou intensidade; enfraquecimento; **2** redução de movimento; abrandamento

amortização *s. f.* **1** ECON. pagamento gradual de uma dívida; **2** ECON. cada uma das verbas utilizadas para pagar uma dívida

amortizar *v. tr.* ECON. pagar (dívida) gradualmente ou em prestações

amortizável *adj. 2 gén.* que pode ser amortizado

amostra *s. f.* **1** fragmento representativo de qualquer coisa; **2** (de mercadoria) exemplar ou modelo representativo da qualidade de um produto; **3** (estatística) grupo representativo de uma população, seleccionado para recolha e análise de dados; **4** espécime; exemplar; **5** prova; sinal

amostragem *s. f.* processo de selecção de elementos de uma população ou de um universo estatístico que possam servir de amostra

amostrar *v. tr.* **1** recolher amostra de; **2** mostrar

amotinação *s. f.* revolta; sublevação

amotinar *v. tr. e refl.* revoltar(-se); sublevar(-se)

amover *v. tr.* **1** expropriar; **2** afastar

amovível *adj. 2 gén.* **1** que pode ser deslocado; **2** temporário; transitório

amparar I *v. tr.* **1** apoiar; **2** sustentar; **3** proteger; **II** *v. refl.* **1** encostar-se; **2** apoiar-se

amparo *s. m.* **1** apoio; **2** protecção

ampere *s. m.* FÍS. unidade de intensidade da corrente eléctrica

amperímetro *s. m.* FÍS. instrumento que serve para medir a intensidade de uma corrente eléctrica

amplamente *adv.* em grande quantidade ou extensão; intensamente; largamente

amplexo *s. m.* abraço

ampliação *s. f.* **1** alargamento; aumento; **2** ÓPT. alteração das dimensões de uma imagem por meio de uma lente; **3** FOT. operação que tem por fim obter uma cópia positiva maior do que o negativo; **4** FOT. cópia maior que o negativo

ampliador *s. m.* **1** ÓPT. aparelho que aumenta a imagem de um objecto; **2** FOT. instrumento que permite fazer reproduções ampliadas de negativos

ampliar *v. tr.* **1** aumentar a dimensão de; alargar; **2** FOT. reproduzir (negativo) em formato maior

ampliável *adj. 2 gén.* que se pode ampliar

amplificação *s. f.* **1** aumento de tamanho; alargamento; **2** intensificação (de som)

amplificador *s. m.* **1** ELECTR. aparelho que serve para aumentar a amplitude ou potência de um sinal eléctrico; **2** dispositivo electrónico que serve para amplificar a intensidade do som

amplificar *v. tr.* **1** ampliar; aumentar; **2** intensificar (som)

amplitude *s. f.* **1** extensão; dimensão; **2** FÍS. valor máximo de uma quantidade variável com o tempo; **3** ASTRON. curva descrita por um astro; **4** (de conflito, problema) importância; gravidade; FÍS. **~ *térmica*** diferença entre a temperatura mínima e a temperatura máxima de um lugar ou de uma região

amplo *adj.* **1** (espaço) de grandes dimensões; vasto; **2** (recurso) abundante; **3** (análise) abrangente; **4** (poder) ilimitado; **5** (sorriso) franco

ampola *s. f.* pequeno reservatório de vidro, fechado hermeticamente, para conter líquidos

ampulheta *s. f.* instrumento composto por dois reservatórios que comunicam entre si por um orifício através do qual cai areia fina, e que serve para contar o tempo

amputação *s. f.* MED. remoção cirúrgica de um órgão, de um membro ou de parte de um membro

amputar *v. tr.* **1** MED. remover (órgão, membro ou parte de membro); **2** *(fig.)* cortar

amuado *adj.* **1** carrancudo; mal-humorado; **2** melindrado

amuar *v. intr.* **1** ficar mal-humorado; **2** melindrar-se

amuleto *s. m.* objecto a que se atribui qualquer virtude; talismã

amuo *s. m.* estado de quem está amuado; mau-humor

amurada *s. f.* NÁUT. paredes que limitam lateralmente o costado de um navio

anacoreta *s. m.* eremita

anacrónico *adj.* **1** contrário à cronologia; **2** que está em desacordo com os usos e costumes de determinada época; **3** antiquado

anacronismo *s. m.* **1** erro de cronologia; **2** datação errada; **3** facto ou atitude que está em desacordo com sua época

anadiplose *s. f.* RET. repetição de uma palavra ou expressão de um período gramatical no começo do período seguinte

anaeróbio *adj.* BIOL. (ser vivo) que pode viver privado do contacto com o ar ou sem oxigénio livre

anafado *adj.* baixo e gordo; rechonchudo

anafar *v. tr.* engordar

anáfora *s. f.* RET. figura de estilo que consiste em repetir a mesma palavra no princípio de duas ou mais frases

anafórico *adj.* relativo a anáfora

anagnórise *s. f.* LIT. reconhecimento ou descoberta de facto decisivo, que causa mudança brusca e radical no desenvolvimento da acção e no destino do protagonista

anagrama *s. m.* palavra formada pela alteração da ordem das letras de outra palavra (*amor* e *Roma*, por exemplo)

anagramático *adj.* **1** relativo a anagrama; **2** formado por anagrama
anagramatista *s. 2 gén.* pessoa que compõe anagramas
anagramatizar *v. tr.* **1** compor anagrama; **2** transformar (palavra) em anagrama
anais *s. m. pl.* narração de factos históricos, organizada ano a ano
anal *adj. 2 gén.* ANAT. relativo ao ânus
analepse *s. f.* LIT. narração de factos anteriores a eventos já narrados
analéptico I *adj.* LIT. (narrativa) que se caracteriza por um recuo dos factos no tempo; **II** *adj.* fortificante; revigorante
analfabético *adj.* **1** (língua) que não tem alfabeto; **2** relativo a analfabetismo ou a analfabeto
analfabetismo *s. m.* falta de instrução; iliteracia
analfabeto I *s. m.* pessoa que não sabe ler nem escrever; **II** *adj.* que não sabe ler nem escrever; iletrado
analgesia *s. f.* MED. vd. **analgia**
analgésico I *s. m.* FARM. substância ou medicamento que alivia ou elimina a dor; **II** *adj.* **1** relativo a analgia; **2** que torna insensível à dor
analgia *s. f.* MED. perda ou ausência de sensibilidade à dor
analisador *adj.* que ou aquele que analisa; analista
analisar *v. tr.* **1** fazer a análise de; estudar; **2** comentar; criticar
analisável *adj. 2 gén.* que se pode analisar; que pode ser estudado
análise *s. f.* **1** estudo detalhado; **2** separação de um todo nas partes que o formam; decomposição; **3** comentário; crítica; **4** MED. psicanálise ❖ ***em última ~*** finalmente
analista *s. 2 gén.* **1** pessoa que analisa; **2** pessoa que comenta ou critica; **3** MED. psicanalista
analítica *s. f.* GEOM. disciplina que utiliza um sistema de coordenadas para representar as figuras geométricas
analítico *adj.* **1** relativo a análise; **2** que procede por análise; **3** MED. psicanalítico
analogia *s. f.* **1** relação de semelhança entre coisas diferentes; parecença; **2** correspondência; ***por ~*** com base nas semelhanças
analógico *adj.* **1** relativo a analogia; **2** em que há analogia; **3** INFORM. que varia de modo contínuo e gradual
análogo *adj.* **1** que tem analogia; semelhante; **2** fundado em analogia
anamnese *s. f.* **1** RET. figura pela qual uma pessoa finge lembrar-se de uma coisa esquecida; **2** recordação; reminiscência
ananás *s. m.* BOT. fruto do ananaseiro, de casca alaranjada com folhas no cimo e interior doce e carnudo
ananaseiro *s. m.* BOT. planta tropical produtora de ananás
ananismo *s. m.* **1** MED. desenvolvimento insuficiente de um órgão; **2** BOT. desenvolvimento anormal de uma planta
anão I *s. m.* pessoa com estatura muito abaixo do normal; **II** *adj.* **1** que tem tamanho ou estatura muito abaixo do normal; **2** *(pej.)* enfezado; raquítico; **3** *(pej.)* insignificante; mínimo
anapesto *s. m.* LIT. pé de verso grego ou latino composto de duas sílabas breves e uma longa
anarquia *s. f.* **1** POL. sistema baseado na negação do princípio da autoridade; **2** POL. Estado ou regime em que não há governo; **3** desordem; confusão
anárquico *adj.* **1** relativo a anarquia; **2** que causa anarquia; **3** desordenado; confuso
anarquismo *s. m.* POL. doutrina que defende a abolição de qualquer forma de autoridade organizada

anarquista *adj. e s. 2 gén.* que ou pessoa que defende o anarquismo
anarquizante *adj. 2 gén.* **1** que provoca anarquia; **2** que desorganiza
anarquizar *v. tr.* **1** provocar anarquia em; **2** desorganizar
anátema *s. m.* **1** excomunhão; **2** condenação
anatematizar *v. tr.* **1** lançar anátema sobre; **2** excomungar; **3** condenar
anatocismo *s. m.* ECON. cobrança de juros sobre juros
anatomia *s. f.* **1** dissecação do corpo humano ou de qualquer ser vivo para estudo da sua organização interna; **2** disciplina que estuda a organização interna dos seres vivos; **3** *(fig.)* estudo aprofundado
anatómico *adj.* relativo a anatomia
anatomista *s. 2 gén.* especialista em anatomia
anatomizar *v. tr.* **1** dissecar; **2** *(fig.)* estudar profundamente
anca *s. f.* ANAT. proeminência lateral do corpo humano, da cintura à coxa
ancestral I *adj. 2 gén.* **1** relativo aos antepassados; **2** muito antigo; remoto; **II** *s. m.* antepassado; antecessor
anchova *s. f.* ZOOL. peixe frequente nos mares quentes e temperados
ancianidade *s. f.* **1** velhice; **2** antiguidade
ancião I *s. m.* {*f.* anciã} pessoa de idade avançada; **II** *adj.* velho; antigo
ancinho *s. m.* instrumento agrícola em forma de pente
âncora *s. f.* **1** NÁUT. peça de ferro forjado que se lança para o fundo do mar ou do rio para manter o navio imóvel num determinado lugar; **2** *(fig.)* apoio; recurso
ancorado *adj.* **1** NÁUT. (navio) que se ancorou; fundeado; **2** *(fig.)* fixado; **3** *(fig.)* apoiado
ancoradoiro *s. m.* vd. **ancoradouro**
ancoradouro *s. m.* **1** NÁUT. lugar próprio para a ancoragem de embarcações; **2** *(fig.)* abrigo; protecção
ancoragem *s. f.* NÁUT. lançamento de âncora
ancorar I *v. tr.* NÁUT. fundear, lançando a âncora; **II** *v. intr.* **1** NÁUT. lançar âncora; fundear; **2** *(fig.)* fixar-se; estabelecer-se
andaimar *v. tr.* colocar andaime em
andaime *s. m.* armação de madeira ou tubo de ferro destinada a possibilitar o trabalho de operários em construções altas
andaluz I *s. m.* {*f.* andaluza} **1** pessoa natural da Andaluzia (região da Espanha meridional); **2** dialecto falado na Andaluzia; **II** *adj.* relativo à Andaluzia
andamento *s. m.* **1** progresso; desenvolvimento; **2** curso; marcha; **3** MÚS. ritmo que regula a execução de uma peça musical; **4** MÚS. cada uma das partes de uma composição musical
andança *s. f.* **1** caminhada; jornada; **2** trabalho; **3** aventura
andante I *adj. e s. 2 gén.* que ou pessoa que anda; **II** *s. m.* **1** MÚS. andamento musical moderado; **2** MÚS. trecho musical com este andamento
andar I *v. intr.* **1** deslocar-se a pé; caminhar; **2** (curso, escola) frequentar; **3** (aparelho, mecanismo) funcionar; **4** (tempo) passar; **5** (pessoa) estar; sentir-se; **6** *(coloq.)* namorar com; **II** *s. m.* **1** movimento; ritmo; **2** modo como se anda; **3** (de edifício) piso; **4** apartamento
andar-modelo *s. m.* {*pl.* andares-modelo} apartamento totalmente equipado, apresentado como exemplo para promoção de um empreendimento imobiliário

andas *s. f. pl.* pernas altas de pau para andar a certa altura do solo
andebol *s. m.* DESP. jogo entre duas equipas de sete jogadores, em que se procura introduzir a bola na baliza adversária, jogando-a com as mãos
andebolista *s. 2 gén.* praticante de andebol
andor *s. m.* padiola ornamentada que, nas procissões, leva as imagens dos santos
andorinha *s. f.* ZOOL. ave migratória com pelagem azulada na cabeça e branca no resto do corpo
andorinhão *s. m.* ZOOL. ave insectívora de cor cinzento-escura com asas muito longas
andorrano I *s. m.* {*f.* andorrana} pessoa natural de Andorra (nos Pireneus); **II** *adj.* relativo a Andorra
andrajo *s. m.* pano velho e rasgado; farrapo; trapo
andrajoso *adj.* coberto de andrajos; esfarrapado
androceu *s. m.* BOT. conjunto dos órgãos masculinos de uma flor; estame
androginia *s. f.* BIOL. qualidade do que apresenta características de ambos os sexos; hermafroditismo
andrógino *adj. e s. m.* BIOL. que ou invivíduo que apresenta características de ambos os sexos; hermafrodita
andróide I *s. m.* **1** autómato com figura humana; **2** *(fig.)* boneco; fantoche; **II** *adj. 2 gén.* semelhante ao homem; antropóide
andropausa *s. f.* MED. conjunto de alterações fisiológicas e psicológicas que ocorrem no homem entre os 50 e os 70 anos, com redução progressiva da actividade sexual
anedota *s. f.* **1** piada; **2** historieta
anedótico *adj.* **1** relativo a anedota; **2** cómico; risível; divertido
anel *s. m.* **1** pequena argola que se usa no dedo; **2** (de cabelo) caracol; **3** (de corrente) elo; **4** QUÍM. conjunto de átomos ligados em cadeia
anelação *s. f.* MED. respiração difícil causada por esforço ou doença
anemia *s. f.* **1** MED. insuficiência do número de glóbulos vermelhos do sangue; **2** *(fig.)* fraqueza; debilidade
anémico I *adj.* **1** relativo a anemia; **2** MED. que sofre de anemia; **II** *s. m.* aquele que sofre de anemia
anemógrafo *s. m.* aparelho que regista a direcção, a velocidade e a força do vento
anemómetro *s. m.* instrumento que regista a velocidade do vento
anémona *s. f.* BOT. planta herbácea ornamental com flores muito coloridas
anemoterapia *s. f.* MED. tratamento por meio de inalações
aneróide *adj. e s. m.* FÍS. que ou instrumento que funciona com base na elasticidade de uma caixa metálica onde o ar se rarefaz
anestesia *s. f.* MED. supressão temporária da sensibilidade, mediante técnicas utilizadas em cirurgia, para fins operatórios, exploratórios, terapêuticos; **~ *epidural*** anestesia aplicada na região da medula espinhal, retirando a sensibilidade da região do tórax e da parte inferior do corpo; **~ *geral*** suspensão de toda a sensibilidade do corpo, com perda total da consciência, através da aplicação de uma substância anestesiante por via venosa; **~ *local*** supressão temporária da sensibilidade de uma parte do corpo por meio da aplicação de uma anestesia na proximidade de um nervo, sem perda de consciência
anestesiar *v. tr.* **1** MED. reduzir ou eliminar a sensibilidade física através

da aplicação de um anestésico; 2 *(fig.)* tornar apático; insensibilizar

anestésico I *adj.* 1 FARM. que diminui ou elimina a sensibilidade; 2 *(fig.)* que provoca apatia; II *s. m.* 1 FARM. produto que diminui ou elimina a sensibilidade; 2 *(pop.)* médico que aplica anestesia; anestesista

anestesiologia *s. f.* MED. disciplina que estuda os anestésicos, as técnicas de anestesia e de reanimação

anestesista *s. 2 gén.* MED. especialista em anestesia; anestesista

aneto *s. m.* BOT. planta herbácea com folhas recortadas

aneurisma *s. m.* MED. dilatação de uma artéria

anexação *s. f.* 1 POL. incorporação; 2 junção

anexar I *v. tr.* 1 POL. incorporar (país, região); 2 juntar; acrescentar (documento); II *v. refl.* unir-se; juntar-se

anexo I *s. m.* 1 ARQ. dependência de um edifício principal; 2 suplemento; II *adj.* 1 incorporado; unido; 2 correlacionado; ligado

anfetamina *s. f.* QUÍM. substância excitante do sistema nervoso central

anfíbio *adj. e s. m.* 1 (ser vivo) que ou o que está adaptado a viver tanto na água como em terra; 2 (veículo) que ou o que se desloca indiferentemente no solo ou na água

anfiteatro *s. m.* 1 HIST. (Grécia e Roma) circo para espectáculos e jogos públicos; 2 sala de aula ou de espectáculos com bancada disposta em filas escalonadas

anfitrião *s. m.* {*f.* anfitriã} 1 pessoa que recebe outra(s) em sua casa; 2 pessoa que paga as despesas de uma festa, refeição, etc.

ânfora *s. f.* vaso de cerâmica bojudo, de gargalo estreito, com duas asas

angariação *s. f.* 1 recolha (de dinheiro, apoio); 2 recrutamento (de pessoas)

angariador *s. m.* pessoa que recolhe (dinheiro ou apoio)

angariar *v. tr.* 1 recolher (dinheiro ou apoio); 2 recrutar (pessoas)

angelical *adj. 2 gén.* 1 próprio de anjo; 2 semelhante a anjo; 3 *(fig.)* inocente

angélico *adj.* vd. **angelical**

angina *s. f.* 1 MED. inflamação da garganta; 2 MED. dor espasmódica; ***~ de peito*** doença provocada por deficiência do afluxo sanguíneo ao miocárdio, que se manifesta por uma forte dor torácica

anglicanismo *s. m.* religião oficial da Inglaterra

anglicanista *adj. 2 gén.* relativo a anglicanismo

anglicano I *adj.* 1 relativo ao anglicanismo; 2 relativo ou pertencente à Inglaterra; II *s. m.* pessoa que professa a religião anglicana

anglicismo *s. m.* LING. termo formado a partir de palavra ou locução inglesa

anglicizar I *v. tr.* dar carácter de inglês a; II *v. refl.* 1 adquirir modos ou hábitos ingleses; 2 obter naturalidade inglesa

anglística *s. f.* estudo da língua, literatura e filologia inglesas

anglo-americano I *adj.* relativo à Inglaterra e aos Estados Unidos da América; II *s. m.* pessoa que tem ascendência inglesa e norte-americana

anglófilo *adj. e s. m.* que ou aquele que é admirador das coisas da Inglaterra

anglo-saxão I *s. m.* {*pl.* anglo-saxões} pessoa pertencente a um povo germânico resultante do cruzamento dos anglos, jutos e saxões; II *adj.* relativo ao povo que resultou da fusão dos anglos, jutos e saxões

anglo-saxónico *adj.* e *s. m.* vd. **anglo-saxão**
angolano I *s. m.* {*f.* angolana} pessoa natural de Angola; **II** *adj.* relativo a Angola
angra *s. f.* pequena baía
angular *adj. 2 gén.* relativo a ângulo
ângulo *s. m.* **1** GEOM. figura formada por dois semiplanos ou duas semi-rectas com as mesmas origens; **2** esquina; canto; **3** CIN., FOT. posição da câmara em relação ao objecto focado; **4** ponto de vista; perspectiva; GEOM. ~ ***agudo*** ângulo que mede menos de 90°; GEOM. ~ ***de giro*** ângulo que mede 360°; GEOM. ~ ***obtuso*** ângulo que mede mais de 90°; GEOM. ~ ***recto*** ângulo que mede 90°
angulómetro *s. m.* instrumento próprio para medir ângulos
angústia *s. f.* **1** aflição; ansiedade; **2** tristeza
angustiado *adj.* **1** aflito; ansioso; **2** triste
angustiante *adj. 2 gén.* que provoca angústia; preocupante; aflitivo
angustiar I *v. tr.* provocar angústia a; afligir; **II** *v. refl.* sentir angústia; afligir-se
anho *s. m.* ZOOL. cordeiro jovem
anião *s. m.* FÍS., QUÍM. ião com carga eléctrica negativa
anidrido *adj.* QUÍM. composto de oxigénio e outro elemento que, reagindo com água, dá origem a um ácido
anil *s. m.* substância azulada, usada como corante, que se obtém de algumas plantas; índigo
anilado *adj.* da cor do anil; azulado
anilha *s. f.* **1** pequena argola ou aro de metal; **2** MEC. anel que se coloca entre duas peças presas por parafuso ou porca
anilhado *adj.* ligado com anilha; preso
anilina *s. f.* QUÍM. composto orgânico azotado, aromático, usado na indústria de corantes e em tinturaria
animação *s. f.* **1** vivacidade; movimento; **2** CIN. técnica que se baseia na sequenciação de fotografias de desenhos ou bonecos, visando a sugestão de movimento
animado *adj.* **1** (ser) dotado de vida e de movimento; **2** (lugar) alegre; movimentado; **3** (pessoa) entusiasmado; bem-disposto
animador *s. m.* **1** pessoa que apresenta programas de variedades; **2** CIN. pessoa que faz animação de imagens
animal I *s. m.* **1** ser vivo dotado de mobilidade própria e sensibilidade, que pode nutrir-se de alimentos sólidos; **2** ser vivo irracional; **II** *adj. 2 gén.* **1** relativo aos animais; **2** (*fig.*) irracional; **3** (*fig.*) sensual; **4** (*fig.*) cruel; ~ ***doméstico*** animal que foi domesticado e convive com o homem
animalesco *adj.* **1** próprio de animal; **2** (*fig.*) cruel
animar I *v. tr.* **1** dar vida; **2** entusiasmar; **II** *v. refl.* **1** tomar vida; **2** ganhar coragem
animato *adv.* MÚS. andamento animado na execução de uma peça
anímico *adj.* relativo a alma
ânimo *s. m.* **1** coragem; força de vontade; **2** disposição
animosidade *s. f.* **1** aversão; má vontade; **2** rancor; ressentimento
animoso *adj.* **1** corajoso; **2** determinado
aninhar I *v. tr.* **1** esconder; **2** acolher; **II** *v. refl.* esconder-se
aniquilação *s. f.* **1** destruição; **2** extermínio

aniquilamento *s. m.* vd. **aniquilação**
aniquilar **I** *v. tr.* **1** destruir; **2** exterminar; **II** *v. refl.* abater-se
anis *s. m.* **1** BOT. planta herbácea cultivada pelos seus frutos aromáticos, usados para extracção de um óleo, do qual se fazem licores e xaropes; **2** BOT. semente dessa planta; **3** licor ou xarope preparado com essa planta
anistórico *adj.* contrário à História
aniversariante *adj. e s. 2 gén.* que ou pessoa que celebra o seu aniversário
aniversário *s. m.* **1** dia em que se completa um ou mais anos desde que uma pessoa nasceu ou desde que ocorreu determinado acontecimento; **2** festa de anos
anjinho *s. m.* *(irón.)* pessoa ingénua ou crédula
anjo *s. m.* **1** ser celestial, geralmente representado como uma figura humana jovem com asas; **2** *(fig.)* pessoa muito bondosa; ~ ***Custódio/da Guarda*** anjo que vela por uma pessoa ou por uma entidade; protector
anno Domini *loc.* ano da era de Cristo; ano do Senhor
ano *s. m.* **1** período de 365 dias ou doze meses; **2** ASTRON. tempo que a Terra gasta para dar uma volta em torno do Sol; **3** [*pl.*] idade; aniversário de nascimento; ~ ***bissexto*** ano em que o mês de Fevereiro tem 29 dias (há um de quatro em quatro anos); ~ ***civil*** ano com 365 dias ou, se for bissexto, 366; ano que vai do dia 1 de Janeiro ao dia 31 de Dezembro; ~ ***corrente*** ano que está em curso; (escola) ~ ***lectivo*** período durante o qual se realizam as actividades escolares (aulas, exames, etc.); ~ ***Novo*** primeiro dia de Janeiro; RELIG. (Catolicismo) ~ ***santo*** ano de jubileu, determinado pelo Papa, que ocorre de 25 em 25 anos ❖ ***fazer anos*** comemorar o aniversário de nascimento; ***passar de*** ~ transitar para o nível escolar seguinte
ânodo *s. m.* ELECTR. eléctrodo positivo, para onde se dirigem os iões negativos
anoitecer **I** *v. intr.* cair a noite; escurecer; **II** *s. m.* transição entre o dia e a noite; crepúsculo
anomalia *s. f.* **1** irregularidade; **2** excepção; **3** falha
anómalo *adj.* **1** irregular; anormal; **2** estranho; invulgar
anonimato *s. m.* **1** qualidade do que é anónimo; **2** hábito de escrever sem assinar
anónimo **I** *adj.* **1** que não foi assinado; **2** que não revela o seu nome; **II** *s. m.* **1** aquele que não assina o que escreve; **2** indivíduo desconhecido ou que que não revela o seu nome
anoraque *s. m.* casaco de tipo desportivo, impermeável, com capuz
anoréctico **I** *adj.* **1** relativo a anorexia; **2** que sofre de anorexia; **II** *s. m.* pessoa que sofre de anorexia
anorexia *s. f.* MED. redução ou falta de apetite; ~ ***nervosa*** síndrome neurótica caracterizada pela recusa gradual de toda a alimentação, que tem como resultado o enfraquecimento do organismo em geral e pode mesmo levar à morte
anoréxico *adj. e s. m.* vd. **anoréctico**
anormal **I** *adj. 2 gén.* **1** que se afasta da norma ou da média; **2** irregular; anómalo; **3** imprevisto; insólito; **4** *(pej.)* perverso; depravado; **II** *s. 2 gén.* **1** pessoa que revela comportamento que se afasta do que é considerado normal; **2** aquilo que está fora da norma ou da média; **3** aquilo que é imprevisto ou insólito; **4** *(pej.)* pessoa perversa ou depravada

anormalidade *s. f.* **1** carácter do que é anormal; **2** irregularidade; anomalia; **3** desvio em relação à norma

anotação *s. f.* **1** nota breve; apontamento; **2** comentário; observação

anotado *adj.* **1** registado por escrito; apontado; **2** (documento, texto) comentado por meio de notas

anotador *adj. e s. m.* **1** que ou aquele que anota; **2** comentador

anotar *v. tr.* **1** apontar (por escrito); registar; **2** inserir nota em (texto); **3** comentar por meio de notas

anseio *s. m.* **1** aflição; angústia; **2** desejo intenso; aspiração

ânsia *s. f.* **1** angústia causada por incerteza ou por receio; aflição; **2** desejo intenso; aspiração

ansiar *v. tr. e intr.* **1** desejar ardentemente; **2** afligir(-se); angustiar(-se)

ansiedade *s. f.* **1** desejo ardente; **2** aflição; **3** impaciência; **4** expectativa

ansiolítico *adj. e s. m.* FARM. que ou medicamento que atenua a ansiedade; tranquilizante

ansioso *adj.* **1** desejoso; **2** inquieto; **3** angustiado

anta *s. f.* HIST. monumento neolítico feito de pedras grandes e usado como túmulo; dólmen

antagónico *adj.* contrário; oposto

antagonismo *s. m.* **1** oposição; **2** rivalidade; **3** incompatibilidade

antagonista **I** *s. 2 gén.* **1** pessoa que actua em sentido oposto; **2** pessoa que luta contra alguém ou contra alguma coisa; **3** rival; adversário; **II** *s. m.* **1** ANAT. músculo que realiza um movimento contrário ao de outro músculo; **2** FARM. medicamento cuja acção se opõe à de outro

antagonizar **I** *v. tr.* fazer oposição a; contrariar; **II** *v. refl.* opor-se a; incompatibilizar-se com

antárctico *adj.* **1** relativo ao Pólo Sul; **2** meridional; austral

Antárctico *s. m.* oceano situado no Pólo Sul

ante *prep.* diante de; perante

anteacto *s. m.* TEAT. pequena peça representada antes da peça principal

antebraço *s. m.* ANAT. parte do membro superior do homem, situada entre a articulação do cotovelo e o pulso

antebraquial *adj. 2 gén.* relativo ao antebraço

antecâmara *s. f.* sala de espera

antecedência *s. f.* precedência no tempo; anterioridade; ***com ~*** antes da data marcada; antecipadamente

antecedente **I** *adj. 2 gén.* que se disse ou se fez antes; precedente; anterior; **II** *s. m.* **1** GRAM. termo (palavra, oração, etc.) a que se refere o pronome relativo; **2** MAT. primeiro dos dois termos de uma relação; **3** circunstância ou comportamento anterior; **4** [*pl.*] factos da vida passada de uma pessoa; **5** [*pl.*] ascendência; antepassados

anteceder **I** *v. tr. e intr.* vir ou estar antes; preceder; **II** *v. refl.* antecipar-se

antecena *s. f.* TEAT. parte do palco à frente da cena

antecessor *s. m.* **1** pessoa que antecede ou precede; predecessor; **2** pessoa que viveu antes de outra; antepassado

antecipação *s. f.* **1** mudança (de compromisso, evento, etc.) para antes da data marcada ou habitual; **2** previsão; **3** adiantamento ❖ ***com ~*** antes da data marcada

antecipadamente *adv.* antes da data própria ou prevista

antecipado *adj.* **1** feito ou ocorrido antes do tempo próprio ou previsto; adiantado; **2** percebido com antecedência; previsto

antecipar I *v. tr.* **1** fazer acontecer antes da data marcada; adiantar; **2** anunciar com antecedência; avisar; **II** *v. intr.* acontecer antes da data marcada; **III** *v. refl.* **1** adiantar-se; **2** exceder; superar

antemão *adv.* antecipadamente; previamente; ***de ~*** previamente

antemeridiano *adj.* antes do meio-dia

antena *s. f.* **1** ZOOL. (de crustáceos, insectos, etc.) apêndice móvel, alongado ou filiforme, que funciona especialmente como órgão do tacto e do olfacto; **2** (de rádio, televisão) condutor eléctrico destinado à emissão ou recepção de ondas electromagnéticas; ***~ parabólica*** antena em forma de parábola que capta programas de televisão via satélite

anteontem *adv.* no dia anterior ao de ontem

antepassado *s. m.* pessoa que viveu antes de outra; antecessor

antepenúltimo *adj.* imediatamente antes do penúltimo

antepor *v. tr.* **1** colocar antes; antecipar; **2** considerar mais importante; preferir

anteposição *s. f.* **1** posição anterior; precedência; **2** preferência

anteprojecto *s. m.* conjunto dos estudos preliminares do projecto de uma obra

anteproposta *s. f.* projecto para uma proposta

antera *s. f.* BOT. parte terminal, dilatada, do estame, onde se formam os grãos de pólen

anterior *adj. 2 gén.* **1** que aconteceu ou foi feito antes; **2** que está situado na parte da frente

anterioridade *s. f.* **1** precedência de tempo ou lugar; **2** prioridade de data

anteriormente *adv.* em tempo anterior; antes

anterrosto *s. m.* primeira página de um livro que, geralmente, só contém o título

antes *adv.* **1** (temporal) em momento anterior; outrora; **2** mais cedo; primeiro; **3** de preferência; **4** pelo contrário ❖ ***~ de*** primeiro que (seguido de infinitivo, substantivo ou pronome); ***~ de tudo/de mais nada*** desde logo; ***~ do tempo*** prematuramente; ***~ que*** primeiro que (seguido de conjuntivo)

antestreia *s. f.* apresentação de produto ou espectáculo a um público restrito, que precede a apresentação ao público em geral

antever *v. tr.* prever; antecipar

antevéspera *s. f.* dia que precede imediatamente a véspera

antiaderente *adj. 2 gén.* (revestimento) que evita a aderência

antiaéreo *adj.* que protege de ataques aéreos

antialérgico *s. m.* substância que combate ou evita alergias

antiatómico *adj.* que protege dos efeitos da radiação atómica

antibacteriano *adj.* que destrói ou impede o desenvolvimento de bactérias

antibalístico *adj.* (equipamento, tratado) que se destina a detectar, interceptar ou destruir mísseis balísticos

antibiótico *s. m.* FARM. substância que destrói ou impede o crescimento de microrganismos

antibloqueio *adj.* (veículo) que impede que as rodas deixem de girar

anticancerígeno *adj. e s. m.* que ou substância que previne ou combate o cancro

anticaspa *adj. 2 gén. 2 núm.* (champô) que previne ou combate a caspa

anticiclone *s. m.* METEOR. região de altas pressões atmosféricas

anticientífico *adj.* que se opõe aos princípios da ciência
anticlerical *adj. 2 gén.* que se opõe ao clero
anticlímax *s. m. 2 núm.* **1** ponto mais baixo ou menos intenso de um processo; **2** TEAT. cena desnecessária ou absurda a seguir ao clímax; **3** *(fig.)* declínio; desilusão
anticoagulante *adj. 2 gén. e s. m.* FARM. que ou substância que evita a coagulação do sangue
anticoncepcional **I** *adj. 2 gén.* que impede a concepção; **II** *s. m.* (ginecologia) método ou substância destinado a possibilitar relações sexuais sem fecundação; contraceptivo
anticonformismo *s. m.* atitude de oposição em relação às normas estabelecidas
anticonformista **I** *adj.* **1** relativo a anticonformismo; **2** que é partidário do anticonformismo; **II** *s. 2 gén.* pessoa que se opõe às normas estabelecidas
anticongelante *adj. 2 gén. e s. m.* que ou substância que impede ou retarda a congelação
anticonstitucional *adj. 2 gén.* contrário à constituição política de um país
anticorpo *s. m.* BIOL. substância produzida no organismo em resposta à presença de um antigénio (uma bactéria, um vírus, etc.), com o qual reage, causando o seu enfraquecimento ou destruição
anticorrosivo *adj. e s. m.* que ou aquilo que impede ou atenua a corrosão
anticrime *adj. 2 gén. 2 núm.* que se destina a prevenir a ocorrência de crimes em determinada área ou em determinado grupo
antidemocrata *adj. e s. 2 gén.* que ou pessoa que é contrária às ideias democráticas
antidemocrático *adj.* contrário às ideias democráticas
antidepressivo *adj. e s. m.* FARM. que ou medicamento que combate a depressão
antiderrapante *adj. 2 gén. e s. m.* que ou substância que evita derrapagens
antidesportista *adj. e s. 2 gén.* que ou pessoa que não gosta de desporto
antidesportivo *adj.* que é contrário às regras do desporto
antidoping **I** *adj. 2 gén. 2 núm.* DESP. que se opõe ao uso de substâncias que provoquem alterações no organismo; **II** *s. m.* DESP. conjunto de exames que visam detectar a presença de substâncias ilegais no sangue dos atletas
antídoto *s. m.* FARM. substância que diminui ou anula os efeitos de um veneno; contraveneno
antidroga *adj. 2 gén.* que combate o tráfico e o consumo de drogas
antiepidémico *adj.* (campanha, medida) que combate as doenças epidémicas
antiespasmódico *adj. e s. m.* FARM. que ou substância que combate os espasmos
antifascismo *s. m.* POL. doutrina contrária ao fascismo
antifascista **I** *adj. 2 gén.* **1** relativo a antifascismo; **2** que é partidário do antifascismo; **II** *s. 2 gén.* pessoa partidária do antifascismo
antifeminismo *s. m.* corrente que rejeita os princípios do movimento feminista
antifeminista *adj. 2 gén.* **1** relativo ao antifeminismo; **2** que se opõe aos direitos conquistados pelo movimento feminista
antiferrugem *adj. 2 gén.* que previne ou elimina a ferrugem

antifogo *adj.* (equipamento, produto) que impede ou dificulta a propagação do fogo

antífrase *s. f.* RET. expressão que se usa, com ironia, para exprimir o contrário do seu verdadeiro sentido

antigamente *adv.* em tempos passados; dantes

antigénio *s. m.* MED. substância que, quando introduzida no organismo, estimula a formação de anticorpos

antiglobalização *adj. 2 gén. 2 núm.* que se opõe à globalização

antigo *adj.* **1** próprio da antiguidade; clássico; **2** que existiu no passado; anterior; **3** desactualizado; antiquado

antigovernamental *adj. 2 gén.* que se opõe ao governo existente

antigramatical *adj. 2 gén.* que se opõe às regras da gramática

antigripal *adj. 2 gén. e s. m.* FARM. que ou substância que combate a gripe

antiguidade *s. f.* **1** qualidade do que é antigo; **2** tempo de serviço; **3** [*pl.*] velharias

Antiguidade *s. f.* HIST. período de florescimento das civilizações Grega e Romana

anti-hemorrágico *adj.* FARM. que combate as hemorragias

anti-herói *s. m.* {*pl.* anti-heróis} protagonista sem as qualidades e virtudes do herói clássico

anti-higiénico *adj.* que se opõe às normas de higiene

anti-histamínico *s. m.* {*pl.* anti-histamínicos} FARM. substância que combate os sintomas de inchaço e irritação presentes em alergias

anti-infeccioso *adj.* FARM. que previne ou combate as infecções

anti-inflacionista *adj. 2 gén.* que previne ou combate a inflação

anti-inflamatório *s. m.* {*pl.* anti-inflamatórios} FARM. substância que combate as inflamações

antilhense **I** *s. 2 gén.* pessoa natural das Antilhas (na América Central); **II** *adj. 2 gén.* relativo às Antilhas

antílope *s. m.* ZOOL. mamífero ruminante da África e da Ásia, com um par de chifres permanentes

antimilitar *adj. 2 gén.* **1** relativo ao antimilitarismo; **2** que é partidário do antimilitarismo

antimilitarismo *s. m.* corrente de pensamento que se opõe às acções bélicas

antimíssil **I** *adj. 2 gén.* (dispositivo, sistema) que se destina a interceptar, combater ou destruir mísseis; **II** *s. m.* míssil destinado a interceptar, combater ou destruir outros mísseis

antimonárquico *adj.* adversário da monarquia

antimónio *s. m.* QUÍM. elemento com o número atómico 51 e símbolo Sb, de aspecto metálico, acinzentado, usado na composição de ligas metálicas

antinatural *adj. 2 gén.* **1** que se opõe às leis da natureza; **2** artificial

antinomia *s. f.* **1** DIR. contradição aparente ou real entre leis; **2** oposição

antinuclear *adj. 2 gén.* **1** que se opõe à utilização de energia nuclear; **2** que protege dos efeitos da radiação nuclear

antioxidante *adj. 2 gén. e s. m.* que ou substância que retarda ou evita a oxidação

antipartícula *s. f.* FÍS. estado de energia negativa de uma partícula

antipatia *s. f.* **1** aversão espontânea e instintiva; repugnância por algo ou alguém; **2** incompatibilidade

antipático *adj.* que provoca antipatia; desagradável

antipatizar *v. intr.* sentir antipatia por; ter aversão a

antipatriota *s. 2 gén.* pessoa que é contra a sua pátria

antipatriótico *adj.* que se opõe à pátria ou aos seus interesses

antipedagógico *adj.* contrário às regras da pedagogia

antipirético *adj.* e *s. m.* FARM. que ou substância que faz baixar a febre

antípoda **I** *s. m.* **1** habitante de um planeta que, relativamente a outro, se encontra num lugar diametralmente oposto; **2** lugar muito distante; **3** [*pl.*] GEOG. dois pontos da superfície terrestre situados a latitudes com valores iguais mas com nomes ou sinais diferentes e a longitudes que diferem 180°; **II** *adj. 2 gén.* **1** que se situa em lugar diametralmente oposto; **2** (*fig.*) contrário

antipoluente *adj. 2 gén.* e *s. m.* que ou substância que reduz ou combate a poluição ambiental

antipoluição *adj. 2 gén.* que previne ou combate a poluição

antipopular *adj. 2 gén.* **1** contrário ao povo; **2** que se opõe aos interesses ou expectativas do povo ou da opinião pública

antiprotão *s. m.* FÍS. antipartícula correspondente ao protão

antiquado *adj.* que está fora de moda; desactualizado; ultrapassado

antiquário *s. m.* pessoa que colecciona ou comercializa antiguidades

antiquíssimo *adj.* ⟨*superl. de* **antigo**⟩ muito antigo

anti-racismo *s. m.* doutrina ou atitude contrária ao racismo

anti-racista **I** *adj. 2 gén.* relativo ao anti-racismo; **II** *s. 2 gén.* {*pl.* anti-racistas} pessoa partidária do anti-racismo

anti-roubo *adj. 2 gén. 2 núm.* (dispositivo de segurança) que previne ou impede o roubo

anti-rugas *adj. 2 gén. 2 núm.* (creme) que se usa para prevenir ou atenuar as rugas (geralmente do rosto)

anti-semita *adj.* e *s. 2 gén.* {*pl.* anti-semitas} que ou pessoa que é inimiga dos judeus

anti-semitismo *s. m.* {*pl.* anti-semitismos} POL. corrente ou atitude que se opõe aos judeus

anti-séptico *adj.* e *s. m.* {*pl.* anti-sépticos} FARM. que ou substância que combate as infecções

anti-sísmico *adj.* (construção, edifício) concebido para resistir aos sismos

anti-social *adj. 2 gén.* **1** que se opõe aos princípios ou interesses da sociedade; **2** que é contrário à convivência em sociedade

antitabagismo *s. m.* corrente ou atitude contrária ao consumo de tabaco

antitabagista *adj.* e *s. 2 gén.* que ou pessoa que é contra o consumo de tabaco

antitártaro *adj.* que previne a formação de tártaro

antiterrorismo *s. m.* corrente ou atitude contrária ao terrorismo

antiterrorista **I** *adj. 2 gén.* **1** relativo a antiterrorismo; **2** que combate o terrorismo; **II** *s. 2 gén.* pessoa partidária do antiterrorismo

antítese *s. f.* **1** RET. oposição de sentido entre dois termos ou duas proposições; **2** FIL. negação de um termo ou de uma especulação anterior; **3** pessoa que representa o oposto de outra

antitetânico *adj.* e *s. m.* FARM. que ou substância que previne ou combate o tétano

antitóxico *adj.* e *s. m.* FARM. que ou substância que combate os efeitos de uma toxina ou de um veneno

antitússico *s. m.* FARM. substância que combate a tosse

antiveneno *s. m.* FARM. substância que diminui ou anula os efeitos de um veneno; contraveneno

antiviral *adj. 2 gén.* BIOL. (agente) que actua contra um vírus

antivírus *s. m. 2 núm.* INFORM. programa que identifica e desactiva um vírus num sistema informático

antologia *s. f.* LIT. conjunto seleccionado de textos em prosa e/ou verso de um (ou mais) autor(es)

antológico *adj.* **1** relativo a antologia; **2** digno de figurar numa antologia; **3** que merece ser registado

antologista *s. 2 gén.* pessoa que se dedica à organização de antologias

antonímia *s. f.* LING. relação de oposição semântica entre duas ou mais palavras

antónimo *s. m.* LING. palavra cujo significado é oposto ao de outra

antracite I *s. f.* MIN. carvão fóssil, negro, com elevado teor de carbono; **II** *adj. 2 gén. 2 núm.* que é cinzento muito escuro, semelhante a carvão

antraz *s. m.* MED., VETER. infecção provocada por diferentes bactérias, que geralmente aparece no gado bovino e nos animais herbívoros, e que pode ser transmitida ao homem por inoculação ou inalação; carbúnculo

antro *s. m.* **1** caverna profunda; **2** habitação miserável ou sombria; espelunca; **3** *(fig.)* local onde decorrem actividades ilícitas

antropocêntrico *adj.* **1** relativo a antropocentrismo; **2** (doutrina, teoria) que coloca o ser humano no centro do universo

antropocentrismo *s. m.* FIL., RELIG. atitude ou doutrina que considera ser humano o centro de todo o universo

antropofagia *s. f.* hábito de comer carne humana; canibalismo

antropófago *adj. e s. m.* que ou aquele que come carne humana; canibal

antropóide *adj. 2 gén.* semelhante ao homem

antropologia *s. f.* estudo do homem nos seus aspectos anatómico, fisiológico, biológico, genético e cultural

antropológico *adj.* relativo a antropologia

antropólogo *s. m.* especialista em antropologia

antropomorfia *s. f.* semelhança com o homem, do ponto de vista morfológico

antropomórfico *adj.* relativo à antropomorfia

antropomorfismo *s. m.* **1** FIL., RELIG. doutrina que atribui aos deuses comportamentos e pensamentos característicos do ser humano; **2** FIL. tendência para atribuir qualidades humanas às coisas da natureza

antropomorfizar *v. tr.* **1** dar forma humana a; **2** atribuir qualidades humanas a

antropomorfo *adj.* que tem forma ou características semelhantes às do homem

antropónimo *s. m.* nome próprio, sobrenome ou apelido de alguém

anual *adj. 2 gén.* **1** (evento) que acontece uma vez por ano; **2** (contrato) que é válido por um ano; **3** (imposto) que se paga uma vez por ano

anuário *s. m.* **1** publicação anual com informações sobre determinada área de atividade; **2** registo das actividades de uma organização durante um ano

anuência *s. f.* consentimento; aprovação

anuidade *s. f.* ECON. importância fixa entregue anualmente por um devedor ao seu credor para amortizar uma dívida

anuir *v. intr.* consentir; aprovar

anulação *s. f.* **1** revogação (de lei); **2** invalidação (de contrato); **3** destruição; extinção

anular I *v. tr.* **1** revogar (uma lei); **2** invalidar (um contrato); **3** destruir; exterminar; **II** *v. refl.* menosprezar-se; **III** *adj. 2 gén.* em forma de anel

anulável *adj. 2 gén.* que se pode anular

ânulo *s. m.* ARQ. filete por debaixo do bocal da cornija do capitel dórico

anunciação *s. f.* **1** acto ou efeito de anunciar; participação; **2** divulgação por meio de anúncio, em qualquer meio de comunicação

Anunciação *s. f.* **1** RELIG. (Catolicismo) mensagem do anjo Gabriel à Virgem Maria, anunciando o nascimento de Jesus; **2** RELIG. (Catolicismo) festa comemorativa desse acontecimento

anunciante I *s. 2 gén.* pessoa ou entidade que recorre a anúncios publicitários para divulgar determinado produto ou serviço; **II** *adj. 2 gén.* que anuncia em qualquer meio de comunicação

anunciar *v. tr.* **1** dar a conhecer; divulgar; **2** pôr anúncio; **3** prever

anúncio *s. m.* **1** (publicidade) mensagem que pretende comunicar ao público as qualidades de determinado produto ou serviço; **2** informação; **3** indício; **4** previsão

anúria *s. f.* MED. diminuição ou supressão da secreção urinária

anuro *s. m.* ZOOL. batráquio de forma atarracada, sem cauda quando adulto

ânus *s. m. 2 núm.* ANAT. orifício que termina o tubo digestivo e pelo qual se expelem os excrementos e os gases

anuviar I *v. tr.* **1** nublar; **2** escurecer; **II** *v. refl.* (céu) cobrir-se de nuvens; escurecer

anzol *s. m.* ganchinho metálico, farpado, para pescar

ao *contr. da prep.* **a** + *art. def.* **o**

aonde I *pron. rel.* **1** ao qual ⟨*a loja aonde fui*⟩; **2** no qual; em que; onde ⟨*o jardim aonde estive*⟩; **II** *adv. interr.* **1** a que lugar, para que lugar ⟨*aonde vamos?*⟩; **2** em que lugar; onde ⟨*aonde estiveste?*⟩

aorta *s. f.* ANAT. artéria que, nos vertebrados superiores, sai do ventrículo esquerdo, conduzindo o sangue às diversas partes do corpo

apadrinhar *v. tr.* **1** ser padrinho de; **2** proteger; apoiar

apagado *adj.* **1** (luz, aparelho) desligado; **2** (fogo) extinto; **3** (som) baixo; **4** (*fig.*) (pessoa) que não se destaca; insignificante

apagador *s. m.* utensílio usado para apagar traços de marcador ou de giz de um quadro

apagão *s. m.* (*coloq.*) interrupção temporária do fornecimento de electricidade a determinada região

apagar I *v. tr.* **1** extinguir (fogo); **2** desligar (luz, aparelho); **3** fazer desaparecer; eliminar (marca, traço); **4** INFORM. eliminar (informação, ficheiro), por meio de um comando específico; **5** (*fig.*) esquecer; **II** *v. refl.* **1** (fogo) extinguir-se; **2** (luz, aparelho) desligar-se; **3** (marca, traço) desaparecer

apaixonado *adj.* **1** (pessoa) que sente paixão por; enamorado; **2** (pessoa) entusiasta; fanático; **3** (discurso) arrebatado; inflamado; **4** (opinião, argumento) parcial; tendencioso

apaixonante *adj. 2 gén.* **1** que apaixona; cativante; **2** que entusiasma; empolgante

apaixonar I *v. tr.* **1** inspirar paixão a; **2** entusiasmar; arrebatar; **II** *v. refl.* **1** sentir paixão; **2** entusiasmar-se; empolgar-se

apaladado *adj.* (alimento) bem temperado

apalavrado *adj.* **1** combinado verbalmente; acordado; **2** marcado; acertado

apalavrar *v. tr.* **1** combinar verbalmente (negócio, reunião); **2** marcar (compromisso, data)

apalermado *adj.* aparvalhado

apalermar *v. tr. e refl.* tornar(-se) palerma; aparvalhar(-se)

apalhaçado *adj.* **1** que tem aspecto ou modos de palhaço; **2** *(pej.)* ridículo

apalpadela *s. f.* **1** acto de apalpar ligeira ou rapidamente; **2** *(fig.)* tentativa; **3** *(fig.)* pesquisa ❖ ***andar às apalpadelas*** andar com dúvidas ou hesitações

apalpão *s. m.* apalpadela forte

apalpar *v. tr.* **1** tocar ou examinar com a mão; tactear; **2** *(fig.)* sondar; pesquisar ❖ ***~ terreno*** investigar antes de tomar uma decisão

apanágio *s. m.* **1** característica própria; atributo; **2** vantagem particular; privilégio

apanha *s. f.* **1** AGRIC. colheita; **2** captura

apanha-bolas *s. 2 gén. 2 núm.* DESP. pessoa que apanha as bolas que saem do campo ou do recinto do jogo e as entrega aos jogadores

apanhado **I** *s. m.* **1** (de história, notícia, texto) resumo; sumário; **2** CIN. sinopse; **II** *adj.* **1** (produto agrícola) colhido; **2** (animal) capturado; **3** *(coloq.)* (pessoa) maluco; **4** (pessoa) *(coloq.)* apaixonado; **5** (doença) contraído; **6** (mensagem) compreendido; **7** (hábito) aquirido por convivência

apanhador *s. m.* utensílio em forma de pá, usado para apanhar lixo

apanha-moscas *s. m. 2 núm.* objecto ou substância própria para apanhar moscas

apanhar **I** *v. tr.* **1** colher (produto agrícola); **2** levantar do chão; **3** capturar (um animal); **4** agarrar (algo ou alguém); **5** encontrar em flagrante; surpreender (uma pessoa); **6** entrar; embarcar (em transporte); **7** contrair (uma doença); **8** levar (pancada); **9** pescar; caçar; **10** suportar (calor, frio); **11** *(coloq.)* compreender facilmente (ideia ou mensagem); **II** *v. intr.* **1** fazer a colheita; **2** levar pancada; **III** *v. refl.* encontrar-se; ver-se

apaparicar *v. tr.* amimar; adular

apaparicos *s. m. pl.* **1** mimos; **2** guloseimas

apara *s. f.* pedaço de madeira, papel, ou outro material que se solta ou raspa; limalha

aparador *s. m.* móvel de sala de jantar, comprido, com prateleiras e portas, sobre o qual se colocam os utensílios necessários durante a refeição

aparafusar *v. tr.* apertar com parafuso; atarraxar

apara-lápis *s. m. 2 núm.* instrumento para aguçar lápis; aguça

aparar *v. tr.* **1** afiar; aguçar (lápis); **2** desbastar (madeira); **3** cortar ligeiramente (o cabelo); **4** cortar as bordas de (folha de papel)

aparato *s. m.* **1** pompa; ostentação; **2** ocasião solene; cerimónia; **3** conjunto de elementos necessários à realização de determinado objectivo

aparatoso *adj.* **1** pomposo; faustoso; **2** solene; sumptuoso; **3** (facto, notícia) que chama a atenção; espectacular

aparcar *v. tr.* estacionar (veículo)

aparecer *v. intr.* **1** comparecer; apresentar-se; **2** mostrar-se; revelar-se; **3** (doença) começar a manifestar-se; surgir

aparecimento *s. m.* **1** manifestação; revelação; **2** princípio; origem

aparelhado *adj.* (cavalo) selado, arreado

aparelhagem *s. f.* **1** sistema áudio para reprodução e gravação de som; alta-fidelidade; **2** conjunto de ferramentas ou aparelhos necessários para uma instalação; equipamento

aparelhar *v. tr.* **1** preparar; equipar; **2** pôr arreios em (cavalo); **3** dar a primeira demão de (tinta, etc.)

aparelho *s. m.* **1** instrumento; ferramenta; **2** conjunto de peças ou utensílios para determinado fim; **3** ANAT. conjunto de órgãos com funções complementares; **4** conjunto organizado de entidades ou de estruturas que trabalham para um mesmo fim; sistema; **5** conjunto de arreios; **6** primeira camada de tinta que se aplica antes da pintura final; **7** ARQ. disposição de pedras e tijolos numa construção; ANAT. **~ *circulatório*** conjunto de órgãos responsáveis pela circulação do sangue e da linfa no organismo; ANAT. **~ *digestivo*** conjunto de órgãos responsáveis pela assimilação dos alimentos, que inclui o tubo digestivo e as glândulas digestivas; **~ *de Estado*** conjunto dos organismos que representam o poder de um Estado; ANAT. **~ *reprodutor*** conjunto dos órgãos que asseguram a reprodução

aparência *s. f.* **1** aspecto; semblante; **2** forma; figura; **3** *(fig.)* impressão falsa; ilusão ❖ ***manter as aparências*** comportar-se de modo a não revelar uma situação embaraçosa ou sujeita a preconceito social

aparentado *adj.* **1** que tem relação de parentesco (com alguém); **2** parecido

aparentar *v. tr.* **1** parecer; **2** fingir; simular

aparente *adj. 2 gén.* **1** visível; evidente; **2** falso; fingido; **3** suposto

aparentemente *adv.* **1** exteriormente; **2** supostamente

aparição *s. f.* **1** manifestação súbita; **2** fantasma

aparo *s. m.* peça metálica que se coloca na extremidade de uma caneta

apartado **I** *s. m.* caixa privativa em estação de correio, onde é depositada a correspondência do destinatário; caixa postal; **II** *adj.* **1** separado; **2** afastado; distante

apartamento *s. m.* **1** parte independente de um edifício de habitação destinado a residência; **2** separação; afastamento

apartar **I** *v. tr.* pôr de parte; separar; **II** *v. refl.* **1** separar-se; **2** partir

aparte *s. m.* **1** TEAT. expressão do pensamento de uma personagem em voz alta, ouvida apenas pelos espectadores; **2** comentário; observação

apartheid *s. m.* {*pl.* apartheids} **1** sistema de discriminação imposto à população negra pela minoria branca na África do Sul (1948-1991); **2** qualquer forma de segregação racial

apart-hotel *s. m.* {*pl.* apart-hotéis} estabelecimento hoteleiro constituído por apartamentos

aparvalhado *adj.* **1** confuso; desconcertado; **2** parvo; apalermado

aparvalhar *v. tr. e refl.* **1** tornar(-se) parvo; **2** confundir(-se); desnortear(-se)

apascentado *adj.* (gado) que se levou ao pasto

apascentar *v. tr.* levar (o gado) ao pasto

apassivado *adj.* GRAM. (verbo, construção) que está na voz passiva

apassivante *adj. 2 gén.* GRAM. que coloca na voz passiva

apassivar *v. tr. e refl.* colocar ou utilizar (verbo, construção) na voz passiva

apatia *s. f.* **1** falta de energia; moleza; **2** indiferença; desinteresse
apático *adj.* **1** que está sem energia; mole; **2** indiferente; desinteressado
apátrida *adj. e s. 2 gén.* que ou pessoa que, tendo perdido sua nacionalidade de origem, não adquiriu outra
apavorado *adj.* assustado; aterrorizado
apavorar *v. tr.* amedrontar; aterrorizar
apaziguador *adj. e s. m.* que ou aquele que apazigua; conciliador; pacificador
apaziguamento *s. m.* conciliação; pacificação
apaziguar *v. tr.* conciliar; pacificar
apeadeiro *s. m.* **1** lugar onde o comboio pára apenas para deixar ou receber passageiros; **2** ponto de passagem
apear I *v. tr.* **1** fazer descer (de cavalo); **2** fazer sair (de veículo); **3** destituir (de cargo ou função); **II** *v. refl.* **1** (de cavalo) desmontar; descer; **2** (de veículo) sair; **3** (de cargo) demitir-se
apedrejar *v. tr.* **1** atirar pedras a; **2** *(fig.)* insultar; ofender
apegado *adj.* ligado afectivamente; afeiçoado; dedicado
apegar-se *v. refl.* ligar-se emocionalmente; afeiçoar-se
apego *s. m.* **1** afeição; estima; dedicação; **2** teima; obstinação
apelação *s. f.* **1** DIR. recurso; **2** pedido de auxílio
apelante *s. 2 gén.* DIR. pessoa que interpõe recurso
apelar *v. intr.* **1** DIR. interpor recurso; recorrer de sentença; **2** pedir auxílio
apelidar *v. tr.* nomear; chamar
apelido *s. m.* sobrenome
apelo *s. m.* **1** DIR. recurso; **2** chamamento; **3** pedido de auxílio; **4** pedido de explicação ❖ ***sem ~ nem agravo*** sem possibilidade de solução
apenas I *adv.* **1** somente; só; unicamente; **2** com dificuldade; a custo; **II** *conj.* logo que; assim que

apêndice *s. m.* **1** ANAT. parte anexa a um órgão e dele separável; prolongamento; **2** ANAT. saliência do ceco que tem a forma de um dedo de luva; apêndice cecal; **3** (de documento) anexo; suplemento
apendicite *s. f.* MED. inflamação do apêndice cecal
apensar *v. tr.* anexar; acrescentar
apenso *adj. e s. m.* anexo
apepsia *s. f.* MED. ausência ou anomalia da função digestiva
apéptico *adj.* **1** relativo a apepsia; **2** que sofre de apepsia
aperaltado *adj.* janota; coquete
aperceber-se *v. refl.* dar-se conta; notar; perceber
aperfeiçoamento *s. m.* **1** melhoramento; **2** acabamento; retoque; **3** (estudos, profissão) especialização
aperfeiçoar I *v. tr.* **1** tornar perfeito; **2** melhorar; **3** terminar; **II** *v. refl.* **1** esmerar-se; **2** (estudos, profissão) especializar-se
aperitivo *s. m.* bebida alcoólica ou alimento salgado que se toma antes da refeição para abrir o apetite
aperreado *adj.* **1** *(Bras.) (coloq.)* oprimido; **2** *(Bras.) (coloq.)* angustiado
aperrear *v. tr.* **1** *(Bras.) (coloq.)* oprimir; **2** *(Bras.) (coloq.)* aborrecer
apertado *adj.* **1** (lugar) estreito; acanhado; **2** (roupa, calçado) justo; **3** (prazo) com pouco tempo; **4** (valor) limitado; **5** (pessoa) avarento; **6** *(coloq.)* (pessoa) que tem pouco dinheiro; **7** *(coloq.)* com vontade de urinar ou defecar
apertão *s. m.* **1** aperto; **2** multidão
apertar I *v. tr.* **1** comprimir; pressionar; **2** aparafusar (rosca, parafuso); **3** ajustar (roupa); **4** abotoar (peça de roupa); **5** tornar mais severo; intensificar (disciplina); **6** afligir; angustiar; **7** restringir (custos, despesas); **II** *v. intr.* **1** (calçado) estar justo; **2** (frio, calor)

aumentar de intensidade; **3** (prazo) aproximar-se do fim ou do limite; **III** *v. refl.* *(fig.)* (pessoa) afligir-se; angustiar-se ❖ ~ ***o cinto/os cordões à bolsa*** economizar

aperto *s. m.* **1** pressão; **2** situação difícil (sobretudo financeira); contratempo; **3** (de pessoas) enchente; multidão; **4** (de espaço) lugar apertado ou estreito; **5** (de tempo) pressa; urgência; **6** aflição; angústia; **7** coacção; ~ ***de mão*** cumprimento em que duas pessoas entrelaçam as mãos; *(coloq.)* ***estar num*** ~ estar em dificuldades (financeiras ou outras)

apesar *elem. de loc.* ~ ***de*** não obstante; a despeito de; ~ ***de que*** ainda que; se bem que; ~ ***disso*** não obstante; mesmo assim

apetecer *v. tr.* **1** ter vontade de; pretender; **2** desejar; sonhar

apetecível *adj. 2 gén.* **1** desejável; **2** apetitoso

apetência *s. f.* **1** desejo; vontade; **2** (de comer) apetite; **3** propensão; vocação

apetite *s. m.* **1** vontade de comer; **2** gosto especial; preferência; **3** disposição; ânimo

apetitoso *adj.* **1** saboroso; **2** tentador

apetrechar *v. tr. e refl.* munir(-se) de apetrechos; equipar(-se)

apetrecho *s. m.* utensílio; equipamento

ápice *s. m.* **1** ponto mais alto; cume; **2** *(fig.)* grau mais elevado; apogeu ❖ ***num*** ~ num instante

apicultor *s. m.* pessoa que se dedica à apicultura

apicultura *s. f.* criação de abelhas

apiedar-se *v. refl.* ter pena de; comover-se

apimentar *v. tr.* **1** temperar com pimenta; **2** *(fig.)* tornar (conversa, comentário) malicioso

apinhado *adj.* **1** cheio; repleto; **2** amontoado

apinhar *v. tr. e refl.* **1** encher(-se) completamente; **2** amontoar(-se)

ápiro *adj.* que resiste ao fogo; incombustível

apitar *v. intr.* **1** dar sinal com apito; **2** (em veículo) buzinar

apito *s. m.* **1** pequeno instrumento de metal, madeira ou plástico que se faz soar por meio de sopro; **2** (som) assobio; silvo; **3** (de veículo) cláxon; buzina

aplacar *v. tr.* acalmar; suavizar

aplainar *v. tr.* **1** alisar com a plaina; polir; **2** tornar plano; nivelar

aplanar *v. tr. e refl.* nivelar(-se)

aplaudir **I** *v. tr.* **1** aprovar com aplausos; **2** louvar; elogiar; **II** *v. intr.* bater palmas a

aplauso *s. m.* **1** aclamação pública; aprovação; **2** louvor; elogio

aplicação *s. f.* **1** uso; utilização; **2** (de materiais) colocação; sobreposição; **3** (de leis, programas) cumprimento; execução; **4** (no estudo, trabalho) concentração; **5** (de dinheiro) investimento; **6** INFORM. programa ou grupo de programas que executam tarefas no computador; **7** (de costura) ornamento; enfeite

aplicado *adj.* **1** usado; utilizado; **2** (material) colocado; sobreposto; **3** (lei, programa) posto em prática; cumprido; **4** (pessoa) dedicado; estudioso; **5** (dinheiro) investido; empatado; **6** (arte, disciplina) não-teórico; prático

aplicar **I** *v. tr.* **1** usar; utilizar; **2** colocar (materiais); **3** investir (dinheiro); **4** executar; cumprir (lei, programa); **5** administrar (medicamento); **II** *v. refl.* **1** usar-se; utilizar-se; **2** (pessoa) dedicar-se a; concentrar-se em

aplicativo *s. m.* *(Bras.)* INFORM. programa ou grupo de programas que executam tarefas no computador; aplicação

aplicável *adj. 2 gén.* **1** que pode ser aplicado; **2** adaptável

aplique *s. m.* objecto que se aplica (em parede, roupa, etc.) como ornamento
apocalipse *s. m.* 1 cataclismo; desgraça; 2 profecia em que as forças do Mal vencem as forças do Bem; 3 discurso obscuro ou enigmático
Apocalipse *s. m.* RELIG. (Bíblia) último livro do Novo Testamento, que contém revelações sobre o fim do mundo
apocalíptico *adj.* 1 relativo ao Apocalipse; 2 *(fig.)* medonho; 3 *(fig.)* obscuro
apócope *s. f.* LING. supressão de fonema ou sílaba final de uma palavra
apoderar-se *v. refl.* tomar posse de; conquistar
apodrecer *v. intr.* 1 (alimento, material) estragar-se; deteriorar-se; 2 *(fig.)* (moralmente) corromper-se; 3 *(coloq.)* ficar perdido ou esquecido
apodrecimento *s. m.* 1 (de alimento, material) deterioração; 2 *(fig.)* (moral) corrupção
apogeu *s. m.* 1 ASTRON. ponto da órbita da Lua, de um satélite artificial ou do Sol que fica mais afastado da Terra; 2 *(fig.)* grau mais elevado; auge
apoiado I *adj.* 1 que tem apoio; sustentado; 2 baseado; fundamentado; II *interj.* exprime aprovação, aplauso ou concordância
apoiante *adj. e s. 2 gén.* que ou pessoa que apoia algo ou alguém; adepto
apoiar I *v. tr.* 1 dar apoio a; 2 proteger; favorecer; 3 (com dinheiro) patrocinar; subsidiar; 4 basear; fundamentar (argumento, estudo); II *v. refl.* 1 (pessoa) encostar-se; 2 (argumento, estudo) basear-se; fundamentar-se
apoio *s. m.* 1 aprovação; 2 suporte; 3 base; fundamento; 4 (financeiro) patrocínio
apólice *s. f.* 1 certificado de contrato emitido por uma companhia de seguros ao aceitar o risco proposto pelo segurado; 2 ECON. certificado de obrigação mercantil
apolítico *adj.* 1 (atitude, facto) que não tem significado político; 2 (pessoa) que não se interessa por política
apologético *adj.* 1 que contém apologia; 2 que defende ou justifica
apologia *s. f.* 1 defesa; justificação; 2 elogio; enaltecimento
apologista *adj. e s. 2 gén.* que ou pessoa que é partidária de; entusiasta; defendor
apologizar *v. tr.* 1 defender; justificar; 2 elogiar; enaltecer
apontador *s. m.* 1 ponteiro de relógio; 2 INFORM. símbolo visível no ecrã, geralmente em forma de seta, que indica a posição do rato; 3 INFORM. elemento clicável, num documento ou numa página de Internet, que permite aceder a outro documento ou a outra página
apontamento *s. m.* nota breve; anotação; ***tomar/tirar apontamentos*** registar por escrito (para não esquecer ou para usar mais tarde)
apontar I *v. tr.* 1 (com arma de fogo) fazer pontaria; 2 tomar nota; registar; II *v. intr.* (com o dedo) indicar
apopléctico *adj.* MED. relativo a apoplexia
apoplexia *s. f.* MED. suspensão súbita, completa ou incompleta, do movimento e da sensação, causada por lesão vascular cerebral aguda
apoquentação *s. f.* 1 aborrecimento; 2 preocupação
apoquentar *v. tr. e refl.* 1 aborrecer(-se); 2 preocupar(-se)
aporreado *adj.* 1 *(Bras.) (coloq.)* aborrecido; 2 *(Bras.) (coloq.)* angustiado

aportar I *v. tr.* NÁUT. conduzir (embarcação) ao porto; II *v. intr.* NÁUT. (embarcação) entrar num porto; fundear; ancorar

aportuguesar I *v. tr.* 1 tornar português; 2 adaptar ao estilo português; II *v. refl.* adquirir modos, sotaque ou traços portugueses

após I *prep.* 1 (no espaço) atrás de; 2 (no tempo) a seguir a; depois de; II *adv.* depois; a seguir

aposentação *s. f.* 1 reforma de uma pessoa do serviço activo (por atingir o limite de idade, por invalidez ou por dispensa forçada); 2 remuneração recebida mensalmente pela pessoa aposentada; pensão

aposentado *adj. e s. m.* reformado; pensionista

aposentar I *v. tr.* conceder aposentação a; reformar; II *v. refl.* obter aposentação; reformar-se

aposento *s. m.* divisão de uma casa; quarto

após-guerra *s. m.* {*pl.* após-guerras} período imediatamente a seguir a uma guerra; pós-guerra

aposição *s. f.* 1 união de duas coisas; justaposição; 2 LING. relação entre dois substantivos, em que o segundo caracteriza o primeiro

apossar I *v. tr.* 1 dar posse a; 2 conquistar; usurpar; II *v. refl.* tomar posse de; apoderar-se de

aposta *s. f.* 1 combinação entre pessoas que afirmam coisas diferentes, devendo a que perder cumprir para com a(s) outra(s) as condições do ajuste; 2 coisa ou quantia que se aposta

apostado *adj.* 1 que foi objecto de aposta; 2 resolvido; combinado

apostar *v. tr.* 1 fazer aposta de; arriscar; 2 afirmar com certeza; garantir

apostasia *s. f.* 1 RELIG. renúncia de uma religião ou crença; renegação; 2 abandono (de grupo ou instituição); deserção

apóstata *s. 2 gén.* 1 pessoa que renega (religião ou crença); 2 pessoa que abandona (grupo ou instituição)

a posteriori *loc.* 1 pelas razões que vêm depois; 2 posteriormente

aposto *s. m.* LING. substantivo ou expressão substantiva que se segue a outro substantivo ou expressão substantiva para o/a caracterizar melhor

apostolado *s. m.* 1 RELIG. missão de apóstolo; 2 conjunto dos apóstolos

apostolar *v. intr.* RELIG. pregar; doutrinar

apostólico *adj.* 1 RELIG. relativo aos apóstolos; 2 RELIG. relativo ao Papa

apóstolo *s. m.* RELIG. cada um dos doze discípulos de Cristo, encarregados de espalhar a palavra de Deus

apostrofar *v. tr.* 1 interpelar (alguém); 2 LING. pôr apóstrofo em (palavra)

apóstrofe *s. f.* interrupção de quem fala ou escreve para se dirigir a alguém; interpelação

apóstrofo *s. m.* LING. sinal gráfico (') indicativo da supressão de uma ou mais letras, numa palavra

apoteose *s. f.* 1 momento mais importante de um acontecimento; auge; 2 homenagem a uma figura pública; glorificação

apoteótico *adj.* 1 em que há apoteose; 2 glorificante; elogioso

aprazível *adj. 2 gén.* 1 agradável; 2 conveniente

apre *interj.* exprime irritação, impaciência ou desprezo

apreçar *v. tr.* 1 perguntar o preço de; 2 fixar o preço de

apreciação *s. f.* 1 análise; avaliação; 2 juízo; opinião; 3 apreço; estima

apreciador *s. m.* pessoa que aprecia; admirador

apreciar *v. tr.* **1** valorizar; **2** calcular

apreciável *adj. 2 gén.* **1** que se pode apreciar ou avaliar; mensurável; **2** de grande dimensão ou importância; considerável

apreço *s. m.* **1** estima; consideração; **2** valor; mérito; ***dar ~ a*** dar valor a; (assunto, problema) ***em ~*** de que se trata/fala

apreender *v. tr.* **1** tomar posse de (mercadoria, objecto); **2** capturar (alguém); **3** compreender (ideia, informação)

apreensão *s. f.* **1** (de pessoa) captura; prisão; **2** (de mercadoria) confiscação; **3** inquietação; **4** compreensão

apreensível *adj. 2 gén.* **1** que pode ser apreendido; **2** compreensível

apreensivo *adj.* preocupado; angustiado

apregoar *v. tr.* **1** anunciar (mercadoria, produto) por meio de pregão; **2** divulgar; proclamar

aprender *v. tr. e intr.* adquirir conhecimento de; instruir-se

aprendiz *s. m.* pessoa que aprende uma arte ou uma profissão; principiante

aprendizado *s. m.* **1** *(Bras.)* aprendizagem; **2** *(Bras.)* formação profissional; **3** *(Bras.)* experiência

aprendizagem *s. f.* aquisição de conhecimentos através de experiência ou ensino; formação

apresentação *s. f.* **1** acto de apresentar uma pessoa a outra(s); **2** (de pessoa) aparência; aspecto; **3** (de produto) retoque final; **4** (de filme, peça) exibição; **5** (de documento, texto) introdução; prefácio; **6** MED. (obstetrícia) posição do feto no início do trabalho de parto

apresentador *s. m.* pessoa que apresenta (programa de televisão ou rádio, espectáculo, etc.)

apresentar I *v. tr.* **1** dar a conhecer uma (ou mais) pessoa(s) a outra(s); **2** revelar; demonstrar; **3** expor; explicar (documento, texto); **4** alegar (argumento, justificação); **5** submeter (candidatura, tese) a apreciação; **II** *v. refl.* **1** (a uma pessoa) dar-se a conhecer; revelar-se; **2** (num local) comparecer; **3** MED. (feto) aparecer à entrada do útero

apresentável *adj. 2 gén.* **1** que se pode apresentar; **2** que tem boa apresentação

apressado *adj.* **1** que tem pressa; **2** impaciente; ansioso

apressar I *v. tr.* **1** tornar (mais) rápido; acelerar; **2** antecipar; **II** *v. refl.* actuar com rapidez; despachar-se

apresto *s. m.* **1** preparativo; **2** equipamento

aprimorar *v. tr. e refl.* aperfeiçoar(-se); apurar(-se)

a priori *loc.* de acordo com os princípios anteriores à experiência; à primeira vista

aprisionado *adj.* preso; capturado

aprisionamento *s. m.* prisão; captura

aprisionar *v. tr.* prender; capturar

aproar I *v. tr.* NÁUT. orientar (proa do navio) em certo sentido; virar; **II** *v. intr.* NÁUT. aproximar-se de

aprofundado *adj.* **1** que penetrou profundamente; entranhado; **2** *(fig.)* (estudo, investigação) detalhado; minucioso

aprofundamento *s. m.* **1** acto de tornar (mais) profundo; **2** *(fig.)* estudo detalhado; investigação minuciosa

aprofundar *v. tr. e refl.* **1** tornar(-se) mais profundo; **2** *(fig.)* entranhar(-se); enraizar(-se)

aprontar *v. tr.* preparar(-se); arranjar(-se)

a-propósito *s. m.* {*pl.* a-propósitos} pertinência; oportunidade

apropriação *s. f.* 1 ocupação; usurpação (de coisa alheia ou abandonada); 2 adequação; pertinência

apropriado *adj.* 1 próprio; adequado; 2 conveniente; oportuno

apropriar I *v. tr.* adaptar; adequar; II *v. refl.* tomar posse de; apoderar-se de

aprovação *s. f.* 1 autorização; consentimento; 2 (de proposta, método) concordância; aceitação; 3 (num exame) resultado positivo; passagem

aprovado *adj.* 1 autorizado; permitido; 2 (proposta, método) aceite; adoptado; 3 (em exame) que obteve nota positiva

aprovar *v. tr.* 1 autorizar; consentir; 2 aceitar; adoptar (proposta); 3 dar nota positiva a; passar (aluno)

aproveitamento *s. m.* 1 utilização adequada (de tempo, objecto); 2 exploração (de terreno, recurso); 3 resultado positivo em exame; passagem de ano

aproveitar I *v. tr.* 1 tirar proveito de (espaço, oportunidade); 2 fazer uso de (objecto); 3 explorar (terreno, recurso); II *v. refl.* 1 valer-se de; servir-se de; 2 abusar da ingenuidade ou simpatia de (alguém)

aproveitável *adj. 2 gén.* que se pode aproveitar; utilizável

aprovisionamento *s. m.* abastecimento

aprovisionar *v. tr. e refl.* abastecer(-se)

aproximação *s. f.* 1 proximidade; 2 estimativa; 3 comparação; 4 MAT. resultado aproximado; 5 AERON. conjunto de procedimentos que antecedem a chegada de um avião à pista; 6 (lotaria) número imediatamente anterior ou posterior ao número premiado

aproximadamente *adv.* 1 sensivelmente; 2 cerca de

aproximar I *v. tr.* 1 reduzir a distância entre; tornar próximo; 2 relacionar; confrontar; 3 unir; aliar; II *v. refl.* 1 chegar-se a; acercar-se de; 2 unir-se; aliar-se a

aproximável *adj. 2 gén.* 1 que se pode aproximar; 2 que se pode calcular por aproximação

aprumado *adj.* 1 colocado na vertical; direito; 2 (*fig.*) correcto; impecável

aprumar I *v. tr.* colocar na vertical; endireitar; II *v. refl.* 1 endireitar-se; 2 (*fig.*) vestir-se muito bem

aprumo *s. m.* 1 posição vertical; verticalidade; 2 (*fig.*) correcção; compostura; 3 (*fig.*) elegância

apside *s. f.* ASTRON. ponto em que um planeta se encontra mais afastado ou mais próximo do astro em torno do qual efectua o movimento de translação

aptidão *s. f.* 1 habilidade; jeito; 2 conjunto de requisitos necessários para o desempenho de uma actividade ou função

apto *adj.* habilitado; capaz

apunhalar *v. tr.* 1 agredir com punhal; 2 ferir com instrumento semelhante a um punhal; 3 (*fig.*) ofender profundamente; trair; ~ ***pelas costas*** atraiçoar (alguém)

apupar *v. tr.* insultar com gritos ou assobios; vaiar

apupo *s. m.* demonstração de desagrado por meio de gritos ou assobios; vaia

apurado *adj.* 1 (facto, problema) investigado; esclarecido; 2 (olfacto, humor) sensível; aguçado; 3 (pessoa) elegante; requintado; 4 (concorrente) escolhido; seleccionado; 5 DESP. (atleta, equipa) qualificado; 6 (voto) contado

apuramento *s. m.* 1 (de facto, problema) investigação; esclarecimento; 2 (da verdade) revelação; descoberta;

3 aperfeiçoamento; 4 selecção; escolha; 5 DESP. qualificação; 6 (de votos) contagem; 7 ECON. cálculo

apurar *v. tr.* 1 investigar; esclarecer (facto, problema); 2 descobrir (verdade); 3 aperfeiçoar; 4 aguçar (humor, sentidos); 5 condimentar (alimentos); 6 escolher; seleccionar (concorrente, finalista); 7 contar (votos)

apuro *s. m.* 1 elegância; requinte; 2 perfeição; esmero ❖ ***estar/ver-se em apuros*** estar em dificuldades

aquariano *s. m.* ASTROL. pessoa que nasceu sob o signo de Aquário

aquário *s. m.* reservatório artificial de água, destinado a manter ou criar animais aquáticos e plantas

Aquário *s. m.* 1 ASTRON. décima primeira constelação do zodíaco situada no hemisfério sul; 2 ASTROL. décimo primeiro signo do zodíaco (20 de Janeiro a 19 de Fevereiro)

aquartelamento *s. m.* 1 MIL. alojamento de tropas; acantonamento; 2 MIL. construção para abrigar tropas; quartel

aquartelar *v. tr.* MIL. alojar (tropas) em quartel; acantonar

aquático *adj.* 1 relativo a água; 2 que se realiza na água

aquatinta *s. f.* gravura a água-forte

aquecedor *s. m.* aparelho (a electricidade ou gás) usado para aquecer espaços fechados; esquentador

aquecer I *v. tr.* 1 tornar quente; 2 aumentar a temperatura de; 3 *(fig.)* entusiasmar; 4 *(fig.)* reconfortar; II *v. intr.* 1 ficar quente; 2 *(fig.)* (pessoa) entusiasmar-se; 3 *(fig.)* (situação) complicar-se; III *v. refl.* 1 tornar-se quente; 2 *(fig.)* (pessoa) entusiasmar-se; 3 *(fig.)* (situação) complicar-se ❖ ***isso não me aquece nem me arrefece*** isso não me interessa/afecta

aquecimento *s. m.* 1 equipamento que gera calor; 2 DESP. conjunto de exercícios físicos leves, realizados antes de qualquer esforço mais intenso, que aumentam a resistência muscular e a flexibilidade, e diminuem o risco de lesões; 3 *(fig.)* entusiasmo; ~ ***central*** sistema que, a partir de um aparelho único, faz circular ar ou água quente por radiadores ou saídas de ar localizados em diversos pontos de um edifício

aqueduto *s. m.* construção destinada a conduzir água sobre arcadas ou sob a plataforma de vias de comunicação

aquela I *pron. dem.* designa pessoa ou coisa afastada da pessoa que fala e da pessoa com quem se fala ⟨*aquela criança; aquela rua*⟩; II *s. f.* 1 cerimónia; 2 discussão ❖ ***sem mais ~*** subitamente

àquela *contr. da prep.* **a** + *pron. dem.* **aquela**

aquele *pron. dem.* designa pessoa ou coisa afastada da pessoa que fala e da pessoa com quem se fala ⟨*aquele jovem; aquele dia*⟩

àquele *contr. da prep.* **a** + *pron. dem.* **aquele**

aquém *adv.* da parte de cá

aquém-fronteiras *adv.* para cá das fronteiras

aquénio *s. m.* BOT. pequeno fruto seco, com apenas uma semente erecta

aqui *adv.* 1 neste lugar; cá; 2 nesta ocasião; agora; 3 neste ponto; nisto ❖ ***~ e agora*** imediatamente; ***até ~*** até este momento/agora; ***daqui a pouco/nada*** em breve; ***por ~*** assim

aquiescer *v. intr.* consentir; concordar

aquietação *s. f.* 1 facto de permanecer quieto; 2 restabelecimento da calma; apaziguamento

aquietar *v. tr.* acalmar; tranquilizar

aquilo *pron. dem.* aquela coisa; aquelas coisas

àquilo *contr. da prep.* **a** + *pron. dem.* **aquilo**

aquisição *s. f.* **1** obtenção; **2** compra; **3** aprendizagem

aquisitivo *adj.* **1** relativo a aquisição; **2** próprio para ser adquirido

aquista *s. 2 gén.* pessoa que frequenta termas

aquosidade *s. f.* qualidade do que é aquoso

aquoso *adj.* **1** relativo a água; **2** que contém água; **3** semelhante a água

ar *s. m.* **1** mistura gasosa que envolve a Terra; atmosfera; **2** espaço aéreo; **3** brisa; aragem; **4** aparência; aspecto; **5** indício; vestígio; ***ao ~ livre*** em recinto descoberto; ***apanhar ~*** caminhar para espairecer; ***~ comprimido*** ar submetido a uma pressão superior à da atmosfera; ***~ de família*** traço fisionómico característico dos membros de uma família; ***corrente de ~*** deslocamento brusco de ar ❖ ***dar um ~ de sua graça*** marcar presença; ***dar-se ares*** armar-se; ***mudar de ares*** mudar de local de residência ou de trabalho; ***ir pelos ares*** explodir

Ar QUÍM. [*símbolo de* **árgon**]

árabe I *s. 2 gén.* pessoa natural da Arábia; **II** *s. m.* língua semítica falada na Arábia e em algumas regiões do Norte de África; **III** *adj.* relativo à Arábia

arabesco *s. m.* ornamento de origem árabe, no qual se combinam linhas, grinaldas, flores, frutos, animais reais ou fantásticos, etc.

arábico I *adj.* relativo à Arábia; **II** *s. m.* LING. língua semítica falada na Arábia e em algumas regiões do Norte de África

aracnídeo *s. m.* ZOOL. animal invertebrado com o corpo dividido em segmentos e membros locomotores articulados em número par, que inclui as aranhas, os ácaros e os escorpiões

arado *s. m.* instrumento agrícola para lavrar a terra

aragem *s. f.* vento leve; brisa

aramagem *s. f.* estrutura de protecção feita de arame

aramaico *adj.* relativo ao povo que habitava a antiga Síria

arame *s. m.* fio metálico; ***~ farpado*** fio metálico guarnecido de farpas, usado na construção de barreiras ❖ ***ir aos arames*** enfurecer-se

arameu *s. m.* **1** indivíduo pertencente ao povo que habitava a antiga Síria; **2** língua semítica falada pelos Arameus da antiga Síria

aramista *s. 2 gén.* equilibrista que anda na corda ou no arame

arando *s. m.* BOT. planta subarbustiva, produtora de bagas adocicadas

aranha *s. f.* **1** ZOOL. araneídeo com quatro pares de patas e glândulas que segregam seda, usada para fazer teias; **2** lustre de metal ❖ ***andar às aranhas*** estar confuso ou perdido

aranhão *s. m.* ZOOL. aranha grande

aranhento *adj.* **1** relativo a aranhas; **2** (lugar) cheio de aranhas ou de teias de aranha

aranhiço *s. m.* **1** ZOOL. aranha pequena; **2** *(coloq.)* (pessoa) magra e esguia

araponga I *s. f.* ZOOL. ave brasileira com plumagem branca, que se alimenta de frutos ou vegetais; **II** *adj. e s. 2 gén.* *(coloq.)* que ou pessoa que fala muito e alto; tagarela

arar *v. tr.* lavrar (terreno) com arado ou charrua

arara *s. f.* ZOOL. ave de grande porte, cauda longa e bico muito forte, que se alimenta de frutas e sementes

araucária *s. f.* BOT. árvore de porte elegante, oriunda da América do Sul e da Austrália, com ramificação verticilada e folhas pequenas

arauto *s. m.* mensageiro

arável *adj. 2 gén.* que pode ser arado ou lavrado; cultivável

arbitragem *s. f.* **1** julgamento ou decisão de árbitro; **2** DESP. direcção de um jogo ou de uma prova, fazendo respeitar as leis e regras estabelecidas para a prática dessa modalidade; **3** ECON. operação de compra e venda de divisas com o objectivo de restabelecer o equilíbrio entre as diferentes taxas de câmbio; **4** mediação imparcial (de um país ou de uma instituição) para resolver um conflito

arbitral *adj. 2 gén.* relativo a árbitro ou a arbitragem

arbitrar *v. tr.* **1** mediar; **2** DESP. dirigir um jogo ou uma prova

arbitrariamente *adv.* **1** ao acaso; **2** abusivamente; **3** irracionalmente

arbitrariedade *s. f.* **1** qualidade do que é arbitrário; **2** abuso de autoridade; **3** capricho

arbitrário *adj.* **1** que depende apenas da vontade individual; **2** abusivo; despótico; **3** casual; eventual

arbítrio *s. m.* **1** decisão dependente apenas da vontade; **2** sentença de árbitro; **3** poder absoluto ❖ ***livre ~*** poder de decisão totalmente livre

árbitro *s. m.* **1** indivíduo designado por um tribunal para resolver um litígio; mediador; **2** DESP. aquele que, num jogo ou de uma prova, faz respeitar as leis e regras estabelecidas para a prática dessa modalidade; **3** autoridade suprema

arbóreo *adj.* **1** relativo a árvore; **2** BOT. (planta) que tem características de árvore

arboricultura *s. f.* cultura de árvores

arborização *s. f.* plantação de árvores

arborizado *adj.* (lugar) onde foram plantadas árvores

arborizar *v. tr.* plantar árvores em

arbusto *s. m.* BOT. planta lenhosa de altura inferior a cinco metros, com ramos desde a sua parte inferior

arca *s. f.* **1** caixa grande de forma rectangular, geralmente de madeira, usada para guardar roupas, etc.; baú; **2** cofre; ***~ congeladora*** aparelho electrodoméstico destinado a congelar alimentos; RELIG. (Bíblia) ***~ da Aliança*** sacrário onde os hebreus guardavam as tábuas da lei; RELIG. (Bíblia) ***~ de Noé*** embarcação em que Noé, com a família e um casal de cada espécie de animais, se salvou do dilúvio

arcaboiço *s. m.* **1** ANAT. esqueleto; ossatura; **2** estrutura; armação; **3** *(fig.)* competência

arcabouço *s. m.* vd. **arcaboiço**

arcada *s. f.* ARQ. conjunto de pilares ligados por abóbadas ou arcos

arcaico *adj.* **1** antigo; **2** antiquado

arcaísmo *s. m.* **1** LING. palavra, expressão ou construção que deixou de ser usada numa língua; **2** modo de falar ou de escrever usando palavras ou construções antiquadas

arcanjo *s. m.* anjo pertencente a uma ordem superior

arcano **I** *s. m.* **1** segredo profundo; mistério; **2** aquilo que não se pode desvendar; **II** *adj.* **1** misterioso; **2** oculto

arção *s. m.* parte anterior ou posterior da sela, feita de madeira e revestida de couro

arcar *v. tr. e intr.* **1** aguentar; **2** enfrentar

arcaria *s. f.* série de arcos

arcebispado *s. m.* **1** dignidade ou jurisdição do arcebispo; **2** residência do arcebispo

arcebispo *s. m.* membro da Igreja Católica com função hierarquicamente superior à do bispo

arcete *s. m.* **1** arco pequeno; **2** serra para cortar pedras

archote *s. m.* tocha; facho

arco *s. m.* **1** arma portátil para lançamento de setas; **2** GEOM. segmento de uma curva; **3** ARQ. estrutura curva usada para vencer vãos de portas ou janelas; **4** MÚS. vara delgada, arqueada nas pontas, com que se toca violino e instrumentos semelhantes

arco-da-velha *s. m.* {*pl.* arcos-da-velha} *(pop.)* arco-íris ❖ ***fazer/dizer coisas do ~*** fazer/dizer coisas incríveis

arco-íris *s. m. 2 núm.* fenómeno atmosférico que consiste num grupo de arcos que apresentam as cores do espectro solar, devido a fenómenos de refracção e reflexão dos raios solares nas gotas de água da atmosfera

ar condicionado *s. m.* sistema eléctrico que mantém o ambiente de um recinto em boas condições de temperatura e humidade

Árctico *s. m.* oceano situado no Pólo Norte

árctico *adj.* relativo ao Pólo Norte; setentrional

ardência *s. f.* **1** sensação de ardor na pele, semelhante a queimadura; **2** sensação causada por sabor acre ou picante

ardente *adj.* **1** que arde ou queima; **2** que tem sabor acre ou picante; **3** *(fig.)* entusiasmado; **4** *(fig.)* intenso

arder *v. intr.* **1** incendiar-se; queimar; **2** (alimento) ter sabor picante; **3** *(fig.)* sentir calor; **4** *(fig.)* desejar intensamente; **5** *(fig.)* (pessoa) exaltar-se

ardil *s. m.* **1** manha; astúcia; **2** armadilha; cilada

ardiloso *adj.* manhoso; astuto

ardina *s. 2 gén.* pessoa que vende jornais nas ruas

ardor *s. m.* **1** sensação de calor; **2** sabor acre ou picante; **3** *(fig.)* paixão; **4** *(fig.)* entusiasmo

ardósia *s. f.* rocha metamórfica cinzento-escura, que se separa em lâminas, usada para revestir telhados, paredes, etc.; lousa

árduo *adj.* **1** (trabalho) fatigante; cansativo; **2** (caminho) escarpado; íngreme; **3** *(fig.)* doloroso; penoso

are *s. m.* unidade de medida agrária equivalente a cem metros quadrados, de símbolo *a*

área *s. f.* **1** extensão de terreno; superfície; **2** espaço reservado a uma função específica; zona; **3** GEOM. região de um plano ou de uma superfície curva limitada por uma linha fechada; **4** MAT. medida da superfície de uma figura geométrica; **5** DESP. parte do campo de futebol próxima da baliza; grande área; **6** *(fig.)* zona de influência ou de controlo

área de serviço *s. f.* instalação situada junto a uma bomba de gasolina, geralmente na margem de uma auto-estrada, que dispõe de serviços de restaurante, lavabos e tabacaria

areado *adj.* **1** coberto de areia; **2** (açúcar) refinado

areal *s. m.* **1** grande extensão coberta de areia; **2** praia

arear *v. tr.* **1** deitar areia em; cobrir de areia; **2** refinar (açúcar)

areia *s. f.* conjunto de partículas granulosas de natureza mineral, que se encontra no leito dos rios, dos mares, nas praias e nos desertos; **~ *movediça*** banco de areia saturado de água que cede facilmente ao peso de cargas ou pressões; situação delicada ❖ ***escrever na ~*** fazer algo que dura pouco tempo; ***ser muita ~ para***

a camioneta de alguém exceder a capacidade de alguém; *(pej.)* ***ter ~ na cabeça*** ser maluco

arejado *adj.* **1** (recinto) que tem boa circulação de ar; exposto ao ar; **2** *(fig.)* (pessoa) receptivo ao que é novo; liberal

arejamento *s. m.* **1** circulação de ar; ventilação natural; **2** renovação do ar num recinto fechado através de portas ou janelas

arejar I *v. tr.* **1** expor ao ar; ventilar; **2** renovar o ar de (recinto, divisão, etc.); **II** *v. intr.* apanhar ar; espairecer

arejo *s. m.* renovação do ar num recinto fechado através de portas ou janelas

arena *s. f.* **1** parte central dos anfiteatros romanos, coberta de areia, onde os gladiadores combatiam; **2** disposição de um recinto em forma de anfiteatro; **3** (circo) área central onde os artistas actuam; **4** (tourada) recinto circular onde se correm touros; **5** *(fig.)* campo de discussão

arenífero *adj.* que contém areia

arenito *s. m.* rocha sedimentar constituída por areias aglutinadas por um cimento

arenoso *adj.* **1** coberto de areia; **2** semelhante a areia

arenque *s. m.* ZOOL. peixe teleósteo comestível, que se encontra especialmente nos mares do Norte da Europa

areometria *s. f.* FÍS. determinação da densidade de líquidos ou de sólidos, por meio do areómetro

areómetro *s. m.* FÍS. instrumento de medida da densidade de líquidos ou sólidos

aresta *s. f.* **1** esquina; canto; **2** GEOM. recta comum às duas faces de um diedro; **3** GEOM. segmento de recta comum a duas faces de um poliedro; **4** ângulo saliente formado pelo encontro de duas superfícies planas ou curvas; **5** *(fig.)* coisa sem importância; detalhe

aresto *s. m.* DIR. sentença proferida por um tribunal; acórdão

arfar *v. intr.* **1** respirar com dificuldade; ofegar; **2** (coração) palpitar; **3** (navio) balançar

argamassa *s. f.* pasta formada por cal ou cimento com areia e água, utilizada na construção civil

argelino I *s. m.* {*f.* argelina} **1** pessoa natural da Argélia; **2** língua árabe falada na Argélia; **II** *adj.* relativo à Argélia

argentífero *adj.* que contém prata

argentino I *s. m.* {*f.* argentina} pessoa natural da Argentina; **II** *adj.* relativo à Argentina

argentite *s. f.* MIN. mineral que é quimicamente sulfureto de prata e cristaliza no sistema cúbico

argila *s. f.* MIN. rocha sedimentar, de grão muito fino, constituída essencialmente por silicatos de alumínio hidratados (caulinite, haloisite, etc.); barro

argiloso *adj.* que contém argila

argola *s. f.* **1** aro metálico; **2** brinco de forma circular; **3** anel; aliança; **4** tranca de porta; **5** [*pl.*] DESP. aparelho de ginástica formado por duas cordas suspensas com dois aros nas extremidades, onde o atleta se pendura pelas mãos ❖ ***meter o pé na ~*** cometer uma falta ou uma indiscrição

argolada *s. f.* acção ou dito inoportuno; calinada

árgon *s. m.* QUÍM. elemento com o número atómico 18 e símbolo Ar, existente no ar

argúcia *s. f.* **1** agudeza de espírito; **2** subtileza de raciocínio ou de argumentação

arguente *s. 2 gén.* pessoa que argumenta ou objecta a quem defende uma tese

arguição *s. f.* **1** DIR. argumentação fundamentada; alegação; **2** exame ou prova oral (para defesa de tese)

arguido *s. m.* DIR. pessoa que é acusada

arguir **I** *v. tr.* **1** DIR. acusar; **2** DIR. impugnar; **II** *v. intr.* argumentar

argumentação *s. f.* **1** discussão; controvérsia; **2** DIR. conjunto de argumentos apresentados; **3** raciocínio lógico com vista à aceitação de uma tese

argumentar **I** *v. tr.* **1** DIR. apresentar factos ou provas que comprovem uma tese; **2** discutir; **3** defender; **II** *v. intr.* entrar em controvérsia

argumentista *s. 2 gén.* pessoa que que escreve argumentos para cinema, televisão etc.

argumento *s. m.* **1** DIR. raciocínio de que se tira uma consequência; prova; **2** recurso para convencer alguém; razão; motivo; **3** assunto; tema; **4** CIN., TEAT., TV versão escrita de filme, peça ou programa que inclui não só os diálogos mas também as indicações técnicas que permitem encená-los

arguto *adj.* astucioso; engenhoso

ária *s. f.* **1** MÚS. (ópera) peça musical para voz solista; **2** MÚS. (cantata) parte da peça que exprime o sentimento dominante

arianismo *s. m.* (séc. XX) teoria defendida pelo nazismo que afirmava a superioridade dos descendentes do antigo povo ariano (supostamente, europeus de raça pura)

ariano *s. m.* **1** defensor do arianismo; **2** membro dos povos indo-europeus; **3** ASTROL. indivíduo nascido sob o signo de Carneiro

aridez *s. f.* **1** secura; **2** esterilidade

árido *adj.* **1** seco; **2** estéril

arisco *adj.* **1** (pessoa) esquivo; desconfiado; **2** (animal) bravio; selvagem

aristocracia *s. f.* **1** classe nobre; nobreza; **2** conjunto de nobres ou fidalgos

aristocrata *s. 2 gén.* pessoa de origem nobre; fidalgo

aristocrático *adj.* relativo a aristocracia; nobre

aristotélico **I** *adj.* relativo a Aristóteles ou ao aristotelismo; **II** *s. m.* defensor do aristotelismo

aristotelismo *s. m.* FIL. doutrina de Aristóteles e da sua escola, em que se salientam os conceitos de acto e potência, forma e matéria, substância e acidente

aritmética *s. f.* parte da matemática que estuda as operações numéricas (soma, subtracção, multiplicação, divisão)

aritmético **I** *adj.* relativo a aritmética; **II** *s. m.* especialista em aritmética

arlequim *s. m.* **1** personagem da antiga comédia italiana que usava um traje colorido em forma de losango; **2** fantasia de Carnaval inspirada no traje desse personagem

arma *s. f.* **1** MIL. cada uma das subdivisões básicas das forças do exército (infantaria, artilharia, cavalaria, engenharia e transmissões); **2** qualquer instrumento de ataque ou de defesa; **3** insígnia de brasão; **4** *(fig.)* recurso; expediente; ~ ***biológica*** qualquer forma de ataque que utiliza seres vivos ou substâncias derivadas de seres vivos para causar a morte de pessoas, plantas e animais; ~ ***branca*** objecto manual de aço polido, com lâmina metálica, que serve para cortar ou perfurar; *(fig.)* ~ ***de dois gumes*** aquilo que tem vantagens e inconvenientes; ~ ***de fogo*** instrumento que projecta balas pela deflagração de explosivos; ~ ***nuclear*** arma que utiliza a energia libertada na fusão do núcleo de um átomo, e que tem um poder de destruição devastador; ~ ***química*** substância intoxicante, asfixiante ou incendiária, usada como forma de ataque à vida humana, animal ou vegetal ❖ ***de armas e bagagens*** totalmente; ***depor as armas*** render-se

armação *s. f.* **1** equipamento; **2** estrutura; **3** (de óculos) conjunto dos aros e das hastes; **4** (de animal) chifres

armada *s. f.* NÁUT. conjunto das forças navais de uma nação

armadilha *s. f.* **1** artifício para caçar animais; **2** cilada; ***cair na ~*** ser enganado

armado *adj.* **1** munido de arma; **2** preparado; precavido

armador *s. m.* **1** NÁUT. aquele que, sendo ou não proprietário, assume directamente a exploração comercial de um navio; **2** agente funerário

armadura *s. f.* **1** (de guerreiro) estrutura metálica que protegia quase completamente o corpo, em combates e torneios; **2** (de animal) conjunto de peças (garras, chifres, dentes) para defesa ou ataque; **3** (de edifício) estrutura (de ferro, madeira, etc.) que sustenta uma construção

armamento *s. m.* **1** MIL. conjunto de armas e de instrumentos de guerra de um exército, de um país etc.; **2** depósito de armas e munições; **3** NÁUT. conjunto de aparelhos, acessórios e pessoal necessários para um navio se fazer ao mar; ***corrida ao ~*** aquisição apressada de material bélico por parte de uma nação, na tentativa de garantir superioridade numa situação de conflito com outra nação

armanço *s. m.* *(coloq.)* atitude de quem se gaba muito; gabarolice

armar **I** *v. tr.* **1** munir de armas; **2** equipar; aparelhar; **3** fazer a instalação de (loja, montra, etc.); **4** montar (barraca, tenda); **5** dispor (armadilha) preparando o dispositivo que provoca o desarme; **II** *v. refl.* **1** proteger-se com arma defensiva; **2** *(fig.)* prevenir-se; **3** *(coloq.)* vangloriar-se ❖ ~ ***barraca/sarrilho*** provocar um escândalo/uma confusão

armário *s. m.* móvel de madeira ou metal com prateleiras e portas

armazém *s. m.* **1** edifício de grandes dimensões onde se guardam mercadorias; **2** depósito de munições; **3** grande estabelecimento comercial, ocupando por vezes vários andares de um edifício, onde se vendem produtos diversos

armazenamento *s. m.* **1** depósito ou recolha em armazém; **2** taxa que se paga por objecto armazenado; **3** INFORM. conservação (de dados ou ficheiros) num dispositivo de memória do computador

armazenar *v. tr.* **1** recolher (mercadoria) em armazém; **2** conservar; guardar; **3** INFORM. conservar (dados ou ficheiros) num dispositivo de memória do computador; **4** *(Bras.)* memorizar

armazenista *s. 2 gén.* **1** pessoa que possui um armazém; **2** pessoa que está encarregada de um armazém; **3** pessoa que negoceia por atacado; grossista

arménio **I** *s. m.* {*f.* arménia} **1** pessoa natural da Arménia; **2** língua indo-europeia falada na Arménia; **II** *adj.* relativo à Arménia

arminho *s. m.* **1** ZOOL. mamífero carnívoro das regiões polares, de pêlo ruivo no Verão e branco no Inverno; **2** pele desse animal

armistício *s. m.* suspensão de hostilidades entre as partes envolvidas num conflito; trégua
ARN QUÍM. [*sigla de* **á**cido **r**ibo**n**ucleico]
arnela *s. f.* raiz ou pedaço de dente partido que fica na gengiva
aro *s. m.* **1** arco; **2** anel; **3** (de roda) jante; **4** (de janela, porta) moldura
aroma *s. m.* cheiro agradável; perfume
aromaterapeuta *s. 2 gén.* especialista em aromaterapia
aromaterapia *s. f.* utilização de óleos ou essências aromáticas para fins medicinais
aromático *adj.* **1** relativo a aroma; **2** que tem cheiro agradável; CUL. ***ervas aromáticas*** ervas que têm aroma mais ou menos intenso e que são usadas como tempero
aromatizar I *v. tr.* **1** tornar aromático; perfumar; **2** CUL. temperar; condimentar; **II** *v. intr. e refl.* impregnar-se de aroma
arpão *s. m.* instrumento constituído por um ferro em forma de seta ligado a uma haste de madeira ou metal, utilizado na pesca submarina
arpejo *s. m.* MÚS. acorde em que as notas são tocadas de modo rápido e sucessivo
arqueação *s. f.* **1** curvatura de um arco; **2** medição da capacidade de um recipiente; **3** NÁUT. capacidade de um navio; tonelagem
arqueado *adj.* curvado em forma de arco; dobrado
arquear *v. tr.* **1** curvar em forma de arco; dobrar; **2** medir a capacidade de (um recipiente)
arquejar *v. intr.* respirar com esforço; arfar; ofegar
arquejo *s. m.* respiração curta e difícil, causada por esforço, tensão, etc.
arqueologia *s. f.* estudo das civilizações antigas com base nos vestígios e monumentos descobertos em escavações
arqueológico *adj.* relativo à arqueologia
arqueólogo *s. m.* pessoa que se dedica à arqueologia
arquétipo *s. m.* modelo; protótipo
arquiducado *s. m.* dignidade ou domínio de arquiduque
arquiducal *adj. 2 gén.* relativo a arquiduque ou a arquiducado
arquiduque *s. m.* {*f.* arquiduquesa} **1** título nobiliárquico superior ao de duque; **2** pessoa que possui esse título
arquipélago *s. m.* grupo de ilhas próximas umas das outras
arquitectar *v. tr.* **1** fazer um projecto de arquitectura; projectar (obra, edifício); **2** (*fig.*) planear; **3** (*fig.*) imaginar
arquitecto *s. m.* **1** pessoa que elabora projectos de arquitectura; **2** (*fig.*) pessoa responsável por uma ideia, plano ou fantasia
arquitectónico *adj.* relativo a arquitectura
arquitectura *s. f.* **1** arte de projectar e construir edifícios e de organizar espaços para as diversas actividades humanas; **2** conjunto das obras arquitectónicas executadas em determinado período; **3** conjunto de princípios e regras que fundamentam uma instituição ou uma actividade; **4** INFORM. estrutura geral e organização lógica do funcionamento de um computador; **5** (*fig.*) plano; projecto
arquitrave *s. f.* ARQ. viga mestra assente sobre colunas ou pilares para sustentar o peso de uma parede
arquivar *v. tr.* **1** guardar (documentos) em arquivo; **2** DIR. suspender o

prosseguimento de (investigação, processo); **3** *(fig.)* reter na memória; memorizar (ensinamento, lição); **4** *(fig.)* deixar de lado; esquecer (divergência, problema)

arquivista *s. 2 gén.* pessoa responsável por um arquivo

arquivo *s. m.* **1** conjunto organizado de documentos (manuscritos, livros, fotografias, impressões digitais, etc.); **2** pasta própria para guardar documentos; **3** lugar ou edifício onde se guarda um conjunto documental

arquivolta *s. f.* ARQ. moldura decorativa que acompanha o arco

arrabaldes *s. m. pl.* zona limítrofe de uma cidade; subúrbios

arraial *s. m.* **1** festa popular ao ar livre; romaria; **2** MIL. acampamento de tropas ❖ ***assentar arraiais*** fixar-se

arraia-miúda *s. f.* {*pl.* arraias-miúdas} *(depr.)* camada mais baixa da sociedade; povinho

arraigado *adj.* **1** (planta) enraizado; **2** (pessoa) radicado

arraigar **I** *v. tr.* fazer germinar (planta) fixando a raiz; **II** *v. intr.* **1** (planta) enraizar-se; germinar; **2** (pessoa) fixar residência em; radicar-se

arrais *s. m. 2 núm.* NÁUT. mestre de embarcação

arrancar **I** *v. tr.* **1** puxar ou tirar com força; **2** desenraizar (planta); **3** obter à força (segredo, informação); **4** separar; **5** provocar; **II** *v. intr.* **1** sair de repente; **2** AERON. levantar voo; descolar; **3** (máquina) começar a funcionar; **4** (automóvel) pôr-se em movimento; **5** (processo) ter início

arranha-céus *s. m. 2 núm.* edifício muito alto, com muitos andares

arranhão *s. m.* ferimento superficial

arranhar *v. tr.* **1** ferir (a pele) com as unhas ou com objecto pontiagudo; **2** fazer risco ou traço em (móvel, superfície); **3** *(fig.)* conhecer mal (idioma, disciplina)

arranjado *adj.* **1** (objecto, mecanismo) consertado; reparado; **2** (pessoa, trabalho) pronto; preparado; **3** (compromisso, evento) decidido; combinado ❖ *(irón.)* ***estar bem ~*** estar numa situação difícil

arranjar **I** *v. tr.* **1** ordenar, compor; **2** arrumar; **3** conseguir; **4** fazer a reparação de; consertar; **5** ajeitar (casaco, gravata); **6** preparar (refeição); **7** encontrar (emprego); **II** *v. refl.* **1** governar-se; **2** preparar-se para sair

arranjinho *s. m.* **1** *(coloq.)* combinação; **2** *(coloq.)* namoro

arranjo *s. m.* **1** disposição harmoniosa de coisas; arrumação; **2** acordo; entendimento; **3** MÚS. adaptação de uma composição a vozes ou instrumentos para os quais não foi originalmente escrita; **4** negócio; combinação

arranque *s. m.* **1** extracção; **2** (de máquina, de motor) entrada em funcionamento; **3** (de projecto) início; começo; **4** DESP. partida

arrapazado *adj.* **1** semelhante a rapaz; **2** com modos de rapaz

arrasado *adj.* **1** (pessoa) humilhado; vexado; **2** (pessoa) arruinado; falido; **3** (lugar) destruído; devastado; **4** (terreno) plano; raso

arrasar *v. tr.* **1** demolir (construção, edifício); **2** nivelar (um terreno); **3** *(fig.)* humilhar (alguém)

arrastadeira *s. f.* recipiente achatado que serve para as pessoas acamadas fazerem as suas necessidades

arrastado *adj.* **1** (passo, voz) lento; pausado; **2** (acontecimento) demorado; prolongado

arrastão *s. m.* **1** puxão violento; repelão; **2** NÁUT. barco de pesca que utiliza uma rede em forma de saco que é arrastada ao longo do fundo do mar

arrastar I *v. tr.* 1 puxar ou mover com dificuldade; 2 roçar pelo chão; 3 conduzir à força; 4 pronunciar lentamente; 5 levar atrás de si; induzir; II *v. refl.* 1 deslizar pelo chão; rastejar; 2 deslocar-se com dificuldade; 3 decorrer lentamente; prolongar-se

arrasto *s. m.* 1 acto ou efeito de arrastar(-se); 2 aquilo que se arrasta; 3 (pesca) rede em forma de saco que é arrastada pelo fundo do mar ou do rio

arre *interj.* 1 exprime impaciência, aborrecimento ou irritação; 2 usada para fazer andar os animais de carga

arreado *adj.* 1 (cavalo) aparelhado; 2 *(pop.)* enfeitado

arrear *v. tr.* 1 aparelhar; selar (cavalo); 2 baixar (vela, bandeira); 3 *(pop.)* enfeitar (espaço, lugar)

arrebatado *adj.* 1 violento; colérico; 2 precipitado; impulsivo; 3 *(fig.)* entusiasmado; empolgado

arrebatador *adj.* 1 brutal; violento; 2 *(fig.)* empolgante

arrebatar *v. tr.* 1 puxar com força; arrancar; 2 *(fig.)* entusiasmar; empolgar

arrebique *s. m.* enfeite exagerado

arrebitado *adj.* 1 (nariz) voltado para cima; 2 *(fig.)* (pessoa) vivo; esperto; 3 *(fig.)* (pessoa) atrevido; petulante

arrebitar I *v. tr.* virar para cima; levantar; II *v. refl.* 1 virar-se para cima; levantar-se; 2 *(fig.)* (pessoa) mostrar-se esperto; espevitar-se; 3 *(fig.)* (pessoa) tornar-se petulante; emproar-se

arrebol *s. m.* cor de fogo no horizonte ao nascer e ao pôr do Sol

arrecadação *s. f.* local onde se guarda alguma coisa; depósito

arrecadar *v. tr.* 1 guardar (objecto) em segurança; 2 poupar (dinheiro); 3 receber (prémio)

arrecuas *elem. da loc. adv.* **às ~** para trás; de costas

arredado *adj.* 1 afastado; desviado; 2 distante; remoto

arredar *v. tr. e refl.* 1 afastar(-se); 2 retirar(-se)

arredondado *adj.* 1 (forma) circular; esférico; 2 MAT. (valor, resultado) aproximado

arredondar I *v. tr.* 1 tornar redondo; dar forma esférica ou circular; 2 MAT. representar (número) de forma aproximada, desprezando todos os algarismos posteriores a uma certa ordem decimal; II *v. intr.* 1 tornar-se redondo; 2 *(fig.)* engordar

arredor *adv.* em volta; em redor

arredores *s. m. pl.* zonas limítrofes (de cidade ou povoação); subúrbios

arrefecer I *v. tr.* baixar a temperatura de; II *v. intr.* 1 (alimento) tornar-se frio; esfriar; 2 METEOR. descer a temperatura; 3 *(fig.)* perder o entusiasmo; desanimar; 4 *(fig.)* tornar-se mais fraco; abrandar

arrefecido *adj.* 1 que ficou (mais) frio; 2 *(fig.)* que perdeu o entusiasmo; desanimado; 3 *(fig.)* que abrandou; enfraquecido

arrefecimento *s. m.* 1 descida de temperatura; 2 perda de calor; esfriamento; 3 *(fig.)* perda de entusiasmo; desânimo

arregaçar *v. tr.* dobrar para cima (peça de roupa) ❖ ***~ as mangas*** dispor-se imediatamente a fazer algo; ***dado e arregaçado*** oferecido com generosidade

arregalar *v. tr.* abrir muito (os olhos) por satisfação, admiração ou espanto

arreganhar *v. tr.* 1 mostrar (os dentes), abrindo a boca; 2 entreabrir ❖ *(coloq.)* ***~ a tacha*** rir abertamente, mostrando os dentes

arreios *s. m. pl.* conjunto de peças com que se prepara a cavalgadura
arrelia *s. f.* **1** zanga; irritação; **2** contrariedade
arreliado *adj.* **1** zangado; irritado; **2** aborrecido
arreliar *v. tr.* **1** aborrecer; importunar; **2** irritar
arrematar *v. tr.* **1** DIR. comprar ou vender em hasta pública; leiloar; **2** declarar vendido (um objecto) em hasta pública
arremessar *v. tr.* **1** atirar com força; **2** lançar para longe; repelir
arremesso *s. m.* **1** (de objecto) lançamento; **2** ameaça; ataque; **3** gesto repentino; ímpeto
arremeter **I** *v. tr.* atiçar (animal); **II** *v. intr.* lançar-se violentamente
arremetida *s. f.* investida; ataque
arrendamento *s. m.* **1** contrato pelo qual uma parte cede a outra o uso de coisa imóvel, por prazo e preço estipulados; aluguer; **2** valor que se paga pelo uso de um bem imóvel; renda
arrendar *v. tr.* dar ou tomar de arrendamento; alugar
arrendatário *s. m.* pessoa que toma de arrendamento; inquilino
arrepanhar *v. tr.* **1** fazer dobras ou rugas em (tecido); **2** esticar (o cabelo); **3** juntar avidamente (dinheiro)
arrepelar **I** *v. tr.* **1** puxar com força; esticar (cabelo, barba, etc.); **2** beliscar; **II** *v. refl.* desejar muito; ansiar
arrepender-se *v. refl.* **1** sentir pesar ou remorso por falta cometida; lamentar; **2** voltar com a palavra atrás; retroceder (em promessa, compromisso, etc.)
arrependido **I** *adj.* que sente arrependimento; penitente; **II** *s. m.* pessoa que, em tribunal, confessa um crime e denuncia cúmplices para obter uma redução de pena ou o perdão
arrependimento *s. m.* **1** sentimento de mágoa ou remorso por falta cometida; **2** mudança de opinião ou de atitude; **3** RELIG. contrição
arrepiado *adj.* **1** (cabelo) eriçado; **2** (pele) enrugada por efeito do frio; **3** (pessoa) com frio ou medo
arrepiante *adj. 2 gén.* **1** que causa arrepio; **2** horrível; assustador
arrepiar **I** *v. tr.* **1** fazer eriçar (cabelo); **2** fazer (alguém) tremer de frio ou de medo; **II** *v. refl.* **1** (cabelo) eriçar-se; **2** (pessoa) sentir calafrios ❖ ***~ caminho*** retroceder
arrepio *s. m.* estremecimento causado por frio ou medo; calafrio ❖ ***ao ~*** contra a corrente; ***ao ~ de*** ao contrário de; inversamente a
arrevesado *adj.* **1** colocado do avesso; invertido; **2** confuso; complicado; **3** obscuro; incompreensível
arrevesar *v. tr.* **1** pôr do avesso; **2** dar sentido contrário; inverter; **3** tornar confuso ou obscuro
arriar **I** *v. tr.* **1** deitar abaixo; **2** abaixar; descer (vela, bandeira); **II** *v. intr.* **1** ceder; **2** render-se
arriba *interj.* traduz incitamento ou ânimo
arribação *s. f.* migração de animais; ZOOL. ***ave de ~*** ave que permanece pouco tempo num lugar
arriscado *adj.* que oferece risco; perigoso
arriscar **I** *v. tr.* pôr em risco; **II** *v. intr. e refl.* **1** correr o risco; **2** aventurar-se ❖ (provérbio) ***quem não arrisca não petisca*** quem não tenta, nunca há-de conseguir nada
arritmia *s. f.* MED. irregularidade do batimento cardíaco
arroba *s. f.* **1** antiga unidade de medida de peso; **2** INFORM. sinal gráfico @, usado nos endereços de correio electrónico para separar o nome

do utilizador do endereço propriamente dito

arrogância *s. f.* **1** presunção; altivez; **2** ousadia; insolência

arrogante *adj.* **1** presunçoso; altivo; **2** atrevido; insolente

arrogar **I** *v. tr.* atribuir a alguém (direito, privilégio); **II** *v. refl.* atribuir a si próprio (direito, privilégio)

arrojado *adj.* **1** ousado; destemido; **2** determinado; decidido; **3** progressista; inovador

arrojar **I** *v. tr.* lançar com ímpeto; arremessar; **II** *v. refl.* **1** lançar-se; atirar-se; **2** arriscar-se; aventurar-se

arrojo *s. m.* **1** ousadia; atrevimento; **2** coragem; determinação

arrolhar *v. tr.* meter rolha em; tapar

arromba *s. f.* cantiga para viola ❖ ***de ~*** excelente

arrombamento *s. m.* abertura forçada e violenta (de cofre, edifício, etc.)

arrombar *v. tr.* **1** forçar a entrada em (edifício); **2** abrir à força (cofre, porta, janela); **3** deitar abaixo; abater

arrotar *v. intr.* emitir (gases do estômago) pela boca; eructar ❖ *(pop.)* ***~ postas de pescada*** armar-se

arroteamento *s. m.* AGRIC. cultivo (de terreno); plantação

arrotear *v. tr.* **1** desbravar (terreno) para plantar; **2** cultivar pela primeira vez

arroto *s. m.* expulsão ruidosa de gases do estômago pela boca; eructação

arroz *s. m.* **1** BOT. planta cujo grão, rico em amido, é muito utilizado na alimentação; **2** grão dessa planta

arrozada *s. f. (coloq.)* refeição preparada com (grande quantidade de) arroz

arrozal *s. m.* terreno plantado de arroz

arroz-doce *s. m.* {*pl.* arrozes-doces} CUL. doce preparado com arroz cozido em leite, açúcar, gemas de ovos, casca de limão e canela

arruaça *s. f.* briga de rua; motim

arruaceiro *s. m.* pessoa que promove ou participa em briga de rua

arruamento *s. m.* **1** distribuição em ruas; **2** conjunto de ruas; **3** rua

arrufar *v. tr. e refl.* irritar(-se); zangar(-se)

arrufo *s. m.* zanga; amuo

arruinado *adj.* **1** que está em ruínas; destruído; **2** reduzido à pobreza; falido; **3** abatido; arrasado

arruinar **I** *v. tr.* **1** destruir; demolir; **2** reduzir à miséria; levar à falência; **3** conduzir à decadência; arrasar; **II** *v. refl.* **1** ficar na miséria; empobrecer-se; **2** conduzir-se à decadência; arrasar-se

arruivado *adj.* ligeiramente ruivo

arrumação *s. f.* **1** disposição ordenada de objectos num espaço; **2** ordem; harmonia; organização; **3** emprego; trabalho; ocupação

arrumadela *s. f.* arrumação ligeira ou feita à pressa

arrumado *adj.* **1** (casa) bem organizado; limpo; **2** (pessoa) organizado; disciplinado; **3** (pessoa) vestido; arranjado; **4** *(coloq.)* casado ❖ *(irón.)* ***estar/ficar ~*** estar perdido

arrumador *s. m.* **1** (de automóveis) pessoa que indica os lugares disponíveis para estacionamento nas ruas; **2** (no cinema, no teatro) pessoa que indica os lugares a ocupar pelos espectadores

arrumar **I** *v. tr.* **1** pôr (casa, quarto) em ordem; organizar; **2** dar (emprego); empregar; **3** resolver (um problema); terminar (um assunto); **4** estacionar (veículo); **5** NÁUT. direccionar (embarcação); rumar; **II** *v. refl.* **1** arranjar para si próprio um bom emprego; empregar-se; **2** arranjar-se para sair; vestir-se; **3** *(coloq.)* casar-se

arrumo *s. m. pl.* **1** arrumação; organização; ordem; **2** *(fig.)* ocupação;

3 [*pl.*] compartimento para arrumações; arrecadação

arsenal *s. m.* **1** estabelecimento destinado ao fabrico e depósito de armas e munições; **2** (*fig.*) lugar onde se encontram muitas armas; **3** (*fig.*) grande quantidade (de qualquer coisa)

arsénico *s. m.* QUÍM. hexóxido de arsénio, extremamente tóxico e venenoso

arsénio *s. m.* QUÍM. elemento químico com o número atómico 33, e símbolo As, de cor cinzenta e brilho metálico, que entra na composição de ligas metálicas

arte *s. f.* **1** aplicação do saber à obtenção de resultados práticos ou à produção de objectos; técnica; **2** conjunto de conhecimentos indispensáveis ao desempenho de uma actividade; aprendizagem; **3** actividade que visa estimular sensações ou de estados de espírito de carácter estético; **4** expressão de um ideal estético através de uma actividade criativa; **5** conjunto de obras artísticas criadas numa determinada época ou em determinado lugar; **6** perfeição; requinte; **7** aptidão; jeito; **8** manha; astúcia; ~ ***abstracta*** arte que procura suscitar sentimentos estéticos pelo jogo das formas, texturas ou cores, sem referência explícita ao real; ~ ***figurativa*** arte que tem como ponto de referência a representação do real; ***artes plásticas*** conjunto das artes que recriam linhas, formas, volumes e cores (desenho, pintura, gravura, escultura e arquitectura); ***sétima*** ~ arte cinematográfica; cinema ❖ ***por artes de berliques e berloques*** de forma excepcional ou inexplicável; ***por artes mágicas*** de forma misteriosa

artefacto *s. m.* objecto produzido por trabalho mecânico ou manual

artelho *s. m.* ANAT. articulação

artéria *s. f.* **1** ANAT. vaso que conduz sangue do coração para as diversas partes do corpo; **2** (*fig.*) grande via de comunicação

arterial *adj. 2 gén.* relativo a artéria

arteriosclerose *s. f.* MED. endurecimento das paredes das artérias

arteriosclerótico **I** *adj.* **1** relativo a arteriosclerose; **2** que sofre de arteriosclerose; **II** *s. m.* pessoa que sofre de arteriosclerose

artesanal *adj. 2 gén.* **1** feito por artesão; **2** manual; **3** simples; rústico

artesanato *s. m.* **1** arte e técnica do trabalho manual não industrializado, realizado por artesão, geralmente por conta própria; **2** conjunto das peças produzidas de modo artesanal

artesão *s. m.* {*f.* artesã} pessoa que se dedica à produção manual de objectos em oficina própria; artífice

articulação *s. f.* **1** ANAT. junção natural de dois ou mais ossos; **2** MEC. ponto de união entre peças de uma estrutura ou de um aparelho que permite rotação; **3** expressão (de pensamento); exteriorização; **4** pronunciação (de palavras); verbalização

articulado *adj.* **1** ANAT. que apresenta uma ou mais articulações; **2** unido; ligado; coordenado; **3** (pensamento) exprimido; **4** (palavra) pronunciado; **5** (veículo) que é formado por partes móveis

articular *v. tr.* **1** exprimir (pensamentos); **2** pronunciar (palavras); **3** unir ou ligar (peças de um mecanismo)

articulista *s. 2 gén.* pessoa que escreve artigos para jornais ou revistas

artífice *s. 2 gén.* **1** artesão; **2** artista; **3** (*fig.*) inventor; autor

artificial *adj. 2 gén.* **1** produzido por arte ou indústria (por oposição a *natural*); **2** postiço; fingido; **3** afectado

artificialidade *s. f.* **1** qualidade daquilo que é artificial; **2** (de pessoa) falta de naturalidade; afectação

artifício *s. m.* **1** recurso engenhoso; habilidade; **2** estratagema; manha; **3** falta de naturalidade; afectação

artificioso *adj.* que contém artifício

artigo *s. m.* **1** cada uma das divisões, assinaladas com um número de ordem, feitas no texto de uma acta, diploma, código, etc.; **2** texto de jornal ou de revista, geralmente mais extenso que a notícia; **3** ECON. produto; mercadoria; **4** LING. palavra variável em género e número que precede um substantivo, determinando-o; LING. ~ ***definido*** palavra que refere um ser específico (pessoa, animal ou coisa) entre diversos da mesma espécie; ~ ***de fundo*** artigo, em geral inserido na primeira página de um jornal, da autoria do seu director; editorial; ~ ***de luxo*** objecto supérfluo, com preço muito elevado; ~ ***de primeira necessidade*** produto considerado indispensável à sobrevivência (alimentos, vestuário e calçado); LING. ~ ***indefinido*** palavra que refere um ser indeterminado (não específico) entre outros da mesma espécie

artilharia *s. f.* **1** MIL. material de guerra composto por armas de fogo não portáteis (canhões, lança-mísseis, etc.); **2** MIL. força do exército encarregada desse material; **3** (*fig.*) instrumento; expediente

artimanha *s. f.* **1** manha; astúcia; **2** recurso engenhoso; estratagema

artista *s. 2 gén.* **1** pessoa que se dedica à criação de obras de arte; **2** pessoa que se dedica à representação no teatro, no cinema, ou na televisão; **3** pessoa que é muito competente numa determinada área; **4** artesão; artífice

artístico *adj.* **1** relativo a arte; **2** feito com apurado sentido estético; **3** primoroso; perfeito

artrite *s. f.* MED. inflamação de uma articulação

artrópode *adj.* (animal) que tem o corpo dividido em anéis e revestido de quitina

artrose *s. f.* MED. processo degenerativo de uma articulação

arvorar I *v. tr.* **1** içar; hastear (bandeira); **2** levantar (mastro, escada); **II** *v. refl.* atribuir-se (uma qualidade ou um direito); armar-se

árvore *s. f.* **1** BOT. planta lenhosa de altura variável, cujo tronco se ramifica na parte superior; **2** representação (de alguma coisa) em forma de um esquema com tronco e ramificações; **3** LING. representação gráfica da estrutura de uma frase ou oração, destacando as relações de hierarquia e derivação por meio de linhas descendentes; **4** NÁUT. mastro completo do navio; **5** MEC. eixo; veio; ~ ***de fruto*** árvore que produz frutos em determinada época do ano; ~ ***de Natal*** pinheiro natural ou artificial que se decora com bolas, lâmpadas, fitas e outros enfeites na época do Natal; ~ ***genealógica*** esquema em forma de árvore que indica a descendência de uma família através de gerações sucessivas, ou o grau de parentesco de diferentes grupos de seres vivos

arvoredo *s. m.* **1** conjunto de árvores; **2** bosque

As QUÍM. [*símbolo de* **arsénio**]

ás *s. m.* **1** carta de jogar, peça do dominó ou face de dado que tem uma pinta; **2** pessoa que se destaca numa determinada área

asa *s. f.* **1** (de ave) membro guarnecido de penas que permite o voo e auxilia a corrida e a deslocação a nado; **2** (de insecto) apêndice membranoso que permite o voo; **3** (de avião) superfície horizontal sobre a qual se exercem as forças aerodinâmicas que permitem a sustentação no ar; **4** (de chávena ou tacho) pega; **5** (de carteira ou saco) alça ❖ ***arrastar a ~*** cortejar; ***bater as asas*** emancipar-se; ***dar asas à imaginação*** libertar a criatividade ou a capacidade imaginativa

asa-delta *s. m.* {*pl.* asas-deltas} **1** DESP. estrutura não motorizada para um só praticante, formada por uma armação em forma de triângulo, coberta de tecido fino, que plana no ar; **2** DESP. actividade que consiste em planar sem motor ou leme com essa estrutura; voo livre

ascendência *s. f.* **1** linha das gerações anteriores de uma pessoa; origem; genealogia; **2** influência; domínio

ascendente I *s. 2 gén.* pessoa de quem se descende; antepassado; **II** *s. m.* **1** influência; domínio; **2** (zodíaco) astro que se eleva no horizonte no momento do nascimento de uma pessoa ou na altura em que tem lugar um evento (e que, segundo os astrólogos, é determinante no mapa astral); **III** *adj. 2 gén.* **1** que se eleva; **2** que progride; **3** MÚS. (escala) que vai do grave ao agudo; **4** (astro) que se eleva no horizonte no momento do nascimento de uma pessoa ou na altura em que tem lugar um evento

ascender *v. intr.* **1** passar para cima; **2** (pessoa) subir de posto; ser promovido; **3** (conta, preço) subir; aumentar

ascensão *s. f.* **1** subida; elevação; **2** promoção

Ascensão *s. f.* **1** RELIG. subida ao céu de Jesus Cristo ressuscitado; **2** RELIG. festa comemorativa da subida de Cristo ao céu

ascensor *s. m.* elevador

asceta *s. 2 gén.* **1** pessoa que procura o aperfeiçoamento espiritual através da prática de renúncia; **2** pessoa que leva uma vida austera

ascetismo *s. m.* **1** doutrina de elevação moral baseada no domínio das paixões e no controlo do corpo; **2** vida austera com o objectivo de alcançar um fim considerado superior

asco *s. m.* aversão; repugnância; nojo

aselha *s. 2 gén.* *(coloq.)* pessoa desajeitada

asfaltar *v. tr.* cobrir (pavimento) de asfalto

asfalto *s. m.* **1** substância espessa e viscosa, muito escura, produzida por alteração do petróleo; **2** mistura dessa substância com areia, cal, etc., utilizada para pavimentar ruas

asfixia *s. f.* **1** dificuldade ou impossibilidade de respirar; **2** *(fig.)* opressão

asfixiante *adj. 2 gén.* **1** que produz asfixia; sufocante; **2** *(fig.)* opressivo

asfixiar I *v. tr.* causar asfixia a; sufocar; **II** *v. intr.* não conseguir respirar; sufocar

asiático I *s. m.* pessoa natural da Ásia; **II** *adj.* relativo à Ásia

asilar I *v. tr.* dar asilo a; recolher; albergar; **II** *v. refl.* abrigar-se; refugiar-se

asilo *s. m.* **1** POL. protecção dada a uma pessoa perseguida; refúgio; **2** estabelecimento para albergar pessoas necessitadas; lar; **3** *(fig.)* apoio; protecção

asma *s. f.* MED. doença, com acessos irregulares, que se manifesta por dificuldades respiratórias

asmático *adj. e s. m.* MED. que ou pessoa que sofre de asma

asneira *s. f.* **1** disparate; tolice; **2** palavrão

asno *s. m.* **1** ZOOL. burro; **2** *(pej.)* (pessoa) estúpido; ignorante

aspas *s. f. pl.* sinal gráfico «» que marca uma citação, um título ou um nome comercial, ou que se usa para realçar determinada palavra ou expressão; vírgulas dobradas; comas

aspecto *s. m.* **1** aparência física; ar; **2** fisionomia; semblante; **3** ponto de vista; perspectiva

aspereza *s. f.* **1** (superfície) qualidade do que é áspero; rugosidade; **2** *(fig.)* dureza de modos; rudeza; **3** *(fig.)* severidade; rispidez; **4** MÚS. desarmonia

áspero *adj.* **1** (superfície) que não é liso e uniforme; rugoso; desigual; **2** (sabor) ácido; acre; **3** (terreno) irregular; acidentado; **4** *(fig.)* ríspido; duro; **5** *(fig.)* severo; austero

aspérrimo *adj.* ⟨*superl. de* **áspero**⟩ muito áspero

aspiração *s. f.* **1** absorção de ar por meio de sucção, gases, vapores, etc.; **2** LING. ruído surdo ou sopro produzido na articulação de um som quando o volume de ar não é suficiente para fazer vibrar as cordas vocais; **3** desejo profundo; ambição

aspirador *s. m.* utensílio doméstico usado para aspirar poeira e pequenos detritos

aspirante I *s. 2 gén.* **1** (a um título, cargo) candidato; **2** MIL. posto imediatamente inferior ao de alferes; **II** *adj. 2 gén.* **1** que aspira; **2** que absorve

aspirar I *v. tr.* **1** introduzir ar nos pulmões; inspirar; respirar; **2** recolher poeira e pequenos detritos por meio de sucção; absorver; **3** LING. pronunciar (um som) com aspiração; **II** *v. intr.* desejar profundamente; ambicionar

aspirina *s. f.* FARM. ácido acetilsalicílico, usado como analgésico e antipirético

asqueroso *adj.* **1** repugnante; **2** imundo

assadeira *s. f.* recipiente, geralmente de louça ou barro, utilizado para assar alimentos no forno

assado I *s. m.* CUL. peça de peixe ou carne cozinhada no forno com pouco ou nenhum molho; **II** *adj.* tostado; queimado ❖ ***assim e ~*** desta maneira e daquela; ***meter-se em assados*** procurar voluntariamente dificuldades

assalariado *s. m.* pessoa que trabalha por salário

assalariar *v. tr.* **1** pagar (salário); **2** contratar; empregar

assaltante *s. 2 gén.* pessoa que participa num assalto

assaltar *v. tr.* **1** roubar (banco, casa, etc.); **2** atacar de repente

assalto *s. m.* **1** (a pessoa, banco, casa) roubo; **2** ataque; **3** DESP. (boxe) cada um dos períodos de tempo em que se divide um combate; **4** DESP. (esgrima) cada uma das investidas do adversário; **~ *à mão armada*** assalto realizado com ameaça de arma de fogo

assanhado *adj.* **1** impetuoso; fogoso; **2** irritado

assanhar *v. tr.* **1** estimular; provocar; **2** irritar

assar *v. tr. e intr.* **1** cozinhar directamente sobre o fogo ou em forno; tostar(-se); **2** queimar(-se)

assarapantado *adj.* **1** pasmado; espantado; **2** assustado; atrapalhado

assarapantar *v. tr.* **1** espantar; **2** assustar; sobressaltar

assassinar *v. tr.* **1** matar; **2** *(fig.)* destruir; aniquilar

assassinato *s. m.* 1 homicídio voluntário, geralmente premeditado; 2 (*fig.*) destruição; extinção
assassínio *s. m.* vd. **assassinato**
assassino I *s. m.* pessoa que assassina (alguém); homicida; II *adj.* que mata; mortífero
asseado *adj.* 1 que revela asseio; limpo; 2 feito com perfeição; esmerado
assear *v. tr. e refl.* 1 limpar(-se); lavar(-se); 2 arranjar(-se) com esmero
assediar *v. tr.* 1 cercar; 2 importunar
assédio *s. m.* 1 cerco; 2 importunação; perseguição; ~ ***moral*** pressão psicológica exercida sobre alguém com quem se tem uma relação de poder; ~ ***sexual*** conjunto de actos ou comportamentos que ameaçam sexualmente outra pessoa
assegurado *adj.* 1 confirmado; certificado; 2 certo; garantido
assegurar I *v. tr.* 1 afirmar; 2 garantir; assegurar; II *v. refl.* certificar-se
asseio *s. m.* 1 limpeza; asseio; 2 esmero; perfeição
assembleia *s. f.* 1 reunião de membros de um grupo ou organismo, regularmente convocados para deliberar sobre assuntos particulares ou de interesse público; 2 conjunto de membros desse grupo ou organismo; 3 local ou instituição onde se reúnem essas pessoas; 4 parlamento
assemelhar I *v. tr.* 1 tornar semelhante; 2 comparar; II *v. refl.* ser semelhante; parecer-se
assentada *s. f.* vez; ocasião ❖ ***de uma*** ~ sem interrupção
assentar I *v. tr.* 1 colocar sobre assento; acomodar; 2 tomar nota de; registar; 3 apoiar; firmar (cabos, vigas, etc.); 4 estabelecer; determinar; 5 encaixar; montar (estrutura, construção); II *v. intr.* 1 estar apoiado; 2 estar e harmonia; combinar; 3 (pó, poeira) pousar sobre o chão ou outra superfície ❖ ~ ***arraial*** estabelecer-se; MIL. ~ ***praça*** incorporar-se no exército
assente *adj. 2 gén.* 1 pousado; apoiado; firme; 2 combinado; decidido; resolvido
assentimento *s. m.* 1 consentimento; 2 acordo; 3 adesão
assentir *v. tr.* 1 consentir; 2 concordar
assento *s. m.* 1 lugar para sentar; banco; 2 lugar que oferece segurança ou estabilidade; apoio; 3 base; sustentáculo; 4 registo; apontamento
assepsia *s. f.* MED. conjunto de processos preventivos contra agentes infecciosos
asséptico *adj.* 1 MED. relativo a assepsia; 2 MED. que não contém germes
asserção *s. f.* 1 afirmação; 2 alegação
assessor *s. m.* pessoa que auxilia alguém no exercício das suas funções; auxiliar; assistente
assessorar *v. tr.* auxiliar; ajudar
assessoria *s. f.* 1 cargo ou função de assessor; 2 conjunto de pessoas encarregadas de auxiliar alguém
asseveração *s. f.* 1 afirmação clara e segura; 2 certeza
asseverar *v. tr.* 1 afirmar com clareza e convicção; 2 assegurar; garantir
assexuado *adj.* BIOL. sem sexo
assiduamente *adv.* 1 pontualmente; 2 regularmente
assiduidade *s. f.* 1 pontualidade; 2 empenho
assíduo *adj.* 1 que não falta às suas obrigações; pontual; 2 empenhado
assim I *conj.* portanto; por conseguinte; de modo que; II *adv.* 1 desta ou dessa forma; deste ou desse modo; 2 do mesmo modo; da mesma maneira; igualmente; III *adj.* semelhante; igual ⟨*queria um carro assim*⟩ ❖ ***ainda/mesmo*** ~ contudo; ~ ***como***

do mesmo modo que; ~ ***ou assado*** desta ou daquela maneira; ~ ***que*** logo que; ***por ~ dizer*** digamos

assim-assim *adv.* nem muito nem pouco; nem bem nem mal; mais ou menos

assimetria *s. f.* **1** falta de simetria; **2** desigualdade; disparidade

assimétrico *adj.* **1** relativo a assimetria; **2** desigual; díspar

assimilação *s. f.* **1** BIOL. propriedade que permite aos seres vivos transformar, na sua própria substância, muitas das substâncias recebidas do meio externo; **2** LING. identificação de um som com outro que lhe está próximo; **3** (de ideias, conhecimentos) absorção; compreensão; **4** (de pessoas) integração

assimilar *v. tr.* **1** BIOL. converter em substância própria; fazer a assimilação de; **2** LING. adoptar um traço de um som próximo; **3** absorver; compreender (ideia, conhecimento); **4** integrar (pessoas)

assimilável *adj. 2 gén.* que se pode assimilar

assinalar *v. tr.* **1** pôr sinal em; marcar; **2** distinguir; indicar; **3** anunciar; sinalizar

assinalável *adj. 2 gén.* digno de registo ou de referência; notável

assinante *s. 2 gén.* **1** (de publicação, de telefone) pessoa que tem um contrato com uma empresa ou instituição para receber determinado serviço; subscritor; **2** (de documento, papel) pessoa que assina; signatário

assinar *v. tr.* **1** escrever o próprio nome no fim de (texto, documento, etc.); **2** comprar antecipadamente números de uma publicação (jornal, revista etc.), durante determinado período

assinatura *s. f.* **1** nome individual ou designação comercial registada no final de qualquer documento; **2** contrato que permite a uma pessoa receber determinado produto (revista, jornal, etc.) ou usufruir de um serviço (de telefone, Internet, etc.)

assírio I *s. m.* {*f.* assíria} pessoa natural do antigo reino da Assíria (na Mesopotâmia); **II** *adj.* relativo à Assíria

assistência *s. f.* **1** acto ou efeito de assistir; presença; **2** conjunto de pessoas que assistem; público; **3** auxílio; ajuda; ~ ***técnica*** apoio garantido ao cliente (de determinado serviço) por pessoal especializado

assistente I *adj.* que assiste; que auxilia; **II** *s. 2 gén.* **1** pessoa que assiste ou auxilia; ajudante; auxiliar; **2** (universidade) docente auxiliar do professor catedrático; **III** *s. f. (Bras.)* parteira; ~ ***de bordo*** membro da tripulação de um avião encarregado de atender os passageiros; ~ ***social*** pessoa encarregada de dar apoio social, moral, médico, etc., a pessoas necessitadas

assistido *adj.* **1** que recebeu ajuda; **2** que recebeu apoio médico; **3** MEC. (direcção) que aproveita da força do motor para accionar um mecanismo ligado às rodas

assistir I *v. tr.* dar apoio a; socorrer; **II** *v. intr.* **1** presenciar; testemunhar; **2** constatar; verificar

assoalhada *s. f.* compartimento (de uma casa); divisão

assoar I *v. tr.* limpar (o nariz) das mucosidades; **II** *v. refl.* expirar com força pelo nariz para expelir as mucosidades

assobiar I *v. intr.* chamar por meio de assobio; **II** *v. tr.* apupar com assobios; vaiar

assobio *s. m.* **1** som agudo resultante da passagem do ar pelos lábios quase fechados ou pelo orifício de um instrumento; silvo; **2** (instrumento) apito

associação *s. f.* **1** aliança; união; **2** combinação; conexão; **3** agrupamento de pessoas reunidas para determinado fim; **4** colaboração; participação

associado I *adj.* que se associou; **II** *s. m.* **1** pessoa que faz parte de uma associação; membro; sócio; **2** (universidade) docente encarregado das aulas práticas ou teórico-práticas e da orientação de disciplinas e trabalhos de investigação

associar I *v. tr.* **1** unir; juntar; ligar; **2** receber como sócio; **II** *v. refl.* **1** juntar-se; reunir-se; **2** unir-se (a um grupo); **3** contribuir; cooperar

assolação *s. f.* devastação; destruição

assolar *v. tr.* **1** destruir; devastar; arrasar; **2** (*fig.*) afligir; consternar

assomar *v. intr.* **1** subir ao cume; **2** aparecer em lugar alto; **3** aparecer; surgir; **4** mostrar-se; manifestar-se

assombração *s. f.* fantasma; espectro

assombrado *adj.* **1** (casa, lugar) em que se crê que aparecem fantasmas; **2** assustado; **3** pasmado

assombrar I *v. tr.* **1** pasmar; **2** assustar; **II** *v. refl.* **1** maravilhar-se; **2** assustar-se; **3** espantar-se

assombro *s. m.* **1** espanto; **2** terror

assombroso *adj.* **1** espantoso; maravilhoso; **2** assustador

assomo *s. m.* **1** manifestação; acesso; **2** indício; sinal

assonância *s. f.* (de sons) conformidade; semelhança

assumido *adj.* **1** que se assumiu; **2** (pessoa) que assume com convicção as suas ideias, atitudes, etc.

assumir I *v. tr.* **1** aceitar (cargo, responsabilidade); **2** admitir (erro, falta); **3** adoptar; ostentar (atitude, expressão); **4** revelar; declarar (ideologia, posição, etc.); **II** *v. refl.* **1** aceitar-se; **2** reconhecer-se; declarar-se

assunto *s. m.* tema; matéria; objecto; questão

assustadiço *adj.* que se assusta com facilidade

assustado *adj.* **1** amedrontado; atemorizado; **2** vacilante; hesitante

assustador *adj.* que assusta; intimidante

assustar I *v. tr.* causar susto a; intimidar; **II** *v. refl.* sentir medo ou receio de; intimidar-se

ástato *s. m.* QUÍM. elemento radioactivo com o número atómico 85 e símbolo At

astenia *s. f.* MED. debilidade; fraqueza

astenopia *s. f.* MED. fraqueza ou cansaço ocular

asterisco *s. m.* sinal gráfico em forma de pequena estrela (*)

asteróide I *s. m.* ASTRON. pequeno corpo celeste que gravita à volta do Sol; **II** *adj. 2 gén.* em forma de estrela

astigmático *s. 2 gén.* MED. que sofre de astigmatismo

astigmatismo *s. m.* MED. defeito de visão que consiste em o cristalino não ter a mesma distância focal para todas as secções principais

astral *adj. 2 gén.* relativo a astro; sideral

astro *s. m.* **1** ASTRON. qualquer corpo que existe no espaço (estrela, planeta, cometa e nebulosa); **2** ASTROL. qualquer corpo celeste considerado relativamente à influência sobre a vida das pessoas

astrofísica *s. f.* estudo da natureza física dos corpos celestes

astrofísico I *s. m.* especialista em astrofísica; **II** *adj.* relativo a astrofísica

astrolábio *s. m.* (astronáutica) instrumento de navegação utilizado (até ao século XVIII) para medir a altura dos astros acima do horizonte

astrologia *s. f.* estudo das posições e características dos astros com vista a determinar a sua influência no destino e no comportamento das pessoas, e no desenrolar de fenómenos naturais

astrológico *adj.* relativo a astrologia

astrólogo *s. m.* pessoa que se dedica à astrologia

astronauta *s. 2 gén.* tripulante de uma nave espacial; cosmonauta

astronáutica *s. f.* ciência e técnica que possibilitam a realização de viagens fora da atmosfera terrestre

astronomia *s. f.* ciência que estuda os astros (sua constituição, posições relativas e leis dos seus movimentos)

astronómico *adj.* **1** relativo a astronomia; **2** (*fig.*) muito grande; gigantesco; fenomenal

astrónomo *s. m.* especialista em astronomia

astúcia *s. f.* **1** manha; **2** lábia

astuto *adj.* **1** manhoso; **2** habilidoso; **3** perspicaz

At QUÍM. [*símbolo de* **ástato**]

atabalhoado *adj.* **1** (pessoa) desorganizado; desarrumado; **2** (tarefa, trabalho) que foi feito à pressa; confuso

atabalhoar *v. tr.* **1** fazer mal e à pressa; **2** atrapalhar

atacadista *s. 2 gén.* pessoa que vende por atacado; grossista

atacado *adj.* **1** que sofreu ataque; **2** agredido; assaltado ❖ ECON. ***por ~*** em grandes quantidades

atacador *s. m.* cordão ou fita para apertar sapatos

atacante **I** *s. 2 gén.* **1** pessoa que ataca; **2** DESP. (futebol) avançado; **II** *adj. 2 gén.* que ataca; que agride

atacar *v. tr.* **1** lançar ataque sobre; agredir; combater; **2** prender (sapato) por meio de atacador; **3** contagiar; acometer (doença); **4** censurar; criticar; **5** danificar; corroer; **6** (*fig.*) ofender

atado **I** *adj.* **1** (objecto) preso; ligado; **2** (pessoa) tímido; acanhado; **II** *s. m.* conjunto de coisas atadas; molho; feixe

atafona *s. f.* moinho movido à mão; azenha

atalaia **I** *s. f.* torre ou lugar de vigia; **II** *s. 2 gén.* pessoa que vigia; vigilante; sentinela ❖ ***estar de ~*** estar de sobreaviso; vigiar

atalhar **I** *v. tr.* **1** abreviar; **2** interromper; **3** argumentar; **4** impedir; **II** *v. intr.* **1** colocar objecções a; **2** encurtar (caminho) por atalho

atalho *s. m.* **1** caminho mais curto do que o caminho principal; **2** impedimento; estorvo

atamancar *v. intr.* fazer mal e à pressa

ataque *s. m.* **1** investida; agressão; ofensiva; **2** (doença) crise; **3** (fúria) acesso; **4** acção corrosiva (de ferrugem, etc.); **5** acusação; crítica; **6** DESP. jogada ofensiva

atar *v. tr.* **1** (com fio, corda) prender; ligar; amarrar; **2** segurar; conter ❖ ***não ~ nem desatar*** prolongar uma situação sem procurar resolvê-la

atarantado *adj.* confuso; desnorteado

atarantar *v. tr. e refl.* confundir (-se); desnortear(-se)

atarefado *adj.* **1** que tem muitas tarefas para cumprir; **2** muito ocupado; sobrecarregado (de trabalho)

atarefar *v. refl.* apressar-se; despachar-se

atarracado *adj.* (pessoa) baixo e gordo; rechonchudo

atarraxar *v. tr.* apertar com rosca; aparafusar

ataúde *s. m.* **1** caixão; **2** sepultura

ataviar *v. tr.* enfeitar; decorar
atavio *s. m.* enfeite; ornamento
atavismo *s. m.* BIOL. reaparecimento, num indivíduo, de caracteres que pertenciam a gerações antepassadas e que tinham já deixado de se manifestar
ataxia *s. f.* MED. perda ou irregularidade da coordenação muscular
atchim *interj.* imitativa do ruído produzido por espirro
até I *prep.* introduz expressões que designam: limite no tempo ⟨*até agora*⟩; limite no espaço ⟨*até ao Porto*⟩; limite na quantidade ⟨*contar até dez*⟩; II *adv.* mesmo; também; inclusive ❖ **~ *que enfim!*** finalmente!
atear *v. tr.* 1 lançar fogo a; avivar (lume); 2 *(fig.)* fomentar; excitar (sentimento)
ateísmo *s. m.* atitude ou doutrina que nega a existência de um Deus ou de uma causa primeira para o Universo
ateísta *s. 2 gén.* pessoa que não crê na existência de Deus ou de uma causa primordial para o Universo
atelier *s. m.* {*pl.* ateliers} 1 local onde trabalham em conjunto artesãos, arquitectos, desenhadores, etc.; 2 oficina de artes plásticas ou decorativas; 3 estúdio fotográfico
atemorizar *v. tr.* 1 assustar; aterrorizar; 2 intimidar; impressionar
atempadamente *adj.* 1 em devido tempo; oportunamente; 2 dentro do prazo; a tempo
atenção I *s. f.* 1 concentração; aplicação; reflexão; 2 cortesia; delicadeza; 3 consideração; respeito; II *interj.* exclamação de advertência
atencioso *adj.* 1 cortês; 2 atento; 3 respeitoso
atendedor de chamadas *s. m.* aparelho de atendimento e de gravação de mensagens telefónicas
atender I *v. tr.* 1 prestar atenção a; 2 servir (cliente); 3 tratar de; 4 responder (ao telefone); II *v. intr.* 1 cumprir uma ordem; obedecer; 2 estar atento; 3 aguardar
atendimento *s. m.* 1 (em restaurante, hotel) prestação de serviços aos clientes; 2 (de pedido, reivindicação) resolução; despacho
atentado *s. m.* 1 tentativa ou prática de crime contra alguém; 2 ofensa; violação
atentar I *v. tr.* 1 observar com atenção; 2 considerar; ponderar; II *v. intr.* cometer atentado contra
atento *adj.* 1 que presta atenção; concentrado; 2 atencioso; delicado
atenuação *s. f.* 1 diminuição de gravidade ou de intensidade; abrandamento; 2 redução; enfraquecimento
atenuante I *s. f.* DIR. circunstância que diminui a gravidade de um delito; II *adj. 2 gén.* que atenua
atenuar *v. tr.* 1 diminuir a gravidade ou intensidade de; abrandar; 2 reduzir; enfraquecer
atérmico *adj.* FÍS. que não liberta nem absorve calor
aterrador *adj.* pavoroso; assustador
aterragem *s. f.* AERON. acto ou efeito de pousar (o avião) no solo; **~ *forçada/de emergência*** descida do avião e aproximação ao solo motivada por uma situação de emergência
aterrar I *v. tr.* causar medo a; assustar; II *v. intr.* AERON. (avião) pousar no solo
aterro *s. m.* 1 porção de terra ou de entulho para cobrir ou nivelar um terreno; 2 ECOL. terreno onde se depositam resíduos sólidos para serem tratados de forma a a reduzir ao mínimo os efeitos nocivos sobre o ambiente e a saúde pública
aterrorizar *v. tr.* causar terror a; assustar

ater-se *v. refl.* **1** apoiar-se; fundamentar-se; **2** limitar-se

atestado I *s. m.* **1** declaração escrita e assinada de um facto; certificado; **2** *(coloq.)* demonstração; prova; **II** *adj.* certificado; provado

atestar *v. tr.* **1** declarar oficialmente; certificar; **2** passar atestado; **3** encher completamente (depósito de veículo)

ateu I *s. m.* {*f.* ateia} pessoa que nega a existência de qualquer divindade; **II** *adj.* **1** que não crê em Deus ou em deuses; céptico; **2** *(pej.)* herege

atiçamento *s. m.* incitamento; instigação

atiçar *v. tr.* **1** avivar (fogo); **2** *(fig.)* incitar

atilar *v. tr.* aperfeiçoar; refinar

atilho *s. m.* cordão; fita

atinado *adj.* **1** que tem tino; ajuizado; ponderado; **2** adequado; próprio; **3** *(coloq.)* bem comportado

atinar *v. tr. e intr.* **1** perceber; compreender; **2** descobrir; achar; **3** recordar; lembrar ❖ *(coloq.)* ***~ com aguém/alguma coisa*** gostar de alguém/alguma coisa

atingir *v. tr.* **1** acertar; **2** alcançar (objectivos); **3** compreender; **4** dizer respeito a

atirar I *v. tr.* lançar com força; **II** *v. intr.* (com arma) disparar; **III** *v. refl.* lançar-se ❖ *(coloq.)* ***atirar-se a alguém*** tentar conquistar (amorosamente) alguém; ***atirar-se de cabeça*** entregar-se inteiramente a

atitude *s. f.* **1** posição do corpo; postura; pose; **2** forma de agir; procedimento; conduta; ***tomar uma ~*** tomar uma decisão enérgica para tentar mudar uma situação

atlântico *adj.* relativo ao oceano que banha o oeste dos continentes africano e europeu, e o leste do continente americano

Atlântico *s. m.* oceano que banha as costas ocidentais da Europa e da África e a costa oriental do continente americano

atlas *s. m. 2 núm.* **1** colecção de mapas ou cartas geográficas dispostas em livro; **2** ANAT. primeira vértebra cervical

atleta *s. 2 gén.* **1** DESP. praticante de atletismo; **2** DESP. pessoa que pratica um desporto, participando em competições; **3** *(fig.)* pessoa robusta

atlético *adj.* **1** próprio de atleta; **2** *(fig.)* robusto; forte

atletismo *s. m.* DESP. modalidade que inclui corridas de velocidade e de resistência, saltos horizontais e verticais, marcha e diversos tipos de lançamento

atmosfera *s. f.* **1** FÍS. camada gasosa que envolve a Terra (constituída basicamente por azoto e oxigénio); **2** condições meteorológicas; tempo; **3** ambiente social ou espiritual; meio; clima

atmosférico *adj.* relativo a atmosfera

atoalhados *s. m. pl.* **1** (de mesa) conjunto de toalhas e guardanapos; **2** (de casa-de-banho) conjunto de toalhas, toalhetes e toalhões

atol *s. m.* GEOG. ilha de coral, geralmente com a configuração de um anel, que delimita uma lagoa interior com comunicação para o mar

atolar *v. tr. e refl.* **1** meter(-se) em atoleiro; **2** enlamear(-se); sujar(-se)

atoleiro *s. m.* terreno lamacento; lamaçal

atómico *adj.* QUÍM. relativo a átomo

atomizar *v. tr.* **1** reduzir a átomos; **2** subdividir; fragmentar

átomo *s. m.* menor porção de matéria, constituída por um núcleo que contém protões e neutrões e é rodeado por electrões em movimento

atonia *s. f.* **1** MED. diminuição da tonicidade normal de um tecido ou de um órgão; **2** inércia
atónito *adj.* **1** espantado; **2** confuso
átono *adj.* LING. (sílaba, vogal ou palavra) que não tem acento tónico
atordoado *adj.* **1** abalado; **2** maravilhado
atordoar *v. tr.* **1** causar abalo a; abalar; **2** maravilhar; **3** perturbar
atormentado *adj.* **1** torturado; **2** angustiado
atormentar *v. tr. e refl.* **1** torturar(-se); **2** angustiar(-se)
atóxico *adj.* **1** que não produz intoxicação; **2** que não é venenoso
atracação *s. f.* NÁUT. aproximação (do barco) ao cais; amarração
atracar *v. intr.* NÁUT. amarrar (barco) ao cais
atracção *s. f.* **1** força entre dois corpos que tende a aproximá-los; **2** inclinação; simpatia; **3** poder de sedução; fascínio; **4** pessoa ou coisa que suscita interesse
atractivo I *s. m.* **1** encanto; fascínio; **2** estímulo; incentivo; **II** *adj.* que exerce atracção; atraente
atraente *adj. 2 gén.* **1** que atrai; **2** encantador
atraiçoar *v. tr.* **1** cometer traição contra; **2** trair; enganar; **3** revelar (segredo)
atrair *v. tr.* **1** provocar a aproximação de; **2** FÍS. exercer acção de força, à distância; **3** seduzir; encantar
atrapalhação *s. f.* **1** confusão; **2** acanhamento
atrapalhado *adj.* **1** confuso; **2** acanhado
atrapalhar I *v. tr.* **1** confundir; **2** estorvar; **II** *v. refl.* **1** confundir-se; **2** embaraçar-se; **3** (ao falar) hesitar; gaguejar
atrás *adv.* **1** (local) na retaguarda; no lado posterior; **2** (temporal) depois de; em seguida a
atrasado *adj.* **1** (pessoa, transporte) que chega depois da hora marcada ou conveniente; **2** (relógio) que marca um tempo anterior ao tempo exacto; **3** (pagamento) que não foi pago no devido prazo; vencido; **4** (país) subdesenvolvido
atrasar I *v. tr.* **1** causar atraso a (pessoa, transporte); **2** retardar o andamento de (trabalho, relógio); **3** adiar (pagamento); **II** *v. refl.* **1** (pessoa, transporte) demorar-se em cumprir um compromisso ou um horário; **2** (relógio) funcionar a menor velocidade do que o necessário; **3** ficar para trás
atraso *s. m.* **1** (de pessoa, transporte) falta de pontualidade; **2** (no pagamento) demora; **3** (de um país) subdesenvolvimento ❖ *(coloq.)* **~ *de vida*** transtorno
atravancar *v. tr.* estorvar; obstruir
através *adv.* transversalmente; de lado a lado; **~ *de*** por meio de; por entre
atravessado I *adj.* **1** colocado à largura; deitado; **2** cruzado; **3** *(fig.)* contrário; **4** *(fig.)* (crítica, ofensa) que não se esquece; **II** *adv.* **1** de esguelha; de lado; **2** *(fig.)* irritado
atravessar I *v. tr.* **1** passar através de; **2** cruzar; transpor; **3** suportar (crise, dificuldade); **II** *v. refl.* **1** (automóvel) posicionar-se à largura de; **2** interpor-se; intrometer-se
atrelado *s. m.* **1** veículo sem motor rebocado por outro; **2** caravana; roulotte
atrelar I *v. tr.* **1** prender (cavalo) com trela; **2** engatar (um veículo a outro); **II** *v. refl.* *(pej.)* seguir permanentemente alguém

atrever-se *v. refl.* ter coragem para; ousar; arriscar-se

atrevido *adj.* **1** insolente; **2** destemido

atrevimento *s. m.* insolência; desplante

atribuição *s. f.* **1** concessão; **2** direito; **3** [*pl.*] deveres

atribuir I *v. tr.* conceder; dar; **II** *v. refl.* **1** tomar para si próprio; **2** reinvindicar

atribulação *s. f.* **1** agitação; **2** preocupação

atribulado *adj.* **1** (vida, dia) agitado; **2** (pessoa) preocupado

atribular *v. tr.* afligir; perturbar

atributivo *adj.* **1** que atribui ou confere; **2** GRAM. que qualifica ou determina; que desempenha a função de atributo

atributo *s. m.* **1** característica; qualidade; **2** GRAM. qualificativo que se acrescenta ao significado de um substantivo

átrio *s. m.* vestíbulo; hall

atrito *s. m.* **1** fricção entre dois corpos; **2** desentendimento

atrocidade *s. f.* crueldade; barbaridade

atrofia *s. f.* **1** MED. falta de desenvolvimento de um órgão, tecido ou membro; **2** definhamento

atrofiado *adj.* **1** (órgão, membro) que apresenta atrofia; **2** *(coloq.)* (pessoa) impedido de se desenvolver

atrofiar *v. intr. e refl.* **1** (órgão, membro) sofrer atrofia; **2** *(coloq.)* (pessoa) não se desenvolver; definhar

atropelamento *s. m.* **1** choque de veículo com pessoa ou animal, provocando-lhe a queda; **2** transgressão; infracção (de lei)

atropelar *v. tr.* **1** colidir com (pessoa ou animal), passando ou não por cima; **2** transgredir; infringir (lei)

atropelo *s. m.* **1** (da lei) violação; **2** (de palavras) confusão

atropina *s. f.* QUÍM. alcalóide muito venenoso, extraído da beladona, que tem aplicações medicinais

atroz *adj. 2 gén.* **1** cruel; **2** doloroso

atulhar *v. tr.* **1** encher completamente; **2** obstruir

atum *s. m.* ZOOL. peixe teleósteo de corpo alongado, muito apreciado em culinária, sobretudo em conserva

aturar *v. tr.* suportar; aguentar

aturável *adj.* suportável; tolerável

aturdido *adj.* **1** atordoado; perturbado; **2** espantado

aturdimento *s. m.* **1** perturbação; **2** espanto

aturdir *v. tr.* **1** atordoar; perturbar; **2** causar espanto a

Au QUÍM. [*símbolo de* **ouro**]

audácia *s. f.* **1** coragem; ousadia; **2** atrevimento; desplante

audacioso *adj.* vd. **audaz**

audaz *adj. 2 gén.* **1** que revela audácia; ousado; **2** arriscado; arrojado

audição *s. f.* **1** percepção de sons pelo ouvido; **2** MÚS. concerto de um só músico; **3** (para teatro) apresentação do trecho de uma peça como teste para admissão numa companhia

audiência *s. f.* **1** DIR. sessão de tribunal, geralmente pública; **2** assistência; público; **3** entrevista; recepção; **4** conjunto de pessoas que, num dado momento, assistem a um programa de televisão ou ouvem uma emissão de rádio

audímetro *s. m.* aparelho destinado a medir e registar dados de audiência em receptores de rádio e televisores

audiovisual I *adj. 2 gén.* **1** relativo, simultaneamente, à audição e à visão; **2** (meio de comunicação, mensagem) que utiliza o som e a imagem; **II** *s. m.*

meio de informação que utiliza o som e a imagem
auditivo *adj.* relativo ao ouvido ou à audição
auditor *s. m.* **1** DIR. magistrado encarregado de informar um tribunal ou uma repartição sobre a legalidade dos actos ou sobre a interpretação das leis a aplicar a determinado caso; **2** pessoa que analisa as contas de uma empresa ou de um organismo
auditoria *s. f.* **1** tribunal ou repartição onde se exercem as funções de auditor; **2** ECON. diagnóstico que visa analisar a gestão e a situação financeira de uma empresa ou organismo
auditório *s. m.* **1** salão para conferências, espectáculos, etc.; **2** assistência; público
audível *adj. 2 gén.* que se pode ouvir; perceptível (ao ouvido)
auferir *v. tr.* obter; conseguir
auge *s. m.* **1** ponto mais elevado; cume; **2** (*fig.*) apogeu
augúrio *s. m.* prognóstico; presságio
aula *s. f.* **1** lição; **2** sala de aula; **3** turma; classe
aumentar I *v. tr.* **1** tornar maior (em tamanho ou quantidade); **2** melhorar (salário); **3** subir (preço); **II** *v. intr.* **1** crescer; desenvolver-se; **2** (preço, temperatura) subir; **3** (rendimento, valor) subir de cotação
aumento *s. m.* **1** (em tamanho) crescimento; **2** (em quantidade) acréscimo; **3** (de salário) melhoria; **4** (da temperatura, preço) subida; **5** (do rendimento, valor) alta
áureo *adj.* **1** dourado; **2** (*fig.*) magnífico; glorioso
auréola *s. f.* **1** (iconografia cristã) nimbo dourado, de forma circular ou em cruz, que rodeia a cabeça dos santos; **2** círculo luminoso; clarão; **3** (*fig.*) glória
aurícula *s. f.* **1** ANAT. cavidade do coração que recebe o sangue trazido pelas veias e o passa ao ventrículo correspondente; **2** ANAT. pavilhão do ouvido; orelha; **3** BOT. prolongamento na base de certas folhas vegetais em forma de orelha
auricular I *s. m.* **1** dispositivo que serve para adaptar um aparelho auditivo ao ouvido; **2** (de telefone) auscultador; **II** *adj. 2 gén.* **1** relativo à orelha ou ao ouvido; **2** relativo às aurículas do coração; **3** que se sabe por ouvir dizer
aurora *s. f.* claridade que precede o nascer do dia; crepúsculo; **~ *boreal*** aurora de luz difusa, constituída por faixas e arcos coloridos e brilhantes, que se observa no hemisfério setentrional
auscultação *s. f.* **1** MED. aplicação do ouvido ou do estetoscópio para perceber os ruídos que se produzem no interior do corpo; **2** (*fig.*) pesquisa
auscultador *s. m.* **1** (de telefone) peça pela qual se escuta; auricular; **2** MED. estetoscópio
auscultar *v. tr.* **1** MED. fazer auscultação a (parte do organismo); **2** (*fig.*) pesquisar; investigar
ausência *s. f.* **1** afastamento (temporário ou definitivo); **2** falta de comparência; **3** inexistência
ausentar-se *v. refl.* **1** afastar-se; **2** partir
ausente *adj.* **1** (localmente) distante; **2** (mentalmente) distraído
auspício *s. m.* **1** prenúncio; sinal; **2** apoio; protecção ❖ ***sob os auspícios de*** sob a protecção de
auspicioso *adj.* prometedor
austeridade *s. f.* **1** rigor; disciplina; **2** severidade
austero *adj.* **1** rigoroso; **2** severo
austral *adj. 2 gén.* **1** localizado no sul; **2** que pertence ao hemisfério sul

austrália *s. f.* BOT. árvore originária da Austrália, também conhecida por acácia-preta

australiano I *s. m.* {*f.* australiana} pessoa natural da Austrália; **II** *adj.* relativo à Austrália

austríaco I *s. m.* {*f.* austríaca} pessoa natural da Áustria; **II** *adj.* relativo à Áustria

autarca *s. 2 gén.* pessoa que administra uma autarquia

autarquia *s. f.* POL. entidade que dispõe de órgãos próprios dotados de autonomia para realizar actividades de administração pública em determinada região

autárquico *adj.* relativo a autarquia

autenticação *s. f.* DIR. reconhecimento (de acto ou documento) como verdadeiro

autenticado *adj.* (acto, assinatura, documento) legalmente reconhecido por notário

autenticar *v. tr.* DIR. reconhecer (acto ou documento) como verdadeiro

autenticidade *s. f.* **1** carácter ou condição de autêntico; **2** legitimidade; **3** sinceridade

autêntico *adj.* **1** comprovado; **2** legítimo; **3** verdadeiro; genuíno

autismo *s. m.* PSIC. estado mental caracterizado por um alheamento da pessoa em relação ao mundo exterior e uma concentração no mundo das representações e sentimentos pessoais

autista *adj. e s. 2 gén.* PSIC. que ou pessoa que sofre de autismo

auto *s. m.* **1** cerimónia pública; **2** DIR. peça de um processo judicial; **3** (de reunião) acta; **4** LIT. composição dramática de cunho moral ou pedagógico

auto-avaliação *s. f.* {*pl.* auto-avaliações} processo de uma pessoa se avaliar a si própria; auto-análise

autobiografia *s. f.* narração da vida de uma pessoa escrita por si própria

autobiográfico *adj.* relativo a autobiografia

autocaravana *s. f.* veículo automóvel destinado a servir de habitação

autocarro *s. m.* veículo automóvel para transporte colectivo

autoclismo *s. m.* reservatório com um dispositivo para descarregar água na retrete

autocolante *s. m.* impresso que cola instantaneamente, por ter uma das faces coberta de substância adesiva

autoconfiança *s. f.* confiança em si próprio; segurança

autoconfiante *adj. 2 gén.* que tem confiança em si próprio; seguro

autocontrolo *s. m.* **1** capacidade de se controlar a si próprio; **2** contenção

autocracia *s. f.* **1** poder absoluto e ilimitado; **2** país, estado ou regime em que impera essa forma de governo; tirania

autocrata *s. 2 gén.* governante cujo poder é absoluto e ilimitado; tirano

autocrático *adj.* **1** relativo a autocracia; **2** autoritário; despótico

autocrítica *s. f.* crítica de uma pessoa às suas próprias obras ou ao próprio procedimento

autocrítico *adj.* que faz autocrítica

autocromia *s. f.* FOT. processo que permite fazer reprodução a cores

autóctone I *s. 2 gén.* pessoa que nasceu na própria terra em que habita; indígena; **II** *adj. 2 gén.* que é natural da própria terra em que habita

auto-de-fé *s. m.* {*pl.* autos-de-fé} **1** HIST. cerimónia em que eram lidas as sentenças do Tribunal da Inquisição; **2** HIST. aplicação da pena de morte pelo fogo

autodefesa *s. f.* acto de uma pessoa se defender de qualquer forma de agressão

autodestruição *s. f.* destruição de si próprio

autodestruir-se *v. refl.* destruir-se a si próprio

autodeterminação *s. f.* POL. acto pelo qual um povo escolhe, por sufrágio directo e universal, o seu rumo político

autodidacta *s. 2 gén.* pessoa que se instrui por esforço próprio, sem mestre

autodidáctico *adj.* relativo a autodidacta

autodidactismo *s. m.* aprendizagem feita pela própria pessoa, sem o auxílio de professor ou orientador

autodisciplina *s. f.* capacidade de se disciplinar a si próprio

autodomínio *s. m.* **1** capacidade de se controlar a si próprio; **2** contenção

autódromo *s. m.* circuito fechado com pista para realização de corridas de automóveis

auto-estima *s. f.* {*pl.* auto-estimas} sentimento de dignidade ou respeito que uma pessoa tem por si própria; amor-próprio

auto-estrada *s. f.* {*pl.* auto-estradas} estrada destinada exclusivamente a veículos motorizados, com acessos condicionados, sem cruzamentos de nível e com as faixas de rodagem separadas entre si; INFORM. ***~ de informação*** rede de comunicação global de alta capacidade (banda larga) que permite o envio e a partilha de informação em formatos ou aplicações diversos, garantindo a interactividade entre os utilizadores

autofoco *s. m.* FOT. dispositivo que mantém a imagem em foco

autofocus *s. m.* vd. **autofoco**

autogestão *s. f.* ECON. administração conduzida pelos próprios trabalhadores de uma empresa

autogolo *s. m.* DESP. golo marcado por um jogador na baliza da própria equipa

autografar *v. tr.* assinar pelo próprio punho

autógrafo *s. m.* assinatura de pessoa célebre

automação *s. f.* utilização de processos mecânicos para a realização de determinadas actividades (em fábricas, hospitais, etc.)

automaticamente *adv.* **1** de forma automática; **2** *(fig.)* inconscientemente; involuntariamente

automático *adj.* **1** que se move ou funciona por meios mecânicos; **2** *(fig.)* inconsciente; involuntário

automatismo *s. m.* **1** qualidade do que é automático; **2** *(fig.)* movimento inconsciente; **3** *(fig.)* ausência de vontade própria

automatizar *v. tr.* **1** tornar automático;mecanizar; **2** *(fig.)* tornar instintivo ou inconsciente

autómato *s. m.* **1** figura que imita os movimentos dos seres animados por meio de um maquinismo interno; robô; **2** *(fig.)* pessoa que age de forma mecânica, sem pensar

automedicação *s. f.* consumo de medicamentos sem indicação médica

automedicar-se *v. refl.* consumir medicamento sem indicação médica

automobilismo *s. m.* **1** sistema de viação por meio de automóveis; **2** DESP. modalidade formada por corridas de automóvel

automobilista *s. 2 gén.* **1** pessoa que conduz um automóvel; **2** DESP. pessoa que pratica automobilismo

automobilístico *adj.* relativo a automobilismo

automotora *s. f.* veículo para transporte de passageiros e mercadorias por via-férrea

automóvel **I** *s. m.* veículo de quatro rodas, com motor próprio (accionado a gasolina ou gasóleo), usado no transporte de passageiros e de mercadorias; **II** *adj. 2 gén.* (veículo) com capacidade de locomoção autónoma

autonomia *s. f.* **1** POL. direito de se governar por leis próprias; autodeterminação; **2** independência; **3** AERON. distância máxima a que um avião se pode deslocar sem necessidade de se reabastecer de combustível; **4** ELECTR. tempo durante o qual uma bateria fornece energia sem necessidade de ser recarregada

autonomizar *v. tr. e refl.* tornar(-se) autónomo ou independente

autónomo *adj.* POL. que se governa por leis próprias; independente

autópsia *s. f.* MED. exame de um cadáver, com o fim de determinar as causas da morte

autopsiar *v. tr.* MED. fazer a autópsia de

autor *s. m.* **1** causa primeira ou principal de alguma coisa; origem; agente; **2** criador; inventor; **3** pessoa a quem se deve uma obra literária, científica ou artística; **4** DIR. pessoa que promove uma acção judicial

auto-rádio *s. m.* {*pl.* auto-rádios} aparelho de rádio próprio para veículo automóvel

auto-retrato *s. m.* {*pl.* auto-retratos} retrato de uma pessoa feito por ela própria

autoria *s. f.* qualidade ou condição de autor

autoridade *s. f.* **1** direito de se fazer obedecer; **2** poder; domínio; **3** competência; prestígio; **4** permissão; autorização; **5** membro do governo de um país; representante político; **6** especialista numa determinada área de actividade

autoritário *adj.* **1** que se impõe pela autoridade; ditatorial; **2** dominador; **3** despótico

autoritarismo *s. m.* **1** carácter de um governo ou regime político autoritário; despotismo; **2** princípio ou procedimento autoritário

autorização *s. f.* licença; permissão

autorizado *adj.* **1** que recebeu autorização; permitido; **2** (pessoa) qualificado; competente

autorizar *v. tr.* **1** permitir; **2** apoiar

auto-satisfação *s. f.* {*pl.* auto-satisfação} satisfação de uma pessoa em relação a si própria

auto-suficiência *s. f.* {*pl.* auto-suficiências} **1** qualidade de quem se basta a si próprio; **2** independência

auto-suficiente *adj.* **1** que se basta a si próprio; **2** independente

auto-sugestão *s. f.* {*pl.* auto-sugestões} sugestão originada de forma espontânea numa pessoa, sem intervenção exterior

auto-sugestionar-se *v. refl.* sugestionar-se a si próprio

autotanque *s. m.* veículo automóvel destinado ao transporte de substâncias líquidas

autotelia *s. f.* FIL. qualidade de determinar por si próprio o objectivo dos seus actos

autotélico *adj.* FIL. que não tem finalidade ou sentido fora de si

autuar *v. tr.* **1** multar; **2** DIR. processar

auxiliar **I** *s. 2 gén.* pessoa que auxilia; **II** *adj. 2 gén.* **1** que auxilia; **2** complementar; **3** GRAM. (verbo) que entra na formação dos tempos de outro verbo ou na formação da voz passiva; **4** (pessoa, pessoal) que desempenha um papel secundário em determinada actividade; **III** *v. tr.* apoiar; socorrer

auxílio *s. m.* **1** assistência; **2** apoio

Av. [*abrev. de* **av**enida]

aval *s. m.* **1** ECON. caução; **2** *(fig.)* apoio; **3** *(fig.)* aprovação

avalancha *s. f.* **1** grande massa de neve que se desprende do cume ou das encostas das montanhas, arrastando tudo o que encontra; **2** *(fig.)* grande quantidade

avaliação *s. f.* **1** estabelecimento do valor de; cálculo; **2** apreciação da competência ou o progresso de um aluno ou de um profissional

avaliar *v. tr.* **1** determinar o valor de; **2** calcular; estimar

avalista *s. 2 gén.* ECON. pessoa responsável pelo pagamento de um título cambial

avançado I *adj.* **1** (idade) adiantado (no tempo); **2** (nível) que está ou vai adiante; **3** (tecnologia) moderno; inovador; **II** *s. m.* DESP. jogador que, em certas modalidades, tem função predominantemente atacante

avançamento *s. m.* ARQ. saliência de um edifício

avançar I *v. tr.* **1** adiantar (dinheiro); **2** fazer progredir (processo); **3** anunciar (notícia); **II** *v. intr.* **1** deslocar (tropas) na direcção do inimigo; **2** evoluir; progredir

avanço *s. m.* **1** progresso; vantagem; **2** MIL. (de tropas) movimento em direcção ao inimigo

avantajado *adj.* corpulento; robusto

avantajar I *v. tr.* **1** levar vantagem a; **2** exceder; **II** *v. refl.* **1** adiantar-se; **2** distinguir-se; **3** progredir

avante *adv.* para a frente; adiante; ***levar a sua ~*** impor a sua vontade

avarento I *adj.* sovina; mesquinho; **II** *s. m.* pessoa apegada ao dinheiro ou à riqueza

avareza *s. f.* **1** apego excessivo ao dinheiro ou à riqueza; **2** mesquinhez; sovinice

avaria *s. f.* dano; estrago

avariado *adj.* **1** que sofreu avaria; danificado; **2** *(fig.)* louco

avariar I *v. tr.* causar avaria a; danificar; **II** *v. intr.* **1** (máquina, veículo) sofrer avaria; **2** *(fig.)* (pessoa) enlouquecer

avassalador *adj.* que avassala; dominador

avassalar *v. tr.* **1** arrasar; destruir; **2** submeter; subjugar

avatar *s. m.* **1** transformação; metamorfose; **2** INFORM. (Internet) representação gráfica de um utilizador numa comunidade virtual

AVC MED. [*abrev. de* **a**cidente **v**ascular **c**erebral]

ave *s. f.* ZOOL. animal vertebrado de sangue quente, com bico de matéria córnea desprovido de dentes, cujo corpo revestido de penas está adaptado ao voo; ***~ de arribação/migratória*** ave de hábitos migratórios, que se concentra em grandes bandos em determinadas épocas do ano; ***~ de rapina*** ave carnívora munida de bico adunco e garras muito fortes; *(fig.)* ***~ rara*** pessoa insubstituível ou especial

ave-do-paraíso *s. f.* {*pl.* aves-do--paraíso} ZOOL. pássaro de bico resistente, grosso e cónico, notável pela beleza da sua plumagem

aveia *s. f.* **1** BOT. planta muito cultivada pelo valor nutritivo dos seus grãos, utilizados como forragem e na alimentação humana; **2** BOT. grão dessa planta

avelã *s. f.* BOT. fruto da avelaneira, cujo interior é comestível, e de que se extrai um óleo muito usado em farmácia

avelaneira *s. f.* BOT. árvore que produz as avelãs

aveludado *adj.* 1 que tem aspecto ou textura de veludo; 2 *(fig.)* suave
ave-maria *s. f.* {*pl.* ave-marias} RELIG. (Catolicismo) oração dirigida a Nossa Senhora
avença *s. f.* 1 quantia paga periodicamente por quem recebe um serviço ou fornecimento; 2 acordo; ajuste
avenida *s. f.* via mais larga do que uma rua, com diversas faixas para a circulação de veículos
avental *s. m.* peça de pano ou plástico que se prende pelo pescoço e pela cintura, para proteger a roupa em certas actividades (culinária, escultura, pintura, etc.)
aventura *s. f.* 1 situação inesperada ou arriscada; peripécia; 2 eventualidade; contingência; 3 ligação amorosa passageira; caso
aventurar I *v. tr.* arriscar; ousar; II *v. refl.* expor-se ao perigo; arriscar-se
aventureiro I *s. m.* 1 pessoa que gosta de aventuras ou que as procura; 2 pessoa que é atraída pelo perigo; II *adj.* arriscado; incerto
averiguação *s. f.* 1 pesquisa; 2 inquérito
averiguado *adj.* 1 investigado; 2 verificado
averiguar *v. tr.* 1 investigar; 2 verificar
avermelhado *adj.* que tem cor semelhante a vermelho
aversão *s. f.* repugnância; antipatia
avessas *elem. da loc. adv.* **às ~** ao contrário; do avesso
avesso I *s. m.* lado oposto à parte ou superfície principal; reverso; II *adj.* 1 contrário; 2 prejudicial
avestruz *s. f.* ZOOL. ave corredora, alta e robusta, com dois dedos em cada pé, plumagem solta e sem capacidade para voar
aviação *s. f.* 1 sistema de navegação aérea com aparelhos mais pesados que o ar; 2 conjunto das técnicas e actividades relacionadas com o transporte aéreo; 3 conjunto de aviões
aviado *adj.* 1 terminado; concluído; 2 despachado; desembaraçado ❖ *(irón.)* ***estar bem ~*** estar numa situação difícil
aviador *s. m.* pessoa que pilota um avião
avião *s. m.* aparelho de locomoção aérea, munido de asas e de motores para propulsão; aeronave; ***~ a jacto*** avião que se desloca por meio de propulsão a jacto; ***~ de carga*** avião destinado ao transporte de mercadorias; ***~ de passageiros*** avião destinado ao transporte de pessoas; ***~ supersónico*** avião que é capaz de atingir uma velocidade superior à velocidade do som
aviar I *v. tr.* 1 atender (cliente); 2 executar (trabalho, tarefa); 3 expedir (encomenda); 4 *(coloq.)* despachar (alguém); II *v. refl.* *(coloq.)* apressar-se; despachar-se
aviário *s. m.* viveiro de aves
avicultor *s. m.* pessoa que se dedica à criação de aves
avicultura *s. f.* criação de aves
avidez *s. f.* desejo veemente e insaciável; sofreguidão
ávido *adj.* sôfrego; desejoso
aviltamento *s. m.* 1 baixeza; abjecção; 2 humilhação; desonra
aviltante *adj. 2 gén.* que desonra; que humilha
aviltar *v. tr. e refl.* 1 tornar(-se) vil ou desprezível; 2 desonrar(-se); rebaixar(-se)
avinagrado *adj.* 1 que foi misturado com vinagre; 2 que tem sabor ou cheiro de vinagre; acre

avinagrar *v. tr.* CUL. temperar com vinagre

avinhar *v. tr.* misturar com vinho; temperar com vinho

avioneta *s. f.* AERON. avião de pequenas dimensões e com motor pouco potente

avisado *adj.* **1** que recebeu aviso; informado; **2** prudente

avisador *adj. e s. m.* que ou aquele que avisa

avisar *v. tr.* **1** prevenir; advertir; **2** informar; comunicar; **3** aconselhar

aviso *s. m.* **1** advertência; conselho; **2** comunicação; participação; ***~ prévio*** comunicação feita pelo empregador ao empregado ou pelo empregado ao empregador, na qual um informa antecipadamente o outro da rescisão do contrato de trabalho; ***sem ~*** inesperadamente; subitamente

avistar I *v. tr.* **1** alcançar com a vista; **2** distinguir; **II** *v. refl.* encontrar-se com

avivar I *v. tr.* **1** realçar; **2** animar; **II** *v. refl.* **1** tornar-se mais vivo; **2** reanimar-se

avo *s. m.* **1** MAT. fracção da unidade quando dividida em mais de dez partes iguais que não sejam potência de dez; **2** insignificância

avó *s. f.* mãe da mãe (avó materna) ou do pai (avó paterna)

avô *s. m.* pai do pai (avô paterno) ou da mãe (avô materno)

avolumar I *v. tr.* aumentar o volume de; **II** *v. refl.* tornar-se maior; crescer

à-vontade *s. m.* {*pl.* à-vontades} naturalidade (de comportamento); descontracção

avulso *adj.* **1** solto; desligado; **2** arrancado; separado

avultado *adj.* **1** volumoso; **2** valioso

avultar *v. tr. e intr.* aumentar; amplificar

axadrezado *adj.* (padrão, tecido) que apresenta quadrados, de duas ou mais cores, em forma de xadrez

axial *adj. 2 gén.* **1** relativo a eixo; **2** próprio de eixo

axila *s. f.* **1** ANAT. cavidade da parte interna da região onde o braço se insere no tronco; sovaco; **2** BOT. ângulo superior formado por uma folha com o eixo no qual se insere

axioma *s. m.* FIL., MAT. proposição cuja validade é admitida sem demonstração

axiomático *adj.* **1** que tem carácter de axioma; **2** evidente; incontestável

áxis *s. m. 2 núm.* ANAT. segunda vértebra da região cervical, portadora de uma apófise superior que serve de eixo à rotação da primeira vértebra

azáfama *s. f.* **1** pressa; **2** atrapalhação

azálea *s. f.* BOT. planta nativa de regiões de clima temperado com folhas oblongas e flores afuniladas

azar *s. m.* **1** acaso; sorte; **2** desgraça; infelicidade

azeda *s. f.* BOT. planta herbácea, de sabor ácido, com folhas oblongas comestíveis e flores esverdeadas

azedar I *v. tr.* **1** tornar azedo (ao paladar); **2** estragar; **II** *v. intr.* **1** tornar-se azedo; **2** estragar-se; **3** *(fig.)* (relação) deteriorar-se; **4** *(fig.)* (pessoa) irritar-se

azedo *adj.* **1** (comida) que tem sabor ácido; acre; **2** (pessoa) com mau humor; irritado; **3** (tom) ríspido; rude

azedume *s. m.* **1** sabor amargo; **2** mau humor

azeite *s. m.* óleo extraído da azeitona, muito usado em culinária ❖ ***estar com os azeites*** estar de mau humor

azeiteiro I *adj. (vulg.)* ordinário; grosseiro; **II** *s. m. (vulg.)* gigolô; proxeneta

azeitona *s. f.* BOT. fruto produzido pela oliveira, que fornece o azeite

azenha *s. f.* moinho movido a água
azerbaijano **I** *s. m.* {*f.* azerbaijana} **1** pessoa natural da República do Azerbaijão (sudeste da Europa); **2** língua falada na República do Azerbaijão; **II** *adj.* relativo à República do Azerbaijão
azevia *s. f.* ZOOL. peixe teleósteo comestível
azeviche *s. m.* MIN. variedade de lignito, usada em joalharia
azevinho *s. m.* BOT. arbusto ou árvore de pequeno porte, de folhas onduladas e cor verde-escura, com pequenas bagas vermelhas
azia *s. f.* MED. sensação de azedume no estômago; enjoo
azimute *s. m.* ASTRON. amplitude do arco de círculo do horizonte compreendido entre o ponto cardeal sul e a intersecção do semicírculo vertical do astro com o plano do horizonte
azinhaga *s. f.* caminho rústico e estreito entre muros
azinheira *s. f.* BOT. árvore da Europa e do Norte de África, cuja madeira é miuito apreciada
azo *s. m.* ocasião; oportunidade ❖ ***dar ~ a*** fazer com que algo aconteça
azotado *adj.* QUÍM. misturado com azoto; combinado com azoto
azoto *s. m.* QUÍM. elemento gasoso, incolor, com o número atómico 7 e símbolo N
azucrinar *v. tr.* (*coloq.*) importunar; maçar; aborrecer
azul **I** *s. m.* cor semelhante à do céu sem nuvens; **II** *adj. 2 gén.* da cor do céu sem nuvens, em todos os seus tons
azulado *adj.* de cor semelhante a azul
azulão *adj.* que é de um tom escuro de azul
azul-celeste **I** *s. m.* tonalidade clara de azul; **II** *adj.* que é da cor do céu
azul-claro **I** *s. m.* tonalidade clara de azul; **II** *adj.* que tem essa cor
azulejo *s. m.* placa de cerâmica, pintada e vidrada numa das faces, utilizada no revestimento de pavimentos e paredes
azul-marinho **I** *s. m.* tom escuro de azul; **II** *adj.* que tem essa cor

B

b **I** *s. m.* segunda letra e primeira consoante do alfabeto; **II** INFORM. [*símbolo de* **bit**]
B **I** QUÍM. [*símbolo de* **boro**]; **II** *(acad.)* [*abrev. de* **bom**]
Ba QUÍM. [*símbolo de* **bário**]
baba *s. f.* saliva que escorre da boca
babá *s. f.* *(Bras.)* mulher que toma conta de crianças; ama; ama-seca
babaca *s. 2 gén.* *(Bras.)* *(coloq.)* idiota; palerma
baba-de-camelo *s. f.* {*pl.* babas-de-camelo} CUL. doce preparado com leite condensado, gemas e claras batidas em castelo
babado *adj.* **1** que deitou baba; **2** desejoso; **3** *(fig.)* orgulhoso; **4** *(coloq.)* apaixonado
babar **I** *v. tr.* molhar com baba; **II** *v. refl.* **1** molhar-se com baba; **2** *(fig.)* encantar-se; ***babar-se por*** desejar muito; ter paixão por
babeiro *s. m.* espécie de bata que se veste às crianças para lhes proteger a roupa; bibe
babete *s. f.* peça de pano ou de material impermeável que se coloca sobre o peito das crianças para as resguardar da baba ou da comida
baboseira *s. f.* disparate; tolice
babuíno *s. m.* ZOOL. grande macaco africano
baby-sitter *s. 2 gén.* {*pl.* baby-sitters} pessoa que, mediante pagamento, toma conta de crianças na ausência dos pais
bacalhau *s. m.* ZOOL. peixe teleósteo, abundante nos mares do Norte, muito utilizado na alimentação depois de seco e salgado; *(pop.)* ***apertar/estender o ~*** cumprimentar com um aperto de mão ❖ ***ficar em águas de ~*** frustrar-se (objectivo ou negócio); ***para quem é, ~ basta!*** para pessoa insignificante qualquer coisa serve
bacana *adj. 2 gén.* **1** *(Bras.)* *(coloq.)* interessante; **2** *(Bras.)* *(coloq.)* simpático
bacanal **I** *s. f.* festa em honra de Baco; **II** *s. m.* orgia
bacharel *s. 2 gén.* pessoa que terminou o primeiro grau de um curso superior
bacharelato *s. m.* primeiro grau académico conferido por uma faculdade ou escola de ensino superior
bacia *s. f.* **1** ANAT. cavidade na parte inferior do tronco, constituída pelos ossos coxais e pelo sacro; **2** (recipiente) vasilha, geralmente redonda e larga, para lavagens; **3** GEOG. vale rodeado de montanhas
bacia hidrográfica *s. f.* GEOG. conjunto de terras cujas águas são drenadas por um rio e pelos seus afluentes
bacilo *s. m.* BIOL. microrganismo microscópico em forma de filamento ou de bastonete que pode causar doenças contagiosas
bacio *s. m.* pote
backup *s. m.* {*pl.* backups} **1** INFORM. sistema reprodução de dados em

cópias de reserva para que a informação não se perca; **2** INFORM. cópia de um ficheiro guardada como reserva para o caso de danificação ou perda do ficheiro original; cópia de segurança

baço I *s. m.* ANAT. órgão situado no hipocôndrio esquerdo, cuja função é destruir os glóbulos vermelhos inúteis; **II** *adj.* embaciado

bacoco *adj. e s. m.* *(coloq.)* ingénuo; palerma

bacon *s. m.* CUL. toucinho fumado

bacorada *s. f.* **1** dito inconveniente; asneira; **2** ZOOL. conjunto de porcos; vara

bactéria *s. f.* BIOL. microrganismo unicelular que desempenha a sua actividade em importantes reacções químicas e na produção de doenças

bactericida *adj. 2 gén. e s. m.* BIOL., MED. que ou substância que mata as bactérias

badalada *s. f.* pancada com badalo

badalado *adj.* *(pop.)* muito comentado; divulgado

badalar I *v. intr.* **1** (relógio, sino) dar badaladas; **2** *(fig.)* falar demais; ser indiscreto; **II** *v. tr.* **1** fazer soar (sino); **2** *(fig.)* contar (segredo)

badalhoco *adj. e s. m.* *(depr., pop.)* sujo; porco

badalo *s. m.* **1** peça metálica suspensa por uma argola no interior do sino; **2** *(fig.)* língua ❖ ***dar ao ~*** falar demais; ser indiscreto

badameco *s. m.* *(coloq.)* indivíduo sem importância

badana *s. f.* **1** cada uma das partes da capa de um livro ou caderno que dobram para dentro; **2** parte comprida e pendente de uma peça de vestuário

badejo *s. m.* ZOOL. peixe teleósteo semelhante ao bacalhau

badminton *s. m.* DESP. jogo semelhante ao ténis que se pratica com raquetes de cabo fino e comprido, e um volante, que é lançado por cima de uma rede, não devendo tocar no chão

bafejar I *v. tr.* **1** soprar sobre; **2** *(fig.)* favorecer; **II** *v. intr.* soltar bafo

bafejo *s. m.* **1** bafo; sopro; **2** *(fig.)* favorecimento; protecção

bafo *s. m.* **1** ar lançado pela boca; hálito; **2** *(fig.)* inspiração

baforada *s. f.* **1** sopro forte de vento; **2** nuvem de fumo

baga *s. f.* **1** BOT. fruto carnoso, geralmente comestível, com pequenas sementes; **2** *(fig.)* gota

bagaceira *s. f.* **1** aguardente do bagaço da uva; **2** lugar onde se junta o bagaço

bagaço *s. m.* **1** (bebida) aguardente; bagaceira; **2** resíduo de alguns frutos, depois de pisados e espremidos; **3** *(coloq.)* dinheiro

bagagem *s. f.* **1** conjunto de malas que uma pessoa leva consigo em viagem; **2** *(fig.)* conjunto de conhecimentos sobre determinada área ❖ ***fugir com armas e bagagens*** desaparecer

bagatela *s. f.* coisa de pouco valor; ninharia

bago *s. m.* **1** BOT. fruto em forma de pequeno grão; **2** BOT. fruto da videira; **3** *(coloq.)* dinheiro

baguete *s. f.* pão comprido e fino de origem francesa

bagulho *s. m.* BOT. semente de uva; grainha

bagunça *s. f.* *(Bras.)* desordem; desarrumação

baht *s. m.* {*pl.* bahts} unidade monetária da Tailândia

baía *s. f.* GEOG. lagoa que comunica com um rio através de um canal

baila *s. f.* **1** baile; **2** bailado ❖ ***trazer à ~*** lembrar (numa conversa); ***vir à ~*** vir a propósito

bailado *s. m.* **1** dança artística; ballet; **2** dança popular; baile

bailar *v. intr.* dançar

bailarico *s. m.* baile popular

bailarino *s. m.* **1** pessoa que dança profissionalmente; **2** pessoa que dança muito bem

baile *s. m.* **1** reunião de pessoas para dançar; **2** dança ❖ *(coloq.)* ***dar ~ a alguém*** fazer troça de alguém

bainha *s. f.* **1** (da roupa) costura dobrada na extremidade do tecido; **2** (da espada) estojo de metal ou couro onde se enfia a lâmina de uma arma; **3** BOT. vagem

baioneta *s. f.* espécie de punhal que se adapta à extremidade do cano da espingarda

bairrismo *s. m.* **1** apego excessivo de uma pessoa à sua região ou à sua terra natal; **2** patriotismo fanático; chauvinismo

bairrista *s. 2 gén.* **1** pessoa que defende excessivamente a sua região ou a sua terra natal; **2** chauvinista

bairro *s. m.* aglomerado de habitações dentro de uma povoação

baixa *s. f.* **1** (da cidade) parte baixa de uma cidade (normalmente o centro); **2** (de preço, produção) diminuição; quebra; **3** (por doença) situação de impossibilidade temporária para o trabalho; **4** MIL. licença

baixar **I** *v. tr.* **1** fazer descer; **2** tornar mais baixo; **3** fazer diminuir de valor ou de intensidade; **II** *v. intr.* **1** diminuir de valor ou de intensidade; **2** (temperatura) descer; **3** (avião) aterrar; **III** *v. refl.* **1** inclinar-se para baixo; curvar-se; **2** *(fig.)* humilhar-se

baixel *s. m.* NÁUT. embarcação

baixista *s. 2 gén.* pessoa que toca baixo (instrumento)

baixo **I** *adj.* **1** (lugar) que tem pouca altura; **2** (pessoa) de pequena estatura; **3** (poço, rio) pouco profundo; **4** (som) que tem pouco volume; fraco; **5** (preço) barato; **6** *(fig.)* desprezível; vil; **II** *s. m.* **1** MÚS. instrumento de cordas que emite sons graves; **2** MÚS. cantor que tem a voz mais grave; **III** *adv.* **1** em lugar pouco elevado; **2** com pouco volume; **3** em tom grave ❖ ***estar em ~*** estar abatido ou desanimado

baixo-relevo *s. m.* {*pl.* baixos-relevos} escultura sobre um fundo em que as figuras não sobressaem

baixo-ventre *s. m.* {*pl.* baixos-ventres} parte inferior do abdómen

bajulação *s. f.* lisonja interesseira; graxa

bajulador *adj. e s. m.* que ou aquele que bajula; graxista

bajular *v. tr.* lisonjear com fins interesseiros; dar graxa a

bala *s. f.* **1** projéctil metálico, esférico ou alongado, de arma de fogo; **2** *(Bras.)* rebuçado

balada *s. f.* **1** MÚS. canção sentimental; **2** LIT. poesia narrativa de lendas e tradições

balalaica *s. f.* MÚS. instrumento musical, triangular, de três cordas

balança *s. f.* **1** instrumento com que se determina a massa e o peso dos corpos; **2** *(fig.)* equilíbrio; justiça

Balança *s. f.* **1** ASTRON. sétima constelação do zodíaco, situada no hemisfério sul; Libra; **2** ASTROL. sétimo signo do zodíaco (23 de Setembro a 22 de Outubro)

balança comercial *s. f.* ECON. registo e comparação das exportações e importações de bens e serviços de um país num dado período

balança de pagamentos *s. f.* ECON. descrição e comparação de todas as transacções efectuadas entre um país e o exterior num dado período
balançar I *v. tr.* mover de um lado para o outro; agitar; II *v. intr.* 1 oscilar; baloiçar; 2 (*fig.*) hesitar
balancé *s. m.* 1 (brinquedo) baloiço; 2 (dança) bailarico
balanço *s. m.* 1 ECON. operação destinada a verificar a relação entre o activo (receita) e o passivo (despesa) de uma empresa; 2 movimento oscilatório
balão *s. m.* 1 invólucro esférico que se eleva na atmosfera; aeróstato; 2 objecto de borracha ou plástico fino que se enche de ar ou de hélio, e que é usado como brinquedo ou como objecto decorativo; 3 (banda desenhada) espaço que contém os diálogos ou pensamentos das personagens
balão-de-ensaio *s. m.* {*pl.* balões-de--ensaio} vaso de vidro em forma de globo, com gargalo estreito, usado em experiências de laboratório
balastro *s. m.* empedrado sobre o qual assentam as travessas que suportam os carris nas vias-férreas
balaustrada *s. f.* ARQ. série de colunas pequenas que formam corrimão
balázio *s. m.* 1 bala grande; 2 (*gír.*) (futebol) chuto violento na bola
balboa *s. m.* unidade monetária do Panamá
balbuciar *v. tr. e intr.* 1 dizer com hesitação; 2 gaguejar
balbúrdia *s. f.* 1 desordem; confusão; 2 barulho; gritaria
balcânico *adj.* relativo aos Balcãs (península do Sudeste da Europa)
balcão *s. m.* 1 (de loja, café) móvel comprido para atendimento dos clientes; 2 TEAT. plataforma saliente, à frente dos camarotes, sobre a plateia; 3 plataforma (de mármore, fórmica, etc.) sobre os móveis da cozinha; 4 ARQ. varanda larga de um edifício
balda *s. f.* 1 (*coloq.*) desordem; confusão; 2 (*coloq.*) fuga ao trabalho ou às responsabilidades ❖ ***à ~*** desordenadamente
baldar I *v. tr.* 1 inutilizar; 2 frustrar; II *v. refl.* 1 (*coloq.*) não comparecer a; 2 (*coloq.*) não dar atenção a
baldas *s. 2 gén. 2 núm.* (*coloq.*) pessoa irresponsável
balde *s. m.* vaso de folha, chapa ou plástico, com a boca mais larga que o fundo ❖ ***~ de água fria*** desilusão
baldio *s. m.* terreno inculto; bouça
baldroca *s. f.* fraude; trapaça ❖ ***por trocas e baldrocas*** por meios fraudulentos
baleeiro *s. m.* 1 navio utilizado na pesca da baleia; 2 pescador de baleias
baleia *s. f.* 1 ZOOL. mamífero marinho de grande porte, com barbatanas e cauda lisa horizontal, que respira através de um orifício situado no topo da cabeça; 2 (*pej.*) pessoa muito gorda
Baleia *s. f.* ASTRON. constelação do hemisfério sul
balido *s. m.* som produzido pela ovelha ou pelo cordeiro
balir *v. intr.* (ovelha, cordeiro) soltar balidos
balística *s. f.* ciência que estuda o movimento dos projécteis de armas de fogo
balístico *adj.* 1 relativo a bala; 2 (míssil) que segue uma trajectória que não pode ser alterada
baliza *s. f.* 1 DESP. estrutura rectangular formada por dois postes ligados por uma trave de madeira ou de metal, que têm presa uma rede onde fica retida a bola; 2 NÁUT. bóia que indica um ponto que os navios devem evitar; 3 marco; limite
balizar *v. tr.* marcar; delimitar

ballet *s. m.* {*pl.* ballets} estilo de dança artística caracterizado por movimentos graciosos, saltos e piruetas, por vezes em bicos de pés

balnear *adj. 2 gén.* **1** relativo a banho(s); **2** próprio para banhos; ***estância*** ~ local para férias junto a uma praia marítima ou fluvial

balneário **I** *s. m.* (em piscina, praia) compartimento onde é possível tomar banho; **II** *adj.* relativo a banho(s)

balofo *adj.* **1** gordo; inchado; **2** *(fig.)* que aparenta mais do que vale; superficial

baloiçar **I** *v. tr.* fazer mover; abanar; **II** *v. intr.* oscilar; abanar

baloiço *s. m.* **1** assento suspenso onde as crianças se baloiçam; **2** movimento de oscilação

balonismo *s. m.* DESP. actividade cujo objectivo é subir ao céu num balão de ar quente

balonista *s. 2 gén.* pessoa que se dedica a lançar ou pilotar balões

balsa *s. f.* **1** BOT. árvore produtora de madeira mais leve que a cortiça; **2** madeira dessa árvore

balsâmico *adj.* **1** aromático; perfumado; **2** *(fig.)* reconfortante; animador

bálsamo *s. m.* **1** substância resinosa e aromática; **2** aroma; perfume; **3** *(fig.)* conforto; alívio

báltico *adj.* relativo à região do mar Báltico (no Norte da Europa)

Báltico *s. m.* mar situado no Norte da Europa, que banha os países escandinavos

baluarte *s. m.* **1** ARQ. estrutura de defesa situada nos ângulos de uma fortificação; bastião; **2** local totalmente seguro; **3** *(fig.)* (pessoa) defensor (de causa, ideia, partido)

balúrdio *s. m.* *(coloq.)* grande quantidade de dinheiro; quantia muito elevada

bâmbi *s. m.* ZOOL. filhote de corsa ou de gazela

bambolear *v. intr. e refl.* mover as ancas; saracotear-se

bambu *s. m.* **1** BOT. planta tropical, lenhosa, com caule muito resistente; **2** BOT. caule dessa planta

banal *adj. 2 gén.* comum; vulgar

banalidade *s. f.* dito ou coisa banal ou sem importância; insignificância

banalizar *v. tr. e refl.* tornar(-se) banal; vulgarizar(-se)

banana **I** *s. f.* BOT. fruto de forma longa e curva, com casca amarela quando maduro; **II** *s. m.* **1** *(pej.)* pessoa sem iniciativa; **2** *(pej.)* palerma; idiota ❖ ***escorregar numa casca de*** ~ cair numa armadilha; deixar-se enganar; *(depr.)* ***república das bananas*** país que não garante o cumprimento das leis; situação caótica ou de ilegalidade

bananeira *s. f.* BOT. planta tropical produtora de bananas

banca *s. f.* **1** (de cozinha) balcão rectangular de mármore, fórmica ou aço inoxidável; **2** (de jornais, revistas) quiosque; **3** (de advogado) escritório; gabinete; **4** ECON. conjunto dos bancos de um país

bancada *s. f.* **1** banco comprido; **2** (num estádio) conjunto de bancos dispostos em filas sucessivas e escalonadas; tribuna

bancário **I** *adj.* relativo a banco (instituição); **II** *s. m.* funcionário de um banco

bancarrota *s. f.* **1** falência; **2** ruína

banco *s. m.* **1** móvel de madeira, ferro, pedra ou plástico, para assento; **2** ECON. instituição financeira que realiza operações relacionadas com dinheiro ou com títulos e valores que o representam; **3** MED. secção de hospital para consultas e tratamentos urgentes; **4** MED. dependência de hospital onde se armazenam sangue, órgãos, etc. para transplantes e enxertos; **5** GEOL. extensa elevação do fundo do mar ou de um rio quase até à superfície; ~ ***de areia*** acumulação de seixos e sedimentos de rochas no leito dos rios; ~ ***de esperma*** depósito de esperma para processos de inseminação artificial; ~ ***dos réus*** lugar onde se senta o réu na sala de um tribunal; *(fig.)* situação em que se é acusado/criticado; ~ ***emissor*** instituição de crédito que emite moeda

banco alimentar *s. m.* organismo que recolhe produtos alimentares provenientes de donativos e os redistribui por associações de beneficência

banco de dados *s. m.* INFORM. conjunto de informações armazenadas em sistemas de processamento

banda *s. f.* **1** grupo musical; **2** lado; face; margem; **3** risca larga; faixa; **4** rumo; direcção ❖ *(coloq.)* ***ficar de cara à ~*** ficar desapontado/desiludido; *(coloq.)* ***mandar alguém à outra ~*** desprezar/despachar alguém

banda desenhada *s. f.* sequência de imagens acompanhadas de pequenos textos (legendas, diálogos), através da qual é narrada uma história

bandalheira *s. f.* **1** *(depr.)* acto desprezível; **2** *(depr.)* desordem

banda magnética *s. f.* fita gravada ou colada num produto ou artigo, que regista e permite reproduzir informações (preço, etc.)

bandarilha *s. f.* farpa ou dardo que, numa tourada, se espeta no touro

bandarilhar *v. tr.* **1** espetar bandarilhas em; **2** *(fig.)* ridicularizar

banda sonora *s. f.* CIN. gravação musical que acompanha as imagens de um filme

bandeira *s. f.* **1** peça de pano rectangular, geralmente com várias cores, emblemas ou símbolos, que representa um país, um grupo ou uma instituição; **2** emblema; distintivo; **3** *(fig.)* lema; ~ ***a meia haste*** bandeira colocada a meia altura do mastro, em sinal de luto ❖ *(coloq.)* ***rir a bandeiras despregadas*** rir abertamente

bandeirada *s. f.* quantia fixa, definida por lei, que o taxímetro dos táxis indica no início de um percurso

bandeja *s. f.* tabuleiro rectangular ou redondo de bordo baixo para servir alimentos, bebidas, etc. ❖ ***dar de ~*** dar sem esperar nada em troca

bandido *s. m.* ladrão; criminoso

banditismo *s. m.* acto ou comportamento de bandido; criminalidade

bando *s. m.* **1** grupo de animais (especialmente aves); **2** grupo de pessoas; multidão; **3** associação de criminosos; quadrilha

bandoleiro *s. m.* bandido

bandolim *s. m.* MÚS. instrumento de quatro cordas duplas, de tampo abaulado ou chato, que se toca com uma palheta

bandolinista *s. 2 gén.* pessoa que toca bandolim

bandulho *s. m.* primeira e maior das cavidades do estômago dos ruminantes; pança; *(coloq.)* ***encher o ~*** comer demasiado

bangalô *s. m.* **1** casa pequena, geralmente de madeira, utilizada para férias; **2** casa de um andar, rodeada por uma varanda, típica de países asiáticos e de zonas tropicais

banha *s. f.* **1** gordura animal (sobretudo de porco); **2** região gorda do corpo humano

banhar I *v. tr.* **1** dar banho a; molhar; **2** (rio) correr junto de; **II** *v. refl.* tomar banho; molhar-se

banheira *s. f.* tina de louça, mármore ou esmalte, própria para tomar banho

banheiro *s. m.* **1** pessoa que faz a vigilância das praias; nadador-salvador; **2** *(Bras.)* casa de banho

banhista *s. 2 gén.* pessoa que toma banho no mar, no rio ou em piscina

banho *s. m.* **1** imersão de um corpo num líquido; **2** líquido em que se banha um corpo; **3** [*pl.*] estabelecimento onde se fazem tratamentos com águas; termas

banho-maria *s. m.* {*pl.* banhos-marias} processo de aquecimento ou cozedura de um alimento em que o recipiente onde o alimento aquece ou coze é mergulhado dentro de outro que contém água aquecida directamente

banho turco *s. m.* exposição numa sala a elevada temperatura e cheia de vapor, seguida de uma imersão em água fria

banir *v. tr.* **1** expulsar; **2** proibir

banjo *s. m.* MÚS. instrumento de cordas com um braço semelhante ao da guitarra

banqueiro *s. m.* **1** pessoa que é proprietária de um banco; **2** pessoa que ocupa as funções de director de um banco; **3** *(fig.)* pessoa muito rica

banquete *s. m.* refeição festiva para muitas pessoas

banzado *adj. (coloq.)* pasmado; espantado

banzar *v. tr. (coloq.)* espantar; surpreender

banzé *s. m. (coloq.)* algazarra; gritaria

baptismo *s. m.* **1** RELIG. ritual de purificação ou iniciação em que se mergulha em água a pessoa a ser baptizada; **2** RELIG. (Catolicismo) sacramento em que se derrama água sobre a cabeça de uma pessoa, simbolizando a purificação de todos os seus pecados; *(fig.)* ~ ***do ar*** primeira viagem aérea de alguém

baptistério *s. m.* lugar dentro da igreja onde se encontra a pia baptismal

baptizado I *s. m.* **1** RELIG. acto de ministrar o sacramento do baptismo; **2** cerimónia com que se celebra um baptismo; **II** *adj.* **1** que se baptizou; **2** que recebeu o sacramento do baptismo

baptizar *v. tr.* **1** RELIG. ministrar o sacramento do baptismo; **2** dar nome a

baque *s. m.* **1** ruído produzido por um objecto ao cair; **2** queda; tombo; **3** *(fig.)* pressentimento

baqueta *s. f.* vara curta de madeira usada para percutir tambores

bar *s. m.* **1** estabelecimento onde se servem bebidas alcoólicas e por vezes se ouve música; **2** móvel onde se guardam bebidas

barafunda *s. f.* **1** ajuntamento; **2** confusão; **3** barulho

barafustar *v. intr.* **1** debater-se; protestar; **2** responder com maus modos

baralhado *adj.* **1** (cartas) misturado; **2** desordenado; **3** *(fig.)* confuso

baralhar *v. tr.* **1** misturar (cartas de um baralho); **2** colocar fora de ordem; **3** *(fig.)* confundir

baralho *s. m.* conjunto de 52 cartas de jogar, divididas em 4 naipes

barão *s. m.* {*f.* baronesa} **1** título nobiliárquico inferior ao de visconde; **2** pessoa que possui esse título

barata *s. f.* **1** ZOOL. insecto com corpo oval e chato, com antenas, veloz e muito voraz; **2** recipiente onde se bate leite para preparar manteiga ❖ *(coloq.)* ***estar como uma ~ tonta*** estar desorientado/perdido; *(coloq.)* ***ficar como uma ~*** ficar furioso

baratinado *adj.* *(coloq.)* transtornado

barato **I** *adj.* **1** que custa pouco dinheiro; **2** que se vende por preço baixo; **3** sem qualidade; banal; **II** *s. m.* **1** *(Bras.)* *(coloq.)* aquilo que está na moda; **2** *(Bras.)* *(coloq.)* aquilo que dá prazer; curtição; **III** *adv.* por preço baixo ❖ ***dar de ~*** admitir sem discussão

barba *s. f.* **1** conjunto de pêlos que se desenvolvem no queixo e nas faces do homem adulto ou no focinho de alguns animais; **2** queixo ❖ ***dar água pela ~*** dar muito trabalho; ser muito difícil; ***já ter barbas*** ser muito antigo; ***nas barbas de*** na presença de; diante de; ***pôr as barbas de molho*** precaver-se contra perigo ou risco previsível

barbaridade *s. f.* **1** acto bárbaro; crueldade; **2** disparate; asneira

barbárie *s. f.* estado ou condição de bárbaro; selvajaria

barbarismo *s. m.* LING. uso sistemático de palavras ou expressões estrangeiras

bárbaro *adj.* **1** cruel; desumano; **2** rude; grosseiro

barbatana *s. f.* **1** ZOOL. órgão espalmado, existente nos peixes e nos cetáceos, que serve para eles se deslocarem; **2** (natação) peça de calçado de borracha, larga e espalmada, usada pelos nadadores para se deslocarem com maior velocidade dentro de água

barbear **I** *v. tr.* cortar a barba a; **II** *v. refl.* cortar a própria barba

barbearia *s. f.* cabeleireiro de homens

barbecue *s. m.* {*pl.* barbecues} refeição de grelhados ao ar livre; churrasco

barbeiro *s. m.* **1** (pessoa) cabeleireiro de homens; **2** (estabelecimento) barbearia; **3** *(coloq.)* frio

barbela *s. f.* **1** dobra da pele pendente da parte inferior do pescoço dos bovinos; **2** saliência adiposa por baixo do queixo

barbo *s. m.* ZOOL. peixe de água doce

barbudo *adj.* que tem a barba muito crescida

barca *s. f.* embarcação larga e pouco funda

Barca *s. f.* ASTRON. Ursa Maior

barcaça *s. f.* grande barca

barco *s. m.* **1** embarcação de pequenas dimensões, com ou sem coberta; **2** qualquer embarcação ❖ ***deixar correr o ~*** não tentar influenciar os acontecimentos; ***estar no mesmo ~*** estar numa situação idêntica

barco-patrulha *s. m.* {*pl.* barcos-patrulha} embarcação especialmente equipada para vigiar a costa marítima

baril **I** *adj. 2 gén.* *(coloq.)* muito bom; óptimo; **II** *adv.* *(coloq.)* muito bem; optimamente

bário *s. m.* QUÍM. metal esbranquiçado, semelhante ao cálcio, com o número atómico 56 e símbolo Ba

barítono *s. m.* MÚS. voz masculina entre a do baixo e a do tenor

barlavento *s. m.* **1** direcção de onde sopra o vento; **2** NÁUT. lado da embarcação que recebe o vento

barómetro *s. m.* **1** FÍS. instrumento que serve para medir a pressão atmosférica; **2** conjunto de indicadores que reflectem uma determinada situação (política, económica, etc.)

barqueiro *s. m.* pessoa que tripula um barco

barquilho *s. m.* CUL. espécie de bolacha doce, oca de forma cónica

barra **I** *s. f.* **1** (de aço, ferro) bloco de metal sólido de forma rectangular; **2** (de ouro) lingote; **3** peça longa e estreita; **4** (do porto) área de entrada; **5** DESP. (ginástica) aparelho constituído por uma trave de madeira ou metal colocada sobre dois suportes verticais, utilizado para exercícios de impulso e balanço; **6** DESP. (ballet) corrimão horizontal fixo à parede, pela altura da cinta, que serve de apoio para certos exercícios; **7** MÚS. linha que separa os compassos; **8** DIR. (tribunal) grade de madeira que separa os magistrados do público; **II** *s. 2 gén.* *(coloq.)* pessoa excelente a nível físico ou intelectual; pessoa que sabe muito sobre determinado assunto; INFORM. ***~ de deslocação*** bloco horizontal ou vertical ao longo do qual se faz deslizar textos ou janelas no ecrã do computador; INFORM. ***~ de ferramentas*** régua com botões clicáveis que é possível deslocar numa interface gráfica; DESP. ***~ fixa*** aparelho constituído por uma trave horizontal colocada sobre dois suportes verticais, utilizado para exercícios de impulso, rotação e balanço; DESP. ***barras paralelas*** aparelho constituído por duas barras colocadas paralelamente sobre suportes verticais para execução de exercícios de impulsos e rotação, com o auxílio das mãos; ***levar à ~ do tribunal*** levar a julgamento; processar ❖ *(Bras.)* ***aguentar/segurar a ~*** resistir com firmeza a uma situação difícil; *(Bras.)* ***forçar a ~*** ser inconveniente/ insistente

barraca *s. f.* **1** casa de construção precária; **2** (de feira) stand; **3** (de praia) tenda; **4** *(pop.)* fiasco ❖ ***armar/dar ~*** provocar escândalo; armar confusão

barracão *s. m.* depósito de materiais; armazém

barrado *adj.* **1** (pão) coberto de manteiga, compota, etc.; **2** (acesso) impedido; **3** (cheque) cruzado; traçado

barragem *s. f.* **1** construção destinada a interromper, reduzir ou modificar um curso de água; **2** obstáculo; impedimento

barramento *s. m.* INFORM. conjunto de condutores que interligam diferentes partes do sistema de um computador, permitindo a transferência de dados entre vários dispositivos

barranco *s. m.* precipício; ravina

barraqueiro *adj.* **1** que arma confusão; desordeiro; **2** que provoca situações embaraçosas ou divertidas

barrar *v. tr.* **1** cobrir (pão, bolo) com manteiga, compota, etc.; **2** impedir (acesso, passagem); **3** traçar (cheque)

barreira *s. f.* **1** construção que impede o acesso a determinado local; **2** obstáculo; impedimento; **3** DESP. obstáculo disposto em série que os atletas têm de transpor; FÍS. ***~ do som*** grande aumento súbito da resistência ao avanço de qualquer aeronave, ao atingir a velocidade do som ❖ ***saltar barreiras*** vencer dificuldades

barrela *s. f.* mistura de água quente com cinzas vegetais, usada para branquear a roupa

barrete *s. m.* **1** boné; carapuça; **2** *(fig.)* decepção ❖ ***enfiar o ~*** assumir uma crítica ou alusão dirigida a outra pessoa

barrica *s. f.* pipa pequena

barricada *s. f.* barreira formada por troncos de árvores, pedras

barriga *s. f.* **1** ANAT. cavidade do tronco do homem e dos animais que encerra o estômago e os intestinos; **2** *(fig.)* saliência ❖ ***estar com a ~ a dar horas*** sentir fome; ***falar de ~ cheia*** queixar-se sem motivo; ***ter mais olhos que ~*** achar que se vai comer mais do que realmente se consegue; ***ter/trazer o rei na ~*** mostrar-se arrogante; ***tirar a ~ de misérias*** desfrutar de algo que antes não se tinha

barrigada *s. f.* **1** grande porção de alimentos ingeridos; **2** *(fig.)* grande quantidade; ***~ de riso*** demonstração de alegria acompanhada de gargalhadas

barrigudo *adj.* que tem barriga grande; pançudo

barril *s. m.* vasilha feita de tábuas de madeira, encurvadas, destinada a conservar ou transportar vinho ou outros líquidos; pipa ❖ **~ *de pólvora*** situação tensa; conflito iminente

barro *s. m.* **1** argila; **2** *(fig.)* coisa de pouco valor ❖ ***ter pés de ~*** ser frágil, apesar de aparentar solidez

barroco I *s. m.* estilo da arquitectura e da literatura que, dos fins do século XVI até meados do século XVIII, se opõe ao classicismo renascentista; **II** *adj.* **1** característico do estilo barroco; **2** excessivo; exagerado

barrote *s. m.* viga de madeira

barulheira *s. f.* barulho intenso; gritaria

barulhento *adj.* **1** ruidoso; **2** agitado

barulho *s. m.* **1** ruído; **2** briga; **3** alarde

basalto *s. m.* MIN. rocha eruptiva, vulcânica, de cor escura

basculante *adj. 2 gén.* que permite levantar uma extremidade descendo a outra

base *s. f.* **1** parte de um objecto que lhe serve de apoio ou suporte; alicerce; **2** princípio; fundamento; **3** ARQ. pedestal; **4** QUÍM. substância que capta os protões dos ácidos; **5** substância em creme ou em pó que se aplica no rosto para cobrir marcas da pele e para dar coloração; **6** CUL. ingrediente principal de uma mistura; ***de ~*** básico; inicial; ***na ~ de*** tomando como princípio; ***não ter ~*** não ter fundamento

baseado *adj.* **1** fundamentado; sustentado; **2** firme

basear *v. tr. e refl.* fundamentar(-se); sustentar(-se)

basebol *s. m.* DESP. jogo praticado com um bastão e uma pequena bola de borracha maciça, disputado por duas equipas de nove jogadores

basebolista *s. 2 gén.* DESP. pessoa que joga basebol

base de dados *s. f.* INFORM. conjunto de dados estruturados que permite a sua utilização por outras aplicações

básico *adj.* **1** fundamental; essencial; **2** QUÍM. alcalino

basílica *s. f.* igreja de grandes dimensões, com três naves separadas por colunas

basquete *s. m.* *(coloq.)* basquetebol

basquetebol *s. m.* DESP. jogo entre duas equipas de 5 elementos cada e que consiste em tentar meter a bola num cesto (de rede e sem fundo) fixo no alto de uma coluna

basquetebolista *s. 2 gén.* DESP. praticante de basquetebol

basta *interj.* usada para mandar calar ou para interromper algo

bastante I *adj. 2 gén.* **1** suficiente; **2** numeroso; **II** *adv.* **1** em quantidade suficiente; **2** muito; **III** *s. m.* aquilo que basta ou que é suficiente

bastão *s. m.* vara de madeira comprida para apoio ou defesa; bordão

bastar I *v. intr.* ser suficiente; chegar; **II** *v. refl.* ser auto-suficiente

bastardo *adj.* **1** *(pej.)* (filho) ilegítimo; natural; **2** degenerado; adulterado; **3** que tem características de vários tipos

bastidores *s. m. pl.* **1** TEAT. espaços que contornam um palco, fora da vista dos espectadores; **2** intimidade

bastonada *s. f.* pancada com bastão

bata *s. f.* peça de vestuário que se usa por cima da roupa normal para a proteger

batalha *s. f.* acção militar que combina combates ofensivos e defensivos; **~ *naval*** acção militar que decorre no mar; jogo entre duas pessoas em que cada uma dispõe peças num espaço quadriculado, tentando adivinhar a disposição do jogo do adversário

batalhão *s. m.* 1 MIL. subdivisão de um regimento ou de uma brigada; 2 *(fig.)* grande quantidade de gente

batalhar *v. intr.* 1 combater; disputar; 2 *(fig.)* esforçar-se

batata *s. f.* 1 BOT. tubérculo comestível da batateira, oval ou arredondado; 2 *(coloq.)* nariz grosso e achatado ❖ *(coloq.)* ***passar a ~ quente*** transferir para outra pessoa um problema ou uma dificuldade; *(coloq.)* ***vai plantar batatas!*** deixa-me em paz!

batata-doce *s. f.* {*pl.* batatas-doces} BOT. planta herbácea, cujos tubérculos são comestíveis e contêm reservas açucaradas

batateira *s. f.* BOT. planta herbácea produtora de batatas

bate-chapa *s. m.* {*pl.* bate-chapas} operário que lisa ou molda chapas de ferro (de veículos, navios, etc.)

batedeira *s. f.* aparelho eléctrico ou manual que serve para bater ingredientes ou massas

batel *s. m.* barco pequeno

batente *s. m.* ombreira de porta ou janela

bate-papo *s. m.* {*pl.* bate-papos} *(Bras.) (coloq.)* conversa; diálogo

bater I *v. tr.* 1 dar pancada ou golpe em; 2 fechar com violência (porta, janela); 3 ultrapassar (recorde, resultado); 4 vencer; derrotar (adversário); 5 CUL. amassar (ingredientes); 6 malhar (metais); 7 cunhar (moeda); II *v. intr.* 1 agredir; espancar; 2 (porta, janela) fechar-se com violência; 3 (coração) palpitar; 4 (sol) incidir; 5 (horas) soar; III *v. refl.* lutar; esforçar-se ❖ ***~ a asa*** despaparecer; *(irón.)* ***~ a bota*** morrer; ***~ com o nariz na porta*** não conseguir aquilo que se pretendia; *(coloq.)* ***~ no ceguinho*** insistir desnecessariamente; *(coloq.)* ***~ o dente*** sentir frio; *(coloq.)* ***~ o pé*** teimar

bateria *s. f.* 1 conjunto de pilhas ou de acumuladores ligados em série ou em paralelo; 2 MÚS. conjunto de instrumentos de percussão (pratos, tambores, etc.) ❖ ***carregar baterias*** recuperar o ânimo/as energias

baterista *s. 2 gén.* MÚS. pessoa que toca bateria

batida *s. f.* 1 ritmo; batimento; 2 exploração ou reconhecimento de um terreno; 3 embate ligeiro de veículos; 4 *(Bras.)* rusga

batido I *s. m.* CUL. bebida preparada com leite batido com pedaços de fruta, chocolate, etc.; II *adj.* 1 (natas, iogurte) misturado com outros ingredientes; 2 (caminho) explorado; pesquisado; 3 (roupa) muito usado; gasto; 4 (assunto, expressão) ouvido muitas vezes; conhecido; 5 (concorrente) vencido; derrotado ❖ ***estar muito ~*** estar muito divulgado/gasto

batina *s. f.* 1 peça de vestuário comprida, geralmente preta, com colarinho sem gola, usada pelos sacerdotes; 2 espécie de casaco comprido usado pelos estudantes de algumas Universidades

bâton *s. m.* 1 cosmético em forma de pequeno cilindro, usado para pintar ou proteger os lábios; 2 DESP. haste metálica utilizada pelos esquiadores para impulsionar o andamento

batoque *s. m.* 1 orifício em pipa ou tonel; 2 rolha para tapar esse orifício; 3 *(fig.)* pessoa baixa e gorda

batota *s. f.* fraude (no jogo); trapaça; ***fazer ~*** enganar; burlar

batoteiro *s. m.* pessoa que faz batota

batotice *s. f.* trapaça; aldrabice

batráquio *s. m.* ZOOL. animal anfíbio com os membros posteriores desenvolvidos para saltar e nadar

batuque *s. m.* MÚS. instrumento de percussão semelhante ao tambor

batuta *s. f.* MÚS. varinha com que o maestro rege a orquestra

baú *s. m.* caixa rectangular, de madeira, com tampa convexa ❖ ***dar o golpe do ~*** casar com uma pessoa rica por dinheiro

baunilha *s. f.* BOT. planta cujos frutos são vagens que possuem uma essência aromática

bavaroise *s. f.* CUL. doce frio preparado com claras, açúcar, natas e gelatina

bazar *s. m.* **1** loja de objectos raros ou em segunda mão; **2** venda de produtos artesanais

bazófia *s. f. (coloq.)* vaidade; presunção

bazuca *s. f.* MIL. arma portátil usada para lançar granadas

BD **I** [*sigla de* **b**anda **d**esenhada]; **II** INFORM. [*sigla de* **b**ase de **d**ados]

Be QUÍM. [*símbolo de* **berílio**]

bê-á-bá *s. m.* {*pl.* bê-á-bás} **1** conjunto das letras do alfabeto; abecedário; **2** *(fig.)* primeiras noções de uma ciência ou arte

beata *s. f.* **1** mulher muito devota; **2** *(coloq.)* ponta de cigarro

bêbado *adj. e s. m.* vd. **bêbedo**

bebé *s. m.* criança recém-nascida ou de pouca idade; **~ *proveta*** criança concebida por meio de fecundação in vitro do óvulo e implantação posterior do ovo no útero da mãe

bebedeira *s. f.* ingestão excessiva de bebidas alcoólicas

bêbedo **I** *adj.* embriagado; **II** *s. m.* pessoa que ingere bebidas alcoólicas em excesso; alcoólatra ❖ *(coloq.)* ***~ como um cacho*** muito embriagado

beber *v. tr.* **1** ingerir (bebida); **2** absorver (líquido); **3** *(pop.)* consumir (combustível); ***~ à saúde de*** beber, fazendo votos pela saúde ou felicidade de alguém

bebes *s. m. pl.* bebidas; ***comes e ~*** comidas e bebidas

bebida *s. f.* **1** líquido, alcoólico ou não, que se bebe; **2** hábito de beber em excesso; alcoolismo

bechamel *s. m.* CUL. molho branco muito cremoso preparado com leite, farinha e manteiga derretida e temperado com pimenta, sal e noz moscada

beco *s. m.* rua estreita; viela ❖ ***~ sem saída*** dilema; situação embaraçosa

bedelho *s. m.* tranqueta de porta ❖ *(pop.)* ***meter o ~*** intrometer-se num assunto alheio

beduíno *s. m.* nómada dos desertos do Norte da África e do Médio Oriente

bege **I** *s. m.* cor intermédia entre a do café com leite e a do creme; **II** *adj. 2 gén.* designativo dessa cor

begónia *s. f.* BOT. planta ornamental de folhas vistosas

beicinho *s. m.* ⟨*dim. de* **beiço**⟩ beiço pequeno ❖ ***fazer ~*** estar prestes a chorar; amuar; ***andar/estar pelo ~*** estar apaixonado

beiço *s. m.* lábio ❖ ***lamber os beiços*** mostrar que se gostou muito; deliciar-se

beijado *adj.* que recebeu beijo(s) ❖ ***de mão beijada*** gratuitamente; inesperadamente

beijar *v. tr.* **1** dar beijos a; **2** *(fig.)* tocar levemente

beijinho *s. m.* **1** ⟨*dim. de* **beijo**⟩ beijo pequeno; **2** *(fig.)* a melhor parte de alguma coisa; nata

beijo *s. m.* acto ou efeito de tocar suavemente com os lábios (algo ou alguém) ❖ ***~ de Judas*** manifestação de amizade falsa; traição

beira *s. f.* **1** borda; aba; **2** (de rio, mar) margem; ***à ~ de*** próximo de; prestes a

beiral *s. m.* aresta inferior de um telhado

beira-mar *s. f.* {*pl.* beira-mares} borda do mar; costa; litoral

beladona *s. f.* BOT. planta herbácea venenosa, usada em homeopatia
belas-artes *s. f. pl.* artes plásticas (pintura, escultura, arquitectura, gravura, música e dança)
belas-letras *s. f. pl.* conjunto formado por gramática, retórica, poesia, literatura e história
beldade *s. f.* mulher muito bela
beleza *s. f.* qualidade do que é belo
belga **I** *s. 2 gén.* pessoa natural da Bélgica; **II** *adj. 2 gén.* relativo à Bélgica
beliche *s. m.* **1** conjunto de duas ou três camas sobrepostas; **2** NÁUT. camarote
bélico *adj.* **1** relativo a guerra; **2** agressivo
beligerante **I** *adj. 2 gén.* que está em guerra; **II** *s. 2 gén.* povo ou país envolvido numa guerra
beliscão *s. m.* ferimento produzido ao apertar a pele com os dedos
beliscar *v. tr.* apertar a pele com as pontas dos dedos; trilhar
belo *adj.* **1** que tem beleza; bonito; **2** que causa prazer; agradável
beltrano *s. m.* sujeito; indivíduo
bem **I** *adv.* **1** de modo agradável; **2** correctamente; **3** com saúde; **4** muito; **5** exactamente; **6** de bom grado; **II** *s. m.* **1** ECON. produto ou serviço para satisfazer uma necessidade humana; **2** benefício; vantagem; **3** bem-estar; felicidade; **4** virtude; **5** pessoa amada; **6** DIR. aquilo que é susceptível de apropriação legal; propriedade; [*pl.*] riquezas; posses; **III** *adj.* que pertence à classe alta; snobe; ***a ~ de*** a favor de; ***~ como*** assim como; da mesma forma que; ***~ de primeira necessidade*** artigos que satisfazem as necessidades básicas (alimentação, vestuário, etc.); ***bens de consumo*** bens que são adquiridos para utilização a médio ou longo prazo; ***por ~*** de boa vontade; com boa intenção ❖ *(irón.)* ***~ feito!*** exprime satisfação por algo de negativo ocorrido a alguém
bem-comportado *adj.* ajuizado
bem-disposto *adj.* divertido
bem-educado *adj.* **1** que recebeu boa educação; **2** delicado
bem-encarado *adj.* agradável; simpático
bem-estar *s. m.* **1** tranquilidade; **2** conforto; comodidade
bem-humorado *adj.* com boa disposição; divertido
bem-intencionado *adj.* que tem boa intenção; sincero
bem-me-quer *s. m.* BOT. vd. **malme-quer**
bemol *s. m.* MÚS. sinal musical, em forma de *b*, indicativo de que a nota seguinte deve baixar meio tom
bem-parecido *adj.* de aspecto agradável; bonito
bem-posto *adj.* bem vestido; elegante
bem-vindo *adj.* recebido com alegria
bem-visto *adj.* considerado; estimado
bênção *s. f.* **1** RELIG. sinal com que se invoca a graça de Deus; **2** favor; benefício; ***dar a ~ a alguém*** abençoar alguém
bendito *adj.* abençoado; feliz
bendizer *v. tr.* **1** abençoar; **2** louvar
beneditina *s. f.* RELIG. freira da ordem de São Bento
beneditino *s. m.* RELIG. frade da ordem de São Bento
beneficência *s. f.* prática da caridade; filantropia
beneficiação *s. f.* **1** acto de beneficiar; **2** arranjo ou melhoramento (de edifício, etc.)
beneficiar *v. tr.* favorecer; melhorar
beneficiário *s. m.* **1** pessoa que beneficia de um direito ou de um privilégio; **2** pessoa que tem direito

à prestação de serviços e benefícios; utente

benefício *s. m.* **1** serviço que se faz gratuitamente; favor; **2** lucro; vantagem; ***em ~ de*** para proveito de; em prol de

benéfico *adj.* **1** que faz bem; saudável; **2** que tem vantagens; proveitoso

benemérito *adj.* **1** (acto) digno de louvor; **2** (pessoa) que contribui financeiramente para uma causa ou instituição

benevolência *s. f.* bondade; tolerância

benevolente *adj. 2 gén.* bondoso; tolerante

benfeitor *s. m.* pessoa que ajuda ou favorece alguém

bengala *s. f.* pequeno bastão de madeira ou de outro material, que serve de apoio durante a marcha

bengaleiro *s. m.* cabide onde se colocam roupas, guarda-chuvas, etc.

benigno *adj.* MED. que não apresenta gravidade; que não é maligno

benjamim *s. m.* **1** filho mais novo; **2** filho predilecto; protegido

benzer **I** *v. tr.* RELIG. (liturgia católica) invocar a graça de Deus, fazendo o sinal da Cruz sobre alguém; **II** *v. refl.* fazer o sinal da Cruz sobre si próprio

benzina *s. f.* QUÍM. líquido resultante da destilação do petróleo

berbequim *s. m.* instrumento com broca giratória, usado para perfurar madeira, metal, etc.

berbicacho *s. m. (coloq.)* situação complicada; problema

berbigão *s. m.* ZOOL. molusco bivalve comestível, com concha dura, comum no Atlântico e no Mediterrâneo; amêijoa

berçário *s. m.* **1** secção de uma maternidade onde se encontram os recém-nascidos; **2** instituição que cuida de crianças de colo durante o dia; creche

berço *s. m.* **1** cama de criança com grades ou outro tipo de protecção lateral; **2** *(fig.)* terra natal; origem

bergamota *s. f.* **1** BOT. planta muito aromática; **2** BOT. variedade de pêra perfumada e suculenta

berílio *s. m.* QUÍM. elemento metálico com o número atómico 4 e símbolo Be

beringela *s. f.* **1** BOT. planta herbácea produtora de grandes bagas roxas, quase pretas, usadas na alimentação humana; **2** BOT. fruto comestível dessa planta

berkélio *s. m.* QUÍM. vd. **berquélio**

berlinda *s. f.* carruagem antiga de dois lugares ❖ ***estar na ~*** ser alvo da atenção geral; estar na ordem do dia

berlinde *s. m.* **1** pequena esfera de vidro, metal ou madeira com que jogam as crianças; **2** jogo infantil em que se procura introduzir pequena bolas de vidro (berlindes) em buracos feitos na terra

berliques *elem. da loc.* ***por artes de ~ e berloques*** por magia

berloque *s. m.* **1** bagatela; **2** enfeite de pulseira; ***por artes de berliques e berloques*** por magia

berma *s. f.* beira; orla

bermudas *s. f. pl.* calções de pernas estreitas que chegam quase aos joelhos

berquélio *s. m.* QUÍM. elemento radioactivo com o número atómico 97 e símbolo Bk

berra *s. f.* **1** ZOOL. cio (de veado); brama; **2** *(fig.)* moda; voga ❖ ***estar na ~*** estar na moda; estar na ordem do dia; ser notícia

berrante *adj. 2 gén.* (cor) muito forte; vivo; garrido

berrar *v. intr.* dar berros; gritar

berreiro *s. m.* gritaria; choro

berro *s. m.* **1** grito (de pessoa); **2** rugido (de animal)

besoiro *s. m.* ZOOL. vd. **besouro**

besouro *s. m.* ZOOL. insecto que produz um som agudo quando voa

besta I *s. f.* **1** animal irracional, geralmente doméstico; cavalgadura; **2** *(pej.)* pessoa bruta ou grosseira; **II** *adj. 2 gén.* **1** estúpido; **2** *(Bras.)* *(coloq.)* arrogante; *(cal.)* ***fazer-se de ~*** fingir não compreender; *(Bras.)* ***ser metido a ~*** ser pretensioso

besteira *s. f.* *(Bras.)* *(coloq.)* asneira; tolice

bestial *adj. 2 gén.* **1** próprio de animal; animalesco; **2** *(coloq.)* fantástico; formidável

best-seller *s. m.* {*pl.* best-sellers} livro que se vende em maior número num determinado período

besugo *s. m.* ZOOL. peixe marinho com barbatana dorsal contínua

besuntar *v. tr.* **1** cobrir com uma camada gordurosa; untar; **2** sujar; lambuzar

beta *s. m.* segunda letra do alfabeto grego, correspondente ao *b*; INFORM. ***teste ~*** utilização experimental de um programa ou produto na fase final do seu desenvolvimento para detecção de problemas; ***versão ~*** programa ou produto destinado a testes de verificação, que é distribuído na fase final do seu desenvolvimento a utilizadores seleccionados

betão *s. m.* mistura de cimento, areia, brita e água, usado em construção ou pavimentação; ***~ armado*** betão reforçado com armação metálica para resistir a grandes pressões

beterraba *s. f.* **1** BOT. planta herbácea com grande raiz vermelho-escura, de alto valor nutritivo; **2** BOT. raiz comestível dessa planta

beto *adj. e s. m.* *(coloq.)* vaidoso; presumido; snobe

betonar *v. tr.* cobrir de betão; cimentar

betoneira *s. f.* aparelho com um recipiente rotativo em forma de tambor utilizado para fabricar betão

bétula *s. f.* BOT. árvore das regiões frias do hemisfério norte

betumar *v. tr.* **1** cobrir ou ligar com betume; **2** vedar o espaço entre o vidro e o caixilho (de porta ou janela)

betume *s. m.* **1** QUÍM. mistura escura e viscosa de hidrocarbonetos, proveniente da decomposição de matérias orgânicas; **2** massa artificial composta de cré, óleo de linhaça e outros ingredientes, usada para fixar os vidros nos caixilhos

betuminoso *adj.* que contém betume

bexiga *s. f.* **1** ANAT. órgão situado na parte inferior do abdómen que funciona como reservatório da urina que recebe dos rins; **2** *(pop.)* [*pl.*] varíola; ***bexigas doidas/loucas*** varicela

bezerra *s. f.* ZOOL. cria da vaca; vitela; novilha ❖ ***pensar na morte da ~*** estar distraído

bezerro *s. m.* ZOOL. cria da vaca; vitelo; novilho

Bh QUÍM. [*símbolo de* **bóhrio**]

B.I. [*abrev. de* **B**ilhete de **I**dentidade]

Bi QUÍM. [*símbolo de* **bismuto**]

bibe *s. m.* espécie de bata que se veste às crianças para lhes proteger a roupa; babeiro

bibelô *s. m.* qualquer pequeno objecto de adorno que se coloca sobre um móvel

biberão *s. m.* recipiente de vidro ou de plástico com bico de borracha, que se usa para amamentar bebés

Bíblia *s. f.* RELIG. colecção dos livros sagrados do Antigo e do Novo Testamento; Sagrada Escritura

bíblico *adj.* relativo à Bíblia

bibliografia *s. f.* **1** disciplina que estuda a história, classificação e descrição dos livros; **2** lista de obras escritas por um autor; **3** lista de livros e trabalhos sobre determinado tema

bibliográfico *adj.* relativo a bibliografia; relativo a livros

biblioteca *s. f.* **1** colecção particular ou pública de livros; **2** sala ou edifício onde se encontra uma colecção de livros

bibliotecário *s. m.* **1** pessoa responsável por uma biblioteca; **2** pessoa que trabalha numa biblioteca

bica *s. f.* **1** canal ou telha por onde escorre e cai água; **2** fonte pública; chafariz; **3** *(reg.)* café; ***suar em ~*** transpirar muito

bicada *s. f.* **1** toque ou golpe com o bico; **2** *(fig.)* observação mordaz; crítica

bicampeão *adj. e s. m.* que ou aquele que é/foi duas vezes campeão

bicanca *s. f.* *(pop.)* nariz grande e pontiagudo

bicar *v. tr. e intr.* dar bicadas; picar com o bico

bicarbonato *s. m.* QUÍM. sal derivado do ácido carbónico, de fórmula $NaHCO_3$

bicéfalo *adj.* que tem duas cabeças

bicentenário *s. m.* comemoração dos duzentos anos de um acontecimento

bíceps *s. m. 2 núm.* ANAT. músculo longo que termina em dois tendões

bicha *s. f.* **1** ZOOL. qualquer animal de corpo comprido sem pernas (lombriga, ténia, etc.); **2** fila de pessoas; **3** *(pej.)* homossexual

bicha-de-rabear *s. f.* {*pl.* bichas-de-rabear} peça de fogo-de-artifício que forma muitas voltas rápidas no chão

bichanar *v. intr.* falar baixinho; sussurrar

bichano *s. m.* *(coloq.)* gato

bicharada *s. f.* conjunto de animais ❖ *(irón.)* ***estar entregue à ~*** estar numa situação difícil, sem apoio

bicharoco *s. m.* bicho grande ou assustador

bicha-solitária *s. f.* {*pl.* bichas-solitárias} ZOOL. verme parasita do homem e de outros animais, cujo corpo é formado por uma série de segmentos; ténia

bicho *s. m.* ZOOL. qualquer animal, especialmente pequeno; verme

bicho-carpinteiro *s. m.* {*pl.* bichos-carpinteiros} ZOOL. insecto cuja larva rói a madeira ❖ ***ter bichos-carpinteiros*** não parar em lugar nenhum

bicho-da-madeira *s. m.* {*pl.* bichos-da-madeira} *(pop.)* insecto que rói a madeira; caruncho

bicho-da-seda *s. m.* {*pl.* bichos-da-seda} ZOOL. insecto cuja larva segrega o fio da seda, utilizado na industria têxtil

bicho-do-mato *s. m.* {*pl.* bichos-do-mato} pessoa solitária ou que evita contactos sociais

bicicleta *s. f.* velocípede de duas rodas, geralmente de diâmetro igual, com um sistema de dois pedais; ***~ todo-o-terreno*** bicicleta equipada para resistir a todo o tipo de obstáculos

bico *s. m.* **1** ZOOL. formação córnea, mais ou menos saliente, situada à frente da cabeça de um animal vertebrado ou invertebrado; **2** (de lápis, caneta) ponta; extremidade; **3** (de chaleira, gás) orifício que permite a passagem ou saída de qualquer coisa; **4** *(coloq.)* boca; ❖ ***abrir o ~*** começar a falar; contar (alguma coisa); ***calar o ~*** parar de falar; ***levar/trazer água no ~*** ter uma intenção escondida; ***molhar o ~*** beber; ***pôr-se em bicos de pés*** mostrar-se vaidoso/ambicioso

bico-de-obra *s. m.* {*pl.* bicos-de--obra} situação embaraçosa; dificuldade

bico-de-pato *s. m.* {*pl.* bicos-de--pato} pãozinho de leite usado em pequenas sanduíches

bicolor *adj. 2 gén.* que tem duas cores

bicudo *adj.* **1** (objecto) pontiagudo; **2** (problema) complicado

bidão *s. m.* vasilha metálica para conservar ou transportar líquidos

bidé *s. m.* bacia oblonga para lavar as partes inferiores do tronco

bidimensional *adj. 2 gén.* que tem duas dimensões

bielorrusso I *s. m.* {*f.* bielorrussa} **1** pessoa natural da República da Bielorrússia (Europa central); **2** língua eslava falada na Bielorrússia; **II** *adj.* relativo à Bielorrússia

bienal I *s. f.* exposição ou evento que se realiza de dois em dois anos; **II** *adj. 2 gén.* que dura dois anos

bifana *s. f.* CUL. bife pequeno de carne de porco que se come geralmente em sanduíche

bife *s. m.* CUL. posta de carne, batida ou picada, que se come grelhada ou frita; ~ ***a cavalo*** bife com um ovo estrelado por cima

bifurcação *s. f.* ponto em que alguma coisa se divide em dois

bifurcar *v. intr.* separar em dois; dividir a partir de um ponto

bigamia *s. f.* estado de alguém casado simultaneamente com duas pessoas

bígamo *s. m.* pessoa que está casada com outras duas simultaneamente

bigode *s. m.* parte da barba que se deixa crescer sobre o lábio superior

bigorna *s. f.* **1** peça de ferro com a ponta cilíndrica em cima da qual se batem ou moldam metais; **2** ANAT. pequeno osso do ouvido médio

bijutaria *s. f.* jóia de pouco valor

bilateral *adj. 2 gén.* **1** relativo a dois lados; **2** relativo a lados opostos

bilha *s. f.* vaso de barro, bojudo, com gargalo estreito

bilhão *num. card. e s. m.* (*Bras.*) mil milhões; a unidade seguida de nove zeros (10^9)

bilhar *s. m.* jogo em que se fazem rolar bolas coloridas com um taco de madeira, sobre uma mesa rectangular revestida de feltro verde

bilhete *s. m.* **1** carta ou mensagem escrita breve; recado; **2** senha que permite utilizar meios de transporte públicos; **3** impresso que permite assistir a espectáculos; **4** impresso de lotaria ou rifa que dá direito a um prémio no caso de ser sorteado

bilhete de identidade *s. m.* cartão com o número de identificação civil, uma fotografia, a impressão digital e os dados pessoais do seu portador (filiação, naturalidade, estado civil, etc.)

bilheteira *s. f.* lugar onde se vendem bilhetes de acesso a espectáculos, viagens, etc.

bilião *num. card. e s. m.* um milhão de milhões; a unidade seguida de doze zeros (10^{12})

biliar *adj. 2 gén.* FISIOL. relativo a bílis

bilingue *adj. 2 gén.* **1** (texto) escrito em duas línguas; **2** (pessoa) que fala duas línguas

bílis *s. f. 2 núm.* **1** FISIOL. substância líquida segregada pelo fígado, que desempenha importante função digestiva; **2** (*fig.*) mau génio; irritabilidade

bilro *s. m.* utensílio de madeira, com feitio de fuso, com que se fazem rendas finas

bimotor I *s. m.* AERON. aeronave com dois motores; **II** *adj.* (veículo) que funciona com dois motores

binário I *adj.* **1** que tem dois elementos; **2** que apresenta dois aspectos; **3** MAT. (sistema numérico) que só utiliza dois algarismos (0 e 1); **4** MÚS. (compasso) que tem dois tempos; **5** MÚS. (composição) que tem duas partes; **II** *s. m.* MAT. sistema de numeração de base 2

bingo *s. m.* jogo de azar, semelhante ao loto, em que se risca num cartão os números que vão sendo sorteados, ganhando o primeiro jogador que preencher totalmente o cartão

binóculo *s. m.* instrumento de punho composto por duas lentes, usado para observação à distância

binómio *s. m.* MAT. expressão algébrica composta de dois monómios ligados pelos sinais + ou –

biodegradável *adj. 2 gén.* (substância, material) que pode ser decomposto por acção de microrganismos

biodiversidade *s. f.* BIOL. variedade de espécies biológicas e diversidade genética numa dada espécie, em determinada região

biografia *s. f.* **1** descrição das várias fases da vida de uma pessoa; **2** obra que retrata a vida de alguém

biográfico *adj.* relativo a biografia

biógrafo *s. m.* pessoa que escreve biografia

biologia *s. f.* ciência que estuda os seres vivos, a sua evolução e as suas relações com o ambiente

biológico *adj.* **1** relativo a biologia; **2** próprio dos seres vivos; **3** (filho, mãe, pai) que tem ligação genética; não adoptivo; **4** (arma) que usa organismos vivos (bactérias, vírus) para espalhar doenças ou matar; ***relógio ~*** conjunto de factores fisiológicos que regulam o ritmo do corpo

biólogo *s. m.* especialista em biologia

biombo *s. m.* móvel composto de peças articuladas por dobradiças, usado para dividir ou isolar um espaço

biopsia *s. f.* vd. **biópsia**

biópsia *s. f.* MED. colheita e exame de tecidos de um ser vivo para diagnóstico médico

bioquímica *s. f.* ciência que estuda as reacções químicas que podem ocorrer nos organismos vivos

biosfera *s. f.* conjunto de todos os ecossistemas existentes na Terra

biotecnologia *s. f.* aplicação de processos biológicos à produção de materiais e substâncias para uso farmacêutico, industrial, etc.

biótopo *s. m.* BIOL. área povoada por um conjunto de seres vivos perfeitamente adaptados às condições do meio

bip *s. m.* **1** pequeno aparelho portátil que permite receber mensagens; **2** sinal sonoro produzido por esse aparelho

bipe *s. m.* vd. **bip**

bípede I *s. m.* animal que anda sobre dois pés; **II** *adj. 2 gén.* (animal) que se desloca utilizando dois pés

biqueira *s. f.* **1** extremidade anterior do calçado; **2** veio de água que cai do telhado

biqueiro *s. m.* *(coloq.)* pancada com biqueira

biquíni *s. m.* peça de vestuário feminino composto de duas peças, usada na praia ou na piscina

birr *s. m.* unidade monetária da Eritreia e da Etiópia

birra *s. f.* teima; capricho

biruta I *s. f.* aparelho que indica a direcção dos ventos de superfície; **II** *adj. 2 gén.* *(Bras.)* tolo; maluco

bis I *adv.* duas vezes; **II** *interj.* usada para pedir a repetição (de uma actuação); **III** *s. m. 2 núm.* **1** repetição (de uma actuação); **2** peça ou número que um artista repete, a pedido do público

bisavó *s. f.* mãe do avô ou da avó

bisavô *s. m.* pai do avô ou da avó

bisbilhotar *v. intr.* fazer intrigas; coscuvilhar

bisbilhoteiro *s. m.* pessoa que fala da vida alheia; intriguista

bisbilhotice *s. f.* falatório; mexerico

biscate *s. m.* **1** trabalho simples e rápido; **2** ocupação de curta duração e não regular

biscoito *s. m.* **1** CUL. pequeno bolo, relativamente duro, cozido no forno; bolacha; **2** *(coloq.)* bofetada

bismuto *s. m.* QUÍM. elemento semimetálico com o número atómico 83 e símbolo Bi

bisnaga *s. f.* **1** brinquedo cheio de água que se usa no Carnaval; **2** tubo, geralmente metálico, de produto medicinal

bisneta *s. f.* filha de neto ou neta

bisneto *s. m.* filho de neto ou neta

bisonte *s. m.* ZOOL. mamífero selvagem, ruminante, muito corpulento (actualmente em vias de extinção)

bispado *s. m.* RELIG. diocese

bispo *s. m.* **1** RELIG. padre que dirige uma diocese; **2** (xadrez) peça que só pode ser movida na diagonal

bissectar *v. tr.* cortar ou dividir em duas partes iguais

bissectriz *s. f.* GEOM. semi-recta que, partindo do vértice de um ângulo, o divide em duas partes iguais

bissexto *adj.* (ano) em que o mês de Fevereiro tem 29 dias

bissexual **I** *adj. 2 gén.* **1** relativo aos dois sexos; **2** BIOL. que apresenta características de ambos os sexos; hermafrodita; **II** *s. 2 gén.* **1** BIOL. ser vivo que apresenta características de ambos os sexos; **2** pessoa que se sente atraída por pessoas de ambos os sexo

bissílabo **I** *s. m.* GRAM. palavra de duas sílabas; **II** *adj.* que tem duas sílabas

bisturi *s. m.* instrumento cortante utilizado em cirurgia; escalpelo

bit *s. m.* {*pl.* bits} INFORM. unidade mínima que se pode armazenar na memória do computador

bitola *s. f.* **1** modelo; medida-padrão; **2** norma; regra ❖ ***medir tudo pela mesma ~*** aplicar o mesmo princípio a coisas diferentes

bivalve *adj. 2 gén.* ZOOL. (concha, molusco) que tem duas peças curvas

bivitelino *adj.* (gémeo) que provém da gestação de dois óvulos distintos

bizarro *adj.* excêntrico; esquisito

Bk QUÍM. [*símbolo de* **berquélio**]

blackout *s. m.* {*pl.* blackouts} **1** ELECTR. corte de energia; **2** *(fig.)* silêncio

blasfemar *v. intr.* dizer blasfémias; praguejar

blasfémia *s. f.* **1** palavra ou atitude injuriosa contra uma divindade ou uma religião; **2** insulto; ofensa; **3** maldição; praga

blazer *s. m.* {*pl.* blazers} casaco curto, geralmente de corte clássico, com mangas compridas

blindado **I** *s. m.* MIL. carro de combate com revestimento metálico; **II** *adj.* que tem revestimento de metal

blindagem *s. f.* revestimento metálico, protector ou isolador

blindar *v. tr.* revestir de chapa metálica

bloco *s. m.* **1** massa volumosa e compacta de uma substância; **2** caderno de folhas destacáveis; **3** conjunto; grupo; **4** prédio de vários andares; TV **~ *noticioso*** conjunto de notícias transmitidas num programa de informação ❖ ***em ~*** em conjunto; num todo

bloco operatório *s. m.* sala ou conjunto de salas de um edifício equipadas para a realização de intervenções cirúrgicas

bloquear *v. tr.* **1** pôr bloqueio a; cercar; **2** impedir a passagem ou o trânsito; obstruir; **3** INFORM. (computador, programa) impedir de iniciar outras operações até que a operação em curso termine

bloqueio *s. m.* **1** impedimento de passagem ou trânsito; **2** MIL. cerco de um território inimigo para impedir qualquer comunicação com o exterior

blues *s. m. 2 núm.* MÚS. forma musical norte-americana de tom melancólico e ritmo lento

bluff *s. m.* {*pl.* bluffs} fingimento; simulação

blusa *s. f.* camisa feminina, de tecido fino, com ou sem mangas

blusão *s. m.* peça de vestuário de tecido encorpado, impermeável ou não, que se fecha com botões ou fecho-éclair

boa *s. m.* ZOOL. serpente; jibóia

boa-noite *s. f.* {*pl.* boas-noites} cumprimento que se usa à noite

boas-entradas *s. f. pl.* cumprimento que se dirige no Ano Novo

boas-festas *s. f. pl.* cumprimento que se dirige no Natal e no Ano Novo

boas-vindas *s. f. pl.* saudação pela chegada de alguém

boa-tarde *s. f.* {*pl.* boas-tardes} cumprimento que se usa à tarde

boateiro *adj. e s. m.* que ou aquele que espalha boatos

boato *s. m.* notícia não confirmada; rumor

boazona *adj. (cal.)* atraente; provocante

bobagem *s. f. (Bras.)* tolice; disparate

bobina *s. f.* **1** pequeno cilindro de madeira onde se enrolam linhas ou fios; **2** CIN., FOT. cilindro em volta do qual se enrola filme ou fita magnética

bobo **I** *s. m.* **1** HIST. indivíduo, geralmente defeituoso e ridículo, que divertia a corte; **2** *(Bras.)* pessoa ingénua ou crédula; **II** *adj.* **1** *(Bras.)* tolo; **2** *(Bras.)* ingénuo ❖ ***ser o ~ da corte*** ser alvo de riso

boca *s. f.* **1** ANAT. cavidade que forma a primeira parte do aparelho digestivo e pela qual se introduzem os alimentos; **2** lábios; **3** *(fig.)* (órgão) fala; **4** *(pop.)* pessoa para alimentar; **5** (de túnel) entrada; **6** (de rio) foz; **7** extremidade inferior das calças ❖ ***abrir a ~*** bocejar; ***andar nas bocas do mundo*** ser alvo da maledicência pública; ***ficar/estar de ~ aberta*** ficar/estar muito admirado; ***mandar uma ~*** fazer um comentário (por vezes inconveniente)

boca-de-incêndio *s. f.* {*pl.* bocas-de--incêndio} válvula à qual se ligam as mangueiras dos bombeiros para combater incêndios

boca-de-sino **I** *adj. 2 gén. 2 núm.* (calças) que é mais largo nas extremidades; **II** *s. f.* calça cujas pernas são mais largas nas extremidades

bocado *s. m.* **1** (quantidade) pedaço; porção; **2** (tempo) momento; instante; ***há ~*** há momentos; ***passar um mau ~*** passar dificuldades ou privações

bocal *s. m.* **1** (de frasco, vaso) abertura; **2** MÚS. (de instrumento de sopro) embocadura; **3** MEC. anel que se adapta ao orifício de um reservatório, a fim de regularizar um jacto líquido

boçal *adj. 2 gén.* **1** ingénuo; **2** estúpido; **3** grosseiro

bocejar *v. intr.* abrir a boca (de sono ou aborrecimento)
bocejo *s. m.* abertura involuntária da boca (em sinal de sono ou aborrecimento)
boceta *s. f.* caixinha redonda ou oval; *(fig.)* ~ ***de Pandora*** origem de todos os males; algo que atrai mas que pode conter desgraças
bochecha *s. f.* parte saliente e carnuda das faces
bochechar *v. intr.* agitar um líquido na boca pelo movimento das bochechas; gargarejar
bochechudo *adj.* que tem a face gorda
bócio *s. m.* MED. aumento do volume da glândula tiróide
bocó *adj. (Bras.) (coloq., depr.)* idiota; ignorante
boda *s. f.* **1** festa e banquete de casamento; **2** matrimónio; casamento; ***bodas de diamante*** celebração do 75.º aniversário de casamento; ***bodas de ouro*** celebração do 50.º aniversário de casamento; ***bodas de prata*** celebração do 25.º aniversário de casamento
bode *s. m.* **1** ZOOL. mamífero ruminante com chifres ocos e pêlos compridos por baixo do queixo; **2** *(Bras.) (coloq.)* contratempo; ~ ***expiatório*** pessoa a quem se atribuem culpas de outra(s) pessoa(s); vítima de ataque ou acusação geral
bodega *s. f.* **1** taberna; **2** porcaria
body *s. m.* {*pl.* bodies} peça de roupa justa feita de tecido elástico, que cobre todo o tronco e se aperta entre as pernas
bodyboard *s. m.* DESP. modalidade aquática em que o surfista se desloca sobre as ondas deitado numa pequena prancha
boémia *s. f.* ociosidade; vadiagem
bofes *s. m. pl. (coloq.)* pulmões ❖ ***deitar os ~ pela boca*** estar ofegante ou muito cansado
bofetada *s. f.* pancada na cara com a mão aberta; chapada ❖ ~ ***de luva branca*** ofensa disfarçada
bóhrio *s. m.* QUÍM. elemento artificial com o número atómico 107 e símbolo Bh
boi *s. m.* ZOOL. animal ruminante utilizado em trabalhos agrícolas e na alimentação ❖ ***pôr o carro à frente dos bois*** trocar a ordem natural das coisas; precipitar-se
bóia *s. f.* **1** NÁUT. objecto flutuante que serve de sinal às embarcações; **2** *(Bras.) (coloq.)* comida
boião *s. m.* vaso de vidro ou barro vidrado, bojudo ou cilíndrico, para compotas, conservas, etc.
boiar *v. intr.* **1** (pessoa, barco) flutuar; **2** *(fig.)* (pessoa) hesitar
boicotar *v. tr.* **1** recusar participar num evento em sinal de protesto; **2** declarar a proibição ou o fim da colaboração com um indivíduo, um grupo ou um país
boicote *s. m.* situação de isolamento económico ou social imposto a uma pessoa, empresa ou nação como forma de represália ou meio de pressão
boina *s. f.* espécie de boné, sem pala, redondo e largo
boîte *s. f.* discoteca; clube nocturno
bojarda *s. f. (pop.)* dito disparatado; mentira
bojo *s. m.* **1** saliência; **2** *(fig.)* resistência
bola[1] [ɔ] *s. f.* **1** objecto esférico de borracha ou de outro material, usado em diversos desportos; **2** qualquer corpo redondo; esfera; **3** *(coloq.)* cabeça; CUL. ~ ***de Berlim*** pastel doce em forma de esfera, frito em óleo e recheado de creme ou chantilly

❖ *(coloq.)* ***não bater bem da ~*** não ter juízo; *(Bras.)* ***não dar ~ para*** não dar atenção ou confiança a; *(coloq.)* ***(não) ir à ~ com*** (não) gostar de

bola[2] [o] *s. f.* CUL. porção de massa de espessura reduzida, de forma redonda, com que se faz broa; ***~ de carne*** espécie de folar salgado preparado com massa de pão, carnes ou enchidos, que se coze no forno

bolacha *s. f.* **1** CUL. biscoito chato e fino, geralmente de forma redondo ou rectangular; **2** *(coloq.)* bofetada

bolachudo *adj.* que tem as faces gordas

bolandas *s. f. pl.* tombos; ***andar em ~*** andar em grande azáfama

bolar **I** *v. intr.* **1** acertar com a bola; **2** (ténis) realizar o serviço; servir; **II** *v. tr.* *(Bras.)* idealizar; planear

bolbo *s. m.* BOT. caule subterrâneo de eixo curto, com escamas que possuem reservas nutritivas

bolçar *v. tr.* lançar pela boca; vomitar

bolchevique **I** *adj. 2 gén.* relativo ao bolchevismo; **II** *s. 2 gén.* pessoa partidária do bolchevismo

bolchevismo *s. m.* HIST., POL. sistema estabelecido na Rússia, após a Revolução de 1917, chefiada por Lenine; comunismo

bolchevista *adj. e s. 2 gén.* vd. **bolchevique**

boleia *s. f.* transporte gratuito em veículo

bolero *s. m.* **1** MÚS. música popular espanhola, cujo compasso é marcado com castanholas; **2** dança que acompanha essa música; **3** casaco curto, semelhante a uma jaqueta

boletim *s. m.* **1** impresso; formulário; **2** notícia breve; comunicado; **3** relatório; ***~ de voto*** impresso onde se regista um voto num processo eleitoral; ***~ de vacinas*** caderneta individual onde são registadas as vacinas obrigatórias tomadas por cada pessoa ao longo da sua vida; ***~ meteorológico*** conjunto de informações sobre as condições meteorológicas em determinada hora num dado local

bolha *s. f.* **1** inchaço à superfície da pele provocado por acumulação de líquido; **2** glóbulo formado pelo ar nos líquidos em ebulição; **3** *(coloq.)* mania ❖ *(coloq.)* ***estar com a ~*** estar de mau-humor

bólide *s. m.* **1** ASTRON. meteorito; **2** carro de corrida

bolina *s. f.* **1** NÁUT. cabo que sustenta a vela, inclinando-a na direcção do vento; **2** NÁUT. navegação com vento lateral

bolívar *s. m.* unidade monetária da Venezuela

boliviano **I** *s. m.* {*f.* boliviana} **1** pessoa natural da Bolívia; **2** unidade monetária da Bolívia; **II** *adj.* relativo à Bolívia

bolo *s. m.* **1** CUL. massa de farinha, ovos e outros ingredientes, geralmente doce, cozida no forno; **2** *(coloq.)* palmada; ***~ alimentar*** massa formada pelos alimentos mastigados, no início do processo digestivo, antes da deglutição ❖ ***ficar feito num ~*** ficar em mau estado

bolor *s. m.* aglomerado de fungos, que se desenvolve na matéria orgânica em decomposição; mofo

bolo-rei *s. m.* {*pl.* bolos-reis} CUL. bolo com frutas secas e cristalizadas, típico da quadra do Natal

bolorento *adj.* **1** que tem bolor; **2** *(fig.)* velho; decadente

bolota *s. f.* BOT. fruto do carvalho, sobreiro e azinheira, com casca grossa, dentro da qual se encontra a semente, utilizada na alimentação dos porcos

bolsa *s. f.* **1** mala de mão; saco; **2** carteira; porta-moedas; **3** ECON. instituição pública onde são realizados negócios de compra e venda de acções, títulos de crédito, etc.; **4** ZOOL. cavidade em forma de saco; ~ ***de estudos*** subsídio concedido por uma entidade pública ou privada a estudantes e pesquisadores para custear os seus estudos ❖ ***apertar os cordões à ~*** reduzir as despesas

bolseiro *s. m.* pessoa que recebe uma bolsa de estudo

bolsista **I** *s. 2 gén.* ECON. pessoa que faz investimentos na bolsa; **II** *adj. 2 gén.* ECON. relativo à bolsa

bolso *s. m.* saco de pano, cosido na parte interna ou externa do vestuário, para guardar alguma coisa; algibeira

bom *adj.* **1** adequado; próprio; **2** agradável; **3** cordial; **4** com saúde; **5** competente; **6** vantajoso; **7** saboroso ❖ ***do ~ e do melhor*** da mais alta qualidade; de categoria

bomba *s. f.* **1** máquina para aspirar e elevar líquidos; **2** aparelho para encher pneus; **3** engenho explosivo; **4** *(fig.)* acontecimento inesperado; escândalo; ~ ***atómica*** engenho explosivo de efeitos destrutivos, resultantes da brusca libertação da energia de desintegração do núcleo atómico; ~ ***H/de hidrogénio*** engenho explosivo de destruição em massa que rebenta em resultado da fusão de núcleos de hidrogénio ❖ ***cair como uma ~*** provocar um escândalo

bomba de gasolina *s. f.* posto de abastecimento de combustível situado junto à estrada

bombardeamento *s. m.* ataque com peças de artilharia ou bombas

bombardear *v. tr.* lançar bombas ou peças de artilharia em

bombardeiro *s. m.* avião que efectua bombardeamentos

bomba-relógio *s. f.* {*pl.* bombas-relógio} bomba cujo detonador é accionado através de um dispositivo de relógio onde é fixado o momento da explosão

bombástico *adj.* pomposo; estrondoso

bombazina *s. f.* tecido canelado de algodão que imita veludo

bombear *v. tr.* extrair (um líquido) por meio de bomba

bombeiro *s. m.* indivíduo que trabalha na extinção de incêndios e outras operações de salvamento

bombista **I** *s. 2 gén.* **1** pessoa que fabrica, coloca ou lança bombas; **2** pessoa que realiza um atentado à bomba; **II** *adj.* **1** relativo a bomba; **2** (ataque, atentado) realizado com explosivo ou bomba

bombo *s. m.* MÚS. tambor grande que se toca na vertical com uma baqueta ❖ ***ser o ~ de festa*** ser alvo de todas as atenções ou críticas

bombom *s. m.* guloseima de chocolate com ou sem recheio

bombordo *s. m.* NÁUT. lado esquerdo do navio, olhado da popa à proa

bom-dia *s. m.* {*pl.* bons-dias} cumprimento que se usa de manhã

bonacheirão *adj. (coloq.)* simples; natural

bonança *s. f.* **1** NÁUT. estado do mar propício à navegação; **2** sossego; calma

bondade *s. f.* **1** benevolência; **2** doçura

bondoso *adj.* generoso; benévolo

boné *s. m.* chapéu sem abas, de copa redonda, geralmente com pala

boneca *s. f.* figura de pano, madeira, plástico ou outro material, com forma feminina, usado como brin quedo infantil

boneco *s. m.* **1** figura de pano, madeira, plástico ou outro material, com forma masculina, usado como brinquedo infantil; **2** *(depr.)* pessoa sem vontade própria; **3** [*pl.*] *(coloq.)* desenhos animados

bonificação *s. f.* **1** gratificação; **2** melhoramento; **3** vantagem

bonifrate *s. m.* **1** marioneta; **2** *(fig.)* pessoa sem vontade própria

bonito *adj.* **1** belo; **2** bom; **3** *(irón.)* lamentável

bonomia *s. f.* bondade natural; simpatia

bonsai *s. m.* BOT. árvore anã originária do Japão, obtida pelo corte de determinados ramos e raízes

bónus *s. m. 2 núm.* **1** prémio; **2** desconto; **3** gratificação

bonzo *s. m.* sacerdote budista

boom *s. m.* {*pl.* booms} ECON. subida repentina na cotação de valores (acções, títulos, etc.)

boquiaberto *adj.* **1** com a boca aberta; **2** pasmado; espantado

boquilha *s. f.* **1** tubo onde se mete o cigarro ou o charuto para fumar; **2** embocadura de instrumento de sopro

boquinha *s. f.* **1** ⟨*dim de* **boca**⟩ boca pequena; **2** trejeito com a boca

borboleta *s. f.* **1** ZOOL. qualquer insecto diurno, no estado adulto, com dois pares de asas coloridas e antenas mais grossas nas extremidades do que na base; mariposa; **2** *(fig.)* pessoa inconstante

borbotão *s. m.* **1** (líquido) jacto forte; jorro; **2** (fogo, vento) saída violenta; rajada

borbotar *v. intr.* **1** jorrar com ímpeto; **2** brotar; aparecer

borboto *s. m.* **1** BOT. rebento; **2** tufo que se forma à superfície dos tecidos de lã

borbulha *s. f.* **1** pequeno inchaço na pele; espinha; **2** (em líquidos) bolha

borbulhar *v. intr.* formar borbulhas; ferver

borda *s. f.* **1** beira; **2** margem; **3** bainha

bordado *s. m.* trabalho de agulha, feito à mão ou à máquina, sobre um motivo desenhado num tecido ou numa tela

bordão *s. m.* bastão; cajado

bordar *v. tr.* **1** fazer bordado(s); **2** *(fig.)* inventar

bordeaux **I** *adj. 2 gén.* da cor do vinho tinto; vermelho escuro; **II** *s. m.* cor do vinho tinto; tom vermelho escuro

bordel *s. m.* casa de prostituição

bordo *s. m.* NÁUT. lado do navio; ***a ~*** dentro do navio

bordoada *s. f.* pancada com bastão; bastonada

boreal *adj. 2 gén.* **1** do lado do norte; setentrional; **2** relativo ao hemisfério norte; ***aurora ~*** aurora de luz difusa, constituída por faixas e arcos coloridos e brilhantes, que se observa no hemisfério norte

borga *s. f.* *(coloq.)* pândega; divertimento

borguista *s. 2 gén.* pessoa que gosta de borga; pessoa divertida

borla *s. f.* **1** pompom; tufo; **2** dívida não paga; calote; **3** entrada gratuita num espectáculo ❖ *(coloq.)* ***de ~*** de graça; sem pagar

borlista *s. 2 gén.* *(coloq.)* pessoa que se diverte sem pagar, à custa dos outros; pendura

boro *s. m.* QUÍM. elemento com o número atómico 5 e símbolo B, quase tão duro como o diamante

borra *s. f.* parte sólida que se deposita no fundo de um recipiente; sedimento

borra-botas *s. 2 gén. 2 núm.* pessoa desprezível

borracha *s. f.* **1** (matéria) substância elástica obtida por coagulação e secagem do látex extraído da árvore-da-borracha; **2** (objecto) pedacinho desse material para apagar a escrita ou o desenho; safa ❖ ***passar uma ~ sobre*** esquecer; perdoar

borrachão *s. m. (coloq.)* pessoa que bebe muito; bêbedo

borracheira *s. f. (coloq.)* bebedeira

borracho I *s. m.* **1** ZOOL. cria do pombo; **2** *(coloq.)* indivíduo embriagado; **3** *(coloq.)* pessoa atraente; **II** *adj. (coloq.)* embriagado; bêbedo

borrada *s. f.* **1** porcaria; sujeira; **2** *(coloq.)* acção incorrecta ou indigna; coisa mal feita

borralho *s. m.* **1** porção de brasas cobertas de cinza; **2** *(fig.)* lareira

borrão *s. m.* **1** (de tinta) nódoa; mancha; **2** rascunho; esboço

borrar I *v. tr.* manchar; sujar; **II** *v. refl.* **1** *(coloq.)* sujar-se; **2** *(coloq.)* defecar

borrasca *s. f.* vento forte e súbito, acompanhado de aguaceiros; tempestade

borrego *s. m.* ZOOL. carneiro até um ano de idade; anho

borrifar *v. tr. e refl.* vaporizar(-se); salpicar(-se) ❖ ***estar a borrifar-se para*** não ligar importância a

bósnio I *s. m.* {*f.* bósnia} pessoa natural da Bósnia-Herzegovina; **II** *adj.* relativo à Bósnia-Herzegovina

bosque *s. m.* conjunto de árvores, arbustos e outras plantas, mais pequeno do que uma floresta; mata

bossa *s. f.* **1** protuberância anormal, nas costas ou no peito; corcunda; **2** (de camelo, dromedário) protuberância dorsal

bossa-nova *s. f.* MÚS. movimento e estilo musical brasileiro que consiste numa variante suave e pausada do samba com influência do jazz

bosta *s. f.* **1** excremento de gado; **2** *(coloq.)* coisa sem valor; porcaria

bota *s. f.* calçado que cobre o pé e parte da perna ❖ *(coloq.)* ***bater a ~*** morrer; *(coloq.)* ***descalçar a ~*** livrar-se de uma situação embaraçosa; ***lamber as botas de*** dar graxa a

bota-de-elástico *s. 2 gén.* {*pl.* botas-de-elástico} *(depr.)* pessoa antiquada ou contrária ao progresso

botânica *s. f.* ciência que trata das espécies vegetais

botânico I *s. m.* especialista em botânica; **II** *adj.* relativo a botânica

botão *s. m.* **1** (de roupa) pequena peça, de forma variada, usada para apertar peças de vestuário; **2** (de máquina) comando de um mecanismo ou de um aparelho eléctrico; **3** BOT. gomo que origina as flores e folhas; **4** INFORM. representação gráfica de uma opção ou de um comando ❖ ***falar com os seus botões*** falar consigo próprio; reflectir

bote *s. m.* barco pequeno

botequim *s. m.* bar; snack-bar

botifarra *s. f.* bota grande e grosseira

botija *s. f.* **1** recipiente de borracha que se enche de água quente; **2** recipiente de metal em que se vende o gás de consumo doméstico ❖ ***ser apanhado com com a boca na ~*** ser apanhado em flagrante

botim *s. m.* bota de cano curto

bouça *s. f.* terreno inculto; baldio

bouquet *s. m.* {*pl.* bouquets} pequeno ramo de flores

boutique *s. f.* loja de roupa e acessórios

bovino *adj.* **1** relativo a boi; **2** formado por bois

bowling *s. m.* DESP. jogo em que se procura derrubar, com uma bola, um conjunto de pinos colocados a certa distância

boxe *s. m.* DESP. combate em que dois adversários se confrontam com socos, usando luvas apropriadas

boxer *s. m.* ZOOL. cão de estatura média, acastanhado, com o maxilar inferior mais saliente que o superior, focinho negro e orelhas longas e espetadas

boxers *s. f. pl.* cuecas de homem com forma de calções

boxeur *s. m.* {*pl.* boxeurs} praticante de boxe

Br QUÍM. [*símbolo de* **bromo**]

braçada *s. f.* **1** quantidade de coisas que se abarca com os braços; **2** (natação) movimento dos braços

braçadeira *s. f.* **1** fita preta que se coloca no braço, sobre a manga, em sinal de luto; **2** tira de borracha, insuflável, utilizada nos braços como medida de segurança quando se aprende a nadar; **3** MEC. chapa metálica que segura duas ou mais peças de uma armação

braçal *adj.* **1** relativo a braço; **2** (actividade) manual

bracejar *v. intr.* agitar os braços; gesticular

bracelete *s. f.* pulseira

braço *s. m.* **1** ANAT. parte do membro superior situada entre a articulação do ombro e a do cotovelo; **2** BOT. ramo de árvore; **3** GEOG. ramificação de um rio ou de um mar; *(fig.)* ~ ***direito*** principal auxiliar ou colaborador; ***de braços cruzados*** parado; indiferente ❖ ***(não) dar o ~ a torcer*** (não) ceder

braço-de-ferro *s. m.* {*pl.* braços-de--ferro} **1** medição de forças entre duas pessoas que apoiam os cotovelos numa mesa e, com as mãos enlaçadas, tentam derrubar o braço do adversário; **2** *(fig.)* situação em que alguém procura dominar

bradar *v. intr.* dizer em voz alta; gritar

braguilha *s. f.* abertura dianteira das calças ou calções que se fecha com botões ou fecho-éclair; carcela

braille *s. m.* sistema de escrita formado por pequenos pontos salientes, usado pelos cegos

brainstorming *s. m.* {*pl.* brainstormings} reunião em que os participantes apresentam espontaneamente as suas ideias e propostas

bramido *s. m.* **1** rugido; **2** grito

bramir *v. intr.* **1** rugir; **2** gritar

branca *s. f.* **1** madeixa branca no cabelo; **2** falha momentânea de memória

branco I *s. m.* **1** cor da cal, da neve ou do leite; **2** pessoa de raça caucasiana; **II** *adj.* **1** (cor) alvo; claro; **2** (página) vazio; **3** (pessoa) de raça caucasiana; **4** *(fig.)* (pessoa) pálido; ***estar em ~*** desconhecer um assunto; não entender ❖ ***ficar ~ como cal*** ficar lívido (de medo ou susto); ***passar a noite em ~*** passar a noite sem dormir; ***pôr o preto no ~*** esclarecer uma situação

brancura *s. f.* **1** qualidade do que é branco; **2** cor branca

brande *s. m.* vd. **brandy**

brando *adj.* **1** mole; macio; **2** tolerante

brandura *s. f.* **1** suavidade; **2** tolerância; **3** ternura

brandy *s. m.* {*pl.* brandies} aguardente

branqueador *adj. e s. m.* que ou substância que branqueia

branqueamento *s. m.* **1** processo de tornar branco; **2** pintura com substância branca; caiação; ECON. ~ ***de dinheiro/capital*** transformação de fundos de origem fraudulenta em valores legais; lavagem de dinheiro

branquear *v. tr.* **1** tornar branco; **2** caiar; **3** ECON. proceder à regularização fiscal de (dinheiro)

brânquia *s. f.* ZOOL. guelra

brasa *s. f.* **1** carvão ou lenha incandescente; **2** coisa muito quente; **3** *(coloq.)* pessoa fisicamente atraente; **4** *(fig.)* paixão ❖ ***passar pelas brasas*** dormitar; ***puxar a ~ à sua sardinha*** defender os seus interesses particulares ou os seus argumentos

brasão *s. m.* HIST. conjunto de sinais distintivo de uma família nobre ou de uma colectividade

braseiro *s. m.* fogareiro

brasileirismo *s. m.* expressão ou palavra brasileira

brasileiro I *s. m.* {*f.* brasileira} pessoa natural do Brasil; **II** *adj.* relativo ao Brasil

bravio *adj.* **1** (terreno) inculto; agreste; **2** (animal) não domesticado; selvagem; **3** (clima) difícil de suportar; rigoroso

bravo I *adj.* **1** (pessoa) corajoso; valente; **2** (animal) selvagem; feroz; **II** *interj.* exprime aplauso ou aprovação

bravura *s. f.* **1** coragem; **2** ousadia

break-point *s. m.* {*pl.* break-points} DESP. (ténis) ponto que indica uma pausa de serviço

breca *s. f.* *(pop.)* cãibra ❖ ***ser levado da ~*** ser endiabrado

brecagem *s. f.* MEC. ângulo máximo que as rodas de um veículo podem descrever

brecha *s. f.* **1** abertura; fenda; **2** falha; omissão

brega *adj.* *(Bras.)* ordinário; vulgar

brejeiro *adj.* **1** malicioso; **2** desonesto

brejo *s. m.* **1** matagal; **2** pântano

bretão I *s. m.* {*f.* bretã} **1** pessoa natural da província francesa da Bretanha; **2** língua céltica falada na baixa Bretanha; **II** *adj.* relativo à Bretanha

breu *s. m.* sólido escuro, inflamável, obtido da destilação de alcatrão, resina, petróleo, etc. ❖ ***escuro como ~*** muito escuro

breve I *adj. 2 gén.* **1** que dura pouco tempo; **2** rápido; **3** resumido; **4** pouco numeroso; **II** *adv.* dentro de pouco tempo; brevemente; **III** *s. f.* **1** GRAM. vogal ou sílaba que se pronuncia com rapidez; **2** MÚS. figura com o valor de duas semibreves

brevete *s. m.* diploma de piloto aviador

brevidade *s. f.* **1** rapidez; **2** concisão

bricabraque *s. m.* loja onde se vendem objectos usados de diversas épocas

bricolage *s. m.* pequena reparação ou trabalho manual doméstico

brida *s. f.* rédea ❖ ***a toda a ~*** a toda a pressa

bridge *s. m.* jogo de cartas em que quatro jogadores jogam entre si em pares, ficando uma mão do jogo à vista

briefing *s. m.* {*pl.* briefings} comunicação de informações e instruções consideradas indispensáveis à realização de determinada tarefa

briga *s. f.* luta; disputa

brigada *s. f.* **1** MIL. grande unidade militar que reúne diversos batalhões; **2** MIL. unidade da força aérea; **3** conjunto de agentes de fiscalização policial

brigadeiro *s. m.* **1** MIL. oficial general do exército ou da força aérea, de patente entre coronel e general; **2** CUL. doce de chocolate e leite condensado, em forma de pequena bola coberta de chocolate granulado

brigão *s. m.* aquele que se mete em brigas; desordeiro

brigar *v. intr.* lutar

brilhante I *adj. 2 gén.* **1** cintilante; reluzente; **2** muito bom; excelente; **3** *(fig.)* célebre; notável; **II** *s. m.* diamante lapidado

brilhantina *s. f.* cosmético usado para fixar o cabelo
brilhantismo *s. m.* **1** pompa; **2** perfeição
brilhar *v. intr.* **1** (metal) cintilar; reluzir; **2** (sol) emitir luz; brilhar; **3** (*fig.*) (pessoa) notabilizar-se; distinguir-se
brilharete *s. m.* demonstração de valor ou capacidade; êxito
brilho *s. m.* **1** (dos metais, olhos) luz que um corpo reflecte; **2** (do sol) luz que um corpo emite; **3** (*fig.*) esplendor; **4** (*fig.*) inteligência
brincadeira *s. f.* **1** divertimento; jogo; **2** gracejo; piada; **3** (*coloq.*) coisa fácil de fazer ou de alcançar; **4** (*coloq.*) coisa de pouca importância; ❖ ***~ de mau gosto*** procedimento inconveniente; ***fora de brincadeiras*** (falando) a sério; ***na/por ~*** no gozo
brincalhão **I** *s. m.* pessoa que gosta de brincar; **II** *adj.* alegre; divertido
brincar *v. intr.* **1** (crianças) jogar; distrair-se; **2** dizer piadas; gracejar; **3** agir com imprudência
brinco *s. m.* adorno para as orelhas
brincos-de-princesa *s. m. pl.* BOT. planta ornamental de flores pendentes avermelhadas ou cor-de-rosa
brindar **I** *v. tr.* oferecer; presentear; **II** *v. intr.* beber à saúde de alguém
brinde *s. m.* **1** saudação pela saúde ou êxito de (alguém ou alguma coisa); **2** oferta; presente
brinquedo *s. m.* **1** objecto que serve para as crianças brincarem; **2** jogo; passatempo; **3** divertimento; brincadeira
brio *s. m.* **1** dignidade; amor-próprio; **2** orgulho; **3** requinte
brioche *s. m.* CUL. pequeno pão, muito leve e fofo, feito com farinha de trigo, ovos, manteiga, açúcar e sal
briol *s. m.* **1** (*pop.*) frio intenso; **2** NÁUT. cabo de ferrar e colher as velas
brioso *adj.* **1** que tem brio; **2** orgulhoso; **3** elegante
brisa *s. f.* vento fresco e brando; aragem
brita *s. f.* pedra partida em pequenos fragmentos, usada na pavimentação de estradas
britânico **I** *s. m.* {*f.* britânica} pessoa natural da Grã-Bretanha; **II** *adj.* relativo à Grã-Bretanha
broa *s. f.* CUL. pão de milho
broca *s. f.* **1** instrumento para perfuração ou rotação; berbequim; **2** instrumento cortante rotativo, usado para perfurar e limpar as cavidades dos dentes
brocado *s. m.* tecido de seda com guarnições em relevo
brochado *adj.* (livro) cosido e com capa de papel ou cartolina
broche *s. m.* alfinete de peito
brochura *s. f.* **1** caderno com poucas folhas; folheto; **2** (encadernação) processo de acabamento em que o miolo do livro é coberto por uma capa mole, colada ou cozida na lombada
brócolos *s. m. pl.* BOT. planta herbácea da qual se consomem as flores verdes em forma de pequenos ramos
bromo *s. m.* QUÍM. elemento com o número atómico 35 e símbolo Br, vermelho-acastanhado, de cheiro desagradável, muito corrosivo e tóxico
bronca *s. f.* **1** (*coloq.*) desentendimento; **2** (*coloq.*) escândalo; ***dar ~*** provocar confusão ou escândalo
bronco *adj.* (pessoa) rude; ignorante
broncopneumonia *s. f.* MED. inflamação que atinge os brônquios e o tecido pulmonar
bronquial *adj.* relativo aos brônquios
brônquio *s. m.* ANAT. canal que prolonga a traqueia e se ramifica no interior dos pulmões

bronquite *s. f.* MED. inflamação da membrana mucosa dos brônquios

brontossauro *s. m.* dinossauro do Jurássico Inferior

bronze *s. m.* **1** (metal) liga bastante dura de cobre e estanho; **2** *(fig.)* insensibilidade; **3** *(coloq.)* tom moreno da pele causado por exposição ao sol; ***trabalhar para o ~*** expor-se ao sol para ficar moreno

bronzeado I *adj.* queimado pelo sol; moreno; **II** *s. m.* tom moreno da pele causado por exposição ao sol

bronzeador *s. m.* (creme, loção) produto próprio para bronzear a pele

bronzear I *v. tr.* escurecer a pele por acção dos raios de sol ou de radiação artificiai; **II** *v. refl.* adquirir tom de pele moreno, expondo-se ao sol ou a radiações artificiais

brotar *v. intr.* **1** BOT. (planta) germinar; **2** (líquido) jorrar

browser *s. m.* {*pl.* browsers} INFORM. programa que permite fazer pesquisas na Internet

broxa *s. f.* pincel grosso

bruços *s. m. pl.* DESP. estilo de natação em que o nadador se move de barriga e cabeça voltados para baixo, afastando e juntando os braços em movimento circular; ***de ~*** de barriga para baixo

bruma *s. f.* **1** nevoeiro denso; **2** *(fig.)* mistério

brunch *s. m.* {*pl.* brunches} refeição matinal que serve ao mesmo tempo de pequeno-almoço e almoço

brunir *v. tr.* passar a ferro; engomar (a roupa)

brusco *adj.* **1** (gesto, movimento) súbito; inesperado; **2** (pessoa) desagradável; rude

brutal *adj. 2 gén.* **1** violento; **2** grosseiro

brutalidade *s. f.* **1** violência; **2** grosseria

brutalizar *v. tr. e refl.* tornar(-se) bruto; embrutecer(-se)

brutamontes *s. 2 gén. e 2 núm.* pessoa grosseira ou violenta

bruto *adj.* **1** (pessoa) grosseiro; **2** (material) tosco; **3** ECON. (valor) que não está sujeito a encargos ou reduções; líquido

bruxa *s. f.* **1** feiticeira; vidente; **2** *(fig.)* mulher velha e feia

bruxaria *s. f.* magia feita por bruxos ou bruxas; feitiçaria

bruxo *s. m.* feiticeiro; mágico

BSE VET. [*sigla de* **B**ovine **S**pongiform **E**ncephalopathy] encefalopatia espongiforme bovina (doença das vacas loucas)

BTT [*sigla de* **b**icicleta **t**odo-o-**t**erreno]

bucal *adj. 2 gén.* relativo a boca

bucha I *s. f.* **1** pedaço de madeira ou plástico que se introduz num orifício da parede para fixar um prego ou um parafuso; **2** *(coloq.)* bocado de comida que se come de uma vez; **II** *s. 2 gén. (coloq.)* pessoa muito gorda

bucho *s. m.* **1** estômago dos animais; pança; **2** *(coloq.)* barriga

buço *s. m.* pelugem no lábio superior

bucólico *adj.* **1** campestre; pastoril; **2** ingénuo; puro

budismo *s. m.* FIL., RELIG. sistema de origem indiana, que analisa a origem e as causas do sofrimento inerente a toda a existência, e indica o método de libertação desse sofrimento

budista I *s. 2 gén.* pessoa adepta do budismo; **II** *adj. 2 gén.* relativo ao budismo

bué *adv. (coloq.)* muito; bastante

bueiro *s. m.* **1** cano de esgoto; **2** (na rua) sarjeta

búfalo *s. m.* ZOOL. mamífero ruminante da Ásia e da África de longos cornos arqueados

bufar *v. intr.* 1 soprar; 2 *(coloq.)* denunciar; 3 *(fig.)* gabar-se
bufete *s. m.* 1 mesa com serviço de bebidas, pratos frios e pastelaria (em espectáculos, reuniões, etc.); 2 local onde se servem refeições (em teatros, cinemas, etc.); bar
bufo *s. m.* 1 sopro; 2 ZOOL. ave de rapina nocturna; corujão; 3 *(coloq.)* denunciante; 4 *(coloq.)* polícia secreto
bugalho *s. m.* BOT. excrescência que se forma nos tecidos vegetais por acção de insectos ou parasitas; galha ❖ ***misturar alhos com bugalhos*** fazer uma grande confusão
bugiar *v. intr.* *(coloq.)* fazer macaquices; ***mandar ~*** mandar embora de forma indelicada
bugiganga *s. f.* objecto de pouco valor; quinquilharia
bulbo *s. m.* BOT. órgão subterrâneo de forma arredondada que possui reservas nutritivas
buldogue *s. m.* ZOOL. cão de pêlo curto e cabeça volumosa, com boca larga de beiços pendentes e focinho achatado
buldózer *s. m.* máquina com uma pá na frente que se desloca sobre lagartas, usada para operações de terraplenagem e demolições
bule *s. m.* recipiente bojudo para preparar e servir chá
búlgaro I *s. m.* {*f.* búlgara} 1 pessoa natural da Bulgária; 2 língua eslava falada na Bulgária; II *adj.* relativo à Bulgária
bulha *s. f.* 1 confusão de sons; gritaria; 2 briga; tumulto; ***andar à ~ com*** envolver-se em confronto físico com
bulício *s. m.* 1 murmúrio; 2 aperto; 3 desassossego
buliçoso *adj.* irrequieto; traquinas
bulimia *s. f.* MED. desejo compulsivo de comer
bulímico I *adj.* 1 relativo a bulimia; 2 que sofre de bulimia; II *s. m.* pessoa que sofre de bulimia
bulir *v. tr. e intr.* mexer(-se); agitar(-se)
bum *interj.* imitativa do som de um tiro, um estrondo ou uma pancada
bumerangue *s. m.* peça de madeira chata em forma de cotovelo, usada como arma pelos indígenas australianos e concebida para voltar para junto de quem a lançou após descrever uma curva
bunda *s. f.* *(Bras.)* *(coloq.)* nádegas; rabo
bungee-jumping *s. m.* DESP. modalidade de salto de um lugar alto utilizando uma corda elástica atada aos tornozelos
buquê *s. m.* pequeno ramo de flores
buraco *s. m.* abertura; orifício; ***~ do ozono*** região da atmosfera onde a camada de ozono se tornou demasiado fina ou desapareceu ❖ *(fig.)* ***tapar buracos*** remediar situações difíceis
burburinho *s. m.* confusão de vozes; rumor
bureta *s. f.* QUÍM. tubo cilíndrico de vidro com escala graduada, para medição rigorosa de volumes variáveis de gases ou de líquidos
burguês I *s. m.* 1 pessoa que pertence à burguesia ou à classe média; 2 *(pej.)* pessoa que se preocupa apenas com o bem-estar material; II *adj.* 1 relativo à burguesia ou à classe média; 2 *(pej.)* materialista; 3 *(pej.)* de mau gosto; vulgar
burguesia *s. f.* classe média da sociedade
buril *s. m.* instrumento com ponta de aço para cortar e gravar em metal, lavrar pedra, etc.; cinzel
burka *s. f.* {*pl.* burkas} véu comprido, com abertura para os olhos, usado por algumas mulheres muçulmanas

burla *s. f.* engano propositado com o objectivo de prejudicar alguém; fraude
burlão *s. m.* trapaceiro
burlar *v. tr.* enganar; lesar
burocracia *s. f.* **1** administração dos serviços públicos por meio de um grande número de funcionários sujeitos a uma hierarquia e um regulamento rígidos; **2** *(pej.)* serviço ineficaz ou lento na resolução dos assuntos devido à complexidade da sua estrutura
burocrata *s. 2 gén.* **1** pessoa que é funcionária de um serviço público; **2** *(pej.)* pessoa adepta da obediência cega a rotinas e formalismos
burocrático *adj.* relativo a burocracia
burrice *s. f.* **1** estupidez; **2** teimosia
burro I *s. m.* **1** ZOOL. mamífero semelhante ao cavalo, mas com orelhas mais compridas; **2** *(pej.)* estúpido; **3** *(pej.)* teimoso; **II** *adj.* **1** *(pej.)* estúpido; **2** *(pej.)* teimoso; *(fig.)* ~ ***de carga*** pessoa que realiza os trabalhos árduos
busardo *s. m.* ZOOL. ave de rapina com bico e penas amarelos
busca *s. f.* **1** procura (de alguma coisa); **2** pesquisa; investigação
busca-pólos *s. m. 2 núm.* ELECTR. utensílio que permite determinar a natureza dos pólos de uma fonte de corrente eléctrica
buscar *v. tr.* **1** procurar descobrir; **2** investigar; **3** imaginar; **4** recorrer a
busílis *s. m. 2 núm.* ponto principal de uma questão; dificuldade
bússola *s. f.* caixa que contém uma agulha magnética, que roda em torno de um eixo vertical, indicando aproximadamente a direcção norte-sul
busto *s. m.* **1** parte do corpo humano da cintura para cima; **2** representação da cabeça e da parte superior do tronco
bute I *s. m.* **1** *(coloq.)* bota grosseira; **2** *(coloq.)* pontapé; **II** *inter.* usada para mandar alguém embora (de forma agressiva) ❖ *(coloq.)* ***ir a butes*** ir a pé
buzina *s. f.* instrumento sonoro de veículo automóvel; cláxon
buzinão *s. m.* forma de protesto usando fortes buzinadelas
buzinar *v. intr.* **1** tocar buzina; **2** *(fig.)* importunar
búzio *s. m.* **1** ZOOL. molusco gastrópode, marinho, de concha piramidal; **2** concha desse molusco
bypass *s. m.* {*pl.* bypasses} MED. operação para restabelecer a circulação sanguínea, através do transplante de um vaso sanguíneo ou da introdução de um tubo de plástico
byte *s. m.* {*pl.* bytes} INFORM. grupo de bits (geralmente oito)

C

c *s. m.* terceira letra e segunda consoante do alfabeto

C I *s. m.* (numeração romana) número 100; **II** QUÍM. [*símbolo de* **carbono**]

Ca QUÍM. [*símbolo de* **cálcio**]

cá *adv.* **1** aqui; **2** neste lugar; **3** para aqui

cabaça *s. f.* BOT. fruto da cabaceira, com forma mais estreita no meio

cabaçal *s. m.* terreno semeado de cabaças (abóboras)

cabaceira *s. f.* BOT. planta que produz as cabaças

cabal *adj. 2 gén.* **1** completo; **2** rigoroso

cabala *s. f.* **1** conjunto de crenças místicas; **2** *(fig.)* maquinação

cabalista *s. 2 gén.* pessoa versada em ciências ocultas

cabalístico *adj.* **1** relativo a cabala; **2** *(fig.)* misterioso

cabana *s. f.* casa pouco sofisticada e geralmente construída de madeira

cabaré *s. m.* estabelecimento onde se servem bebidas e se dança, podendo-se também assistir a espectáculos de variedades

cabaz *s. m.* cesto de junco, verga ou cana, com tampa e asa

cabazada *s. f.* **1** conteúdo de um cabaz cheio; **2** *(pop.)* grande número

cabeça I *s. f.* **1** ANAT. parte superior do corpo humano e superior ou anterior do corpo de outros animais, que, em regra, contém o encéfalo ou órgãos equivalentes; **2** pessoa ou animal considerados individualmente; **3** extremidade saliente e arredondada de um objecto; **4** palavra em evidência no canto superior das páginas de um dicionário; **5** *(fig.)* sensatez; **II** *s. 2 gén.* chefe; dirigente ❖ ***à ~ de*** à frente de; ***dar com a ~ nas paredes*** estar desnorteado; ***dos pés à ~*** totalmente; ***meter na ~*** cismar; ***perder a ~*** perder a calma; ***subir à ~*** fazer (alguém) sentir-se poderoso ou importante

cabeçada *s. f.* **1** pancada com a cabeça; **2** DESP. (futebol) toque na bola com a cabeça

cabeça-de-cartaz *s. 2 gén.* {*pl.* cabeças-de-cartaz} artista principal de um espectáculo ou de uma companhia

cabeça-de-lista *s. 2 gén.* {*pl.* cabeças-de-lista} primeiro candidato numa lista partidária

cabeça-de-série *s. 2 gén.* {*pl.* cabeças-de-série} DESP. candidato que mais hipóteses tem de ganhar determinado torneio

cabeça-de-vento *s. 2 gén.* {*pl.* cabeças-de-vento} **1** pessoa distraída; **2** pessoa inconstante ou leviana

cabeçalho *s. m.* título de jornal, capítulo ou artigo

cabeça-no-ar *s. 2 gén.* {*pl.* cabeças-no-ar} pessoa distraída

cabeça-rapada *s. 2 gén.* {*pl.* cabeças-rapadas} jovem com o cabelo rapado que normalmente pertence a um grupo que manifesta comportamento violento e defende posições racistas; skinhead

cabeceamento *s. m.* DESP. (futebol) toque na bola com a cabeça

cabecear **I** *v. intr.* **1** deixar cair a cabeça (ao dormitar); **2** DESP. (futebol) dar toques na bola com a cabeça; **II** *v. tr.* dar cabeçadas em

cabeceira *s. f.* **1** parte da cama onde se deita a cabeça; **2** almofada para encostar a cabeça; **3** topo da mesa

cabecilha *s. 2 gén.* chefe de um grupo; líder

cabeço *s. m.* cume arredondado de um monte

cabeçudo *adj.* **1** que tem cabeça grande; **2** *(fig.)* teimoso

cabedal *s. m.* pele curtida usada em calçado, vestuário, etc.; couro

cabedelo *s. m.* GEOG. cabo de areia na foz de um rio

cabeleira *s. f.* **1** conjunto dos cabelos da cabeça quando estão compridos; **2** peruca

cabeleireiro *s. m.* **1** profissional que corta e penteia ou trata do cabelo de outras pessoas; **2** estabelecimento onde profissionais se dedicam a cortar, pentear e tratar os cabelos de outras pessoas, e onde são prestados outros cuidados de beleza

cabelo *s. m.* ANAT. conjunto de pêlos que cobrem a cabeça das pessoas ❖ ***estar pelos cabelos*** estar farto; ***por um ~*** por um triz

cabeludo *adj.* **1** que tem muito cabelo; **2** peludo

caber *v. intr.* **1** poder estar contido num dado espaço; **2** passar por; entrar; **3** pertencer; **4** calhar

cabide *s. m.* **1** cruzeta; **2** bengaleiro

cabidela *s. f.* CUL. guisado de miúdos de aves com o sangue das mesmas

cabimento *s. m.* **1** possibilidade de caber; **2** *(fig.)* sentido

cabine *s. f.* **1** pequeno compartimento, isolado, para diversos fins; **2** compartimento de navio ou carruagem do caminho-de-ferro; **3** carlinga

cabisbaixo *adj.* **1** de cabeça baixa; **2** pensativo; **3** abatido

cablagem *s. f.* ELECTR. conjunto de cabos condutores de um aparelho ou dispositivo eléctrico ou electrónico

cabo *s. m.* **1** extremidade; **2** parte por onde se segura ou pega num utensílio; **3** GEOG. ponta de terra que entra pelo mar; **4** condutor eléctrico; **5** corda grossa; **6** MIL. posto militar entre soldado e furriel ❖ ***ao ~ de*** ao fim de; ***dar ~ de*** destruir; ***de ~ a rabo*** do princípio ao fim; ***levar a ~*** fazer

cabotagem *s. f.* **1** NÁUT. navegação marítima entre portos da mesma costa ou costas vizinhas; **2** NÁUT. navegação costeira

cabo-verdiano **I** *s. m.* {*f.* cabo-verdiana} **1** pessoa natural de Cabo Verde; **2** língua crioula falada em Cabo Verde e nas regiões costeiras próximas; **II** *adj.* relativo a Cabo Verde

cabra *s. f.* **1** ZOOL. mamífero ruminante, de pêlo curto e chifres curvados para trás; **2** ZOOL. insecto aquático de pernas longas; **3** *(vulg.)* mulher considerada promíscua

cabra-cega *s. f.* {*pl.* cabras-cegas} jogo de crianças, em que uma delas, de olhos vendados, procura agarrar as outras

cabrão *s. m.* **1** bode; **2** *(vulg.)* indivíduo atraiçoado pela mulher; **3** *(vulg.)* indivíduo mau

cabriola *s. f.* **1** salto de cabra; **2** cambalhota

cabrito *s. m.* **1** ZOOL. cria da cabra enquanto jovem; **2** carne deste animal usada na alimentação

cabrito-montês *s. m.* {*pl.* cabritos-monteses} ZOOL. mamífero ruminante um pouco maior do que a cabra, de cor cinzento-avermelhada e sem cauda

cábula **I** *s. f.* apontamento usado fraudulentamente num exame; **II** *s. 2 gén.* estudante que não se aplica ou é pouco assíduo às aulas; **III** *adj. 2 gén.* preguiçoso

caca *s. f.* **1** *(infant.)* fezes; **2** *(coloq.)* coisa desprezível

caça **I** *s. f.* **1** perseguição e captura de animais; **2** animais perseguidos e capturados; **3** *(fig.)* busca; **II** *s. m.* AERON. avião de combate usado para interceptar ou destruir aviões inimigos, ou para escoltar bombardeiros; DESP. ~ ***submarina*** desporto que consiste em mergulhar para apanhar peixe com um arpão ❖ ***andar à ~ de*** andar à procura de

caçada *s. f.* **1** acto ou efeito de perseguir e capturar (animais, pessoas); **2** o que se capturou; **3** *(fig.)* busca; **4** *(fig.)* perseguição

caçadeira *s. f.* espingarda de caçador

caçador *s. m.* pessoa que caça animais por desporto ou profissão; ~ ***furtivo*** pessoa que caça sem licença oficial

caça-minas *s. m. 2 núm.* NÁUT. barco de guerra com aparelhagem própria para descobrir e retirar minas submarinas

caçar *v. tr.* **1** perseguir (animais) para os matar ou apanhar vivos; **2** apanhar; **3** *(fig.)* perseguir

cacaracá *s. m.* voz da galinha; ***de ~*** de pouca importância; muito simples

cacarejar *v. intr.* **1** (galinha) emitir som; cantar; **2** *(fig.)* tagarelar

cacarejo *s. m.* **1** som emitido pela galinha; **2** *(fig.)* tagarelice

caçarola *s. f.* recipiente largo e pouco alto para cozinhar ao lume

cacau *s. m.* **1** fruto ou sementes do cacaueiro; **2** substância que se extrai das sementes do cacaueiro e é utilizada em pó no fabrico de chocolate; **3** bebida que se prepara adicionando leite ou água a essa substância

cacaueiro *s. m.* BOT. pequena árvore tropical que produz as sementes com as quais se prepara o cacau

cacetada *s. f.* pancada com cacete

cacete *s. m.* **1** pau grosso e curto; **2** pão de trigo comprido e fino

cachaça *s. f.* *(Bras.)* aguardente extraída das borras do melaço e dos restos da cana-sacarina

cachaço *s. m.* **1** ANAT. parte posterior do pescoço; **2** pancada nessa zona

cachalote *s. m.* ZOOL. mamífero marinho, corpulento, com dentes numerosos e cabeça grande

cachão *s. m.* **1** borbulhão da água a ferver; **2** borbotão, jacto

cachecol *s. m.* faixa de lã ou seda destinada a agasalhar o pescoço e o peito

cachimbo *s. m.* objecto usado para fumar, constituído por um recipiente onde arde o tabaco e por um tubo por onde se inspira o fumo

cachimónia *s. f.* **1** *(coloq.)* cabeça; **2** *(coloq.)* juízo

cacho *s. m.* **1** BOT. conjunto de frutos (uvas, bananas) ou flores iguais presos ao mesmo pé; **2** conjunto de objectos ou pessoas muito juntos; **3** madeixa de cabelo enrolado em espiral ❖ ***estar como um ~*** estar muito embriagado

cachoeira *s. f.* queda de água

cachola *s. f.* *(coloq.)* cabeça ❖ ***ficar com uma grande ~*** sofrer uma decepção

cachopo *s. m.* pessoa jovem; rapaz; rapariga

cachorra *s. f.* **1** ZOOL. cadela jovem ou pequena; **2** *(pej.)* mulher de mau carácter; **3** *(pop.)* embriaguez

cachorro **I** *s. m.* **1** ZOOL. cão jovem ou pequeno; **2** *(Bras.)* cão; **3** *(pej.)* homem de mau carácter; **II** *s. m.* **1** sanduíche de salsicha quente com mostarda; **2** ARQ. peça saliente, de apoio, numa construção

cachorro-quente *s. m.* {*pl.* cachorros-quentes} sanduíche de salsicha quente com mostarda

cacifo *s. m.* pequeno armário para guardar objectos pessoais em instalações públicas

cacimba *s. f.* chuva miudinha

cacique *s. m.* **1** chefe político que dispõe dos votos dos eleitores de uma localidade; **2** chefe (entre os indígenas) de várias regiões da América

caco *s. m.* **1** fragmento de louça quebrada; **2** objecto velho e de pouco valor; **3** *(coloq.)* cabeça; ***fazer em cacos*** partir em muitos bocados pequenos

caçoar *v. intr.* troçar; zombar

cacofonia *s. f.* som desagradável resultante do encontro do final de uma palavra com o começo da seguinte

cacto *s. m.* BOT. planta espinhosa, cultivada para fins ornamentais

CAD INFORM. [*sigla de* **c**omputer-**a**ided **d**esign] desenho assistido por computador

cada *pron. indef.* **1** qualquer de entre dois ou mais; **2** indica repetição ou regularidade, quando seguido de um numeral ⟨*cada três*⟩; **3** tem valor enfático ⟨*dizes cada coisa!*⟩ ❖ ***~ vez que*** sempre que

cadafalso *s. m.* estrado alto e público para execução de condenados

cadastrado *adj. e s. m.* que ou pessoa que tem cadastro ou já foi condenada

cadastrar *v. tr.* organizar o cadastro de

cadastro *s. m.* **1** registo policial de criminosos; **2** registo público dos prédios rústicos de uma localidade; **3** recenseamento da população

cadáver *s. m.* corpo morto

cadavérico *adj.* **1** relativo a cadáver; **2** parecido com um cadáver

cadeado *s. m.* **1** cadeia formada de elos de ferro; **2** aloquete

cadeia *s. f.* **1** corrente formada de elos metálicos; **2** sucessão; série; **3** prisão

cadeira *s. f.* **1** assento ou banco com costas e, por vezes, com braços; **2** (universidade) disciplina que um professor de curso superior ensina

cadeira eléctrica *s. f.* cadeira ligada a uma corrente eléctrica de alta tensão utilizada na electrocussão dos condenados à morte

cadeirão *s. m.* poltrona

cadela *s. f.* ZOOL. fêmea do cão

cadência *s. f.* **1** movimento compassado; **2** ritmo; **3** harmonia na disposição das palavras; **4** termo de frase musical

cadenciado *adj.* compassado; ritmado

cadenciar *v. tr.* compassar; ritmar

cadente *adj. 2 gén.* **1** que vai caindo; **2** decadente

caderneta *s. f.* **1** caderno pequeno; **2** ECON. livrete de registo de depósitos e levantamentos de dinheiro; **3** registo de notas, frequência e resultado de exames de alunos; **4** fascículo de obra literária

caderno *s. m.* porção de folhas de papel unidas e sobrepostas, como num livro

cadete *s. m.* MIL. aluno que frequenta uma escola superior militar

cadilhos *s. m. pl.* **1** franja; **2** preocupações; cuidados

cádmio *s. m.* QUÍM. elemento com o número atómico 48 e símbolo Cd, semelhante ao zinco, venenoso

caducar *v. intr.* **1** perder a validade; **2** declinar; **3** (pessoa) tornar-se senil

caduco *adj.* **1** que cai ou está prestes a cair de velho ou fraco; **2** que perdeu a validade; **3** senil

café *s. m.* **1** BOT. semente do cafeeiro; **2** bebida preparada com esta semente, depois de torrada e moída, por infusão; **3** estabelecimento onde se serve esta e outras bebidas e algumas comidas leves

café-concerto *s. m.* {*pl.* cafés-concerto} sala de espectáculos musicais em que funciona um serviço de bar

cafeeiro *s. m.* BOT. arbusto cujo fruto tem sementes que, depois de torradas e moídas, servem para fazer a bebida denominada café

cafeína *s. f.* QUÍM. substância que se encontra nos grãos do café, nas folhas do chá, etc., dotada de propriedades estimulantes e diuréticas

cafetaria *s. f.* estabelecimento onde se serve café, outras bebidas e algumas comidas leves

cafeteira *s. f.* **1** recipiente metálico em que se prepara ou serve o café; **2** recipiente utilizado para aquecer água

cafezal *s. m.* plantação de cafeeiros

cáfila *s. f.* **1** grupo de camelos; **2** caravana de mercadorias transportadas em camelos, na Ásia e na África

cagaçal *s. m.* **1** *(coloq.)* monte de porcaria; **2** *(coloq.)* barulho; berreiro

cagaço *s. m.* *(pop.)* medo; susto

cagada *s. f.* *(cal.)* asneira; disparate

cágado *s. m.* ZOOL. réptil que vive em lagoas rasas e terrenos pantanosos

caganeira *s. f.* *(pop.)* diarreia

caganita *s. f.* *(pop.)* excremento miúdo

cagão *s. m.* **1** *(pop.)* pessoa que defeca com muita frequência; **2** *(pop.)* pessoa medrosa; **3** *(pop.)* pessoa arrogante

cagar *v. tr. e intr.* **1** *(pop.)* defecar; **2** *(pop., fig.)* sujar; **3** *(pop., fig.)* desprezar

cagarola *adj. e s. 2 gén.* *(pop.)* que ou pessoa que tem medo

cagarolas *s. 2 gén. 2 núm.* vd. **cagarola**

caguinchas *s. 2 gén. e 2 núm.* *(pop.)* medricas

caiaque *s. m.* **1** canoa de pesca esquimó, comprida e estreita, feita de peles de foca cosidas sobre uma armação de madeira leve e movida por um remo de duas pás; **2** DESP. embarcação desportiva de um ou dois lugares, semelhante a essa canoa

caiar *v. tr.* **1** pintar com cal diluída em água; **2** *(fig.)* disfarçar

cãibra *s. f.* MED. forte contracção espasmódica e dolorosa de certos músculos

caicai *s. m.* peça de roupa feminina, justa ao corpo, que se segura sem alças; top

caído *adj.* **1** que caiu; **2** *(fig.)* abatido; **3** *(fig.)* triste; **4** *(coloq.)* apaixonado

caimão *s. m.* ZOOL. réptil muito parecido com o crocodilo, mas mais pequeno

cair *v. intr.* **1** ir ao chão; tombar; **2** desabar; **3** diminuir; **4** desvalorizar-se; **5** ir ter a; **6** ser enganado; **7** ser vencido; **8** (chamada telefónica) interromper-se ❖ (roupa) **~ *bem*** ficar bem; **~ *bem/mal*** agradar/desagradar; **~ *em si*** reconhecer o erro; *(Bras.)* **~ *fora*** ir-se embora; ***não ter onde ~ morto*** ser muito pobre

cais *s. m. 2 núm.* **1** parte da margem de um rio ou porto de mar destinada ao embarque e desembarque de mercadorias e passageiros; **2** lugar nas estações de caminho-de-ferro ou do metropolitano destinado ao (des)carregamento de mercadorias e movimento de passageiros

caixa I *s. f.* **1** recipiente ou móvel para transportar ou guardar qualquer coisa; **2** estojo; **3** (loja) local onde se efectuam pagamentos; **4** MÚS. instrumento tocado com duas baquetas em posição horizontal, possuindo um ou mais bordões sobre a pele inferior; **II** *s. 2 gén.* COM. pessoa que tem a seu cargo os pagamentos e recebimentos de uma casa comercial; **III** *s. m.* COM. livro de registo dos valores contidos em cofre ❖ ***a toque de ~*** a toda a pressa; ***calar a ~*** deixar de falar

caixa automática *s. f.* **1** aparelho electrónico que permite efectuar operações bancárias; **2** MEC. (automóvel) dispositivo que permite engrenar velocidades sem utilizar a embraiagem

caixa-de-ar *s. f.* {*pl.* caixas-de-ar} espaço entre o solo e o vigamento de um edifício

caixa-de-óculos *s. 2 gén.* {*pl.* caixas-de-óculos} *(coloq.)* pessoa que usa óculos

caixa de velocidades *s. f.* MEC. dispositivo, nos veículos de tracção mecânica e nos guindastes, para mudança de velocidade

caixa-forte *s. f.* {*pl.* caixas-fortes} caixa instalada nos bancos, utilizada para guardar documentos, jóias e outros valores

caixa negra *s. f.* AERON. aparelho electrónico que regista continuamente os vários dados relativos aos voos aéreos

caixão *s. m.* caixa rectangular e comprida para transportar e guardar o corpo de defuntos ❖ ***de ~ à cova*** muito intenso

caixeiro *s. m.* pessoa que faz caixas

caixeiro-viajante *s. m.* {*pl.* caixeiros-viajantes} vendedor que viaja por várias localidades com o propósito de vender os produtos da empresa que representa

caixilharia *s. f.* conjunto de caixilhos de uma construção

caixilho *s. m.* moldura de painéis, retratos, vidros, etc.

caixote *s. m.* caixa de tamanho médio, geralmente para transporte de mercadorias ou de artigos diversos

cajado *s. m.* **1** pau com a extremidade superior arqueada; **2** bordão de pastor

caju *s. m.* **1** BOT. árvore originária da América, que produz frutos comestíveis, madeira, goma, etc.; **2** fruto desta árvore

cal *s. f.* {*pl.* cales ou cais} QUÍM. óxido de cálcio ❖ ***de pedra e ~*** inflexível

calaboiço *s. m.* prisão subterrânea

calaceiro *adj. e s. m.* **1** mandrião, preguiçoso; **2** vadio, parasita

calada *s. f.* silêncio profundo; ***pela ~*** sem ser pressentido; com muito cuidado

calado I *s. m.* **1** NÁUT. distância entre a quilha do navio e a linha de flutuação; **2** espaço ocupado pelo navio dentro de água; **II** *adj.* **1** silencioso; **2** discreto

calafetar *v. tr.* vedar (frestas, fendas) com qualquer substância

calafrio *s. m.* MED. contracção súbita dos músculos superficiais, acompanhada de uma sensação de frio; arrepio

calamar *s. m.* ZOOL. molusco comestível (choco, lula)

calamidade *s. f.* grande mal que atinge muita gente

calamina *s. f.* MIN. nome do silicato hidratado de zinco e do carbonato de zinco, ambos minérios de zinco

calamitoso *adj.* que traz ou em que há calamidade

cálamo *s. m.* **1** BOT. parte basilar, em forma de tubo, do eixo principal de uma pena; **2** pequena cana

calão *s. m.* **1** linguagem criada por um grupo particular e posteriormente integrada no conhecimento geral; **2** nível de língua de carácter expressivo, humorístico, transgressor ou ofensivo, usado em situações informais de comunicação

calar I *v. tr.* **1** pôr em silêncio; **2** reprimir; **II** *v. intr. e refl.* deixar de falar ❖ *(coloq.)* ~ ***a boca/o bico*** deixar de falar; ***quem cala consente*** o silêncio equivale a consentir

calçada *s. f.* rua pavimentada com pedras

calçadeira *s. f.* objecto usado para ajudar a calçar os sapatos

calcadela *s. f.* pisadela

calçado I *s. m.* peça(s) para cobrir e abrigar os pés; **II** *adj.* (pé) metido em sapato, bota, etc.

calcanhar *s. m.* ANAT. saliência posterior do pé ❖ ~ ***de Aquiles*** ponto fraco; ***dar aos calcanhares*** fugir; ***não chegar aos calcanhares de alguém*** não se poder comparar a alguém

calcar *v. tr.* **1** comprimir com os pés; pisar; **2** *(fig.)* humilhar

calçar *v. tr.* **1** introduzir os pés em (calçado); **2** introduzir as mãos em (luvas); **3** empedrar (rua); **4** pôr calço em; **5** pôr pneus em (veículo)

calcário I *adj.* relativo a cal ou a cálcio; **II** *s. m.* GEOL. rocha constituída por carbonato de cálcio

calças *s. f. pl.* peça de roupa que veste as ancas e, separadamente, cada uma das pernas

calcetar *v. tr.* empedrar

calceteiro *s. m.* operário que calceta

calcificação *s. f.* **1** MED. depósito de sais de cálcio durante a formação dos ossos; **2** MED. depósito de sais calcários em tecidos e órgãos que, em situação normal, não os contêm

calcificar *v. intr.* **1** tomar a consistência e a cor da cal; **2** MED. sofrer calcificação

calcinação *s. f.* QUÍM. transformação do carbonato de cálcio em cal pela acção do calor

calcinar *v. tr.* transformar (carbonato de cálcio) em cal pela acção do calor

calcinhas *s. f. pl.* peça interior de vestuário, inteira e sem pernas, que vai da cinta ou das ancas até às virilhas ou às coxas

cálcio *s. m.* QUÍM. elemento com o número atómico 20 e símbolo Ca, de carácter metálico, muito oxidável

calco *s. m.* decalque

calço *s. m.* cunha, pedra, pedaço de madeira que se põe por debaixo de um objecto para o fixar na posição desejada

calções *s. m. pl.* calças que descem até à coxa ou até ao joelho

calcorrear *v. intr.* **1** andar a pé; **2** caminhar muito

calculadamente *adv.* deliberadamente; intencionalmente

calculadora *s. f.* mecanismo electrónico que efectua cálculos matemáticos

calcular I *v. tr.* **1** MAT. determinar (quantidades) por meio de cálculo; **2** avaliar; **3** imaginar; **4** supor; **II** *v. intr.* fazer cálculos matemáticos

calculável *adj. 2 gén.* que pode ser calculado

calculismo *s. m.* atitude da pessoa que age de modo a salvaguardar sempre os seus próprios interesses

calculista *adj. e s. 2 gén.* que ou pessoa que age apenas em proveito próprio; interesseiro

cálculo *s. m.* **1** MAT. resolução de problema aritmético ou algébrico; **2** suposição; **3** MED. massa dura que se forma na bexiga, rins, fígado, etc.

calda *s. f.* **1** mistura de água com açúcar obtida por fervura; **2** sumo fervido de alguns frutos para os guardar de conserva; **3** CUL. caldo que serve de base à cozedura do arroz

caldas *s. f. pl.* termas

caldear *v. tr.* **1** levar ao rubro por meio do fogo; **2** ligar metais em brasa; **3** amalgamar; misturar

caldeira *s. f.* **1** recipiente metálico para aquecer líquidos, produzir vapor, cozinhar alimentos, etc.; **2** GEOL. cratera de vulcão, circular e larga, por vezes transformada em lago

caldeirada *s. f.* CUL. guisado de peixes preparado à maneira dos pescadores

caldeirão *s. m.* caldeira grande

caldeirinha *s. f.* vasilha de metal, portátil, para água benta

caldo *s. m.* CUL. alimento líquido que se prepara fazendo cozer em água certos alimentos (hortaliça, carne, peixe, etc.) ❖ ***estar o ~ entornado*** estar tudo estragado

caldo verde *s. m.* CUL. sopa preparada com couve em tiras finas, batata, azeite, sal e uma rodela de chouriço

calefacção *s. f.* aquecimento

caleidoscópio *s. m.* instrumento cilíndrico, formado de pequenos espelhos inclinados, mas paralelos a determinada direcção, e por pequenos fragmentos de vidro colorido, e que, a cada movimento, apresenta imagens variadas e simétricas

caleira *s. f.* cano para esgotar as águas dos telhados

calejado *adj.* **1** que tem calos; **2** *(fig.)* endurecido; **3** *(fig.)* experimentado

calendário *s. m.* quadro com uma ou mais folhas em que se indicam os dias, meses, festas religiosas, etc., de um ano

calêndula *s. f.* **1** BOT. planta ornamental de flores amarelas e brancas; **2** BOT. flor desta planta

calha *s. f.* **1** cano ou rego para condução de líquidos; **2** carril de caminho-de-ferro

calhamaço *s. m. (coloq.)* livro ou caderno volumoso

calhambeque *s. m. (coloq.)* automóvel velho e estragado

calhar *v. intr.* **1** ficar bem; ser próprio; **2** coincidir; **3** acontecer; **4** caber em sorte; ***se ~*** talvez; ***vir mesmo a ~*** acontecer na altura devida

calhau *s. m.* pedra solta ❖ *(coloq., depr.)* ***burro como um ~*** muito estúpido

calhorda *s. 2 gén.* pessoa desprezível

calibrar *v. tr.* **1** determinar ou verificar o calibre de; **2** separar, por tamanhos, objectos mais ou menos semelhantes

calibre *s. m.* **1** diâmetro interior de qualquer tubo; **2** diâmetro exterior de um objecto cilíndrico; **3** *(fig.)* tamanho; **4** *(fig.)* importância

cálice *s. m.* **1** copo pequeno, tipicamente com pé; **2** RELIG. vaso sagrado de metal, usado na celebração da missa

cálido *adj.* quente

califa *s. m.* soberano espiritual entre os Muçulmanos

californiano I *s. m.* {*f.* californiana} pessoa natural do estado norte-americano da Califórnia; **II** *adj.* relativo à Califórnia

califórnio *s. m.* QUÍM. elemento artificial com o número atómico 98 e símbolo Cf

caligrafia *s. f.* **1** arte de escrever bem à mão; **2** maneira própria de cada pessoa escrever à mão; letra

calinada *s. f.* asneira; tolice; disparate

calista *s. 2 gén.* pessoa que, por profissão, trata ou extrai calos

calma *s. f.* **1** tranquilidade; sossego; **2** calmaria ❖ ***nas calmas*** sem dificuldade

calmante I *s. m.* FARM. substância que abranda a dor ou a excitação nervosa; **II** *adj. 2 gén.* que acalma

calmaria *s. f.* **1** ausência de vento e do movimento das ondas no mar; **2** calor continuado, sem aragem

calmo *adj.* sereno; tranquilo; sossegado

calo *s. m.* **1** endurecimento da pele causado por fricção continuada; **2** *(fig.)* experiência ❖ ***criar ~*** ganhar experiência

caloirada *s. f.* *(acad.)* conjunto de caloiros

caloiro *s. m.* **1** estudante do primeiro ano de um curso superior; **2** *(fig.)* principiante em qualquer coisa

calor *s. m.* **1** estado do que se acha quente; **2** temperatura do ar elevada; **3** *(fig.)* entusiasmo

calorento *adj.* **1** onde há calor; **2** (pessoa) muito sensível ao calor

caloria *s. f.* unidade de medida usada para medir o valor energético dos alimentos

calórico *adj.* **1** relativo a caloria; **2** (alimento) rico em calorias

caloroso *adj.* **1** cordial; **2** entusiasta; **3** enérgico; **4** afectuoso

calosidade *s. f.* endurecimento da pele causado por fricção continuada; calo

calote *s. m.* *(pop.)* dívida contraída sem possibilidade ou intenção de pagar

caloteiro *s. m.* pessoa que contrai dívidas e não as paga

caluda *interj.* usada para impor silêncio

calúnia *s. f.* difamação

caluniar *v. tr.* ofender com calúnias; difamar

calunioso *adj.* que encerra calúnia

calva *s. f.* **1** parte da cabeça que perdeu o cabelo; careca; **2** área de terreno sem vegetação; clareira

calvário *s. m.* **1** RELIG. representação da crucificação de Jesus; **2** *(fig.)* sofrimento

calvície *s. f.* **1** estado de quem é calvo; **2** queda dos cabelos

calvo *adj.* que não tem cabelo na cabeça ou em parte dela; careca

cama *s. f.* móvel constituído por uma estrutura rectangular (com ou sem pés) sobre o qual se coloca um colchão em que habitualmente se dorme; ***cair/ficar de ~*** adoecer

camada *s. f.* **1** porção de coisas da mesma espécie estendidas uniformemente sobre uma superfície; **2** classe; METEOR. ***~ de ozono*** zona da atmosfera onde existe uma elevada concentração de ozono que impede a passagem da radiação solar ultravioleta

camaleão *s. m.* **1** ZOOL. réptil que pode mudar de cor consoante o ambiente e que tem uma língua longa e pegajosa; **2** *(fig., pej.)* pessoa que muda conforme os seus interesses

câmara I *s. f.* **1** assembleia de legisladores eleitos pelo povo; **2** edifício onde se realizam as sessões de uma assembleia; **3** CIN., TV máquina de filmar; **4** FOT. máquina fotográfica; **II** *s. 2 gén.* profissional que trabalha com uma máquina de filmar; ***~ municipal*** órgão da administração local correspondente ao município

câmara-ardente *s. f.* {*pl.* câmaras-ardentes} sala onde se expõe o corpo do morto antes do funeral

camarada *s. 2 gén.* **1** amigo; **2** colega

camaradagem *s. f.* convivência amigável

câmara-de-ar *s. f.* {*pl.* câmaras-de-ar} tubo circular de borracha que, cheio de ar, se ajusta à volta do aro das rodas das bicicletas, dos automóveis, etc.

câmara de vídeo *s. f.* aparelho que serve para gravar imagens e/ou sons numa fita magnética

camarão *s. m.* ZOOL. crustáceo comestível que tem dez patas

camarário *adj.* municipal

camarata *s. f.* grande quarto de dormir com diversas camas (em colégio, quartel, etc.)

camarim *s. m.* **1** pequeno quarto de vestir; **2** compartimento num teatro onde os actores se caracterizam e vestem

camarote *s. m.* **1** (navio) pequeno quarto para alojamento de oficiais e passageiros; **2** (teatro) compartimento de onde os espectadores podem assistir às representações

cambada *s. f.* **1** grande quantidade de coisas ou pessoas; **2** *(pej.)* gente desprezível

cambalacho *s. m.* **1** vigarice; **2** tramóia

cambalear *v. intr.* caminhar sem firmeza nas pernas

cambalhota *s. f.* movimento giratório do corpo em que os pés passam por cima da cabeça e voltam a tocar no chão, e que pode ou não ser realizado com o apoio da cabeça ou das mãos

cambial *adj. 2 gén.* ECON. relativo ao câmbio

cambiar *v. tr.* trocar (moeda de um país) pela de outro

câmbio *s. m.* **1** troca de valores (dinheiro, letras, metais preciosos) entre dois países; **2** ECON. conversão de certa quantidade de moeda nacional na quantidade equivalente de moeda estrangeira

cameleira *s. f.* BOT. arbusto ou pequena árvore produtora de camélias

camélia *s. f.* BOT. flor da cameleira

camelo *s. m.* ZOOL. grande mamífero, de origem asiática, que possui duas bossas no dorso e é utilizado como animal de carga nos desertos

camião *s. m.* veículo pesado destinado ao transporte de mercadorias

camião-cisterna *s. m.* {*pl.* camiões-cisterna} veículo pesado próprio para o transporte de substâncias líquidas ou gasosas

camilha *s. f.* **1** espécie de canapé de encosto; **2** cama pequena; **3** cobertura para mesa redonda

caminhada *s. f.* **1** acto de caminhar; **2** grande distância percorrida ou para percorrer a pé; **3** passeio a pé

caminhar *v. intr.* percorrer a pé; andar

caminho *s. m.* **1** via de comunicação terrestre; **2** extensão percorrida; **3** passagem; **4** direcção; rumo ❖ ***a ~*** em andamento; ***de ~*** logo; ***ficar pelo ~*** não conseguir atingir um determinado objectivo ou fim; ***levar ~*** perder-se; ***ser meio ~ andado*** estar já resolvido em parte

caminho-de-ferro *s. m.* {*pl.* caminhos-de-ferro} **1** tipo de transporte que emprega vagões que rodam sobre carris; **2** via-férrea

camionagem *s. f.* **1** transporte por camião; **2** custo desse transporte

camioneta *s. f.* **1** veículo ligeiro para transporte de mercadorias; **2** veículo para transporte colectivo de pessoas

camionista *s. 2 gén.* dono ou condutor de camião

camisa *s. f.* **1** peça de vestuário de tecido leve para tronco e braços, geralmente com colarinho e botões à frente; **2** peça de vestuário feminino para dormir, com forma de vestido ou túnica; ***em mangas de ~*** sem casaco

camisa-de-forças *s. f.* {*pl.* camisas--de-forças} camisa com mangas grandes que permitem cruzar e apertar os braços atrás das costas para restringir os movimentos de prisioneiro ou doente agitado
camisa-de-vénus *s. f.* {*pl.* camisas--de-vénus} *(coloq.)* preservativo
camiseiro I *s. m.* **1** fabricante ou negociante de camisas; **2** móvel de gavetas próprio para guardar camisas; **II** *adj.* próprio para camisas
camiseta *s. f.* **1** camisa de manga curta para homem; **2** blusa
camisinha *s. f. (Bras.) (coloq.)* preservativo
camisola *s. f.* **1** peça de roupa de malha que cobre o tronco e os braços e é geralmente usada como agasalho; **2** *(Bras.)* camisa para dormir; **~ *interior*** peça de vestuário interior que cobre o tronco, com ou sem mangas
camisola-amarela *s. 2 gén.* DESP. (ciclismo) corredor que, por ser o primeiro da classificação geral em etapas, veste uma camisola de cor amarela
camomila *s. f.* BOT. nome de algumas plantas muito usadas em infusões ou chás e com aplicação farmacêutica
campa *s. f.* **1** sepultura; **2** pedra que cobre a sepultura
campainha *s. f.* **1** pequeno sino; **2** aparelho sonoro, metálico, de alarme ou chamada
campal *adj. 2 gén.* referente ao campo
campana *s. f.* sino pequeno
campanário *s. m.* parte da torre da igreja em que estão suspensos os sinos
campanha *s. f.* **1** MIL. série de operações militares durante uma guerra; **2** movimento organizado para divulgação ou publicidade de determinado assunto
campânula *s. f.* **1** recipiente de vidro em forma de sino; **2** pequena estufa portátil em forma de sino
campeão *s. m.* DESP. pessoa que venceu um campeonato
campeonato *s. m.* conjunto de provas em que se apura o vencedor geral
campestre *adj. 2 gén.* **1** relativo ao campo; **2** rústico
campina *s. f.* planície extensa, sem povoações nem árvores
campino *s. m.* camponês
campismo *s. m.* actividade que consiste em acampar ao ar livre, em recintos próprios (parques de campismo) ou livremente em locais naturais (campismo selvagem)
campista *s. 2 gén.* pessoa que faz campismo
campo *s. m.* **1** terra de cultivo; **2** aldeia; **3** MIL. acampamento militar; **4** MIL. zona de combate; **5** DESP. área demarcada para jogo; **6** área de actividade ❖ ***pôr em ~*** fazer agir
campo de concentração *s. m.* local onde se mantêm presos de guerra ou presos políticos, geralmente em más condições e sujeitos a trabalhos forçados
camponês *s. m.* pessoa que vive ou trabalha no campo
campónio *s. m. (depr.)* camponês
campus *s. m. 2 núm.* área que compreende os terrenos e os principais edifícios de uma universidade
camuflagem *s. f.* disfarce
camuflar *v. tr.* alterar o aspecto exterior de acordo com o meio ambiente para passar despercebido
camurça *s. f.* **1** ZOOL. mamífero ruminante, com chifres lisos e em forma de gancho nas pontas, que vive nos Alpes, Pirenéus, Grécia, etc.; **2** pele deste animal depois de preparada

cana *s. f.* **1** BOT. planta cultivada em Portugal, útil pelas aplicações do seu colmo; **2** bengala; **3** utensílio de pesca

cana-da-índia *s. f.* {*pl.* canas-da--índia} BOT. planta ornamental de flores vistosas e cores variadas

cana-de-açúcar *s. f.* {*pl.* canas-de--açúcar} BOT. cana originária da Índia, bastante cultivada em certas regiões tropicais e da qual se extrai o açúcar

canadiana *s. f.* **1** muleta metálica; **2** tenda de campismo

canadiano I *s. m.* {*f.* canadiana} pessoa natural do Canadá; **II** *adj.* relativo ao Canadá

canal *s. m.* **1** passagem natural ou artificial de águas; **2** comunicação estreita entre dois mares; **3** estação de rádio ou televisão; **4** ANAT. cavidade estreita e alongada, por onde passam ou onde se alojam certas substâncias, nervos, vasos, etc.

canalha I *s. 2 gén.* pessoa desprezível; patife; **II** *s. f.* **1** *(pop.)* criançada; **2** *(pej.)* gente desprezível

canalização *s. f.* conjunto ou disposição dos canos ou canais que formam um sistema ou rede

canalizador *s. m.* pessoa que faz trabalhos de instalação e reparação de canalizações, assim como de caleiras, aparelhos sanitários, cilindros, máquinas de lavar, etc.

canalizar *v. tr.* **1** abrir ou colocar canos em; **2** conduzir (líquido, fluido) por canos, tubos ou canais; **3** encaminhar

canapé *s. m.* **1** assento com braços e recosto para duas ou mais pessoas; **2** CUL. pequena fatia de pão sobre a qual se colocam molhos, presunto, tomate, etc., e que se serve como aperitivo

canário *s. m.* ZOOL. raça doméstica de pássaros, tipicamente amarelos, muito apreciados pelo seu canto

canasta *s. f.* jogo de cartas em que se utilizam dois baralhos

canastra *s. f.* cesta larga e baixa, com ou sem tampa, feita de vergas ou fasquias de madeira entrançadas

canavial *s. m.* sítio onde crescem canas

cancã *s. f.* dança de movimentos muito rápidos, geralmente executada por mulheres

canção *s. f.* composição musical com letra destinada a ser cantada; **~ *de embalar*** canção para fazer adormecer crianças pequenas

cancela *s. f.* **1** porta gradeada e geralmente de madeira; **2** armação metálica que abre e fecha a passagem de nível do caminho-de-ferro

cancelamento *s. m.* acto de cancelar qualquer coisa; anulação

cancelar *v. tr.* **1** anular; **2** desistir de; **3** fechar (conta, processo)

cancerígeno *adj.* que favorece o desenvolvimento do cancro

canceroso *adj.* **1** MED. da natureza do cancro; **2** MED. que tem cancro

cancioneiro *s. m.* **1** colecção de canções; **2** colecção de antigas canções líricas em português, castelhano e galego; **3** conjunto de canções, do mesmo autor ou de diversos autores, que apresentam semelhanças

cancro *s. m.* MED. tumor maligno, de origem desconhecida, com tendência a destruir os tecidos vizinhos e a espalhar-se

candeeiro *s. m.* aparelho de iluminação, de forma e dimensão variáveis, geralmente alimentado por electricidade

candeia *s. f.* lamparina cuja luz resulta da combustão de um óleo ou petróleo através de um pavio

candelabro *s. m.* **1** castiçal para muitas velas; **2** candeeiro grande
candelária *s. f.* BOT. planta herbácea espontânea e cultivada em Portugal
candente *adj. 2 gén.* **1** que está em brasa; **2** que está muito quente; **3** *(fig.)* ardente
candidatar-se *v. refl.* **1** propor-se como candidato; **2** *(fig.)* oferecer-se; **3** *(fig.)* arriscar-se
candidato *s. m.* **1** pretendente a um emprego ou cargo; **2** pessoa que solicita votos para ser eleita para um cargo
candidatura *s. f.* apresentação ou proposta para escolha de candidato
cândido *adj.* inocente; puro
candonga *s. f.* **1** contrabando; **2** mercado negro
candura *s. f.* **1** brancura; **2** inocência; pureza
caneca *s. f.* recipiente cilíndrico, com uma asa lateral, para beber ou servir líquidos
caneco *s. m.* vasilha tipicamente mais alta e mais estreita que a caneca
canela *s. f.* **1** casca da caneleira, de aroma e sabor agradáveis; **2** pó obtido pela trituração dessa casca, usado em culinária; **3** ANAT. face anterior da perna entre o pé e o joelho; **4** peça das máquinas de costura ou tecelagem onde se enrola o fio ❖ ***dar às canelas*** fugir
canelada *s. f.* pancada na canela da perna
canelado *adj.* estriado
caneleira *s. f.* **1** BOT. árvore cultivada em algumas regiões tropicais, cuja casca, aromática, é a canela; **2** DESP. resguardo usado na canela como protecção contra o choque
caneta *s. f.* utensílio que serve para escrever ou desenhar com tinta ❖ *(pop.)* ***ir-se abaixo das canetas*** não aguentar; desistir
cânfora *s. f.* QUÍM., FARM. substância branca, sólida, cristalina, de cheiro forte, usada na indústria e na medicina
cangalhada *s. f.* **1** objectos sem valor; **2** amontoado de móveis velhos
cangalhas *s. f. pl.* **1** armação para suportar a carga dos animais dos dois lados; **2** *(coloq.)* óculos ❖ ***de ~*** de pernas para o ar
cangalheiro *s. m.* agente funerário
canguru *s. m.* ZOOL. mamífero marsupial da Austrália, cujos membros posteriores e cauda são robustos e longos
cânhamo *s. m.* BOT. planta herbácea útil especialmente pelo óleo e pelas fibras que fornece, sendo as suas folhas secas usadas para obter uma droga (estupefaciente)
canhão *s. m.* **1** MIL. peça de artilharia, de elevado calibre, destinada a projectar granadas; **2** peça da fechadura onde entra a chave; **3** extremidade inferior da manga, quando é sobreposta
canhoto **I** *s. m.* pessoa que trabalha melhor com a mão esquerda; **II** *adj.* esquerdino; esquerdo
canibal *s. 2 gén.* **1** pessoa que come carne humana; **2** animal que come outro da mesma espécie
canibalesco *adj.* próprio de canibal
canibalismo *s. m.* **1** hábito de comer carne humana; **2** acto de um animal comer outro da mesma espécie
caniche *s. m.* ZOOL. cão de água felpudo e frisado
canil *s. m.* lugar onde se alojam cães
canino **I** *s. m.* ANAT. cada um dos dentes situados entre os incisivos e os molares e que têm a função de rasgar os alimentos; **II** *adj.* **1** relativo a cão; **2** próprio de cão; *(fig.)* ***fome canina*** fome insaciável

canivete *s. m.* navalha pequena de lâmina móvel
canja *s. f.* CUL. caldo de galinha com arroz ❖ ***ser ~*** ser coisa fácil
cano *s. m.* **1** tubo para condução de líquidos ou fluidos; **2** tubo por onde sai o projéctil das armas de fogo; **3** parte da bota que reveste a perna
canoa *s. f.* pequena embarcação de pontas aguçadas, geralmente movida a remos
canoagem *s. f.* DESP. actividade que consiste em descer rios, geralmente com rápidos, em canoa ou caiaque
cânone *s. m.* **1** regra geral; **2** padrão; norma
canónico *adj.* conforme ou relativo aos cânones
canonização *s. f.* RELIG. acto de declarar alguém santo
canonizar *v. tr.* RELIG. declarar santo
canoro *adj.* melodioso; suave
cansaço *s. m.* fadiga; fraqueza
cansado *adj.* **1** fatigado; **2** *(fig.)* farto
cansar *v. tr. e refl.* **1** fatigar(-se); **2** aborrecer(-se)
cansativo *adj.* fatigante
canseira *s. f.* **1** fadiga; **2** esforço; **3** aborrecimento
cantão *s. m.* divisão territorial de alguns países europeus
cantar *v. tr. e intr.* emitir, com a voz, sons musicais
cântaro *s. m.* recipiente grande para líquidos ❖ ***chover a cântaros*** chover torrencialmente
cantarolar *v. tr. e intr.* cantar a meia voz
cantata *s. f.* MÚS. composição poética para ser cantada
canteiro *s. m.* pequena área de terreno ajardinado
cântico *s. m.* RELIG. canto consagrado à divindade
cantiga *s. f.* composição popular destinada a ser cantada
cantil *s. m.* pequeno recipiente usado para transporte de líquidos
cantina *s. f.* lugar onde se fornecem refeições em escola, empresa, etc. refeitório
canto *s. m.* **1** esquina; **2** ângulo formado pelo cruzamento de duas linhas ou superfícies; **3** emissão de sons musicais; **4** DESP. (futebol) falta cometida por um jogador ao atirar a bola para lá da linha de fundo da sua equipa ❖ ***ser posto a um ~*** ser desprezado
cantochão *s. m.* MÚS. uma das formas antigas do canto litúrgico; canto gregoriano
cantor *s. m.* **1** pessoa que canta; **2** artista que canta por profissão
canudo *s. m.* **1** tubo comprido e estreito; **2** *(coloq.)* diploma de um curso superior ❖ ***ver por um ~*** ver de longe sem poder alcançar
cão *s. m.* ZOOL. mamífero carnívoro, domesticado e representado por numerosas raças
cão de água *s. m.* ZOOL. cão bem proporcionado, bom nadador, com pêlo abundante e de cor branca, preta ou castanha
cão-guia *s. m.* {*pl.* cães-guias ou cães-guia} ZOOL. cão treinado para conduzir deficientes visuais
cão-polícia *s. m.* {*pl.* cães-polícias ou cães-polícia} ZOOL. cão treinado para auxiliar a polícia
caos *s. m. 2 núm.* desordem; confusão
caótico *adj.* desordenado; confuso
cap. [*abrev. de* **cap**ítulo]
capa *s. f.* **1** peça de vestuário, ampla e sem mangas, que se usa sobre a outra roupa; **2** cobertura de papel ou outro material que envolve e protege um livro ou uma revista;

3 o que envolve ou cobre qualquer coisa; 4 décima primeira letra do alfabeto (k, K); 5 (*fig.*) aparência

capacete *s. m.* cobertura rígida que se destina a proteger a cabeça de pancadas, golpes, etc.; (*coloq.*) ***abanar o ~*** dançar

capacete-azul *s. 2 gén.* {*pl.* capacetes-azuis} MIL. militar ao serviço da Organização das Nações Unidas

capachinho *s. m.* peruca

capacho *s. m.* **1** tapete a que se limpa o calçado; **2** (*fig., pej.*) pessoa servil

capacidade *s. f.* **1** aptidão; talento; **2** volume interior de um recipiente

capacitar **I** *v. tr.* **1** tornar capaz; **2** persuadir; convencer; **II** *v. refl.* convencer-se

capanga *s. m.* (*Bras.*) guarda-costas

capar *v. tr.* castrar (animal)

capataz *s. m.* chefe de um grupo de pessoas que executam trabalhos físicos

capaz *adj. 2 gén.* **1** que tem capacidade; **2** apto; competente

capela *s. f.* igreja pequena

capela-mor *s. f.* {*pl.* capelas-mores} capela que tem o altar-mor

capelão *s. m.* padre encarregado do serviço religioso de uma capela

capicua *s. f.* conjunto de algarismos ou de letras cuja leitura é a mesma quando feita nos dois sentidos

capilar *adj. 2 gén.* **1** relativo ao cabelo; **2** tão fino como um cabelo

capital **I** *s. f.* GEOG. cidade ou povoação onde se situa o governo de uma nação, região ou distrito; **II** *s. m.* ECON. dinheiro ou bens que constituem o fundo ou o património de uma empresa; **III** *adj. 2 gén.* principal; essencial

capitalismo *s. m.* regime económico e social caracterizado pela propriedade individual dos meios de produção e pela fixação livre dos preços

capitalista *s. 2 gén.* **1** pessoa que vive do rendimento de um capital; **2** (*fig.*) pessoa muito rica

capitalizar *v. tr.* ECON. converter em capital (dinheiro)

capitania *s. f.* NÁUT. posto de capitão

capitão *s. m.* **1** MIL. oficial do exército ou da força aérea, cuja insígnia é constituída por três galões estreitos; **2** DESP. chefe de uma equipa ou delegação desportiva

capitel *s. m.* ARQ. parte superior da coluna

capitulação *s. f.* MIL. rendição

capitular *v. intr.* MIL. render-se mediante condições

capítulo *s. m.* cada uma das grandes divisões de um livro, tratado, lei, contrato, etc.

capô *s. m.* tampa que, nos automóveis, protege o motor

capoeira *s. f.* **1** espaço vedado onde se alojam ou criam galinhas, etc.; **2** (*Bras.*) jogo acrobático que combina luta e dança

capota *s. f.* cobertura de certos veículos

capotar *v. intr.* (automóvel, avião) voltar-se com o lado de baixo para cima

capote *s. m.* capa que desce, normalmente, quase até aos pés, com cabeção e capuz

caprichar *v. intr.* **1** ter capricho; **2** esmerar-se

capricho *s. m.* **1** vontade súbita e sem justificação; **2** teima; birra

caprichoso *adj.* birrento; teimoso

capricorniano *s. m.* ASTROL. pessoa que nasceu sob o signo de Capricórnio

Capricórnio *s. m.* **1** ASTRON. décima constelação do zodíaco situada no hemisfério sul; **2** ASTROL. décimo signo do zodíaco (22 de Dezembro a 19 de Janeiro)

cápsula *s. f.* **1** FARM. medicamento revestido por uma película gelatinosa; **2** tampa metálica de garrafa

captar *v. tr.* **1** atrair a si; **2** recolher e conduzir (água); **3** receber (programa); **4** entender; **5** cativar

captura *s. f.* aprisionamento

capturar *v. tr.* prender; aprisionar

capuchinho *s. m.* **1** capuz pequeno; **2** frade franciscano

capuchino *s. m.* bebida quente composta de café e leite espumoso, polvilhada com chocolate em pó ou canela

capuz *s. m.* peça de vestuário para resguardo da cabeça

caquéctico *adj. (pej.)* senil

cara I *s. f.* **1** ANAT. rosto; face; **2** semblante; **3** aspecto; aparência; **4** lado da moeda onde está a efígie, oposto ao cunho; **II** *s. m. (Bras.)* indivíduo; sujeito ❖ ***~ a ~*** frente a frente; ***~ de enterro*** ar triste; ***dar a ~*** assumir a responsabilidade; ***dar de caras com*** encontrar-se subitamente com; ***estar com/fazer ~ de caso*** estar pensativo; ***estar com/ter ~ de poucos amigos*** estar mal-humorado; ***ficar de ~ à banda*** ficar surpreendido; ***quem vê caras não vê corações*** a aparência pode enganar

carabina *s. f.* arma de fogo parecida com a espingarda, mas de comprimento menor

caraças *interj. (coloq.)* exprime ironia, admiração ou impaciência

caracol *s. m.* **1** ZOOL. molusco que tem uma concha em espiral, dois pares de tentáculos na cabeça e se move muito devagar; **2** madeixa de cabelo enrolado em espiral ❖ ***a passo de ~*** muito devagar

carácter *s. m.* **1** sinal gravado ou escrito; **2** PSIC. forma de ser e de agir própria de uma pessoa; **3** natureza; índole

característica *s. f.* propriedade específica de um ser ou de um conjunto de seres

característico *adj.* distintivo; particular

caracterização *s. f.* **1** determinação do carácter; **2** descrição dos traços principais

caracterizar *v. tr.* **1** determinar o carácter de; **2** descrever com exactidão; **3** distinguir

carago *interj. (pop.)* exprime espanto ou impaciência e irritação

caralho I *s. m. (vulg.)* pénis; **II** *interj. (vulg.)* indicativa de espanto, impaciência ou indignação

caramanchão *s. m.* construção ligeira de ripas, ferro ou pedra revestida de plantas trepadeiras, formando cobertura

caramba *interj. (pop.)* exprime espanto ou impaciência e irritação

caramelo *s. m.* **1** açúcar em ponto de rebuçado; **2** guloseima feita com açúcar em ponto de rebuçado e outros ingredientes

cara-metade *s. f.* {*pl.* caras-metades} *(coloq.)* pessoa com quem se namora ou se é casado

caramujo *s. m.* **1** ZOOL. pequeno molusco marinho, comestível e com concha; **2** concha deste molusco; **3** CUL. pastel com a forma da concha deste molusco, recheado de creme

caranguejo *s. m.* ZOOL. crustáceo comestível, de corpo coberto por uma carapaça e com quatro pares de patas

Caranguejo *s. m.* **1** ASTRON. quarta constelação do zodíaco situada no hemisfério norte; **2** ASTROL. quarto signo do zodíaco (21 de Junho a 22 de Julho)

carapaça *s. f.* revestimento duro que protege o corpo de certos animais, como a tartaruga

carapau s. *m*. ZOOL. peixe comestível muito abundante em Portugal; chicharro
carapinha s. *f*. cabelo crespo muito frisado
carapuça s. *f*. barrete de lã ou pano, de forma cónica ❖ ***enfiar a ~*** entender como pessoal uma censura que não é feita directamente; ***qual carapuça!*** exclamação que exprime desacordo ou rejeição
carapuço s. *m*. **1** barrete de lã ou pano, de forma cónica; **2** pequeno saco que serve para filtrar café
caraté s. *m*. vd. **karaté**
caravana s. *f*. **1** veículo sem motor, atrelado a um automóvel, concebido e apetrechado para servir de habitação (cozinha e alojamento); **2** grupo de pessoas que vão juntas a algum lugar
caravela s. *f*. NÁUT. embarcação de velas utilizada nos séculos XV e XVI
carboneto s. *m*. QUÍM. composto binário de carbono
carbono s. *m*. QUÍM. elemento com o número atómico 6 e símbolo C, que constitui a base dos carvões e se encontra em todas as substâncias orgânicas
carbúnculo s. *m*. MED., VET. infecção provocada por diferentes bactérias, que geralmente aparece no gado bovino e nos animais herbívoros, e que pode ser transmitida ao homem por inoculação ou inalação; antraz
carburador s. *m*. aparelho no qual se faz a mistura explosiva, nos motores de combustão interna
carburante s. *m*. combustível para alimentar os motores de explosão
carcaça s. *f*. **1** armação interna que suporta a parte exterior de algo; esqueleto; **2** pão de tamanho médio, oval, e com pontas arredondadas
carcela s. *f*. tira de pano que se ajusta a uma das bandas do vestuário para se abotoar a outra banda onde estão os botões
cárcere s. *m*. **1** cadeia; **2** cela de prisão
carcereiro s. *m*. guarda de prisão
carcinoma s. *m*. MED. tumor maligno com tendência para atingir os tecidos próximos
carcoma s. *m*. **1** ZOOL. pequeno insecto que ataca a madeira, roendo-a; **2** pó da madeira carcomida
carcomer v. *tr*. **1** roer, pulverizando; **2** (*fig*.) destruir; arruinar
carcomido *adj*. **1** roído pelo carcoma; corroído; **2** estragado; apodrecido
carda s. *f*. pequena prancha de madeira com pontas metálicas, usada para cardar
cardápio s. *m*. ementa
cardar v. *tr*. **1** desemaranhar (a lã ou qualquer fio) com a carda; **2** (*coloq*.) roubar (uma pessoa)
cardeal I s. *m*. RELIG. cada um dos bispos que são os principais conselheiros e colaboradores do Papa; **II** *adj*. 2 *gén*. **1** GEOG. designativo de cada um dos quatro pontos principais de orientação; **2** principal
cárdia s. *f*. ANAT. orifício que estabelece a passagem do esófago para o estômago
cardíaco I s. *m*. MED. pessoa que sofre do coração; **II** *adj*. **1** relativo ao coração; **2** MED. (pessoa) que sofre do coração
cardinal *adj*. 2 *gén*. (numeral) que indica quantidade absoluta
cardiograma s. *m*. MED. gráfico que regista os movimentos cardíacos
cardiologia s. *f*. MED. disciplina que trata das doenças do coração
cardiologista s. 2 *gén*. especialista em cardiologia

cardo *s. m.* BOT. planta de folhas espinhosas, frequente em Portugal
cardume *s. m.* **1** conjunto de peixes; **2** *(fig.)* montão
careca I *s. f.* parte da cabeça que perdeu o cabelo; **II** *s. 2 gén.* pessoa com falta total ou parcial de cabelo na cabeça; **III** *adj. 2 gén.* **1** sem cabelo; **2** (pêssego) sem penugem; **3** (pneu) gasto pelo uso ❖ ***descobrir a ~ a*** descobrir os defeitos de (alguém)
carecer *v. intr.* ter falta; precisar
careiro *adj.* que vende por um preço elevado
carência *s. f.* **1** falta daquilo que é necessário; **2** necessidade; **3** privação
carente *adj. 2 gén.* **1** que precisa; que necessita; **2** que tem grande necessidade de carinho
careta I *s. f.* **1** expressão que torna o rosto feio; **2** máscara; **II** *adj. 2 gén.* *(Bras.)* *(coloq.)* tradicional; conservador
carga *s. f.* **1** tudo o que é ou pode ser transportado por pessoa, animal, veículo ou barco; **2** fardo; peso; **3** ELECTR. quantidade de energia eléctrica acumulada num corpo; **4** quantidade de pólvora e projécteis que se mete numa arma de fogo; **5** MIL. ataque a uma posição inimiga ❖ ***por que ~ d'água?*** por que razão?; ***voltar à ~*** insistir
cargo *s. m.* **1** conjunto das funções exercidas; emprego; **2** obrigação; **3** responsabilidade; ***a ~ de*** à responsabilidade de; por conta de
cargueiro *s. m.* NÁUT. navio que apenas transporta mercadorias
cariado *adj.* (dente) que tem cárie
cariar *v. intr.* (dente) criar cárie
carica *s. f.* **1** *(pop.)* cápsula de garrafa; **2** *(pop.)* jogo em que se usam cápsulas de garrafa
caricato *adj.* ridículo; grotesco
caricatura *s. f.* retrato de pessoas ou acontecimentos que acentua ou revela alguns dos seus aspectos cómicos ou ridículos
caricaturar *v. tr.* fazer a caricatura de
caricaturista *s. 2 gén.* artista que faz caricaturas
carícia *s. f.* toque afectuoso ou de carinho; afago
caridade *s. f.* **1** bondade; generosidade; **2** compaixão; **3** acto de benficência
caridoso *adj.* **1** que revela bondade; generoso; **2** que revela compaixão
cárie *s. f.* MED. degradação localizada e progressiva dos dentes, podendo atingir apenas o esmalte, ou também a dentina e a polpa dentária
caril *s. m.* **1** condimento de origem indiana composto de várias especiarias; **2** CUL. molho preparado com este condimento
carimbar *v. tr.* **1** marcar com carimbo; **2** *(fig.)* autenticar
carimbo *s. m.* **1** peça de metal, de madeira, de borracha ou de plástico, que serve para marcar ou autenticar papéis oficiais ou particulares; **2** marca produzida por esta peça
carinho *s. m.* **1** sentimento de ternura; **2** carícia; mimo
carinhoso *adj.* que trata com carinho; meigo; afectuoso
carioca I *s. 2 gén.* *(Bras.)* pessoa natural do Rio de Janeiro; **II** *adj. 2 gén.* *(Bras.)* relativo ao Rio de Janeiro; **III** *s. m.* café enfraquecido com água a ferver; (bebida) ***~ de limão*** chá de casca de limão servido em chávena de café
carisma *s. m.* **1** capacidade de influenciar os outros; **2** magnetismo; **3** qualidade marcante
carismático *adj.* que tem carisma

cariz s. *m.* 1 aparência; aspecto; 2 natureza; 3 METEOR. aspecto da atmosfera

carlinga s. *f.* AERON. parte do avião reservada aos tripulantes e passageiros

carma s. *m.* 1 RELIG. (budismo, hinduísmo) princípio de causalidade que afirma que qualquer acção (boa ou má) gera uma reacção ou consequência; 2 *(fig.)* destino

carmesim *adj. 2 gén. e s. m.* vermelho muito vivo

carmim *adj. 2 gén. e s. m.* vd. **carmesim**

carnal *adj. 2 gén.* 1 relativo a carne; 2 sensual; 3 que é do mesmo sangue

Carnaval s. *m.* dias de festejo anteriores à Quarta-Feira de Cinza

carnavalesco *adj.* relativo ao Carnaval

carne s. *f.* 1 tecido muscular do homem e dos animais; 2 parte comestível de alguns frutos; 3 matéria (em oposição ao espírito) ❖ ***em ~ e osso*** em pessoa; ***em ~ viva*** sem pele; ***ser unha e ~ com alguém*** ser muito amigo de alguém

carneiro s. *m.* 1 ZOOL. mamífero ruminante apreciado pela carne, pêlo (lã) e leite que fornece; 2 carne deste animal

Carneiro s. *m.* 1 ASTRON. primeira constelação do zodíaco situada no hemisfério norte; 2 ASTROL. primeiro signo do zodíaco (21 de Março a 19 de Abril)

carniceiro I s. *m.* negociante de carnes frescas; **II** *adj.* 1 carnívoro; 2 *(fig., pej.)* cruel

carnificina s. *f.* grande matança; chacina

carnívoro *adj.* 1 ZOOL. que se alimenta de carne; 2 BOT. (planta) que se alimenta de pequenos animais que captura

caro I *adj.* 1 de preço elevado; 2 querido; estimado; **II** *adv.* por alto preço

carocha s. *f.* ZOOL. insecto grande, de cor negra ou castanha

caroço s. *m.* 1 parte interna e dura do fruto que contém a semente; 2 *(pop.)* dinheiro

carola I s. *2 gén.* 1 pessoa devota; 2 pessoa que se dedica apaixonadamente a algo; **II** s. *f.* *(coloq.)* cabeça

carolice s. *f.* 1 beatice; 2 dedicação apaixonada a algo

carona s. *f.* *(Bras.)* boleia

carótida s. *f.* ANAT. cada uma das artérias que, da aorta, levam o sangue à cabeça

carpa s. *f.* ZOOL. peixe de água doce, de cor acinzentada, que se alimenta de plantas e pequenos animais

carpete s. *f.* tapete grande usado para proteger e/ou adornar o chão de uma divisão

carpintaria s. *f.* oficina, trabalho ou ofício de carpinteiro

carpinteiro s. *m.* pessoa que constrói ou repara estruturas ou equipamentos de madeira

carpo s. *m.* 1 ANAT. região da mão que corresponde ao pulso; 2 BOT. fruto

carraça s. *f.* ZOOL. animal parasita que suga o sangue de muitos animais e transmite várias doenças

carrada s. *f.* grande porção; ***carradas de*** montes de

carranca s. *f.* 1 cara feia; 2 semblante carregado ou sombrio; 3 máscara

carrancudo *adj.* 1 mal-humorado; trombudo; 2 (tempo) sombrio; escuro

carrapato s. *m.* ZOOL. vd. **carraça**

carrapito s. *m.* pequena porção de cabelo preso no alto da cabeça

carrascão *adj.* (vinho) de má qualidade

carrasco s. *m.* 1 pessoa que executa a pena de morte; 2 *(fig.)* pessoa cruel

carraspana *s. f. (coloq.)* bebedeira
carregado *adj.* **1** que tem ou transporta carga; **2** que recebeu energia eléctrica; **3** que está pronto a disparar; **4** (céu) coberto; **5** (tempo) escuro; sombrio; **6** (cor) forte; **7** carrancudo; **8** (ambiente) tenso; pesado
carregador *s. m.* **1** pessoa que transporta ou carrega mercadoria; **2** pessoa que, nas estações de caminho-de-ferro ou aeroportos, transporta bagagens; **3** dispositivo que contém cartuchos e se adapta a uma arma para a carregar; **4** dispositivo que se liga à corrente para carregar baterias ou pilhas usadas em vários aparelhos (telemóveis, por exemplo)
carregamento *s. m.* **1** acto ou efeito de carregar; **2** carga; **3** operação de embarque de mercadorias
carregar I *v. tr.* **1** meter carga em; **2** transportar; **3** encher; **4** acumular electricidade em; **5** meter pólvora e projécteis em; **II** *v. intr.* **1** exercer pressão; **2** insistir
carreira *s. f.* **1** percurso profissional; **2** fila; fileira; **3** itinerário habitual de certos transportes públicos
carreiro *s. m.* **1** caminho estreito; **2** *(fig.)* via
carril *s. m.* **1** sulco que fazem as rodas do carro; **2** viga de ferro sobre a qual circulam as rodas de certos veículos (comboios, eléctricos, etc.)
carrinha *s. f.* automóvel de média dimensão para transporte de pessoas e/ou carga
carrinho *s. m.* **1** carro pequeno; **2** carro para crianças; **3** cilindro de madeira para linhas
carripana *s. f. (coloq.)* carro velho ou fora de moda
carro *s. m.* **1** veículo de rodas para transporte de pessoas ou coisas; **2** automóvel; viatura; ~ ***alegórico*** veículo enfeitado com figuras ou motivos simbólicos, usado em desfiles de Carnaval; ~ ***de mão*** veículo com um roda dianteira e dois varais, utilizado para transportar areia, entulho, etc. ❖ ***pôr o ~ à frente dos bois*** apressar os acontecimentos
carroça *s. f.* veículo puxado por animais, resguardado por grades e usado para transportar cargas ou pessoas
carroçaria *s. f.* estrutura metálica do automóvel que contém o habitáculo, o compartimento das bagagens e o do motor
carrocel *s. m.* vd. **carrossel**
carro de combate *s. m.* MIL. viatura de guerra armada e blindada, que se desloca sobre lagartas
carro de praça *s. m.* táxi
carro-patrulha *s. m.* {*pl.* carros-patrulha} automóvel utilizado pela polícia para operações de patrulha
carrossel *s. m.* engenho para divertimento, que põe em movimento, em torno de um eixo, veículos ou animais figurados em que as pessoas se sentam ou apoiam
carruagem *s. f.* vagão do comboio para transporte de passageiros
carta *s. f.* **1** escrito que se dirige a alguém; missiva; **2** mapa; **3** cada um dos cartões que formam um baralho; **4** diploma de um curso; **5** documento oficial que contém despacho, provisão ou licença ❖ ***dar cartas*** pôr e dispor à sua vontade
carta aberta *s. f.* carta que se dirige publicamente a alguém por meio de um jornal ou outra publicação
carta-branca *s. f.* {*pl.* cartas-brancas} permissão; plenos poderes
carta de condução *s. f.* documento oficial que reconhece uma pessoa

como capaz de conduzir um ou mais veículos, autorizando-a a fazê-lo

carta verde *s. f.* documento comprovativo de que determinado veículo está seguro

cartão *s. m.* **1** papel muito grosso; **2** cartão-de-visita; **3** pequeno rectângulo de cartolina com a identificação e, por vezes, a fotografia da pessoa que o possui; **4** pequeno rectângulo de plástico que permite à pessoa que o possui fazer diversas operações (levantamentos, depósitos, consultas) nas caixas multibanco ❖ ***não passar ~*** não ligar

cartão de crédito *s. m.* cartão emitido por uma instituição financeira que permite ao utilizador fazer compras e aceder a serviços mediante a sua apresentação, sendo o valor da despesa cobrado mais tarde

cartão-de-visita *s. m.* {*pl.* cartões-de-visita} pequeno cartão com o nome e o endereço de uma pessoa ou de um casal, usado em contactos sociais ou profissionais

cartaz *s. m.* papel que se afixa em lugares públicos, com anúncios, propaganda, programas, etc.

carteira *s. f.* **1** estojo com divisões para guardar papéis, dinheiro, cartões, etc., geralmente transportado no bolso ou dentro da bolsa; **2** mala de mão; **3** mesa inclinada para escrever ou estudar; **4** ECON. conjunto de títulos pertencentes a um investidor

carteira profissional *s. f.* documento oficial para identificação e prova de habilitação profissional do portador

carteirista *s. 2 gén.* ladrão de carteiras

carteiro *s. m.* funcionário dos correios que distribui a correspondência pelos domicílios

cartel *s. m.* **1** escrito ou mensagem que contém provocação; **2** ECON. acordo entre várias empresas de um dado sector que tem por fim obter ou defender o monopólio em determinado mercado; **3** MIL. acordo entre chefes militares em guerra para um fim comum

cartesiano *adj.* de Descartes ou relativo ao seu sistema filosófico

cartilagem *s. f.* ANAT. tecido elástico e resistente que se encontra nas extremidades dos ossos e constitui o esqueleto de certos animais

cartilha *s. f.* **1** livro para aprender a ler; **2** RELIG. catecismo ❖ ***ler pela ~ de*** imitar (alguém) no pensar ou no proceder

cartografia *s. f.* ciência e arte de desenhar, segundo determinados sistemas de projecção e uma escala, a totalidade ou parte da superfície terrestre num plano

cartola *s. f.* **1** chapéu alto, de copa cilíndrica; **2** (*reg.*) bebedeira

cartolina *s. f.* espécie de papelão liso e fino, mais espesso do que o papel

cartomancia *s. f.* suposta adivinhação por meio de cartas de jogar

cartomante *s. 2 gén.* pessoa que pretende adivinhar o futuro por meio das cartas de jogar

cartoon *s. m.* {*pl.* cartoons} desenho humorístico ou satírico publicado normalmente em revistas ou jornais

cartoonista *s. 2 gén.* autor ou desenhador de cartoons

cartório *s. m.* **1** arquivo de documentos públicos; **2** escritório de notário

cartucho *s. m.* **1** saco de papel para embrulhar mercadorias; **2** tubo que contém a carga para as armas de fogo

caruma *s. f.* folhas (agulhas) dos pinheiros, depois de secas e caídas no solo

caruncho *s. f.* **1** ZOOL. insecto que rói a madeira, reduzindo-a a pó; **2** pó produzido pela acção desse insecto na madeira; **3** *(fig.)* velhice

carvalho *s. m.* **1** BOT. árvore ou arbusto, útil especialmente pela madeira e pelo fruto que fornece; **2** madeira desta árvore

carvão *s. m.* **1** substância vegetal ou mineral, sólida, negra, que arde e é obtida por meio de combustão da matéria orgânica; **2** *(fig.)* aquilo que está muito queimado; **3** *(fig.)* coisa muito escura

casa *s. f.* **1** construção destinada a habitação; **2** abertura na roupa onde prende o botão; **3** lugar ocupado por um algarismo em relação a outros do mesmo número; **4** cada uma das divisões da tabuada; **5** firma; empresa ❖ (provérbio) ~ ***roubada, trancas à porta*** providências tomadas depois de o mal ter sucedido

casaca *s. f.* peça do vestuário masculino de cerimónia com abas que descem a partir da cintura ❖ ***cortar na ~ de alguém*** dizer mal de alguém que está ausente; ***virar a ~*** mudar de opinião

casacão *s. m.* casaco grande feito de tecido grosso para usar como agasalho; sobretudo

casaco *s. m.* peça de vestuário com mangas que se usa principalmente como agasalho

casa da moeda *s. f.* estabelecimento do Estado onde se cunha a moeda

casa de banho *s. f.* divisão de uma habitação destinada aos cuidados de higiene

casa de saúde *s. f.* estabelecimento hospitalar, geralmente privado, que recebe doentes mediante pagamento

casado *adj.* que está unido a outra pessoa por casamento; ~ ***de fresco*** recém-casado

casadoiro *adj.* que está em idade de casar

casa-forte *s. f.* {*pl.* casas-fortes} compartimento de paredes espessas e porta segura para guardar valores

casal *s. m.* **1** conjunto de duas pessoas de sexo diferente; **2** marido e mulher; **3** par de namorados; **4** conjunto de macho e fêmea; **5** pequeno povoado

casamata *s. f.* MIL. construção subterrânea abobadada que protege pessoas, material e munições dos projécteis

casamenteiro *s. m.* pessoa que gosta de arranjar casamentos para os outros

casamento *s. m.* **1** união legal entre duas pessoas que pretendem constituir família em conjunto; matrimónio; **2** cerimónia em que se celebra essa união; boda

casa-militar *s. f.* {*pl.* casas-militares} oficiais adjuntos do chefe do Estado

casar I *v. tr.* ligar pelo casamento; **II** *v. intr. e refl.* unir-se com alguém

casarão *s. m.* casa grande

casca *s. f.* revestimento externo dos frutos, das sementes, dos ovos, etc.

casca-grossa *s. 2 gén.* {*pl.* cascas-grossas} *(coloq.)* pessoa de trato rude

cascalho *s. m.* **1** pedra miúda ou partida em lascas; **2** *(coloq.)* dinheiro miúdo

cascar *v. tr. (coloq.)* bater

cascata *s. f.* queda de água por entre rochedos

cascavel I *s. f.* **1** ZOOL. serpente venenosa, americana, que se desloca produzindo um ruído semelhante ao de guizos; **2** *(fig.)* pessoa má; **II** *s. m.* **1** guizo; **2** *(fig.)* coisa de pouco valor

casco *s. m.* **1** revestimento do pé de animais como o cavalo, a vaca, o veado, etc.; **2** esqueleto de uma construção; **3** carcaça de embarcação sem mastros, aparelhos acessórios, etc.; **4** vasilha para vinho ❖ ***cascos de rolha*** lugar muito afastado

casebre *s. m.* casa pequena e degradada

caseiro I *s. m.* **1** pessoa que explora uma propriedade agrícola, pagando uma renda ao respectivo proprietário; **2** aquele que dirige os trabalhos agrícolas de quinta ou herdade mediante um ordenado; **3** inquilino; **II** *adj.* **1** relativo a casa; **2** feito em casa; **3** que gosta de estar em casa

caserna *s. f.* casa onde dormem os soldados dentro de um quartel

casino *s. m.* estabelecimento com salas para jogar, dançar, assistir a espectáculos, etc.

casmurro *adj.* **1** teimoso; **2** triste; taciturno

caso *s. m.* **1** acontecimento; facto; **2** relação amorosa passageira; **3** GRAM. cada uma das formas que uma palavra toma para exprimir, em algumas línguas (latim, alemão, etc.), a função sintáctica que desempenha na frase ❖ ***cara de ~*** aspecto de quem está preocupado; ***~ contrário*** de outro modo; ***em todo o ~*** mesmo assim; ***fazer ~ de*** interessar-se por; ***vir ao ~*** vir a propósito

casório *s. m.* (*pop.*) casamento

casota *s. f.* **1** pequena casa que serve de abrigo para o cão; **2** casa pequena, pobre

caspa *s. f.* escamas finas e brancas que se desprendem especialmente do couro cabeludo

caspiano *adj.* relativo ao mar Cáspio

Cáspio *s. m.* mar situado entre a Europa e a Ásia (é o maior lago salgado do mundo)

casquilho *s. m.* terminal metálico de uma lâmpada, por onde se enrosca no encaixe

cassa *s. f.* tecido de algodão ou linho muito transparente

cassar *v. tr.* tornar sem efeito; anular

cassete *s. f.* pequena caixa que contém fita magnética em que se registam sons (cassete áudio) ou imagens e sons (videocassete) que se podem reproduzir num aparelho de leitura

cassetete *s. m.* cacete curto, de madeira ou de borracha, com alça numa das extremidades

Cassiopeia *s. f.* ASTRON. constelação vizinha do Pólo Norte, com cinco estrelas muito visíveis, em forma de W, e outras menos visíveis

casta *s. f.* **1** grupo de animais ou vegetais que se distinguem de outros da mesma espécie; **2** grupo social fechado sobre si; **3** classe de cidadãos que goza de privilégios especiais; **4** (*fig.*) qualidade; natureza

castanha *s. f.* BOT. fruto produzido por várias árvores, especialmente, em Portugal, pelo castanheiro

castanheiro *s. m.* BOT. árvore de grande porte, produtora de frutos comestíveis (castanhas) e madeira

castanho I *s. m.* **1** madeira do castanheiro; **2** cor da casca da castanha madura; **II** *adj.* que tem a cor da casca da castanha madura

castanholas *s. f. pl.* MÚS. instrumento de percussão, composto de duas peças de madeira ou marfim em forma de concha, ligadas por cordel aos dedos que as fazem bater uma contra a outra

castelhano I *s. m.* {*f.* castelhana} **1** pessoa natural de Castela; **2** língua falada em Espanha e em alguns países da América Latina; **II** *adj.* relativo a Castela

castelo *s. m.* construção em lugar elevado, com muralhas e torres, destinada à defesa de uma posição estratégica; fortaleza ❖ ***castelos no ar*** fantasias

castiçal *s. m.* utensílio que serve para segurar uma ou mais velas

castiço *adj.* **1** (animal) de raça; **2** puro; genuíno; **3** típico; **4** *(coloq.)* engraçado

castidade *s. f.* **1** abstenção de praticar actos sexuais; **2** pureza

castigar *v. tr.* **1** aplicar castigo a; punir; **2** repreender

castigo *s. m.* pena ou obrigação que alguém tem de cumprir por ter feito alguma coisa considerada condenável; punição

casting *s. m.* {*pl.* castings} CIN., TEAT., TV processo de escolha dos actores para filme, peça ou programa

casto *adj.* **1** que se abstém de actos sexuais; **2** puro

castor *s. m.* **1** ZOOL. mamífero roedor, anfíbio, com pêlo castanho, que habita especialmente o Norte da Europa e da América; **2** pele deste animal

castração *s. f.* **1** extracção dos órgãos reprodutores; **2** *(fig.)* repressão

castrar *v. tr.* **1** extrair os órgãos reprodutores a; **2** *(fig.)* reprimir

castro *s. m.* HIST. lugar fortificado das épocas pré-romana e romana, na Península Ibérica

casual *adj. 2 gén.* que depende do acaso; acidental; eventual

casualidade *s. f.* eventualidade; acaso

casulo *s. m.* **1** cobertura composta de fios muito finos tecida pela larva do bicho-da-seda e de outros insectos; **2** BOT. cápsula que envolve as sementes

cata *s. f.* procura; busca; pesquisa; ***andar à ~ de*** andar à procura de

cataclismo *s. m.* **1** GEOL. transformação de grandes proporções da crosta terrestre; **2** grande inundação; **3** convulsão social

catacumbas *s. f. pl.* HIST. galerias subterrâneas onde os primeiros cristãos enterravam os seus mortos e se reuniam

catalão I *s. m.* {*f.* catalã} **1** pessoa natural da Catalunha; **2** língua falada na Catalunha; **II** *adj.* relativo à Catalunha

catalisador *s. m.* QUÍM. substância que modifica a velocidade das reacções químicas

catalisar *v. tr.* QUÍM. alterar a velocidade de (reacção química)

catálise *s. f.* QUÍM. alteração da velocidade de uma reacção química por acção de uma substância própria

catalogar *v. tr.* inscrever, ordenar ou enumerar em catálogo

catálogo *s. m.* lista ordenada de coisas ou pessoas, geralmente com alguma informação a respeito de cada uma

catamarã *s. m.* NÁUT. barco formado por dois cascos unidos entre si por uma plataforma ao nível do convés

cataplasma *s. f.* FARM. massa medicamentosa que se aplica sobre a pele

catapulta *s. f.* antigo engenho de guerra usado para lançar projécteis

catapultar *v. tr.* **1** MIL. lançar com catapulta; **2** *(fig.)* impulsionar; **3** *(fig.)* promover

catar *v. tr.* **1** procurar parasitas (pulgas, piolhos) em; **2** pesquisar minuciosamente; **3** estar à espreita de

catarata *s. f.* **1** queda de água de um rio ou lago que se precipita de grande altura; **2** MED. doença dos olhos que impede de ver com clareza e pode levar à cegueira

catarro *s. m.* MED. muco originado pela inflamação das mucosas

catarse *s. f.* PSIC. libertação de emoções e tensões que se encontram ao nível do inconsciente

catástrofe *s. f.* acontecimento desastroso que envolve morte e destruição; grande desgraça
catastrófico *adj.* **1** relativo a catástrofe; **2** desastroso
catatua *s. f.* ZOOL. ave do grupo dos papagaios, que habita a Índia, Malásia, etc.
cata-vento *s. m.* {*pl.* cata-ventos} **1** utensílio constituído por uma lâmina metálica enfiada numa haste, que serve para indicar a direcção do vento; **2** *(fig.)* pessoa que muda muitas vezes de opinião
catecismo *s. m.* RELIG. livro onde se expõem princípios elementares para instrução religiosa
cátedra *s. f.* **1** cargo de professor catedrático de uma cadeira universitária; **2** disciplina ou matéria ensinada por esse professor
catedral *s. f.* igreja principal de uma diocese; sé
catedrático **I** *adj.* relativo a cátedra; **II** *s. m.* **1** (ensino superior) último grau da carreira docente; **2** (ensino superior) professor encarregado da orientação pedagógica e científica de uma disciplina, de um grupo de disciplinas ou de um departamento
categoria *s. f.* **1** classe; grupo; **2** posição na hierarquia social ou administrativa ❖ ***de ~*** de excelente qualidade
categórico *adj.* **1** decisivo; **2** explícito; claro
catequese *s. f.* RELIG. ensino da doutrina da Igreja, feito em regime escolar próprio
catequista *s. 2 gén.* RELIG. pessoa que ensina uma doutrina religiosa
cateto *s. m.* GEOM. cada um dos lados do ângulo recto de um triângulo rectângulo
catita *adj. 2 gén.* bem arranjado; elegante
cativante *adj. 2 gén.* que inspira simpatia; atraente
cativar *v. tr.* ganhar a simpatia de; encantar; seduzir
cativeiro *s. m.* **1** lugar onde se está preso; prisão; **2** escravidão
cativo *adj.* **1** preso; **2** seduzido; atraído
catolicismo *s. m.* religião cristã que reconhece o Papa como chefe e venera os santos
católico **I** *s. m.* pessoa que segue o catolicismo; **II** *adj.* **1** que professa o catolicismo; **2** *(pop.)* de boa saúde; **3** *(pop.)* bem-disposto
catorze **I** *num. card.* dez mais quatro; **II** *s. m.* o número 14 e a quantidade representada por esse número
catraia *s. f.* **1** barco pequeno tripulado por uma só pessoa; **2** *(coloq.)* rapariga
catraio *s. m.* rapaz; garoto
catrapus *interj.* imitativa do som de uma queda repentina
caturra *adj. e s. 2 gén.* **1** que ou pessoa que é teimosa; **2** que ou pessoa que é antiquada
caução *s. f.* valor aceite como garantia do cumprimento de uma obrigação; penhor
caucasiano *s. m.* **1** pessoa oriunda da região do Cáucaso; **2** (divisão étnica) pessoa branca
cauda *s. f.* **1** extremidade posterior, mais ou menos longa, do corpo de alguns animais; rabo; **2** parte traseira de um manto ou vestido que se arrasta pelo chão; **3** rasto luminoso dos cometas; **4** conjunto de pessoas ou coisas que estão em último lugar
caudal **I** *s. m.* **1** corrente de um rio; **2** torrente; **II** *adj. 2 gén.* relativo a cauda
caule *s. m.* BOT. parte do eixo de uma planta, que normalmente suporta as folhas

causa *s. f.* **1** motivo; razão; origem; **2** conjunto dos interesses defendidos; ideal; **3** DIR. acção judicial ❖ ***em ~*** em questão; ***por ~ de*** devido a

causador *s. m.* pessoa que origina um acontecimento; agente

causal *adj. 2 gén.* **1** relativo a causa; **2** GRAM. que exprime causa

causalidade *s. f.* **1** qualidade do que é causal; **2** ligação entre causa e efeito

causar *v. tr.* ser causa de; provocar; originar

cáustico I *s. m.* substância que queima tecidos orgânicos; **II** *adj.* **1** (substância) que destrói tecidos orgânicos; corrosivo; **2** *(fig.)* sarcástico; mordaz

cautela *s. f.* **1** cuidado para evitar um mal; prevenção; **2** fracção de bilhete da lotaria; **3** senha de penhor ❖ ***à ~*** como precaução

cauteleiro *s. m.* pessoa que vende cautelas da lotaria

cauteloso *adj.* prudente; cuidadoso

cauto *adj.* vd. **cauteloso**

cava *s. f.* **1** operação de cavar; **2** abertura no vestuário, onde se pregam as mangas; **3** decote

cavaca *s. f.* **1** lasca de lenha; **2** CUL. biscoito revestido de calda de açúcar

cavaco *s. m.* **1** lasca de lenha; **2** *(coloq.)* coversa amigável e despreocupada ❖ *(coloq.)* ***não dar ~*** não prestar atenção

cavado *adj.* **1** escavado; **2** fundo; **3** côncavo

cavala *s. f.* ZOOL. peixe comestível, de cor azul esverdeada, comum em Portugal

cavalaria *s. f.* **1** conjunto de cavalos; **2** força militar composta por soldados a cavalo; **3** equitação ❖ ***meter-se em altas cavalarias*** tentar empreendimentos superiores às suas forças ou aos seus recursos intelectuais

cavalariça *s. f.* local onde se recolhem e abrigam cavalos

cavaleiro *s. m.* **1** pessoa que sabe e costuma andar a cavalo; **2** militar pertencente à cavalaria

cavalete *s. m.* **1** suporte que serve para sustentar objectos à altura requerida; **2** estrutura que serve de apoio a uma tela ou outra base de pintura e a desloca à altura pretendida

cavalgada *s. f.* **1** passeio a cavalo; **2** grupo de pessoas a cavalo

cavalgadura *s. f.* **1** animal que se monta; **2** *(fig., pej.)* pessoa estúpida

cavalgar I *v. intr.* montar a cavalo; **II** *v. tr.* **1** montar; **2** saltar por cima de

cavalheiresco *adj.* próprio de cavalheiro; cortês

cavalheiro *s. m.* **1** homem de boas acções e sentimentos nobres; **2** indivíduo cortês

cavalitas *elem. da loc. adv.* ***às ~*** às costas; sobre os ombros

cavalo *s. m.* **1** ZOOL. mamífero grande, com crina, veloz, muito usado para transporte de carga ou em desportos como a equitação ou o pólo; **2** DESP. aparelho constituído por uma parte cilíndrica forrada, assente em quatro pés, utilizado para exercícios de salto; **3** (xadrez) peça que só pode ser movida em L; **4** FÍS. unidade de potência expressa em watts ❖ ***passar/ir de ~ para burro*** ficar numa situação pior

cavalo-de-batalha *s. m.* {*pl.* cavalos--de-batalha} argumento a que se dá muita importância

cavalo-marinho *s. m.* {*pl.* cavalos--marinhos} ZOOL. pequeno peixe que nada em posição vertical e cujo perfil se assemelha ao do cavalo

cavalo-vapor *s. m.* {*pl.* cavalos--vapor} FÍS. unidade de potência equivalente a 736 watts

cavaqueira *s. f.* conversa amena e prolongada
cavaquinho *s. m.* MÚS. pequeno instrumento de quatro cordas
cavar *v. tr.* **1** abrir ou revolver (a terra) com enxada ou sacho; **2** tirar da terra
cave *s. f.* **1** compartimento de uma casa abaixo do nível da rua; **2** adega
caveira *s. f.* **1** crânio e ossos da face sem carne; **2** *(fig.)* rosto magro e pálido
caverna *s. f.* cavidade subterrânea; gruta
cavernoso *adj.* **1** cheio de cavernas; **2** semelhante a caverna
caviar *s. m.* CUL. iguaria composta de ovos salgados de esturjão
cavidade *s. f.* **1** espaço cavado ou vazio de um corpo sólido; **2** cova; buraco
cavilha *s. f.* **1** prego de madeira ou de metal usado para tapar um orifício ou ainda para juntar ou segurar peças; **2** peça, nos instrumentos de corda, onde se enrolam as cordas
cavo *adj.* **1** côncavo; fundo; **2** vazio; oco; **3** (som) rouco
caxemira *s. f.* pano fino de lã
cd FÍS. [*símbolo de* **candela**]
Cd QUÍM. [*símbolo de* **cádmio**]
CD INFORM., MÚS. [*sigla de* **c**ompact **d**isc] disco compacto
CD-I INFORM. [*sigla de* **c**ompact **d**isc **i**nteractive] disco compacto interactivo
CD-R INFORM. [*sigla de* **c**ompact **d**isc **r**ecordable] disco compacto gravável
CD-ROM INFORM. [*sigla de* **c**ompact **d**isc – **r**ead **o**nly **m**emory] disco compacto para armazenamento e leitura de informação
Ce QUÍM. [*símbolo de* **cério**]
CE (União Europeia) [*sigla de* **C**omissão **E**uropeia]
cear I *v. intr.* comer a ceia; **II** *v. tr.* comer à ceia
cebola *s. f.* **1** BOT. planta herbácea de bolbo carnudo, comestível, de cheiro forte e picante; **2** bolbo desta planta, utilizado em culinária; **3** *(coloq.)* relógio de bolso, antigo e grande; **4** *(coloq.)* relógio que não é fiável, por não funcionar bem
cebolada *s. f.* CUL. molho feito de cebolas alouradas em gordura
cebolinho *s. m.* BOT. planta da cebola, antes da formação do bolbo
ceco *s. m.* ANAT. parte inicial e alargada do intestino grosso; cego
ceder I *v. tr.* **1** desistir de um direito em favor de outrem; **2** pôr (algo) à disposição de alguém; **3** deixar; **4** renunciar a; **II** *v. intr.* **1** não resistir; **2** conceder; **3** chegar a acordo; **4** sujeitar-se
cedilha *s. f.* sinal que se põe sob o c (ç), antes de *a*, *o* e *u*, para pronunciar s
cedo *adv.* **1** antes do tempo próprio; **2** depressa; **3** de madrugada ❖ ***mais ~ ou mais tarde*** inevitavelmente
cedro *s. m.* **1** BOT. árvore de grande porte, de madeira aromática; **2** madeira dessa árvore
cédula *s. f.* **1** documento escrito para ter efeitos legais; **2** declaração de dívida sem carácter legal; **3** título de dívida pública
CEE [*sigla de* **C**omunidade **E**conómica **E**uropeia]
cefaleia *s. f.* MED. dor de cabeça
cefálico *adj.* MED. relativo ao encéfalo
cegar I *v. tr.* **1** privar da vista; **2** *(fig.)* deslumbrar; **II** *v. intr.* ficar cego
cegas *elem. da loc. adv.* **às ~** sem saber por onde
cego I *s. m.* **1** pessoa que não vê; **2** ANAT. parte inicial do intestino grosso; ceco; **II** *adj.* **1** que não vê; **2** *(fig.)* deslumbrado; **3** *(fig.)* ignorante

cegonha *s. f.* **1** ZOOL. ave grande, de asas largas, plumagem branca ou negra, bico vermelho comprido e patas altas e esguias; **2** engenho de tirar água a pouca profundidade
cegueira *s. f.* **1** estado de quem é cego, ou privado do sentido da visão; **2** *(fig.)* ignorância; **3** *(fig.)* ilusão; **4** *(fig.)* falta de bom senso; **5** *(fig.)* paixão violenta
cegueta *adj. e s. 2 gén. (coloq.)* que ou pessoa que vê mal; pitosga
ceia *s. f.* **1** refeição tomada à noite e que é a última do dia; **2** refeição leve depois da meia-noite
ceifa *s. f.* **1** AGRIC. colheita dos cereais; **2** época do ano em que se faz esta colheita
ceifar *v. tr. e intr.* AGRIC. cortar cereais com uma foice ou outro instrumento apropriado; segar
ceifeira *s. f.* máquina de ceifar
ceifeiro *s. m.* pessoa que ceifa
cela *s. f.* **1** quarto individual na prisão; **2** aposento de um religioso, no convento
celebração *s. f.* **1** acto de celebrar; **2** comemoração; festa
celebrar *v. tr.* **1** comemorar (data ou acontecimento) através de uma festa ou cerimónia; **2** estabelecer; concluir (contrato, acordo); **3** exaltar os méritos de; **4** RELIG. dizer; rezar (missa)
célebre *adj. 2 gén.* **1** que é muito conhecido; **2** notável
celebridade *s. f.* **1** fama; **2** pessoa muito conhecida
celebrizar *v. tr.* **1** tornar célebre, notável; **2** comemorar
celeiro *s. m.* casa onde se juntam ou guardam cereais
celeste *adj. 2 gén.* **1** próprio do céu; **2** da cor do céu; **3** sobrenatural; **4** divino; **5** *(fig.)* perfeito
celestial *adj. 2 gén.* **1** próprio do céu; **2** divino
celeuma *s. f.* **1** barulho das vozes de pessoas que trabalham juntas; **2** algazarra; **3** debate aceso
celibatário *s. m.* pessoa que permanece solteira
celibato *s. m.* estado da pessoa adulta que, por opção, não casou
celofane *s. m.* película transparente e de várias cores, utilizada, geralmente em folhas muito finas, como invólucro impermeável e para outros fins
Celsius *adj.* FÍS. diz-se da escala de temperatura em que 0 °C é a temperatura de fusão do gelo, e 100 °C a temperatura de ebulição da água
celta I *adj. 2 gén.* relativo aos povos da Antiguidade que ocuparam a Bretanha e as Ilhas Britânicas; **II** *s. 2 gén.* pessoa pertencente a um desses povos; **III** *s. m.* ramo de línguas indo-europeias faladas por esses grupos; gaélico
célula *s. f.* **1** pequena cela; **2** BIOL. elemento anatómico que é a unidade morfológica dos seres vivos; **3** pequeno compartimento onde se isola o condenado a pena maior; **4** alvéolo dos favos de uma colmeia; **5** pequena cavidade; cubículo
celular I *adj. 2 gén.* **1** relativo a célula; **2** formado por células; **II** *s. m. (Bras.)* telemóvel
celulite *s. f.* MED. alteração visível da pele ou do tecido conjuntivo, geralmente subcutâneo
celulóide *s. f.* QUÍM. material plástico fabricado a partir da cânfora e da nitrocelulose
celulose *s. f.* BIOL. nome genérico de vários glícidos constituintes das membranas das células vegetais e que são substâncias fundamentais de diversas indústrias químicas

cem I *num. card.* noventa mais dez; II *s. m.* o número 100 ou a quantidade representada por esse número

cemitério *s. m.* recinto destinado à sepultura dos defuntos

cena *s. f.* 1 parte do teatro onde os actores representam para o público; palco; 2 divisão de um acto de peça teatral; 3 situação; acontecimento ❖ ***entrar em ~*** intervir; ***fazer cenas*** dar escândalo

cenário *s. m.* 1 decoração do espaço de representação numa peça de teatro, num filme, etc.; 2 lugar onde se desenrola a acção (ou parte da acção) de uma peça teatral, de um filme, etc.; 3 situação; panorama

cénico *adj.* relativo a cena ou a cenário

cenografia *s. f.* 1 arte de pintar as decorações de um teatro; 2 arte de pintar segundo as regras da perspectiva

cenoura *s. f.* 1 BOT. planta herbácea cultivada especialmente pelo valor nutritivo da raiz; 2 raiz desta planta, de forma alongada e estreita, cor alaranjada, utilizada na alimentação

Cenozóico *s. m.* GEOL. era actual da história da Terra, caracterizada pelo grande desenvolvimento dos mamíferos e das plantas

censo *s. m.* enumeração estatística dos indivíduos, das empresas, das habitações ou de outras características de interesse de um país ou região; recenseamento

censor *s. m.* pessoa que censura; crítico

censura *s. f.* 1 condenação; crítica; repreensão; 2 exame crítico de um texto, filme ou qualquer obra, no sentido de banir ou cortar o que não segue as normas políticas, morais ou religiosas

censurar *v. tr.* 1 criticar; condenar; repreender; 2 examinar (texto, filme, etc.) banindo ou cortando o que não segue as normas políticas, morais ou religiosas

cent *s. m.* {*pl.* cents} cada uma das cem subunidades em que se divide o euro

centavo *s. m.* centésima parte do escudo, antiga unidade monetária de Portugal (substituída pelo euro em 1999)

centeio *s. m.* BOT. planta herbácea, em forma de espiga alongada, cujo grão se reduz a farinha para fazer pão

centelha *s. f.* 1 partícula luminosa que se desprende de um corpo em brasa; 2 faísca; 3 (*fig.*) inspiração

centena *s. f.* MAT. grupo de cem unidades

centenário I *s. m.* 1 pessoa com cem ou mais anos; 2 comemoração secular; II *adj.* 1 que tem cem anos; 2 secular

centesimal *adj. 2 gén.* 1 diz-se de uma divisão em cem partes iguais; 2 diz-se da fracção cujo denominador é cem; 3 relativo a centésimo

centésimo I *num. ord.* que, numa sequência, ocupa a posição imediatamente a seguir à nonagésima nona; II *num. frac.* que resulta da divisão de um todo por cem; III *s. m.* 1 o que, numa série, ocupa o lugar correspondente ao número 100; 2 (*fig.*) espaço de tempo muito reduzido

centígrado *adj.* dividido em cem graus

centigrama *s. m.* centésima parte do grama

centilitro *s. m.* centésima parte do litro

centímetro *s. m.* centésima parte do metro

cêntimo *s. m.* **1** cada uma das cem subunidades em que se divide o euro; **2** centésima parte da unidade monetária de vários países

cento *s. m.* grupo de cem unidades; centena

centopeia *s. f.* ZOOL. insecto com a cabeça distinta do corpo, o qual está dividido em anéis com um par de patas cada um

central I *adj. 2 gén.* **1** que fica no centro; **2** relativo ao centro; **3** fundamental; essencial; **II** *s. f.* **1** repartição que constitui o centro de uma organização; **2** reunião de geradoras (de electricidade, de calor, de energia atómica, etc.) que alimenta grande número de consumidores

centralização *s. f.* acto ou efeito de reunir num centro comum; concentração

centralizar *v. tr.* reunir num centro comum; concentrar

centrar *v. tr.* **1** determinar o centro de; **2** atirar para o centro; **3** reunir num centro comum; **4** colocar no centro

centrifugador *s. m.* dispositivo para provocar a centrifugação

centrifugadora *s. f.* máquina que permite separar sólidos existentes em suspensão nos líquidos

centrifugar *v. tr.* separar (os elementos de uma mistura), submetendo-os a um movimento de rotação rápido

centrífugo *adj.* que se afasta ou tende a afastar-se do centro

centro *s. m.* **1** ponto que fica no meio; **2** lugar de convergência; **3** núcleo; **4** parte mais activa de uma cidade, vila, etc.; **5** sociedade; clube; **6** POL. conjunto dos lugares ou dos deputados que, num assembleia, estão associados à orientação política situada entre a direita e a esquerda

centro comercial *s. m.* recinto coberto, geralmente de grandes proporções, onde se encontram reunidas diversas lojas e serviços (cinemas, agências bancárias, etc.) e que dispõe normalmente de parque de estacionamento

centuplicar *v. tr.* **1** multiplicar por cem; **2** *(fig.)* aumentar muito

cêntuplo I *num. mult.* que contém cem vezes a mesma quantidade; **II** *adj.* que é cem vezes maior; **III** *s. m.* valor ou quantidade cem vezes maior

cepa *s. f.* videira ou o seu tronco ❖ ***não passar/sair da ~ torta*** não evoluir

cepo *s. m.* **1** pedaço de um tronco cortado transversalmente; **2** *(fig., pej.)* pessoa estúpida; **3** *(fig., pej.)* pessoa pouco ágil

cepticismo *s. m.* tendência para duvidar de tudo; descrença

céptico *s. m.* pessoa que adopta uma atitude incrédula em relação a um domínio do conhecimento ou a um dogma

ceptro *s. m.* bastão que simboliza a autoridade real

cera *s. f.* **1** substância gorda segregada pelas abelhas e com que elas constroem os favos de mel; **2** produto usado para dar lustro e conservar materiais como a madeira; **3** ANAT. cerume ❖ ***fazer ~*** fingir que se trabalha; mandriar

cerâmica *s. f.* **1** arte de fabricar louça de barro; olaria; **2** conjunto de objectos de barro cozido

cerâmico *adj.* relativo à cerâmica

cerca I *s. f.* **1** muro ou sebe que rodeia um terreno; **2** terreno vedado por muro ou sebe; **II** *elem. da loc. prep.* ***~ de*** à volta de; perto de

cercado I *s. m.* terreno rodeado de cerca ou sebes; **II** *adj.* **1** rodeado; **2** murado; **3** vedado

cercanias *s. f. pl.* arredores; vizinhanças
cercar *v. tr.* **1** pôr cerca a; **2** murar; **3** pôr cerco a; sitiar; **4** rodear; **5** perseguir por todos os lados
cerco *s. m.* **1** acto de cercar; **2** MIL. disposição de tropas em redor de uma posição inimiga; sítio; **3** aquilo que circunda; **4** bloqueio
cerda *s. f.* pêlo rijo, áspero, como o do porco, javali, etc.
cereal I *adj. 2 gén.* **1** que produz pão; **2** relativo às searas; **II** *s. m.* **1** planta cujo fruto é um grão que pode ser ou não reduzido a farinha, e é utilizado na alimentação; **2** fruto dessa planta; **3** [*pl.*] flocos preparados com grãos daquela planta, que se tomam geralmente acompanhados de leite ou iogurte
cerebelo *s. m.* ANAT. parte posterior do encéfalo, que é responsável pela coordenação muscular e pela manutenção do equilíbrio
cerebral *adj. 2 gén.* relativo ao cérebro
cérebro *s. m.* **1** ANAT. órgão situado na parte anterior e superior do encéfalo, responsável pelas funções psíquicas e nervosas e pela actividade intelectual; **2** *(fig.)* pensamento; **3** *(fig.)* juízo; **4** *(fig.)* inteligência
cérebro electrónico *s. m.* aparelho destinado ao tratamento de informação e que efectua a grande velocidade operações complexas de acordo com um programa
cerefolho *s. m.* BOT. planta herbácea, cujas pequenas folhas são utilizadas como condimento
cereja *s. f.* BOT. fruto da cerejeira, redondo e liso, em vários tons de vermelho e por vezes amarelo, com caroço e uma parte carnuda comestível
cerejeira *s. f.* BOT. árvore de flores claras que se apresentam em pequenos ramos, e que produz a cereja
cerimónia *s. f.* **1** conjunto de actos formais que têm lugar numa festa, num acontecimento solene, etc.; **2** conjunto de formalidades convencionais usadas na vida social; etiqueta; **3** acanhamento ❖ ***sem ~*** à vontade
cerimonial I *s. m.* conjunto de formalidades e preceitos que se devem observar numa solenidade; protocolo; **II** *adj. 2 gén.* relativo a cerimónia
cerimonioso *adj.* que usa de cerimónias; formal
cério *s. m.* QUÍM. elemento com características metálicas, com o número atómico 58 e símbolo Ce
cerne *s. m.* **1** parte central, a mais rija e mais escura, do tronco das árvores; **2** parte central, essencial de algo
ceroulas *s. f. pl. (ant.)* peça de vestuário masculino usada por baixo das calças
cerrado *adj.* **1** fechado; **2** denso; compacto; **3** escuro; **4** (pronúncia) difícil de perceber
cerrar *v. tr.* **1** fechar; **2** vedar; tapar; **3** unir fortemente; **4** concluir; terminar
certame *s. m.* concurso artístico em que os participantes competem para conseguir um prémio
certeiro *adj.* **1** que acerta em cheio; **2** exacto; **3** adequado
certeza *s. f.* **1** qualidade do que é certo; **2** evidência; coisa certa; **3** firmeza; convicção ❖ ***de/com ~*** sem dúvida
certidão *s. f.* documento legal em que se certifica um facto (nascimento, morte, etc.); atestado
certificação *s. f.* **1** reconhecimento da verdade; **2** afirmação da exactidão de algo

certificado I *s. m.* documento passado por uma entidade oficial ou repartição pública para provar um facto ou uma situação pessoal; II *adj.* dado como certo; garantido

certificar I *v. tr.* 1 dar por certo; afirmar; 2 passar certidão de; II *v. refl.* ter a certeza; assegurar-se

certo I *adj.* 1 que é verdadeiro; em que não há erro; 2 exacto; 3 que não falha; garantido; 4 convencido; II *det. indef.* não determinado; um; algum; qualquer; III *s. m.* 1 o que não levanta dúvidas; 2 o que vai acontecer de certeza; IV *adv.* 1 com certeza; 2 correctamente ❖ ***ao ~*** com exactidão; ***bater ~*** fazer sentido; ***dar ~*** resultar; ***por ~*** sem dúvida

cerume *s. m.* ANAT. substância amarela, semelhante à cera das abelhas, segregada no ouvido externo dos mamíferos

cerveja *s. f.* bebida alcoólica obtida por fermentação da cevada ou outros cereais

cervejaria *s. f.* 1 fábrica ou estabelecimento de venda de cerveja; 2 estabelecimento comercial onde se servem bebidas, especialmente cerveja, e comida

cervical *adj. 2 gén.* 1 relativo à parte posterior do pescoço; 2 relativo ao colo do útero

cerviz *s. f.* ANAT. parte posterior do pescoço

cervo *s. m.* ZOOL. mamífero ruminante, de pêlo castanho-claro, com chifres quando adulto; veado

cerzir *v. tr.* coser sem deixar sinal da costura

césar *s. m.* 1 HIST. título dos imperadores romanos; 2 CIN. prémio de cinema atribuído anualmente no festival de Cannes

cesariana *s. f.* MED. operação cirúrgica para extrair o feto do ventre da mãe

césio *s. m.* QUÍM. elemento pertencente ao grupo dos metais alcalinos com o número atómico 55 e símbolo Cs

cessante *adj. 2 gén.* 1 que termina; 2 que deixa de exercer uma função para a qual foi nomeado ou eleito; 3 que deixa de estar em vigor

cessar I *v. tr.* interromper; suspender; II *v. intr.* deixar de existir; acabar ❖ ***sem ~*** continuamente

cessar-fogo *s. m. 2 núm.* MIL. interrupção ou fim das hostilidades entre nações ou partidos em guerra

cesta *s. f.* peça de vime, com ou sem asa, para transportar pequenos objectos

cesto *s. m.* 1 cesta grande; 2 DESP. rede de malha sem fundo, presa por um aro a uma estrutura vertical, por onde passa a bola no jogo de basquetebol; 3 DESP. ponto ou pontos marcados ao fazer passar a bola por esta rede no basquetebol

cesura *s. f.* LIT. pausa métrica no interior do verso

cetáceo *s. m.* ZOOL. animal do grupo de mamíferos adaptados ao meio aquático, a que pertencem as baleias e os golfinhos

cetim *s. m.* tecido de seda ou algodão, macio e lustroso

céu *s. m.* 1 espaço infinito onde giram os astros; firmamento; 2 espaço limitado pela linha do horizonte; 3 *(fig.)* paraíso ❖ ***a ~ aberto*** ao ar livre; ***cair do ~*** ocorrer de forma inesperada; ***estar no sétimo ~*** estar muito contente ou satisfeito

céu-da-boca *s. m.* {*pl.* céus-da-boca} ANAT. abóbada que separa a cavidade bucal da cavidade nasal

cevada s. f. 1 BOT. planta herbácea, com flores em forma de espiga e cultivada como cereal; 2 grão desta planta, utilizado no fabrico da cerveja e na alimentação de certos animais; 3 bebida preparada com esse grão, depois de torrado e moído
Cf QUÍM. [*símbolo de* **califórnio**]
CFQ (ensino) [*sigla de* Ciências Físico-Químicas]
chá s. m. 1 BOT. planta originária do Extremo-Oriente, de flores brancas, muito cultivada pelas propriedades aromáticas das suas folhas; 2 folhas secas desta planta; 3 infusão dessas folhas; 4 infusão de folhas, flores, ou caule de qualquer planta; 5 (*fig.*) repreensão ❖ ***apanhar um ~*** ser repreendido; ***não ter tomado ~ em criança*** não ser bem-educado
chacal s. m. ZOOL. mamífero carnívoro, voraz, selvagem, que se assemelha ao lobo
chachachá s. m. dança cubana influenciada pelos ritmos da rumba e do mambo
chachada s. f. (*coloq.*) coisa sem valor
chacina s. f. assassínio de muitas pessoas; matança
chacinar v. tr. matar; assassinar
chaço s. m. (*pop.*) objecto de qualidade inferior ou fora de moda
chacota s. f. troça; zombaria
chafariz s. m. fontanário para abastecimento público de água
chafurdar v. intr. revolver na lama ou imundície
chaga s. f. 1 ferida aberta; 2 (*fig.*) pessoa que aborrece; 3 (*fig.*) mágoa ❖ ***~ viva*** desgosto profundo; ***pôr o dedo na ~*** indicar a causa do mal
chagar v. tr. 1 fazer chagas em; ferir; 2 (*fig.*) aborrecer; importunar
chalaça s. f. piada; gracejo
chalado adj. 1 (*coloq.*) amalucado; 2 (*coloq.*) pouco interessante
chalé s. m. casa de campo no estilo das aldeias suíças
chaleira s. f. recipiente em que se ferve água para o chá
chalota s. f. BOT. planta herbácea, de bolbo pequeno, utilizada como condimento
chalupa I s. f. NÁUT. barco de velas e remos; II s. 2 gén. pessoa tonta ou lorpa
chama s. f. 1 labareda; 2 (*fig.*) ânimo; entusiasmo; 3 (*fig.*) inspiração
chamada s. f. 1 apelo; chamamento; convocação; 2 acto de chamar os alunos pelo nome, número, etc., para verificar a sua presença; 3 conjunto de questões colocadas a um aluno por um professor, com o fim de testar os seus conhecimentos; 4 época de exames; 5 comunicação telefónica
chamamento s. m. 1 sinal para chamar a atenção; 2 convocação; 3 (*fig.*) vocação
chamar I v. tr. 1 pedir a alguém que se aproxime ou que preste atenção; 2 dizer em voz alta o nome de alguém; 3 mandar vir; convocar; 4 dar nome a; 5 escolher para um cargo; 6 dizer o nome, número, etc., de um ou mais alunos para verificar a sua presença; II v. refl. ter por nome ❖ ***~ a contas*** pedir explicações; ***~ nomes*** insultar
chamariz s. m. 1 qualquer coisa que serve para chamar ou atrair; 2 instrumento cujo som imita o canto de uma ave
chaminé s. f. 1 conduta para dar tiragem ao ar ou fumo; 2 fogão de sala; lareira
champanhe s. m. vinho espumante natural de origem francesa

champô *s. m.* líquido ou creme para lavar o cabelo

chamuscar *v. tr.* queimar de leve com chama

chanca *s. f.* **1** espécie de calçado com base de madeira; **2** calçado grosseiro

chance *s. f.* oportunidade

chanceler *s. 2 gén.* POL. chefe do governo em alguns países

chantagem *s. f.* crime que consiste em tentar obter dinheiro ou benefícios por meio da ameaça de revelar factos que comprometem a vítima

chantilly *s. m.* CUL. creme de natas batidas com açúcar ou adoçante, usado para acompanhar frutos ou cobrir bolos

chão I *s. m.* **1** solo; **2** terreno liso; **3** pavimento; **II** *adj.* plano; liso

chapa *s. f.* **1** peça chata, de matéria consistente, que cobre ou adorna qualquer coisa; **2** FOT. negativo; **3** distintivo usado em certas profissões ❖ ***de ~*** em cheio

chapada *s. f.* **1** extensão plana; clareira; **2** *(pop.)* bofetada; **3** *(pop.)* pancada em cheio

chapado *adj.* **1** *(coloq.)* perfeito; **2** *(coloq.)* exacto

chape I *s. m.* som semelhante ao de qualquer coisa que cai na água; **II** *interj.* imitativa do som de algo a bater na água

chapelaria *s. f.* **1** indústria ou comércio de chapéus; **2** estabelecimento de chapeleiro

chapéu *s. m.* **1** cobertura para a cabeça, geralmente formada de copa e aba; **2** DESP. (futebol, andebol) remate por cima do guarda-redes ❖ ***de se lhe tirar o ~*** espectacular

chapéu-de-chuva *s. m.* {*pl.* chapéus--de-chuva} guarda-chuva

chapéu-de-sol *s. m.* {*pl.* chapéus-de--sol} guarda-sol

chapim *s. m.* ZOOL. pequeno pássaro de bico curto e cónico como o dos pardais

chapinhar *v. intr.* **1** agitar a água, dando-lhe de chapa com as mãos; **2** borrifar

charada *s. f.* enigma cuja solução é uma palavra ou frase que se encontra sílaba a sílaba ou palavra a palavra

charco *s. m.* **1** porção de água estagnada e pouco profunda; **2** lamaçal

charcutaria *s. f.* **1** loja onde se vendem alimentos fumados e enchidos; **2** designação genérica de fumados e enchidos; **3** indústria e comércio de carnes de porco preparadas

charcuteiro *s. m.* pessoa que trabalha em charcutaria

charlatão *s. m.* pessoa que, ostentando méritos ou qualidades que não possui, explora a credulidade pública

charme *s. m.* sedução; encanto

charmoso *adj.* sedutor; encantador

charneca *s. f.* terreno inculto e árido

charneira *s. f.* dobradiça

charro I *s. m.* *(coloq.)* cigarro de erva ou haxixe; **II** *adj.* **1** grosseiro; **2** desprezível

charrua *s. f.* AGRIC. arado grande

charuto *s. m.* **1** rolo de folhas de tabaco para fumar; **2** NÁUT. barco de recreio, esguio, de um só remo

chassis *s. m.* suporte metálico de um veículo

chat *s. m.* {*pl.* chats} forma de comunicação à distância em tempo real, por meio de computadores ligados à Internet

chateado *adj.* **1** *(coloq.)* aborrecido; **2** *(coloq.)* irritado

chatear *v. tr.* *(coloq.)* aborrecer; maçar; importunar

chatice *s. f.* *(coloq.)* aborrecimento; maçada

chato I *adj.* 1 plano; liso; 2 *(coloq.)* maçador; aborrecido; II *s. m.* 1 *(coloq.)* pessoa ou coisa maçadora; 2 *(coloq.)* piolho que vive geralmente na região púbica e provoca prurido constante

chau *interj.* usada como cumprimento de despedida

chauffeur *s. 2 gén.* {*pl.* chauffeurs} pessoa que conduz um automóvel; motorista

chavalo *adj. e s. m. (coloq.)* miúdo; rapaz

chavão *s. m.* verso ou versos que se repetem no fim de cada estância de uma poesia

chave *s. f.* 1 instrumento que serve para fazer funcionar o mecanismo de uma fechadura; 2 instrumento de apertar e desatarraxar; 3 *(fig.)* solução ❖ ***fechar a sete chaves*** guardar bem

chave-inglesa *s. f.* {*pl.* chaves-inglesas} utensílio que serve para apertar e desapertar porcas de diversos tamanhos

chaveiro *s. m.* lugar onde se guardam as chaves

chave-mestra *s. f.* {*pl.* chaves-mestras} chave que serve para abrir várias fechaduras

chávena *s. f.* pequeno recipiente com asa, geralmente de louça, que serve para tomar bebidas, quentes ou frias

chaveta *s. f.* 1 peça que se introduz na extremidade de um eixo para que a roda não salte; 2 pequena chave; 3 sinal gráfico

chavo *s. m. (coloq.)* moeda de pouco valor ❖ *(coloq.)* ***não ter um ~*** não ter dinheiro nenhum; *(coloq.)* ***não valer um ~*** não prestar

check-in *s. m.* {*pl.* check-ins} 1 verificação do bilhete e pesagem da bagagem à partida para uma viagem de avião; registo de embarque; 2 registo de dados pessoais e outras formalidades à chegada a um hotel; registo de entrada

checkout *s. m.* {*pl.* checkouts} pagamento de despesa e outras formalidades à saída de um hotel; registo de saída

check-up *s. m.* {*pl.* check-ups} 1 MED. exame geral; 2 COM. verificação; controlo

checo I *s. m.* {*f.* checa} 1 pessoa natural da República Checa; 2 língua falada na República Checa; II *adj.* relativo à República Checa

checoslovaco I *s. m.* {*pl.* checoslovaca} pessoa natural da antiga Checoslováquia; II *adj.* relativo à antiga Checoslováquia

chefe *s. 2 gén.* 1 pessoa que, entre outros, é o principal ou o que dirige; 2 funcionário ou empregado que dirige um serviço

chefe de Estado *s. 2 gén.* pessoa que ocupa o cargo mais alto na hierarquia de uma nação

chefia *s. f.* direcção; comando

chefiar *v. tr.* dirigir; comandar

chega *s. f.* repreensão; ***chega!*** exclamação que exprime ordem para cessar o que provoca irritação

chegada *s. f.* 1 acto de chegar; regresso; 2 ocasião em que se chega; 3 aproximação

chegado *adj.* 1 contíguo; 2 próximo

chegar I *v. tr.* colocar perto; aproximar; II *v. intr.* 1 alcançar um determinado lugar; 2 aproximar-se; 3 ser suficiente; bastar; 4 bater; 5 atingir; III *v. refl.* aproximar-se ❖ ***chega e sobra!*** é mais que suficiente; ***~ a mostarda ao nariz a*** fazer perder a paciência a; ***~ a roupa ao pêlo a*** bater em; ***não ~ aos calcanhares de*** ser muito inferior a

cheia *s. f.* enchente de rio; inundação

cheio *adj.* **1** completo; repleto; **2** compacto; **3** carregado; **4** saciado; **5** farto; enfastiado; **6** (traço) largo ❖ ~ ***de si*** convencido; ***em*** ~ plenamente

cheirar I *v. tr.* **1** aspirar o cheiro de; **2** (animais) farejar; **3** *(fig.)* intrometer-se em; **II** *v. intr.* **1** perceber ou identificar um cheiro; **2** ter cheiro ❖ ~ ***a chamusco*** não inspirar confiança

cheirinho *s. m.* **1** cheiro agradável; **2** perfume; **3** pequena quantidade de alguma coisa

cheiro *s. m.* **1** impressão produzida nos órgãos olfactivos; olfacto; **2** aroma; odor; **3** impressão olfactiva desagradável; fedor; **4** faro (dos animais)

cheque *s. m.* **1** título de crédito que enuncia uma ordem de pagamento (à vista) da soma nele inscrita; **2** *(fig.)* perigo; ~ ***barrado/cruzado*** cheque atravessado por linhas diagonais, que só pode ser cobrado por intermédio de um banco; ~ ***sem cobertura*** cheque que não pode ser pago pelo banco por não haver dinheiro suficiente na conta do titular

cherne *s. m.* ZOOL. peixe comestível de cor acastanhada

cheta *s. f. (coloq.)* vd. **chavo**

chi *s. m. (pop.)* abraço

chiar *v. intr.* produzir um som agudo e continuado

chibo *s. m.* **1** cabrito jovem; **2** *(gír.)* aquele que denuncia

chiça *interj.* exprime repugnância, desprezo ou recusa

chicana *s. f.* tramóia; trapaça

chicha *s. f.* **1** *(coloq.)* carne; **2** *(coloq.)* gulodice

chicharro *s. m.* ZOOL. carapau grande

chichi *s. m. (coloq.)* urina

chiclete *s. f.* pastilha elástica

chi-coração *s. m.* {*pl.* chi-corações} *(coloq.)* abraço

chicória *s. f.* **1** BOT. planta herbácea, usada na alimentação e em farmácia; **2** pó obtido da raiz torrada desta planta, que se mistura com café ou cevada

chicotada *s. f.* **1** pancada com chicote; **2** ruído seco e violento, produzido por um projéctil ao chocar com o ar

chicote *s. m.* corda entrançada ou tira de couro terminada em ponta e presa a um cabo

chicotear *v. tr.* bater com chicote

chifre *s. m.* ponta em osso existente na cabeça de alguns animais; corno

chila *s. f.* abóbora pequena, utilizada em doçaria e que fica com aspecto de fios quando preparada em compota ou doce

chileno I *s. m.* {*f.* chilena} pessoa natural do Chile; **II** *adj.* relativo ao Chile

chilindró *s. m.* **1** *(pop.)* posto de polícia; **2** *(pop.)* cadeia

chilique *s. m. (coloq.)* desmaio

chilrear *v. intr.* (pássaros) piar

chilreio *s. m.* sons emitidos por um ou vários pássaros

chimpanzé *s. m.* ZOOL. grande macaco africano domesticável, com focinho alongado e braços muito compridos

chinchila *s. f.* **1** ZOOL. mamífero roedor da América do Sul; **2** pele desse animal depois de preparada

chinela *s. f.* peça de calçado feminino, típico de certos trajes regionais, que cobre a parte da frente do pé, deixando o calcanhar descoberto

chinelo *s. m.* peça de calçado sem salto ou de salto baixo, que apenas cobre a parte anterior do pé ❖ ***meter alguém num*** ~ mostrar ser superior a alguém

chinês I *s. m.* {*f.* chinesa} **1** pessoa natural da China; **2** conjunto de línguas faladas na China; **II** *adj.* relativo à China

chinesice *s. f.* **1** atitude ou modo de chinês; **2** objecto que revela grande paciência; **3** esquisitice
chinfrim *s. m.* *(coloq.)* grande confusão; balbúrdia
chinó *s. m.* cabeleira postiça
chio *s. m.* som agudo; guincho
chip *s. m.* {*pl.* chips} INFORM. circuito integrado que tem como suporte uma pastilha de material semicondutor no qual são gravados ou inseridos componentes electrónicos que, em conjunto, desempenham uma ou mais funções
chique *adj. 2 gén.* elegante; bem-vestido
chiqueiro *s. m.* **1** recinto onde se recolhem porcos; pocilga; **2** *(fig.)* lugar imundo
chisco *s. m.* pequeno pedaço
chispa *s. f.* **1** faísca; **2** lampejo
chispar *v. intr.* **1** cintilar; **2** *(fig.)* sentir raiva ou cólera; **3** *(coloq.)* desaparecer; fugir
chispe *s. m.* pé de porco
chita *s. f.* **1** tecido de algodão de pouca qualidade, geralmente estampado; **2** ZOOL. animal felino com pêlo amarelo e manchas pretas, semelhante ao leopardo
choça *s. f.* **1** cabana feita de colmo ou de ramos de árvore; **2** *(coloq.)* prisão
chocalhar **I** *v. tr.* **1** agitar (um líquido) dentro de um recipiente; mexer; **2** *(fig.)* divulgar; **II** *v. intr.* tocar chocalhos
chocalho *s. m.* **1** espécie de campainha que se coloca ao pescoço dos animais; badalo; **2** *(fig.)* pessoa linguareira
chocante *adj. 2 gén.* **1** que produz choque; **2** perturbante; impressionante
chocar *v. tr.* **1** cobrir (o ovo) mantendo-o a uma temperatura adequada, para que o embrião se desenvolva e nasça a ave; **2** ser portador de (doença, infecção, etc.); **3** ofender; escandalizar; **4** perturbar; transtornar
chocho **I** *adj.* **1** seco e engelhado; **2** sem miolo; **3** (ovo) não fecundado; **4** sem interesse; **5** sem entusiasmo; **II** *s. m.* *(coloq.)* beijo com ruído
choco **I** *adj.* **1** (ovo) diz-se do ovo, especialmente das aves, com embrião em desenvolvimento; **2** *(fig.)* podre; estragado; **3** (bebida) fermentado; **4** *(coloq.)* (pessoa) sem vontade de fazer nada; **II** *s. m.* ZOOL. molusco de corpo largo e achatado, que expele uma tinta escura quando se sente ameaçado
chocolate *s. m.* **1** substância alimentar em barra ou em pó, feita de cacau, açúcar ou adoçante e outras substâncias aromáticas; **2** bebida preparada com esta substância
chofre *s. m.* choque inesperado; ***de ~*** inesperadamente
choldra *s. f.* **1** *(coloq.)* gente de má índole; **2** *(coloq.)* salgalhada; mixórdia
choque *s. m.* **1** encontro de dois corpos em movimento; embate; colisão; **2** abalo; comoção; **3** estímulo repentino dos nervos, com contracção muscular, provocado por uma descarga eléctrica; **4** conflito; luta
choradeira *s. f.* **1** choro continuado; **2** lamúria; queixume
choramingar *v. intr.* chorar com frequência e sem motivo
choramingas *s. 2 gén. e 2 núm.* pessoa que chora por tudo e por nada
chorão *s. m.* **1** pessoa que chora por tudo e por nada; **2** BOT. árvore de ramos longos, finos e pendentes, cultivada para ornamentar as margens dos lagos, dos jardins e parques

chorar I *v. tr.* 1 verter lágrimas por; 2 arrepender-se de; II *v. intr.* verter lágrimas
choro *s. m.* 1 acto de chorar; pranto; 2 lamentação
choroso *adj.* 1 que chora; 2 magoado; triste
chorrilho *s. m.* sucessão de coisas iguais; série
chorudo *adj.* 1 *(coloq.)* gordo; 2 *(coloq.)* que rende; lucrativo
choupal *s. m.* 1 lugar onde há muitos choupos; 2 plantação de choupos
choupana *s. f.* cabana; casebre
choupo *s. m.* BOT. árvore grande e de rápido crescimento, que fornece madeira clara e leve
chouriça *s. f.* chouriço delgado
chouriço *s. m.* 1 CUL. rolo fino e comprido de carne, preparado com gordura, sangue e temperos; 2 saco comprido e cilíndrico, cheio de areia, para tapar as fendas das janelas e impedir a entrada do frio e da humidade
chover *v. intr.* 1 cair água da atmosfera, em gotas; 2 *(fig.)* vir em abundância ❖ ***~ a cântaros*** chover muito
chucha *s. f.* 1 acto de chuchar; 2 *(coloq.)* mama; 3 *(coloq.)* chupeta
chuchar *v. tr. e intr.* 1 chupar; mamar; 2 *(pop.)* apanhar ❖ *(coloq.)* ***ficar a ~ no dedo*** ficar desapontado
chuço *s. m. (coloq.)* guarda-chuva
chucrute *s. m.* CUL. couve branca cortada em lâminas finas e fermentada em salmoura
chui *s. m. (coloq.)* agente de polícia
chulé *s. m. (pop.)* cheiro característico dos pés sujos
chulear *v. tr.* coser (tecido) a ponto largo
chulipa *s. f.* cada uma das travessas em que assentam os carris do caminho-de-ferro
chulo *s. m. (pop.)* indivíduo que vive à custa de uma ou várias prostitutas
chumaceira *s. f.* ENG. peça metálica para abrandar o atrito de um eixo ou de um veio
chumaço *s. m.* 1 matéria têxtil com que se acolchoa interiormente os ombros de uma peça de vestuário; 2 compressa
chumbar I *v. tr.* 1 soldar ou tapar com chumbo; 2 obturar (dente); 3 *(acad.)* reprovar em exame; II *v. intr. (acad.)* ficar reprovado em exame
chumbo *s. m.* 1 QUÍM. elemento com o número atómico 82 e símbolo Pb, com características metálicas, muito denso, maleável e pouco dúctil; 2 grãos deste metal usados nas armas de caça; 3 *(acad.)* reprovação; 4 *(fig.)* coisa muito pesada
chunga *adj. 2 gén. (cal., depr.)* de má qualidade; sem valor; reles
chungaria *s. f. (cal., depr.)* coisa de má qualidade; coisa sem valor
chungoso *adj. (cal., depr.)* ordinário; reles
chupa-chupa *s. m.* {*pl.* chupa-chupas} guloseima fixa num palito por onde se pega
chupar *v. tr.* 1 sorver; sugar; absorver; 2 *(fig.)* esgotar; 3 *(fig.)* arrancar; extorquir
chupeta *s. f.* pequena tetina que se dá aos bebés para os impedir de chupar o polegar
churrasco *s. m.* refeição ao ar livre com alimentos grelhados na brasa
churrasqueira *s. f.* restaurante especializado em grelhados
chutar *v. tr.* dar pontapé em (bola)
chuteira *s. f.* calçado próprio para jogar futebol
chuto *s. m.* pontapé na bola
chuva *s. f.* 1 precipitação de gotas provenientes da condensação do vapor de água existente na atmosfera;

2 (*fig.*) tudo o que vem ou cai em grande abundância
chuvada *s. f.* aguaceiro
chuveiro *s. m.* **1** dispositivo com orifícios que permite lançar água em jacto para tomar banho; **2** banho tomado com a água em jacto que sai desse dispositivo; duche; **3** chuva abundante mas passageira
chuviscar *v. intr.* chover pouco e a intervalos
chuvisco *s. m.* chuva miudinha
chuvoso *adj.* **1** em que chove muito; **2** que ameaça chuva
cianeto *s. m.* QUÍM. sal inorgânico, derivado do ácido cianídrico, altamente venenoso
cianídrico *adj.* QUÍM. (ácido) resultante da combinação de hidrogénio e cianogénio
cianogénio *s. m.* QUÍM. gás muito venenoso, cujas propriedades são semelhantes às do flúor e do cloro
ciática *s. f.* MED. dor devida à compressão do nervo ciático
ciático *adj.* ANAT. designativo de um grande nervo que sai da bacia e se estende ao longo da face posterior da coxa
cibercafé *s. m.* café ou bar onde os clientes têm à disposição, mediante pagamento, computadores com ligação à Internet
ciberespaço *s. m.* espaço virtual constituído por informação que circula nas redes de computadores
ciberliteratura *s. f.* escrita criativa produzida e difundida por meios electrónicos
cibernauta *s. 2 gén.* INFORM. pessoa que utiliza a Internet regularmente
ciborgue *s. m.* ser humano fictício cujas funções fisiológicas vitais são comandadas por meio de dispositivos mecânicos
cicatriz *s. f.* marca deixada por um golpe ou uma ferida
cicatrização *s. f.* formação de cicatriz
cicatrizar *v. intr.* favorecer a formação de cicatriz
cicerone *s. 2 gén.* guia que mostra uma localidade ou um edifício aos visitantes, dando-lhes informações a respeito do que observam
cíclico *adj.* relativo a ciclo
ciclismo *s. m.* actividade desportiva baseada em corridas de bicicleta
ciclista *s. 2 gén.* **1** pessoa que anda de bicicleta; **2** DESP. praticante de ciclismo
ciclo *s. m.* **1** série de acontecimentos que se repetem segundo uma ordem; **2** cada um dos três períodos em que se divide o ensino básico
ciclomotor *s. m.* veículo de duas ou mais rodas com motor de cilindrada não superior a 50 cm^3
ciclone *s. m.* METEOR. tempestade violenta e devastadora; furacão
ciclónico *adj.* **1** relativo a ciclone; **2** semelhante a ciclone
cidadania *s. f.* qualidade ou estado de cidadão
cidadão *s. m.* pessoa que goza de direitos civis e políticos e que está sujeita a uma série de deveres perante o Estado
cidade *s. f.* grande centro urbano caracterizado por um grande número de habitantes e por diversas actividades comerciais, industriais, culturais e financeiras
cidadela *s. f.* fortaleza que domina uma cidade ou povoação
cidade universitária *s. f.* aglomerado desenvolvido em redor de uma universidade, com infra-estruturas próprias para os membros dessa universidade

cidra *s. f.* fruto da cidreira, verde e maior do que um limão
cidrão *s. m.* **1** cidra grande e de casca espessa; **2** doce feito com este fruto
cidreira *s. f.* **1** BOT. árvore de folhas aromáticas, que produz a cidra; **2** BOT. planta de aroma característico, muito empregada em chá
cieiro *s. m.* pequenas fendas ou feridas na pele causadas pelo frio ou por irritantes químicos
ciência *s. f.* **1** conjunto dos conhecimentos adquiridos pelo homem acerca do mundo que o rodeia através do estudo, da observação, da investigação e da experimentação; **2** ramo do conhecimento relativo a uma área determinada, como a química, a biologia, etc.
ciente *adj. 2 gén.* que sabe; informado
científico *adj.* relativo à ciência
cientista *s. 2 gén.* pessoa cuja actividade se desenvolve no domínio das ciências; investigador
cifra *s. f.* **1** algarismo; **2** número total; **3** código
cifrão *s. m.* sinal ($) que, no antigo sistema monetário português, se colocava à direita do algarismo que representava os escudos
cigano *s. m.* **1** pessoa que pertence aos Ciganos, povo nómada provavelmente originário da Índia, que se espalhou sobretudo pela Europa; **2** *(pej.)* pessoa que tenta enganar nos negócios; trapaceiro
cigarra *s. f.* ZOOL. insecto abundante nas regiões quentes, nocivo à agricultura e produtor de sons estridentes
cigarreira *s. f.* caixa ou estojo para guardar cigarros
cigarrilha *s. f.* **1** cigarro com capa de folha do próprio tabaco; **2** pequeno charuto
cigarro *s. m.* porção de tabaco enrolado em papel para se fumar
cilada *s. f.* **1** emboscada preparada para atacar ou atrair alguém; **2** traição
cilindrada *s. f.* capacidade de um cilindro de motor de explosão
cilíndrico *adj.* em forma de cilindro
cilindro *s. m.* **1** GEOM. sólido de diâmetro regular em todo o seu comprimento; **2** MEC. recipiente em cujo interior se move o êmbolo das máquinas a vapor ou dos motores de explosão
cima *s. f.* parte mais alta; cume; cimo ❖ ***ainda por ~*** além de tudo; ***ao de ~*** à superfície; ***de ~*** do alto; ***em/por ~ de*** sobre
cimeira *s. f.* **1** cume; cimo; **2** POL. reunião política, económica, etc., em que participam as autoridades máximas
cimentar *v. tr.* **1** unir ou cobrir com cimento; **2** *(fig.)* consolidar
cimenteira *s. f.* local para co-incineração de resíduos industriais que se transformam em cimento
cimento *s. m.* substância em pó obtida a partir da mistura de calcário e de argila, que se usa na construção para ligar certos materiais
cimo *s. m.* parte mais elevada; alto; cume
cinco **I** *num. card.* quatro mais um; **II** *s. m.* o número 5 e a quantidade representada por esse número
cineasta *s. 2 gén.* pessoa que se dedica a realizar filmes
cineclube *s. m.* clube de amadores de cinema, em que se estudam as técnicas e a história do cinema, geralmente após a projecção de um filme
cinéfilo *s. m.* pessoa apreciadora de cinema
cinema *s. m.* **1** arte de fazer filmes para projecção; **2** espectáculo de

projecção de filmes; **3** sala destinada à projecção de filmes; **4** indústria que produz os filmes

cinemateca *s. f.* **1** organismo criado para a conservação das obras cinematográficas que apresentam algum valor artístico, documental, técnico, científico ou histórico; **2** lugar onde se projectam essas obras

cinematografia *s. f.* **1** arte que utiliza como meio de expressão os processos e as técnicas usados para projectar na tela imagens em movimento; **2** indústria produtora de filmes

cinematográfico *adj.* relativo à cinematografia

cinética *s. f.* FÍS. teoria do movimento

cingir **I** *v. tr.* apertar em volta; cercar; **II** *v. refl.* limitar-se

cínico *adj.* **1** desavergonhado; descarado; **2** sarcástico

cinismo *s. m.* **1** falta de vergonha; descaramento; **2** sarcasmo

cinquenta **I** *num. card.* quarenta mais dez; **II** *s. m.* o número 50 e a quantidade representada por esse número

cinquentenário *s. m.* celebração do quinquagésimo aniversário de uma pessoa ou de um acontecimento

cinta *s. f.* **1** faixa comprida de pano ou couro para apertar ou cingir; **2** peça interior feminina, de tecido elástico, geralmente utilizada para adelgaçar a cintura; **3** cintura; **4** tira de papel para envolver livros, jornais e outros impressos

cintado *adj.* **1** (peça de vestuário) apertado de forma a vincar a cintura; **2** (livro) que tem uma cinta

cintar *v. tr.* **1** pôr cinta em; **2** cingir; **3** apertar (peça de vestuário) de forma a vincar a cintura

cintilação *s. f.* **1** brilho intenso; **2** esplendor; fulgor

cintilante *adj. 2 gén.* **1** brilhante; **2** deslumbrante

cintilar *v. intr.* **1** brilhar com luz trémula; faiscar; **2** resplandecer

cinto *s. m.* faixa de couro ou de outro material com que se ajusta o vestuário à cintura; **~ *de segurança*** dispositivo que, num avião ou num automóvel, prende o passageiro ao assento, como medida de segurança ❖ ***apertar o ~*** reduzir os gastos por necessidade

cintura *s. f.* **1** ANAT. parte mais estreita do corpo humano, acima das ancas e abaixo do peito; **2** parte do vestuário que reveste essa parte do corpo

cinturão *s. m.* **1** cinto largo; **2** DESP. faixa de tecido usada nas artes marciais para apertar o quimono, com cores diferentes de acordo com o nível do praticante

cinza **I** *s. f.* **1** resíduo sólido, incombustível, de cor cinzenta que fica depois de se queimar algo completamente; **2** [*pl.*] restos mortais; **II** *adj. 2 gén.* cor cinzenta

cinzeiro *s. m.* recipiente apropriado para os fumadores deitarem a cinza e as pontas dos cigarros

cinzel *s. m.* instrumento cortante numa das extremidades, que serve para lavrar ou gravar pedras e metais

cinzento **I** *adj.* da cor da cinza; **II** *s. m.* cor intermédia entre o branco e o negro; cor da cinza

cio *s. m.* manifestação do apetite sexual, nos animais, nas épocas próprias da reprodução

cioso *adj.* **1** ciumento; **2** cuidadoso

cipreste *s. m.* BOT. árvore alta e esguia, de copa espessa e de cor verde escura

cipriota I *s. 2 gén.* pessoa natural da ilha de Chipre (Mediterrâneo); II *adj. 2 gén.* relativo à ilha de Chipre

cirandar *v. intr.* andar de um lado para o outro; dar voltas

circo *s. m.* **1** recinto circular para espectáculos e desportos; anfiteatro; **2** espectáculo de acrobacias, habilidades executadas por animais domados, números de palhaços, etc., realizado numa pista circular

circuito *s. m.* **1** percurso no fim do qual se volta ao ponto de partida; volta; **2** linha que limita completamente uma superfície; **3** DESP. itinerário de uma corrida com um percurso circular; **4** ELECTR. cadeia de condutores que pode ser percorrida por uma corrente eléctrica; ***~ de manutenção*** percurso criado para praticar exercícios físicos enquanto se corre ou caminha ao ar livre

circulação *s. f.* **1** movimento; deslocação; **2** deslocação em circuito fechado de líquidos nutritivos nos organismos; **3** deslocação de correntes, ar ou ventos; **4** movimento dos veículos e das pessoas; trânsito; tráfego; **5** divulgação; difusão

circular I *v. intr.* **1** girar; **2** andar; transitar; **3** passar de mão em mão; II *adj. 2 gén.* **1** que tem forma de círculo; **2** que volta ao ponto de partida; III *s. f.* **1** (carta) carta ou documento cuja cópia é dirigida a diferentes pessoas; **2** *(Bras.)* rotunda

circulatório *adj.* relativo a circulação

círculo *s. m.* **1** GEOM. superfície plana limitada por uma circunferência; **2** GEOM. circunferência; **3** GEOG. linha circular no globo terrestre; **4** anel; aro; **5** grupo de pessoas com os mesmos interesses

circuncisão *s. f.* MED. corte total ou parcial da membrana do prepúcio, pondo a glande a descoberto

circundante *adj. 2 gén.* que está em volta de alguém ou alguma coisa

circundar *v. tr.* andar à volta de; cercar; rodear

circunferência *s. f.* **1** GEOM. curva plana fechada cujos pontos estão a distância igual de um mesmo ponto interior (centro); **2** contorno; **3** periferia

circunflexo *adj.* diz-se do sinal ortográfico (^) que serve para indicar que as vogais a, e, o são fechadas

circunscrever I *v. tr.* **1** traçar em redor de; **2** marcar limites a; **3** abranger; II *v. refl.* limitar-se

circunscrição *s. f.* **1** limite da extensão de um corpo ou de uma superfície; **2** linha que limita uma área por todos os lados; **3** divisão territorial

circunspecção *s. f.* **1** qualidade de quem é circunspecto; **2** análise de um objecto por todos os lados; **3** ponderação; cautela

circunspecto *adj.* **1** que olha em torno de si; **2** ponderado

circunstância *s. f.* **1** particularidade que acompanha um facto; **2** situação num determinado momento; **3** ocasião; **4** [*pl.*] estado de coisas

circunstancial *adj. 2 gén.* **1** relativo a circunstância; **2** (prova) que se baseia em indícios e deduções

circunvalação *s. f.* estrada à volta de uma cidade

círio *s. m.* vela grande de cera

cirro *s. m.* METEOR. nuvem constituída por pequenos cristais de gelo, situada a 10 000 m de altitude

cirrose *s. f.* MED. doença crónica grave do fígado

cirurgia *s. f.* **1** parte da medicina que trata doenças através de operações; **2** operação

cirurgião *s. m.* especialista em cirurgia
cirúrgico *adj.* relativo a cirurgia
cisão *s. f.* **1** separação; **2** corte; **3** *(fig.)* desacordo
cisco *s. m.* **1** pó de carvão; **2** partícula de qualquer coisa; **3** lixo
cisma *s. f.* **1** preocupação constante; **2** ideia fixa
cismar I *v. tr.* pensar muito (em); **II** *v. intr.* andar preocupado
cismático *adj.* **1** pensativo; **2** preocupado; **3** que tem manias
cisne *s. m.* ZOOL. ave de pescoço comprido e plumagem branca, com os dedos dos pés unidos por uma membrana
cisterna *s. f.* **1** reservatório da água das chuvas; **2** poço estreito
citação *s. f.* **1** acto ou efeito de citar; **2** texto ou opinião citada; **3** DIR. convocação judicial
citadino *adj.* **1** que habita na cidade; **2** relativo a cidade
citânia *s. f.* ruínas de antigas povoações romanas da Península Ibérica
citar *v. tr.* **1** mencionar (texto, facto) para apoiar o que se afirma; **2** DIR. convocar para comparecer perante a autoridade ou para cumprir uma ordem judicial
cítara *s. f.* MÚS. instrumento de cordas semelhante à lira
citrino *s. m.* fruto como o limão, a laranja, a tangerina e outros semelhantes
ciúme *s. m.* **1** sentimento que revela o desejo de posse exclusiva de alguém ou o medo de perder alguém; **2** sentimento que se experimenta por não ter algo que outros têm; inveja
ciumento *adj.* que sente ciúmes
cívico *adj.* **1** relativo aos cidadãos; **2** que diz respeito ao bem comum
civil I *adj. 2 gén.* **1** relativo às relações dos cidadãos de um país entre si; **2** que diz respeito a uma pessoa como membro de uma sociedade; **3** que não é militar nem pertence à Igreja; **II** *s. 2 gén.* pessoa que não é militar
civilização *s. f.* **1** conjunto das instituições, técnicas, costumes, crenças, etc., que caracterizam uma sociedade; **2** conjunto dos conhecimentos e realizações das sociedades humanas mais evoluídas, marcadas pelo desenvolvimento intelectual, económico e tecnológico; progresso
civilizado *adj.* **1** bem-educado; **2** adiantado em cultura, em progressos materiais, em formação cívica; **3** culto
civilizar *v. tr.* **1** difundir a civilização em; **2** tornar bem-educado; instruir
civismo *s. m.* **1** respeito pelos valores da sociedade e pelas suas instituições; educação; **2** dedicação pelo interesse público
cl [*símbolo de* **centilitro**]
Cl QUÍM. [*símbolo de* **cloro**]
clã *s. m.* conjunto de famílias com um antepassado comum
clamar *v. intr.* **1** dizer em voz alta; gritar; **2** reclamar; exigir; **3** implorar
clamor *s. m.* **1** grito de queixa ou protesto; **2** conjunto de vozes; gritaria; **3** súplica
clandestinidade *s. f.* qualidade do que é clandestino
clandestino *adj.* **1** feito às escondidas; **2** ilegal; **3** que entrou num país sem a permissão das autoridades
claque *s. f.* grupo de pessoas que aplaude ou apoia um espectáculo, uma causa, um partido ou uma pessoa
clara *s. f.* substância esbranquiçada que envolve a gema do ovo; CUL. ***claras em castelo*** claras que são batidas para ficarem bem firmes

clarabóia *s. f.* abertura envidraçada no telhado de um edifício
clarão *s. m.* **1** luz intensa; **2** grande claridade; **3** raio
clarear I *v. tr.* tornar claro; **II** *v. intr.* **1** (céu) limpar-se de nuvens; **2** fazer--se dia; amanhecer
clareira *s. f.* espaço sem vegetação no meio de um bosque
clareza *s. f.* **1** transparência; limpidez; **2** qualidade do que é claro e inteligível
claridade *s. f.* **1** qualidade do que é claro; **2** luz intensa; **3** brilho
clarificação *s. f.* esclarecimento
clarificar *v. tr.* tornar claro; esclarecer
clarim *s. m.* MÚS. instrumento de sopro, com ou sem pistões, de som estridente
clarinete *s. m.* MÚS. instrumento de sopro, feito de madeira e com orifícios como os da flauta
clarividência *s. f.* qualidade ou carácter de quem é clarividente
clarividente *adj. 2 gén.* **1** que vê com clareza; **2** prudente
claro I *adj.* **1** em que se vê bem; em que há luz; iluminado; **2** que se percebe bem; **3** transparente; límpido; **4** de cor pouco carregada; **5** evidente; **6** sem nuvens; **II** *adv.* com clareza ❖ ***~ como água*** óbvio; ***em ~*** sem dormir
classe *s. f.* **1** grupo de pessoas, animais ou coisas com características semelhantes; **2** categoria; ordem; **3** grupo de estudantes que seguem o mesmo programa e compõem uma sala de aulas; turma; aula; **4** conjunto de pessoas do mesmo nível social e económico; **5** distinção; requinte
classicismo *s. m.* (arte, literatura) orientação estética que se caracteriza pelo equilíbrio e que reflecte a influência das antiguidades grega e latina
clássico I *adj.* **1** relativo à cultura dos antigos gregos e romanos; **2** tradicional; **3** que é considerado um modelo; **4** que segue os costumes; convencional; **5** habitual; **II** *s. m.* **1** autor da antiguidade grega ou latina; **2** autor ou obra cujo valor é reconhecido por todos
classificação *s. f.* **1** colocação de algo numa dada ordem ou grupo de acordo com as suas características; ordenação; **2** avaliação; **3** nota de teste ou exame; **4** DESP. posição em que ficou um atleta ou uma equipa numa competição desportiva
classificado I *adj.* que obteve classificação ou nota suficiente em concurso, exame, etc.; **II** *s. m.* anúncio geralmente pequeno, apresentado em secções específicas de jornais e revistas
classificar I *v. tr.* **1** distribuir em classes ou grupos com características semelhantes; **2** determinar a classe de algo dentro de um conjunto; **3** atribuir uma nota a; **4** qualificar; **II** *v. refl.* obter uma dada classificação
claustro *s. m.* pátio interior de um convento ou de outro edifício, rodeado de galerias
cláusula *s. f.* cada um dos artigos de um contrato, tratado, testamento ou qualquer outro documento semelhante
clausura *s. f.* **1** recinto fechado; **2** (*fig.*) vida de quem não sai de casa; isolamento
clave *s. f.* MÚS. sinal colocado no princípio da pauta musical para indicar a posição das notas e determinar a entoação
clavícula *s. f.* ANAT. cada um dos dois ossos que se articula com o esterno e com a omoplata
cláxon *s. m.* buzina de veículo

clemência *s. f.* disposição para perdoar; brandura
clemente *adj. 2 gén.* bondoso; brando
clementina *s. f.* BOT. fruto semelhante à tangerina, mas de cor mais carregada
clepsidra *s. f.* relógio de água usado na Antiguidade, que media o tempo pela quantidade de água que se escoava de um vaso
cleptomania *s. f.* PSIC. impulso incontrolável para cometer roubos
cleptomaníaco *s. m.* PSIC. pessoa que sofre de cleptomania
clerical *adj. 2 gén.* relativo ao clero
clérigo *s. m.* padre
clero *s. m.* **1** classe formada pelos clérigos; **2** conjuntos dos sacerdotes de uma igreja
clicar *v. tr.* **1** premir o botão do rato sobre (elemento no ecrã); **2** pressionar uma tecla (de comando, aparelho, etc.)
clicável *adj. 2 gén.* **1** em que se pode clicar; **2** INFORM. (elemento de uma interface) que, quando seleccionado, executa um comando ou uma operação
cliché *s. m.* **1** FOT. prova negativa para reprodução de fotografias; **2** *(fig.)* imagem ou ideia muito repetida
cliente *s. 2 gén.* **1** pessoa que compra algo; freguês; **2** pessoa que utiliza os serviços de um profissional (médico, advogado, etc.) mediante pagamento; **3** pessoa que faz as compras sempre no mesmo sítio ou que frequenta habitualmente o mesmo local
clientela *s. f.* **1** conjunto dos clientes que recorrem aos serviços de uma pessoa, mediante pagamento; **2** conjunto dos compradores; freguesia
clima *s. m.* **1** conjunto das condições atmosféricas (temperatura, humidade, vento, etc.) próprias de uma região; **2** ambiente; **3** *(fig.)* estado de coisas
climatérico *adj.* relativo ao clima
climatização *s. f.* conjunto dos processos utilizados para manter, em determinado local, condições adequadas de temperatura, humidade e pureza do ar
clímax *s. m.* **1** ponto culminante; **2** MED. período crítico de uma doença
clínica *s. f.* **1** prática da medicina pela observação directa do paciente; **2** estabelecimento onde os doentes vão consultar um médico, receber tratamento ou submeter-se a exames clínicos
clínica geral *s. f.* MED. especialidade que se dedica ao tratamento de doenças dos vários aparelhos e sistemas do organismo
clínico I *adj.* relativo a clínica; **II** *s. m.* médico
clipe *s. m.* **1** pequena peça de fio metálico ou de plástico que serve para prender folhas de papel; **2** CIN., TV excerto de um filme ou de uma sequência televisiva
clique I *interj.* imitativa de um som breve e seco; **II** *s. m.* **1** ruído curto e seco; **2** INFORM. acto ou efeito de premir o botão do rato sobre um elemento no ecrã
clister *s. m.* lavagem intestinal
clítoris *s. m. 2 núm.* ANAT. pequeno órgão eréctil do aparelho genital feminino, situado na parte superior da vulva
clonagem *s. f.* BIOL. reprodução de um ser animal ou vegetal a partir de uma célula
clonar *v. tr.* BIOL. reproduzir por clonagem
clone *s. m.* indivíduo geneticamente idêntico a outro, produzido por manipulação genética
cloro *s. m.* QUÍM. elemento com o número atómico 17 e símbolo Cl,

gasoso nas condições normais de temperatura e pressão
clorofila *s. f.* BOT. pigmento que dá a cor verde aos vegetais
clorofórmio *s. m.* QUÍM. líquido incolor, bastante denso, volátil, de cheiro intenso e propriedades anestésicas
clube *s. m.* **1** grupo de pessoas que se reúnem com os mesmos interesses, de natureza recreativa, desportiva, política ou cultural; **2** local onde essas pessoas se reúnem; **3** grupo vocacionado para a prática de várias modalidades desportivas
cm [*símbolo de* **centímetro**]
Cm QUÍM. [*símbolo de* **cúrio**]
Co QUÍM. [*símbolo de* **cobalto**]
coabitação *s. f.* situação das pessoas que vivem em comum
coabitar *v. intr.* morar juntamente; viver em comum
coacção *s. f.* constrangimento que se impõe a alguém para que faça, deixe de fazer ou permita que se faça alguma coisa
coador *s. m.* utensílio com furos para separar líquidos dos sólidos neles contidos
coagir *v. tr.* constranger; obrigar; forçar
coagulação *s. f.* transformação de uma substância líquida numa massa sólida; solidificação
coagular **I** *v. tr.* transformar uma substância líquida numa massa sólida; solidificar; **II** *v. intr.* formar coágulos
coágulo *s. m.* **1** massa sólida em que se transformou um líquido; **2** porção de um líquido coagulado; **3** substância que faz coagular
coalhar **I** *v. tr.* transformar uma substância líquida numa massa sólida; **II** *v. intr. e refl.* solidificar-se
coar *v. tr.* passar pelo coador, filtro, peneira, etc.
co-autor *s. m.* {*pl.* co-autores} autor de uma obra em conjunto ou em colaboração com outro ou outros
co-autoria *s. f.* {*pl.* co-autorias} qualidade ou estado de co-autor
coaxar *v. intr.* (rã) emitir os sons característicos da sua espécie
coaxo *s. m.* o grasnar da rã
cobaia *s. f.* **1** ZOOL. mamífero roedor originário do Peru, muito utilizado como animal de laboratório; **2** animal ou pessoa que se submete a experiências científicas
cobalto *s. m.* QUÍM. elemento com o número atómico 27 e símbolo Co, metálico, altamente magnético
cobarde *adj. e s. 2 gén.* **1** que ou pessoa que não tem coragem; **2** que ou pessoa que age de forma desleal ou traiçoeira
cobardia *s. f.* **1** falta de coragem; medo; **2** deslealdade; traição
coberta *s. f.* **1** colcha; manta; **2** NÁUT. pavimento superior do navio
coberto[1] [ɛ] *adj.* **1** abrigado; resguardado; **2** tapado; **3** cheio; repleto; **4** protegido; **5** oculto
coberto[2] [e] *s. m.* espaço com telhado ou cobertura; alpendre
cobertor *s. m.* peça felpuda, de lã ou algodão, que se estende na cama, sobre os lençóis, para agasalhar
cobertura *s. f.* **1** o que serve para cobrir; tampa; capa; **2** o que reveste a superfície de algo (um bolo, por exemplo); **3** tecto; **4** protecção ❖ ***dar ~ a*** aprovar
cobiça *s. f.* desejo muito forte e excessivo de conseguir alguma coisa; ambição
cobiçar *v. tr.* desejar muito; ambicionar
cobra *s. f.* **1** ZOOL. réptil de corpo comprido e em forma de cilindro,

coberto de escamas e sem membros, que pode ser venenoso; serpente; **2** *(fig.)* pessoa má ❖ ***dizer cobras e lagartos de*** dizer muito mal de; ***ser mau como as cobras*** ser muito mau

cobrador *s. m.* pessoa que cobra ou recebe um pagamento que é devido

cobrança *s. f.* **1** recebimento de um pagamento que é devido; **2** quantia cobrada

cobrar *v. tr.* **1** pedir ou exigir que seja pago aquilo que é devido; **2** receber; **3** recuperar

cobre *s. m.* **1** QUÍM. elemento com o número atómico 29 e símbolo Cu, metálico, avermelhado, muito maleável e um dos melhores condutores do calor e da electricidade; **2** [*pl.*] *(pop.)* dinheiro miúdo

cobrir I *v. tr.* **1** pôr cobertura em; tapar; **2** revestir; **3** pôr; vestir; **4** encher; **5** abrigar; proteger; **6** ser suficiente para; **7** abranger; **II** *v. refl.* **1** pôr o chapéu na cabeça; **2** encher-se; **3** proteger-se; resguardar-se

cobro *s. m.* termo; fim; ***pôr ~ a*** acabar com

coca *s. f.* **1** BOT. planta narcótica de que se extrai a cocaína; **2** *(coloq.)* cocaína ❖ ***estar à ~*** espreitar

coça *s. f. (coloq.)* tareia; sova

coçado *adj.* gasto pelo uso

cocaína *s. f.* substância que se extrai das folhas da coca, usada em medicina como analgésico e largamente consumida como droga, com efeitos prejudiciais ao organismo

cocar *v. intr.* observar sem ser visto; espreitar

coçar *v. tr.* esfregar com as unhas ou um objecto áspero

cóccix *s. m. 2 núm.* ANAT. parte terminal da coluna vertebral

cócegas *s. f. pl.* sensação de contracção muscular geralmente acompanhada de movimentos e riso convulsivo involuntário, produzida por toques leves e repetidos nalgumas zonas da pele

coche *s. m.* carruagem antiga e rica

cocheiro *s. m.* aquele que guia os cavalos duma carruagem

cochichar *v. intr.* **1** falar em voz baixa; **2** dizer segredos

cochicho *s. m.* **1** segredinho; **2** sussurro

cocker spaniel *s. m.* ZOOL. cão de estatura baixa, orelhas grandes e pendentes, pêlo macio e ligeiramente ondulado

cockpit *s. m.* {*pl.* cockpits} compartimento de avião, nave espacial ou automóvel de corrida destinado ao piloto e ao co-piloto

cocktail *s. m.* {*pl.* cocktails} **1** bebida resultante da mistura de bebidas em proporções variáveis, alcoólicas ou não; **2** reunião social em que se servem bebidas e aperitivos; ***~ molotov*** garrafa cheia de uma substância inflamável, usada como explosivo em combates de rua

cóclea *s. f.* ANAT. parte do ouvido interno representada por um tubo enrolado em espiral

coco *s. m.* **1** BOT. fruto do coqueiro; **2** substância branca da amêndoa desse fruto utilizada em culinária; **3** BIOL. bactéria de forma arredondada

cocó *s. m. (infant.)* excremento; fezes

cócoras *elem. da loc. adv.* ***de ~*** sentado sobre os calcanhares; agachado

cocorocó *s. m.* canto do galo ou da galinha

cocuruto *s. m.* **1** alto da cabeça; **2** *(fig.)* cume

côdea *s. f.* parte externa endurecida do pão, queijo, etc.; casca; crosta

codificar *v. tr.* pôr em código

código *s. m.* **1** conjunto de normas ou leis relativas a uma matéria específica (código civil, código da estrada, etc.); **2** conjunto de regras; regulamento; **3** LING. conjunto de letras e números que formam uma mensagem, contêm uma informação ou permitem que algo funcione; **4** palavra-chave; senha

código de barras *s. m.* código constituído por linhas negras, verticais, de diversas espessuras, colocado sobre produtos de consumo ou cartões magnéticos para os identificar através de um aparelho electrónico

código Morse *s. m.* sistema de comunicação que utiliza combinações de traços e pontos

código postal *s. m.* número acrescentado a um endereço para facilitar a selecção e a distribuição da correspondência

codorniz *s. f.* ZOOL. pequena ave, de bico e unhas curtos, de cor amarelada no dorso e penas com manchas

coeficiente *s. m.* MAT. cada um de dois factores de um monómio em relação ao outro

coelheira *s. f.* sítio onde se criam coelhos

coelho 1 *s. m.* ZOOL. mamífero roedor, de orelhas grandes, cauda pequena e as patas de trás maiores do que as da frente; **2** carne ou pele deste animal ❖ ***matar dois coelhos de uma cajadada*** resolver dois assuntos de uma só vez

coentro *s. m.* BOT. planta herbácea mediterrânica utilizada como condimento

coerção *s. f.* coacção; imposição

coercivo *adj.* que obriga; que coage

coerência *s. f.* nexo entre dois factos ou duas ideias; lógica; conexão

coerente *adj. 2 gén.* **1** que tem coerência; lógico; **2** que age com coerência

coesão *s. f.* **1** FÍS. força com que se atraem mutuamente as moléculas de um corpo; **2** união entre os vários elementos de um grupo; **3** *(fig.)* harmonia

coeso *adj.* intimamente ligado; fortemente unido

coexistência *s. f.* existência simultânea

coexistir *v. intr.* existir juntamente ou ao mesmo tempo

cofre *s. m.* caixa em que se guardam valores

cogitação *s. f.* meditação

cogitar *v. intr.* pensar muito; meditar

cognição *s. f.* faculdade de conhecer

cognitivo *adj.* relativo à cognição ou ao conhecimento

cognome *s. m.* **1** nome de família; apelido; **2** alcunha

cogumelo *s. m.* BOT. vegetal formado geralmente por um pé e uma cabeça em forma de chapéu, com espécies comestíveis e outras venenosas, e que cresce sobretudo em lugares húmidos

coibir I *v. tr.* reprimir; **II** *v. refl.* abster-se; privar-se

coice *s. m.* **1** pancada de alguns animais com as patas traseiras; **2** recuo brusco da arma de fogo, quando se dispara; **3** *(fig.)* pancada para trás, com o calcanhar ou o pé

coincidência *s. f.* **1** estado de duas ou mais coisas que se ajustam perfeitamente; **2** acaso

coincidir *v. intr.* **1** ajustar-se exactamente; **2** acontecer ao mesmo tempo

co-incineração *s. f.* forma de tratamento de resíduos industriais perigosos em que estes são misturados para serem queimados

co-incinerar *v. tr.* fazer a co-incineração de (resíduos industriais perigosos)
coiote *s. m.* ZOOL. mamífero carnívoro da América do Norte, semelhante ao chacal
coisa *s. f.* **1** tudo o que existe ou pode existir; **2** qualquer objecto inanimado; **3** facto; **4** negócio; interesse; **5** acontecimento; **6** assunto; 7 mistério ❖ ***não dizer ~ com ~*** falar sem nexo
coitadinho *adj. (coloq.)* muito infeliz
coitado I *adj.* infeliz; miserável; **II** *interj. (coloq.)* exprime piedade ou dó
coito *s. m.* relação sexual; cópula
cola I *s. f.* substância espessa que serve para fazer aderir papel, madeira ou outros materiais; **II** *s. 2 gén. (coloq.)* pessoa maçadora ❖ ***ir na ~ de*** seguir o rasto de
colaboração *s. f.* **1** acção de colaborar com alguém; cooperação; **2** trabalho em comum
colaborador *s. m.* pessoa que trabalha com uma ou mais pessoas para a realização de uma obra comum
colaborar *v. intr.* trabalhar em comum; cooperar
colagem *s. f.* acto de fazer aderir com cola
colapsar *v. intr.* sofrer um colapso; desmoronar-se
colapso *s. m.* **1** MED. inibição repentina de uma função vital; **2** *(fig.)* queda repentina
colar I *v. tr.* fazer aderir com cola; unir usando cola; **II** *v. intr.* pegar; **III** *s. m.* **1** objecto de adorno que se usa à volta do pescoço; **2** gola; colarinho
colarinho *s. m.* parte da camisa que rodeia o pescoço; gola
cola-tudo *s. m. 2 núm.* substância adesiva que permite colar objectos dos mais diversos materiais
colcha *s. f.* cobertura de cama
colchão *s. m.* peça onde se dorme, com revestimento de esponja ou de outra matéria flexível ou ainda de molas, e que se coloca geralmente em cima de um estrado
colcheia *s. f.* MÚS. figura com o valor de metade de uma semínima ou de duas semicolcheias
colchete *s. m.* **1** pequeno gancho metálico usado no vestuário para efeito semelhante ao de um botão; **2** chave ou parêntese formado de linhas rectas
coldre *s. m.* bolsa de couro utilizada para o transporte de arma de fogo
colecção *s. f.* reunião de objectos da mesma natureza; conjunto
coleccionador *s. m.* pessoa que colecciona
coleccionar *v. tr.* fazer colecção de; juntar
coleccionismo *s. m.* **1** actividade ou hábito de coleccionar; **2** conjunto dos coleccionadores e as suas colecções organizadas
colecta *s. f.* **1** quota com que cada pessoa contribui para um fundo comum; **2** quantia que se paga de imposto; **3** peditório para uma obra de benefício ou despesa comum
colectânea *s. f.* recolha de excertos de diversos autores, geralmente subordinada a determinado tema, género ou época; antologia
colectar I *v. tr.* impor contribuição ou quota a; **II** *v. refl.* contribuir com a sua parte
colectividade *s. f.* **1** grupo social; sociedade; **2** conjunto de indivíduos reunidos para um fim comum; associação
colectivismo *s. m.* POL. organização político-económica que defende a abolição da propriedade privada dos

meios de produção em proveito do interesse colectivo

colectivo *adj.* **1** que abrange ou pertence a muitas pessoas ou coisas; **2** GRAM. diz-se de um substantivo que, no singular, exprime a ideia de muitas pessoas, animais ou coisas

colega *s. 2 gén.* **1** pessoa que exerce a mesma profissão ou tem as mesmas funções; **2** companheiro de escola

colégio *s. m.* estabelecimento de ensino, geralmente particular

coleira *s. f.* tira de couro ou de outro material resistente, que se põe ao pescoço de alguns animais

cólera *s. f.* **1** ataque de fúria; ira; raiva; **2** MED. grave doença contagiosa que provoca diarreia, vómitos e cólicas

colérico *adj.* **1** irado; zangado; enfurecido; **2** atacado de cólera (doença)

colesterol *s. m.* BIOL., QUÍM. substância orgânica complexa presente em todas as células do corpo, em forma livre ou combinada com ácidos gordos

colete *s. m.* peça de vestuário sem mangas que se veste geralmente por cima da camisa; ~ ***de salvação*** peça de material insuflável para usar na água como medida de segurança ou em situações de perigo

colete-de-forças *s. m.* {*pl.* coletes--de-forças} veste com mangas muito compridas que ao serem atadas paralisam os movimentos, utilizada para dominar os doentes mentais considerados perigosos

colheita *s. f.* **1** acto ou efeito de colher produtos agrícolas; **2** produtos colhidos num dado período; **3** o que se recolhe ou recebe

colher[1] [ɛ] *s. f.* utensílio de uso doméstico, constituído por um cabo e uma parte arredondada e côncava, que serve para tirar da ou levar à boca alimentos líquidos ou pouco consistentes, ou para os mexer, misturar ou servir

colher[2] [e] *v. tr.* **1** tirar da planta (frutos, flores, folhas); **2** apanhar; recolher; **3** conseguir; obter (informações); **4** atropelar (pessoa ou animal)

colherada *s. f.* porção que uma colher contém ou pode conter ❖ *(coloq.)* ***meter a sua ~*** intrometer-se em conversa alheia

colibri *s. m.* ZOOL. pássaro muito pequeno e de plumagem com coloração viva e brilhante, frequente na América tropical

cólica *s. f.* **1** MED. dor violenta em qualquer parte da cavidade abdominal; **2** [*pl.*] *(fig.)* receio; medo

colidir I *v. tr.* **1** ir de encontro a; **2** ser incompatível com; **II** *v. intr.* chocar; embater

coligação *s. f.* **1** aliança de várias pessoas para o mesmo fim; **2** trama; conluio

coligar *v. tr.* formar uma aliança entre; juntar; associar

coligir *v. tr.* **1** reunir em colecção; **2** juntar

colina *s. f.* pequena elevação de terreno; outeiro

colírio *s. m.* FARM. medicamento aplicado nas inflamações dos olhos

colisão *s. f.* **1** embate entre dois corpos; choque; **2** luta; combate; **3** oposição; divergência

coliseu *s. m.* **1** anfiteatro romano; **2** casa de espectáculos

collants *s. m. pl.* peça de vestuário interior de malha elástica fina, que cobre dos pés à cintura; meia-calça

colmeia *s. f.* **1** habitação artificial de abelhas; **2** colónia de abelhas; enxame

colmo *s. m.* **1** BOT. caule cilíndrico e oco, com nós salientes; **2** palha com que se cobrem algumas cabanas

colo *s. m.* 1 parte do corpo humano formada pelo pescoço e ombros; 2 cavidade formada pelo abdómen e pelas coxas quando se está sentado; regaço ❖ ***ao ~*** nos braços; ***trazer ao ~*** proteger

colocação *s. f.* 1 instalação; 2 posição; 3 emprego

colocar *v. tr.* 1 pôr num lugar; 2 dispor (produtos); 3 apresentar (questão, problema); 4 dar emprego a

colombiano I *s. m.* {*f.* colombiana} pessoa natural da Colômbia; II *adj.* relativo à Colômbia

cólon *s. m.* ANAT. parte do intestino grosso entre o ceco e o recto

colónia *s. f.* 1 conjunto de pessoas originárias do mesmo país e estabelecidas num país estrangeiro; 2 território situado fora de um país e que fica subordinado à influência política, demográfica, económica e cultural deste país; ***~ de férias*** local, geralmente situado no campo ou à beira-mar, onde um grupo de crianças ou de jovens reside durante um período de férias

colonial *adj. 2 gén.* relativo a colónia

colonialismo *s. m.* forma de domínio económico, político e social, exercido por um país colonizador sobre populações indígenas de territórios distantes

colonialista I *adj. 2 gén.* relativo a colonialismo; II *s. 2 gén.* pessoa partidária do colonialismo

colonização *s. f.* 1 estabelecimento de colónias; 2 povoamento com colonos

colonizador *adj. e s. m.* que ou aquele que estabelece colónias

colonizar *v. tr.* 1 estabelecer colónia(s) em; transformar em colónia; 2 habitar como colono; 3 (*fig.*) invadir; dominar

colono *s. m.* 1 pessoa que emigra para povoar e/ou explorar uma terra distante; 2 pessoa que habita uma colónia

coloquial *adj. 2 gén.* 1 próprio de colóquio; 2 (linguagem) informal; familiar

coloquialidade *s. f.* 1 qualidade de coloquial; 2 (de linguagem) carácter informal; familiaridade

colóquio *s. m.* 1 conversa entre duas ou mais pessoas; 2 reunião de especialistas de determinada área, que inclui apresentação e confronto de opiniões; seminário

coloração *s. f.* 1 acto ou efeito de colorir; 2 efeito produzido pela aplicação de cores

colorau *s. m.* CUL. condimento em pó, vermelho, preparado com pimentão seco

colorido I *adj.* 1 que apresenta diversas cores; 2 (estilo) cheio de ornamentos; II *s. m.* efeito produzido pela combinação de cores

colorir *v. tr.* 1 dar cor(es) a; 2 enfeitar; decorar

colossal *adj. 2 gén.* 1 enorme; descomunal; 2 (*fig.*) extraordinário

colosso *s. m.* 1 estátua de dimensão gigantesca; 2 ser ou coisa descomunal

coluna *s. f.* 1 ARQ. pilar assente em base própria ou firmado directamente no chão, que serve para sustentar abóbadas, entablamentos, ou como simples adorno; 2 série de objectos em linha vertical; fila; 3 divisão vertical de publicações periódicas e de livros; 4 (de som) dispositivo que converte sinais de audiofrequência em ondas sonoras equivalentes; ANAT. ***~ vertebral*** conjunto de vértebras articuladas ou sobrepostas na parte dorsal do tronco; espinha dorsal

colunável *adj. e s. 2 gén. (coloq.)* que ou pessoa que aparece nas colunas sociais de jornais ou revistas
colunista *s. 2 gén.* jornalista que redige uma coluna de jornal
com *prep.* introduz expressões que designam: companhia ⟨*com a família*⟩; causa ⟨*com o calor, derreteu*⟩; tempo ⟨*com o entardecer, arrefeceu*⟩; modo ou meio ⟨*enriqueceu com muito esforço*⟩; entendimento, acordo ⟨*conviver com todos*⟩; oposição ⟨*luta com o mundo*⟩; simultaneidade ⟨*chega com os colegas*⟩; adição ⟨*água com limão*⟩; conteúdo ⟨*copo com água*⟩
coma *s. m.* **1** MED. estado de inconsciência profunda em que não se regista actividade cerebral, mantendo-se as funções vitais de respiração e circulação; **2** *(fig.)* apatia; insensibilidade
comadre *s. f.* **1** madrinha de um recém-nascido em relação aos pais e ao padrinho; **2** mãe de um recém-nascido em relação aos padrinhos deste
comadrice *s. f.* intriga; mexerico
comandante *s. 2 gén.* **1** MIL. qualquer oficial em exercício de comando; **2** NÁUT. oficial que exerce o comando de um navio mercante; capitão
comandar *v. tr.* **1** MIL. dirigir (força militar); **2** dirigir os mecanismos de controlo de (máquina, navio); **3** deter autoridade sobre alguém
comandita *s. f.* ECON. forma de sociedade comercial em que há um ou mais sócios responsáveis, ilimitada e solidariamente, e um ou mais sócios capitalistas só responsáveis até à importância do capital que subscreveram
comando *s. m.* **1** *(téc.)* dispositivo que faz funcionar uma máquina ou um aparelho; **2** MIL. direcção de uma força militar; **3** INFORM. palavra ou expressão que o computador interpreta como uma ordem
comarca *s. f.* DIR. circunscrição territorial com julgado de primeira instância
comas *s. f. pl.* vírgulas dobradas (« »); aspas
combate *s. m.* **1** luta entre adversários armados ou entre exércitos; **2** oposição entre grupos armados ou não; **3** *(fig.)* controvérsia
combatente *s. 2 gén.* MIL. pessoa que combate; soldado; guerreiro
combater *v. tr. e intr.* **1** lutar contra; bater-se com; **2** opor-se a; ser contra; **3** vencer (uma doença)
combatividade *s. f.* **1** qualidade de quem é combativo; **2** tendência para combater
combativo *adj.* **1** fogoso; arrebatado; **2** que tem tendência para combater; belicoso
combinação *s. f.* **1** ligação; união; **2** acordo; pacto; **3** peça de roupa interior feminina
combinado **I** *adj.* **1** ligado; **2** acordado; **3** harmonizado; **II** *s. m.* **1** acordo; pacto; **2** CUL. prato de hambúrguer, rissóis, salsichas ou outro ingrediente similar, servido com acompanhamento de batatas fritas e salada e por vezes ovo e fiambre; **3** (electrodoméstico) conjunto vertical de frigorífico e congelador em compartimentos separados
combinar **I** *v. tr.* **1** ligar coisas diferentes ou semelhantes; **2** marcar (um encontro); **3** estabelecer (condições); **4** fazer condizer; harmonizar (cores, formas, posições); **5** QUÍM. unir (elementos químicos) para formar um composto; **II** *v. intr.* (cores, formas, posições) harmonizar-se; condizer

combinatório *s. f.* que envolve combinação

comboio *s. m.* **1** série de carruagens atreladas umas às outras, movidas por locomotiva, em caminho-de-ferro; **2** conjunto organizado de veículos com escolta que transportam mercadorias, munições, etc. para um mesmo destino; coluna; ~ ***de alta velocidade*** comboio que circula a uma velocidade superior aos outros comboios (cerca de 300 km/h), realizando do ponto de partida ao ponto de chegada um número reduzido de paragens; ~ ***de mercadorias*** comboio constituído apenas por vagões para transporte de carga; ~ ***expresso*** comboio que, ao longo do seu percurso, não pára em todas as estações e apeadeiros; ~ ***pendular*** comboio que tem suspensão oscilante como a de um pêndulo, para maior segurança, e que atinge grande velocidade ❖ ***ver passar os comboios*** ficar para trás

combustão *s. f.* **1** acto de queimar ou de arder; **2** deflagração de substância explosiva; **3** reacção de uma substância combustível com um comburente, geralmente acompanhada de emissão de chama, incandescência e emissão de fumo; ~ ***espontânea*** combustão que se verifica sem intervenção aparente de um agente de ignição

combustível **I** *adj. 2 gén.* **1** que arde; **2** (matéria, substância) que se queima para produzir energia térmica; **II** *s. m.* qualquer substância ou matéria que se utiliza para produzir combustão

começar **I** *v. tr.* dar início a; principiar; **II** *v. intr.* ter início; principiar

começo *s. m.* **1** primeiro momento de existência ou de execução de alguma coisa; **2** início; princípio; **3** origem; causa; **4** [*pl.*] primeiras experiências ou tentativas

comédia *s. f.* **1** TEAT. peça em que se dramatizam de forma cómica os costumes ou factos da vida social; **2** CIN., TV obra de ficção cuja finalidade é fazer rir; **3** género cómico

comediante *s. 2 gén.* **1** actor ou actriz de comédias; **2** actor ou actriz de qualquer gênero

comedido *adj.* **1** moderado; contido; **2** modesto

comedimento *s. m.* **1** moderação; contenção; **2** modéstia

comedir *v. tr. e refl.* moderar(-se); conter(-se)

comedouro *s. m.* lugar ou recipiente em que se dá comida aos animais

comemoração *s. f.* cerimónia em que se recorda uma pessoa ou um acontecimento; homenagem

comemorar *v. tr.* **1** recordar uma pessoa ou um acontecimento; homenagear; **2** celebrar com festa

comemorativo *adj.* relativo a comemoração

comenda *s. f.* distinção honorífica de ordem militar ou civil

comendador *s. m.* aquele que recebeu uma comenda

comensalismo *s. m.* BIOL. associação de seres ou organismos de espécies diferentes, em que um deles tira proveito da associação e o outro não beneficia mas também não se prejudica com ela

comentador *s. m.* **1** TV pessoa que comenta as notícias e actualidades; **2** pessoa que é autora de um comentário; crítico

comentar *v. tr.* **1** fazer comentários ou observações a; **2** explicar; **3** criticar

comentário *s. m.* **1** observação; **2** explicação; **3** crítica

comer I *v. tr.* **1** ingerir alimento(s); engolir; **2** (no jogo de xadrez ou de damas) eliminar pedras do adversário; **3** (ferrugem) corroer; **4** omitir (palavra); **5** *(coloq.)* enganar; defraudar; **6** *(vulg.)* ter relações sexuais com; **II** *v. intr.* **1** alimentar-se; **2** *(coloq.)* levar uma tareia; (alimento) ***de ~ e chorar por mais*** muito saboroso; muito bom

comercial I *adj. 2 gén.* **1** relativo a comércio; **2** que foi feito para dar lucro; **II** *s. m.* **1** mensagem publicitária transmitida no intervalo da programação ou durante um programa de televisão ou rádio; anúncio; **2** automóvel ligeiro destinado ao transporte de mercadorias; utilitário

comercializar *v. tr.* fazer entrar no circuito comercial; colocar à venda

comerciante *s. 2 gén.* pessoa que se dedica profissionalmente ao comércio; negociante

comércio *s. m.* **1** (actividade) troca de produtos ou mercadorias por dinheiro; **2** (classe) conjunto dos comerciantes; **3** (lojas) conjunto dos estabelecimentos que exercem a actividade comercial; ***~ electrónico*** forma de comércio em que as transacções são feitas através da Internet; ***~ externo*** conjunto de transacções de produtos efectuadas entre países diferentes; ***~ interno*** conjunto de transacções de produtos efectuadas dentro de um país; ***~ justo*** tipo de comércio que se baseia na inexistência de intermediários entre o produtor e o comprador final para garantir que quem produz recebe exactamente o valor pago por quem compra

comes *s. m. pl.* aquilo que se come; ***~ e bebes*** comidas e bebidas

comestíveis *s. m. pl.* géneros alimentícios; víveres

comestível *adj. 2 gén.* que se pode comer

cometa *s. m.* **1** ASTRON. corpo celeste que descreve uma órbita em volta do Sol e que é constituído, normalmente, por três partes: núcleo (parcialmente luminoso), cabeleira e cauda (iluminadas); **2** *(fig.)* coisa que aparece e desaparece de repente

cometer I *v. tr.* **1** fazer; executar; **2** praticar (um acto condenável); **3** confiar (uma tarefa a alguém); **II** *v. refl.* arriscar-se; aventurar-se

cometida *s. f.* MIL. investida; ataque

comezaina *s. f.* **1** *(coloq.)* refeição abundante; **2** *(coloq.)* encontro festivo de pessoas para comer e beber; patuscada

comichão *s. f.* **1** sensação desagradável na pele que dá vontade de coçar; prurido; **2** *(fig.)* desejo forte; tentação

comício *s. m.* reunião de cidadãos para discutir assuntos políticos ou de interesse geral, normalmente em lugar público; manifestação

cómico I *adj.* **1** relativo a comédia; **2** que faz rir; divertido; **II** *s. m.* **1** actor de comédia; **2** conjunto de elementos de uma obra que provocam o riso; **3** aquilo que faz rir

comida *s. f.* **1** aquilo que serve para comer; aquilo que se come; alimento; **2** refeição

comigo *pron. pess.* **1** com a minha pessoa ⟨*falaram comigo*⟩; **2** em minha companhia ⟨*estiveram comigo*⟩; **3** ao mesmo tempo que eu ⟨*repitam comigo*⟩; **4** por minha causa ⟨*não se prenda comigo*⟩; **5** a meu respeito ⟨*a conversa é comigo?*⟩; **6** à minha responsabilidade ⟨*deixa o assunto comigo*⟩; **7** na minha posse ⟨*o documento está comigo*⟩

comilão I *adj.* **1** que come muito; glutão; **2** *(fig.)* interesseiro; **II** *s. m.* *(coloq.)* aquele que come muito

cominho *s. m.* BOT. planta com sementes aromáticas que são usadas como condimento

comiseração *s. f.* sentimento de piedade; compaixão

comiserar I *v. tr.* inspirar compaixão a; **II** *v. refl.* sentir compaixão; compadecer-se

comissão *s. f.* **1** acto de encarregar ou incumbir; **2** desempenho de funções em regime temporário; **3** cargo temporário, dentro das funções próprias, mas em lugar diferente; **4** conjunto de pessoas encarregadas de tratar de determinado assunto; **5** ECON. percentagem cobrada (por vendedores, corretores, etc.) sobre o valor dos negócios realizados ou do serviço prestado; **~ *eleitoral*** órgão de carácter transitório que tem por objectivo propor e apoiar um ou mais candidatos ao exercício de funções governativas; **~ *parlamentar de inquérito*** conjunto de membros de órgãos legislativos, ou de especialistas numa determinada área, incumbido por uma assembleia parlamentar de realizar um inquérito que esclareça denúncias ou ocorrências suspeitas

comissariado *s. m.* **1** cargo de comissário; **2** local onde o comissário exerce as suas funções

comissário *s. m.* **1** membro de uma comissão; **2** chefe da polícia de um distrito; **3** pessoa que exerce temporariamente funções de administração ou organização de um evento cultural; **~ *de bordo*** tripulante de avião comercial encarregado da assistência aos passageiros

comissionista *s. 2 gén.* pessoa que recebe comissão (por venda efectuada ou serviço prestado)

comité *s. m.* conjunto de pessoas encarregadas de realizar determinada tarefa; delegação

comitiva *s. f.* grupo de pessoas que acompanha alguém; séquito

como I *conj.* **1** do mesmo modo que; **2** visto que; uma vez que; porque; **3** conforme; consoante; de acordo com; **4** na qualidade de; enquanto; **II** *adv.* **1** de que maneira; de que modo; **2** quanto; a que ponto

comoção *s. f.* **1** emoção forte; abalo; **2** choque físico; abanão; **3** revolta popular; motim

cómoda *s. f.* móvel com gavetas, geralmente usado para guardar roupa e acessórios

comodidade *s. f.* **1** qualidade do que é cómodo; **2** conforto; bem-estar

comodismo *s. m.* **1** atitude de quem privilegia o próprio bem-estar; **2** *(pej.)* egoísmo

comodista *adj. e s. 2 gén.* **1** que ou pessoa que preza acima de tudo o seu bem-estar; **2** *(pej.)* egoísta

cómodo *adj.* **1** confortável; **2** fácil de utilizar; **3** adequado

comovente *adj. 2 gén.* que comove; emocionante; impressionante

comover I *v. tr.* causar comoção a; emocionar; **II** *v. refl.* sentir comoção; emocionar-se

comovido *adj.* emocionado; enternecido

compactação *s. f.* INFORM. compressão (de ficheiros ou dados)

compactar *v. tr.* INFORM. armazenar (dados ou ficheiros) de forma a ocupar menos espaço na memória do computador; comprimir

compacto I *adj.* **1** que tem os seus elementos muito unidos; comprimido; **2** espesso; denso; **3** conciso; breve; **II** *s. m.* **1** TV transmissão em bloco de um conjunto de episódios previamente difundidos; **2** disco onde são armazenados dados digitais, em geral de áudio, e cuja leitura é feita por um sistema de laser

compadecer **I** *v. tr.* **1** ter compaixão por; **2** despertar a compaixão de; **II** *v. refl.* **1** sentir compaixão por; **2** conformar-se com

compadre *s. m.* **1** padrinho de um recém-nascido em relação aos pais e ao padrinho; **2** pai de um recém--nascido em relação aos padrinhos deste

compadrio *s. m.* **1** parentesco entre compadres; **2** *(fig.)* protecção exagerada; favoritismo

compaixão *s. f.* **1** piedade; **2** pesar

companheirismo *s. m.* lealdade entre companheiros; camaradagem

companheiro *s. m.* **1** camarada; colega; **2** pessoa com quem se vive maritalmente ou em união de facto

companhia *s. f.* **1** pessoa que acompanha; **2** pessoa com quem se está ou com quem se vive; **3** grupo de teatro; **4** ECON. firma ou sociedade fundada por accionistas; **5** MIL. unidade de nível inferior ao batalhão; **6** convivência; intimidade ❖ ***fazer ~ (a alguém)*** ficar junto de (alguém) para que não se sinta só

comparação *s. f.* avaliação das semelhanças ou diferenças entre coisas ou pessoas; confronto ❖ ***em ~ com*** confrontando com; ***sem ~*** muito melhor/superior

comparar *v. tr.* examinar coisas ou pessoas para determinar as semelhanças ou as diferenças; confrontar

comparativo **I** *s. m.* **1** GRAM. forma de um adjectivo que mostra se a qualidade por ele expressa em relação a um substantivo existe em grau superior, igual ou inferior ao da mesma qualidade em relação a outro substantivo; **2** GRAM. forma de um adjectivo que mostra se cada uma das qualidades expressas por dois adjectivos em relação ao mesmo substantivo existe em grau superior, igual ou inferior ao da qualidade expressa pelo outro adjectivo; **II** *adj.* que estabelece comparação

comparável *adj. 2 gén.* **1** que se pode comparar; **2** semelhante

comparecer *v. intr.* apresentar-se pessoalmente; estar presente

comparência *s. f.* presença em determinado lugar

comparsa *s. 2 gén.* pessoa conivente num acto; cúmplice

comparticipação *s. f.* **1** participação conjunta (num projecto); **2** participação nos custos de (medicamentos)

comparticipar *v. intr.* **1** tomar parte juntamente com outros; **2** participar dos custos de

compartilhar *v. tr. e intr.* **1** tomar parte em; **2** partilhar com

compartimentar *v. tr.* dividir em compartimentos; separar

compartimento *s. m.* **1** divisão de uma casa, de um móvel, ou de um espaço, para alojar pessoas ou guardar objectos; **2** divisão; categoria

compassado *adj.* **1** que obedece a um ritmo; cadenciado; **2** separado por intervalos iguais; **3** MÚS. executado a compasso

compasso *s. m.* **1** instrumento composto de duas hastes articuladas que serve para traçar circunferências, arcos de círculo e tomar medidas; **2** MÚS. divisão do tempo em duas, três ou quatro partes iguais; **3** RELIG. visita do padre às residências dos paroquianos, na Páscoa; **4** *(fig.)* movimento regular ou cadenciado; *(coloq.)* ***~ de espera*** pausa de um instrumento, integrado numa orquestra,

até chegar a sua vez de tocar; pausa; hesitação
compatibilidade *s. f.* qualidade do que é compatível
compatibilizar *v. tr.* tornar compatível; conciliar
compatível *adj. 2 gén.* **1** que pode existir conjuntamente com outro(s); conciliável; **2** capaz de funcionar conjuntamente
compatriota *s. 2 gén.* pessoa que tem a mesma pátria; conterrâneo
compelir *v. tr.* obrigar; forçar
compêndio *s. m.* **1** resumo; síntese (de uma teoria, doutrina, etc.); **2** livro que apresenta esse resumo
compenetrado *adj.* **1** convencido; certo; **2** concentrado
compensação *s. f.* **1** restabelecimento do equilíbrio entre coisas complementares ou opostas; **2** recompensa; vantagem; lucro; **3** MED. reacção do organismo no sentido de restabelecer o equilíbrio alterado por uma falha estrutural ou funcional; **4** indemnização ❖ ***em ~*** em contrapartida
compensar *v. tr.* **1** restabelecer o equilíbrio entre; contrabalançar; **2** indemnizar
competência *s. f.* **1** qualidade de quem é capaz de resolver determinados problemas ou de exercer determinadas funções; aptidão; capacidade; **2** capacidade que uma pessoa tem para avaliar (algo ou alguém); idoneidade; **3** área de actividade; atribuição; alçada; **4** LING. conhecimento adquirido e inconsciente das regras da língua, graças ao qual uma pessoa é capaz de construir, reconhecer e compreender um número infinito de frases
competente *adj. 2 gén.* **1** que tem competência ou capacidade para fazer algo; capaz; **2** apto; qualificado
competição *s. f.* **1** luta pela conquista de um mesmo lugar, prémio ou resultado; concorrência; rivalidade; **2** DESP. prova
competidor *s. m.* pessoa que compete; adversário; rival
competir *v. intr.* **1** concorrer com outrem pelo mesmo objectivo; concorrer; rivalizar; **2** ser das atribuições de; competir a; caber a
competitividade *s. f.* qualidade de competitivo
competitivo *adj.* **1** relativo a competição; **2** que compete; **3** que gera competição; **4** ECON. (preço, produto) que suporta a competição
compilação *s. f.* **1** reunião de textos sobre determinado assunto; **2** INFORM. operação de conversão de uma linguagem de alto nível para linguagem máquina
compilar *v. tr.* **1** reunir documentos diversos sobre o mesmo assunto; **2** INFORM. traduzir uma linguagem de programação para uma linguagem máquina que o computador interpreta
compincha *s. 2 gén. (coloq.)* companheiro; camarada
complacente *adj. 2 gén.* que usa de complacência; tolerante; benevolente
compleição *s. f.* **1** constituição física; **2** temperamento
complementar **I** *adj. 2 gén.* **1** relativo a complemento; **2** que serve de complemento; **II** *v. tr* concluir; terminar
complementaridade *s. f.* **1** qualidade do que é complementar; **2** interdependência (de factos ou fenómenos)
complemento *s. m.* **1** aquilo que complementa ou completa; suplemento; **2** acabamento; remate;

3 GRAM. palavra ou expressão que completa o sentido de outra; ~ ***directo*** palavra ou expressão que completa o sentido de um verbo sem o auxílio de preposição; ~ ***indirecto*** palavra ou expressão que, antecedida de uma preposição, completa o sentido de um verbo

completar *v. tr.* **1** tornar completo; **2** acabar; terminar; **3** atingir um valor (numérico)

completivo *adj.* GRAM. (conjunção) que liga à oração principal uma outra que lhe completa o sentido

completo *adj.* **1** (trabalho, colecção) a que não falta nenhuma parte; integral; **2** (comboio, hotel) que não tem lugares disponíveis; cheio; **3** total; absoluto; **4** completado; cumprido ❖ ***por*** ~ inteiramente

complexado *adj.* que tem complexos; inibido

complexo I *adj.* **1** complicado; intricado; **2** confuso; obscuro; **II** *s. m.* **1** conjunto de coisas, factos, circunstâncias que têm entre si relações de interdependência; **2** PSIC. conjunto de sentimentos, ideias e impulsos, geralmente inconscientes, que fazem parte da personalidade de uma pessoa, determinando o seu comportamento; **3** PSIC. conjunto de ideias ou sentimentos reprimidos e capazes de desencadear um comportamento doentio; ~ ***de culpa*** sentimento que leva uma pessoa a recriminar-se por um acto/fracasso pelo qual não é responsável; ~ ***de inferioridade*** perturbação psicológica resultante do sentimento de inferioridade perante os outros ou em face de uma situação nova

complicação *s. f.* **1** estado do que é complicado; **2** dificuldade; obstáculo; **3** coisa confusa ou obscura; **4** MED. facto ou processo patológico que se verifica durante a evolução de uma doença, agravando-a

complicado *adj.* **1** que apresenta complicação; **2** difícil de resolver

complicar I *v. tr.* **1** tornar complexo ou intricado; dificultar; **2** tornar difícil de entender; confundir; **3** tornar pior; agravar; **II** *v. refl.* **1** tornar-se confuso; enredar-se; **2** (saúde) sofrer complicação; agravar-se

complô *s. m.* trama; maquinação

componente *s. 2 gén.* aquilo que entra na composição de algo; constituinte

compor I *v. tr.* **1** entrar na composição de; **2** escrever (música); **3** produzir (obra de arte); **4** consertar (peça, mecanismo); **II** *v. intr.* escrever (música); **III** *v. refl.* **1** ser formado por; **2** arranjar-se; **3** harmonizar-se

comporta *s. f.* porta móvel que retém ou liberta a água de represa, barragem, dique ou canal

comportado *adj.* que tem bom ou mau procedimento

comportamento *s. m.* maneira de se comportar; atitude; procedimento

comportar I *v. tr.* conter em si; compreender; abarcar; **II** *v. refl.* **1** proceder; portar-se; **2** reagir a

comportável *adj. 2 gén.* que se pode admitir; aceitável

composição *s. f.* **1** forma como os elementos de um todo se organizam; constituição; **2** produção literária, artística ou científica; **3** exercício escolar que consiste em escrever um texto sobre um tema proposto; redacção; **4** MÚS. arte de escrever peças musicais; **5** MÚS. obra composta; **6** GRAM. processo de formação de palavras novas através da junção de palavras já existentes

compositor *s. m.* MÚS. pessoa que escreve peças musicais

composto I *adj.* 1 formado por dois ou mais elementos; constituído; 2 arrumado; ordenado; II *s. m.* 1 QUÍM. substância homogénea formada pela combinação de vários elementos químicos em proporções fixas; 2 GRAM. palavra formada por dois ou mais elementos aglutinados ou unidos por hífen

compostura *s. f.* 1 ligação das partes de um todo; composição; 2 reparação; 3 educação

compota *s. f.* alimento de consistência gelatinosa preparado com frutos (inteiros ou esmagados) cozidos em calda de açúcar; geleia

compra *s. f.* 1 acção de comprar; 2 aquilo que se comprou; aquisição; 3 *(fig.)* suborno; corrupção; ECON. ***poder de ~*** capacidade financeira de um grupo social, de uma pessoa ou de uma moeda de adquirir produtos e serviços

comprador *s. m.* pessoa que compra

comprar *v. tr.* 1 adquirir, pagando; 2 atingir; alcançar; 3 (num jogo de cartas) retirar cartas do baralho; 4 *(fig.)* subornar

comprazer I *v. intr.* 1 consentir; 2 transigir; II *v. refl.* regozijar-se; congratular-se

compreender I *v. tr.* 1 abranger; incluir; 2 perceber; entender; II *v. refl.* estar incluído ou contido

compreensão *s. f.* 1 faculdade de perceber o significado de alguma coisa; entendimento; 2 benevolência; indulgência

compreensível *adj. 2 gén.* que se pode compreender ou entender; inteligível

compreensivo *adj.* 1 que pode compreender ou incluir; 2 que revela compreensão; indulgente

compressa *s. f.* MED. tira de pano ou gaze que pode ser embebida em água ou em medicamento e se utiliza em curativos e intervenções cirúrgicas

compressão *s. f.* 1 acto de comprimir; 2 INFORM. redução do tamanho de um ficheiro, sem alteração do seu conteúdo

comprido *adj.* 1 extenso; longo; 2 *(fig.)* monótono; cansativo

comprimento *s. m.* 1 extensão de um objecto de uma extremidade à outra; 2 tamanho; 3 distância

comprimido I *s. m.* FARM. pastilha obtida por compressão de substâncias medicamentosas secas, própria para ser engolida ou mastigada; II *adj.* 1 reduzido; compactado; 2 apertado; achatado; ***ar ~*** ar submetido a uma pressão superior à da atmosfera

comprimir I *v. tr.* 1 sujeitar a compressão; 2 fazer reduzir o volume por meio de pressão; 3 INFORM. armazenar (dados ou ficheiros) de forma a ocupar menos espaço na memória do computador; compactar; 4 apertar; achatar; II *v. refl.* 1 sofrer compressão; 2 encolher-se

comprometedor *adj.* que compromete ou pode comprometer

comprometer I *v. tr.* 1 expor a perigo, embaraço ou prejuízo; sujeitar; 2 responsabilizar; implicar; II *v. refl.* 1 assumir responsabilidade; 2 ficar noivo

comprometido *adj.* 1 embaraçado; 2 implicado; 3 noivo

compromisso *s. m.* 1 acordo; 2 encontro; 3 obrigação

comprovação *s. f.* 1 prova; 2 confirmação

comprovante I *adj. 2 gén.* que serve para comprovar; II *s. m.* *(Bras.)* documento que comprova a realização de uma despesa; recibo

comprovar *v. tr.* **1** provar; **2** confirmar

comprovativo *adj.* que comprova

compulsão *s. f.* PSIC. impulso irresistível que leva à repetição de um acto, independentemente da vontade do sujeito

compulsivo *adj.* PSIC. que leva à repetição de um acto, independentemente da vontade do sujeito

compulsório *adj.* que compele ou força; obrigatório

computação *s. f.* INFORM. organização e estruturação de dados de acordo com uma sequência de instruções codificadas num programa; processamento de dados

computacional *adj. 2 gén.* relativo a computador ou a computação

computador *s. m.* aparelho electrónico capaz de receber, armazenar e processar grande quantidade de informação em função de um conjunto de instruções codificadas; ~ ***pessoal*** computador com um sistema operativo e software próprio, destinado a ser usado por um utilizador individual; ~ ***portátil*** computador de volume e peso reduzidos, que pode ser transportado facilmente de um sítio para outro

comum *adj. 2 gén.* **1** que se aplica a várias coisas ou pessoas; **2** que interessa a um grande número de pessoas; geral; **3** que é corrente; usual; habitual; **4** GRAM. (nome, substantivo) que designa um ser, um objecto, etc., sem os individualizar (por oposição a próprio); ***de ~ acordo*** com o consentimento de todos; ***em ~*** conjuntamente; ***senso ~*** conjunto das opiniões geralmente aceites sobre uma questão pela maioria das pessoas

comuna I *s. 2 gén.* (*pej.*) pessoa comunista; **II** *s. f.* HIST. cidade medieval que adquiria uma certa autonomia em relação ao sistema feudal, com direitos reconhecidos por escrito pelo seu suserano

comungar *v. intr.* **1** RELIG. receber o sacramento da Eucaristia; **2** concordar com; partilhar (ideias, opiniões)

comunhão *s. f.* **1** RELIG. sacramento da Eucaristia; **2** acordo; concordância (de ideias, opiniões); **3** DIR. comparticipação de bens entre pessoas casadas; ~ ***de bens*** regime matrimonial em que o património é comum para todos os bens presentes (bens levados para o casamento) e futuros (bens adquiridos depois do matrimónio, excepto os de carácter estritamente pessoal)

comunicação *s. f.* **1** acto de comunicar; **2** troca de informação entre pessoas através da fala, da escrita ou do próprio comportamento; **3** ligação; **4** aviso

comunicado *s. m.* **1** informação divulgada em jornal, rádio, televisão, ou afixada em lugar público; **2** mensagem oficial

comunicador *s. m.* **1** (processo de comunicação) emissor; **2** TV pessoa que tem facilidade em se relacionar com o público

comunicar I *v. tr.* transmitir (um sinal, uma mensagem); divulgar; anunciar; **II** *v. intr.* estabelecer comunicação; relacionar-se; **III** *v. refl.* **1** propagar-se; espalhar-se; **2** transmitir-se por contágio

comunicativo *adj.* **1** relativo a comunicação; **2** que comunica com facilidade; extrovertido

comunicável *adj. 2 gén.* **1** que pode ser comunicado; **2** extrovertido; sociável; **3** que se transmite com facilidade; contagioso

comunidade s. *f.* **1** qualquer grupo social cujos membros vivem numa determinada área, sob um governo comum e partilhando uma herança cultural e histórica; sociedade; **2** BIOL. conjunto de organismos que habitam um meio ou ambiente comum e se inter-relacionam; **3** qualidade do que é comum; comunhão; **4** concordância; identidade

comunismo s. *m.* POL. regime caracterizado pela comunhão de todos os bens (meios de produção e bens de consumo) e pela ausência da propriedade privada

comunista **I** *adj. 2 gén.* relativo ao comunismo; **II** s. *2 gén.* pessoa partidária do comunismo

comunitário *adj.* **1** relativo a comunidade; **2** relativo à União Europeia

comutação s. *f.* **1** substituição de um elemento por outro; permutação; **2** ELECTR. operação que permite obter corrente eléctrica contínua em geradores, a partir de corrente alternada; DIR. ~ ***de pena*** substituição da sentença inicial por outra mais leve

comutador s. *m.* ELECTR. dispositivo que serve para inverter o sentido da corrente num circuito eléctrico ou em parte desse circuito

comutar *v. tr.* **1** fazer substituição em; permutar; **2** DIR. atenuar uma pena

cona s. *f.* (*vulg.*) vagina

conca s. *f.* ANAT. pavilhão da orelha

concavidade s. *f.* forma do que é côncavo; depressão

côncavo *adj.* que tem superfície curva reentrante; escavado

conceber **I** *v. tr.* **1** BIOL. desenvolver em si o germe de; gerar; **2** perceber a causa ou a razão (de algo); entender; **3** formar uma ideia; imaginar; **II** *v. intr.* engravidar

conceder *v. tr.* **1** fazer a concessão de; dar; **2** permitir; **3** admitir por hipótese

conceito s. *m.* **1** FIL. representação mental, abstracta e geral, de um objecto; noção abstracta; **2** LING. representação simbólica com um significado geral que abarca uma série de objectos que possuem propriedades comuns; **3** ponto de vista; opinião

conceituado *adj.* que goza de boa reputação

concelhio *adj.* relativo a concelho

concelho s. *m.* subdivisão do território sob administração de um presidente da câmara e das restantes entidades autárquicas

concentração s. *f.* **1** reunião num ponto; convergência; **2** capacidade de dirigir a atenção e o pensamento para uma ideia, assunto ou tarefa em particular; **3** QUÍM. quantidade relativa de uma substância numa mistura

concentrado **I** *adj.* **1** (num ponto) reunido; centralizado; **2** (mentalmente) aplicado; **3** (alimento, sabor) intensificado; **II** s. *m.* QUÍM. solução que tem uma concentração relativamente alta de um soluto

concentrar **I** *v. tr.* **1** fazer convergir para um ponto; reunir; **2** aplicar de forma exclusiva; focar (a atenção, o pensamento); **3** QUÍM. aumentar a concentração de (uma solução); **II** *v. refl.* **1** (pessoas) reunir-se; juntar-se; **2** (mentalmente) dirigir a atenção e o pensamento para uma ideia, assunto ou tarefa em particular

concêntrico *adj.* **1** que tem o mesmo centro; **2** que converge para um ponto ou centro

concepção s. *f.* **1** BIOL. acto de gerar um ser vivo; fecundação; **2** faculdade de compreender algo; entendimento; **3** criação mental; produção; **4** ideia; noção

concepcional *adj. 2 gén.* relativo a concepção

conceptual *adj. 2 gén.* **1** relativo a conceito; **2** relativo às noções mentais; abstracto; teórico; **3** (arte) que privilegia um conceito ou uma ideia em detrimento da forma

concertação *s. f.* conciliação; harmonização; **~ *social*** acordo entre governo e parceiros sociais (sindicatos, associações profissionais, etc.) sobre medidas laborais (horários de trabalho, rendimentos, etc.)

concertar I *v. tr.* **1** arranjar; reparar; **2** conciliar; harmonizar; **3** combinar; ajustar; **II** *v. intr.* estar de acordo

concertina *s. f.* MÚS. instrumento de forma hexagonal ou octogonal, com fole e palheta livre

concerto *s. m.* **1** espectáculo em que se executam peças musicais; recital; **2** consonância de vozes ou de sons; harmonia; **3** pacto; combinação

concessão *s. f.* **1** acto de conceder; entrega; **2** permissão; autorização; **3** DIR. transferência temporária, feita pelo Estado, do direito de exploração de um serviço público para uma entidade privada

concessionar *v. tr.* atribuir (o Estado) uma concessão

concessionário *s. m.* **1** DIR. aquele que obteve uma concessão; **2** ECON. representante exclusivo de uma marca numa região

concessivo *adj.* **1** relativo a concessão; **2** GRAM. (conjunção, oração subordinada) que exprime oposição ou restrição à acção expressa na oração principal, mas não é suficiente para impedir que ela se realize

concha *s. f.* **1** ZOOL. formação mais ou menos resistente, geralmente calcária, que reveste o corpo dos moluscos; **2** colher grande e funda para servir sopa, caldo, etc.; **3** ANAT. pavilhão da orelha

concidadão *s. m.* pessoa que, em relação a outra, é natural da mesma cidade ou do mesmo país

conciliação *s. f.* **1** harmonização de partes desavindas; reconciliação; **2** acordo; concordância; **3** combinação de coisas aparentemente contraditórias

conciliar I *v. tr.* **1** harmonizar partes desavindas; reconciliar; **2** combinar (coisas aparentemente contraditórias); **II** *v. refl.* harmonizar-se; reconciliar-se

conciliável *adj. 2 gén.* que se pode conciliar

concílio *s. m.* RELIG. reunião de autoridades da Igreja, com o fim de tratar de assuntos relativos à fé, à moral e à disciplina

concisão *s. f.* qualidade do que é conciso; brevidade

conciso *adj.* exposto em poucas palavras; sucinto; breve

concludente *adj. 2 gén.* **1** decisivo; **2** final; **3** convincente

concluir *v. tr.* **1** pôr fim a; terminar; acabar; **2** tirar a conclusão; deduzir

conclusão *s. f.* **1** acto de concluir; termo; **2** consequência; **3** dedução; ***em ~*** finalmente; por fim

conclusivo *adj.* **1** que contém uma conclusão; **2** GRAM. (conjunção) que liga a uma oração anterior uma outra que exprime conclusão

concomitante *adj. 2 gén.* que se verifica ao mesmo tempo; simultâneo

concordância *s. f.* **1** harmonia; acordo; **2** GRAM. identidade de género e número, entre certas palavras, e de número e pessoa, entre outras

concordar *v. intr.* **1** estar de acordo; permitir; **2** GRAM. (palavras) estar em concordância; **3** corresponder; combinar

concórdia *s. f.* união de vontades ou de opiniões; harmonia
concorrência *s. f.* **1** oposição de interesses entre pessoas que têm um objectivo comum; rivalidade; **2** ECON. relação de competição entre empresas ou sectores; **3** conjunto de pessoas que se reúnem num mesmo local; afluência
concorrente *s. 2 gén.* pessoa que concorre; candidato
concorrer *v. intr.* **1** ter o mesmo objectivo que outra pessoa; **2** participar num concurso ou competição; **3** candidatar-se; **4** contribuir; **5** afluir
concorrido *adj.* **1** que foi alvo de competição; **2** em que há muita gente; frequentado
concretização *s. f.* acto de tornar concreto ou real; realização
concretizar *v. tr. e refl.* tornar(-se) concreto; realizar(-se)
concretizável *adj. 2 gén.* que pode ser concretizado; realizável
concreto I *adj.* **1** que existe na realidade; verdadeiro; **2** determinado; particular; **3** consistente; espesso; **II** *s. m.* **1** aquilo que é real ou verdadeiro; **2** *(Bras.)* betão
concurso *s. m.* **1** competição entre pessoas que disputam um mesmo prémio ou direito; certame; **2** afluência de pessoas ao mesmo local
condado *s. m.* território sob a jurisdição de um conde
condão *s. m.* virtude ou qualidade especial; dom; ***varinha de ~*** pequena vara com que, nas lendas, fadas e mágicos realizam encantamentos
conde *s. m.* {*f.* condessa} **1** título de nobreza, ou de simples distinção, entre visconde e marquês; **2** pessoa que possui esse título
condecoração *s. f.* distinção honrosa; medalha
condecorar *v. tr.* conceder condecoração a
condenação *s. f.* **1** DIR. sentença em que um tribunal ou um juiz reconhece o réu como culpado e lhe impõe uma pena; **2** DIR. pena imposta por essa sentença; **3** crítica severa; censura; ataque
condenado I *adj.* **1** DIR. que foi considerado culpado e sentenciado; **2** que é constrangido; forçado; **3** (doente) sem possibilidade de recuperação; desenganado; **II** *s. m.* **1** o que foi declarado culpado; **2** doente que está em estado terminal
condenar *v. tr.* **1** DIR. proferir sentença condenatória e impor uma pena; declarar culpado; **2** criticar severamente; censurar; **3** considerar (um doente) em estado terminal; desenganar
condenável *adj. 2 gén.* **1** que merece ser condenado; **2** censurável; repreensível
condensação *s. f.* **1** FÍS. passagem do estado de vapor ao estado líquido; liquefacção; **2** QUÍM. formação de um composto pela reacção de duas ou mais substâncias orgânicas com eliminação de água; **3** resumo; síntese
condensado *adj.* **1** (gás ou vapor) liquefeito; **2** (texto, ideia) resumido
condensador *s. m.* **1** ELECTR. aparelho que permite acumular energia eléctrica; **2** FÍS. dispositivo onde se verifica a passagem de um vapor para o estado líquido
condensar *v. tr.* **1** FÍS. liquefazer (gás, vapor); **2** resumir; sintetizar
condescendência *s. f.* atitude de benevolência (sincera ou fingida); complacência
condescendente *adj. 2 gén.* indulgente; complacente

condescender *v. intr.* ceder em alguma coisa (por simpatia ou interesse); transigir

condição *s. f.* **1** situação em que se encontra algo/alguém; circunstância; conjuntura; **2** classe social; **3** hipótese; possibilidade; **4** situação ou facto indispensável; exigência ❖ ***~ sine qua non*** condição essencial ou indispensável

condicionado *adj.* **1** sujeito a condições ou restrições; limitado; **2** dependente de

condicionador *s. m.* produto cosmético para amaciar ou tratar o cabelo

condicional **I** *adj.* 2 *gén.* **1** dependente de condição; incerto; **2** GRAM. que exprime uma acção dependente de condição; **3** GRAM. que traduz uma acção futura relativa ao passado; **II** *s. m.* GRAM. (modo verbal) futuro do pretérito

condicionar *v. tr.* **1** pôr condições ou restrições a; limitar; **2** PSIC. determinar; influenciar

condimentar *v. tr.* temperar (alimentos)

condimento *s. m.* substância que realça o sabor dos alimentos; tempero

condiscípulo *s. m.* companheiro

condizer *v. intr.* **1** estar em harmonia com; combinar; **2** ter a mesma opinião; concordar

condolência *s. f.* **1** compaixão; dó; **2** [*pl.*] expressão de pesar pela morte de alguém; pêsames

condomínio *s. m.* situação em que um prédio pertence a vários titulares, possuindo cada um deles direitos sobre uma ou mais fracções, sendo comproprietários das partes comuns do edifício

condomínio fechado *s. m.* área residencial de acesso controlado e em que um conjunto de equipamentos, tais como jardins e piscinas, podem ser utilizados por todos os moradores

condómino *s. m.* titular de uma ou mais fracções de uma propriedade horizontal, e comproprietário das partes comuns do edifício

condor *s. m.* ZOOL. ave de rapina diurna, de pelagem preta e com manchas brancas nas asas

condução *s. f.* **1** direcção; orientação; governo; **2** acto de guiar um veículo; **3** FÍS. transferência de carga eléctrica por movimento de partículas carregadas em determinado sentido; **4** *(Bras.)* meio de transporte

conduta *s. f.* **1** (canalização) tubo condutor; canal; **2** (moral) procedimento; comportamento

condutor **I** *s. m.* **1** pessoa que conduz um veículo; **2** meio de comunicação ou de transmissão; **II** *adj.* ELECTR. que permite a passagem da corrente eléctrica

conduzir *v. tr.* **1** orientar; encaminhar; **2** guiar (um veículo); **3** pilotar (um barco)

cone *s. m.* **1** GEOM. sólido geométrico que se obtém intersectando uma das folhas de uma superfície cónica fechada por um plano que intersecte todas as geratrizes da superfície; **2** base cónica de sorvete, feita de massa de biscoito

cónego *s. m.* RELIG. padre

conexão *s. f.* **1** ligação; vínculo; **2** analogia; afinidade; **3** ELECTR. ligação de condutores ou aparelhos num circuito eléctrico

confecção *s. f.* **1** acto de confeccionar; fabrico; produção; **2** indústria de vestuário fabricado em série; pronto-a-vestir

confeccionar *v. tr.* preparar; produzir; fazer

confederação *s. f.* POL. associação de Estados; coligação
confeitaria *s. f.* estabelecimento onde se fabricam ou vendem pastéis e outras doçarias; pastelaria
conferência *s. f.* **1** conversa entre duas ou mais pessoas sobre assuntos de interesse comum; **2** debate ou palestra sobre temas literários, artísticos, científicos, políticos ou religiosos; ***~ de imprensa*** entrevista dada por uma pessoa/um representante de uma instituição a um grupo de jornalistas
conferenciar *v. intr.* **1** discutir (um tema) em conferência; **2** analisar (algo) numa conversa particular
conferencista *s. 2 gén.* pessoa que faz conferências
conferir I *v. tr.* controlar; verificar; **II** *v. intr.* estar exacto ou conforme
confessar I *v. tr.* **1** admitir; reconhecer (erro, culpa); **2** RELIG. contar (pecados) em confissão; **3** RELIG. (padre) ouvir (alguém) em confissão; **II** *v. refl.* contar os próprios pecados (ao padre)
confessionário *s. m.* lugar onde o padre ouve as confissões
confessor *s. m.* padre que ouve a confissão de pecados
confetes *s. m. pl.* pedacinhos de papel de várias cores e formas que as pessoas atiram umas às outras no Carnaval
confiança *s. f.* **1** segurança de quem acredita em alguém/alguma coisa; certeza; **2** segurança íntima ou convicção do próprio valor; firmeza; **3** esperança; optimismo; ***abuso de ~*** acto de tirar proveito da confiança depositada por alguém para um fim indevido
confiante *adj. 2 gén.* **1** que confia; crédulo; **2** que confia em si próprio; firme; **3** optimista
confiar I *v. intr.* ter confiança; acreditar; **II** *v. tr.* **1** contar (um segredo); revelar; **2** entregar; **3** incumbir
confiável *adj. 2 gén.* em que se pode acreditar; digno de confiança; leal
confidência *s. f.* comunicação de algo íntimo ou pessoal; segredo
confidencial *adj. 2 gén.* secreto; sigiloso
confidencialidade *s. f.* **1** qualidade do que é confidencial; **2** manutenção do carácter secreto de uma informação
confidente *s. 2 gén.* pessoa a quem se fazem confidências
configuração *s. f.* forma exterior de um corpo; aspecto; feitio
configurar *v. tr.* **1** dar forma a; **2** representar; **3** INFORM. definir opções para satisfazer necessidades específicas de um sistema ou de um utilizador
confinar I *v. tr.* circunscrever; limitar; **II** *v. intr.* ter como limite; restringir-se
confins *s. m. pl.* **1** fronteiras; limites; **2** lugares remotos ou longínquos
confirmação *s. f.* **1** acto de confirmar; certificação; **2** demonstração da verdade de uma afirmação ou facto anterior; validação; **3** RELIG. (catolicismo) sacramento destinado a confirmar e reforçar os votos do baptismo; crisma
confirmar *v. tr.* **1** comprovar a verdade ou existência de; certificar; **2** RELIG. (catolicismo) administrar o sacramento da confirmação; crismar
confiscar *v. tr.* apreender por ordem judicial algo que está na posse de alguém
confissão *s. f.* **1** declaração (de falta ou culpa); **2** RELIG. (catolicismo) reconhecimento dos pecados cometidos, na presença de um padre; sacramento da penitência

conflito *s. m.* **1** choque de elementos contrários; antagonismo; **2** luta entre dois poderes com interesses opostos; guerra

conflituoso *adj.* **1** que encerra conflito; antagónico; **2** propenso a conflito(s); desordeiro

confluente **I** *adj. 2 gén.* **1** (curso de água) que flui em direcção a (outro); **2** (linha, rua) que converge em determinado ponto; **3** (interesse, opinião) que se aproxima; **II** *s. m.* GEOG. rio que desagua num afluente

confluir *v. intr.* **1** dirigir-se para o mesmo ponto; convergir; **2** tornar-se semelhante; coincidir

conformar **I** *v. tr.* adaptar; conciliar; **II** *v. refl.* resignar-se com; aceitar

conforme **I** *adj. 2 gén.* **1** que tem forma igual ou semelhante; idêntico; **2** que está de acordo com o fim a que se destina; apropriado; **3** que está nas devidas condições; operacional; **II** *conj.* **1** como; consoante; **2** segundo; de acordo com; **3** à medida que; **III** *prep.* segundo; de acordo com

conformidade *s. f.* **1** identidade de forma; correspondência; **2** semelhança; analogia ❖ ***em ~ com*** de acordo com

conformismo *s. m.* **1** apego aos costumes antigos ou às normas e valores impostos pela sociedade; conservadorismo; **2** *(pej.)* tendência para acatar passivamente o modo de agir e de pensar da maioria do grupo em que está integrado

conformista *adj. e s. 2 gén.* **1** que ou pessoa que se conforma; **2** que ou pessoa que vive segundo valores e normas tradicionais; **3** *(pej.)* que ou pessoa que acata passivamente as opiniões ou decisões da maioria

confortar *v. tr.* **1** proporcionar conforto a; **2** consolar; animar

confortável *adj. 2 gén.* que proporciona conforto; cómodo

conforto *s. m.* **1** bem-estar; comodidade; **2** consolo; alívio

confraria *s. f.* conjunto de pessoas que têm um interesse comum; sociedade; associação

confraternização *s. f.* reunião de pessoas com os mesmos interesses ou ocupações

confraternizar *v. intr.* **1** manter relações de camaradagem com; conviver; **2** reunir-se em convívio; festejar

confrontação *s. f.* oposição violenta; choque

confrontar **I** *v. tr.* **1** colocar frente a frente; **2** comparar; **II** *v. refl.* estar frente a frente; defrontar-se

confronto *s. f.* **1** encontro face a face; **2** choque de interesses ou de posições; oposição; **3** comparação; paralelo

confundido *adj.* **1** perturbado; confuso; **2** envergonhado; embaraçado

confundir *v. tr.* **1** tornar confuso; perturbar; **2** causar embaraço

confusão *s. f.* **1** falta de ordem ou de clareza; perturbação; **2** tumulto; balbúrdia; **3** engano; equívoco

confuso *adj.* **1** desordenado; **2** perplexo; **3** envergonhado

congelação *s. f.* **1** solidificação por acção do frio; **2** processo de conservação de alimentos a temperaturas inferiores a -18°C durante um longo período

congelado *adj.* **1** solidificado por acção do frio; **2** frio como gelo; **3** (preço, salário) que não pode ser alterado; **4** (crédito) que não pode ser transferido

congelador *s. m.* compartimento de um frigorífico próprio para congelar e conservar os alimentos a temperaturas muito baixas

congelar I *v. tr.* 1 fazer passar do estado líquido ao estado sólido por acção do frio; 2 submeter (alimentos) a temperaturas baixas para conservar; 3 fixar temporariamente preços ou salários (como medida de controlo de inflação); II *v. intr.* sentir muito frio; enregelar-se

congeminar *v. tr. e intr.* imaginar; cismar

congénere *adj.* 1 do mesmo género; da mesma espécie; 2 que tem a mesma origem (que outro)

congénito *adj.* 1 BIOL. que é característico do indivíduo desde o seu nascimento ou da sua gestação; 2 que é espontâneo; natural; inato

congestão *s. f.* 1 MED. acumulação anormal de sangue nos vasos de um órgão ou de uma região do corpo; 2 *(fig.)* aglomeração; afluxo (de pessoas, veículos, etc.)

congestionado *adj.* 1 MED. que sofre congestão; 2 *(fig.)* (trânsito) acumulado; 3 (pessoa, rosto) alterado; furioso

congestionamento *s. m.* acumulação de pessoas ou de veículos, impedindo a circulação normal; engarrafamento

congestionar I *v. tr.* 1 MED. provocar acumulação anormal de sangue num órgão ou numa parte do corpo; 2 dificultar ou impedir a circulação (de pessoas ou de veículos); II *v. refl.* 1 sofrer congestão; 2 (trânsito) parar ou tornar-se anormalmente lento; engarrafar-se

congratulação *s. f.* 1 acto de congratular(-se); 2 [*pl.*] parabéns; felicitações

congratular I *v. tr.* apresentar congratulações a; felicitar; II *v. refl.* regozijar-se com a felicidade de outrem

congregação *s. f.* 1 ajuntamento de pessoas; reunião; 2 RELIG. instituto ou ordem religiosa; 3 RELIG. comunidade protestante

congregar *v. tr.* reunir; juntar

congressista *s. 2 gén.* membro de um congresso

congresso *s. m.* 1 reunião de especialistas de determinada área para troca de ideias; colóquio; 2 reunião de chefes de Estado ou seus representantes para tratar de assuntos de carácter internacional; conferência

congro *s. m.* ZOOL. peixe de corpo longo e cilíndrico, sem escamas, chamado safio quando jovem

congruência *s. f.* 1 adequação de um objecto ou facto ao fim a que se destina; 2 correspondência; coerência; 3 acordo; harmonia

congruente *adj. 2 gén.* 1 adequado; apropriado; 2 coincidente; coerente; 3 proporcionado; harmonioso

conhaque *s. m.* aguardente da região de Conhaque (França)

conhecer I *v. tr.* 1 ter conhecimento de; 2 encontrar alguém pela primeira vez; travar conhecimento com; 3 distinguir; reconhecer; 4 orientar-se em; II *v. refl.* encontrar-se pela primeira vez

conhecido I *adj.* 1 que se conheceu; 2 que muitas pessoas conhecem; familiar; 3 que tem grande reputação; célebre; II *s. m.* 1 pessoa com quem se tem relações sociais; 2 pessoa de quem se ouviu falar

conhecimento *s. m.* 1 faculdade de conhecer; cognição; 2 percepção intelectual; entendimento; saber; 3 domínio teórico ou prático de uma arte, uma técnica ou uma disciplina; experiência; 4 reconhecimento de algo que se sabia anteriormente; consciência; 5 [*pl.*] pessoas com quem se estabeleceu uma relação social ou de quem se ouviu falar; relações

cónico *adj.* 1 relativo a cone; 2 que tem forma de cone

conivência *s. f.* acordo tácito; cumplicidade

conivente *adj. 2 gén.* cúmplice

conjectura *s. f.* 1 juízo formado sobre aparências, indícios ou probabilidades; suposição; 2 opinião formada sobre uma hipótese não verificada; presunção

conjecturar *v. tr.* presumir; supor

conjugação *s. f.* 1 GRAM. disposição sistemática de todas as flexões de um verbo; 2 ligação; junção; 3 união; combinação

conjugado *adj.* 1 combinado; ligado; 2 (verbo) flexionado

conjugal *adj. 2 gén.* relativo ao casamento; matrimonial

conjugar *v. tr.* 1 ligar; combinar; 2 GRAM. expor ordenadamente todas as flexões de um verbo

cônjuge *s. 2 gén.* pessoa em relação a outra, com quem está casada

conjunção *s. f.* 1 união; combinação; 2 GRAM. palavra invariável que liga duas frases (orações) ou partes funcionalmente iguais da mesma frase (oração)

conjuntiva *s. f.* ANAT. membrana mucosa que forra a parte anterior do globo ocular e o une às pálpebras

conjuntivite *s. f.* MED. inflamação da conjuntiva

conjuntivo I *adj.* que liga ou une; II *s. m.* GRAM. modo verbal que exprime a acção como uma possibilidade, uma eventualidade, uma expectativa ou dúvida

conjunto *s. m.* 1 totalidade de elementos que formam um todo; 2 grupo de coisas; colecção; 3 grupo de pessoas; equipa; 4 grupo musical; banda; 5 peças de roupa feitas para serem vestidas juntas

conjuntura *s. f.* 1 combinação de factos ou circunstâncias num dado momento; situação; 2 conjunto de factores que determinam a situação política, económica e social de um país num dado momento

conluio *s. m.* combinação entre duas ou mais pessoas para prejudicar alguém; maquinação; trama

connosco *pron. pess.* 1 com as nossas pessoas ⟨*conversou connosco*⟩; 2 em nossa companhia ⟨*foram connosco*⟩; 3 ao mesmo tempo que nós ⟨*saíram connosco*⟩; 4 por nossa causa ⟨*riu-se connosco*⟩; 5 a nosso respeito ⟨*a conversa não era connosco*⟩; 6 à nossa responsabilidade ⟨*deixa o problema connosco*⟩; 7 na nossa posse ⟨*o carro está connosco*⟩

conotação *s. f.* LING. significado secundário, adicional ou subjectivo de uma palavra ou expressão (por oposição a denotação)

conotar *v. tr.* sugerir sentido(s) para além do sentido literal de uma palavra

conotativo *adj.* LING. que remete para um sentido subjectivo ou não literal (por oposição a *denotativo*)

conquanto *conj.* se bem que; embora; ainda que

conquilha *s. f.* ZOOL. molusco comestível

conquista *s. f.* 1 acto ou processo de conquistar; tomada (de território, etc.); 2 aquilo que é conquistado; 3 o que se obtém pelo esforço; vitória; 4 *(fig.)* sedução; 5 *(fig.)* pessoa seduzida

conquistador *s. m.* 1 pessoa que conquista; 2 *(pej.)* pessoa que seduz

conquistar *v. tr.* 1 submeter pela força das armas; subjugar; 2 alcançar com esforço; vencer; 3 *(fig.)* seduzir

consagração *s. f.* **1** reconhecimento público dos méritos de alguém; homenagem; **2** RELIG. (liturgia católica) acto pelo qual o sacerdote consagra o pão e o vinho, transubstanciados no corpo e sangue de Cristo; **3** validação; confirmação

consagrado *adj.* **1** dedicado; **2** destinado; **3** aprovado

consagrar I *v. tr.* **1** dedicar; **2** tornar sagrado; **3** RELIG. (liturgia católica) converter (pão e vinho) no corpo e no sangue de Cristo; **4** confirmar; **II** *v. refl.* **1** dedicar-se; **2** alcançar fama ou glória

consanguíneo *adj.* que é do mesmo sangue ou raça

consanguinidade *s. f.* parentesco entre indivíduos que descendem do mesmo pai; laço de sangue

consciência *s. f.* **1** sentido ou percepção que o ser humano possui do que é moralmente certo ou errado e que determina o seu comportamento; **2** comportamento decorrente da percepção individual do que é moralmente certo ou errado; **3** entendimento; compreensão; **4** noção; ideia; **5** PSIC. nível da actividade mental do qual uma pessoa tem um conhecimento intuitivo

consciencioso *adj.* **1** que tem consciência; **2** escrupuloso; rigoroso

consciente I *adj. 2 gén.* **1** que tem consciência da própria existência; **2** que envolve raciocínio; **3** (acto) feito com cuidado e ponderação; responsável; **4** (pessoa) que actua com cuidado e rectidão; lúcido; **II** *s. m.* PSIC. nível da vida mental do qual uma pessoa tem consciência (ao contrário do inconsciente)

consecutivo *adj.* **1** que se segue imediatamente; sucessivo; **2** GRAM. (conjunção, locução, oração subordinada) que expressa a consequência do que é declarado na oração principal

conseguinte *adj. 2 gén.* consequente; resultante ❖ ***por ~*** por consequência

conseguir I *v. tr.* **1** obter; **2** alcançar; **3** *(coloq.)* arranjar; **II** *v. intr.* *(coloq.)* atingir objectivo(s)

conselheiro *s. m.* **1** pessoa que aconselha; **2** membro de um conselho

conselho *s. m.* **1** recomendação; sugestão; **2** assembleia; reunião; **3** tribunal (especialmente militar); ***~ de administração*** grupo de administradores de uma empresa, ou seus representantes, encarregados da gestão dos negócios; ***~ de Ministros*** reunião de ministros de um governo sob a presidência do Primeiro-Ministro; ***~ directivo*** órgão encarregado da gestão de um estabelecimento de ensino; conselho executivo; ***~ disciplinar*** reunião de professores, delegados de turma e representantes dos encarregados de educação para tratar de problemas de comportamento ou disciplina

consenso *s. m.* **1** acordo; **2** opinião geral

consensual *adj. 2 gén.* **1** relativo a consenso; **2** que depende de consenso

consentimento *s. m.* permissão; autorização

consentir *v. tr.* permitir; autorizar

consequência *s. f.* **1** resultado natural, provável ou forçoso de um facto ou de uma atitude; efeito; **2** dedução tirada por meio do raciocínio; conclusão ❖ ***em ~ de*** em resultado de; ***por ~*** por essa razão

consequente *adj. 2 gén.* **1** resultante; **2** que se deduz

consertar *v. tr.* **1** reparar; arranjar; **2** remendar

conserto *s. m.* **1** reparação; arranjo; **2** remendo

conserva *s. f.* substância alimentar esterilizada e guardada em lata; enlatado

conservação *s. f.* **1** defesa da integridade ou qualidade de algo; preservação; **2** preparação de um alimento de modo a poder ser guardado sem se deteriorar; **3** ECOL. conjunto de medidas que visam o aproveitamento dos recursos naturais, de forma a permitir que se preservem e renovem

conservador **I** *s. m.* **1** funcionário superior de museu ou biblioteca; **2** funcionário de registo civil ou predial; **3** pessoa apegada às tradições e geralmente avessa a mudanças; **4** POL. pessoa que se opõe a mudanças radicais; **II** *adj.* **1** que conserva; **2** avesso a mudanças; **3** que se opõe a mudanças radicais

conservadorismo *s. m.* **1** atitude de apego às tradições; **2** POL. sistema que advoga reformas não radicais

conservante *s. m.* aditivo que impede ou retarda a deterioração de um alimento

conservar **I** *v. tr.* **1** manter em bom estado; preservar; **2** manter presente; fazer durar; **3** não deitar fora; guardar; **II** *v. refl.* **1** permanecer; ficar; **2** resistir

conservatório *s. m.* estabelecimento público destinado ao ensino de música, teatro e bailado

consideração *s. f.* **1** reflexão; ponderação; **2** respeito; deferência

considerado *adj.* **1** que foi levado em consideração; ponderado; **2** que é objecto de deferência; respeitado

considerar **I** *v. tr.* **1** reflectir sobre; ponderar; **2** ter consideração por; respeitar; **II** *v. refl.* julgar-se; reputar-se

considerável *adj. 2 gén.* **1** digno de nota; **2** grande; **3** significativo

consignação *s. f.* entrega de mercadorias para serem negociadas por terceiros

consignatário *s. m.* **1** destinatário; **2** credor

consigo *pron. pess.* **1** com ele(s) ou com você ⟨*trouxeram-na consigo; conto consigo*⟩; **2** em companhia dele(s) ou de você ⟨*tinha o livro consigo; vou ter consigo*⟩; **3** por causa de si próprio ou de você ⟨*admirou-se consigo; diverti-me consigo*⟩; **4** a respeito dele(s) ou de você ⟨*a piada era consigo; foi consigo a conversa?*⟩; **5** na posse dele(s) ou de você ⟨*têm os documentos consigo; o cheque está consigo*⟩; **6** à responsabilidade dele(s) ou de você ⟨*tinham consigo o neto; a chave está consigo?*⟩

consistência *s. f.* **1** estado do que é sólido; firmeza; **2** qualidade do que tem coerência; constância

consistente *adj. 2 gén.* **1** firme; espesso; **2** coerente; estável

consistir *v. intr.* **1** compor-se de; **2** fundar-se em

consoada *s. f.* **1** ceia na noite de Natal; **2** presente que se dá na noite de Natal

consoante **I** *s. f.* GRAM. som que só pode ser pronunciado com uma vogal que lhe sirva de apoio e em cuja produção intervém uma fricção ou uma obstrução realizada pelos órgãos fonadores; **II** *adj. 2 gén.* concordante; harmonioso; **III** *prep. e conj.* segundo; conforme; de acordo com

consola *s. f.* pequeno aparelho electrónico próprio para videojogos

consolação *s. f.* conforto; alívio

consolado *adj.* reconfortado; aliviado

consolar **I** *v. tr.* aliviar a aflição ou a dor (de alguém); reconfortar; **II** *v. refl.* regalar-se; satisfazer-se

consolidação *s. f.* processo de tornar mais sólido ou firme; fortalecimento
consolidar *v. tr. e refl.* tornar(-se) mais sólido ou mais firme; fortalecer(-se)
consolo *s. m.* alívio; conforto
consonância *s. f.* **1** combinação agradável de sons; harmonia; **2** concordância; acordo
consonante *adj. 2 gén.* **1** harmonioso; **2** concordante
consórcio *s. m.* **1** ligação; união; **2** ECON. associação de várias empresas com operações comuns
conspiração *s. f.* plano secreto contra algo ou alguém; intriga; maquinação
conspirar *v. intr.* traçar um plano contra algo ou alguém; maquinar
conspurcação *s. f.* **1** sujidade; **2** *(fig.)* difamação
conspurcar *v. tr.* **1** sujar; **2** manchar a reputação de; difamar
constância *s. f.* **1** perseverança; **2** regularidade
constante **I** *adj. 2 gén.* **1** persistente; **2** contínuo; **II** *s. f.* MAT. factor invariável numa fórmula ou numa expressão algébrica
constar *v. intr.* **1** ser do conhecimento geral; dizer-se; **2** consistir em; ser formado por; **3** estar escrito; ser mencionado
constatação *s. f.* verificação; comprovação
constatar *v. tr.* verificar; comprovar
constelação *s. f.* ASTRON. conjunto de estrelas convencionalmente unidas por linhas imaginárias, formando uma figura
consternação *s. f.* desânimo; desolação; tristeza
consternado *adj.* desolado; triste
consternar **I** *v. tr.* causar grande tristeza a; desolar; **II** *v. refl.* ficar prostrado de dor
constipação *s. f.* MED. estado inflamatório das vias respiratórias causado por vírus ou resfriamento e acompanhado por calafrios, cansaço e mal-estar geral
constipado *adj.* que tem constipação
constipar *v. tr. e refl.* causar ou apanhar constipação; resfriar-(se)
constitucional *adj. 2 gén.* **1** relativo a constituição (lei fundamental); **2** que respeita a constituição; legítimo; **3** POL. (regime) em que o poder executivo é limitado por uma constituição; **4** relativo à constituição (física) de uma pessoa
constitucionalidade *s. f.* qualidade do que obedece aos princípios fixados na constituição; legitimidade
constitucionalismo *s. m.* **1** POL. regime no qual o poder executivo é limitado por uma constituição; **2** doutrina que defende a necessidade de uma constituição
constitucionalista *s. 2 gén.* especialista em direito constitucional
constituição *s. f.* **1** conjunto das características congénitas, morfológicas, fisiológicas e mentais de uma pessoa; **2** fundação; estabelecimento; **3** composição; estrutura; **4** POL. texto fundamental que regula os direitos e garantias dos cidadãos e a organização política de um Estado
constituinte **I** *adj. 2 gén.* **1** que constitui; integrante; **2** POL. (assembleia, deputado) encarregado de redigir ou alterar o texto da constituição; **II** *s. m.* **1** elemento integrante; componente; **2** POL. membro de assembleia encarregada de redigir ou alterar a constituição; **3** LING. elemento (morfema, palavra, sintagma ou frase) que funciona como unidade numa construção maior
constituir *v. tr.* **1** estabelecer; fundar; **2** formar; compor

constitutivo *adj.* 1 que constitui; 2 essencial; 3 característico

constranger *v. tr.* 1 forçar; 2 intimidar

constrangido *adj.* 1 forçado; 2 intimidado

constrangimento *s. m.* 1 obrigação; 2 acanhamento

construção *s. f.* 1 actividade de organização e criação de algo; 2 conjunto de técnicas que permitem construir edifícios; 3 edifício; estrutura; 4 composição; formação; 5 GRAM. disposição das palavras que formam uma unidade sintáctica

construir *v. tr.* 1 levantar uma construção a partir do solo, segundo um projecto arquitectónico; edificar; 2 compor; criar; elaborar; 3 GRAM. dispor as palavras (de uma frase) segundo as regras da sintaxe

construtivo *adj.* 1 relativo a construção; 2 capaz de construir; criativo; 3 que permite avançar ou melhorar; positivo

construtor *s. m.* pessoa que se dedica à construção civil; empreiteiro

construtora *s. f.* empresa de construção civil

cônsul *s. m.* funcionário do ministério dos Negócios Estrangeiros de um país que exerce a sua actividade em país estrangeiro

consulado *s. m.* 1 cargo de cônsul; 2 residência de cônsul

consular *adj. 2 gén.* relativo a consulado

consulente *s. 2 gén.* pessoa que consulta

consulesa *s. f.* 1 funcionária do ministério dos Negócios Estrangeiros de um país que exerce a sua actividade em país estrangeiro; 2 esposa do cônsul

consulta *s. f.* 1 inquérito; referendo; 2 exame de um paciente por um médico; 3 pesquisa de informações (em livro, dicionário, etc.)

consultadoria *s. f.* 1 actividade de realização de pesquisas e fornecimento de pareceres em áreas específicas; 2 local onde os consultores exercem a sua actividade

consultar *v. tr.* 1 inquirir; 2 pedir conselho; 3 (médico) examinar um paciente; 4 procurar informações (em livro, dicionário, etc.)

consultor *s. m.* 1 pessoa que dá conselho(s); 2 especialista em determinada área que aconselha ou dá pareceres sempre que surgem dúvidas

consultório *s. m.* 1 lugar onde se dão consultas; 2 gabinete médico

consumação *s. f.* conclusão; fim

consumado *adj.* 1 realizado; concretizado; 2 terminado; acabado

consumar *v. tr.* 1 realizar; concretizar; 2 completar; terminar

consumição *s. f.* 1 deterioração provocada pelo uso; 2 destruição total; 3 preocupação

consumido *adj.* 1 gasto; 2 destruído (pelo fogo); 3 preocupado

consumidor *s. m.* 1 pessoa que utiliza ou adquire serviços e bens para uso próprio; cliente; 2 BIOL. ser vivo que se alimenta de outros seres vivos

consumir I *v. tr.* 1 fazer uso de (serviços ou bens); 2 utilizar; empregar; 3 destruir pelo fogo; aniquilar; 4 *(fig.)* preocupar; II *v. refl.* 1 mortificar-se com dor, raiva ou remorso; 2 *(fig.)* preocupar-se

consumismo *s. m.* 1 sistema económico e social que favorece o consumo excessivo; 2 tendência para consumir exageradamente

consumista I *adj. 2 gén.* 1 relativo ao consumismo; 2 que favorece o consumismo; **II** *s. 2 gén.* pessoa que consome em excesso

consumo *s. m.* **1** gasto; dispêndio; **2** ECON. aquisição de bens e serviços para uso pessoal; **3** (de comida, bebida) ingestão; **~ *obrigatório*** valor exigido como despesa mínima aos clientes de bares ou discotecas

conta *s. f.* **1** cálculo; avaliação; **2** documento que comprova uma despesa; factura; **3** (bancária) acordo entre um cliente e uma entidade financeira para depósito e levantamento de dinheiro segundo determinadas condições; **4** operação aritmética elementar (adição, subtracção, multiplicação ou divisão); **5** INFORM. registo da informação relativa a um utilizador que lhe possibilita o acesso a um serviço ou sistema mediante um método de identificação; **6** encargo; responsabilidade; **~ *redonda*** conta em que se desprezam as fracções ❖ ***à ~ de*** por causa de; ***afinal de contas*** afinal; ***ajustar contas com*** vingar-se de; ***dar ~ de*** aperceber-se de; ***dar ~ do recado*** desempenhar bem uma tarefa; ***fazer de ~*** fingir; ignorar; ***por ~ de*** sustentado por; ***por ~ própria*** de forma independente; sozinho

contabilidade *s. f.* **1** cálculo e registo das operações comerciais ou financeiras realizadas por uma pessoa, sociedade ou empresa; **2** serviço que se ocupa do registo de todas as transacções e operações financeiras

contabilista *s. 2 gén.* **1** pessoa que trabalha em contabilidade; **2** especialista em contabilidade

contabilizar *v. tr.* **1** registar operações comerciais ou financeiras; **2** *(coloq.)* calcular; avaliar

conta-corrente *s. f.* {*pl.* contas-correntes} registo da sequência de operações de crédito e débito

contactar *v. tr.* **1** entrar em contacto com; **2** estabelecer comunicação com

contactável *adj. 2 gén.* que pode ser contactado

contacto *s. m.* **1** estado de dois seres ou duas superfícies que se tocam; toque; **2** relação de proximidade; ligação; **3** convívio; relacionamento

contado *adj.* **1** calculado; **2** narrado; ***ter os dias contados*** ter pouco tempo de vida ou duração; ***favas contadas*** coisa certa

contador *s. m.* **1** aparelho que serve para verificar o consumo de água, gás, electricidade, etc.; **2** pessoa que faz uma narração ou que conta uma história

conta-fios *s. m. 2 núm.* pequena lupa para verificar detalhes de impressão, cores etc.

contagem *s. f.* **1** enumeração; **2** apuramento

contagiante *adj. 2 gén.* **1** que se propaga por contágio; **2** que se espalha com facilidade

contagiar **I** *v. tr.* **1** transmitir doença contagiosa a (alguém); **2** propagar por meio de contágio; **3** *(fig.)* atingir; afectar; **II** *v. refl.* **1** adquirir doença contagiosa; **2** propagar-se; espalhar-se

contágio *s. m.* **1** MED. transmissão de doença por contacto directo ou indirecto; **2** propagação

contagioso *adj.* que se transmite por contágio; epidémico

conta-gotas *s. m. 2 núm.* dispositivo para deitar um líquido em gotas

contaminação *s. f.* **1** transmissão de uma doença; contágio; infecção; **2** invasão de determinado meio por elementos poluidores ou radioactivos; poluição

contaminado *adj.* **1** (animal, pessoa) atacado de doença contagiosa; infectado; **2** (lugar, rio) poluído

contaminar *v. tr.* **1** transmitir uma doença; contagiar; infectar; **2** poluir através de elementos radioactivos ou outros

contanto *elem. da loc. conj.* **~ *que*** com a condição de; desde que; se

conta-quilómetros *s. m. 2 núm.* aparelho que indica o número de quilómetros percorridos por um veículo

contar I *v. tr.* **1** determinar a quantidade ou o valor de; calcular; **2** contar os detalhes de; narrar (uma história); **3** medir; marcar (o tempo); **4** incluir num todo; englobar; **II** *v. intr.* **1** fazer contas; calcular; **2** ter intenção de; pretender; **III** *v. refl.* **1** considerar-se como parte de; **2** ter valor ou importância

conta-rotações *s. m. 2 núm.* aparelho que determina a velocidade de rotação do motor de um veículo

contemplação *s. f.* **1** observação atenta e demorada; **2** reflexão; **3** consideração; **II** *v. intr.* meditar

contemplar I *v. tr.* **1** observar de forma atenta e demorada; **2** atender (um pedido); **3** conceder em sinal de estima; **II** *v. intr.* meditar

contemplativo *adj.* **1** relativo a contemplação; **2** (actividade, lugar) propenso à contemplação; **3** (pessoa) pensativo

contemporâneo I *s. m.* **1** pessoa que existe/existiu na mesma época (que outrem); **2** pessoa que existe na actualidade; **II** *adj.* **1** que existe/existiu na mesma época; **2** que é do tempo presente; actual

contemporização *s. f.* acomodação às circunstâncias; transigência

contemporizar *v. intr.* acomodar-se às circunstâncias; transigir

contenção *s. f.* **1** acto ou processo de (se) conter; **2** controlo (de despesas)

contencioso *s. m.* DIR. acção judicial; litígio

contenda *s. f.* **1** debate; controvérsia; **2** (*fig.*) esforço para conseguir alguma coisa

contentamento *s. m.* satisfação; alegria

contentar *v. tr. e refl.* satisfazer(-se)

contente *adj. 2 gén.* satisfeito; alegre; encantado

contentor *s. m.* **1** caixa hermeticamente fechada, destinada a transportar mercadorias por via terrestre, fluvial, marítima ou aérea; **2** depósito para lixo ou para resíduos sólidos (vidro, papel, etc.)

conter I *v. tr.* **1** incluir; abranger; **2** reter; refrear (o avanço de); **3** controlar; dominar (o riso, etc.); **II** *v. refl.* controlar-se; dominar-se

conterrâneo *s. m.* pessoa que é natural da mesma terra; compatriota

contestação *s. f.* **1** acto de contestar; impugnação; **2** polémica; controvérsia

contestar *v. tr. e intr.* **1** contrariar; impugnar; **2** negar; refutar

contestatário *adj. e s. m.* opositor; adversário

contestável *adj. 2 gén.* que se pode contestar

conteúdo *s. m.* **1** aquilo que está contido num recipiente; **2** o que é expresso por um discurso ou texto; assunto; matéria; **3** LING. significado de um signo; sentido; significação

contexto *s. m.* **1** conjunto de circunstâncias que rodeiam um acontecimento; situação; conjuntura; **2** conjunto de palavras, frases, ou texto que precede ou segue outra palavra, frase ou texto, esclarecendo o seu significado; encadeamento (de ideias ou do discurso); **3** conjunto de características exteriores à língua que determinam a produção do discurso (o grau de familiaridade entre os falantes, o local mais ou menos formal onde se encontram, etc.)

contextualizar *v. tr.* **1** inserir num contexto; **2** definir as circunstâncias de (facto, acontecimento)

contido *adj.* **1** que está encerrado no interior de; inserido; **2** que se controla ou reprime; comedido

contigo *pron. pess.* **1** com a tua pessoa 〈*falou contigo?*〉; **2** em tua companhia 〈*irei contigo*〉; **3** ao mesmo tempo que tu 〈*avanço contigo*〉; **4** a teu respeito 〈*isto não é contigo*〉; **5** por tua causa 〈*aborreci-me contigo*〉; **6** na tua posse 〈*o cartão está contigo*〉; **7** à tua responsabilidade 〈*o caso fica contigo*〉

contiguidade *s. f.* **1** proximidade; **2** vizinhança

contíguo *adj.* que está nas proximidades; vizinho

continência *s. f.* **1** privação de certos prazeres, especialmente sexuais; castidade; **2** moderação nas palavras e nos gestos; autodomínio; **3** MIL. saudação que consiste em tocar as têmporas ou a extremidade do boné com a ponta dos dedos da mão direita, aberta

continental *adj. 2 gén.* relativo a continente

continente I *s. m.* **1** cada uma das maiores extensões da superfície sólida do globo terrestre limitada por um ou mais oceanos (Europa, Ásia, África, América, Oceânia e Antárctida); **2** aquilo que contém alguma coisa; **II** *adj. 2 gén.* **1** que contém; **2** que respeita a continência sexual; casto; **3** que revela autodomínio; moderado

contingência *s. f.* facto possível mas incerto; eventualidade

contingente I *adj. 2 gén.* **1** duvidoso; incerto; **2** eventual; acidental; **II** *s. m.* **1** MIL. força designada para executar uma tarefa ou missão temporária; **2** quota; quinhão

continuação *s. f.* **1** acto de continuar alguma coisa; prosseguimento; **2** sequência; sucessão

continuado *adj.* que não sofreu interrupção; repetido; contínuo

continuar I *v. tr.* **1** dar seguimento a; prosseguir; **2** prolongar; estender; **II** *v. intr.* **1** não parar; persistir; **2** perdurar; seguir

continuidade *s. f.* **1** qualidade de contínuo; **2** persistência das características de determinada situação; **3** repetição incessante; **4** ELECTR. ligação que permite a passagem de corrente

contínuo I *s. m.* empregado auxiliar (de escola ou de estabelecimento público); **II** *adj.* **1** seguido; ininterrupto; **2** repetido; sucessivo; ***acto ~*** imediatamente; sem interrupção

contista *s. 2 gén.* LIT. pessoa que escreve contos

conto *s. m.* **1** LIT. narrativa breve, fictícia, em que a acção se concentra sobre um único tema ou episódio e um número reduzido de personagens; **2** história; fábula; **3** mentira; treta; **4** *(ant.)* mil escudos (4,99 euros); LIT. ***~ de fadas*** história infantil que narra acontecimentos em que participam fadas e outras figuras imaginárias

conto-da-carochinha *s. m.* {*pl.* contos-da-carochinha} história que se conta para enganar alguém; mentira

conto-do-vigário *s. m.* {*pl.* contos-do-vigário} **1** história contada a uma pessoa crédula com a intenção de a enganar; **2** qualquer manobra de má-fé para enganar uma pessoa crédula

contorção *s. f.* **1** movimento acrobático que força e até torce a posição de certas partes do corpo; **2** expressão facial exagerada; trejeito

contorcer *v. tr. e refl.* torcer(-se) violentamente; dobrar(-se)

contorcionista *s. 2 gén.* **1** acrobata que faz contorções; **2** artista de circo que executa movimentos e posições corporais difíceis

contornar *v. tr.* **1** dar a volta a; rodear; cercar; **2** superar (problema, dificuldade)

contorno *s. m.* **1** linha ou superfície que limita exteriormente uma figura ou um corpo; **2** (do corpo humano) silhueta; perfil; **3** linha que delimita uma área; circuito; perímetro; **4** caminho opcional; desvio

contra I *prep.* **1** em oposição a ⟨*contra o inimigo*⟩; **2** contrariamente a; em desacordo com ⟨*contra a norma*⟩; **3** de encontro a ⟨*contra o portão*⟩; **4** junto de ⟨*contra o peito*⟩; **5** em frente de ⟨*uns contra os outros*⟩; **6** em troca de ⟨*contra reembolso*⟩; **II** *adv.* desfavoravelmente; **III** *s. m.* o que é desfavorável; desvantagem; inconveniente; ***os prós e os contras*** as vantagens e as desvantagens

contra-atacar *v. tr. e intr.* atacar depois de sofrer ataque

contra-ataque *s. m.* {*pl.* contra-ataques} **1** MIL. acção ofensiva desencadeada em resposta a um ataque anterior; **2** DESP. reacção súbita de uma equipa que recupera a posse da bola, impedindo o adversário de se defender

contrabaixista *s. 2 gén.* pessoa que toca contrabaixo

contrabaixo *s. m.* **1** MÚS. instrumento de sons graves da família dos violinos; rabecão; **2** MÚS. (pessoa) voz mais grave que a do baixo

contrabalançar *v. tr.* **1** equilibrar; **2** (*fig.*) compensar

contrabandista *s. 2 gén.* pessoa que faz contrabando

contrabando *s. m.* introdução, num país, de mercadorias interditas por lei ou de que se não pagaram os direitos alfandegários; tráfico

contracapa *s. f.* face posterior de livro ou revista

contracção *s. f.* **1** união; fusão; **2** MED. movimento que aperta o útero à volta do feto empurrando-o gradualmente para a posição de parto; **3** GRAM. redução de duas vogais a uma só vogal aberta ou a um ditongo

contracenar *v. intr.* CIN., TV actuar (com outos actores); representar; interpretar

contracepção *s. f.* MED. utilização de meios próprios para evitar a fecundação de um óvulo por um espermatozóide

contraceptivo *s. m.* dispositivo, medicamento ou método utilizado para evitar a fecundação

contradança *s. f.* **1** dança de quatro ou mais pares colocados em frente uns dos outros; quadrilha; **2** (*fig.*) série de mudanças rápidas ou sucessivas; vaivém

contradição *s. f.* **1** afirmação ou atitude contrária ao que se disse ou se fez antes; **2** falta de lógica; incoerência; discrepância; **3** objecção; oposição; ***espírito de ~*** propensão de uma pessoa para contradizer sistematicamente os outros

contraditório *adj.* **1** que contém contradição; **2** que revela discrepância(s); incoerente; **3** em que há oposição; contrário

contradizer I *v. tr.* dizer o contrário de; desmentir; contrariar; **II** *v. refl.* **1** dizer o contrário de (algo que se afirmou antes); desmentir-se; **2** estar em desacordo com; não coincidir

contraente *s. 2 gén.* **1** pessoa que contrai matrimónio; **2** pessoa que celebra um contrato
contrafacção *s. f.* **1** falsificação; adulteração; **2** *(fig.)* disfarce
contrafeito *adj.* **1** constrangido; **2** forçado
contraforte *s. m.* **1** forro que reforça a parte do calçado que cobre o calcanhar; **2** ARQ. construção que reforça um muro ou uma muralha; **3** GEOG. montanha que se destaca de um maciço principal
contragosto *s. m.* aquilo que contraria o gosto ou a vontade; ***a ~*** contra a própria vontade
contraído *adj.* **1** (objecto) que diminuiu de tamanho; encolhido; **2** (pessoa) que não se sente à vontade; inibido; **3** (doença, hábito) adquirido; **4** (compromisso, dívida) assumido; **5** (casamento) celebrado
contra-indicação *s. f.* {*pl.* contra-indicações} MED. circunstância que desaconselha o uso de um dado método de tratamento ou de determinada medicação
contra-indicado *adj.* (medicamento, tratamento) que é desaconselhado; prejudicial
contra-informação *s. f.* {*pl.* contra-informações} conjunto de recursos que visam observar e neutralizar os serviços de informação do campo inimigo
contrair I *v. tr.* **1** fazer reduzir de volume; encolher; encurtar; **2** prometer cumprir (obrigação, compromisso); **3** (doença, hábito); **4** realizar (dívida); **5** celebrar (casamento); **6** GRAM. aglutinar dois elementos para formar uma unidade; formar contracção; **II** *v. refl.* sofrer redução de tamanho; encolher-se
contralto *s. m.* **1** MÚS. (canto) voz feminina mais grave, intermédia entre a de soprano e a de tenor; **2** MÚS. cantora que tem esse tipo de voz
contraluz *s. f.* **1** lugar oposto àquele onde incide a luz; **2** FOT. efeito provocado pela incidência da luz por trás do objecto, formando um halo à sua volta
contramão *s. f.* sentido contrário àquele em que um veículo deve obrigatoriamente circular
contranatura I *adv.* contra as leis da natureza; **II** *adj. 2 gén.* contrário às leis da natureza; contranatural
contranatural *adj. 2 gén.* que é contrário à natureza; contranatura
contra-ofensiva *s. f.* {*pl.* contra-ofensivas} MIL. ofensiva em resposta a um ataque inimigo
contra-ordenação *s. f.* DIR. infracção de gravidade menor que um crime
contrapartida *s. f.* **1** compensação; **2** correspondência ❖ ***em ~*** por outro lado
contrapeso *s. m.* **1** peso adicional que, numa balança, equilibra os pratos; **2** porção suplementar que perfaz o peso que se pretende; **3** *(fig.)* compensação
contraplacado *s. m.* placa feita com lâminas finas de madeira, coladas e prensadas entre si
contrapoder *s. m.* POL. poder que se opõe a outro ou o equilibra
contraponto *s. m.* **1** MÚS. arte de sobrepor uma melodia a outra melodia; polifonia; **2** *(fig.)* elemento que estabelece contraste
contrapor *v. tr.* opor; confrontar
contraproducente *adj. 2 gén.* que produz efeito contrário ao esperado
contraproposta *s. f.* proposta feita em oposição a uma proposta anterior

contraprova *s. f.* **1** DIR. prova destinada a contrariar uma outra; **2** verificação; **3** (de um texto) prova feita depois de introduzidas as emendas da prova anterior

Contra-Reforma *s. f.* HIST. (séculos XVI e XVII) movimento de reacção à Reforma protestante levado a cabo pela Igreja Católica

contra-regra *s. 2 gén.* {*pl.* contra-regras} CIN., TEAT., TV pessoa que marca as entradas dos actores em cena ou numa filmagem

contra-relógio *s. m.* {*pl.* contra-relógios} DESP. corrida em que é cronometrado o tempo que cada concorrente demora a percorrer um circuito

contra-revolução {*pl.* contra-revoluções} POL. movimento que procura combater uma revolução e repor a situação política anterior

contrariado *adj.* **1** que sofreu oposição; **2** aborrecido; desgostoso

contrariar **I** *v. tr.* **1** fazer oposição a; contestar; combater; **2** arreliar; irritar; **II** *v. refl.* **1** ficar irritado ou aborrecido; **2** opor-se a; **3** falar ou actuar de modo contraditório; contradizer-se

contrariedade *s. f.* **1** obstáculo; contratempo; **2** desgosto; aflição

contrário **I** *adj.* **1** inverso; **2** desfavorável; **3** prejudicial; **II** *s. m.* **1** o que é oposto; **2** adversário; inimigo ❖ ***ao ~ de*** em oposição a; ***pelo ~*** exactamente o oposto/inverso

contra-senso *s. m.* {*pl.* contra-sensos} **1** contradição; **2** disparate; absurdo

contrastante *adj. 2 gén.* que contrasta

contrastar **I** *v. tr.* **1** pôr em contraste; **2** marcar o contraste de (ouro, prata); **II** *v. intr.* estar em oposição

contraste *s. m.* **1** diferença profunda entre coisas ou pessoas; oposição; **2** verificação do quilate do ouro e da prata; **3** FOT. diferenças de tons ou de luz numa imagem

contratação *s. f.* **1** acto de contratar alguém; **2** combinação; acordo

contratar *v. tr.* **1** empregar; assalariar; **2** combinar; ajustar

contratempo *s. m.* **1** circunstância imprevista que altera os planos de alguém; contrariedade; **2** impedimento; obstáculo; **3** MÚS. compasso musical apoiado nos tempos fracos

contratenor *s. m.* **1** MÚS. voz masculina mais alta que a do tenor; **2** MÚS. cantor que tem essa voz

contrato *s. m.* acordo pelo qual duas ou mais pessoas se obrigam a cumprir os vários pontos estabelecidos; pacto; combinação; ***~ a prazo/a termo*** contrato que está subordinado a um prazo de duração específico; ***~ de trabalho*** acordo expresso ou tácito entre o empregador e o empregado

contrato-promessa *s. m.* {*pl.* contratos-promessa} acordo preliminar em que as partes envolvidas se comprometem a celebrar posteriormente um contrato definitivo

contratorpedeiro *s. m.* navio muito rápido, equipado para destruir torpedeiros

contratual *adj. 2 gén.* **1** relativo a contrato; **2** estipulado em contrato

contravenção *s. f.* transgressão de lei, regulamento ou de cláusula de um contrato; infracção

contraveneno *s. m.* FARM. remédio para anular a acção de um veneno; antídoto

contribuição *s. f.* **1** contributo para uma despesa ou obra comum; **2** pagamento feito ao Estado; imposto; **3** colaboração; ajuda; ***~ autárquica*** imposto que incide sobre o valor dos prédios situados no âmbito de cada município; ~ ***predial*** imposto que incide sobre o rendimento de um prédio urbano ou rústico

contribuinte *s. 2 gén.* pessoa que paga contribuições e impostos

contribuir *v. intr.* **1** ajudar ou participar na execução de algo; colaborar; **2** pagar imposto(s) ao Estado; **3** ter influência num resultado

contributivo *adj.* relativo a contribuição

contributo *s. m.* **1** aquilo com que se contribui; **2** cooperação; **3** participação

contrição *s. f.* RELIG. arrependimento por pecados cometidos

contristar *v. tr. e refl.* **1** entristecer(-se); **2** afligir(-se)

controlado *adj.* **1** submetido a controlo; fiscalizado; **2** sereno; ponderado

controlador *s. m.* **1** pessoa que controla ou fiscaliza; **2** *(téc.)* dispositivo que controla ou regula; ~ ***de voo/de tráfego aéreo*** técnico especializado na orientação e organização do tráfego de aviões numa determinada área, por meio de contacto via rádio com os pilotos

controlar I *v. tr.* **1** inspeccionar; fiscalizar; **2** dominar (uma situação); **3** conter (sentimentos); **II** *v. refl.* dominar-se; conter-se

controlável *adj. 2 gén.* que se pode controlar

controlo *s. m.* **1** inspecção; fiscalização; **2** domínio da própria vontade ou das próprias emoções; autodomínio; **3** *(téc.)* dispositivo ou mecanismo que comanda ou regula o funcionamento de máquina, aparelho ou instrumento; DESP. ~ ***antidoping*** conjunto de provas que visam detectar a presença de substâncias ilegais no sangue dos atletas; COM. ~ ***de qualidade*** processo que permite a uma empresa verificar, segundo métodos estatísticos, a qualidade dos seus produtos; *(téc.)* ~ ***remoto*** dispositivo que permite controlar máquinas ou equipamentos à distância

controvérsia *s. f.* discussão sobre um tema ou uma opinião, em que são debatidos argumentos opostos; polémica

controverso *adj.* que provoca controvérsia; polémico

contudo *conj.* mas; porém; no entanto; todavia

contundente *adj. 2 gén.* **1** (acontecimento, coisa) que causa forte impacto; **2** (argumento, prova) irrefutável; **3** (gesto, palavra) agressivo

contundir I *v. tr.* fazer contusão em (parte do corpo); ferir; **II** *v. refl.* sofrer contusão; ferir-se

conturbado *adj.* perturbado; agitado

conturbar *v. tr.* **1** perturbar; agitar; **2** amotinar

contusão *s. f.* MED. lesão produzida por embate ou impacto, sem causar rompimento da pele

convalescença *s. f.* MED. período mais ou menos longo de recuperação, após uma doença ou intervenção cirúrgica, que antecede o restabelecimento total da saúde

convalescente *s. 2 gén.* pessoa que recupera de doença ou de intervenção cirúrgica

convalescer *v. intr.* estar em convalescença; restabelecer-se; fortalecer-se

convecção *s. f.* FÍS. transferência da energia calorífica através de um líquido ou de um gás, efectuada à custa do movimento do próprio fluido

convenção *s. f.* **1** acordo; pacto; **2** norma de procedimento; formalidade; **3** congresso; conferência

convencer I *v. tr.* levar (alguém) a aceitar algo ou a acreditar em alguma coisa; persuadir; **II** *v. refl.* ficar com a certeza de; persuadir-se

convencido *adj.* **1** convicto; persuadido; **2** *(coloq.)* vaidoso; arrogante

convencimento *s. m.* **1** acto de (se) convencer; **2** convicção; **3** arrogância

convencionado *adj.* combinado; ajustado

convencional *adj. 2 gén.* **1** relativo a convenção; **2** resultante de convenção; **3** admitido geralmente

convencionalismo *s. m.* **1** carácter do que é convencional; **2** sistema ou conjunto de convenções; **3** apego excessivo às convenções sociais

convencionar *v. tr.* estabelecer por meio de convenção; ajustar

conveniência *s. f.* **1** adequação; conformidade; **2** utilidade; interesse; **3** [*pl.*] convenções sociais; normas

conveniente *adj.* **1** adequado; **2** vantajoso; **3** correcto

convénio *s. m.* **1** pacto internacional; **2** acordo entre pessoas; convenção

convento *s. m.* **1** habitação de uma comunidade religiosa; mosteiro; **2** *(fig.)* clausura

conventual *adj. 2 gén.* relativo a convento

convergência *s. f.* **1** junção de dois ou mais elementos num ponto; **2** MAT. propriedade das rectas que tendem para o mesmo ponto; **3** ÓPT. quantidade, numa lente, definida pelo inverso da distância focal e expressa em dioptrias; **4** *(fig.)* tendência para aproximação num assunto ou questão de interesse comum; confluência

convergente *adj. 2 gén.* **1** que se dirige para um ponto comum a um outro; **2** que tende para o mesmo fim que outra coisa; **3** que se identifica com outro; coincidente

convergir *v. intr.* **1** dirigir-se para um ponto comum; confluir; **2** agrupar-se; reunir-se; **3** *(fig.)* tender para o mesmo objectivo; concentrar-se

conversa *s. f.* **1** troca de palavras entre duas ou mais pessoas; diálogo; **2** assunto sobre o qual se fala; **~ *de chacha*** conversa inútil/sem interesse; **~ *fiada*** conversa sem importância; palavreado com objectivo de enganar ❖ ***ir na ~ de*** deixar-se levar por (alguém); ***meter ~ com*** iniciar um diálogo com

conversação *s. f.* acto de conversar; conversa

conversador *adj.* **1** que conversa muito; **2** que gosta de conversar

conversão *s. f.* **1** mudança de forma ou qualidade; **2** (de moeda, medida) substituição de uma coisa por outra de natureza ou valor equivalente; **3** RELIG. mudança de crença, opinião, etc.

conversar *v. intr.* **1** falar com alguém; **2** discutir

conversível *adj. 2 gén.* **1** que se pode converter; convertível; **2** (moeda) que se pode trocar

conversor *s. m.* **1** ELECTR. dispositivo que transforma uma corrente de uma espécie numa corrente de outra espécie; **2** INFORM. dispositivo que transforma a linguagem em que determinada informação está codificada numa outra linguagem

converter I *v. tr.* **1** mudar a forma de; transformar; **2** (moeda, medida) substituir por coisa de natureza ou valor equivalente; trocar; **3** fazer mudar de crença, opinião, etc.; **II** *v. refl.* **1** transformar-se; **2** RELIG. mudar de crença, opinião, etc.

convertido *adj.* **1** transformado; mudado; **2** que mudou de crença ou religião

convés *s. m.* NÁUT. pavimento superior do navio, da popa à proa, na altura da borda
convexo *adj.* que tem saliência curva; arredondado; bojudo
convicção *s. f.* opinião firme; crença
convicto *adj.* que tem convicção; convencido; certo
convidado *s. m.* pessoa que recebeu convite
convidar *v. tr.* **1** solicitar a presença de; convocar; **2** levar a; provocar; induzir; **3** despertar a vontade de; estimular
convidativo *adj.* que atrai; tentador
convincente *adj. 2 gén.* **1** (pessoa) que convence; **2** (argumento, prova) irrefutável
convir *v. intr.* **1** ser apropriado; servir; **2** ser vantajoso; **3** concordar; admitir
convite *s. m.* **1** solicitação da presença de alguém; convocação; **2** meio pelo qual se convida (cartão, telefonema, etc.); **3** bilhete que dá direito ao ingresso gratuito num espectáculo; **4** incitamento; estímulo; **5** tentação; provocação
conviva *s. 2 gén.* pessoa que participa como convidado em festa, banquete, etc.
convivência *s. f.* **1** vida em comum; convívio; **2** familiaridade; intimidade
conviver *v. intr.* **1** viver em comum com; relacionar-se; **2** coexistir com; **3** adaptar-se a (dificuldade, doença)
convívio *s. m.* **1** convivência; familiaridade; **2** reunião de pessoas que pertencem a um grupo ou a uma associação
convocação *s. f.* **1** solicitação da presença de alguém; **2** convite; **3** MIL. chamada para o serviço militar
convocar *v. tr.* **1** solicitar a presença de; mandar comparecer; **2** constituir (grupo de trabalho); **3** reunir (pessoas); **4** MIL. chamar para prestar serviço militar
convocatória *s. f.* ordem de convocação para participar em (reunião, greve, etc.)
convosco *pron. pess.* **1** com você(s) ⟨*estiveram convosco?*⟩; **2** em vossa companhia ⟨*viajamos convosco*⟩; **3** ao mesmo tempo que você(s) ⟨*partimos convosco*⟩; **4** por vossa causa ⟨*afligiu-se convosco*⟩; **5** a vosso respeito ⟨*a discussão foi convosco?*⟩; **6** à vossa responsabilidade ⟨*deixo a chave convosco*⟩
convulsão *s. f.* **1** MED. contracção violenta, involuntária e repetida dos músculos; **2** POL. forte agitação social; revolução
convulso *adj.* **1** MED. que se manifesta por espasmos ou contracções; **2** muito agitado
cookie *s. m.* {*pl.* cookies} INFORM. ficheiro com informação gravado por um servidor de cada vez que é feito um pedido de pesquisa na Internet
cooperação *s. f.* **1** acto de colaborar na realização de um projecto comum; **2** ECON., POL. programa de ajuda económica e cultural a países menos desenvolvidos
cooperante **I** *adj. 2 gén.* que coopera ou colabora; **II** *s. 2 gén.* pessoa que participa num programa de cooperação internacional
cooperar *v. intr.* trabalhar com alguém para um mesmo fim; colaborar; ajudar
cooperativa *s. f.* associação que presta serviços aos seus membros e actua em nome deles, visando a criação de condições favoráveis ao desenvolvimento de determinada área ou actividade económica
cooperativo *adj.* em que há cooperação

coordenação *s. f.* **1** organização segundo determinado método; estruturação; **2** gestão de um sector, projecto ou grupo de trabalho; orientação; **3** combinação da contracção dos músculos que permite o movimento e o equilíbrio

coordenada *s. f.* **1** GEOM. cada uma das referências que determinam a posição de cada ponto de uma recta, de um plano ou do espaço; **2** GRAM. oração ligada sequencialmente a outra da mesma natureza, com ou sem elemento de ligação entre si; **3** [*pl.*] informações sobre a forma de encontrar uma pessoa ou um lugar; directrizes

coordenar *v. tr.* **1** organizar segundo determinado método; estruturar; **2** gerir um sector, projecto ou grupo de trabalho; **3** dispor de forma harmoniosa; **4** GRAM. ligar dois elementos através de conjunções coordenativas

coordenativo *adj.* GRAM. (conjunção) que estabelece coordenação

copa *s. f.* **1** parte superior da ramagem das árvores; **2** divisão adjacente à cozinha usada para refeições e onde geralmente se guardam louças, roupa de mesa e certos alimentos; **3** *(Bras.)* DESP. torneio em que se disputa uma taça; **4** [*pl.*] um dos naipes das cartas de jogar, vermelho e em forma de coração, mas que em certos baralhos tem a imagem de uma taça ❖ ***fechar--se em copas*** não falar/dizer nada

cópia *s. f.* **1** reprodução de um texto escrito; transcrição; **2** (de fotografia, cassete, disquete) reprodução de um original; **3** reprodução de uma obra de arte; imitação; **4** *(fig.)* pessoa muito parecida com outra; INFORM. ~ ***de segurança*** cópia de um ficheiro guardada como reserva para o caso de danificação ou perda do ficheiro original; backup; ~ ***pirata*** plágio ou cópia de uma obra original, com infracção deliberada à legislação que protege a propriedade artística ou intelectual

copianço *s. m.* **1** *(coloq.)* acção de copiar; **2** *(coloq.)* apontamento feito para ser usado fraudulentamente num exame; cábula

copiar *v. tr.* **1** fazer cópia de; reproduzir; **2** imitar de forma fraudulenta; plagiar; **3** *(coloq.)* servir-se de cábula ou meio fraudulento para responder em exame; **4** FOT. reproduzir (um negativo)

co-piloto *s. 2 gén.* {*pl.* co-pilotos} **1** (avião) piloto auxiliar; **2** DESP. (em rali) pessoa que ajuda o condutor com informações relativas ao trajecto

copioso *adj.* **1** abundante; **2** extenso

copista I *s. 2 gén.* pessoa que transcreve textos manualmente, especialmente partituras para os músicos de uma orquestra; **II** *s. m.* HIST. aquele que tinha por profissão copiar manuscritos (antes da invenção da imprensa); escriba

copo *s. m.* **1** pequeno recipiente sem asa e geralmente de vidro, cristal ou plástico, pelo qual se bebe; **2** conteúdo desse recipiente; **3** bebida alcoólica ❖ *(coloq.)* ***estar com os copos*** estar embriagado/bêbedo; *(coloq.)* ***ser um bom*** ~ ser muito apreciador de bebidas alcoólicas

copo-d'água *s. m.* {*pl.* copos-d'água} refeição oferecida nos casamentos, baptizados e noutras ocasiões festivas

co-produção *s. f.* {*pl.* co-produções} produção de um filme, documentário ou espectáculo por vários produtores, em geral de nacionalidades diferentes

co-proprietário *s. m.* {*pl.* co-proprietários} indivíduo que exerce juntamente com outro(s) o direito de propriedade sobre um bem

cópula *s. f.* **1** ligação; união; **2** relação sexual; coito; **3** GRAM. verbo que liga o (nome) predicativo ao sujeito

copulação *s. f.* **1** QUÍM. ligação química para produção de um composto; combinação; **2** relação sexual; coito

copular *v. intr.* **1** ligar; unir; **2** ter relação sexual com; acasalar

copulativo *adj.* GRAM. que liga ou serve para ligar

copyright *s. m.* {*pl.* copyrights} reserva do direito de propriedade sobre uma obra impressa; propriedade literária ou artística; direitos de autor

coqueiro *s. m.* BOT. palmeira cujo fruto é o coco

coqueluche *s. f.* **1** MED. doença infantil infecciosa e contagiosa que se manifesta através de acessos de tosse violenta e asfixiante; tosse convulsa; **2** *(coloq.)* pessoa ou tendência que é alvo de interesse momentâneo

coquete *adj. e s. 2 gén.* que ou pessoa que tem muitos cuidados com a aparência

cor[1] [o] *s. f.* **1** impressão que a luz difundida ou transmitida pelos corpos produz no órgão da visão; **2** coloração natural da pele humana; **3** matéria corante (pigmento, tinta, etc.)

cor[2] [ɔ] *s. m. (ant.)* coração; ***de ~*** de memória; ***de ~ e salteado*** muito bem; perfeitamente

coração *s. m.* **1** ANAT. órgão central da circulação sanguínea, localizado entre os pulmões, formado por tecido muscular, que recebe o sangue das veias e o impulsiona para as artérias através de movimentos de contracção e dilatação; **2** *(fig.)* centro; âmago ❖ ***fazer das tripas ~*** suportar com paciência; ***não ter ~*** ser insensível; ***ter ~*** ter compaixão

corado [ɔ] *adj.* **1** que tem as faces vermelhas; ruborizado; **2** *(fig.)* envergonhado

coragem *s. f.* **1** bravura perante o perigo; ousadia; **2** firmeza moral perante dificuldades; **3** determinação; persistência; ***coragem!*** exclamação usada para incitar ou dar ânimo

corajoso *adj.* **1** destemido; ousado; **2** determinado; persistente

coral I *s. m.* **1** ZOOL. animal aquático com esqueleto calcário que é responsável pela formação de recifes e cuja secreção é usada em joalharia; **2** MÚS. grupo de cantores; **3** MÚS. canto em coro; **II** *adj. 2 gén.* MÚS. relativo a coro

corante *s. m.* substância para corar ou tingir

Corão *s. m.* RELIG. vd. **Alcorão**

corar I *v. tr.* **1** dar cor a; colorir; tingir; **2** branquear (roupa) ao sol; **II** *v. intr.* **1** ruborizar-se (por timidez, cólera, etc.); **2** *(fig.)* envergonhar-se

corcova *s. f.* corcunda; bossa

corcunda I *s. f.* curvatura anormal da coluna, com saliência nas costas ou no peito; **II** *adj. e s. 2 gén.* que ou pessoa que tem essa curvatura

corda *s. f.* **1** porção de fios entrelaçados para prender ou apertar; **2** fio de tripa, seda, nylon ou metal para produzir sons em alguns instrumentos; **3** (de relógio) fio ou lâmina, enrolado em espiral, que produz movimento em certos maquinismos; **4** fio ou arame, estendido horizontalmente, onde se pendura roupa para secar; ANAT. ***cordas vocais*** cada uma das duas pregas situadas de um e outro lado da laringe, cujas vibrações produzem a voz ❖ *(coloq.)* ***dar ~ a alguém*** dar oportunidade a alguém para falar muito; *(fig.)* ***estar com a ~ na garganta*** estar em grandes dificuldades; ***estar na ~ bamba*** estar num dilema

cordão *s. m.* **1** corda delgada; fio; **2** (jóia) corrente de ouro ou prata que se usa ao pescoço; **3** série de pessoas; fileira; **~ *umbilical*** cordão que une o feto à placenta ❖ ***abrir os cordões à bolsa*** desembolsar dinheiro
cordeiro *s. m.* ZOOL. cria da ovelha; anho; borrego
cordel *s. m.* corda muito fina
cor-de-laranja **I** *s. m. 2 núm.* cor resultante da adição de vermelho e amarelo; **II** *adj.* que tem essa cor
cor-de-rosa **I** *s. m. 2 núm.* tonalidade muito clara de vermelho; **II** *adj.* que tem essa cor
cordial *adj. 2 gén.* **1** afectuoso; caloroso; **2** franco; sincero
cordialidade *s. f.* **1** simpatia; **2** franqueza
cordilheira *s. f.* GEOG. cadeia de serras
córdoba *s. f.* unidade monetária da Nicarágua
coreano **I** *s. m.* {*f.* coreana} **1** pessoa natural da Coreia do Norte ou da Coreia do Sul; **2** língua falada na Coreia do Norte e na Coreia do Sul; **II** *adj.* relativo à Coreia do Norte ou à Coreia do Sul
coreografia *s. f.* concepção e anotação da sequência de passos, atitudes e poses num bailado
coreógrafo *s. m.* especialista em coreografia
coreto *s. m.* estrado ou pequena construção, em praça ou jardim público, para concertos
corista *s. 2 gén.* pessoa que faz parte de um coro
corja *s. f.* *(depr.)* grupo de pessoas de má reputação; canalha
córnea *s. f.* ANAT. membrana espessa e transparente situada na parte anterior do olho, por diante da pupila
corneta *s. f.* instrumento de sopro com bocal e pavilhão largo
cornetim *s. m.* corneta pequena
cornija *s. f.* ARQ. remate na parte superior da parede de um edifício que a protege da chuva
corno *s. m.* ZOOL. cada um dos apêndices duros e recurvados que alguns animais têm na cabeça; chifre; *(vulg.)* ***pôr os cornos a alguém*** enganar praticando o adultério; trair
cornudo **I** *adj.* que tem cornos ou chifres; **II** *s. m.* *(vulg.)* marido atraiçoado pela mulher
coro *s. m.* **1** grupo de pessoas que cantam juntas; **2** MÚS. composição para ser cantada por um grupo de pessoas; **3** parte da igreja reservada aos cânticos; **4** *(coloq.)* mentira
coroa **I** *s. f.* **1** ornamento de forma circular usado sobre a cabeça como sinal de soberania ou nobreza; diadema; **2** unidade monetária da Dinamarca, Eslováquia, Estónia, Islândia, Noruega, República Checa e Suécia; **II** *s. 2 gén.* *(Bras.)* *(coloq.)* pessoa de meia-idade
coroação *s. f.* **1** cerimónia em que se coroa um monarca; **2** *(fig.)* glorificação
coroar *v. tr.* **1** aclamar (alguém) como soberano; **2** *(fig.)* rodear
corolário *s. m.* **1** MAT. afirmação deduzida de uma proposição demonstrada; **2** consequência; resultado
coronel *s. m.* MIL. oficial superior do exército ou da força aérea
coronha *s. f.* parte de certas armas de fogo portáteis onde encaixa o cano
corpo *s. m.* **1** parte física dos seres animados; **2** organismo humano no seu aspecto físico; **3** objecto material; **4** grupo que funciona como um todo; entidade; **5** MIL. unidade que faz parte de um exército; **~ *docente*** conjunto dos professores de uma

escola ❖ *de ~ e alma* inteiramente; *ganhar ~* tomar consistência
corporação s. *f.* associação
corporal *adj. 2 gén.* relativo ou pertencente ao corpo; físico
corporativo *adj.* organizado ou baseado em corporações
corpóreo *adj.* que tem corpo; material
corpulento *adj.* volumoso; encorpado
corpúsculo s. *m.* corpo de pequenas dimensões
correcção s. *f.* rectificação; emenda
correctivo s. *m.* **1** emenda; **2** castigo
correcto *adj.* **1** certo; **2** exacto
corrector s. *m.* tinta ou fita, geralmente branca, sobre a qual se fazem emendas num texto escrito
corredor s. *m.* **1** atleta que participa em corridas; **2** passagem estreita no interior de uma casa ou de um edifício; **3** passagem reservada a certo tipo de utentes ou veículos
correia s. *f.* tira estreita de couro
correio s. *m.* **1** correspondência postal que se envia ou se recebe; **2** serviço de transporte e distribuição de correspondência; **3** pessoa que distribui a correspondência; carteiro
correio electrónico s. *m.* INFORM. sistema de transmissão de mensagens escritas entre computadores ligados em rede
correlação s. *f.* relação mútua entre duas pessoas ou coisas
corrente I s. *f.* **1** movimento das águas ou de outro líquido em determinada direcção; curso; **2** METEOR. movimento do ar; **3** série ou cadeia de argolas metálicas interligadas; **4** ELECTR. movimento ordenado de cargas eléctricas; **II** *adj. 2 gén.* **1** (mês, ano) presente; actual; **2** (água) que corre; **3** (moeda) que está em curso; vigente; **4** (facto, hábito) usual; comum
correr I *v. tr.* **1** percorrer (um percurso); **2** estar sujeito a (risco); **3** fechar (cortinas); **4** INFORM. pôr (programa) a funcionar; **II** *v. intr.* **1** (pessoa) deslocar-se rapidamente; despachar-se; **2** (tempo, processo) passar; decorrer; **3** (água) sair em forma de corrente; fluir; **4** (boato) circular; divulgar-se ❖ *~ com (alguém)* expulsar (alguém)
correria s. *f.* **1** corrida desordenada; **2** pressa
correspondência s. *f.* **1** relação de semelhança entre coisas, pessoas, ideias; correlação; **2** troca de mensagens escritas entre pessoas; **3** ligação entre dois meios de transporte
correspondente I s. *2 gén.* pessoa que troca correspondência com outra; **II** *adj. 2 gén.* semelhante; análogo
corresponder I *v. intr.* **1** ter correlação ou semelhança com; **2** equivaler; **II** *v. refl.* estabelecer ligação por carta
corretora s. *f.* agência que efectua transacções financeiras na bolsa de valores
corrida s. *f.* **1** DESP. prova de atletismo em pistas ou percursos com distâncias pré-estabelecidas; **2** competição; *~ ao armamento* luta pela supremacia mundial através do aumento do material bélico; *~ de touros* tourada
corrigir I *v. tr.* **1** emendar; rectificar; **2** compor; melhorar; **II** *v. refl.* emendar os próprios erros
corrimão s. *m.* apoio existente ao lado de uma escada para auxiliar a subida e/ou descida
corrimento s. *m.* MED. secreção que corre de determinada parte do corpo
corriqueiro *adj.* **1** corrente; **2** banal
corroboração s. *f.* confirmação
corroborar *v. tr.* confirmar
corroer *v. tr. e refl.* **1** carcomer(-se); **2** danificar(-se)

corroído *adj.* **1** gasto; **2** danificado

corromper *v. tr. e refl.* **1** tornar(-se) podre; **2** corromper(-se)

corrosão *s. f.* **1** desgaste gradual; **2** destruição de rochas; erosão

corrosivo *adj.* que corrói; destrutivo

corrupção *s. f.* **1** decomposição; putrefacção; **2** uso de meios ilícitos para obter algo; suborno

corruptível *adj. 2 gén.* **1** (alimento) que se pode estragar; **2** (pessoa) que pode ser corrompido

corrupto *adj.* **1** estragado; podre; **2** depravado; **3** que se deixa subornar

cortadela *s. f.* corte ligeiro ou superficial

corta-mato *s. m.* {*pl.* corta-matos} corrida de atletismo num percurso de obstáculos naturais, e não numa pista ou em estrada; ***a ~*** a direito

cortante *adj. 2 gén.* **1** (objecto) que corta; **2** (frio) gélido; **3** (comentário) ríspido

cortar I *v. tr.* **1** separar ou dividir por meio de corte; **2** interromper a passagem de (água, gás); **3** encurtar (percurso, distância); **4** suprimir (partes de um texto); **II** *v. refl.* ferir-se com instrumento cortante ❖ ***~ a palavra a alguém*** interromper alguém; ***~ na casaca de alguém*** dizer mal de alguém que está ausente; ***~ relações com alguém*** zangar-se com alguém

corta-unhas *s. m. 2 núm.* pequeno alicate ou pinça dupla com lâminas afiadas e curvadas para dentro, que serve para cortar unhas

corta-vento *s. m.* {*pl.* corta-ventos} **1** blusão de tecido resistente à chuva e ao vento, usado sobretudo em desportos de montanha; **2** dispositivo colocado à frente dos veículos de grande velocidade, para atenuar a pressão do ar

corte[1] [ɔ] *s. m.* **1** ferimento feito com objecto cortante; golpe; **2** abate (de árvores); **3** quebra (de relações); ruptura; **4** desbaste (de cabelo); **5** talhe (de roupa)

corte[2] [o] *s. f.* **1** residência de um monarca; **2** conjunto de pessoas que frequentam a residência de um monarca; **3** namoro; galanteio

cortejar *v. tr.* dirigir galanteio(s) a; namorar

cortejo *s. m.* **1** comitiva; **2** procissão

cortês *adj. 2 gén.* delicado; atencioso

cortesã *s. f.* dama da corte

cortesão I *s. m.* homem que vive na corte; **II** *adj.* relativo à corte; palaciano

cortesia *s. f.* delicadeza; amabilidade

córtex *s. m.* {*pl.* córtices} **1** ANAT. camada periférica ou externa de muitos órgãos; **2** BOT. zona cortical ou casca

cortiça *s. f.* casca do sobreiro e de outras árvores

cortiço *s. m.* **1** caixa cilíndrica feita de cortiça, dentro da qual as abelhas fabricam cera e mel; **2** *(Bras.)* casa pequena, habitada por muitas pessoas

cortina *s. f.* peça de tecido que se suspende num varão junto a uma janela, para regular a luz numa divisão

cortinado *s. m.* conjunto de cortinas com a respectiva armação

cortisona *s. f.* FARM. hormona utilizada como anti-inflamatório e antialérgico

coruja *s. f.* ZOOL. ave de rapina nocturna, que se alimenta de pequenos mamíferos ❖ ***mãe/pai ~*** mãe/pai que protege demasiado o(s) filho(s)

corujão *s. m.* ZOOL. coruja de grande porte

corveta *s. f.* NÁUT. navio de guerra dotado de armas antiaéreas e anti-submarinas

corvo *s. m.* ZOOL. designação comum a diversos pássaros de bico e plumagem pretos

cós *s. m. 2 núm.* tira de peça de vestuário que rodeia a cinta

coscuvilhar *v. intr.* fazer mexericos; bisbilhotar

coscuvilheiro *s. m.* bisbilhoteiro

coscuvilhice *s. f.* bisbilhotice; mexerico

co-secante *s. f.* {*pl.* co-secantes} MAT. secante do complemento de um ângulo

co-seno *s. m.* {*pl.* co-senos} MAT. seno do ângulo (ou arco) complementar de outro

coser *v. tr. e intr.* **1** unir por meio de pontos dados com agulha e linha; **2** fechar (uma ferida ou um corte) através de sutura

cosmética *s. f.* **1** área que trata do embelezamento físico de uma pessoa, através do uso de produtos próprios; **2** indústria de fabricação e venda desses produtos

cosmético *adj. e s. m.* que ou produto que se destina ao embelezamento físico de uma pessoa

cósmico *adj.* **1** relativo ou pertencente ao universo; **2** (astro) que nasce e morre ao mesmo tempo que o Sol

cosmogonia *s. f.* conjunto de teorias que procuram explicar a formação do universo

cosmologia *s. f.* ASTRON. disciplina que se dedica ao estudo da estrutura e evolução do universo

cosmonauta *s. 2 gén.* pessoa que viaja no espaço cósmico; astronauta

cosmonáutica *s. f.* ciência e técnica que possibilitam as viagens fora da atmosfera terrestre, a colocação em órbita de satélites artificiais e as viagens interplanetárias

cosmopolita *adj.* **1** (arquitectura, hábito) próprio de grandes centros urbanos; **2** (cidade) que revela influências de diversos países; **3** (pessoa) que faz muitas viagens

cosmos *s. m. 2 núm.* universo; mundo

costa *s. f.* **1** região de contacto entre o mar e a terra; litoral; **2** encosta; declive; **3** [*pl.*] ANAT. parte posterior do tronco humano; **4** [*pl.*] DESP. (natação) estilo em que o nadador se move com a barriga para cima, com saída alternada dos braços para trás até às ancas e batimento, também alternado, das pernas ❖ ***ter as costas largas*** aguentar com as responsabilidades; ***virar/voltar as costas*** manifestar desprezo por

costa-riquenho **I** *s. m.* {*f.* costa-riquenha} pessoa natural da Costa Rica (América Central); **II** *adj.* relativo à Costa Rica

costeiro *adj.* relativo à costa

costela *s. f.* **1** ANAT. peça endosquelética, longa e curva, cuja extremidade dorsal se articula com a coluna vertebral; **2** (*fig.*) origem; raça

costeleta *s. f.* costela de animal cortada com carne e usada na alimentação humana

costumar **I** *v. tr.* ter costume ou hábito de; **II** *v. intr.* ser comum ou habitual

costume *s. m.* **1** uso generalizado; hábito; **2** [*pl.*] modo de pensar e de agir característico de determinada pessoa ou época

costura *s. f.* **1** arte ou actividade de coser; **2** sutura de uma ferida; **3** cicatriz

costurar *v. intr.* trabalhar em costura; coser

costureira *s. f.* mulher que costura por profissão (vestuário, cortinas, etc.)

costureiro *s. m.* **1** homem que costura por profissão; **2** homem que dirige uma casa de alta costura

cota *s. f.* **1** porção; **2** quantia; **3** GEOM. diferença de nível entre qualquer ponto e aquele que se toma para referência

cotação *s. f.* **1** ECON. valor de uma moeda, acção, título etc., estabelecido pelo mercado financeiro; **2** *(acad.)* valor em pontos de cada uma das respostas num exame ou exercício escrito; **3** *(fig.)* consideração; importância

cotado *adj.* **1** (moeda, acção) que apresenta cotação; **2** (pessoa) apreciado; conceituado

co-tangente *s. f.* {*pl.* co-tangentes} MAT. tangente do complemento de um ângulo

cotão *s. m.* **1** pêlo que se desprende de certos tipos de tecido; **2** penugem que reveste alguns vegetais

cotar *v. tr.* **1** ECON. fixar o valor de; **2** qualificar; avaliar

cotejar *v. tr.* comparar

cotonete *s. f.* pequena haste com algodão enrolado nas pontas, usada para limpar os ouvidos

cotovelada *s. f.* pancada com o cotovelo

cotoveleira *s. f.* peça, elástica ou almofadada, usada por desportistas para proteger o cotovelo

cotovelo *s. m.* ANAT. ângulo saliente na articulação do braço com o antebraço ❖ ***dor de ~*** inveja; ***falar pelos cotovelos*** falar demasiado e com desembaraço

cotovia *s. f.* ZOOL. ave canora de plumagem cinzenta ou acastanhada

country *s. m.* estilo musical popular norte-americano, originário das regiões rurais do Sul e do Oeste

couraça *s. f.* **1** armadura para proteger o tronco; **2** *(fig.)* defesa contra qualquer coisa

couro *s. m.* **1** pele espessa e dura de alguns animais; **2** pele curtida de certos animais; **3** *(pop.)* pele de uma pessoa

coutada *s. f.* **1** terra onde se criava caça para monarcas ou nobres; **2** terreno reservado para pasto

couve *s. f.* BOT. planta que apresenta diversas variedades muito apreciadas na alimentação

couve-de-bruxelas *s. f.* {*pl.* couves-de-bruxelas} BOT. variedade de couve com pequenos rebentos arredondados

couve-flor *s. f.* {*pl.* couves-flores} BOT. variedade de couve cuja inflorescência, compacta e branca, é comestível

couve-galega *s. f.* {*pl.* couves-galegas} BOT. variedade de couve, de folhas grandes, verde-escuras, usadas na preparação do caldo verde

couve-lombarda *s. f.* {*pl.* couves-lombardas} BOT. planta hortícola comestível, de folhas frisadas, as exteriores com cor verde-escura e as interiores com cor verde-clara

cova *s. f.* **1** abertura na terra; cavidade; **2** sepultura; **3** caverna ❖ ***estar com os pés para a ~*** estar prestes a morrer

covarde *adj. e s. 2 gén.* vd. **cobarde**

covardia *s. f.* vd. **cobardia**

coveiro *s. m.* indivíduo que abre as covas no cemitério

covil *s. m.* toca de animais

covinha *s. f.* 〈*dim. de* **cova**〉 pequena depressão no queixo ou nas faces

cowboy *s. m.* {*pl.* cowboys} vaqueiro norte-americano

coxa *s. f.* ANAT. parte do membro inferior entre o quadril e o joelho

coxear *v. intr.* mancar

coxia *s. f.* **1** passagem estreita entre duas fileiras de bancos; **2** lugar junto das passadeiras, nas salas de espectáculos
coxo *adj.* que coxeia; manco
cozedura *s. f.* **1** processo de cozer; **2** quantidade que se coze de uma vez
cozer *v. tr.* cozinhar ao fogo ou ao calor
cozido I *s. m.* CUL. prato composto de carnes diversas, legumes, verduras, batatas e enchidos; **II** *adj.* que se cozeu
cozinha *s. f.* **1** compartimento onde se preparam as refeições; **2** arte de cozinhar; culinária
cozinhado *s. m.* refeição preparada ao lume
cozinhar *v. tr. e intr.* **1** preparar (os alimentos ao lume); cozer; **2** *(fig.)* tramar
cozinheira *s. f.* mulher que cozinha profissionalmente
cozinheiro *s. m.* homem que cozinha profissionalmente
CPLP [*sigla de* **C**omunidade de **P**aíses de **L**íngua **P**ortuguesa]
CPU INFORM. [*sigla de* **c**entral **p**rocessing **u**nit] unidade central de processamento
Cr QUÍM. [*símbolo de* **crómio**]
crachá *s. m.* insígnia
crack *s. m.* narcótico produzido a partir da pasta-base da cocaína, bicarbonato de sódio e outras substâncias, apresentado em forma de pedras
craniano *adj.* relativo ao crânio
crânio *s. m.* **1** ANAT. caixa óssea que encerra e protege o encéfalo; **2** *(fig.)* pessoa muito inteligente
crápula *s. 2 gén.* pessoa desonesta; canalha
craque *s. 2 gén.* **1** *(coloq.)* pessoa muito boa em determinada actividade; ás; **2** (narcótico) vd. **crack**
crasso *adj.* **1** grande; **2** grosseiro
cratera *s. f.* GEOL. abertura da chaminé do vulcão por onde são expelidos materiais de fusão
crava *s. 2 gén.* *(coloq.)* pessoa que pede com frequência dinheiro ou favores
cravanço *s. m.* *(coloq.)* hábito de pedir dinheiro ou favores
cravar *v. tr.* **1** pregar; engastar; **2** fixar (os olhos); **3** *(coloq.)* pedir (dinheiro ou favores)
craveira *s. f.* **1** medida para determinar a altura das pessoas; **2** *(fig.)* medida; bitola
cravinho *s. m.* BOT. botão do cravo--da-índia, que escurece quando seco e adquire um sabor acre e picante, usado como especiaria
cravista *s. 2 gén.* pessoa que toca cravo
cravo *s. m.* **1** BOT. flor solitária com pétalas recortadas, geralmente vermelha ou branca; **2** MÚS. antigo instrumento de cordas e teclado cujo som é produzido por palhetas internas
crawl *s. m.* DESP. (natação) estilo em que o nadador se move com o peito sobre a água, dando braçadas acima do ombro e para a frente e batendo as pernas
creche *s. f.* estabelecimento destinado a receber crianças pequenas durante o dia
credencial *s. f.* **1** documento que dá crédito ou poderes; **2** [*pl.*] documento pelo qual um Estado confere a um embaixador ou representante num país estrangeiro o direito de representação desse Estado
credibilidade *s. f.* qualidade do que é credível
creditar *v. tr.* lançar (uma quantia) em conta corrente
crédito *s. m.* **1** confiança inspirada por algo ou alguém; credibilidade;

2 ECON. operação pela qual uma entidade coloca uma soma de dinheiro à disposição de alguém; 3 ECON. soma emprestada

credível *adj. 2 gén.* 1 digno de crédito; 2 em que se pode acreditar

credo *s. m.* 1 RELIG. (catolicismo) oração que resume os pontos essenciais da fé católica; 2 crença religiosa; 3 sistema de normas e crenças de uma pessoa ou de um grupo

credor *s. m.* pessoa a quem se deve dinheiro

credulidade *s. f.* qualidade de crédulo; ingenuidade

crédulo *adj.* que crê facilmente; ingénuo

cremação *s. f.* redução (de um cadáver) a cinzas; incineração

cremar *v. tr.* reduzir (um cadáver) a cinzas; incinerar

crematório *s. m.* forno onde se faz a cremação

creme *s. m.* 1 substância gordurosa e amarelada que se forma à superfície do leite; nata; 2 CUL. sopa consistente feita com legumes passados; 3 CUL. (sobremesa) doce feito de leite, farinha, ovos e açúcar; leite-creme; 4 (cosmética) produto consistente, utilizado na higiene pessoal ou no embelezamento físico

cremoso *adj.* que tem consistência de creme; espesso

crença *s. f.* 1 fé religiosa; 2 confiança

crendice *s. f. (depr.)* crença absurda ou ridícula

crente I *s. 2 gén.* pessoa que crê; II *adj. 2 gén.* 1 que tem fé religiosa; 2 persuadido

crepe *s. m.* 1 CUL. espécie de panqueca muito fina, composta de leite, farinha e ovos; 2 tecido rugoso, transparente, de seda ou de lã fina

crepitação *s. f.* ruído produzido por um combustível que lança faúlhas

crepitar *v. intr.* (lenha) dar estalidos

crepuscular *adj. 2 gén.* relativo ao crepúsculo

crepúsculo *s. m.* 1 claridade no céu entre a noite e o nascer do Sol ou antes do nascer do Sol; 2 *(fig.)* declínio; decadência

crer I *v. intr.* 1 acreditar em; 2 ter fé religiosa; II *v. refl.* julgar-se; considerar-se

crescendo *s. m.* 1 aumento gradual; 2 progressão

crescente I *s. m.* ASTRON. forma que a Lua apresenta quando observada da Terra, em que menos de metade do seu hemisfério se encontra progressivamente iluminado; II *adj. 2 gén.* que cresce

crescer *v. intr.* 1 (pessoas, animais) desenvolver-se progressivamente desde o nascimento até ao termo do crescimento normal; 2 aumentar em número, grandeza ou intensidade; 3 progredir; prosperar; 4 restar; sobrar

crescido I *adj.* 1 que cresceu; desenvolvido; 2 aumentado; intensificado; II *s. m.* (pessoa) adulto

crescimento *s. m.* 1 desenvolvimento progressivo das principais dimensões (de um organismo vivo); 2 aumento em número, grandeza ou intensidade; 3 progressão; prosperidade

crespo *adj.* 1 (cabelo) eriçado; 2 (mar) agitado; 3 (superfície) áspero

crestar *v. tr. e intr.* queimar(-se) superficialmente

Cretáceo *s. m.* GEOL. último período do Mesozóico, a seguir ao Jurássico

cretinice *s. f. (depr.)* atitude ou dito cretino; parvoíce

cretino *adj. e s. m. (depr.)* imbecil; parvo

cria *s. f.* ZOOL. filhote
criação *s. f.* **1** acto ou efeito de criar; **2** génese (do mundo); **3** concepção (de obra); **4** produto realizado; **5** educação de uma pessoa; **6** actividade de procriação de animais com fins lucrativos
criado I *s. m.* **1** *(ant.)* empregado doméstico; **2** *(ant.)* empregado de mesa; **II** *adj.* **1** concebido; produzido; **2** educado; instruído
criador *s. m.* **1** aquele que cria; autor; **2** inventor; fundador; **3** desenhador de moda
Criador *s. m.* Deus
criança *s. f.* **1** ser humano de pouca idade; **2** *(fig.)* pessoa ingénua ou com pouco juízo
criançada *s. f.* conjunto de crianças
criancice *s. f.* *(depr.)* modo ou acto de criança; infantilidade
criar *v. tr.* **1** dar origem a; **2** produzir; conceber; **3** fundar; estabelecer; **4** educar (pessoas); **5** promover a procriação de (animais)
criatividade *s. f.* **1** capacidade criadora; **2** espírito inventivo
criativo I *adj.* que é capaz de criar; inventivo; **II** *s. m.* pessoa que cria profissionalmente novos objectos, modas, etc.
criatura *s. f.* **1** qualquer ser criado; **2** pessoa; indivíduo
cricket *s. m.* vd. **críquete**
crime *s. m.* **1** violação da lei; delito; transgressão; **2** acto condenável
criminal *adj. 2 gén.* relativo a crime
criminalidade *s. f.* **1** característica ou estado de criminoso; **2** conjunto ou intensidade de crimes cometidos em determinada área
criminoso I *s. m.* aquele que cometeu um crime; delinquente; **II** *adj.* **1** que envolve crime; **2** contrário aos princípios morais
crina *s. f.* pêlo longo que se desenvolve ao longo do pescoço e na cauda de alguns animais (nos cavalos, por exemplo)
crioulo *adj.* **1** (pessoa) que nasceu numa das colónias europeias; **2** (língua) que nasceu do contacto de um idioma europeu com línguas nativas
cripta *s. f.* galeria subterrânea; catacumba
críptico *adj.* **1** relativo a cripta; **2** (mensagem, texto) codificado; cifrado; **3** *(fig.)* misterioso
criptografia *s. f.* escrita secreta por meio de abreviaturas ou sinais convencionais
crípton *s. m.* QUÍM. gás nobre, com o número atómico 36 e símbolo Kr, existente no ar em percentagem reduzida
críquete *s. m.* DESP. jogo inglês praticado com bastão e bola, com equipas de onze jogadores
crisálida *s. f.* ZOOL. insecto no estádio intermédio entre a larva e a fase adulta; ninfa
crisântemo *s. m.* BOT. planta ornamental com flores amarelas, rosadas ou alaranjadas, dispostas em capítulos
crise *s. f.* **1** alteração súbita e decisiva no decurso de uma doença; **2** agravamento brusco (de uma situação); **3** ECON. fase de transição entre um período de prosperidade e outro de depressão
crisma *s. m.* RELIG. (catolicismo) sacramento destinado a confirmar e reforçar os votos do baptismo; confirmação
crismar *v. tr.* **1** RELIG. administrar o sacramento do crisma; confirmar; **2** mudar o nome
crispar *v. tr. e refl.* contrair(-se); encolher(-se)

crista *s. f.* **1** excrescência carnosa na cabeça do galo; **2** poupa (de cabelo); **3** parte mais alta de uma onda ❖ ***estar na ~ da onda*** estar em evidência

cristal *s. m.* **1** MIN. matéria cristalina homogénea; **2** GEOM. poliedro com faces planas, regulares e unidas; **3** vidro de qualidade superior, puro e límpido; **4** *(fig.)* transparência

cristaleira *s. f.* móvel ou prateleira que serve para guardar objectos de vidro e cristal

cristalino I *s. m.* ANAT. órgão lenticular, biconvexo, transparente, situado na parte anterior do globo ocular; **II** *adj.* **1** transparente como cristal; **2** límpido; claro

cristalizado *adj.* **1** que se apresenta em forma de cristais; **2** (fruta) que se conservou em calda de açúcar

cristandade *s. f.* **1** característica do que é cristão; **2** comunidade cristã existente em todo o mundo

cristão I *adj.* **1** que crê em Jesus Cristo; **2** relativo ao cristianismo; **II** *s. m.* seguidor do cristianismo

cristão-novo *s. m.* {*pl.* cristãos-novos} HIST. judeu convertido ao cristianismo

cristão-velho *s. m.* {*pl.* cristãos-velhos} HIST. cristão que não descende de judeus

cristianismo *s. m.* conjunto das religiões cristãs monoteístas que seguem os ensinamentos de Jesus Cristo

cristianização *s. f.* **1** conversão ao cristianismo; **2** difusão da fé cristã

cristo *s. m.* **1** imagem representando Jesus Cristo crucificado; **2** crucifixo

Cristo *s. m.* RELIG. nome dado a Jesus de Nazaré; Redentor

critério *s. m.* **1** sinal que permite distinguir com segurança uma coisa de outras; **2** princípio que permite distinguir o erro da verdade; **3** modo de avaliação

criterioso *adj.* **1** ponderado; reflectido; **2** acertado; sensato

crítica *s. f.* **1** capacidade de julgar; **2** apreciação (de obra intelectual, artística ou literária); **3** comentário resultante dessa apreciação; **4** conjunto das pessoas que exercem profissionalmente a actividade de apreciação de produções científicas ou artísticas

criticar *v. tr.* **1** fazer a análise de; examinar; **2** dizer mal de; censurar

criticável *adj. 2 gén.* **1** que pode ser criticado; **2** censurável

crítico I *s. m.* pessoa que se dedica profissionalmente à actividade de crítica; **II** *adj.* **1** (estado de saúde) grave; **2** perigoso; arriscado

crivar *v. tr.* furar em muitos pontos

crível *adj. 2 gén.* vd. **credível**

croata I *s. 2 gén.* pessoa natural da Croácia (Balcãs); **II** *s. m.* dialecto falado na Croácia; **III** *adj. 2 gén.* relativo à Croácia

crocante *adj. 2 gén.* estaladiço

croché *s. m.* renda feita com uma agulha com bico em forma de gancho

crocodilo *s. m.* ZOOL. grande réptil anfíbio com focinho largo e longo, que habita os rios equatoriais e tropicais ❖ ***lágrimas de ~*** queixa ou choradeira fingida

croissant *s. m.* CUL. pãozinho de massa folhada ou massa de brioche, em forma de meia-lua

cromado *adj.* revestido por uma camada de crómio

cromático *adj.* relativo a cores

cromeleque *s. m.* monumento megalítico formado por pedras ou menires dispostos em círculo

crómio *s. m.* QUÍM. elemento com o número atómico 24 e símbolo Cr, metálico e muito duro

cromossoma *s. m.* BIOL. cada um dos corpúsculos, visíveis ao microscópio, portadores da informação genética dos indivíduos

crónica *s. f.* **1** narração histórica pela ordem do tempo em que se deram os factos; **2** artigo sobre um assunto ou um facto actual

crónico *adj.* **1** que dura há muito tempo; **2** (hábito, vício) persistente; **3** (doença) de longa duração

cronista *s. 2 gén.* **1** pessoa que faz crónicas históricas; **2** autor de crónicas jornalísticas

cronologia *s. f.* sucessão temporal de factos ou eventos

cronológico *adj.* relativo a cronologia; temporal

cronometrar *v. tr.* medir com o cronómetro (a duração de um acto, especialmente desportivo)

cronómetro *s. m.* **1** aparelho que serve para medir o tempo; **2** relógio de precisão

croquete *s. m.* CUL. porção de picado de carne em forma de um pequeno cilindro, que é envolvido em gema de ovo e pão ralado e frito

croqui *s. m.* esboço de um desenho; esquisso

cross *s. m.* DESP. corrida em terreno irregular; corta-mato

crosta *s. f.* **1** camada externa e consistente de um corpo; crusta; **2** superfície endurecida que se forma sobre uma ferida

cru *adj.* **1** (alimento) que não está cozido; **2** (tecido) que se apresenta no estado natural; **3** *(fig.)* rude

crucial *adj. 2 gén.* decisivo; determinante

crucificação *s. f.* **1** acto ou efeito de crucificar; **2** *(fig.)* condenação

crucificar *v. tr.* **1** pregar na cruz; **2** *(fig.)* condenar

crucifixo *s. m.* imagem de Cristo pregado na cruz

cruel *adj. 2 gén.* **1** que tem prazer em fazer mal; desumano; **2** insensível; implacável

crueldade *s. f.* **1** maldade; **2** insensibilidade

crusta *s. f.* vd. **crosta**

crustáceo *s. m.* ZOOL. artrópode com exosqueleto endurecido e respiração branquial (como a lagosta, o lavagante, a santola, a sapateira, o caranguejo, etc.)

cruz *s. f.* **1** figura formada por duas hastes ou dois traços atravessados um sobre o outro; **2** instrumento usado na crucifixão; **3** *(fig.)* tormento

cruzada *s. f.* **1** HIST. (Idade Média) expedição dos cristãos para libertar os lugares santos do poder islâmico; **2** *(fig.)* tentativa de propagação de uma ideia; campanha

cruzado I *adj.* **1** disposto em forma de cruz; **2** (raça) resultante de cruzamento; mestiço; **3** (cheque) marcado com riscos transversais; traçado; **II** *s. m.* HIST. cavaleiro que participava nas cruzadas; ***fogo ~*** disparos cujas trajectórias se cruzam ou que provêm de diversos pontos em direcção a um só alvo; ***palavras cruzadas*** jogo de palavras que se entrecruzam na horizontal e na vertical e que o jogador tem de adivinhar a partir de definições ou sinónimos fornecidos ❖ ***ficar de braços cruzados*** ficar imóvel ou indiferente

cruzador *s. m.* navio de combate de porte médio

cruzamento *s. m.* **1** BIOL. reprodução de indivíduos de variedades ou espécies diferentes; **2** ponto onde várias vias convergem; intersecção

cruzar I *v. tr.* **1** dispor em forma de cruz; **2** atravessar; intersectar;

3 acasalar (animais); 4 traçar (cheque); II *v. refl.* atravessar-se

cruzeiro *s. m.* 1 grande cruz de pedra erguida em adros de igrejas, estradas, cemitérios, etc.; 2 viagem turística em navio de passageiros, geralmente com escala em diversos portos

cruzeta *s. f.* cabide móvel para pendurar roupa

Cruz Vermelha *s. f.* associação humanitária internacional, destinada a socorrer feridos de guerra e vítimas de desastres naturais

Cs QUÍM. [*símbolo de* **césio**]

csi *s. m.* décima quarta letra do alfabeto grego correspondente a *x* ou *cs*

CTV (ensino) [*sigla de* Ciências da Terra e da Vida]

cu *s. m. (cal.)* nádegas; rabo

Cu QUÍM. [*símbolo de* **cobre**]

cuanza *s. m.* unidade monetária de Angola

cuba *s. f.* vasilha grande onde se pisam as uvas ou se deita o vinho

cubano I *s. m.* {*f.* cubana} pessoa natural da República de Cuba; II *adj.* relativo à República de Cuba

cúbico *adj.* 1 relativo a cubo; 2 que tem forma de cubo

cubículo *s. m.* compartimento acanhado

cubismo *s. m.* ART. PLÁST. (primeiro quartel do século XX) estilo caracterizado pela geometrização das formas

cubista I *adj. 2 gén.* relativo ao cubismo; II *s. 2 gén.* adepto do cubismo

cúbito *s. m.* ANAT. osso do antebraço, que articula na parte superior com o úmero e, na parte inferior, com o rádio e o piramidal

cubo *s. m.* 1 GEOM. sólido limitado por seis faces quadradas e iguais entre si; 2 MAT. produto de um número pelo seu quadrado

cuco *s. m.* 1 ZOOL. ave trepadora de plumagem cinzenta; 2 (relógio) pássaro mecânico que sai para marcar as horas com um canto que imita o dessa ave

cuecas *s. f. pl.* peça interior de vestuário, que vai da cinta ou das ancas até às virilhas ou às coxas

cuidado *s. m.* 1 preocupação; 2 cautela; 3 responsabilidade

cuidadoso *adj.* 1 precavido; 2 aplicado; 3 atento

cuidar I *v. intr.* 1 tratar de; 2 supor; II *v. refl.* 1 tratar de si próprio; 2 arranjar-se

cujo *pron. rel.* de que; de quem; do qual; da qual; dos quais; das quais

culinária *s. f.* 1 arte de cozinhar; 2 conjunto dos pratos característicos de uma região

culminante *adj. 2 gén.* 1 que é o mais elevado; 2 que é o mais intenso

culminar *v. intr.* 1 atingir o ponto mais alto ou mais intenso; 2 chegar ao auge

culpa *s. f.* 1 responsabilidade por um acto condenável; 2 acto repreensível ou criminoso; delito; 3 arrependimento; 4 RELIG. pecado; ***por ~ de*** por causa de; ***ter culpas no cartório*** estar implicado (num acto condenável)

culpabilizar I *v. tr.* atribuir culpa a; acusar; II *v. refl.* considerar-se culpado

culpado *adj. e s. m.* que ou pessoa que tem culpa; responsável (por falta ou acidente)

culpar I *v. tr.* atribuir a responsabilidade de falta ou delito a; acusar; II *v. refl.* confessar-se culpado

culpável *adj. 2 gén.* censurável; repreensível

cultivar I *v. tr.* 1 preparar (a terra) para que ela dê frutos; 2 desenvolver (relação, amizade); II *v. refl.* instruir-se

cultivo *s. m.* acto ou processo de cultivar a terra

culto I *s. m.* **1** conjunto das práticas religiosas; **2** qualquer religião organizada segundo princípios e dogmas próprios; **II** *adj.* **1** cultivado; **2** instruído

cultura *s. f.* **1** conjunto das técnicas necessárias para obter do solo produtos vegetais; agricultura; **2** BIOL. cultivo de células ou tecidos vivos em condições propícias à sobrevivência; **3** conjunto de costumes, de instituições e de obras que constituem a herança de um povo ou de uma comunidade; **4** desenvolvimento de certas faculdades através da aquisição de conhecimentos; **~ *geral*** desenvolvimento dos conhecimentos e das capacidades em domínios considerados de interesse geral

cultural *adj. 2 gén.* relativo a cultura

culturismo *s. m.* prática de exercícios físicos que tem como objectivo trabalhar certos músculos; musculação

cume *s. m.* **1** ponto mais alto; **2** *(fig.)* auge

cúmplice *s. 2 gén.* pessoa que colaborou com outra(s) num crime

cumplicidade *s. f.* **1** qualidade de quem é cúmplice; **2** compreensão profunda entre duas pessoas

cumpridor *adj.* que cumpre os seus deveres ou as suas obrigações

cumprimentar *v. tr., intr. e refl.* **1** saudar(-se); **2** felicitar(-se)

cumprimento *s. m.* **1** observância (de lei, ordem); **2** execução (de tarefa, obrigação); **3** saudação; **4** felicitação

cumprir I *v. tr.* **1** observar; respeitar (lei, ordem); **2** executar (tarefa); **3** realizar (promessa); **4** preencher (requisito); **II** *v. intr.* **1** desempenhar a sua obrigação; **2** corresponder ao prometido

cumular *v. tr.* encher de

cúmulo *s. m.* **1** ponto mais alto; máximo; **2** METEOR. nuvem com a superfície inferior plana, semelhante a grandes flocos de algodão

cunha *s. f.* **1** calço; **2** *(fig.)* recomendação ❖ ***estar à ~*** estar a abarrotar (de gente); ***meter uma ~*** interceder em favor de (alguém)

cunhada *s. f.* irmã de um dos cônjuges em relação ao outro

cunhado *s. m.* irmão de um dos cônjuges em relação ao outro

cunhagem *s. f.* fabrico de moedas

cunhar *v. tr.* **1** imprimir cunho ou marca em; **2** converter (metal) em moeda

cunho *s. m.* **1** peça de ferro gravada que serve para marcar moedas, medalhas, etc.; **2** marca; carimbo; **3** carácter; tendência

cupão *s. m.* parte destacável de um anúncio publicitário, que dá direito a participar num concurso, receber um prémio, etc.

cúpula *s. f.* **1** ARQ. parte superior e côncava de certos edifícios; abóbada; **2** conjunto formado pelas pessoas que dirigem uma instituição, partido político, empresa, etc.; chefia

cura *s. f.* **1** restabelecimento da saúde; recuperação; **2** processo terapêutico; tratamento; **3** *(fig.)* remédio; solução

curado *adj.* **1** (pessoa) recuperado (de doença); **2** (carne) seco ao sol ou à lareira; **3** (queijo) que endureceu a sua consistência e apurou o seu sabor

curandeiro *s. m.* pessoa que pretende curar doenças por meio de práticas de magia

curar I *v. tr.* **1** recuperar a saúde de; restabelecer; **2** secar (queijo); **3** defumar (carne, enchido); **II** *v. refl.* recuperar a própria saúde; restabelecer-se

curativo I *adj.* que cura; **II** *s. m.* aplicação de remédio ou de penso num ferimento
curável *adj. 2 gén.* que pode ser curado
curdo I *s. m.* {*f.* curda} **1** pessoa natural do Curdistão (na Ásia); **2** língua falada no Curdistão; **II** *adj.* relativo ao Curdistão
cúria *s. f.* **1** tribunal eclesiástico constituído pelo Papa e pelos bispos; **2** HIST. lugar onde se reunia o senado romano
cúrio *s. m.* QUÍM. elemento radioactivo, artificial, com o número atómico 96 e símbolo Cm
curiosidade *s. f.* **1** desejo intenso de conhecer ou experimentar uma coisa nova ou rara; **2** vontade de aprender; interesse; **3** objecto antigo ou original; raridade
curioso *adj.* **1** desejoso de conhecer coisas novas ou raras; **2** que revela interesse em aprender; **3** que desperta a atenção; original
curral *s. m.* recinto onde se recolhe o gado
currículo *s. m.* **1** sucessão dos factos relevantes na carreira de uma pessoa; **2** documento em que se registam esses factos
curriculum *s. m.* vd. **currículo**
curso *s. m.* **1** sucessão temporal; **2** direcção; sentido; **3** série de aulas sobre uma matéria; formação; **4** (universidade) programa de estudos específicos, organizado segundo a área de conhecimento ou profissão pretendida
cursor *s. m.* INFORM. sinal móvel, por vezes em forma de flecha, indicativo do lugar onde vai ser efectuada uma operação
curta-metragem *s. f.* {*pl.* curtas-metragens} CIN. filme de curta duração
curtição *s. f.* *(coloq.)* prazer; divertimento
curtido *adj.* *(coloq.)* divertido
curtir I *v. tr.* **1** preparar (couros ou peles); **2** demolhar (alimentos); **3** *(coloq.)* suportar (sofrimento, ressaca); **4** *(coloq.)* gostar de; desfrutar; **II** *v. intr.* **1** *(coloq.)* divertir-se; **2** *(coloq.)* namorar
curto *adj.* **1** (tamanho) de pequeno comprimento; **2** (duração) breve; conciso ❖ ***ter vistas curtas*** ser pouco inteligente ou pouco ambicioso
curto-circuito *s. m.* {*pl.* curtos-circuitos} ELECTR. fenómeno produzido pelo contacto acidental de dois condutores a tensões diferentes, com produção de corrente de intensidade muito elevada
curtume *s. m.* processo de curtir ou preparar couros e peles para os conservar
curva *s. f.* **1** traçado sinuoso de uma via de comunicação; **2** linha, superfície ou espaço arqueado; volta; **3** [*pl.*] formas bem proporcionadas do corpo de uma pessoa
curvado *adj.* **1** arqueado; **2** inclinado para a frente; **3** *(fig.)* subjugado
curvar I *v. tr.* **1** tornar curvo; arquear; **2** *(fig.)* subjugar; **II** *v. refl.* **1** inclinar-se para a frente; **2** *(fig.)* submeter-se
curvatura *s. f.* **1** forma ou estado de um corpo curvo; **2** inclinação
curvo *adj.* **1** que tem forma de arco; **2** inclinado para a frente; dobrado
cuscuz *s. m. 2 núm.* CUL. prato de origem árabe preparado com sêmola de trigo, carne e legumes com um molho picante
cuspe *s. m.* vd. **cuspo**
cuspido *adj.* lançado para fora; expelido
cuspir I *v. tr.* lançar para fora; **II** *v. intr.* expelir cuspo

cuspo *s. m.* saliva
custa *s. f.* **1** despesa; **2** esforço; **3** [*pl.*] despesas feitas em processo judicial ❖ ***às custas de*** com sacrifício de
custar **I** *v. tr.* **1** ter determinado preço; **2** ser adquirido por (determinado preço); **II** *v. intr.* **1** ser difícil; **2** demorar ❖ ***~ os olhos da cara*** ser muito caro; ***custe o que ~*** de qualquer maneira
custear *v. tr.* financiar
custo *s. m.* **1** preço; valor (em dinheiro); **2** esforço; ***~ de vida*** índice da variação de preço de bens e serviços consumidos por uma parte significativa da população em determinado período, cujo valor permite avaliar o poder de compra em relação aos salários ❖ ***a muito ~*** com dificuldade; ***a toda o ~*** a qualquer preço
custódia *s. f.* **1** guarda; protecção; **2** prisão; detenção
custoso *adj.* **1** caro; **2** difícil
cutâneo *adj.* relativo à pele
cutelo *s. m.* instrumento cortante, de forma curva
cútis *s. f. 2 núm.* ANAT. camada externa da pele humana
cuvete *s. f.* recipiente que se coloca no congelador para formar cubos de gelo
cv FÍS. [*símbolo de* **cavalo-vapor**]
czar *s. m.* {*f.* czarina} soberano da Rússia, no tempo do Império

D

d *s. m.* quarta letra e terceira consoante do alfabeto

D I *s. m.* (numeração romana) número 500; **II** QUÍM. [*símbolo de* **deutério**]

D. [*abrev. de* **D**om, **D**ona]

da *contr. da prep.* **de** + *art. def.* **a**

dactilografar *v. tr.* escrever à máquina

dactilografia *s. f.* arte de escrever à máquina

dactilógrafo *s. m.* pessoa que escreve à máquina

dádiva *s. f.* **1** dom; **2** oferta

dado I *s. m.* **1** (de jogo) pequeno cubo cujas faces estão marcadas com pontos ou pintas – de um a seis; **2** facto; informação; **3** MAT. elemento ou quantidade conhecida, que serve de base à resolução de um problema; **4** INFORM. elemento de informação que pode ser aceite, armazenado, tratado ou fornecido pelo computador; **II** *adj.* **1** oferecido; **2** dedicado; **3** comunicativo; **4** habituado; **III** *pron. indef.* não determinado; qualquer; **~ *que*** visto que; já que; ***em ~ momento*** em determinada ocasião

dador *s. m.* **1** pessoa que dá algo; **2** pessoa que concede um direito a alguém; **~ *de sangue*** pessoa que dá sangue para tratamento de doentes e feridos

daí *contr. da prep.* **de** + *adv.* **aí**

dalai-lama *s. m.* {*pl.* dalai-lamas} chefe de Estado e líder espiritual do Tibete

dalém *contr. da prep.* **de** + *adv.* **além**

dalgum *contr. da prep.* **de** + *pron. indef.* **algum**

dali *contr. da prep.* **de** + *adv.* **ali**

dália *s. f.* BOT. flor de corola grande e circular, com muitas pétalas

dálmata *s. m.* ZOOL. cão grande, de musculatura forte, branco e pintalgado de preto ou castanho

daltónico *adj.* que sofre de daltonismo

daltonismo *s. m.* MED. incapacidade de distinguir certas cores umas das outras, principalmente o vermelho e o verde

dama *s. f.* **1** mulher adulta; senhora; **2** (jogo de xadrez) peça que se coloca entre o rei e um dos bispos e que se pode mover em qualquer direcção; **3** (jogo de damas) peça com que um jogador atinge a linha de quadrados mais distante de si e que pode ser deslocada em qualquer sentido no tabuleiro; **4** [*pl.*] jogo realizado num tabuleiro dividido em 64 quadrados, alternadamente pretos e brancos, em que cada jogador movimenta 12 peças (pretas para um e brancas para outro), ganhando quem comer ou eliminar todas as peças do adversário; **~ *de honor*** menina ou rapariga que acompanha a noiva no casamento

damasco *s. m.* **1** BOT. fruto do damasqueiro, em forma de drupa, amarelo e aveludado; **2** tecido de seda encorpada com desenhos em relevo

damasqueiro *s. m.* BOT. árvore produtora de damascos

danação *s. f.* **1** maldição; **2** fúria

danado *adj.* **1** condenado; **2** furioso; **3** *(coloq.)* malandro

dança *s. f.* **1** série de movimentos cadenciados, ao som de música; **2** *(fig.)* agitação; correria

dançar *v. tr.* **1** mover o corpo de forma ritmada, ao som da música; **2** oscilar; balançar; **3** *(Bras.)* sair-se mal; falhar

dançarino *s. m.* **1** pessoa que dança (profissionalmente); **2** pessoa que gosta de dançar

danificação *s. f.* **1** acção de danificar; **2** estrago; dano

danificar *v. tr.* causar dano a; estragar

daninho *adj.* prejudicial; nocivo; BOT. ***ervas daninhas*** ervas que prejudicam o crescimento de outras plantas

dano *s. m.* **1** prejuízo; **2** perda; **3** estrago; deterioração; ***danos colaterais*** prejuízo(s) involuntário(s) causado(s) a populações civis durante operações militares

dantes *adv.* antigamente; outrora

daquele *contr. da prep.* **de** + *pron. dem.* **aquele**

daqui *adv.* deste lugar; deste ponto; ***~ em diante*** no futuro

daquilo *contr. da prep.* **de** + *pron. dem.* **aquilo**

dar I *v. tr.* **1** apresentar (cumprimentos, parabéns); **2** causar (medo, problemas); **3** produzir (fruto, resultado); **II** *v. intr.* **1** ser possível; **2** ser suficiente; **3** reparar em; **4** encontrar; **5** ir ter; **6** estar voltado; **7** (na televisão) ser exibido; passar; **III** *v. refl.* **1** acontecer; verificar-se; **2** (com alguém) entender-se ❖ ***~ à luz*** parir; ***~ certo*** ter êxito; ***~ de si*** ceder; ***~ nas vistas*** evidenciar-se

dardo *s. m.* **1** arma de arremesso em forma de lança; **2** DESP. haste de madeira com ponta de ferro aguçada, para lançamento em corrida; **3** ZOOL. (de insecto) ferrão

darwinismo *s. m.* BIOL. doutrina que procura explicar a evolução das espécies

data *s. f.* **1** época precisa em que um facto acontece; **2** tempo; período; **3** *(coloq.)* grande quantidade ❖ ***de longa ~*** antigo

datação *s. f.* **1** processo de atribuição de uma data; **2** identificação de um objecto, documento ou facto a partir da determinação da data da sua criação ou da sua ocorrência

data-chave *s. f.* {*pl.* datas-chave} data fundamental no desenrolar de um determinado acontecimento

datado *adj.* **1** que tem uma data precisa; **2** característico de determinada época; **3** fora de moda; ultrapassado

data-limite *s. f.* {*pl.* datas-limite} momento em que termina um prazo

datar I *v. tr.* **1** pôr a data em; **2** indicar a data de; **II** *v. intr.* ter sucedido em

datável *adj. 2 gén.* **1** que pode ser datado; **2** identificável

dativo *s. m.* GRAM. (declinação) caso dos nomes, nas línguas em que eles se declinam, com que se exprime o complemento indirecto

dB [*símbolo de* **decibel**]

Db QUÍM. [*símbolo de* **dúbnio**]

d.C. [*abrev. de* **d**epois de **C**risto]

de *prep.* introduz expressões que designam: origem ou ponto de partida ⟨*chegou de Madrid*⟩; lugar donde ⟨*via-os da varanda*⟩; meio ⟨*vive do trabalho*⟩; tempo ⟨*de noite*⟩; causa ⟨*sorriu de felicidade*⟩; modo ⟨*falou de zangada*⟩; pertença ⟨*livro do Rui*⟩; conteúdo ⟨*prato de sopa*⟩; matéria ⟨*peça de bronze*⟩; autoria ⟨*texto da aluna*⟩; assunto ⟨*filme de terror*⟩; composição ⟨*bolo de caramelo*⟩; valor ⟨*disco de vinte euros*⟩; finalidade ⟨*carro de trabalho*⟩

deadline *s. m.* {*pl.* deadlines} **1** tempo máximo para realização de uma tarefa; **2** prazo; data-limite

deambulação *s. f.* passeio; digressão

deambular *v. intr.* vaguear; passear

debaixo *adv.* em posição inferior; sob

debalde *adv.* em vão

debandada *s. f.* fuga desordenada; desordem; confusão

debate *s. m.* troca de opiniões; discussão

debater **I** *v. tr.* **1** discutir; **2** questionar; **II** *v. refl.* agitar-se com violência, procurando libertar-se

debatido *adj.* discutido

debelar *v. tr.* vencer; dominar (crise, doença)

debicar *v. tr. e intr.* **1** (pássaro) tirar com o bico; **2** (*fig.*) (pessoa) comer pouco de cada vez; provar

débil **I** *adj. 2 gén.* **1** (corpo) que não tem força ou saúde; fraco; franzino; **2** (mente) que não tem firmeza; frouxo; vacilante; **3** (objecto, situação) que tem pouca resistência; frágil; precário; **II** *s. 2 gén.* pessoa com insuficiência no desenvolvimento físico ou mental

debilidade *s. f.* **1** fraqueza; **2** frouxidão; **3** fragilidade

debilitar *v. tr. e refl.* tornar(-se) fraco; enfraquecer(-se)

debitar *v. tr.* lançar (uma quantia) como dívida

débito *s. m.* ECON. aquilo que se deve; dívida

debochar **I** *v. tr.* viciar; corromper; **II** *v. intr.* (*Bras.*) troçar de

deboche *s. m.* **1** devassidão; vício; **2** (*Bras.*) troça

debruar *v. tr.* pôr orla em

debruçar **I** *v. tr.* pôr de bruços; **II** *v. refl.* **1** inclinar-se; **2** examinar

debulhadora *s. f.* AGRIC. máquina para debulhar cereais

debulhar *v. tr.* tirar ou separar os grãos (de cereal, fruto ou legume); descascar

debutante **I** *s. 2 gén.* **1** pessoa que se inicia em qualquer actividade; **2** pessoa apresentada formalmente à sociedade em baile ou festa de gala; **II** *adj. 2 gén.* **1** que se inicia em alguma actividade; **2** que se inicia na vida social

debutar *v. intr.* estrear-se; iniciar-se

década *s. f.* período de dez anos

decadência *s. f.* aproximação do fim; declínio; ruína

decadente *adj. 2 gén.* que decai; que está em decadência

decaedro *s. m.* GEOM. poliedro de dez faces

decágono *s. m.* GEOM. polígono de dez ângulos

decagrama *s. m.* peso ou massa de dez gramas

decaída *s. f.* **1** efeito de decair; **2** decadência

decair *v. intr.* **1** estar em decadência; **2** (qualidade, nível) descer; diminuir

decalátero *s. m.* GEOM. polígono de dez lados

decalcar *v. tr.* **1** transferir (imagens) de uma superfície para outra; **2** (*fig.*) imitar; copiar

decalitro *s. m.* medida de dez litros

decálogo *s. m.* conjunto de dez preceitos ou mandamentos

decalque *s. m.* **1** processo de transferência de imagens de uma superfície para outra; **2** imagem obtida por esse processo; **3** (*fig.*) imitação; cópia

decâmetro *s. m.* medida de dez metros

decano *s. m.* membro mais antigo de uma corporação ou classe

decantar *v. tr.* separar as impurezas sólidas contidas num líquido (vinho, etc.)

decapitação *s. f.* acto ou efeito de cortar a cabeça; degolação
decapitar *v. tr.* cortar a cabeça a; degolar
decassilábico *adj.* que tem dez sílabas
decassílabo **I** *s. m.* GRAM. palavra de dez sílabas; **II** *adj.* que tem dez sílabas
decatlo *s. m.* DESP. prova de atletismo combinado que compreende dez modalidades
decatlonista *s. 2 gén.* DESP. atleta que executa as dez provas do decatlo
decência *s. f.* correcção; compostura
decénio *s. m.* período de dez anos
decente *adj. 2 gén.* **1** conveniente; **2** honesto
decepar *v. tr.* cortar, separando do corpo a que pertence; mutilar
decepção *s. f.* desilusão; desapontamento
decepcionado *adj.* desiludido; desapontado
decepcionar *v. tr.* desiludir; desapontar
decerto *adv.* com certeza; certamente
decibel *s. m.* FÍS. unidade utilizada para comparar ou indicar variações dos níveis de intensidade dos sons
decidido *adj.* **1** resolvido; **2** firme
decidir **I** *v. tr. e intr.* resolver; deliberar; **II** *v. refl.* dar preferência a; optar por
decifração *s. f.* explicação ou compreensão de uma coisa obscura; descodificação
decifrar *v. tr.* interpretar discurso, texto ou palavra de sentido obscuro; descodificar
decifrável *adj. 2 gén.* que se pode decifrar
decigrama *s. m.* décima parte do grama
decilitro *s. m.* décima parte do litro
décima *s. f.* **1** MAT. cada uma das dez partes iguais em que se pode dividir uma grandeza tomada como unidade; **2** imposto equivalente à décima parte de um rendimento
decimal *adj. 2 gén.* **1** relativo a dez ou à décima parte; **2** MAT. (numeração) que utiliza dez símbolos; **3** que se conta de dez em dez
decímetro *s. m.* décima parte do metro
décimo **I** *num. ord.* que, numa série, ocupa a posição imediatamente a seguir à nona; **II** *num. frac.* que resulta da divisão de um todo por dez; **III** *s. m.* o que, numa série, ocupa o lugar correspondente ao número 10
decisão *s. f.* **1** resolução; deliberação; **2** escolha; opção; **3** DIR. sentença
decisivo *adj.* que decide; determinante
declamação *s. f.* leitura em voz alta; recitação
declamar *v. tr. e intr.* ler (texto poético) em voz alta; recitar
declaração *s. f.* **1** afirmação; explicação; **2** testemunho; depoimento; **3** prova escrita; documento
declarado *adj.* **1** manifestado; **2** evidente
declarar **I** *v. tr.* **1** afirmar; anunciar; revelar; **2** (na alfândega) expor (bens, mercadorias) para fiscalização; **3** tornar do conhecimento público (rendimentos, bens, etc.); **II** *v. refl.* **1** manifestar-se; aparecer; **2** confessar-se; revelar-se
declarativo *adj.* **1** que tem por fim declarar; **2** que contém afirmação
declinação *s. f.* **1** diminuição de intensidade; enfraquecimento; **2** GRAM. conjunto das flexões dos nomes e de outras classes de palavras, em algumas línguas, de acordo com a sua função sintáctica na frase (sujeito, complemento, etc.)

declinar I *v. tr.* **1** não aceitar; recusar; **2** GRAM. flexionar (uma palavra) de acordo com a função sinctáctica que desempenha na frase; **II** *v. intr.* **1** decair; **2** enfraquecer

declinável *adj. 2 gén.* **1** que se pode declinar; **2** GRAM. (palavra) que pode sofrer declinação

declínio *s. m.* **1** aproximação do fim; decadência; ruína; **2** perda de força ou de intensidade; enfraquecimento

declive *s. m.* grau de inclinação de um terreno

decompor *v. tr. e refl.* separar(-se) nos elementos constitutivos; dividir(-se) em partes

decomposição *s. f.* **1** divisão em elementos simples; **2** separação do que estava unido; desagregação; **3** apodrecimento; degradação

decoração *s. f.* **1** actividade de organização de um espaço (geralmente interior) combinando os diversos elementos de forma harmoniosa e/ou funcional, de acordo com o fim a que o espaço se destina; **2** enfeite; ornamento

decorador *s. m.* pessoa que trabalha em decoração (sobretudo de interiores)

decorar *v. tr.* **1** organizar um espaço (geralmente interior) de acordo com o fim a que se destina; **2** ornamentar; enfeitar; **3** aprender de cor; memorizar (lição, matéria)

decorativo *adj.* que enfeita; ornamental

decoro *s. m.* compostura; decência

decorrente *adj. 2 gén.* consequente; subsequente

decorrer *v. intr.* **1** (acontecimento) realizar-se; ter lugar; suceder; **2** (tempo) passar; escoar-se; **3** (consequência) ter origem em; resultar de

decorrido *adj.* **1** passado; **2** acontecido; **3** terminado

decotado *adj.* **1** (peça de roupa) aberto na parte superior; **2** (pessoa) que usa roupa com decote

decote *s. m.* corte em peça de roupa que deixa a descoberto o pescoço e parte do peito

decrépito *adj.* muito velho; caduco

decrepitude *s. f.* estado de velhice acentuada; senilidade

decrescendo *s. m.* MÚS. sequência em que a intensidade do som diminui gradualmente

decrescente *adj. 2 gén.* **1** que diminui; **2** que está em declínio

decrescer *v. intr.* diminuir de tamanho, quantidade ou intensidade

decréscimo *s. m.* diminuição

decretar *v. tr.* ordenar por meio de decreto ou lei

decreto *s. m.* **1** resolução do Governo, do chefe de Estado ou de autoridade competente; **2** *(fig.)* vontade; intenção

decreto-lei *s. m.* {*pl.* decretos-leis} DIR. decreto com força de lei emanado do poder executivo, quando este acumula as funções do legislativo

décuplo I *num. mult.* que contém dez vezes mais a mesma quantidade; **II** *adj.* que é dez vezes maior; **III** *s. m.* valor ou quantidade dez vezes maior

decurso *s. m.* **1** passagem de tempo; duração; **2** percurso

dedada *s. f.* marca feita com o dedo

dedal *s. m.* utensílio que se enfia no dedo médio para empurrar a agulha, quando se cose

dedaleira *s. f.* BOT. planta venenosa com flores de cor púrpura, em forma de dedal

dedicação *s. f.* **1** devoção; **2** estima

dedicado *adj.* **1** aplicado; **2** devotado

dedicar I *v. tr.* 1 oferecer; 2 aplicar; II *v. refl.* 1 ocupar-se inteiramente de; 2 aplicar-se; empenhar-se

dedicatória *s. f.* inscrição afectuosa num presente ou numa lembrança

dedo *s. m.* 1 ANAT. cada uma das partes articuladas em que terminam as mãos e os pés; 2 pequena quantidade; 3 (*fig.*) habilidade; aptidão ❖ ***dar dois dedos de conversa*** conversar um pouco; ***pôr o ~ na ferida*** tocar no ponto fraco; ***ter ~ para*** ter jeito para

dedução *s. f.* 1 processo de raciocinar em que se parte da causa para o efeito, do princípio para as consequências, do geral para o particular; 2 conclusão; consequência; 3 abatimento (de preço); desconto

dedutível *adj. 2 gén.* 1 que se pode deduzir; 2 (quantia, valor) que pode ser descontado

dedutivo *adj.* que parte do geral para o particular, da causa para o efeito

deduzir *v. tr.* 1 concluir; inferir; 2 descontar; subtrair (de uma quantia)

defecação *s. f.* eliminação das fezes pelo ânus

defecar *v. intr.* expelir excrementos pelo ânus

defectivo *adj.* 1 a que falta alguma coisa; 2 imperfeito; 3 GRAM. (verbo) que não se conjuga em todas as formas

defeito *s. m.* 1 (moral, físico) imperfeição; 2 (num produto) deficiência

defeituoso *adj.* 1 imperfeito; 2 (produto) que não funciona bem

defender *v. tr. e refl.* proteger(-se); resguardar(-se)

defensável *adj. 2 gén.* que se pode defender

defensiva *s. f.* atitude de defesa

defensivo *adj.* próprio de defesa

defensor *s. m.* pessoa que defende

deferência *s. f.* respeito; consideração

deferido *adj.* aprovado

deferimento *s. m.* aprovação

deferir *v. tr.* aprovar; atender

defesa I *s. f.* 1 protecção; resguardo; 2 justificação; alegação; 3 MIL. forma de resistir a um ataque; 4 DIR. advogado do réu; 5 chifre; corno; II *s. m.* DESP. jogador encarregado de travar o ataque do adversário; DIR. ***legítima ~*** reacção violenta justificada pela necessidade de uma pessoa se proteger de uma agressão ou de proteger outrem

défice *s. m.* 1 saldo negativo; 2 aquilo que falta

deficiência *s. f.* 1 MED. insuficiência de desenvolvimento ou de funcionamento de um órgão ou de um sistema; 2 falta; lacuna

deficiente I *s. 2 gén.* MED. pessoa com deficiência; II *adj. 2 gén.* 1 em que há deficiência; imperfeito; 2 insuficiente

deficit *s. m.* vd. **défice**

deficitário *adj.* em que falta alguma coisa

definhado *adj.* magro; abatido

definhar *v. intr.* emagrecer; enfraquecer

definição *s. f.* 1 explicação do sentido; significado; 2 palavra(s) com que se define; 3 FOT. (de imagem) nitidez de contornos

definido *adj.* 1 determinado; fixo; 2 exacto; preciso; 3 (imagem) nítido; 4 GRAM. (artigo) que se refere a algo ou alguém específico ou conhecido

definir I *v. tr.* 1 explicar o singnificado de; 2 determinar; fixar; 3 determinar a extensão ou os limites de; II *v. refl.* tomar uma posição; decidir-se

definitivamente *adv.* 1 decididamente; 2 completamente

definitivo *adj.* decisivo; final

deflação *s. f.* ECON. baixa do nível geral dos preços, acompanhada de quebra do ritmo das actividades económicas
deflagração *s. f.* **1** (incêndio, bomba) combustão violenta, provocada ou espontânea; rebentamento; explosão; **2** (*fig.*) aparecimento súbito
deflagrar *v. intr.* **1** (incêndio, bomba) explodir; rebentar; **2** (conflito, guerra) ter início
deformação *s. f.* **1** alteração da forma ou do volume; **2** MED. malformação
deformar *v. tr.* **1** alterar a forma ou o volume; **2** desfigurar
defraudação *s. f.* **1** acto de defraudar; **2** fraude; usurpação
defraudar *v. tr.* **1** enganar (alguém); **2** despojar (bens)
defrontar I *v. tr.* enfrentar; **II** *v. refl.* **1** colocar-se diante de; **2** confrontar--se com
defronte *adv.* **1** em frente; **2** diante
defumado *adj.* que secou ao fumo
defumar *v. tr.* secar ao fumo
defunto I *s. m.* pessoa que morreu; **II** *adj.* morto
degelar *v. tr. e intr.* **1** derreter o gelo de; **2** (*fig.*) aquecer
degelo *s. m.* **1** derretimento de gelo; **2** descongelação
degeneração *s. f.* **1** perda de qualidades; degradação; **2** (*fig.*) corrupção
degenerar *v. intr.* **1** perder qualidades; degradar-se; **2** (*fig.*) corromper-se
deglutição *s. f.* ingestão (de alimentos)
deglutir *v. tr.* ingerir (alimentos)
degolar *v. tr.* cortar a cabeça a; decapitar
degradação *s. f.* **1** perda de qualidades; desgaste; deterioração; **2** (*fig.*) depravação
degradado *adj.* **1** danificado; estragado; **2** (*fig.*) pervertido
degradante *adj. 2 gén.* **1** que provoca degradação; **2** que perverte ou corrompe
degradar I *v. tr.* danificar; estragar; **II** *v. refl.* **1** danificar-se; **2** (*fig.*) corromper-se
degrau *s. m.* **1** cada uma das partes de uma escada em que se põe o pé quando se sobe ou desce; **2** (*fig.*) meio; recurso
degredar *v. tr.* condenar (alguém) ao exílio; expatriar; desterrar
degredo *s. m.* exílio; desterro
degustação *s. f.* apreciação do sabor; prova
degustar *v. tr.* provar (alimento); saborear
deitado *adj.* **1** colocado na horizonal; estendido; **2** metido na cama
deitar I *v. tr.* **1** colocar em posição horizontal; estender; **2** meter na cama; **3** atirar; lançar; **4** verter (líquido); **5** emanar (cheiro); **II** *v. refl.* **1** estender-se; **2** meter-se na cama
deixa *s. f.* **1** TEAT. palavra que indica que um actor acabou de falar e que vai começar outro; **2** última palavra ou frase de uma pessoa, num desafio, que serve de ponto de partida para a participação de outra ❖ ***aproveitar a ~*** aproveitar a ocasião/oportunidade
deixar I *v. tr.* **1** permitir; **2** não levar; **3** desistir de; **4** soltar; **5** legar (bens, herança); **II** *v. intr.* **1** desistir; parar; **2** evitar; **III** *v. refl.* **1** permitir; **2** abster-se ❖ ***~ a desejar*** não corresponder ao que se esperava; ***~ andar/correr*** não interferir
déjà-vu *s. m.* sensação de já ter vivido no passado uma situação presente; repetição
delação *s. f.* acusação; denúncia
delatar *v. tr.* acusar; denunciar

delator *s. m.* pessoa que acusa ou denuncia; denunciante
dele *contr. da prep.* **de** + *pron. pess.* **ele**
delegação *s. f.* **1** transmissão de um poder a alguém; cedência; **2** estabelecimento comercial ou financeiro subordinado a uma agência central; sucursal
delegacia *s. f.* **1** cargo ou repartição do delegado; **2** *(Bras.)* esquadra de polícia
delegado *s. m.* **1** pessoa que dirige um serviço público dependente de autoridade superior; **2** pessoa que dirige uma missão de representação; **3** *(Bras.)* (da polícia) comissário
delegar *v. tr.* **1** transmitir (poder); **2** encarregar; incumbir
deleitar I *v. tr.* provocar prazer em; deliciar; **II** *v. refl.* sentir prazer em; deliciar-se
deleite *s. m.* prazer; satisfação
deletar *v. tr. (Bras.)* eliminar (informação, ficheiro, etc.), por meio de um comando específico; apagar
delgado *adj.* fino; estreito
deliberação *s. f.* decisão; resolução
deliberadamente *adv.* intencionalmente; propositadamente
deliberado *adj.* **1** resolvido; **2** intencional
deliberar *v. tr. e intr.* decidir(-se); resolver(-se) após reflexão ou discussão
delicadeza *s. f.* **1** (de pessoa) atitude gentil; **2** (de pessoa) boa educação; **3** (de objecto, saúde) fragilidade
delicado *adj.* **1** (pessoa) atencioso; **2** (saúde) frágil; **3** (problema) complexo
delícia *s. f.* **1** sensação agradável; **2** coisa muito saborosa
deliciar I *v. tr.* dar alegria ou prazer a; agradar; **II** *v. refl.* sentir alegria ou prazer; regalar-se
delicioso *adj.* **1** agradável; **2** saboroso
delimitação *s. f.* marcação dos limites; demarcação
delimitar *v. tr.* marcar os limites; demarcar
delinear *v. tr.* **1** traçar o plano de; fazer o esboço de; **2** *(fig.)* planear
delinquência *s. f.* **1** desobediência a regulamentos, leis ou princípios morais; **2** conjunto de infracções ou delitos em relação às normas estabelecidas
delinquente *s. 2 gén.* pessoa que desobedece a regulamentos, leis ou princípios morais
delirante *adj. 2 gén.* **1** que faz delirar; **2** desordenado; desconexo; **3** *(coloq.)* extraordinário; fabuloso
delirar *v. intr.* **1** estar em estado de alucinação ou exaltação; **2** dizer ou fazer disparates; desvairar; **3** *(coloq.)* entusiasmar-se; vibrar com
delírio *s. m.* **1** MED. perda de consciência da realidade; **2** confusão mental; alucinação; **3** *(coloq.)* entusiasmo; exaltação
delito *s. m.* **1** DIR. infracção à lei; crime; **2** transgressão moral; falta ❖ ***em flagrante ~*** no próprio momento em que a falta é cometida
delituoso *adj.* DIR. relativo a delito; em que há delito
delonga *s. f.* demora
delta *s. m.* **1** GEOG. depósito de aluvião, geralmente triangular, na parte terminal de um rio; **2** quarta letra do alfabeto grego, correspondente ao *d*
demagogia *s. f.* **1** actuação política que se serve do apoio popular para conquistar o poder; **2** discurso feito em nome das massas populares para conquistar o poder
demagógico *adj.* que revela demagogia

demagogo *s. m.* **1** pessoa cujo discurso procura captar o apoio das massas populares com a finalidade de alcançar o poder; **2** pessoa que age de acordo com os interesses populares

demais I *adv.* **1** em excesso; excessivo; **2** de forma intensa; **II** *pron. indef.* os outros; os restantes ❖ ***por ~*** demasiado

demanda *s. f.* **1** pedido; solicitação; **2** ECON. procura (de bens ou produtos); **3** ECON. qualquer bem ou serviço procurado no mercado; **4** DIR. processo judicial; acção

demandar *v. tr.* DIR. mover uma acção judicial contra (algo ou alguém)

demão *s. f.* **1** camada de tinta, cal, etc., que se aplica numa superfície; **2** retoque

demarcação *s. f.* **1** determinação dos limites; delimitação; **2** separação; distinção

demarcado *adj.* **1** delimitado; **2** separado; (vitivinicultura) ***região demarcada*** área geográfica cujas características de solo, clima, etc., permitem produzir vinhos de qualidade reconhecida e que dispõe de um estatuto legal específico

demarcar *v. tr.* **1** marcar os limites de; delimitar; definir; **2** separar; distinguir

demasia *s. f.* excesso ❖ ***em ~*** de forma exagerada

demasiado I *adj.* **1** excessivo; **2** desnecessário; **II** *adv.* excessivamente; exageradamente

demência *s. f.* **1** MED. perda mais ou menos acentuada das faculdades intelectuais por influência de lesões do cérebro; **2** loucura

demente *adj. e s. 2 gén.* que ou pessoa que sofre de perturbação mental (temporária ou permanente)

demissão *s. f.* **1** renúncia e cessação voluntária de funções de um emprego ou cargo; **2** dispensa dos serviços de um funcionário; despedimento

demissionário *adj.* que se demitiu

demitir I *v. tr.* destituir de um emprego ou cargo; despedir; **II** *v. refl.* abandonar um emprego ou cargo; despedir-se

demiurgo *s. m.* **1** (na filosofia de Platão) princípio organizador do Universo, autor de tudo o que existe; **2** *(fig.)* criador

demo *s. m.* **1** *(coloq.)* demónio; diabo; **2** *(fig.)* pessoa irrequieta

democracia *s. f.* **1** forma de governo em que a soberania é exercida pelo povo; **2** país com regime democrático

democrata *s. 2 gén.* pessoa partidária da democracia

democrático *adj.* relativo a democracia; próprio da democracia

democratização *s. f.* **1** acto ou efeito de tornar(-se) democrático; **2** processo de tornar algo acessível à maioria da população

democratizar *v. tr. e refl.* **1** tornar(-se) democrático ou democrata; **2** tornar(-se) acessível à maioria da população

demografia *s. f.* estudo estatístico das populações humanas

demográfico *adj.* relativo a demografia

demolhar *v. tr.* colocar em água durante certo tempo

demolição *s. f.* (de construção) destruição; derrube

demolidor *adj.* **1** que provoca demolição ou destruição; **2** *(fig.)* (crítica, observação) que aniquila; que arrasa; **3** *(fig.)* (argumento, prova) que não permite oposição ou resistência

demolir *v. tr.* (construção) deitar abaixo; destruir

demoníaco *adj.* **1** próprio de demónio; **2** terrível; assustador

demónio *s. m.* **1** MITOL. espírito maligno; diabo; **2** *(fig.)* pessoa irrequieta

demonstração *s. f.* **1** (de sentimento) manifestação; **2** (de argumento) apresentação; **3** (de aparelho) explicação do modo de funcionamento

demonstrar *v. tr.* **1** manifestar (sentimento); **2** provar; apresentar (argumento); **3** explicar o funcionamento de (aparelho)

demonstrativo *adj.* **1** que demonstra; convincente; **2** GRAM. (determinante, pronome) que situa algo ou alguém em relação ao locutor

demora *s. f.* atraso ❖ ***sem ~*** imediatamente

demorado *adj.* **1** que dura bastante tempo; **2** atrasado

demorar I *v. intr.* **1** (acontecimento) durar bastante tempo; **2** (pessoa) atrasar-se; **3** (pessoa) permanecer durante bastante tempo; **II** *v. refl.* **1** atrasar-se; **2** permanecer durante bastante tempo

demover *v. tr.* fazer mudar de ideias; dissuadir

denegrir *v. tr.* **1** escurecer; **2** *(fig.)* difamar

denominação *s. f.* **1** atribuição de um nome; designação; **2** palavra com que se designa algo ou alguém; nome

denominado *adj.* designado; chamado

denominador *s. m.* MAT. número que se coloca por baixo do traço de uma fracção, e que indica em quantas partes se dividiu a unidade; ***~ comum*** múltiplo de todos os números por baixo do traço (denominadores) de um conjunto de fracções; *(fig.)* característica comum a duas ou mais pessoas, coisas ou animais

denominar *v. tr. e refl.* designar(-se); chamar(-se)

denotação *s. f.* **1** indicação por meio de sinal ou símbolo; **2** LING. significado literal ou básico de uma palavra ou expressão (por oposição a conotação)

denotar *v. tr.* **1** indicar por meio de sinal ou símbolo; **2** representar; significar

denotativo *adj.* **1** que indica ou designa; **2** LING. que remete para uma entidade real; literal (por oposição a conotativo)

densidade *s. f.* **1** qualidade do que é denso; **2** espessura; consistência; ***~ populacional*** número médio de habitantes por unidade de superfície de um país

densímetro *s. m.* FÍS. instrumento que serve para avaliar a densidade dos líquidos

densitometria *s. f.* medição de densidade; MED. ***~ óssea*** exame médico para avaliar a percentagem de cálcio nos ossos

denso *adj.* **1** compacto; espesso; **2** *(fig.)* profundo

dentada *s. f.* golpe feito com os dentes; mordidela

dentado *adj.* recortado em forma de dente(s); MEC. ***roda dentada*** roda cuja circunferência dispõe de dentes que permitem imprimir movimento a eixos rotativos (de máquinas, motores, etc.)

dentadura *s. f.* **1** conjunto dos dentes de uma pessoa ou de um animal; dentição; **2** aparelho onde são implantados dentes artificiais; placa

dental *adj. 2 gén.* **1** relativo aos dentes; **2** GRAM. (consoante) que se articula apoiando a língua nos dentes incisivos superiores

dentar *v. intr.* começar a ter dentes
dentário *adj.* relativo a dentes
dente *s. m.* 1 ANAT. cada um dos órgãos rígidos da cavidade bucal que servem para mastigar alimentos; 2 (de garfo, pente) ponta ou recorte com a forma desse órgão; 3 (de alho) cada uma das partes que formam um bolbo composto; ~ ***canino*** dente aguçado, entre o incisivo lateral e o pré-molar que permite rasgar os alimentos (em cada maxilar existem dois); ~ ***de leite*** cada um dos dentes que surgem entre os 6 e os 30 meses de idade, e que são substituídos pelos dentes permanentes por volta dos 6 anos; ~ ***do siso*** cada um dos últimos dentes molares que surgem normalmente por volta dos 20 anos de idade ❖ ***com unhas e dentes*** com todas as forças; ***dar com a língua nos dentes*** revelar um segredo; ***olho por olho, ~ por ~*** com desforra igual à ofensa; ***quando as galinha tiverem dentes*** jamais
dentição *s. f.* 1 conjunto dos dentes de uma pessoa ou de um animal; 2 formação e nascimento dos dentes
dentífrico *adj. e s. m.* que ou produto que é usado para lavar os dentes
dentina *s. f.* camada interna dos dentes
dentista *s. 2 gén.* profissional que trata das doenças dos dentes
dentre *contr. da prep.* **de** + *prep.* **entre**
dentro *adv.* 1 (local) no interior de; 2 (temporal) no espaço de
dentuça I *s. f. (depr.)* dentes grandes e salientes; II *s. 2 gén. (depr.)* pessoa que tem dentes grandes e salientes
denúncia *s. f.* acusação ou revelação da responsabilidade de um crime ou de uma falta
denunciante *s. 2 gén.* pessoa que denuncia
denunciar *v. tr.* 1 atribuir a responsabilidade de (crime ou falta); acusar; 2 tornar conhecido; revelar
deparar *v. intr.* encontrar inesperadamente
departamento *s. m.* 1 sector de um organismo, estatal ou particular, destinado a um fim específico; 2 *(fig.)* funções ou actividades da responsabilidade de alguém
depenado *adj.* 1 sem penas; 2 *(fig.)* sem dinheiro
depenar *v. tr.* 1 tirar as penas a (ave); 2 *(fig.)* extorquir dinheiro a (alguém)
dependência *s. f.* 1 ligação próxima; conexão; 2 sujeição; subordinação; 3 necessidade física e/ou psicológica de determinada substância; 4 (casa) compartimento; divisão
dependente *adj. 2 gén.* 1 que depende; subordinado; 2 intimamente ligado; 3 que tem necessidade absoluta de (substância, hábito)
depender *v. intr.* 1 estar na dependência de; estar subordinado a; 2 resultar de; ser consequência de
depenicar *v. tr.* comer pequenos pedaços de
depilação *s. f.* remoção de pêlos
depilar *v. tr.* remover os pêlos de
depilatório I *s. m.* produto usado para facilitar a remoção dos pêlos; II *adj.* que depila
deplorar *v. tr. e refl.* lamentar(-se); lastimar(-se)
deplorável *adj. 2 gén.* 1 que provoca tristeza; lamentável; 2 que causa aversão; detestável
depoimento *s. m.* 1 afirmação; argumento; 2 DIR. declaração de uma testemunha
depois *adv.* 1 (temporal) em seguida; posteriormente; 2 (espacial) na rectaguarda

depor I *v. tr.* 1 pôr de parte (objecto); 2 pousar (armas); 3 destituir (governo); II *v. intr.* 1 apresentar argumentos; 2 DIR. testemunhar
deportação *s. f.* saída forçada do próprio país; exílio
deportar *v. tr.* expulsar do próprio país; exilar
deposição *s. f.* 1 destituição (de alguém) de um cargo ou de uma função; demissão; 2 renúncia voluntária
depositante *s. 2 gén.* pessoa que deposita
depositar I *v. tr.* 1 pôr em depósito; guardar (bens, dinheiro); 2 confiar; transmitir; II *v. refl.* (substância) ficar no fundo; assentar
depositário *s. m.* 1 pessoa ou instituição que recebe em depósito; 2 pessoa a quem se conta algo; confidente
depósito *s. m.* 1 objecto que se depositou; 2 (de dinheiro) quantia depositada; 3 (num veículo) reservatório de combustível; 4 (de garrafa) substância que se deposita no fundo de um líquido; sedimento; 5 lugar onde se guarda algo; armazém
depravação *s. f.* corrupção; perversão
depravado *adj.* corrupto; perverso
depravar *v. tr. e refl.* corromper(-se); perverter(-se)
depreciação *s. f.* 1 diminuição de valor; desvalorização; 2 *(fig.)* menosprezo
depreciar *v. tr.* 1 desvalorizar; 2 *(fig.)* menosprezar
depreciativo *adj.* 1 que reduz o valor de; que rebaixa; 2 (palavra) que exprime um sentido negativo
depreender *v. tr.* deduzir; concluir
depressa *adv.* em pouco tempo; rapidamente
depressão *s. f.* 1 cavidade pouco profunda numa superfície; 2 baixa de terreno; 3 METEOR. centro de baixa pressão atmosférica que geralmente traz chuva; 4 PSIC. estado mental caracterizado por sintomas como apatia, desânimo, melancolia e ansiedade; 5 ECON. descida acentuada dos níveis de produtividade e aumento do desemprego
depressivo I *adj.* 1 relativo a depressão; 2 que deprime; II *s. m.* pessoa que manifesta tendência permanente para a depressão
deprimente *adj. 2 gén.* que deprime; que desanima
deprimido *adj.* 1 que tem depressão; 2 abatido
deprimir *v. tr.* 1 causar depressão a; 2 abater; 3 desanimar
depuração *s. f.* remoção de substâncias indesejáveis; purificação
depurar *v. tr.* remover substâncias indesejáveis; purificar
deputado *s. m.* 1 pessoa que foi eleita para uma assembleia legislativa; 2 pessoa que representa os interesses de um grupo ou de uma instituição
deputar *v. tr.* encarregar de uma missão
dérbi *s. m.* competição desportiva de grande importância
derby *s. m.* vd. **dérbi**
deriva *s. f.* 1 desvio da rota causado por correntes ou ventos; 2 flutuação ao sabor da corrente ou do vento ❖ *à ~* sem orientação
derivação *s. f.* 1 desvio; afastamento; 2 GRAM. processo de formação de palavras novas pela adjunção de afixos a radicais; 3 MAT. cálculo da derivada de uma função; 4 origem; proveniência
derivada *s. f.* MAT. limite da razão entre o acréscimo de uma função e o acréscimo dado à variável quando esta tende para zero

derivado *s. m.* **1** produto ou material produzido a partir de outro; **2** GRAM. palavra formada por derivação
derivar *v. tr. e intr.* ter origem em; provir de
dermatologia *s. f.* MED. estudo e tratamento das doenças de pele
dermatológico *adj.* relativo a dermatologia
dermatologista *s. 2 gén.* especialista em dermatologia
derme *s. f.* pele
derradeiro *adj.* último; final
derramamento *s. m.* **1** acto ou efeito de lançar ou espalhar; **2** propagação (de um líquido)
derramar *v. tr.* **1** lançar; espalhar; **2** entornar (um líquido)
derrame *s. m.* MED. hemorragia interna, geralmente cerebral
derrapagem *s. f.* deslizamento descontrolado de um veículo
derrapar *v. intr.* (veículo) deslizar de forma descontrolada
derreado *adj. (pop.)* cansado; exausto
derreter I *v. tr.* **1** tornar líquido; **2** *(fig.)* comover; **II** *v. refl.* **1** (neve, gelo) fundir-se; liquefazer-se; **2** *(fig.)* comover-se
derretimento *s. m.* **1** passagem para o estado líquido; liquefacção; **2** *(fig.)* enternecimento; **3** *(fig.)* encantamento
derrocada *s. f.* **1** queda; desmoronamento; **2** *(fig.)* degradação
derrota *s. f.* perda; insucesso
derrotado *adj.* que perdeu; vencido
derrotar *v. tr.* **1** vencer (em luta, discussão); **2** DESP. bater
derrotismo *s. m.* estado de quem não acredita na vitória; pessimismo
derrotista *adj. e s. 2 gén.* que ou pessoa que não acredita na vitória; pessimista
derrubar *v. tr.* **1** fazer cair; deitar ao chão (um objecto); **2** destituir; depor (um governo ou uma pessoa)
derrube *s. m.* **1** queda (de governo); **2** abate (de árvores)
desabafar *v. intr.* exteriorizar emoções ou sentimentos; revelar segredos ou pensamentos
desabafo *s. m.* **1** exteriorização de emoções ou sentimentos; confidência; **2** alívio
desabamento *s. m.* **1** desmoronamento; queda (de terreno ou construção); **2** decadência; ruína (de projecto ou instituição)
desabar *v. intr.* **1** (terra) desprender-se; **2** (telhado, muro) abater-se; **3** (projecto) degradar-se
desabitado *adj.* sem habitantes; deserto
desabituado *adj.* que perdeu o hábito; desacostumado
desabituar I *v. tr.* fazer perder o hábito; desacostumar; **II** *v. refl.* perder o hábito; desacostumar-se
desabotoar *v. tr.* desapertar os botões de (peça de roupa)
desabrido *adj.* **1** (gesto, pessoa) rude; grosseiro; **2** (tempo, vento) tempestuoso; violento
desabrigado *adj.* (local) exposto ao mau tempo
desabrochar *v. intr.* **1** (flor) abrir as pétalas; **2** (pessoa) revelar-se
desacato *s. m.* desrespeito; afronta
desaceleração *s. f.* redução de velocidade; abrandamento
desacelerar *v. tr.* reduzir a velocidade; abrandar
desacompanhado *adj.* sem companhia; sozinho
desaconselhado *adj.* não recomendado; contra-indicado
desaconselhar *v. tr.* dissuadir; contra-indicar

desaconselhável *adj. 2 gén.* que não é recomendável; que é pouco conveniente

desacordo *s. m.* **1** falta de acordo; **2** divergência

desacostumar I *v. tr.* fazer perder o costume; desabituar; **II** *v. refl.* perder o costume; desabituar-se

desacreditado *adj.* **1** que perdeu o crédito ou a boa reputação; **2** que perdeu a confiança ou a credibilidade

desacreditar *v. tr.* fazer perder o crédito ou a boa reputação; difamar

desactivado *adj.* **1** (fábrica) que foi impedido de funcionar; **2** (bomba) que não pode ser detonado

desactivar *v. tr.* **1** impedir o funcionamento de (fábrica); **2** desarmar (bomba)

desactualizado *adj.* que está fora de moda; ultrapassado

desadaptado *adj.* que não se adapta; estranho

desadaptar-se *v. refl.* perder a capacidade de adaptação; tornar-se estranho

desafeiçoar-se *v. refl.* **1** perder o afecto a; **2** perder o gosto por

desafiar *v. tr.* **1** provocar; **2** aliciar

desafinado *adj.* (instrumento, voz) que está fora do tom; dissonante

desafinar *v. intr.* **1** (instrumento) produzir sons discordantes; **2** (cantando, tocando) sair do tom; destoar

desafio *s. m.* **1** estímulo; provocação; **2** DESP. competição; partida

desafogado *adj.* **1** abastado (de dinheiro); **2** despreocupado

desaforado *adj.* arrogante; insolente

desaforo *s. m.* arrogância; insolência

desafortunado *adj.* desfavorecido; infeliz

desagasalhado *adj.* desabrigado

desagradar *v. intr.* aborrecer; desgostar

desagradável *adj. 2 gén.* **1** (pessoa) antipático; **2** (situação) que aborrece

desagrado *s. m.* **1** descontentamento; **2** indelicadeza

desagravamento *s. m.* diminuição do valor ou da intensidade; atenuação; ~ ***fiscal*** redução dos impostos a pagar ao Estado

desagravar *v. tr.* diminuir de valor ou de intensidade; atenuar

desagravo *s. m.* reparação de uma ofensa; retractação

desagregação *s. f.* **1** separação em partes; fragmentação; **2** perda de unidade; dissolução

desagregar *v. tr. e refl.* separar(-se); fragmentar(-se)

desaguar *v. intr.* (rio) lançar as águas

desaguisado *s. m.* desavença; mal-entendido

desaire *s. m.* fracasso; derrota

desajeitado *adj.* que não tem jeito; desastrado

desajustado *adj.* **1** (peça) que não encaixa bem; **2** PSIC. (pessoa) que não se adapta ao meio em que vive; inadaptado

desajustamento *s. m.* **1** (de peças) desencaixe; **2** PSIC. (de pessoa) inadaptação ao meio

desajustar *v. tr.* **1** romper (acordo, pacto); **2** desencaixar (peças); **3** PSIC. desestabilizar (emocionalmente)

desajuste *s. m.* **1** (relação) ruptura; **2** (máquina) desencaixe

desalapar I *v. tr.* tirar ou fazer sair do lugar; **II** *v. refl.* sair do lugar onde se está

desalentar I *v. tr.* fazer perder o ânimo; **II** *v. intr.* perder o ânimo

desalento *s. m.* desânimo; tristeza

desalfandegagem *s. f.* conjunto de formalidades necessárias para retirar da alfândega qualquer mercadoria sujeita a fiscalização

desalfandegar *v. tr.* retirar da alfândega uma mercadoria sujeita a fiscalização

desalgemar *v. tr.* tirar as algemas a; libertar

desalinhado *adj.* **1** (pessoa) com aparência descuidada; **2** (veículo) cujas rodas não estão alinhadas paralelamente

desalinhar *v. tr.* **1** tirar do alinhamento; **2** desarranjar

desalinho *s. m.* **1** desarrumação; desordem; **2** desmazelo

desalmado *adj.* perverso; desumano

desalojado *adj.* que não tem casa

desalojar *v. tr.* fazer sair do alojamento

desamarrar I *v. tr.* desprender; soltar; **II** *v. intr.* NÁUT. soltar as amarras de (embarcação)

desamolgar *v. tr.* alisar; endireitar

desamor *s. m.* falta de amor; indiferença

desamparado *adj.* que não tem apoio ou protecção; abandonado

desamparar *v. tr.* deixar de apoiar; abandonar

desancar *v. tr.* *(coloq.)* criticar severamente

desancorar *v. tr. e. intr.* NÁUT. levantar a âncora

desandar I *v. tr.* desatarraxar; **II** *v. intr.* **1** voltar para trás; **2** *(coloq.)* piorar; **3** *(coloq.)* afastar-se

desanimado *adj.* triste; abatido

desanimar I *v. tr.* tirar o ânimo a; desencorajar; **II** *v. intr.* perder o ânimo

desânimo *s. m.* falta de ânimo; depressão

desanuviado *adj.* **1** (céu) limpo; **2** (pessoa) tranquilo

desanuviar *v. intr.* **1** (céu) limpar de nuvens; **2** (pessoa) tranquilizar-se

desapaixonado *adj.* imparcial; isento

desaparafusar *v. tr.* desatarraxar

desaparecer *v. intr.* deixar de aparecer ou de ser visto; sumir-se

desaparecido I *s. m.* pessoa que desapareceu; **II** *adj.* **1** que desapareceu; **2** perdido; **3** morto

desaparecimento *s. m.* **1** sumiço; **2** roubo; **3** morte

desaparelhar *v. tr.* tirar os arreios a (cavalgadura)

desapegado *adj.* desligado; desprendido

desapegar-se *v. refl.* desligar-se; desinteressar-se

desapego *s. m.* desinteresse; desprendimento

desapercebido *adj.* **1** desprevenido; **2** que não foi notado

desapertar *v. tr.* **1** alargar (cinto); **2** desabotoar (peça de roupa); **3** desatarraxar (parafusos)

desapoiado *adj.* sem apoio; desprotegido

desapontado *adj.* desiludido; decepcionado

desapontamento *s. m.* desilusão; decepção

desapontar *v. tr.* desiludir; decepcionar

desaprender *v. tr.* esquecer (o que se aprendeu)

desapropriação *s. f.* **1** privação de propriedade; **2** renúncia à posse de

desapropriar *v. tr.* privar da posse de (bem, propriedade); expropriar

desaprovação *s. f.* **1** condenação; **2** censura

desaprovar *v. tr.* **1** condenar; **2** censurar

desaproveitado *adj.* desperdiçado; perdido

desaproveitamento *s. m.* desperdício; perda

desaproveitar *v. tr.* não aproveitar; desperdiçar

desarborização *s. f.* corte ou falta de árvores
desarborizado *adj.* sem árvores
desarborizar *v. tr.* cortar as árvores de (um terreno)
desarmado *adj.* **1** que não tem arma; **2** desmontado; **3** *(fig.)* sem argumentos ❖ ***à vista desarmada*** a olho nu
desarmamento *s. m.* MIL. redução de tropas e de armamento
desarmar I *v. tr.* **1** MIL. reduzir os meios de ataque ou defesa; **2** desactivar (bomba); **3** desmontar (máquina); **II** *v. intr.* MIL. depor as armas
desarranjado *adj.* **1** (lugar) desarrumado; **2** (aparelho) avariado; **3** (pessoa) desleixado
desarranjar *v. tr.* **1** pôr em desordem; **2** alterar o funcionamento de; **3** transtornar
desarranjo *s. m.* **1** desordem; **2** desalinho; **3** transtorno
desarregaçar *v. tr.* fazer descer (o que estava arregaçado)
desarrolhar *v. tr.* tirar a rolha a; destapar
desarrumação *s. f.* desordem; confusão
desarrumado *adj.* desordenado; confuso
desarrumar *v. tr.* tirar do lugar ou da ordem; desorganizar
desarticulação *s. f.* **1** amputação (de um membro); **2** falta de articulação; **3** fragmentação
desarticular *v. tr.* **1** deslocar (osso); **2** fragmentar
desassossegado *adj.* agitado; perturbado
desassossegar *v. tr. e refl.* agitar(-se); perturbar(-se)
desassossego *s. m.* agitação; perturbação
desastrado *adj.* **1** (pessoa) desajeitado; **2** (acontecimento) infeliz
desastre *s. m.* **1** catástrofe; **2** acidente; **3** falhanço
desastroso *adj.* **1** negativo; **2** infeliz
desatar I *v. tr.* desfazer; desmanchar (um nó); **II** *v. intr.* começar a
desatarraxar *v. tr.* desapertar (tarraxa ou parafuso)
desatento *adj.* distraído
desatinado *adj.* **1** sem tino; louco; **2** *(coloq.)* furioso
desatinar *v. intr.* **1** dizer desatinos; **2** perder o juízo; **3** *(coloq.)* descontrolar-se; **~ *com*** não se entender com; enfurecer-se com
desatino *s. m.* **1** loucura; **2** disparate
desatracar I *v. tr.* NÁUT. soltar (embarcação); **II** *v. intr.* desprender-se
desatravancar *v. tr.* desobstruir; desembaraçar
desatrelar *v. tr. e refl.* soltar(-se); desprender(-se)
desautorizar *v. tr.* tirar a autoridade a; desacreditar
desavença *s. f.* discórdia; conflito
desavergonhado *adj.* insolente; descarado
desavindo *adj.* que está em conflito com; zangado
desbaratar *v. tr.* esbanjar; dissipar (bens, dinheiro)
desbarato *s. m.* desperdício ❖ ***ao ~*** por um preço muito baixo
desbastar *v. tr.* **1** tornar menos espesso (cabelo); **2** polir (madeira); **3** desbravar (mato)
desbaste *s. m.* **1** acto ou efeito de tornar menos espesso; **2** corte (de cabelo); **3** polimento (de madeira)
desbloquear *v. tr.* **1** levantar o bloqueio de; **2** desimpedir (acesso, passagem); **3** resolver (dificuldade, problema)
desbotado *adj.* que perdeu a cor; descorado
desbotar *v. intr.* perder a cor

desbravar *v. tr.* **1** preparar (terreno) para ser cultivado; **2** amansar (animal); **3** explorar (lugar desconhecido); **4** vencer (desafio, obstáculo)
desbunda *s. f.* **1** *(coloq.)* divertimento; **2** *(coloq.)* excesso
desbundar *v. intr.* **1** *(coloq.)* divertir-se; **2** *(coloq.)* praticar excessos
desburocratizar *v. tr.* simplificar
descabelado *adj.* **1** sem cabelo; calvo; **2** *(fig.)* furioso
descabido *adj.* inconveniente; disparatado
descafeinado **I** *adj.* sem cafeína; **II** *s. m.* café sem cafeína
descaída *s. f.* **1** lapso; distracção; **2** revelação de um segredo
descair **I** *v. intr.* inclinar-se; pender; **II** *v. refl.* ser indicreto ou inconveniente
descalabro *s. m.* **1** ruína; **2** prejuízo; **3** desordem
descalçar **I** *v. tr.* **1** tirar (sapatos, meias); **2** desempedrar (rua, estrada); **II** *v. refl.* tirar o próprio calçado; *(pop.)* ***~ a bota*** livrar-se de uma situação difícil
descalcificação *s. f.* MED. perda de cálcio (em tecidos, osso)
descalcificar **I** *v. tr.* diminuir ou eliminar o cálcio de; **II** *v. refl.* (tecido, osso) perder o cálcio
descalço *adj.* **1** sem calçado; **2** *(fig.)* desprevenido
descambar *v. intr.* **1** pender ou cair para um lado; inclinar-se; **2** *(fig.)* degenerar
descampado *s. m.* campo extenso e deserto
descansado *adj.* **1** que está em descanso; **2** sem preocupações; tranquilo
descansar *v. tr. e intr.* **1** repousar; **2** tranquilizar(-se)
descanso *s. m.* **1** repouso; **2** tranquilidade; sossego; **3** folga; pausa; **4** objecto que serve de suporte (a telefone, ferro de engomar, etc.) ❖ ***sem ~*** sem parar
descapotável *adj. 2 gén.* (veículo) que tem capota móvel, que se pode baixar
descaracterizar *v. tr.* fazer perder a característica específica; despersonalizar
descaradamente *adv.* **1** de forma insolente; **2** explicitamente
descarado *adj.* insolente; atrevido
descaramento *s. m.* insolência; atrevimento
descarga *s. f.* **1** ELECTR. fenómeno que se verifica quando um corpo carregado de electricidade perde a sua carga eléctrica; **2** remoção de carga; **3** tiro de arma de fogo; **4** tromba de água
descargo *s. m.* **1** desobrigação de um cargo; **2** cumprimento de uma obrigação ❖ ***por ~ de consciência*** para tranquilidade de espírito
descaroçar *v. tr.* extrair o caroço ou a semente a
descarregar *v. tr.* **1** tirar a carga de; **2** disparar (arma de fogo); **3** *(fig.)* exprimir (sentimentos)
descarrilamento *s. m.* **1** saída dos carris; **2** *(fig.)* desvio do caminho socialmente aceitável
descarrilar *v. intr.* **1** sair do carril; **2** *(fig.)* desviar-se do caminho socialmente aceitável
descartar-se *v. refl.* desembaraçar-se; livrar-se
descartável *adj. 2 gén.* que se deita fora após a utilização
descasar *v. intr.* *(Bras.)* divorciar-se
descasca *s. f.* **1** extracção da casca; **2** *(fig.)* descompostura
descascador *s. m.* objecto próprio para descascar (legumes, cereais)
descascar **I** *v. tr.* **1** tirar a casca a (cereais, frutos); pelar; **2** retirar a

cortiça de (árvore); **II** *v. intr.* (pele, tinta) perder a camada exterior
descendência *s. f.* **1** filhos; **2** filiação
descendente **I** *s. 2 gén.* pessoa que descende de outra; **II** *adj. 2 gén.* **1** proveniente; **2** decrescente
descender *v. intr.* provir de; ter origem em
descentralização *s. f.* POL. sistema que combate a acumulação dos poderes no governo central
descentralizar *v. tr.* atribuir mais direitos e poderes às autoridades locais, retirando-os do poder central
descer **I** *v. tr.* **1** passar de parte mais alta para mais baixa; **2** baixar (preço); **3** dirigir para baixo (olhar); **II** *v. intr.* **1** (terreno) vir de cima para baixo; **2** (preço, temperatura, pressão) baixar; **3** (de meio de transporte) sair; **4** (qualidade, nível) piorar; **5** (de pára-quedas) saltar
descida *s. f.* **1** acto de descer; **2** (de terreno) inclinação; declive; **3** (de preços, temperatura) baixa; diminuição
desclassificado *adj.* excluído (de concurso ou competição)
desclassificar *v. tr.* excluir (de concurso ou competição)
descoberta *s. f.* **1** invenção; criação; **2** solução
descoberto *adj.* **1** achado; encontrado; **2** destapado; **3** divulgado; (conta bancária) ***a ~*** sem dinheiro
descobridor *s. m.* pessoa que faz uma descoberta; inventor; autor
descobrimento *s. m.* acto de descobrir algo desconhecido; descoberta
descobrir **I** *v. tr.* **1** encontrar; achar; **2** destapar; **3** compreender; entender; **II** *v. refl.* revelar-se
descodificação *s. f.* interpretação (de texto ou mensagem); tradução
descodificador *s. m.* sistema ou aparelho que recebe uma mensagem e a torna compreensível
descodificar *v. tr.* tornar compreensível; interpretar; traduzir
descolagem *s. f.* AERON. acto ou efeito de levantar voo
descolar **I** *v. tr.* separar (o que está colado); **II** *v. intr.* AERON. levantar voo
descolonização *s. f.* processo de tirar o estatuto de colónia a (um território)
descolonizar *v. tr.* retirar o estatuto de colónia a (um território)
descoloração *s. f.* perda da cor
descolorante **I** *adj. 2 gén.* que faz perder a cor; **II** *s. m.* substância utilizada para fazer perder a cor
descolorar **I** *v. tr.* fazer perder a cor; **II** *v. intr.* perder a cor
descolorir *v. tr. e intr.* vd. **descolorar**
descomedido *adj.* demasiado; excessivo
descompactar *v. tr.* INFORM. descomprimir ou expandir um ficheiro compactado, restabelecendo o seu tamanho original
descompassado *adj.* sem ritmo; desordenado
descompor *v. tr.* **1** desordenar; **2** insultar
descomposto *adj.* **1** desarranjado; desordenado; **2** insultado
descompostura *s. f.* reprimenda; ralhete
descompressão *s. f.* **1** FÍS. diminuição de pressão; **2** alívio
descomprimir *v. tr.* **1** diminuir a pressão de; **2** aliviar
descomprometer-se *v. refl.* libertar-se de compromisso
descomprometido *adj.* (pessoa) solteiro
descomunal *adj. 2 gén.* extraordinário; colossal
desconcentração *s. f.* **1** falta de atenção; distracção; **2** descentralização
desconcentrado *adj.* **1** distraído; desatento; **2** disperso

desconcentrar *v. tr. e refl.* **1** distrair(-se); **2** dispersar(-se)
desconcertado *adj.* confuso; perplexo
desconcertante *adj. 2 gén.* que confunde ou desorienta; perturbador
desconcertar *v. tr.* confundir; desorientar
desconcerto *s. m.* **1** transtorno; **2** desordem
desconchavar **I** *v. tr.* desarticular; **II** *v. intr.* dizer disparates; **III** *v. refl.* desarticular-se
desconchavo *s. m.* **1** desajustamento; **2** disparate
desconexão *s. f.* **1** desajustamento; **2** incoerência
desconexo *adj.* **1** desligado; **2** incoerente
desconfiado *adj.* **1** inseguro; **2** receoso
desconfiança *s. f.* **1** suspeita; **2** falta de esperança
desconfiar *v. intr.* **1** duvidar; suspeitar; **2** supor; imaginar
desconforme *adj. 2 gén.* **1** desproporcional; **2** desigual
desconfortável *adj. 2 gén.* **1** incómodo; **2** desagradável
desconforto *s. m.* **1** falta de conforto; **2** incómodo; **3** (*fig.*) desânimo
descongelação *s. f.* **1** (de comida) liquefação; **2** (de glaciar) degelo; **3** (de dinheiro) desbloqueamento
descongelado *adj.* **1** (comida) liquefeito; **2** (glaciar) derretido; **3** (dinheiro) desbloqueado
descongelar **I** *v. tr.* **1** derreter; liquefazer; **2** desbloquear (dinheiro, conta bancária); **II** *v. intr.* derreter-se; liquefazer-se
descongestionamento *s. m.* **1** MED. eliminação de fluido excessivo em (órgão); **2** (do trânsito) desobstrução da via; restabelecimento da circulação de veículos
descongestionar *v. tr.* **1** MED. eliminar fluido em excesso em (órgão); **2** restabelecer o trânsito ou a circulação em
desconhecer *v. tr.* **1** não saber; ignorar; **2** não conhecer
desconhecido **I** *adj.* **1** (facto) ignorado; **2** (pessoa) estranho; **II** *s. m.* pessoa cuja identidade se desconhece; estranho
desconhecimento *s. m.* **1** falta de conhecimento; **2** ignorância
desconjuntar **I** *v. tr.* **1** deslocar (articulação, osso); **2** desarticular; desmanchar; **II** *v. refl.* desarticular-se; desmanchar-se
desconsagrar *v. tr.* tirar o carácter sagrado a; profanar
desconsertado *adj.* estragado; desarranjado
desconsertar *v. tr.* estragar; desarranjar
desconsideração *s. f.* falta de consideração; desrespeito
desconsiderado *adj.* **1** desvalorizado; **2** desprezado
desconsiderar *v. tr.* **1** não considerar; **2** tratar sem respeito
desconsolado *adj.* **1** triste; desgostoso; **2** desiludido
desconsolo *s. m.* **1** tristeza; desgosto; **2** desilusão
descontaminar *v. tr.* eliminar a contaminação de
descontar *v. tr.* subtrair a uma quantidade ou a um todo; abater; deduzir
descontentamento *s. m.* **1** tristeza; desgosto; **2** desapontamento
descontente *adj. 2 gén.* desiludido; desapontado
descontinuar *v. tr.* interromper; suspender
descontinuidade *s. f.* interrupção; suspensão

descontínuo *adj.* interrompido; suspenso
desconto *s. m.* dedução; abatimento; desconto
descontracção *s. f.* **1** estado de relaxamento; descanso; **2** à-vontade; desembaraço
descontraído *adj.* **1** relaxado; descansado; **2** informal
descontrair *v. tr. e refl.* **1** relaxar(-se); **2** pôr(-se) à-vontade
descontrolado *adj.* que não se controla; desgovernado
descontrolar *v. tr. e refl.* **1** degovernar(-se); **2** exaltar(-se)
descontrolo *s. m.* **1** perda de controlo; desgoverno; **2** desequilíbrio; desorientação
desconversar *v. intr.* conduzir a conversa para outro assunto
descoordenação *s. f.* falta de coordenação; desorganização
descoordenar *v. tr.* desfazer a coordenação de; desorganizar
descorado *adj.* **1** que não tem cor; desbotado; **2** pálido
descorar **I** *v. tr.* fazer perder a cor; **II** *v. intr.* **1** perder a cor; **2** empalidecer
descortês *adj. 2 gén.* **1** indelicado; **2** grosseiro
descortesia *s. f.* **1** indelicadeza; **2** grosseria
descortinar *v. tr.* **1** mostrar; revelar; **2** *(fig.)* perceber
descoser **I** *v. tr.* desmanchar; desunir; **II** *v. refl.* **1** (costura) desmanchar-se; **2** *(pop.)* revelar um segredo
descosido *adj.* **1** que se descoseu; desmanchado; **2** *(pop.)* revelado sem autorização
descrédito *s. m.* **1** perda de crédito ou credibilidade; **2** má fama; desonra
descrença *s. f.* **1** falta de confiança; cepticismo; **2** ausência de fé (religiosa)
descrente **I** *s. 2 gén.* **1** pessoa que não tem confiança; **2** pessoa que não tem fé (religiosa); **II** *adj. 2 gén.* que não acredita
descrever *v. tr.* **1** apresentar (algo ou alguém) em todos os seus pormenores; **2** narrar; contar
descrição *s. f.* **1** representação de (pessoa ou objecto) em todos os seus pormenores; retrato; **2** narração; relato
descriminalização *s. f.* **1** absolvição; **2** DIR. anulação do carácter criminal de (um facto)
descriminalizar *v. tr.* **1** tirar a culpa de; inocentar; **2** DIR. retirar o carácter criminal de (um facto)
descritivo *adj.* **1** relativo a descrição; **2** que descreve
descrito *adj.* **1** retratado; **2** narrado; contado
descuidado *adj.* **1** desleixado; **2** irreflectido
descuidar **I** *v. tr.* não cuidar de; descurar; **II** *v. refl.* esquecer-se (de tarefas, obrigações)
descuido *s. m.* **1** falta de cuidado ou de atenção; negligência; **2** atitude irreflectida; precipitação
desculpa *s. f.* **1** perdão; **2** justificação; *(coloq.)* ~ ***esfarrapada*** desculpa pouco convincente
desculpar **I** *v. tr.* perdoar; absolver; **II** *v. refl.* apresentar os seus argumentos; justificar-se
desculpável *adj. 2 gén.* que pode ser desculpado
descurar **I** *v. tr.* não cuidar de; negligenciar; **II** *v. refl.* tornar-se descuidado; desleixar-se
desde *prep.* a partir de; a começar em; a contar de ❖ ~ ***que*** uma vez que
desdém *s. m.* **1** sentimento de desprezo; **2** arrogância
desdenhar *v. tr.* **1** tratar com desprezo; **2** não fazer caso de; ignorar

desdentado *adj.* que não tem dentes

desdita *s. f.* **1** falta de sorte; **2** desgraça

desdizer *v. tr. e refl.* desmentir(-se); contradizer(-se)

desdobramento *s. m.* separação de um todo em duas ou mais partes; duplicação

desdobrar I *v. tr.* **1** separar um todo em duas ou mais partes; **2** estender (lençol, toalha); **II** *v. refl.* **1** estender-se; **2** *(fig.)* esforçar-se por; empenhar-se em

desdobrável I *adj. 2 gén.* que se pode desdobrar; **II** *s. m.* impresso (folheto, panfleto, etc.) dobrado para facilitar o transporte e que se desdobra para utilização ou consulta

desdramatizar *v. tr.* **1** retirar o carácter dramático a; **2** acalmar

deseducar *v. tr.* **1** prejudicar a educação de; **2** educar mal

desejado *adj.* **1** pretendido; **2** ansiado

desejar *v. tr.* **1** querer; ambicionar; **2** ter gosto em; ter vontade de; **3** sentir atracção sexual por ❖ ***deixar (muito) a ~*** não corresponder à expectativa

desejável *adj. 2 gén.* **1** que se pode desejar; **2** necessário; **3** que desperta desejo sexual

desejo *s. m.* **1** vontade; aspiração forte; **2** ambição; **3** atracção física ou sexual

desejoso *adj.* ávido; ansioso

deselegância *s. f.* **1** falta de elegância; **2** inconveniência

deselegante *adj. 2 gén.* **1** que revela mau gosto; **2** incorrecto

desemaranhar *v. tr.* **1** soltar (o que estava enredado); desenredar; **2** esclarecer (dúvida, problema)

desembaciador *s. m.* (de automóvel) sistema eléctrico adaptado ao vidro ou aos espelhos para evitar que embaciem

desembaciar *v. tr.* devolver o brilho a (vidro, espelho)

desembalar *v. tr.* tirar da embalagem; desencaixotar

desembaraçado *adj.* **1** livre de obstáculos; **2** despachado

desembaraçar I *v. tr.* **1** desobstruir (caminho, passagem); **2** libertar; **II** *v. refl.* livrar-se de

desembaraço *s. m.* **1** desenvoltura; **2** facilidade; agilidade

desembarcar *v. tr. e intr.* tirar ou sair de meio de transporte; apear(-se)

desembargador *s. m.* juiz

desembargar *v. tr.* **1** levantar um embargo; **2** livrar de (obstáculo)

desembargo *s. m.* **1** levantamento de embargo; **2** eliminação de obstáculo

desembarque *s. m.* **1** saída ou retirada (de pessoas ou mercadorias) de uma embarcação; **2** MIL. colocação de forças em terra a partir de navios

desembocar *v. intr.* **1** (rio) desaguar; **2** (rua) terminar

desembolsar *v. tr.* gastar (dinheiro)

desembolso *s. m.* **1** quantia que se gastou ou pagou; **2** despesa

desembraiar *v. tr.* (veículo) soltar a embraiagem; desengatar

desembrulhar *v. tr.* retirar do embrulho (encomenda, prenda)

desembuchar *v. intr. (coloq.)* revelar os seus pensamentos ou preocupações; desabafar

desempacotar *v. tr.* desfazer (embrulho, pacote); desembrulhar

desempanado *adj.* (veículo) que não tem avaria; reparado

desempanar *v. tr.* reparar uma avaria em

desempatar I *v. tr.* **1** resolver; decidir (situação de empate); **2** solucionar (dificuldade, problema); **II** *v. intr.* tomar medidas; decidir

desempate *s. m.* **1** resolução de uma situação de igualdade (de pontos, golos, etc.); **2** decisão; solução
desempenhar *v. tr.* **1** cumprir (obrigação, tarefa); **2** exercer (cargo, função); **3** interpretar (um papel); **4** resgatar (objecto penhorado)
desempenho *s. m.* **1** cumprimento (de obrigação, tarefa); **2** exercício (de cargo, função); **3** interpretação (de um papel); **4** funcionamento (de máquina)
desemperrar *v. tr.* soltar (o que estava perro)
desempestar *v. tr.* desinfectar
desempossar *v. tr.* privar da posse de
desempregado I *s. m.* pessoa em idade activa que não tem emprego; **II** *adj.* que não tem emprego
desempregar I *v. tr.* fazer perder o emprego; demitir; **II** *v. refl.* perder o emprego; demitir-se
desemprego *s. m.* **1** situação de quem não tem emprego; **2** falta de emprego
desencadear *v. tr.* **1** dar origem a; provocar; **2** soltar (o que estava acorrentado); desprender
desencadernar *v. tr.* tirar a encadernação a
desencaixar *v. tr.* **1** tirar do encaixe; **2** tirar do pacote; **3** desmanchar
desencaixilhar *v. tr.* tirar do caixilho
desencaixotar *v. tr.* tirar do caixote; desempacotar
desencalhar I *v. tr.* NÁUT. tornar a pôr a flutuar (embarcação); **II** *v. intr.* **1** NÁUT. (embarcação) flutuar; **2** *(pop.)* casar ou arranjar namorada/o
desencaminhado *adj.* **1** desviado; **2** *(fig.)* corrompido
desencaminhar *v. tr.* **1** desviar do rumo; **2** *(fig.)* corromper
desencantado *adj.* **1** desiludido; desapontado; **2** *(coloq.)* encontrado
desencantamento *s. m.* **1** perda de esperança ou de entusiasmo; **2** decepção; desilusão
desencantar *v. tr.* **1** quebrar o encanto; desenfeitiçar; **2** causar decepção a; desiludir; **3** *(coloq.)* encontrar
desencaracolar *v. tr.* desmanchar os caracóis de; desfrisar (cabelo)
desencarceramento *s. m.* libertação
desencarcerar *v. tr.* tirar da prisão; libertar
desencontrado *adj.* **1** que vai em direcção oposta (a outro); **2** que não é harmonioso
desencontrar I *v. tr.* colocar (duas ou mais coisas) em direcção oposta; desajustar; **II** *v. refl.* **1** ser incompatível com; **2** divergir de
desencontro *s. m.* **1** falta de comparência a (um compromisso ou encontro); **2** oposição de sentido entre duas ou mais coisas; **3** falta de coincidência; divergência
desencorajamento *s. m.* falta de coragem ou de entusiasmo; desânimo
desencorajar *v. tr.* fazer perder a coragem ou o entusiasmo; desanimar
desencostar I *v. tr.* afastar do encosto; **II** *v. refl.* desviar-se do encosto
desencravar *v. tr.* **1** arrancar (o que estava encravado); **2** *(fig.)* livrar de apuros; desenrascar (alguém)
desenferrujado *adj.* **1** (metal) que foi limpo de ferrugem; **2** (articulação, pernas) que recuperou a mobilidade; desentorpecido
desenferrujar *v. tr.* **1** limpar (um metal) de ferrugem; **2** desentorpecer (as pernas)
desenfiar I *v. tr.* **1** tirar do fio ou da linha (o que estava enfiado); **2** tirar da enfiada ou do alinhamento; **II** *v. refl.* soltar-se

desenformar *v. tr.* tirar da forma (bolo, etc.)
desenfreado *adj.* **1** (animal) sem freio; **2** (sentimento) arrebatado; **3** (ambição) sem limite(s); **4** (*fig.*) (pessoa) furioso
desenganado *adj.* **1** desiludido; **2** (doente) que não tem esperança de recuperar
desenganar *v. tr.* **1** tirar do engano; desiludir; **2** tirar esperanças de recuperação a (um doente)
desengano *s. m.* **1** tomada de consciência; **2** desilusão; **3** franqueza
desengatar *v. tr.* desatrelar (veículos)
desengate *s. m.* remoção de engate; desencaixe
desengatilhar *v. tr.* disparar (arma de fogo)
desengonçado *adj.* **1** (peça, objecto) desarticulado; **2** (pessoa) desajeitado
desengonçar *v. tr.* desarticular
desengordurar *v. tr.* **1** tirar a gordura a; **2** tirar as nódoas de gordura de
desengravatado *adj.* **1** (pessoa) que não tem gravata; **2** (estilo) informal
desenhador *s. m.* pessoa que desenha profissionalmente; designer
desenhar **I** *v. tr.* **1** representar por meio de desenho; **2** descrever; **3** (*fig.*) imaginar; **II** *v. refl.* **1** destacar-se; **2** aparecer
desenho *s. m.* **1** representação de seres e/ou objectos por meio de linhas, pontos e manchas; **2** objecto desenhado; **3** (*fig.*) plano
desenho animado *s. m.* filme baseado numa sequenciação de imagens (de desenhos ou bonecos) que dá a ilusão do seu movimento
desenjoar **I** *v. tr.* **1** tirar o enjoo a; **2** distrair; **II** *v. refl.* **1** perder o enjoo; **2** distrair-se
desenjoativo *adj.* que desenjoa
desenjoo *s. m.* eliminação da sensação de enjoo ou náusea
desenlace *s. m.* **1** acto de desfazer um nó ou uma laçada; **2** desfecho; solução
desenquadrado *adj.* **1** que não tem moldura; **2** que foi retirado do contexto
desenquadrar *v. tr.* **1** tirar do quadro ou do caixilho; **2** tirar do contexto próprio
desenraizado *adj.* **1** (planta) que perdeu a raiz; **2** (pessoa) afastado das suas origens ou da sua terra natal
desenraizamento *s. m.* **1** arranque (de árvore ou planta) com a raiz; **2** afastamento da terra natal
desenraizar *v. tr.* **1** arrancar (árvore, planta) com a raiz; **2** afastar (alguém) das suas origens; arrancar da terra natal
desenrascado *adj.* (*coloq.*) despachado; desembaraçado
desenrascanço *s. m.* (*coloq.*) capacidade de resolver problemas rapidamente e com poucos meios
desenrascar **I** *v. tr.* (*coloq.*) resolver rapidamente (dificuldade, problema); remediar; **II** *v. refl.* livrar-se de apuros
desenrolar **I** *v. tr.* **1** estender (o que estava enrolado); **2** narrar ou descrever em pormenor; **II** *v. refl.* (acontecimento) prolongar-se
desenroscar **I** *v. tr.* desaparafusar; **II** *v. refl.* desenrodilhar-se
desenrugar *v. tr.* tirar as rugas ou pregas de; alisar
desentalar *v. tr.* **1** desprender (o que está entalado); **2** livrar (alguém) de dificuldades
desentender-se *v. refl.* zangar-se
desentendido *adj.* **1** que não entende; **2** mal compreendido; incompreendido; ***fazer-se de ~*** fingir que não se percebe (algo)

desentendimento *s. m.* **1** mal-entendido; **2** discussão
desenterrado *adj.* **1** retirado da terra; **2** (cadáver) retirado da sepultura; exumado; **3** (pessoa) com aspecto pálido ou doentio; **4** *(fig.)* (assunto, tema) tirado do esquecimento
desenterrar *v. tr.* **1** tirar de debaixo da terra; **2** exumar (cadáver); **3** *(fig.)* tirar do esquecimento; recuperar
desentorpecer *v. tr.* fazer perder o entorpecimento a (parte do corpo); revigorar
desentorpecimento *s. m.* restabelecimento do movimento ou da sensibilidade (em parte do corpo)
desentortar *v. tr.* endireitar
desentranhar *v. tr.* **1** tirar das entranhas; **2** *(fig.)* arrancar da parte mais íntima
desentupidor *s. m.* utensílio próprio para desentupir
desentupir *v. tr.* desimpedir o que está entupido; desobstruir
desenvencilhar I *v. tr.* desemaranhar; soltar; **II** *v. refl.* livrar-se de
desenvolto *adj.* desembaraçado; despachado
desenvoltura *s. f.* facilidade em resolver problemas; desembaraço
desenvolver I *v. tr.* **1** fazer progredir; **2** aumentar; **3** expor em pormenor; **II** *v. refl.* **1** crescer; progredir; **2** ampliar-se
desenvolvido *adj.* **1** crescido; **2** (estudo, tema) investigado; aprofundado; **3** (país) com um nível de vida elevado e evoluído do ponto de vista tecnológico
desenvolvimento *s. m.* **1** crescimento de um ser ou de um organismo; **2** evolução; **3** exposição pormenorizada
desenxabido *adj.* **1** (comida) sem sabor; **2** (pessoa) sem graça
desequilibrado *adj.* **1** (superfície) que não tem equilíbrio; irregular; **2** (objecto) sem harmonia; desproporcionado; **3** (pessoa) que perdeu o equilíbrio mental; louco
desequilibrar *v. tr. e refl.* (fazer) perder o equilíbrio
desequilíbrio *s. m.* **1** falta de equilíbrio; instabilidade; **2** desarmonia; desproporção; **3** alienação mental; loucura
deserção *s. f.* abandono de tarefa ou compromisso; desistência
deserdar *v. tr.* **1** privar de herança; **2** desfavorecer; desamparar
desertar *v. tr.* abandonar (tarefa ou compromisso); desistir de
desertificação *s. f.* **1** GEOG. transformação de uma região em deserto; **2** despovoamento de um lugar
deserto I *s. m.* **1** região extremamente seca, com vegetação muito reduzida; **2** lugar desabitado; **II** *adj.* desabitado; abandonado
desertor *s. m.* **1** pessoa que deserta; **2** pessoa que abandona uma ideia ou um compromisso
desesperado *adj.* **1** que perdeu a esperança; **2** (pessoa) angustiado; **3** (acto, gesto) impensado
desesperante *adj. 2 gén.* **1** aflitivo; angustiante; **2** irritante; enervante
desesperar *v. tr. e intr.* **1** desanimar(-se); **2** angustiar(-se)
desespero *s. m.* aflição; angústia
desfaçatez *s. f.* atrevimento; descaramento
desfalcar *v. tr.* **1** defraudar; **2** diminuir
desfalecer *v. intr.* desmaiar
desfalecimento *s. m.* desmaio
desfalque *s. m.* desvio de dinheiro; roubo
desfavorável *adj. 2 gén.* **1** prejudicial; **2** contrário

desfavorecer *v. tr.* ser desfavorável a; prejudicar

desfavorecido *adj.* **1** que não tem apoio; **2** que está em desvantagem

desfazer I *v. tr.* **1** desmanchar (nó); **2** terminar (um acordo); **3** destruir; **4** dissolver; **II** *v. refl.* **1** (costura, penteado) desmanchar-se; **2** (grupo) desorganizar-se; **3** (substância) dissolver-se

desfechar I *v. tr.* **1** disparar (um tiro); **2** lançar (um olhar); **II** *v. intr.* (arma) disparar-se

desfecho *s. m.* resultado; conclusão

desfeita *s. f.* ofensa; insulto

desfeito *adj.* **1** destruído; **2** dissolvido

desfiar I *v. tr.* **1** desfazer (costura ou tecido); **2** cortar em lascas ou lâminas (alimento); **II** *v. refl.* (costura, tecido) desfazer-se

desfiguração *s. f.* alteração da figura ou da forma; deformação

desfigurado *adj.* **1** (forma) alterado; **2** (fisionomia) deformado; **3** (facto) deturpado

desfigurar *v. tr.* **1** alterar (a figura ou forma); **2** desfigurar (feições); **3** deturpar (factos)

desfilada *s. f.* série de coisas ou pessoas que se sucedem umas após outras, em fila ❖ ***à ~*** a grande velocidade

desfiladeiro *s. m.* GEOG. passagem estreita entre montanhas

desfilar *v. intr.* **1** marchar em fila(s); **2** suceder-se; **3** participar num desfile de moda

desfile *s. m.* **1** (de tropas) marcha; **2** cortejo; ***~ de moda*** exibição de peças de vestuário, apresentadas por manequins que se sucedem numa passarela

desfloramento *s. m.* **1** BOT. queda das flores de uma planta; **2** perda da virgindade (da mulher)

desflorar *v. tr.* **1** tirar as flores a (planta); **2** tirar a virgindade a (mulher)

desflorestamento *s. m.* abate intensivo de árvores; desarborização

desflorestar *v. tr.* cortar árvores de forma intensiva

desfocado *adj.* **1** que está fora de foco; **2** sem nitidez

desfocar *v. tr.* **1** pôr fora do foco; **2** retirar a nitidez a

desfolhar I *v. tr.* tirar as folhas ou as pétalas a (cereal ou flor); **II** *v. refl.* (cereal, flor) perder as folhas ou as pétalas

desforra *s. f.* **1** reparação de uma ofensa; vingança; **2** recuperação de algo perdido; compensação

desforrar-se *v. refl.* vingar-se de

desfraldar *v. tr.* soltar ao vento (bandeira, vela)

desfrisar *v. tr.* alisar (cabelo)

desfrutar *v. tr.* **1** gozar os frutos ou rendimentos de; usufruir; **2** apreciar

desfrute *s. m.* **1** gozo; usufruto; **2** troça

desgarrada *s. f.* cantiga popular em que os cantores respondem um ao outro, improvisando; ***à ~*** ao desafio

desgarrado *adj.* **1** desviado; extraviado; **2** desamparado; só

desgarrar I *v. tr.* **1** NÁUT. desviar (um navio) da rota; **2** extraviar; **II** *v. refl.* **1** NÁUT. (navio) desviar-se da rota; **2** perder o rumo

desgastado *adj.* **1** (material) corroído; **2** (roupa) gasto; **3** (pessoa) cansado

desgastante *adj. 2 gén.* **1** que desgasta; **2** cansativo

desgastar I *v. tr.* **1** corroer; **2** gastar (roupa); **3** cansar; **II** *v. refl.* **1** consumir-se gradualmente; **2** (pessoa) ficar abatido ou cansado

desgaste *s. m.* **1** alteração provocada por atrito; **2** cansaço; envelhecimento

desgostar I *v. tr.* 1 causar desgosto a; 2 arreliar; II *v. intr.* 1 aborrecer-se; 2 melindrar-se
desgosto *s. m.* 1 tristeza; 2 aborrecimento
desgostoso *adj.* 1 triste; 2 aborrecido
desgovernado *adj.* 1 (animal, veículo) que perdeu o controlo; descontrolado; 2 (pessoa) gastador; perdulário
desgovernar I *v. tr.* governar ou administrar mal; II *v. refl.* 1 perder o domínio de si próprio; 2 afastar-se do bom caminho
desgoverno *s. m.* 1 perda de domínio sobre (animal, veículo); 2 administração fraca ou insuficiente; 3 desordem; 4 esbanjamento
desgraça *s. f.* 1 infelicidade; 2 miséria; 3 descrédito; ***cair em ~*** perder a consideração de
desgraçado I *s. m.* 1 pessoa que está em desgraça; 2 pessoa que perdeu a consideração de alguém; II *adj.* 1 infeliz; 2 miserável; 3 fracassado
desgraçar I *v. tr.* 1 causar desgraça a; tornar infeliz; 2 prejudicar; arruinar; II *v. refl.* 1 tornar-se desgraçado; 2 arruinar-se
desgraceira *s. f.* (*pop.*) grande desgraça; calamidade
desgravar *v. tr.* apagar a gravação de (disco, cassete)
desgrenhado *adj.* (cabelo) despenteado; revolto
desgrenhar *v. tr.* despentear
desgrudar I *v. tr.* 1 descolar; 2 (*coloq.*) desviar (o olhar); II *v. intr.* (*coloq.*) afastar-se
desiderato *s. m.* 1 desejo; 2 objectivo
desidratação *s. f.* MED. perda excessiva de água no organismo
desidratado *adj.* 1 que sofreu desidratação; 2 que tem falta de água
desidratar I *v. tr.* MED. retirar água de (parte do organismo); II *v. refl.* (organismo) sofrer perda de água excessiva
design *s. m.* {*pl.* designs} 1 concepção gráfica de um produto de acordo com a função a que se destina; desenho industrial; 2 produto dessa concepção; 3 esboço; plano; ***~ gráfico*** conjunto de técnicas e de princípios estéticos que se aplicam em publicidade (criação de logótipos e de marcas) e na edição impressa (paginação de texto e ilustrações)
designação *s. f.* 1 indicação; 2 nomeação; 3 denominação
designadamente *adv.* particularmente; nomeadamente
designar *v. tr.* 1 indicar; 2 nomear; 3 determinar; 4 significar
designativo *adj.* que serve para designar; que indica
designer *s. 2 gén.* {*pl.* designers} pessoa que desenha objectos em que se conjugam a utilidade prática e a estética; desenhador
desígnio *s. m.* intenção; propósito
desigual *adj. 2 gén.* 1 diferente; 2 irregular; rugoso; 3 inconstante; instável; 4 parcial; injusto
desigualdade *s. f.* 1 falta de igualdade; diferença; 2 irregularidade; 3 instabilidade; 4 parcialidade
desiludido *adj.* que sofreu desilusão; decepcionado
desiludir *v. tr. e refl.* causar ou sofrer desilusão; decepcionar(-se)
desilusão *s. f.* decepção; desapontamento
desimpedido *adj.* 1 descomprometido; livre; 2 (*fig.*) solteiro
desimpedimento *s. m.* 1 remoção de impedimento ou de obstáculo; desobstrução; 2 (*fig.*) liberdade
desimpedir *v. tr.* 1 livrar de impedimento; desobstruir; 2 (*fig.*) libertar

desincentivar *v. tr.* não dar incentivo a; desencorajar
desincentivo *s. m.* desencorajamento
desinchar *v. intr.* 1 MED. perder o inchaço; 2 *(fig.)* perder a vaidade
desinência *s. f.* GRAM. sufixo de uma palavra que contém as significações determinadas pela sua flexão; terminação
desinfecção *s. f.* destruição dos agentes infecciosos (germes, vírus, bactérias)
desinfectante I *s. m.* produto próprio para desinfectar; II *adj. 2 gén.* que desinfecta
desinfectar I *v. tr.* destruir os agentes infecciosos de; II *v. intr. (pop.)* retirar-se
desinfestação *s. f.* destruição de animais que podem ser portadores de infecção
desinfestar *v. tr.* livrar daquilo que infesta; limpar
desinflacionar *v. tr.* ECON. conter a inflação de
desinflacionário *adj.* que faz baixar a inflação
desinformação *s. f.* 1 utilização das técnicas de informação para induzir em erro ou esconder factos; 2 falta de informação; desconhecimento
desinformado *adj.* 1 que recebeu informação errada; 2 que não recebeu informação
desinformar *v. tr.* informar de modo a esconder ou falsear os factos
desinibido *adj.* que não é tímido; extrovertido
desinibir I *v. tr.* 1 fazer perder a inibição; 2 animar; II *v. refl.* 1 perder o acanhamento; 2 animar-se
desinquietação *s. f.* perturbação; excitação
desinquietar *v. tr.* perturbar; excitar
desinquieto *adj.* agitado; excitado
desinstalação *s. f.* INFORM. remoção da informação de um programa ou de componentes de um computador
desinstalar *v. tr.* INFORM. remover toda a informação de um programa ou de componentes de um computador
desintegração *s. f.* FÍS. processo de transformação nuclear caracterizado pela emissão de uma ou mais partículas ou fotões pelo núcleo de um átomo
desintegrar *v. tr. e refl.* separar(-se) de um todo; desagregar(-se)
desinteressado *adj.* 1 indiferente; 2 desprendido
desinteressante *adj. 2 gén.* que não é interessante; trivial
desinteressar *v. refl.* não ter ou não mostrar interesse por; ser indiferente a
desinteresse *s. m.* 1 falta de interesse; 2 desapego
desintoxicação *s. f.* 1 MED. transformação e eliminação de toxinas ou venenos presentes no organismo; 2 MED. processo de tratamento da dependência do álcool ou da droga
desintoxicar *v. tr.* 1 destruir os efeitos tóxicos de; 2 submeter ao tratamento da dependência do álcool ou da droga
desistência *s. f.* abandono; renúncia
desistir *v. intr.* abandonar; renunciar a
deslavado *adj.* 1 sem cor; desbotado; 2 *(fig.)* atrevido
desleal *adj. 2 gén.* que não é leal; falso; desonesto
deslealdade *s. f.* traição da confiança (de alguém); falsidade; desonestidade
desleixado *adj.* que tem falta de brio ou de cuidado; desmazelado
desleixar-se *v. refl.* deixar de tratar de si próprio; descuidar-se
desleixo *s. m.* falta de brio ou de cuidado; desmazelo

desligado *adj.* **1** (aparelho) que não está ligado; apagado; **2** (pessoa) desinteressado; indiferente

desligar *v. tr.* **1** interromper o funcionamento de (um aparelho); **2** apagar (a luz)

deslindar *v. tr.* **1** investigar; averiguar; **2** esclarecer; clarificar

deslizante *adj. 2 gén.* **1** que desliza; **2** que faz deslizar; escorregadio

deslizar *v. intr.* escorregar suavemente; resvalar

deslize *s. m.* **1** escorregadela; deslizamento; **2** *(fig.)* lapso

deslocação *s. f.* **1** (do ar, da água) mudança de direcção; **2** viagem; **3** (de articulação, de osso) luxação

deslocado *adj.* **1** (objecto) que não está no lugar habitual; **2** (pessoa, crítica) inoportuno; **3** (articulação, osso) que tem luxação

deslocar **I** *v. tr.* **1** mudar (um objecto) de lugar; **2** mudar a direcção de (ar, água); **3** desarticular (osso, membro); **II** *v. refl.* **1** movimentar-se; **2** viajar

deslumbrado *adj.* **1** ofuscado; encandeado; **2** maravilhado; fascinado

deslumbramento *s. m.* **1** perturbação da visão por excesso de luz ou de brilho; **2** maravilha; fascinação

deslumbrante *adj. 2 gén.* **1** ofuscante; **2** fascinante

deslumbrar *v. tr.* **1** ofuscar; encandear; **2** maravilhar; fascinar

desmagnetização *s. f.* FÍS. neutralização do estado magnético de um corpo magnetizado

desmagnetizar **I** *v. tr.* retirar as propriedades magnéticas a; **II** *v. refl.* perder as propriedades magnéticas

desmaiado *adj.* **1** (pessoa) que perdeu os sentidos; **2** (cor) desbotado; **3** (som) imperceptível

desmaiar *v. intr.* **1** (pessoa) perder os sentidos; desfalecer; **2** (cor) perder a nitidez ou o brilho; desbotar

desmaio *s. m.* **1** perda dos sentidos; desfalecimento; **2** perda gradual da cor

desmamar *v. tr.* **1** suspender a amamentação de; **2** *(fig.)* tornar independente; emancipar

desmame *s. m.* **1** suspensão da amamentação; **2** *(fig.)* emancipação

desmancha-prazeres *s. 2 gén. 2 núm.* pessoa que estraga o divertimento dos outros

desmanchar **I** *v. tr.* **1** desfazer (nó); **2** romper (ligação, noivado); **3** desarranjar (penteado); **4** desmontar (máquina); **II** *v. refl.* **1** (nó) desfazer-se; **2** (máquina) desmontar-se; **3** (penteado) desarranjar-se

desmancho *s. m. (pop.)* aborto

desmando *s. m.* excesso; exagero

desmantelamento *s. m.* **1** (de construção) demolição; **2** (de aparelho ou sistema) decomposição em partes; **3** (de um grupo) separação

desmantelar **I** *v. tr.* **1** demolir (construção); **2** decompor (aparelho ou sistema) em partes; **3** separar (elementos de um grupo); **II** *v. refl.* **1** (construção) desmoronar-se; **2** (aparelho, sistema) decompor-se; **3** (grupo) desintegrar-se

desmarcado *adj.* **1** (compromisso) cancelado; anulado; **2** DESP. (jogador) que não está a ser marcado pelo adversário

desmarcar **I** *v. tr.* **1** tirar a marca a; **2** cancelar; anular (compromisso); **3** DESP. deixar de marcar o adversário; **II** *v. refl.* DESP. evitar a marcação do adversário

desmascarar *v. tr. e refl.* pôr(-se) a descoberto; revelar(-se)

desmazelado *adj.* desleixado; negligente

desmazelar-se *v. refl.* desleixar-se; descuidar-se
desmazelo *s. m.* falta de brio ou de cuidado; desleixo
desmedido *adj.* que excede as medidas; desmesurado
desmembramento *s. m.* **1** amputação de membro(s); **2** separação; divisão
desmembrar **I** *v. tr.* **1** amputar (um membro); **2** separar; dividir; **II** *v. refl.* separar-se; dividir-se
desmemoriado *adj.* que perdeu a memória; esquecido
desmemoriar **I** *v. tr.* fazer perder a memória; fazer esquecer; **II** *v. refl.* perder a memória; esquecer-se
desmentido **I** *adj.* negado; contestado; **II** *s. m.* negação do que outra pessoa afirma
desmentir *v. tr.* negar (o que alguém disse); contradizer
desmesurado *adj.* que excede as medidas; excessivo
desmilitarização *s. f.* retirada de forças militares
desmilitarizar *v. tr.* retirar forças militares de (determinada zona)
desminagem *s. f.* operação de retirada de minas
desminar *v. tr.* retirar minas de
desmiolado *adj. (coloq.)* imprudente; insensato
desmistificação *s. f.* **1** destruição do carácter místico ou sobrenatural de; **2** revelação da verdadeira natureza
desmistificar *v. tr.* **1** retirar o carácter místico ou sobrenatural a; **2** desmascarar
desmobilização *s. f.* MIL. regresso (de tropas mobilizadas) à vida civil
desmobilizado *adj.* que voltou à vida civil
desmobilizar *v. tr.* MIL. fazer regressar (tropas mobilizadas) à vida civil
desmontagem *s. f.* (de objecto, de máquina) separação em peças
desmontar *v. tr.* **1** separar em peças (uma máquina); **2** desarmar (uma tenda)
desmontável *adj. 2 gén.* que pode ser desmontado
desmoralização *s. f.* **1** perda de ânimo; abatimento; **2** perversão; corrupção
desmoralizado *adj.* desanimado; abatido
desmoralizar *v. tr.* desanimar; abater
desmoronamento *s. m.* **1** (de construção) queda; demolição; **2** (de terreno) desabamento; derrocada
desmoronar **I** *v. tr.* demolir; **II** *v. refl.* **1** (construção) ruir; **2** (terra) desabar; **3** (sistema) desintegrar-se
desmotivado *adj.* sem motivação ou estímulo; desanimado
desmotivar *v. tr.* fazer perder a motivação a; desanimar
desnatado *adj.* (leite) cuja nata ou gordura foi retirada
desnatar *v. tr.* tirar a nata ou a gordura a (leite)
desnaturado *adj.* **1** que sofreu alteração na sua natureza; **2** desumano; cruel
desnecessário *adj.* **1** que não é necessário; inútil; **2** dispensável; supérfluo
desnível *s. m.* (de terreno) diferença de nível; desnivelamento
desnivelado *adj.* (terreno) que tem desnível; inclinado
desnivelamento *s. m.* diferença de nível ou de altura entre dois pontos
desnivelar *v. tr.* **1** tirar do mesmo nível; **2** diferençar
desnorteado *adj.* sem rumo; perdido
desnudar *v. tr. e refl.* pôr(-se) nu; despir(-se)
desnutrido *adj.* que tem carência alimentar; subalimentado

desobedecer *v. intr.* **1** não obedecer; **2** transgredir; violar (lei, norma)
desobediência *s. f.* falta de obediência; insubordinação
desobediente *adj. 2 gén.* que não obedece; insubordinado
desobrigação *s. f.* isenção do cumprimento de um dever
desobrigar *v. tr. e refl.* livrar(-se) de uma obrigação
desobstrução *s. f.* retirada de obstáculo; desimpedimento
desobstruir *v. tr.* retirar obstáculo de; desimpedir
desocupação *s. f.* **1** saída de um lugar ocupado; retirada; **2** falta de ocupação; desemprego
desocupado *adj.* **1** (lugar) vago; desabitado; **2** (pessoa) desempregado; inactivo
desocupar *v. tr.* sair (do lugar que se ocupava); tornar vazio
desodorizante *s. m.* **1** substância que se aplica na pele para disfarçar ou eliminar odores desagradáveis; **2** produto de limpeza utilizado para eliminar cheiros desagradáveis ou para perfumar o ar
desolação *s. f.* **1** tristeza; **2** devastação
desolado *adj.* **1** (pessoa) triste; **2** (lugar) abandonado
desolar *v. tr.* **1** entristecer (alguém); **2** devastar (um lugar)
desolhado *adj.* que tem os olhos cansados; que tem olheiras
desonestidade *s. f.* falta de honestidade; deslealdade
desonesto *adj.* que não é honesto; desleal
desonra *s. f.* descrédito; vergonha
desonrado *adj.* (pessoa) desacreditado
desonrar *v. tr.* causar desonra a; desacreditar
desopilação *s. f.* **1** desobstrução; **2** alívio
desopilar *v. tr. e intr.* **1** desobstruir; **2** divertir-se
desoprimir *v. tr.* livrar de opressão; aliviar
desoras *elem. da loc. adv.* ***a ~*** fora de horas; muito tarde
desordeiro **I** *s. m.* pessoa que provoca desordem; **II** *adj.* arruaceiro
desordem *s. f.* **1** falta de ordem; desarrumação; **2** mau funcionamento; **3** agitação pública; tumulto
desordenado *adj.* **1** desarrumado; **2** confuso
desordenar *v. tr.* **1** tirar da ordem; **2** desorganizar
desorganização *s. f.* falta de organização; confusão
desorganizado *adj.* **1** (pessoa) indisciplinado; **2** (trabalho) confuso
desorganizar *v. tr.* destruir a organização de; desordenar
desorientação *s. f.* **1** perda da orientação correcta; **2** hesitação
desorientado *adj.* **1** confuso; **2** hesitante
desorientar **I** *v. tr.* **1** fazer perder a orientação; **2** confundir; **II** *v. refl.* **1** perder a orientação correcta; **2** ficar confuso
desova *s. f.* ZOOL. postura de ovos (de peixes)
desovar *v. intr.* ZOOL. (peixes) pôr os ovos
despachado *adj.* **1** (assunto, problema) resolvido; concluído; **2** (pessoa) desembaraçado; expedito
despachante *s. 2 gén.* pessoa ou entidade que desembaraça as mercadorias nas alfândegas
despachar **I** *v. tr.* **1** mandar; enviar (encomenda); **2** dar andamento a (tarefa); **3** mandar embora (alguém); **II** *v. refl.* apressar-se
despacho *s. m.* **1** (de encomenda) envio; **2** (de governo) nomeação para cargo público

desparasitar *v. tr.* eliminar os parasitas de; desinfectar

despassarado *adj.* *(coloq.)* distraído; cabeça-no-ar

despedaçar *v. tr.* **1** fazer em pedaços; partir; **2** *(fig.)* causar grande mágoa

despedida *s. f.* **1** acto de (se) despedir; **2** conclusão; fim

despedimento *s. m.* extinção de um contrato de trabalho pela entidade patronal; demissão

despedir I *v. tr.* dispensar os serviços de; demitir; **II** *v. refl.* **1** (de uma pessoa) separar-se dizendo adeus; **2** (de um emprego) demitir-se ❖ ***despedir-se à francesa*** retirar-se sem dar satisfações

despegar I *v. tr.* separar (o que está pegado); **II** *v. refl.* desligar-se

despeitado *adj.* ressentido; melindrado

despeitar *v. tr.* tratar com despeito; melindrar

despeito *s. m.* ressentimento causado por ofensa ou desconsideração ❖ ***a ~ de*** apesar de

despejar *v. tr.* **1** derramar; entornar (um líquido); **2** esvaziar; evacuar (um lugar); **3** fazer sair; expulsar (um inquilino)

despejo *s. m.* **1** (de líquidos) derramamento; **2** (de lugar) evacuação; **3** (de inquilinos) desocupação de um imóvel

despenalização *s. f.* **1** perda ou eliminação do carácter de ilegalidade; **2** isenção de pena

despenalizar *v. tr.* **1** retirar o carácter de ilegalidade a; **2** isentar de pena

despender *v. tr.* **1** gastar (dinheiro); **2** empregar (tempo, energia)

despenhadeiro *s. m.* lugar alto e escarpado; precipício

despenhar-se *v. refl.* cair de grande altura; precipitar-se

despensa *s. f.* pequeno compartimento onde se guardam produtos alimentares

despenteado *adj.* (cabelo) desgrenhado

despentear *v. tr.* desfazer o penteado a; desgrenhar

despercebido *adj.* **1** sem ser notado; **2** ignorado ❖ ***passar ~*** não ser notado

desperdiçado *adj.* **1** (tempo, dinheiro) gasto sem proveito; **2** (ocasião, oportunidade) perdido

desperdiçar *v. tr.* **1** gastar (tempo, dinheiro); **2** perder (ocasião, oportunidade)

desperdício *s. m.* **1** (de dinheiro, tempo) esbanjamento; **2** (de oportunidade) desaproveitamento; **3** [*pl.*] restos; sobras que não se aproveitam

despertador *s. m.* relógio com um dispositivo que é regulado para soar a uma hora previamente marcada, de modo a acordar alguém

despertar I *v. tr.* **1** acordar (do sono); **2** *(fig.)* estimular (sentimentos); **II** *v. intr.* **1** acordar; **2** *(fig.)* manifestar-se

desperto *adj.* **1** acordado; **2** animado

despesa *s. f.* dispêndio; gasto (de dinheiro) ❖ ***arcar com as despesas*** assumir encargos/pagamentos; ***fazer a ~ da conversa*** assumir protagonismo num diálogo; ***meter-se em despesas*** assumir um encargo económico de valor elevado

despesismo *s. m.* realização de gastos excessivos e desnecessários

despesista *adj. 2 gén.* relativo à prática de despesas exageradas e desnecessárias

despido *adj.* **1** (pessoa) que não tem roupa; nu; **2** (árvore) que não tem folhas; **3** (lugar) desocupado; vazio; **4** (estilo) sem ornamentos; simples ❖ ***~ de preconceitos*** sem quaisquer preconceitos

despique *s. m.* **1** vingança; desforra; **2** desafio; competição

despir I *v. tr.* **1** tirar a roupa a; **2** tirar o revestimento a; **3** desfolhar (árvore); **II** *v. refl.* **1** tirar a própria roupa; **2** abandonar; despojar-se de

despistado *adj. (coloq.)* distraído; desorientado

despistagem *s. f.* MED. realização de testes para detectar sinais de doença que ainda não se tenha manifestado

despistar I *v. tr.* **1** fazer perder a pista; **2** desorientar (alguém); **3** ludibriar; enganar; **4** MED. procurar sinais de (doença); **II** *v. refl.* desorientar-se

despiste *s. m.* (de veículo) saída descontrolada faixa de rodagem; derrapagem

desplante *s. m.* atrevimento; descaramento

despojado *adj.* **1** privado da posse; **2** sem revestimento; **3** que não é ambicioso

despojamento *s. m.* **1** privação da posse; **2** perda do revestimento; **3** desprendimento

despojar I *v. tr.* **1** privar (alguém) da posse de; **2** tirar o revestimento a; **II** *v. refl.* renunciar a

despoletar *v. tr.* **1** tornar impossível o disparo ou a explosão de; travar [sentido original]; **2** *(fig.)* fazer surgir repentinamente; desencadear [uso generalizado]

despoluir *v. tr.* eliminar a poluição de; descontaminar

despontar *v. intr.* **1** (dia) nascer; **2** BOT. brotar

desportista I *s. 2 gén.* **1** pessoa que pratica desporto; **2** pessoa que aceita qualquer resultado (de um desafio); **II** *adj. 2 gén.* **1** que pratica ou se interessa por desporto; **2** que sabe perder

desportivismo *s. m.* **1** respeito pelas regras (de jogo, desporto); **2** aceitação de qualquer resultado (de um desafio); espírito desportivo

desportivo *adj.* **1** relativo a desporto; **2** (vestuário) próprio para praticar desporto ou para actividades de lazer; informal; **3** (automóvel) concebido para atingir velocidades elevadas

desporto *s. m.* **1** exercício físico praticado de forma metódica, individualmente ou em grupo; **2** divertimento; recreio; ~ ***de alta competição*** prática desportiva do nível mais elevado, disputado apenas pelos melhores atletas de cada modalidade; ~ ***radical*** prática desportiva que envolve algum risco ❖ ***por ~*** sem obrigação; para se distrair

desporto-rei *s. m. (pop.)* futebol

desposar *v. tr.* casar com

déspota *s. 2 gén.* governante que exerce o poder de modo absoluto e arbitrário; autocrata

despótico *adj.* próprio de déspota; tirânico; prepotente

despotismo *s. m.* forma de governo absoluto, em que o poder é exercido sem limitações legais

despovoado *adj.* que não tem habitantes; deserto

despovoamento *s. m.* processo de redução de habitantes

despovoar *v. tr.* tornar deserto

desprazer *s. m.* desagrado

despregado *adj.* solto

despregar *v. tr.* **1** arrancar os pregos de; soltar; **2** desviar (os olhos)

desprender *v. tr.* **1** soltar; libertar; **2** desatar; desligar

desprendido *adj.* que actua sem esperar recompensa; abnegado

desprendimento *s. m.* desinteresse em relação a bens ou a recompensas; abnegação

despreocupação *s. f.* ausência de preocupação; tranquilidade

despreocupado *adj.* que não tem preocupação; tranquilo

despretensioso *adj.* modesto; simples
desprevenido *adj.* desacautelado; descuidado
desprezado *adj.* **1** que é alvo de desprezo; **2** que não foi considerado
desprezar *v. tr.* **1** tratar com desprezo; desrespeitar; **2** não considerar; ignorar
desprezável *adj. 2 gén.* **1** que se pode desprezar; **2** que não merece ser considerado
desprezível *adj. 2 gén.* digno de desprezo; vergonhoso
desprezo *s. m.* **1** falta de estima ou apreço; **2** desconsideração; desdém
despromoção *s. f.* passagem para situação, cargo ou categoria inferior; regressão na carreira profissional
despromover *v. tr.* passar alguém para situação, cargo ou categoria inferior; fazer regredir (na carreira profissional)
despromovido *adj.* que passou a situação ou categoria inferior
desproporção *s. f.* desigualdade de proporção; diferença
desproporcionado *adj.* que apresenta desproporção; desigual
despropositado *adj.* que não vem a propósito; inoportuno; inconveniente
despropósito *s. m.* disparate; inconveniência
desprotegido *adj.* **1** desamparado; **2** abandonado
desprover *v. tr.* privar de (algo necessário)
desprovido *adj.* **1** privado; **2** desprevenido
desqualificação *s. f.* DESP. exclusão de prova, concurso, torneio, etc.; desclassificação
desqualificado *adj.* DESP. excluído de prova, concurso, torneio, etc.; desclassificado
desqualificar *v. tr.* DESP. excluir de prova, concurso, torneio, etc.; desclassificar
desquite *s. m. (Bras.)* DIR. separação judicial, sem anulação do vínculo matrimonial
desrespeitar *v. tr.* **1** infringir (uma lei); **2** tratar sem consideração (uma pessoa)
desrespeito *s. m.* **1** falta de respeito; **2** irreverência; desacato
desresponsabilizar *v. tr. e refl.* livrar(-se) de responsabilidade
dessacralização *s. f.* perda ou eliminação do carácter sagrado; desmistificação
dessacralizar *v. tr.* tirar o carácter sagrado a; desmistificar
desse *contr. da prep.* **de** + *pron. dem.* **esse**
dessincronizado *adj.* que não coincide (no tempo); desajustado
dessincronizar I *v. tr.* fazer perder a sincronia; desajustar; **II** *v. refl.* perder a sincronia; desajustar-se
destacado *adj.* **1** saliente; **2** isolado; **3** (funcionário) colocado provisoriamente em local diferente daquele onde normalmente exerce as suas funções
destacamento *s. m.* **1** MIL. força que cumpre uma missão, isolada da unidade a que pertence; **2** situação provisória de um profissional que exerce funções em local diferente daquele onde normalmente trabalha
destacar I *v. tr.* **1** fazer sobressair; colocar em evidência; sublinhar; **2** MIL. enviar (tropas) para missão fora da sua unidade; **3** colocar (um profissional) em local diferente daquele onde normalmente trabalha; **II** *v. refl.* evidenciar-se; distinguir-se

destacável I *adj.* *2 gén.* que se pode destacar; separável; **II** *s. m.* parte separável de uma publicação
destapado *adj.* sem tampa ou cobertura; descoberto
destapar *v. tr.* tirar a tampa ou a cobertura; descobrir
destaque *s. m.* evidência; ***pôr em ~*** colocar em evidência; sublinhar
deste *contr. da prep.* **de** + *pron. dem.* **este**
destemido *adj.* que não tem medo; corajoso
desterrar *v. tr.* expatriar; exilar
desterro *s. m.* exílio; expatriação
destilação *s. f.* QUÍM. processo de separação, concentração e purificação de um líquido, em que este é fervido e o vapor resultante é condensado
destilado *adj.* **1** QUÍM. que sofreu destilação; **2** (água) sem sais minerais
destilar *v. tr.* QUÍM. provocar a separação de (um líquido) por evaporação e condensação do vapor
destilaria *s. f.* fábrica onde se faz destilação
destinar I *v. tr.* determinar previamente; decidir; resolver; **II** *v. refl.* dirigir-se a
destinatário *s. m.* **1** pessoa a quem se envia algo; **2** (processo de comunicação) pessoa a quem se dirige a mensagem; receptor
destino *s. m.* **1** sina; sorte; **2** fatalidade; **3** fim a que se destina; aplicação; **4** ponto de chegada; meta
destituição *s. f.* privação de emprego ou de dignidade; demissão
destituir *v. tr.* privar de emprego ou de dignidade; demitir
destoar *v. intr.* **1** MÚS. sair do tom; desafinar; **2** *(fig.)* não condizer
destrambelhado *adj.* **1** *(coloq.)* disparatado; desordenado; **2** *(coloq.)* que não tem juízo; doido
destravado *adj.* **1** (veículo) que não está travado; **2** (porta) sem tranca; **3** *(fig.)* (pessoa) doido
destravar *v. tr.* **1** soltar o travão (de veículo); **2** tirar a tranca a (porta, janela)
destreinado *adj.* **1** desabituado; **2** (atleta) que não está em boa forma física
destreinar-se *v. refl.* perder o treino; desabituar-se
destreza *s. f.* **1** agilidade; **2** jeito
destrinçar *v. tr.* **1** expor em pormenor; **2** distinguir; individualizar
destro *adj.* **1** (pessoa) que usa preferencialmente a mão direita; **2** ágil
destroçar *v. tr.* **1** despedaçar (objecto); **2** derrotar (inimigo); **3** atormentar (alguém)
destroço *s. m.* **1** destruição; **2** derrota; **3** [*pl.*] restos de algo que foi destruído
destronado *adj.* **1** (monarca, governante) deposto; destituído; **2** (atleta, equipa) que perdeu a liderança
destronar *v. tr.* **1** tirar do trono; fazer perder a soberania; **2** destituir de um cargo importante; **3** fazer perder a liderança; rebaixar
destruição *s. f.* **1** eliminação total; exterminação; **2** ruína; perda; **3** aniquilação; fim
destruído *adj.* **1** que se destruiu; **2** arruinado; **3** aniquilado
destruidor *adj.* que causa destruição; devastador
destruir *v. tr.* **1** fazer desaparecer; aniquilar; **2** desfazer; **3** arruinar
destrutivo *adj.* **1** que destrói; **2** que causa danos irreparáveis
desumanização *s. f.* perda das características do ser humano
desumanizar I *v. tr.* fazer perder o carácter humano; **II** *v. refl.* perder o carácter humano

desumano *adj.* que não é humano; cruel
desumidificador *s. m.* aparelho próprio para eliminar a humidade do ar num espaço fechado
desunião *s. f.* **1** separação; **2** *(fig.)* desacordo
desunir *v. tr.* **1** separar; **2** *(fig.)* causar discórdia
desuso *s. m.* falta de uso ❖ ***cair em ~*** deixar de ser usado
desvairado *adj.* **1** exaltado; **2** desorientado
desvalorização *s. f.* **1** ECON. diminuição do valor da moeda de um país, em relação ao ouro ou a moedas estrangeiras; **2** atribuição de pouco mérito ou valor a (alguém); menosprezo
desvalorizar I *v. tr.* **1** fazer diminuir o valor de (moeda); **2** atribuir pouco mérito ou valor a (alguém); menosprezar; **II** *v. intr.* **1** (moeda) perder valor; **2** (pessoa) diminuir os próprios méritos ou capacidades
desvanecer I *v. intr.* desaparecer; **II** *v. refl.* **1** dissipar-se; **2** envaidecer-se
desvanecido *adj.* **1** dissipado; desaparecido; **2** vaidoso; orgulhoso
desvantagem *s. f.* **1** falta de vantagem; inferioridade; **2** prejuízo; inconveniente; ***estar em ~*** ser em quantidade ou número inferior; ter menos (ou piores) condições
desvario *s. m.* delírio; desatino
desvelo *s. m.* zelo; cuidado
desvendar *v. tr.* descobrir; revelar
desventura *s. f.* infelicidade; desgraça
desviado *adj.* **1** afastado do rumo certo; **2** remoto
desviante *adj. 2 gén.* (comportamento) que se afasta daquilo que é considerado aceitável
desviar I *v. tr.* **1** deslocar (objecto); **2** mudar o sentido de (conversa); **3** alterar a rota de; sequestrar (avião); **4** extraviar de modo fraudulento (dinheiro); **5** mudar a direcção de (trânsito); **II** *v. refl.* (de assunto, de pessoa) afastar-se
desvio *s. m.* **1** mudança de direcção; **2** (de avião) sequestro; **3** (de assunto) digressão; **4** (na estrada) atalho; **5** (de dinheiro) extravio fraudulento; roubo
detalhado *adj.* pormenorizado
detalhar *v. tr.* **1** expor com pormenor; **2** planear
detalhe *s. m.* característica particular; pormenor
detectar *v. tr.* **1** revelar a existência de; **2** descobrir; encontrar
detective *s. 2 gén.* agente policial ou investigador privado que se dedica à pesquisa de informação e provas sobre possíveis crimes
detector *s. m.* dispositivo destinado a revelar a existência de alguma coisa (radiações, gases, explosivos, etc.); ***~ de incêndios*** dispositivo que faz soar um alarme sempre que a alteração das condições ambientais (aumento da temperatura, do fumo, etc.) possa ser sinal de incêndio; ***~ de mentiras*** aparelho que se destina a determinar se as afirmações de alguém são verdadeiras ou falsas, através do registo de alterações fisiológicas de uma pessoa (batimento cardíaco, etc.); ***~ de metais*** aparelho usado para revelar a existência de objectos metálicos (em aeroportos, etc.)
detenção *s. f.* prisão; captura
detentor *s. m.* possuidor
deter *v. tr.* **1** fazer parar; **2** prender; **3** possuir
detergente *s. m.* substância química, líquida ou em pó, que geralmente se dissolve água para limpar objectos, superfícies sólidas, tecidos, etc.

deterioração *s. f.* **1** (de produto) perda de qualidade; **2** (de alimento) decomposição; **3** (de situação ou saúde) agravamento

deteriorado *adj.* **1** (produto) danificado; **2** (alimento) estragado; **3** (situação, saúde) agravado

deteriorar I *v. tr.* **1** fazer perder a qualidade ou as características de (produto, alimento); **2** agravar; piorar (situação, saúde); **II** *v. refl.* **1** (produto, alimento) perder a qualidade ou as características; **2** (situação, saúde) agravar-se; piorar

determinação *s. f.* **1** fixação; marcação; **2** resolução; firmeza

determinado I *adj.* **1** decidido; firme; **2** fixado; marcado; **II** *pron. indef.* certo; dado

determinante I *adj. e s. 2 gén.* que ou aquilo que determina; **II** *s. m.* GRAM. palavra que introduz e modifica um substantivo, delimitando a sua referência e indicando o seu género e número

determinar *v. tr.* **1** definir; **2** fixar; **3** decidir; **4** causar

determinismo *s. m.* FIL. concepção segundo a qual todos os acontecimentos são determinados por um conjunto de circunstâncias anteriores

determinista I *s. 2 gén.* pessoa partidária do determinismo; **II** *adj. 2 gén.* relativo ao determinismo

determinístico *adj.* relativo a determinismo

detestar *v. tr.* não suportar; odiar

detestável *adj. 2 gén.* que inspira aversão ou ódio; insuportável

detido I *adj.* **1** DIR. capturado; preso; **2** (no trânsito) retido; parado; **II** *s. m.* aquele que foi capturado; preso

detonação *s. f.* explosão

detonador *s. m.* dispositivo que provoca a detonação de cargas explosivas

detonar *v. intr.* explodir

detrás *adv.* **1** (no espaço) na parte posterior; **2** (no tempo) depois

detrimento *s. m.* prejuízo; dano ❖ ***em ~ de*** em sentido contrário a

detrito *s. m.* resíduo de uma substância que se decompôs; resto

deturpação *s. f.* **1** alteração da natureza ou da forma; deformação; **2** dano; estrago; **3** adulteração; desvirtuação

deturpar *v. tr.* **1** alterar a natureza ou a forma de; deformar; **2** danificar; estragar; **3** adulterar; desvirtuar

deus *s. m.* **1** (religiões politeístas) entidade superior que tem poder sobre o destino do ser humano; **2** *(fig.)* pessoa a quem se vota uma dedicação extrema; **3** *(fig.)* aquilo que é objecto de adoração

Deus *s. m.* **1** FIL. causa primeira e fim de todas as coisas; **2** RELIG. princípio supremo considerado superior à natureza; **3** (religiões monoteístas) ser absoluto e único, criador do Universo, infinito e perfeito

deusa *s. f.* **1** (nas religiões politeístas) divindade feminina; **2** *(fig.)* mulher amada; **3** *(fig.)* mulher muito bela

deus-dará *elem. da loc. adv.* ***ao ~*** à toa; à sorte

deus-nos-acuda *s. m. 2 núm.* tumulto; confusão

deutério *s. m.* QUÍM. isótopo do hidrogénio, de símbolo D e número de massa igual a dois

devagar *adv.* **1** lentamente; calmamente; **2** de forma gradual; progressivamente

devaneio *s. m.* **1** fantasia; **2** delírio

devassado *adj.* **1** DIR. investigado; processado; **2** (bem, propriedade) colocado à vista de todos

devassar *v. tr.* **1** revelar (o que estava oculto); invadir; **2** averiguar; investigar; **3** desvendar; descobrir

devassidão *s. f.* depravação de costumes; libertinagem
devasso *adj.* depravado; libertino
devastação *s. f.* destruição; ruína
devastado *adj.* destruído; arruinado
devastar *v. tr.* destruir; arruinar
deve *s. m.* COM. (contabilidade) débito; despesa
devedor *s. m.* pessoa que deve
dever **I** *v. tr.* **1** ter obrigação de; **2** ter de pagar (dívida); **3** ter intenção de; ter necessidade de (fazer algo); **4** estar reconhecido por (favor); **II** *v. intr.* **1** ter dívidas ou obrigações; **2** ser provável; poder; **III** *s. m.* **1** obrigação moral; **2** [*pl.*] (escola) trabalhos que o aluno faz em casa
deveras *adv.* verdadeiramente; realmente
devidamente *adv.* de acordo com as normas; correctamente
devido **I** *adj.* **1** correcto; **2** necessário; **3** justo; **II** *s. m.* **1** aquilo que se deve; **2** o que é necessário; **3** o que é justo ❖ ***~ a*** graças a
devir **I** *v. intr.* vir a ser; tornar-se; **II** *s. m.* FIL. mudança constante pela qual as coisas se criam e se transformam
devoção *s. f.* **1** RELIG. sentimento religioso; religiosidade; **2** RELIG. cumprimento dos rituais próprios de uma religião; prática religiosa; **3** dedicação; entrega
devolução *s. f.* restituição ao dono
devolver *v. tr.* enviar ou mandar de volta; restituir
devolvido *adj.* que se devolveu; restituído
devorar *v. tr.* **1** comer com sofreguidão; **2** *(fig.)* fazer desaparecer depressa; **3** *(fig.)* fazer algo avidamente
devotado *adj.* dedicado
devotar *v. tr. e refl.* consagrar(-se); dedicar(-se)
devoto **I** *s. m.* **1** pessoa que tem devoção; **2** amigo dedicado; **3** admirador; **II** *adj.* **1** que tem devoção; religioso; **2** dedicado
dez **I** *num. card.* nove mais um; **II** *s. m. 2 núm.* o número 10 e a quantidade representada por esse número
dezanove **I** *num. card.* dez mais nove; **II** *s. m.* o número 19 e a quantidade representada por esse número
dezasseis **I** *num. card.* dez mais seis; **II** *s. m. 2 núm.* o número 16 e a quantidade representada por esse número
dezassete **I** *num. card.* dez mais sete; **II** *s. m.* o número 17 e a quantidade representada por esse número
Dezembro *s. m.* décimo segundo e último mês do ano civil, com trinta e um dias
dezena *s. f.* **1** conjunto de dez unidades; **2** MAT. unidade de segunda ordem, na representação de números inteiros no sistema decimal
dezoito **I** *num. card.* dez mais oito; **II** *s. m.* o número 18 e a quantidade representada por esse número
dg [*símbolo de* **decigrama**]
dia *s. m.* **1** período durante o qual a Terra dá uma volta sobre o seu próprio eixo; **2** unidade de medida de tempo, equivalente a um período de vinte e quatro horas; **3** período em que a Terra recebe claridade solar; ***~ de anos/aniversário*** data em que se comemora o nascimento; ***~ santo*** dia consagrado ao culto e no qual a Igreja proíbe o trabalho; ***~ útil*** dia geralmente destinado ao exercício de actividades profissionais ❖ ***~ sim, ~ não*** alternadamente; ***de um ~ para o outro*** subitamente; ***dentro de dias*** brevemente; ***hoje em ~*** actualmente; ***mais ~, menos ~*** inevitavelmente; ***pôr em ~*** actualizar; ***ter os dias contados*** estar prestes a desaparecer/morrer

dia-a-dia *s. m.* {*pl.* dia-a-dias} sucessão de dias; quotidiano
diabetes *s. f. 2 núm.* MED. doença caracterizada por excesso de glicose no sangue
diabético **I** *s. m.* pessoa que sofre de diabetes; **II** *adj.* relativo a diabetes
diabetologista *s. 2 gén.* especialista em diabetes
diabo *s. m.* **1** espírito do mal; demónio; **2** (*fig.*) pessoa irrequieta ❖ ***não lembrar ao ~*** ser uma ideia extraordinária ou absurda; ***o ~ a quatro*** confusão; ***que diabo!*** maldita coisa!; ***ter o ~ no corpo*** ser turbulento
diabólico *adj.* **1** próprio do diabo; **2** malvado; perverso; **3** infernal; terrível
diabrete *s. m.* **1** diabo pequeno; **2** (*coloq.*) criança travessa
diabrura *s. f.* travessura (de criança)
diacho *s. m.* (*pop.*) vd. **diabo**
diacrítico *adj.* GRAM. (sinal ortográfico) que permite distinguir a modulação das vogais e a pronúncia de certas palavras
diacronia *s. f.* LING. estudo dos fenómenos da evolução linguística ao longo do tempo
diáfano *adj.* **1** límpido; transparente; **2** delicado; fino
diafragma *s. m.* **1** ANAT. músculo largo, convexo para cima ou para a frente, que, nos mamíferos, separa a cavidade torácica da abdominal, intervindo na função respiratória; **2** FOT. dispositivo que, por variação de abertura, regula a intensidade luminosa das imagens e corrige efeitos de aberração; **3** (contracepção) dispositivo em borracha ou matéria plástica, destinado a cobrir o colo do útero impedindo a entrada de espermatozóides
diagnosticar *v. tr.* **1** MED. determinar a existência de uma doença pela observação dos sintomas e através da análise de diversos exames (análises, radiografias, etc.); **2** determinar a origem de (um problema, uma situação)
diagnóstico *s. m.* **1** MED. determinação e conhecimento de uma doença pelo estudo dos seus sintomas e pela análise dos vários exames efectuados; **2** conhecimento de um problema ou uma situação através de certos sinais
diagonal **I** *s. f.* **1** GEOM. segmento de recta definido por dois vértices não consecutivos de um polígono plano ou por dois vértices não pertencentes a uma mesma face de um poliedro; **2** direcção oblíqua; **II** *adj. 2 gén.* oblíquo
diagrama *s. m.* **1** representação gráfica das relações entre as partes de um todo; **2** esquema que representa as variações de um fenómeno
dialéctica *s. f.* **1** arte de argumentar ou discutir, através do raciocínio e com o objectivo de demonstrar algo; **2** FIL. processo de um pensamento que toma consciência de si mesmo e se exprime por afirmações antitéticas reduzidas numa síntese
dialéctico *adj.* relativo a dialéctica
dialecto *s. m.* variante local ou regional de uma língua, que se distingue pelas especificidades a nível da pronúncia (fonética) e do vocabulário (léxico)
diálise *s. f.* **1** QUÍM. separação de substâncias colóides e cristalóides contidas na mesma solução, por difusão através de certas membranas porosas; **2** MED. técnica para suplementar as falhas da função renal em pessoas cujo organismo não faz a eliminação de produtos tóxicos

dialogado *adj. 2 gén.* **1** relativo a diálogo; **2** em forma de diálogo
dialogante *s. 2 gén.* **1** que dialoga; **2** que gosta de dialogar; comunicativo
dialogar *v. intr.* falar; conversar
diálogo *s. m.* **1** conversa (entre duas ou mais pessoas); **2** troca de ideias para se chegar a um entendimento; **3** alternância de dois factores complementares
diamante *s. m.* **1** MIN. mineral (carbono puro) muito brilhante, que cristaliza no sistema cúbico; **2** jóia com essa pedra preciosa engastada; **3** *(fig.)* coisa preciosa
diâmetro *s. m.* GEOM. segmento de recta que une dois pontos de uma circunferência e que, ao passar pelo centro, a divide em duas partes iguais
diante *adv.* **1** na frente; **2** à vista; **3** em primeiro lugar ❖ ***de hoje em ~*** futuramente; ***ir por ~*** prosseguir
dianteira *s. f.* **1** parte anterior; frente; **2** vanguarda
dianteiro *adj.* que vai na frente
diapasão *s. m.* **1** MÚS. pequeno instrumento metálico que, posto em vibração, produz o som fixado como padrão para afinar vozes e instrumentos; **2** MÚS. extensão de voz, ou de sons de um instrumento, na escala musical; **3** *(fig.)* medida, padrão
diaporama *s. m.* projecção de uma sequência de diapositivos com som sincronizado
diapositivo *s. m.* imagem fotográfica positiva, em vidro ou em película, para ser observada por transparência ou em projecção
diária *s. f.* quantia que se paga por dia por hospedagem ou internamento
diário I *s. m.* **1** livro onde, todos os dias, são registadas observações e experiências pessoais; **2** jornal que se publica todos os dias; **II** *adj.* de todos os dias; quotidiano
diarreia *s. f.* MED. evacuação intestinal que se repete, em regra, com frequência maior que a normal, e em que as fezes são pastosas, semilíquidas ou líquidas
diástole *s. f.* FISIOL. descontracção das paredes musculares do coração, em que estas se dilatam e se enchem de sangue (opõe-se a sístole)
dica *s. f.* **1** *(coloq.)* novidade; **2** *(coloq.)* sugestão
dicção *s. f.* maneira de dizer ou de pronunciar
dicionário *s. m.* livro de referência onde se encontram palavras e expressões de uma língua, por ordem alfabética, com a respectiva significação ou tradução, categoria gramatical, transcrição fonética, etc.; ***~ bilingue*** dicionário que apresenta as palavras traduzidas para outra língua; ***~ electrónico*** dicionário feito e apresentado em suporte informático, geralmente num ou mais discos compactos; ***~ monolingue*** dicionário que descreve o léxico de uma só língua
dicionarista *s. 2 gén.* pessoa que trabalha em dicionários; lexicógrafo
dicionarização *s. f.* organização e registo de vocábulos e expressões de uma língua em dicionário
dicionarizado *adj.* registado ou incluído em dicionário
dicionarizar *v. tr.* **1** registar em dicionário; **2** organizar em forma de dicionário
dicotomia *s. f.* **1** divisão de uma coisa em duas; **2** FIL. divisão de um conceito em dois, normalmente opostos
dicotómico *adj.* **1** relativo a dicotomia; **2** dividido em dois; bifurcado

dictafone *s. m.* aparelho para registo e reprodução de mensagens faladas
didáctica *s. f.* **1** ciência que se dedica ao estudo dos métodos e técnicas utilizados no ensino; **2** conjunto de métodos e técnicas relativos ao ensino de uma disciplina
didáctico *adj.* **1** relativo à didáctica ou ao ensino; **2** que facilita a aprendizagem
diedro *s. m.* **1** GEOM. ângulo formado por dois semiplanos com recta original comum; **2** GEOM. ângulo sólido de duas faces
diegese *s. f.* narrativa; história
diesel *s. m.* motor de combustão interna que funciona por auto-inflamação do combustível que é injectado no ar comprimido dentro dos cilindros
dieta *s. f.* **1** regime alimentar que satisfaz as necessidades específicas de uma pessoa; **2** regime especial de alimentação que restringe a ingestão de certos alimentos e/ou reduz a sua quantidade; **3** prato em que a comida é, em geral, pouco temperada, pobre em gorduras e em calorias e de digestão fácil
dietética *s. f.* MED. disciplina que trata das regras da alimentação que devem ser respeitadas para se manter ou recuperar a saúde
dietético *adj.* **1** relativo a dieta; **2** próprio para determinado regime alimentar
difamação *s. f.* calúnia
difamante *adj. 2 gén.* que difama
difamar *v. tr.* caluniar publicamente; desacreditar
difamatório *adj.* que difama
difásico *adj.* ELECTR. que tem duas fases
diferença *s. f.* **1** aquilo que distingue uma coisa da outra; **2** divergência; **3** diversidade; **4** excesso
diferençar *v. tr.* estabelecer diferença entre; distinguir
diferenciação *s. f.* **1** distinção entre dois ou mais elementos; **2** processo pelo qual duas coisas semelhantes se tornam diferentes
diferencial **I** *s. m.* MEC. dispositivo que transmite às rodas o movimento do motor e lhes imprime, nas curvas, velocidade de rotação diferente; **II** *s. f.* MAT. produto da derivada de uma função pelo acréscimo da variável independente; **III** *adj. 2 gén.* relativo a diferença
diferenciar **I** *v. tr.* estabelecer diferença ou distinção entre; distinguir; **II** *v. refl.* tornar-se diferente
diferendo *s. m.* desacordo; desentendimento
diferente *adj. 2 gén.* que tem diferença(s); diverso
diferido *adj.* adiado; retardado; (emissão) ***em ~*** que é transmitida algum tempo após ter ocorrido ou ter sido registada
diferir **I** *v. tr.* adiar; retardar; **II** *v. intr.* **1** ser diferente; **2** (opiniões) divergir
difícil *adj. 2 gén.* **1** (trabalho, situação) árduo; complicado; **2** improvável
dificílimo *adj.* ⟨*superl.* de **difícil**⟩ muito difícil
dificuldade *s. f.* **1** qualidade do que é difícil; **2** obstáculo; **3** situação crítica
dificultar *v. tr.* tornar difícil; complicar
difteria *s. f.* MED. doença infecto-contagiosa, caracterizada pela produção de falsas membranas nas mucosas da boca e da garganta
difundir *v. tr.* espalhar; propagar
difusão *s. f.* **1** divulgação; propagação; **2** FÍS. processo de mistura de gases, líquidos ou sólidos diferentes, em consequência de movimentos

desordenados dos átomos, moléculas ou iões que os formam

difuso *adj.* **1** difundido; espalhado; **2** FÍS. (luz) que se reflecte irregularmente em diferentes direcções

difusor *s. m.* FÍS. dispositivo que provoca a difusão (da luz, do calor, etc.)

digerir *v. tr.* **1** FISIOL. transformar alimentos no tubo digestivo até poderem ser assimilados pelas células ou eliminados; **2** *(fig.)* compreender; **3** *(fig.)* suportar

digerível *adj. 2 gén.* **1** que se pode digerir; **2** que se digere com facilidade; **3** *(fig.)* compreensível; **4** *(fig.)* suportável

digestão *s. f.* FISIOL. processo pelo qual os alimentos ingeridos sofrem transformações ao longo do tubo digestivo e são convertidos em substâncias mais simples que podem ser absorvidas e assimiladas pelas células

digestivo **I** *s. m.* bebida alcoólica que estimula a digestão; **II** *adj.* **1** relativo a digestão; **2** que facilita a digestão

digitado *adj.* **1** que tem a forma dos dedos da mão humana; **2** introduzido no computador por meio do teclado

digital *adj. 2 gén.* **1** relativo aos dedos; **2** INFORM. relativo aos algarimos de 0 a 9; **3** INFORM. que é representado só por números; **4** que usa uma representação discreta (por oposição a *analógica*)

digitalização *s. f.* INFORM. conversão de informação analógica (imagem ou sinal) para o código digital, por meio de um scanner ou através de um dispositivo de conversão de sinal analógico para digital

digitalizador *s. m.* INFORM. aparelho que faz a conversão de dados analógicos em informação digital

digitalizar *v. tr.* INFORM. converter (texto ou imagem) em dados digitais

digitar *v. tr.* **1** pressionar com os dedos; **2** marcar (número de telefone); **3** INFORM. inserir dados num computador através do teclado

dígito *s. m.* **1** cada um dos algarismos de um a nove; **2** ASTRON. qualquer das doze partes em que se divide o diâmetro aparente do Sol ou da Lua (para se calcularem os eclipses)

dignar-se *v. refl.* **1** ter a bondade de; **2** fazer o favor de

dignidade *s. f.* **1** cargo honorífico; **2** qualidade moral; respeitabilidade

dignificante *adj. 2 gén.* que dignifica

dignificar *v. tr.* tornar digno; enobrecer

dignitário *s. m.* pessoa que exerce um alto cargo ou que tem um título honorífico

digno *adj.* **1** merecedor; **2** respeitável

dígrafo *s. m.* GRAM. conjunto de duas letras que representam um único som

digressão *s. f.* **1** viagem de carácter profissional com paragens que obedecem a um itinerário predeterminado, geralmente para dar espectáculos; tournée; **2** desvio do assunto de conversa; divagação

digressivo *adj.* **1** em que há digressão; **2** que se afasta ou desvia

dilacerante *adj. 2 gén.* **1** que dilacera; **2** *(fig.)* aflitivo

dilacerar *v. tr.* **1** rasgar com violência; despedaçar; **2** *(fig.)* afligir

dilatação *s. f.* **1** FÍS. aumento de volume ou das dimensões de um corpo devido a elevação da temperatura; **2** ampliação; expansão

dilatado *adj.* **1** aumentado; ampliado; **2** (prazo) prolongado

dilatar *v. intr.* **1** aumentar o volume de; ampliar; **2** prolongar (prazo)

dilema *s. m.* situação em que se é obrigado a escolher entre duas alternativas que se excluem mutuamente

diletante I *s. 2 gén.* pessoa que se dedica a alguma coisa por prazer e não por obrigação ou profissão; II *adj. 2 gén.* que se dedica a algo por prazer, e não profissionalmente; amador

diligência *s. f.* 1 cuidado na execução de uma tarefa; zelo; 2 rapidez; 3 [*pl.*] medidas; providências

diligente *adj. 2 gén.* 1 cuidadoso; zeloso; 2 rápido

diluente *s. m.* QUÍM. substância que se adiciona a outra para diminuir a sua concentração ou para alterar as suas propriedades físicas

diluição *s. f.* QUÍM. diminuição da concentração de uma substância, obtida pela junção de outra substância

diluir *v. tr.* misturar (uma substância) com um líquido para a dissolver ou enfraquecer

dilúvio *s. m.* 1 (Bíblia) inundação universal que submergiu toda a superfície da Terra; 2 *(fig.)* chuva intensa

dimensão *s. f.* 1 extensão; grandeza; 2 tamanho; volume; 3 *(fig.)* importância

dimensionar *v. tr.* calcular as dimensões de

diminuendo *s. m.* MAT. número de que se subtrai outro

diminuição *s. f.* 1 redução; 2 MAT. operação aritmética pela qual se subtrai um número (subtractivo) a outro (aditivo), sendo o resultado a diferença entre os dois; subtracção

diminuidor *s. m.* MAT. número que se subtrai de outro; subtractivo

diminuir I *v. tr.* 1 tornar menor; reduzir; 2 MAT. subtrair (um número) de outro; II *v. intr.* tornar-se menor; reduzir-se

diminutivo I *adj.* 1 que diminui; 2 GRAM. (sufixo) que expressa a ideia de pequenez ou de valores afectivos (como carinho, intensidade, etc.); II *s. m.* GRAM. palavra formada com um sufixo que exprime a ideia de pequenez ou certos valores afectivos

diminuto *adj.* 1 pequeno; reduzido; 2 escasso; raro

dinamarquês I *s. m.* {*f.* dinamarquesa} 1 pessoa natural da Dinamarca; 2 língua oficial da Dinamarca; II *adj.* relativo à Dinamarca

dinâmica *s. f.* 1 FÍS. disciplina que estuda as relações entre as forças e os movimentos por elas produzidos; 2 MÚS. utilização de diferentes graus de intensidade dos sons durante a execução de um trecho musical

dinâmico *adj.* 1 relativo às forças ou ao movimento; 2 activo; enérgico

dinamismo *s. m.* 1 actividade; energia; 2 *(fig.)* espírito empreendedor

dinamitar *v. tr.* 1 fazer explodir por meio de dinamite; 2 *(fig.)* destruir; boicotar (plano, projecto)

dinamite *s. f.* QUÍM. mistura explosiva de nitroglicerina e areia quartzosa ou outra substância inerte, que detona pelo choque ou pela acção do calor

dinamizar *v. tr.* tornar dinâmico; incentivar

dínamo *s. m.* ELECTR. máquina geradora de corrente contínua que transforma a energia mecânica em energia eléctrica

dinar *s. m.* unidade monetária de Argélia, Barém, Bósnia-Herzegovina, Federação Jugoslava, Iraque, Jordânia, Kuwait, Líbia, Macedónia e Tunísia

dinastia *s. f.* série de governantes ou pessoas célebres da mesma família

dinheirão *s. m.* *(coloq.)* grande quantidade de dinheiro

dinheiro *s. m.* qualquer moeda de metal ou papel que representa um valor fixado por lei e que é aceite como forma de pagamento; numerário

dinossáurio *s. m.* ZOOL. vd. **dinossauro**

dinossauro *s. m.* ZOOL. réptil fóssil, da era mesozóica, herbívoro ou carnívoro, geralmente com cabeça pequena, cauda longa, pescoço comprido e extremidades posteriores maiores que as anteriores

diocese *s. f.* divisão territorial eclesiástica sujeita à jurisdição de um bispo

díodo *s. m.* ELECTR. válvula usada como rectificador de corrente, constituída por dois eléctrodos (cátodo e ânodo) em gás nobre muito rarefeito

diospireiro *s. m.* BOT. árvore que produz diospiros

diospiro *s. m.* BOT. fruto produzido pelo diospireiro, grande e comestível, em forma de baga, de cor alaranjada

dióspiro *s. m.* BOT. vd. **diospiro**

dióxido *s. m.* QUÍM. óxido com dois átomos de oxigénio e um átomo de outro elemento

diploma *s. m.* **1** documento oficial que atesta as habilitações de alguém e lhe confere um grau académico; **2** título ou documento oficial confirmativo de um cargo, dignidade ou privilégio

diplomacia *s. f.* **1** actividade de representação dos interesses de um país no estrangeiro ou da promoção do direito e das relações internacionais; **2** conjunto de pessoas que representam um país no estrangeiro; **3** astúcia; habilidade

diplomado *adj.* que possui diploma

diplomata *s. 2 gén.* **1** pessoa que representa os interesses de um país junto de outro, promovendo e zelando pelas relações internacionais; **2** pessoa com um tacto especial para resolver situações complicadas

diplomático *adj.* **1** relativo a diplomacia; **2** discreto; **3** hábil

dique *s. m.* construção destinada a deter ou desviar águas correntes

direcção *s. f.* **1** função ou cargo de quem dirige; administração; gerência; **2** sentido; orientação; **3** endereço; morada; **4** MEC. dispositivo que permite orientar as rodas de um veículo; ~ ***artística*** coordenação de todos os elementos envolvidos na preparação de um espectáculo (peça de teatro, bailado, etc.); MEC. ~ ***assistida*** sistema de direcção de automóveis em que o esforço de deslocação das rodas através do volante é auxiliado por um sistema complementar (hidráulico ou eléctrico) ❖ ***em ~ a*** no sentido de

direcção-geral *s. f.* {*pl.* direcções-gerais} sede a partir da qual são dirigidos os diversos órgãos de uma mesma área de administração pública, a nível nacional

direccional *adj. 2 gén.* **1** relativo a direcção; **2** orientado em determinada direcção

direccionar *v. tr.* encaminhar numa direcção; dirigir para

directa *s. f.* (*coloq.*) noite em que não se dorme e que geralmente se dedica a uma actividade recreativa ou profissional; ***fazer uma ~*** passar uma noite sem dormir

directiva *s. f.* instrução ou indicação fornecida por uma autoridade sobre o modo de actuar em determinada situação

directivo *adj.* relativo a direcção; ***conselho ~*** órgão encarregado da gestão de um estabelecimento de ensino

directo I *adj.* **1** que está ou se desloca em linha recta; direito; **2** (comboio) que não faz (ou faz o mínimo de) paragens entre a partida e a chegada; **3** TV (emissão) que é transmitido no momento em que ocorre ou se regista; **4** (comentário) sem rodeios; claro; espontâneo; **5** (comunicação) que se estabelece sem intermediários; **II** *adv.* **1** em linha recta; **2** sem paragens nem desvios ❖ ***em ~*** ao vivo

director *s. m.* pessoa que tem a seu cargo a direcção de uma empresa ou organização; administrador

director-geral *s. m.* {*pl.* directores-gerais} **1** pessoa que chefia uma direcção-geral; **2** (empresa privada) presidente da direcção

directoria *s. f.* **1** cargo de director; **2** conjunto de pessoas que gerem uma instituição ou empresa

directório *s. m.* INFORM. área de disco (ou disquete) destinada ao armazenamento de ficheiros

directriz *s. f.* **1** GEOM. linha em que se apoia a geratriz de uma superfície; **2** instrução ou orientação que deve ser seguida para levar a bom termo determinada tarefa; directiva

direita *s. f.* **1** lado direito; **2** mão correspondente ao lado oposto ao coração; **3** POL. grupo que representa as correntes conservadoras ❖ ***às direitas*** com justiça

direito I *s. m.* **1** aquilo que é recto, justo e conforme à lei; **2** poder legítimo; faculdade; **3** ciência que trata do estudo das leis e das instituições jurídicas; **4** lado principal de um tecido ou objecto; **II** *adj.* **1** em linha recta; **2** na vertical; **3** justo; ***~ civil*** conjunto de leis e princípios que regem as relações de ordem privada entre os indivíduos, os aspectos relativos à propriedade, aos bens e aos direitos e as obrigações daí decorrentes; ***~ comercial*** ramo do direito privado que regula as transacções de natureza comercial; ***~ comunitário*** conjunto de princípios que regulam as relações entre os estados-membros da União Europeia e entre os respectivos cidadãos; ***~ internacional*** conjunto de princípios que regulam as relações entre os diversos Estados; ***~ penal/criminal*** parte da ciência do direito que estabelece as penas a aplicar em função dos crimes praticados; ***direitos de autor*** poder de um autor ou dos seus descendentes sobre a publicação, tradução e comercialização da sua obra; verba que o autor recebe pela publicação, tradução e comercialização da sua obra; ***direitos humanos*** direitos considerados inerentes ao homem, independentemente de sua raça, sexo, idade e religião

direito de antena *s. m.* faculdade que os partidos políticos, as associações sindicais, as associações profissionais, etc., têm de ocupar, com programas próprios, certos períodos da programação geral da televisão e da rádio

dirham *s. m.* {*pl.* dirhams} unidade monetária de Marrocos, Emiratos Árabes Unidos e Sara Ocidental

dirigente *s. 2 gén.* pessoa que exerce funções de chefia ou direcção; líder

dirigir I *v. tr.* **1** orientar (actividade, negócio); **2** voltar (olhar, atenção); **3** encaminhar (pergunta, pedido); **4** *(Bras.)* conduzir (veículo); **II** *v. intr.* *(Bras.)* conduzir; guiar; **III** *v. refl.* **1** falar com; **2** ir em direcção; **3** virar-se

dirigível *s. m.* veículo que, elevando-se na atmosfera por estar cheio de gás menos denso do que o ar, se movimenta através de mecanismos de propulsão e de direcção de voo; aeróstato

discar *v. tr.* *(Bras.)* marcar (um número) no telefone

discernimento *s. m.* **1** capacidade de perceber e julgar as diferenças entre as coisas; entendimento; **2** juízo; critério

discernir *v. tr.* **1** perceber; distinguir; **2** avaliar; julgar

disciplina *s. f.* **1** conjunto de regras ou ordens que regem o comportamento de uma pessoa ou de um grupo; **2** observância das regras; ordem; **3** conjunto de conhecimentos específicos que se ensinam em cada cadeira de um estabelecimento escolar; área de conhecimento

disciplinado *adj.* **1** que obedece a ordens; obediente; **2** que segue um método; metódico

disciplinar I *v. tr.* **1** fazer obedecer a regras; **2** impor disciplina ou método a; **II** *adj. 2 gén.* relativo a disciplina

discípulo *s. m.* **1** aluno; aprendiz; **2** RELIG. (Evangelho) cada um dos doze Apóstolos que receberam e propagaram a doutrina de Cristo

disco *s. m.* **1** peça ou objecto chato e circular; **2** MÚS. placa circular em material rígido em que se gravam sons que são reproduzidos por um sistema próprio; **3** DESP. (atletismo) chapa circular utilizada numa das modalidades de lançamento (lançamento do disco); **4** ANAT. cartilagem fibrosa intercalada entre as superfícies articulares das vértebras ❖ ***mudar/trocar de ~*** mudar de assunto/de conversa

disco compacto *s. m.* INFORM. objecto circular, metálico e não-magnético, onde são armazenados dados digitais, em geral de áudio, e cuja leitura é feita por um sistema de laser

disco duro *s. m.* INFORM. vd. **disco rígido**

discografia *s. f.* conjunto catalogado de discos de um determinado músico, época ou estilo

disco-jóquei *s. 2 gén.* {*pl.* disco-jóqueis} pessoa que faz a selecção musical numa discoteca, bar, festa, etc.

disco magnético *s. m.* INFORM. dispositivo de armazenamento de dados constituído por uma placa ou uma camada de placas circulares delgadas com revestimento magnético

discordância *s. f.* diferença de opinião; divergência

discordante *adj. 2 gén.* que não está de acordo; divergente

discordar *v. intr.* não concordar; divergir

discórdia *s. f.* desacordo; desentendimento ❖ ***pomo de ~*** circunstância ou assunto que dá origem a um desentendimento

disco rígido *s. m.* INFORM. placa circular rígida revestida de material magnético, situada no interior do computador, com capacidade para armazenar uma grande quantidade de dados

discorrer *v. intr.* **1** andar sem destino; vaguear; **2** falar; divagar

discoteca *s. f.* **1** local de recreio onde se pode ouvir música, dançar e tomar bebidas; boîte; **2** loja onde se vendem discos

disco voador *s. m.* qualquer objecto que voa e cuja origem é desconhecida; óvni

discrepância *s. f.* diferença; divergência

discretamente *adv.* **1** com discrição; **2** com prudência; **3** levemente

discreto *adj.* **1** (pessoa, comportamento) reservado; sóbrio; **2** (dor, sintoma) ligeiro; leve

discrição *s. f.* **1** carácter reservado; sobriedade; **2** capacidade de guardar segredos; **3** prudência; sensatez ❖ ***à ~*** à vontade

discricionário *adj.* livre de restrições; ilimitado

discriminação *s. f.* **1** capacidade de estabelecer diferenças claramente; discernimento; **2** tratamento de pessoas ou grupos de forma injusta ou desigual, com base em argumentos de sexo, raça, religião, etc.; segregação (social, racial, etc.)
discriminado *adj.* **1** (pessoa) marginalizado; **2** (produto, factura) anotado separadamente; detalhado
discriminar *v. tr.* **1** tratar de forma desigual ou injusta; **2** perceber as diferenças entre; **3** anotar separadamente; detalhar (produtos, facturas)
discursar *v. intr.* fazer um discurso, falar em público
discurso *s. m.* **1** exposição oral, em público, de um texto escrito; **2** LING. realização concreta de uma língua; fala; GRAM. **~ *directo*** reprodução literal, na primeira pessoa, dos diálogos e discursos das personagens; GRAM. **~ *indirecto*** reprodução dos diálogos e discursos das personagens na terceira pessoa e utilizando verbos introdutórios, seguidos de oração subordinada; GRAM. **~ *indirecto livre*** discurso caracterizado pela ausência de verbos introdutórios e onde são inseridos elementos das falas directas das personagens
discussão *s. f.* **1** debate; polémica; **2** conflito; desentendimento
discutido *adj.* debatido; analisado
discutir I *v. tr.* **1** analisar e trocar ideias sobre (um assunto); **2** debater (tema, questão); **3** contestar; **II** *v. intr.* participar numa discussão
discutível *adj. 2 gén.* **1** que se pode discutir; **2** que não se pode aceitar como verdadeiro; questionável
disenteria *s. f.* MED. infecção dos intestinos que, em regra, produz dores abdominais, evacuações frequentes com presença de sangue, e ulceração da mucosa
disfarçado *adj.* **1** mascarado; **2** dissimulado
disfarçar I *v. tr.* **1** vestir de forma a parecer outro; mascarar; **2** encobrir; dissimular; **II** *v. refl.* mascarar-se; fantasiar-se
disfarce *s. m.* **1** fantasia de Carnaval; máscara; **2** dissimulação; fingimento
disforme *adj. 2 gén.* **1** enorme; desproporcionado; **2** deformado; monstruoso
disfunção *s. f.* MED. anomalia no funcionamento de um órgão
disjuntor *s. m.* ELECTR. interruptor automático para quando a corrente eléctrica ultrapassa determinada intensidade
dislexia *s. f.* MED. perturbação na capacidade de leitura que se manifesta por erros, omissões e inversão de letras, sílabas ou números
disléxico *s. m.* MED. que sofre de dislexia
díspar *adj. 2 gén.* desigual; diferente
disparado I *adj.* muito rápido; veloz; **II** *adv.* a grande velocidade; muito depressa
disparador *s. m.* FOT. mecanismo que controla o diafragma e que, quando accionado, expõe o filme
disparar I *v. tr.* accionar o gatilho de (arma de fogo); dar tiro(s); **II** *v. intr.* **1** (pessoa) sair apressadamente; **2** (arma de fogo) descarregar
disparatado *adj.* absurdo; despropositado
disparatar *v. intr.* dizer ou fazer coisas absurdas ou inoportunas
disparate *s. m.* acto irreflectido ou impróprio; absurdo; tolice
disparidade *s. f.* **1** desigualdade; **2** divergência
disparo *s. m.* tiro; detonação

dispêndio *s. m.* **1** despesa; **2** gasto excessivo

dispendioso *adj.* que exige grande despesa; caro

dispensa *s. f.* licença para não fazer algo; isenção

dispensado *adj.* **1** desobrigado; isento; **2** despedido

dispensar *v. tr.* **1** libertar; isentar (de dever ou obrigação); **2** não necessitar de

dispensário *s. m.* estabelecimento para tratamento de doentes com dificuldades económicas, dando-lhes acesso a consultas e medicamentos gratuitos

dispensável *adj. 2 gén.* escusado

dispersão *s. f.* afastamento de pessoas ou coisas em várias direcções; disseminação

dispersar I *v. tr.* fazer ir para diferentes partes; espalhar; **II** *v. intr.* ir para diversos pontos; espalhar-se; **III** *v. refl.* sumir-se; dissipar-se

disperso *adj.* espalhado; disseminado

displicência *s. f.* **1** melancolia; **2** desagrado

displicente *adj. 2 gén.* **1** melancólico; **2** desagradável

disponibilidade *s. f.* **1** qualidade do que está disponível; **2** qualidade de quem está aberto a novas influências, contactos ou ideias; receptividade; **3** ECON. situação dos bens de que se pode dispor

disponibilizar I *v. tr.* tornar (algo) disponível; **II** *v. refl.* colocar-se à disposição de

disponível *adj. 2 gén.* **1** (produto, dinheiro) de que se pode dispor; **2** (lugar) que não está ocupado; desimpedido; **3** (pessoa) que não tem compromisso; livre

dispor I *v. tr.* **1** arranjar; ordenar; **2** estabelecer; definir (regras); **II** *v. intr.* ter à disposição; **III** *v. refl.* **1** estar pronto a; **2** decidir-se a; **IV** *s. m.* prontidão para ajudar; disposição ❖ ***ao ~ de*** às ordens de

disposição *s. f.* **1** estado de espírito; **2** arranjo; arrumação; **3** dispor; **4** DIR. prescrição legal ❖ ***estar à ~*** estar disponível para ser utilizado/ajudar; ***estar na ~ de*** ter intenção de (aceitar algo)

dispositivo *s. m.* **1** mecanismo ou arranjo próprio para determinado fim; **2** conjunto de meios organizados para um certo fim; **3** INFORM. conjunto de componentes ligados a um computador, que permitem armazenar, transferir ou processar dados; (ginecologia) ~ ***intra-uterino*** pequena peça de formato variável, de plástico ou metal inoxidável, que é introduzida no útero da mulher como meio contraceptivo

disposto I *adj.* **1** colocado de certa forma; **2** decidido; **3** com intenção de; **II** *s. m.* regra; preceito

disprósio *s. m.* QUÍM. elemento metálico com o número atómico 66 e símbolo Dy, pertencente ao grupo das terras raras

disputa *s. f.* **1** discussão; **2** DESP. competição; **3** rivalidade

disputar *v. tr.* **1** discutir; debater (pontos de vista); **2** lutar ou esforçar-se por; **3** DESP. competir

disquete *s. f.* INFORM. disco flexível revestido de material magnético e com um invólucro de protecção plástico, utilizado para armazenamento de dados

dissabor *s. m.* **1** desgosto; **2** contratempo

dissecação *s. f.* **1** ANAT. operação pela qual se separam as partes de um organismo morto para ser estudado; 2 *(fig.)* análise minuciosa

dissecar *v. tr.* 1 ANAT. cortar ou separar (órgãos ou partes de órgãos); 2 *(fig.)* analisar minuciosamente

disseminação *s. f.* separação em diversas partes ou por diversos lugares; dispersão

disseminar *v. tr.* espalhar por muitas partes

dissertação *s. f.* 1 trabalho escrito, apresentado publicamente a instituição de ensino superior, para obtenção de um grau académico; tese; 2 discurso; conferência

dissertar *v. intr.* discursar

dissidência *s. f.* 1 divergência de interesses ou de opiniões; 2 separação

dissidente *s. 2 gén.* pessoa que se separa de um grupo ou de uma organização por divergência com a maioria

dissilábico *adj.* GRAM. (palavra) que tem duas sílabas

dissílabo I *s. m.* GRAM. palavra de duas sílabas; **II** *adj.* que tem duas sílabas

dissimulação *s. f.* 1 fingimento; disfarce; 2 encobrimento; ocultação

dissimulado *adj.* 1 (acto) fingido; disfarçado; 2 (pessoa) falso; hipócrita

dissimular I *v. tr.* 1 fingir; 2 ocultar; **II** *v. intr.* esconder-se; ocultar-se

dissipação *s. f.* 1 desaparecimento; desvanecimento; 2 gasto excessivo de dinheiro; esbanjamento

dissipar I *v. tr.* 1 fazer desaparecer; 2 espalhar; **II** *v. refl.* (nevoeiro) desaparecer

disso *contr. da prep.* **de** + *pron. dem.* **isso**

dissociação *s. f.* desagregação; separação

dissociar *v. tr.* desagregar; separar

dissociável *adj. 2 gén.* que se pode dissociar; separável

dissolução *s. f.* 1 QUÍM. decomposição de uma substância nos seus elementos constituintes; 2 (de organização) extinção; fim; 3 (de acordo) anulação; cessação

dissolúvel *adj. 2 gén.* 1 que se pode dissolver; 2 QUÍM. que pode ser dissolvido num líquido; solúvel

dissolvente *s. m.* QUÍM. substância líquida que tem a propriedade de transformar um corpo sólido, líquido ou gasoso numa solução homogénea

dissolver I *v. tr.* 1 desfazer (substância sólida) em meio líquido; liquefazer; 2 extinguir; anular (acordo); **II** *v. refl.* 1 desfazer-se; 2 deixar de ter existência

dissonância *s. f.* 1 MÚS. desafinação; 2 discordância

dissonante *adj. 2 gén.* 1 MÚS. que não soa bem; 2 discordante

dissuadir I *v. tr.* fazer mudar de opinião; **II** *v. refl.* mudar de opinião

dissuasão *s. f.* 1 acto ou efeito de dissuadir; 2 capacidade para fazer mudar de opinião

distância *s. f.* 1 espaço existente entre dois pontos, dois lugares ou dois objectos; intervalo; 2 GEOM. comprimento do segmento de recta que liga dois pontos; 3 lapso de tempo entre dois momentos; 4 afastamento; separação ❖ ***à ~*** ao longe

distanciamento *s. m.* 1 afastamento; separação; 2 frieza; reserva

distanciar *v. tr. e refl.* pôr(-se) distante; afastar(-se)

distante *adj. 2 gén.* 1 que está afastado no espaço ou no tempo; remoto; longínquo; 2 *(fig.)* (pessoa) frio; reservado

distar *v. intr.* 1 ficar a certa distância; 2 divergir

distender *v. tr. e refl.* 1 estender(-se) em várias direcções; 2 esticar(-se)

distensão *s. f.* **1** MED. deslocamento ou torção violenta (de músculo, ligamento, nervo, etc.); **2** diminuição de tensão; relaxamento

dístico *s. m.* **1** estrofe composta por dois versos; **2** letreiro; rótulo

distinção *s. f.* **1** diferenciação; **2** classificação; **3** elegância; **4** (em prova, exame) classificação de nível excelente

distinguir **I** *v. tr.* **1** estabelecer ou reconhecer diferenças entre; diferenciar; **2** dar preferência a; **3** classificar com distinção; **II** *v. refl.* **1** diferenciar-se; **2** sobressair; destacar-se

distintivo *s. m.* sinal que identifica uma instituição, organização, etc.; emblema; insígnia

distinto *adj.* **1** diferente; **2** nítido; **3** educado

disto *contr. da prep.* **de** + *pron. dem.* **isto**

distorção *s. f.* **1** deformação de imagem ou som; **2** alteração, geralmente intencional, do significado ou das circunstâncias de um facto

distorcer *v. tr.* **1** deformar (imagem, som); **2** alterar o sentido das palavras de alguém; deturpar (facto, verdade)

distorcido *adj.* **1** (imagem, som) deformado; **2** (facto, verdade) deturpado

distracção *s. f.* **1** falta de atenção; descuido; **2** alheamento; **3** passatempo

distraído *adj.* **1** que não presta atenção; desatento; **2** alheado; **3** entretido

distrair *v. tr. e refl.* **1** desconcentrar(-se); **2** entreter(-se); divertir(-se)

distribuição *s. f.* **1** difusão; entrega; **2** disposição; classificação; **3** (de água, gás) fornecimento de determinados seviços; abastecimento; **4** ECON. conjunto de operações destinadas a colocar produtos à disposição dos consumidores

distribuidor *s. m.* **1** pessoa que distribui; **2** ECON. empresa ou entidade responsável pela distribuição de produtos no mercado

distribuidora *s. f.* ECON. empresa que funciona como intermediário entre a indústria e os locais de venda

distribuir *v. tr.* **1** entregar; difundir; **2** repartir (tempo); **3** ECON. colocar (produtos) à disposição dos consumidores

distrital *adj. 2 gén.* relativo a distrito

distrito *s. m.* divisão administrativa ou judicial, imediatamente superior à categoria de concelho

distúrbio *s. m.* **1** motim; desordem; agitação; **2** MED. mau funcionamento (de órgão); doença; ~ ***mental*** doença de origem psíquica que se manifesta por alterações afectivas e de comportamento

ditado *s. m.* **1** (na escola) exercício em que o aluno reproduz um texto para avaliar a sua capacidade de escrever sem erros; **2** sentença popular; provérbio

ditador *s. m.* **1** POL. pessoa que reúne em si todos os poderes do Estado; **2** pessoa autoritária ou prepotente

ditadura *s. f.* **1** POL. concentração dos poderes do Estado numa só pessoa, num partido único ou numa classe que o exerce com autoridade absoluta; **2** POL. Estado com esse regime; **3** excesso de autoritarismo; prepotência; ~ ***militar*** regime em que o poder político absoluto é exercido pelas forças armadas

ditame *s. m.* impulso; inspiração

ditar *v. tr.* dizer em voz alta para que alguém escreva o que está a ser dito

ditatorial *adj. 2 gén.* **1** POL. relativo a ditadura; **2** autoritário; prepotente

dito **I** *s. m.* **1** declaração verbal; **2** sentença popular; máxima; **II** *adj.*

declarado; pronunciado ❖ ~ ***e feito*** não demorou nada; ***dar o ~ por não ~*** voltar com a palavra atrás

dito-cujo *s. m.* {*pl.* ditos-cujos} *(coloq.)* pessoa de quem não se quer dizer o nome; sujeito; fulano

ditongação *s. f.* GRAM. formação de ditongo

ditongo *s. m.* GRAM. reunião de duas vogais que se pronunciam numa só emissão de voz

diurese *s. f.* MED. eliminação de urina pelo organismo

diurético *s. m.* MED. medicamento que facilita a eliminação de urina

diurno *adj.* que se faz ou sucede de dia ou num dia

diva *s. f.* cantora ou actriz notável

divã *s. m.* espécie de sofá sem encosto nem braços, em geral coberto de almofadas; canapé

divagação *s. f.* **1** acto de andar sem rumo; **2** desvio do assunto principal; digressão

divagar *v. intr.* **1** andar sem rumo; vaguear; **2** afastar-se do assunto principal

divergência *s. f.* **1** afastamento progressivo; desvio; **2** diferença de opinião; discordância; **3** MAT. posição de duas linhas ou raios que se afastam progressivamente

divergente *adj. 2 gén.* **1** que diverge; que se afasta; **2** discordante; oposto

divergir *v. intr.* **1** afastar-se progressivamente; desviar-se; **2** ter opinião diferente; discordar; **3** MAT. (série) ter limite infinito

diversão *s. f.* **1** desvio; digressão; **2** entretenimento; divertimento; **3** MIL. manobra que tem como finalidade desviar a atenção do inimigo

diversidade *s. f.* **1** variedade; **2** diferença

diversificar *v. tr. e refl.* tornar(-se) diferente

diverso *adj.* **1** que apresenta vários aspectos; variado; **2** diferente; distinto

divertido *adj.* alegre; animado

divertimento *s. m.* entretenimento; distracção

divertir *v. tr.* entreter(-se); distrair(-se)

dívida *s. f.* **1** aquilo que se deve; **2** obrigação; dever; ~ ***de gratidão*** obrigação moral que se cumpre como forma de reconhecimento por um favor recebido; ECON. ~ ***externa*** valor total dos débitos de um Estado, resultante de empréstimos contraídos junto de países estrangeiros; ECON. ~ ***pública*** conjunto das obrigações de qualquer natureza contraídas pelo Estado

dividendo *s. m.* **1** MAT. número que se divide; **2** ECON. quantia que recebe cada sócio na divisão dos lucros de uma empresa; **3** [*pl.*] vantagens; lucros

dividido *adj.* **1** separado; desunido; **2** que apresenta divergência; discordante

dividir *v. tr.* **1** partir (um todo) em diversas partes; separar; desunir; **2** distribuir; repartir (tarefas, despesas); **3** MAT. fazer a operação de divisão

divinal *adj. 2 gén.* maravilhoso; fantástico

divindade *s. f.* **1** ser divino; deus; **2** natureza divina; **3** qualquer objecto de culto religioso; **4** pessoa ou coisa que é objecto de veneração

divino *adj.* **1** relativo a um ou mais deuses; sobrenatural; **2** *(fig.)* maravilhoso; perfeito

divisa *s. f.* **1** frase simbólica que se toma como norma de conduta; lema; **2** MIL. sinal indicativo de um posto ou de uma patente; insígnia; **3** ECON. moeda estrangeira

divisão *s. f.* **1** acto ou efeito de dividir; **2** (de tarefas, despesas) distribuição; repartição; **3** (de habitação) compartimento; **4** linha de separação; divisória; limite; **5** MAT. operação pela qual se determina quantas vezes uma quantidade está contida noutra; **6** separação segundo uma ordem; classificação; **7** DESP. conjunto de clubes que disputam entre si um campeonato; **8** MIL. fracção de um exército ou de uma armada que constitui uma unidade de combate; **9** discórdia; divergência

divisar *v. tr.* ver ao longe; avistar

divisibilidade *s. f.* qualidade do que é divisível

divisível *adj. 2 gén.* **1** que pode ser dividido; **2** (número) que pode ser dividido exactamente

divisor *s. m.* MAT. número pelo qual se divide outro

divisória *s. f.* **1** linha de separação; divisão; **2** parede ou objecto (biombo, cortina, etc.) que divide um compartimento

divorciado I *adj.* **1** que se divorciou; **2** desligado; afastado; **II** *s. m.* pessoa que se divorciou

divorciar I *v. tr.* decretar o divórcio de; **II** *v. refl.* **1** separar-se judicialmente; **2** desligar-se; afastar-se

divórcio *s. m.* **1** DIR. dissolução do casamento, por decisão judicial, que extingue para o futuro o vínculo matrimonial; **2** separação; afastamento; desunião

divulgação *s. f.* difusão; propagação

divulgar *v. tr.* tornar público (uma notícia, um boato); difundir

dizer I *v. tr.* **1** exprimir por palavras, por escrito ou por sinais; **2** afirmar; declarar; **3** garantir; assegurar; **II** *v. intr.* **1** falar; **2** condizer; combinar; **III** *v. refl.* **1** considerar-se; **2** intitular-se ❖ ***~ respeito a*** ser relativo a; ***por assim ~*** mais ou menos; ***quer ~*** ou melhor

dízima *s. f.* **1** contribuição equivalente à décima parte de um rendimento; **2** MAT. décima parte

dizimação *s. f.* destruição total; exterminação

dizimar *v. tr.* destruir; exterminar

DJ [*sigla de* **d**isco-**j**óquei]

dl [*símbolo de* **decilitro**]

dm [*símbolo de* **decímetro**]

DNA QUÍM. [*sigla de* **d**eoxyribo**n**ucleic **a**cid] ácido desoxirribonucleico

do *contr. da prep.* **de** + *art. def.* **o**

dó *s. m.* **1** compaixão; piedade; **2** MÚS. primeira nota da escala natural ❖ ***sem ~ nem piedade*** de maneira cruel

doação *s. f.* **1** DIR. contrato pelo qual uma pessoa (*doador*) transfere livremente bens ou direitos para outra pessoa (*donatário*); **2** bem ou conjunto de bens doados

doador *s. m.* **1** DIR. pessoa que faz doação; **2** MED. pessoa que autoriza a doação de sangue, órgãos, etc. do seu corpo para realização de transfusão ou transplante

doar *v. tr.* fazer doação de (bens, sangue, órgãos)

doberman *s. m.* {*pl.* dobermans} ZOOL. cão de guarda com focinho alongado, patas esguias, orelhas pontudas e pêlo curto e espesso, negro ou castanho-avermelhado

dobermane *s. m.* vd. **dobermann**

dobra *s. f.* **1** prega; vinco; **2** GEOL. curvatura ou flexão produzida nas rochas por fenómenos tectónicos; **3** unidade monetária de S. Tomé e Príncipe

dobrada *s. f.* CUL. prato preparado com vísceras de boi; tripas

dobradiça *s. f.* peça de metal constituída por duas chapas ligadas por um eixo cilíndrico para permitir o movimento (de porta ou janela)

dobrado *adj.* **1** (número, valor) multiplicado por dois; duplicado; **2** (papel, tecido) que tem dobra; vincado; **3** (filme) que apresenta a parte sonora numa língua diferente da original

dobragem *s. f.* CIN., TV substituição das partes faladas ou cantadas de um filme, ou da locução de um programa, por outras em língua diferente

dobrar **I** *v. tr.* **1** vincar (papel, tecido); **2** duplicar (número, valor); **3** curvar; inclinar; **4** contornar (esquina); **5** CIN., TV substituir a parte sonora de um filme ou de um programa por uma versão equivalente noutra língua; **6** (*fig.*) dissuadir (alguém); **II** *v. intr.* **1** duplicar; **2** (sino) soar; tocar; **III** *v. refl.* ceder a

dobro **I** *num. mult.* que equivale a duas vezes a mesma quantidade; **II** *s. m.* valor ou quantidade duas vezes maior

doca *s. f.* NÁUT. zona de um porto onde atracam os navios

doçaria *s. f.* **1** grande quantidade de doces; **2** loja onde se fabricam e/ou vendem doces; confeitaria

doce **I** *adj. 2 gén.* **1** (alimento) que tem sabor a açúcar ou a mel; **2** (*fig.*) (pessoa) meigo; terno; **3** (água) que não é salgado; **II** *s. m.* **1** alimento preparado com açúcar, mel ou adoçante; guloseima; **2** alimento de consistência gelatinosa preparado com frutos cozidos em calda de açúcar; compota

docência *s. f.* **1** cargo de professor; **2** ensino

docente **I** *s. 2 gén.* pessoa que dá aulas; **II** *adj. 2 gén.* **1** que ensina; **2** relativo a professores; ***corpo ~*** conjunto dos professores de um estabelecimento de ensino

dócil *adj. 2 gén.* **1** submisso; **2** flexível

documentação *s. f.* **1** reunião e organização de documentos para provar ou investigar alguma coisa; **2** conjunto de documentos

documentado *adj.* **1** (facto) provado com documentos; **2** (pessoa) informado

documental *adj. 2 gén.* **1** relativo a documento; **2** baseado em documento

documentar **I** *v. tr.* **1** reunir documentos e/ou informações sobre determinado assunto; **2** provar (algo) por meio de documentos; **II** *v. refl.* informar-se sobre

documentário *s. m.* TV filme, geralmente de curta duração, de carácter informativo

documento *s. m.* **1** qualquer objecto elaborado com o fim de reproduzir ou representar uma pessoa, um facto, um dito ou um acontecimento; **2** escrito que serve de prova; atestado; **3** INFORM. ficheiro que contém dados gerados por uma aplicação (processador de texto, folha de cálculo, base de dados, etc.); **4** DIR. qualquer declaração, testemunho etc. com valor legal para instruir e esclarecer um processo; prova

doçura *s. f.* **1** qualidade do que é doce; **2** (*fig.*) suavidade; ternura

dodecaedro *s. m.* GEOM. poliedro de doze faces

dodecassílabo **I** *s. m.* GRAM. palavra de doze sílabas; **II** *adj.* que tem doze sílabas

doença *s. f.* **1** MED. alteração do estado normal de saúde de um ser, que se manifesta por sinais ou sintomas, que podem ser perceptíveis ou não; enfermidade; mal; **2** (*fig.*) obsessão; mania; ***~ contagiosa*** doença infecciosa que é transmissível por contacto directo ou indirecto entre indivíduos; ~ ***crónica*** doença prolongada e de evolução lenta, que conduz geralmente à morte; ~ ***degenerativa*** doença que evolui gradual e continuamente para formas mais graves, causando a perda progressiva da capacidade de funcionamento do organismo; ~ ***das vacas loucas*** encefalopatia espongiforme do gado, que pode ser transmitida ao homem através da ingestão de carne contaminada; ~ ***do sono*** doença provocada pela picada da mosca tsé-tsé; ~ ***infecciosa*** afecção do organismo causada pela penetração, desenvolvimento e multiplicação de agentes (bactérias, fungos, vírus); ~ ***infecto-contagiosa*** doença provocada por micróbios que se transmitem por contacto directo ou indireto ou através de bactéria, fungo ou vírus; ~ ***mental/nervosa*** doença causada por problemas de origem psíquica que se manifestam em alterações emocionais e de comportamento; ~ ***venérea/sexualmente transmissível*** doença infecto-contagiosa que se transmite através do contacto sexual

doente **I** s. *2 gén.* pessoa que tem doença; **II** *adj. 2 gén.* **1** afectado por doença; **2** *(fig.)* obcecado

doentio *adj.* **1** que revela doença; mórbido; **2** que prejudica a saúde; **3** *(fig.)* obsessivo

doer *v. intr.* ter ou sentir dor

dogma *s. m.* **1** RELIG. ponto fundamental, considerado incontestável, de uma doutrina; **2** qualquer sistema ou doutrina considerado(a) indiscutível; **3** princípio estabelecido; preceito; máxima

dogmático *adj.* **1** relativo a dogma; **2** *(fig.)* que não admite discussão; peremptório; autoritário

dogue *s. m.* ZOOL. cão de guarda, de cabeça volumosa, focinho achatado e enrugado e pêlo curto; grand danois

doidice *s. f.* **1** falta de juízo; **2** disparate; tolice

doidivanas *s. 2 gén. 2 núm.* **1** *(coloq.)* pessoa leviana ou estouvada; **2** *(coloq.)* pessoa gastadora ou perdulária

doido **I** *adj.* **1** louco; demente; **2** imprudente; insensato; **3** *(fig.)* encantado; **4** *(fig.)* que tem paixão por; **II** *s. m.* indivíduo que revela sinais de loucura; louco

dói-dói *s. m.* {*pl.* dói-dóis} *(infant.)* ferida; dor

dois **I** *num. card.* um mais um; **II** *s. m. 2 núm.* o número 2 e a quantidade representada por esse número; ~ ***a*** ~ aos pares; (produto) ~ ***em um*** que concentra duas funcionalidades geralmente apresentadas em dois produtos distintos

dois-pontos *s. m. 2 núm.* sinal de pontuação (:) que representa, na escrita, uma pausa breve da linguagem oral

dojo *s. m.* sala utilizada para a prática de judo

dólar *s. m.* unidade monetária dos Estados Unidos da América, Canadá e de outros países

dolência *s. f.* aflição; sofrimento

dolente *adj. 2 gén.* magoado; aflito

dólmen *s. m.* HIST. monumento neolítico feito de pedras grandes e usado como túmulo

dolo *s. m.* DIR. fraude

doloroso *adj.* **1** que causa dor; **2** aflitivo; angustiante

dom *s. m.* **1** dádiva; **2** aptidão inata; **3** título honorífico masculino

domador *s. m.* pessoa que doma (animais); domesticador

domar *v. tr.* **1** vencer a resistência de (um animal); domesticar; **2** dominar; **3** *(fig.)* subjugar

doméstica *s. f.* mulher que se ocupa da administração da casa; dona de casa

domesticado *adj.* **1** que foi objecto de domesticação; domado; **2** *(fig.)* subjugado

domesticar **I** *v. tr.* **1** amansar (animal); **2** dominar; **3** *(fig.)* educar; **II** *v. refl.* **1** amansar-se; **2** *(fig.)* tornar-se sociável

doméstico **I** *adj.* **1** relativo a casa ou à vida familiar; **2** relativo à vida interna de um país; **3** (animal) que vive junto do homem, geralmente dentro de casa; **II** *s. m.* aquele que, mediante pagamento, presta serviços (geralmente diários) de limpeza e manutenção de uma habitação; empregado

domiciliário *adj.* **1** relativo ao domicílio; **2** que acontece no domicílio

domicílio *s. m.* **1** residência habitual; morada; **2** DIR. sede legal de negócios ou actividades; ***entrega ao ~*** tipo de serviço que leva ao endereço fornecido pelo cliente ou comprador a sua encomenda ou pedido

dominante *adj. 2 gén.* que domina; principal

dominar **I** *v. tr.* **1** exercer domínio sobre; **2** controlar; **3** ter conhecimentos de (uma língua); **II** *v. intr.* **1** (rei, povo) exercer autoridade sobre (povo, país); **2** sobressair em importância ou influência; preponderar; **III** *v. refl.* controlar-se; conter-se

domingo *s. m.* primeiro dia da semana, em regra destinado ao descanso e, entre os católicos e outros cristãos, ao culto religioso; ***~ de Páscoa*** festa anual cristã em que se celebra a ressurreição de Jesus Cristo, no primeiro domingo depois da lua cheia do equinócio de Março; ***~ de Ramos*** último domingo da Quaresma, que dá início à Semana Santa; ***~ Gordo*** domingo que antecede imediatamente o início da Quaresma

domingueiro *adj.* **1** próprio de domingo; **2** festivo; garrido

dominical *adj. 2 gén.* relativo a domingo

domínio *s. m.* **1** direito de propriedade; poder; **2** controlo; **3** influência; **4** esfera de acção; **5** território que pertence a um indivíduo ou a um Estado; **6** MAT. (numa função) conjunto dos valores que as variáveis independentes podem tomar; **7** INFORM. (Internet) parte final de um endereço electrónico que identifica a rede local e a instituição que dá acesso ao servidor

dominó *s. m.* **1** jogo de 28 peças rectangulares com pontos (de um a seis) marcados em diversas combinações; **2** traje de Carnaval formado de túnica com capuz

domo *s. m.* ARQ. parte superior e exterior da cúpula de um edifício; zimbório

dona *s. f.* **1** proprietária; senhora; **2** título honorífico feminino

donativo *s. m.* **1** oferta; presente; **2** contribuição em dinheiro para fins de beneficência ou caridade

donde *contr. da prep.* **de** + *pron. interr.* **onde**

dondoca *s. f.* *(Bras.)* *(coloq.)* mulher fútil, de condição social elevada

dong *s. m.* unidade monetária do Vietname

doninha *s. f.* ZOOL. pequeno mamífero carnívoro de corpo esguio e patas curtas

dono *s. m.* pessoa que tem a posse de; proprietário; senhorio

donut *s. m.* {*pl.* donuts} bolo em forma de argola, frito e envolvido em açúcar ou recheado de creme, chocolate ou compota

dónute *s. m.* vd. **donut**

donzela *s. f.* **1** mulher solteira; **2** mulher virgem

dopado *adj.* DESP. (atleta) que está sob o efeito de uma substância estimulante (administrada para aumentar a resistência física)

dopagem *s. f.* DESP. (de atleta) administração ou uso de qualquer substância com o objectivo de melhorar, de forma artificial, o seu desempenho

dopante *adj. 2 gén.* (substância) que provoca alteração artificial de resistência ou rendimento

dopar I *v. tr.* DESP. administrar a (alguém) uma subsância que altere o seu desempenho; **II** *v. refl.* DESP. (atleta) tomar uma substância que altera artificialmente o desempenho em prova

doping *s. m.* DESP. substância química que se administra a um atleta, com o objectivo de lhe aumentar artificialmente a resistência e o desempenho

dor *s. f.* **1** sensação penosa ou desagradável; sofrimento; **2** mágoa; angústia ❖ ***~ de alma*** aflição *(coloq.)* ***~ de cotovelo*** ciúme

doravante *adv.* daqui em diante; futuramente

dórico I *s. m.* ARQUIT. estilo característico de uma das três ordens da arquitectura grega, que se caracteriza pela sobriedade das suas linhas (colunas desprovidas de base, capitel sem ornamentos, arquitrave lisa, etc.); **II** *adj.* ARQUIT. relativo à mais antiga das três ordens arquitectónicas gregas

dorido *adj.* **1** que tem dor; **2** magoado; ferido

dormência *s. f.* **1** sonolência; **2** entorpecimento

dormente *adj. 2 gén.* **1** sonolento; adormecido; **2** entorpecido; paralisado

dormida *s. f.* **1** estado de quem dorme; sono; **2** tempo durante o qual se dorme; **3** pousada para pernoitar

dorminhoco *s. m.* pessoa que dorme muito

dormir *v. intr.* **1** estar adormecido; cair no sono; **2** descansar; **3** *(coloq.)* passar a noite com; **4** *(fig.)* ter relação sexual com

dormitar *v. intr.* dormir com um sono leve; cabecear; cochilar

dormitório *s. m.* aposento onde dormem muitas pessoas

dorna *s. f.* vasilha formada de aduelas, de boca mais larga do que o fundo, onde se pisam as uvas

dorsal *adj. 2 gén.* **1** relativo ao dorso; **2** ANAT. relativo à parte posterior do corpo

dorso *s. m.* **1** ANAT. parte posterior do tronco humano, compreendida na extensão das regiões dorsal e lombar da coluna vertebral; costas; **2** parte superior ou posterior do corpo de muitos animais; lombo

dosagem *s. f.* **1** determinação da quantidade de (medicamento, etc.); **2** quantidade de substâncias que entram na composição de um medicamento

dose *s. f.* **1** FARM. quantidade fixa de cada substância que entra na composição de um medicamento; **2** CUL. qualquer quantidade que consta de uma receita; porção; *(coloq.)* ***uma boa ~ de*** uma grande quantidade de ❖ *(Bras.)* ***ser ~*** ser maçador/desagradável

doseador *s. m.* dispositivo que permite regular a quantidade de uma substância

dosear *v. tr.* **1** dividir por doses; **2** misturar nas devidas proporções

dossier *s. m.* {*pl.* dossiers} **1** colecção de documentos que contém informações sobre um acontecimento ou uma pessoa; **2** arquivo ou colecção de informações sobre o mesmo assunto

dotado *adj.* **1** talentoso; **2** equipado

dotar *v. tr.* **1** equipar; **2** beneficiar

dote *s. m.* **1** bens dados à noiva ou ao noivo por ocasião do seu casamento; **2** *(fig.)* aptidão inata; talento

dourada *s. f.* ZOOL. peixe teleósteo frequente nas águas do Atlântico

dourado *adj.* **1** que tem a cor do ouro; **2** coberto de ouro

dourar *v. tr.* **1** revestir de ouro; **2** pintar de cor dourada; **3** CUL. deixar assar ou fritar até adquirir tom de cobre; corar ❖ *(coloq.)* ~ ***a pílula*** disfarçar algo desagradável

douto *adj.* erudito; sábio

doutor *s. m.* **1** aquele que tem licenciatura; **2** aquele que se doutorou; **3** médico; ~ ***honoris causa*** personalidade a quem, a título honorífico, foi concedido o grau de doutor por uma universidade do próprio país ou de país estrangeiro

doutorado I *adj.* que se doutorou; **II** *s. m.* *(Bras.)* vd. **doutoramento**

doutoramento *s. m.* **1** curso de pós-graduação com vista à obtenção do grau universitário mais elevado; **2** cerimónia em que se confere o grau de doutor a um licenciado ou a um mestre

doutorando *s. m.* aluno de um curso de doutoramento

doutorar-se *v. refl.* receber o grau de doutor

doutrina *s. f.* **1** conjunto de princípios em que se baseia um sistema político ou filosófico; **2** RELIG. conjunto de princípios ou crenças com valor de verdade absoluta para os seus seguidores; **3** conjunto de conhecimentos adquiridos; erudição

doutrinário *adj.* **1** relativo a doutrina; **2** que se exprime com afectação; doutoral

downhill *s. m.* DESP. actividade desportiva que consiste em descer encostas abruptas em bicicleta todo-o-terreno, a grande velocidade

download *s. m.* {*pl.* downloads} INFORM. transferência de ficheiros de um computador remoto para outro computador, através de um modem ou rede, utilizando um protocolo de comunicações

doze I *num. card.* dez mais dois; **II** *s. m.* o número 12 e a quantidade representada por esse número

Dr. *s. m.* [*abrev. de* **D**outor]

Dr.ª *s. f.* [*abrev. de* **D**outora]

dracma *s. f.* antiga unidade monetária da Grécia, substituída pelo euro em 1999

draconiano *adj.* rigoroso; drástico

draga *s. f.* aparelhagem flutuante destinada a escavar o fundo do mar ou dos rios

draga-minas *s. m. 2 núm.* NÁUT. navio com aparelhagem especial para localizar e destruir minas submarinas

dragão *s. m.* **1** monstro imaginário que se representa com língua extensa e bífida, cauda de serpente, asas e garras; **2** ZOOL. pequeno sáurio da zona tropical do continente asiático, caracterizado essencialmente pelas pregas cutâneas laterais que lhe permitem saltar

dragar *v. tr.* arrastar um cabo no fundo do mar ou a certa profundidade para localizar objectos

drageia *s. f.* FARM. comprimido

dram *s. m.* {*pl.* drams} unidade monetária da Arménia

drama *s. m.* **1** peça ou composição teatral; **2** *(fig.)* acontecimento emocionante; **3** *(fig.)* desgraça

dramalhão *s. m. (depr.)* drama de má qualidade, com muitos efeitos trágicos
dramático *adj.* **1** relativo a drama; **2** *(fig.)* comovente
dramatismo *s. m.* **1** qualidade do que é dramático; **2** reacção excessiva perante determinada situação
dramatizar *v. tr.* **1** dar a forma de drama a; **2** levar à cena (peça, texto); **3** exagerar os aspectos negativos de uma situação
dramaturgia *s. f.* arte de compor peças para o teatro
dramaturgo *s. m.* autor de peças de teatro
drasticamente *adv.* **1** severamente; **2** radicalmente
drástico *adj.* **1** enérgico; severo; **2** violento; radical
drenagem *s. f.* **1** escoamento de águas de um terreno encharcado, por meio de valas, tubos ou fossas; **2** MED. escoamento de líquidos patológicos do organismo
drenar *v. tr.* fazer a drenagem de
dreno *s. m.* **1** vala ou tubo para drenar; **2** MED. tubo especial destinado à drenagem, no organismo
driblar *v. tr.* DESP. enganar o adversário com movimentos do corpo para o ultrapassar, sem perder o domínio da bola; fintar
drible *s. m.* DESP. manobra feita com a bola para evitar que o adversário a apanhe
drinque *s. m. (Bras.)* (bebida) aperitivo
drive *s. f.* {*pl.* drives} INFORM. unidade de disco destinada a armazenar dados que podem ser recuperados; leitor
droga *s. f.* **1** substância ou ingrediente aplicado em farmácia ou na indústria; **2** estupefaciente; narcótico; **3** *(coloq.)* vício; **4** *(pej.)* coisa que não presta; ***droga!*** exprime impaciência ou irritação
drogado *adj. e s. m.* que ou pessoa que depende física ou psicologicamente do consumo de estupefacientes; toxicodependente
drogar I *v. tr.* administrar narcóticos ou estupefacientes a; dopar; **II** *v. refl.* consumir narcóticos ou estupefacientes
drogaria *s. f.* estabelecimento onde se vendem produtos químicos e farmacêuticos de uso corrente, artigos de higiene, cosméticos, etc.
droguista *s. 2 gén.* **1** pessoa que negoceia em drogas; **2** proprietário de drogaria
dromedário *s. m.* ZOOL. mamífero semelhante ao camelo, com uma única corcova no dorso, utilizado como animal de carga na Arábia e na África
drope *s. m. (Bras.)* rebuçado
druida *s. m.* sacerdote gaulês ou celta que exercia funções pedagógicas e judiciais
drupa *s. f.* fruto carnoso com semente muito dura, por vezes comestível
dual I *adj. 2 gén.* que designa duas pessoas ou duas coisas; **II** *s. m.* GRAM. número gramatical existente em algumas línguas, que indica duas pessoas ou duas coisas
dualidade *s. f.* carácter do que é dual ou duplo
dualismo *s. m.* carácter que comporta duas realidades ou dois elementos independentes
dualista *adj. 2 gén.* que contém dois princípios opostos
duas *num. card.* vd. **dois** *num. card.*; *(fig.)* ***às ~ por três*** inesperadamente; de repente
dúbio *adj.* **1** que pode ter diversas interpretações; ambíguo; **2** difícil de definir; vago

dúbnio *s. m.* QUÍM. elemento com o número atómico 105 e símbolo Db
ducado *s. m.* **1** dignidade de duque; **2** território sob o domínio de um duque
ducal *adj. 2 gén.* relativo a duque
ducentésimo **I** *num. ord.* que, numa série, ocupa a posição imediatamente a seguir à centésima nonagésima nona; **II** *num. frac.* que resulta da divisão de um todo por duzentos; **III** *s. m.* o que, numa série, ocupa o lugar correspondente ao número 200
duche *s. m.* **1** jacto ou chuveiro de água que se aplica no corpo, com fins higiénicos ou terapêuticos; **2** banho de chuveiro
dúctil *adj. 2 gén.* que pode ser estendido ou comprimido; elástico; flexível
duelo *s. m.* **1** combate entre duas pessoas por questão de honra; **2** situação de conflito ou concorrência entre duas pessoas ou dois grupos
duende *s. m.* MITOL. ser fantástico de baixa estatura que, segundo a crença popular, aparece durante a noite para fazer travessuras
dueto *s. m.* MÚS. composição musical executada por dois instrumentos ou por duas vozes
dulcíssimo *adj.* ⟨*superl. de* **doce**⟩ muito doce
dum *contr. da prep.* **de** + *art. indef.* **um**
dumping *s. m.* ECON. venda de produtos no estrangeiro a preços mais baixos que os praticados no mercado interno com o objectivo de dominar o mercado e afastar a concorrência
duna *s. f.* acumulação ou monte de areia nos desertos e nas praias
duo *s. m.* **1** MÚS. composição musical para dois instrumentos ou para duas vozes; **2** grupo de dois cantores ou dois músicos que actuam juntos
duodécimo **I** *num. ord.* que, numa série, ocupa a posição imediatamente a seguir à décima primeira; **II** *num. frac.* que resulta da divisão de um todo por doze; **III** *s. m.* **1** o que, numa série, ocupa o lugar correspondente ao número 12; **2** ECON. fracção de um orçamento relativa a um mês
duodécuplo **I** *num. mult.* que contém doze vezes a mesma quantidade; **II** *adj.* que é doze vezes maior; **III** *s. m.* valor ou quantidade doze vezes maior
duodeno *s. m.* ANAT. parte inicial do intestino delgado, que se segue ao estômago e termina na região do jejuno
dupla *s. f.* conjunto de duas pessoas
dúplex *s. m.* ARQUIT. apartamento de dois pisos
duplicação *s. f.* **1** repetição; **2** dobro
duplicado **I** *adj.* repetido; copiado; **II** *s. m.* reprodução; cópia
duplicar *v. tr.* **1** multiplicar por dois; dobrar; **2** repetir; **3** aumentar
duplo **I** *num. mult.* que contém duas vezes a mesma quantidade; **II** *adj.* **1** que é duas vezes maior; **2** que consta de duas parte; **III** *s. m.* **1** valor ou quantidade duas vezes maior; **2** CIN. pessoa que substitui um actor ou uma actriz em cenas arriscadas
duque *s. m.* {*f.* duquesa} **1** título nobiliárquico imediatamente superior ao de marquês; **2** pessoa que possui esse título
durabilidade *s. f.* qualidade do que resiste à passagem do tempo
duração *s. f.* **1** tempo de existência de alguma coisa; **2** qualidade daquilo que se prolonga no tempo
duradoiro *adj.* vd. **duradouro**
duradouro *adj.* que dura ou pode durar muito tempo

dura-máter *s. f.* {*pl.* duras-máteres} ANAT. membrana fibrosa, resistente, que envolve o encéfalo e a medula espinhal, constituindo a meninge externa

durante *prep.* no espaço de; no decorrer de

durar *v. intr.* **1** ter a duração de; prolongar-se; **2** conservar-se; resistir

durável *adj. 2 gén.* que dura muito tempo; duradouro

dureza *s. f.* **1** qualidade do que é duro; **2** consistência; **3** (*fig.*) falta de delicadeza

duro *adj.* **1** (material) resistente; **2** (pessoa) severo; **3** (trabalho) árduo; **4** (*fig.*) (siuação) difícil de suportar; **5** (*Bras.*) (*coloq.*) sem dinheiro ❖ ***~ de roer*** difícil de vencer ou de suportar

dúvida *s. f.* **1** incerteza; **2** hesitação; **3** desconfiança; FIL. (Descartes) ***~ metódica*** atitude de dúvida permanente que põe em causa todas as crenças e conhecimentos humanos na procura de um fundamento sólido e irrefutável para o estudo da verdade; ***pôr em ~*** duvidar de; questionar ❖ ***sem ~*** claro; ***por via das dúvidas*** à cautela

duvidar *v. intr.* **1** não acreditar em; **2** não confiar em; **3** hesitar

duvidoso *adj.* **1** que provoca dúvida; **2** suspeito; **3** hesitante

duzentos I *num. card.* cem mais cem; **II** *s. m.* o número 200 e a quantidade representada por esse número

dúzia *s. f.* conjunto de doze unidades da mesma natureza; (*pop.*) ***às dúzias*** em grande quantidade

DVD INFORM. [*sigla de* **d**igital **v**ideo **d**isc] disco vídeo digital

Dy QUÍM. [*símbolo de* **disprósio**]

dzeta *s. m.* INFORM. letra grega com valor de *dz* ou *z*

E

e[1] [ɛ] *s. m.* quinta letra e segunda vogal do alfabeto

e[2] [i] *conj.* **1** liga duas ou mais palavras, orações ou frases, com a ideia de: enumeração ⟨*isto e aquilo*⟩; adição ⟨*dois e dois são quatro*⟩; restrição ⟨*tão bonito e tão desagradável*⟩; **2** usa-se com valor enfático ⟨*e vocês a darem-lhe!*⟩

E GEOG. [*símbolo de* **este**]

ébano *s. m.* **1** BOT. árvore asiática produtora de madeira valiosa, rija e escura; **2** madeira dessa árvore

ébola *s. m.* **1** MED. virose, altamente contagiosa, que provoca febres, hemorragias graves e frequentemente a morte; **2** vírus causador dessa doença

ébrio *adj. e s. m.* **1** embriagado; bêbedo; **2** *(fig.)* exaltado

ebulição *s. f.* **1** acto de ferver; **2** FÍS. passagem de um líquido a vapor, com formação de bolhas; **3** *(fig.)* agitação; excitação

ECG MED. [*sigla de* **e**lectro**c**ardio**g**rama]

écharpe *s. f.* tira larga de tecido, geralmente comprida e leve, usada sobre os ombros ou ao pesoço

éclair *s. m.* {*pl.* éclairs} CUL. pequeno bolo alongado, feito de massa de fartos e recheado com creme aromatizado

eclesiástico *adj.* relativo à Igreja ou ao clero

eclipsar I *v. tr.* **1** ASTRON. provocar o eclipse de; **2** tirar a luz ou o brilho de; encobrir; **3** *(fig.)* diminuir o valor ou importância de; ofuscar; **II** *v. refl.* **1** ASTRON. (astro) ocultar-se; **2** *(fig.)* esconder-se; desaparecer

eclipse *s. m.* **1** ASTRON. ocultação total ou parcial de um astro por outro ou pela sombra de outro; **2** *(fig.)* desaparecimento; **~ *da Lua*** obscurecimento da Lua pela sombra da Terra; **~ *do Sol*** ocultação do Sol pela Lua; **~ *parcial*** obscurecimento de parte de um astro por outro; **~ *total*** ocultação completa de um astro por outro

eclodir *v. intr.* **1** aparecer; surgir; **2** rebentar; desabrochar

écloga *s. f.* LIT. composição pastoril em verso e geralmente dialogada

eclosão *s. f.* **1** aparecimento; surgimento; **2** desenvolvimento; **3** ZOOL. saída do animal, do ovo ou do invólucro

eclusa *s. f.* sistema de comportas que permite aos navios vencer a diferença de nível existente num troço de rio, canal ou entre dois lagos ou oceanos

eco *s. m.* **1** repetição de um som provocada pela reflexão de ondas acústicas; **2** som produzido por essa repetição; ressonância; **3** *(fig.)* boato; **4** *(fig.)* consequência; **5** *(fig.)* fama

ecoar *v. intr.* **1** produzir eco; **2** *(fig.)* repetir-se; **3** *(fig.)* reflectir-se

ecocardiograma *s. m.* MED. registo gráfico da estrutura do coração através da ecografia

ecocentro *s. m.* ECOL. local destinado à recepção e recolha selectiva de materiais (papel, cartão, vidro, madeira, plástico, electrodomésticos, móveis, pilhas e baterias)

ecografia *s. f.* MED. técnica de exploração médica que usa o ultra-som para registo da estrutura interna do corpo humano

ecologia *s. f.* **1** BIOL. disciplina que estuda as relações dos seres vivos com o meio ambiente; **2** movimento que visa a protecção do meio ambiente e defende o equilíbrio entre o homem e o meio em que está integrado; ambientalismo

ecológico *adj.* **1** relativo a ecologia; **2** que protege o ambiente

ecologista *s. 2 gén.* pessoa que luta pela defesa e protecção do ambiente; ambientalista

economia *s. f.* **1** ciência que se ocupa da produção e consumo de bens e serviços, da circulação da riqueza e da redistribuição do rendimento; **2** aproveitamento eficiente de recursos; **3** moderação nas despesas; **4** [*pl.*] poupanças; **~ *de mercado*** economia que confia ao mecanismo dos preços a função ordenadora de todo o processo económico; **~ *de subsistência*** regime de produção de bens para exclusivo consumo dos próprios produtores; **~ *política*** ciência das leis da produção, da distribuição e do consumo das riquezas

económico *adj.* **1** relativo a economia; **2** poupado; **3** barato

economista *s. 2 gén.* especialista em economia

economizar *v. tr. e intr.* **1** poupar (dinheiro); **2** gastar ou utilizar com moderação

ecoponto *s. m.* ECOL. local para recolha selectiva de objectos de pequeno volume, como vidro, papel e pilhas

ecoproduto *s. m.* ECOL. produto que respeita princípios ecológicos, e cujo impacto sobre o ambiente é mínimo

ecosfera *s. f.* **1** ECOL. zona da Terra onde se desenvolvem os seres vivos; **2** ECOL. conjunto de todos os ecossistemas existentes na Terra

ecossistema *s. m.* conjunto formado por um meio ambiente e pelos seres vivos que ocupam esse meio; sistema ecológico

ecoturismo *s. m.* tipo de turismo que se apoia nos recursos naturais de um local, sem comprometer a sua conservação; turismo ecológico

ecrã *s. m.* **1** superfície sobre a qual se projectam imagens fixas ou em movimento; **2** tela de cinema; **3** monitor de computador

écran *s. m.* vd. **ecrã**

ecstasy *s. m.* droga constituída por uma mistura de estimulantes e alucinogénios que actua no sistema nervoso central, provocando uma sensação de euforia e perda de inibição

eczema *s. m.* MED. doença cutânea que se manifesta através de inflamação superficial, formação de escamas e de pequenas bolhas e prurido

edema *s. m.* MED. infiltração de líquido nos tecidos do organismo, que produz inchaço

Éden *s. m.* RELIG. (Bíblia) região em que viveram Adão e Eva; Paraíso Terrestre

éden *s. m.* sítio muito agradável; paraíso

edição *s. f.* **1** impressão e publicação de uma obra; **2** reprodução e difusão de material como software, discos, gravuras, moedas, etc.; **3** conjunto de todos os exemplares de uma obra, impressos na mesma ocasião; **4** TV cada emissão de um programa; **5** CIN., TV selecção e montagem de materiais gravados e filmados com vista à constituição de um todo coerente; **6** (concurso, festival, exposição) repetição de um evento; ~ ***ampliada*** edição em que se acrescentou matéria nova em relação à anterior; ~ ***anotada*** edição que contém notas explicativas sobre o texto, geralmente situadas na margem ou no fim da página; ~ ***comemorativa*** edição produzida especificamente para comemorar uma data ou um acontecimento; ~ ***de bolso*** edição impressa em tamanho reduzido e geralmente de preço baixo; ~ ***electrónica*** edição de texto e/ou imagem em suporte digital (computador); ~ ***especial*** número de uma publicação periódica que foca determinado tema ou acontecimento, por vezes com objectivo comemorativo; ~ ***integral*** edição que não foi abreviada nem truncada; ~ ***limitada*** edição constituída por um reduzido número de exemplares de uma obra, geralmente numerados; ~ ***pirata*** edição produzida sem autorização do autor ou do detentor dos direitos de autor

edificação *s. f.* **1** construção de edifício; **2** edifício ou monumento de grandes dimensões; **3** aperfeiçoamento moral; **4** esclarecimento; **5** criação

edificante *adj. 2 gén.* **1** moralizador; **2** esclarecedor

edificar *v. tr.* **1** construir (edifício); **2** fundar; **3** instruir

edifício *s. m.* **1** construção de carácter permanente, com paredes e tecto e de dimensões médias ou grandes; **2** prédio de muitos andares; **3** *(fig.)* conjunto de ideias ou planos a que dedicou muito tempo ou esforço; ~ ***inteligente*** instalações dotadas de sistemas informáticos programados para responderem a estímulos do ambiente e automatizarem a gestão de energia e as formas de vigilância, de segurança e até de comunicação

edital *s. m.* ordem oficial, aviso ou citação que se afixa em lugares públicos ou se publica nos jornais

editar *v. tr.* **1** fazer a edição de; **2** publicar; **3** reproduzir e divulgar (software, discos, gravuras); **4** CIN., TV seleccionar e combinar (materiais gravados e filmados) com vista à obtenção de um produto final; **5** INFORM. escrever ou montar (texto) utilizando um programa de processamento

editor *s. m.* **1** o que edita; **2** o que publica a obra de um autor assumindo as despesas de composição, impressão e difusão; INFORM. ~ ***de texto*** programa de computador utilizado para redacção e edição de textos; ~ ***literário*** pessoa que reúne e coordena os textos de um ou vários autores, preparando-os para publicação

editora *s. f.* **1** empresa que se dedica à edição; **2** estabelecimento onde funciona essa empresa

editorial I *adj. 2 gén.* **1** relativo a editor ou a edição; **2** (artigo) que é da responsabilidade da direcção de uma publicação; **II** *s. m.* (jornalismo) artigo da responsabilidade da direcção de uma publicação que exprime a sua opinião em relação a determinada questão da actualidade; **III** *s. f.* empresa editora

edredão *s. m.* coberta acolchoada para a cama, cheia de penas, sumaúma, algodão ou lã

educação *s. f.* **1** processo que visa o desenvolvimento harmónico do homem nos seus aspectos intelectual, moral e físico e a sua inserção na sociedade; **2** processo de aquisição de conhecimentos e/ou aptidões; **3** instrução; **4** boas maneiras; ~ ***especial***

educação dirigida a alunos portadores de necessidades educativas especiais; **~ *física*** disciplina escolar que tem o objectivo de desenvolver e agilizar o corpo por meio de exercícios específicos; ***encarregado de ~*** pessoa responsável pelo aproveitamento escolar (assiduidade, notas, etc.) de um estudante

educacional *adj. 2 gén.* relativo a educação

educado *adj.* **1** que recebeu educação; instruído; **2** que tem boas maneiras; delicado

educador *adj. e s. m.* que ou aquele que educa; ***educador(a) de infância*** pessoa que se dedica ao ensino pré-escolar

educar I *v. tr.* **1** fornecer o necessário para a educação de; **2** fazer adquirir conhecimentos e/ou competências; **3** domesticar (animal); **II** *v. refl.* **1** instruir-se; **2** aperfeiçoar-se

educativo *adj.* **1** relativo a educação; **2** que educa; instrutivo

edulcorante *s. m.* substância natural ou sintética, usada para adoçar alimentos; adoçante

efectivação *s. f.* concretização; realização

efectivamente *adv.* com efeito; realmente

efectivar I *v. tr.* **1** tornar efectivo; **2** realizar; **3** nomear para cargo ou função com carácter permanente; **II** *v. refl.* ser integrado com carácter permanente em cargo ou função

efectivo I *adj.* **1** que produz efeito(s); **2** real; **3** permanente; **4** (profissional) que pertence a um quadro de nomeação definitiva; **II** *s. m.* **1** MIL. totalidade dos militares que estão ao serviço de uma unidade; **2** funcionário permanente de um serviço ou instituição

efectuar *v. tr.* levar a efeito; realizar

efeito *s. m.* **1** consequência; **2** realização; **3** objectivo; **4** sensação; **5** FÍS. fenómeno de particular importância produzido por uma causa bem determinada; CIN., TV ***efeitos especiais*** simulação de imagens ou sons através de recursos técnicos (ópticos, digitais ou mecânicos); FARM. ***efeitos secundários*** consequências indesejadas do uso de determinado medicamento ❖ ***com ~*** efectivamente; ***fazer bom ~*** causar boa impressão; ***para todos os efeitos*** de qualquer maneira

efemeridade *s. f.* qualidade do que é efémero; transitoriedade

efeméride *s. f.* **1** registo dos acontecimentos memoráveis que ocorreram em determinado dia em diferentes épocas e lugares; **2** relação dos factos de cada dia; **3** diário ou agenda

efémero *adj.* de curta duração; passageiro

efeminado *adj.* *(depr.)* (homem) que tem comportamento ou aparência tradicionalmente associados ao sexo feminino

efervescência *s. f.* **1** desenvolvimento de um gás em bolhas, no seio de um líquido; **2** *(fig.)* agitação

efervescente *adj. 2 gén.* **1** que pode entrar em efervescência; **2** *(fig.)* agitado

efervescer *v. intr.* **1** desenvolver bolhas de gás; **2** *(fig.)* agitar-se

eficácia *s. f.* **1** qualidade do que é eficaz; **2** capacidade de cumprir os objectivos; eficiência; **3** poder para produzir determinados efeitos; **4** poder de persuasão

eficaz *adj. 2 gén.* **1** que cumpre os objectivos; eficiente; **2** que produz determinados efeitos; **3** convincente; persuasivo

eficiência *s. f.* **1** poder de produzir o efeito pretendido; eficácia; **2** poder de realizar (algo) convenientemente, dispendendo de um mínimo de esforço, tempo e outros recursos; competência

eficiente *adj. 2 gén.* **1** que cumpre os objectivos; eficaz; **2** que efectua bem e com rapidez as tarefas de que é encarregado; competente

efígie *s. f.* **1** representação ou imagem de alguém; **2** figura de pessoa importante representada em moeda ou medalha; **3** retrato

efusão *s. f.* **1** saída de um líquido ou gás; escoamento; **2** *(fig.)* expressão calorosa de sentimentos

efusivo *adj.* **1** expansivo; **2** entusiasmado

e. g. (latim) [*abrev. de* **exempli gratia**] por exemplo

egípcio I *s. m.* {*f.* egípcia} pessoa natural do Egipto; **II** *adj.* relativo ao Egipto

ego *s. m.* **1** o ser enquanto entidade consciente; **2** auto-estima; juízo que o indivíduo faz de si mesmo; **3** PSIC. personalidade de uma pessoa

egocêntrico *adj.* que se preocupa exclusivamente com a sua própria pessoa e os seus próprios interesses

egocentrismo *s. m.* **1** tendência para se centrar em si mesmo; **2** preocupação exclusiva consigo e com os seus próprios interesses

egoísmo *s. m.* qualidade de egoísta; amor exclusivo a si próprio ou aos seus interesses

egoísta *adj. e s. 2 gén.* que ou pessoa que se centra exclusivamente em si próprio ou nos seus interesses; egocêntrico

égua *s. f.* ZOOL. fêmea do cavalo

eia *interj.* **1** exprime surpresa; **2** usada para animar ou estimular

einstéinio *s. m.* QUÍM. elemento radioactivo artificial, com o número atómico 99 e símbolo Es

eira *s. f.* **1** terreno liso e duro ou lajeado, onde se secam os cereais e os legumes; **2** terreiro onde se junta o sal das marinhas; **3** lugar onde se seca a cana-de-açúcar ❖ ***não ter ~ nem beira*** ser muito pobre

eis *adv.* aqui está; veja(m); ~ ***senão quando*** de repente

eito *s. m.* seguimento ou série de coisas que estão na mesma linha ou direcção ❖ ***a ~*** sem interrupção

eixo *s. m.* **1** recta, real ou imaginária, que passa pelo centro de um corpo e à volta da qual da qual o corpo faz o seu movimento de rotação; **2** linha que divide simetricamente um corpo; **3** MEC. barra geralmente metálica, em cujas extremidades estão fixadas as rodas de um veículo ou de uma máquina; **4** BOT. órgão central dos vegetais, em torno do qual se desenvolvem os órgãos apendiculares; **5** *(fig.)* ponto principal; **6** *(fig.)* apoio ❖ ***entrar nos eixos*** passar a agir de acordo com as regras; ***pôr nos eixos*** pôr em ordem; ***sair dos eixos*** iniciar uma vida desregrada

ejaculação *s. f.* **1** acto ou efeito de ejacular; **2** expulsão de qualquer líquido com força; jacto; **3** FISIOL. emissão do esperma no momento do orgasmo; **4** *(fig.)* abundância de palavras

ejacular I *v. tr.* **1** lançar (líquido); **2** derramar em abundância; **3** proferir subitamente; **II** *v. intr.* FISIOL. lançar o esperma no momento do orgasmo

ejecção *s. f.* **1** evacuação de matérias fecais; **2** expulsão do invólucro, nas armas de retrocarga, depois de disparado o tiro; **3** acto de se projectar para fora de um avião em situação de emergência, utilizando um assento próprio

ejectar I *v. tr.* **1** lançar com força; projectar; **2** expelir; expulsar; **II** *v. refl.* projectar-se para fora de um avião em situação de emergência, utilizando um assento próprio

ela *pron. pess.* designa a terceira pessoa do singular e indica a pessoa de que se fala ou escreve ⟨*ela falou; estive com ela*⟩ ❖ (*coloq.*) ***agora é que são elas!*** agora é que começam os problemas; ***~ por ~*** mais ou menos igual

elaboração *s. f.* **1** preparação ou produção cuidada; **2** FISIOL. actividade ou resultado do trabalho executado por alguns órgãos num organismo

elaborar I *v. tr.* **1** preparar gradualmente e com cuidado; **2** compor; organizar; **3** tornar assimilável (alimentos); **II** *v. refl.* formar-se; produzir-se

élan *s. m.* **1** impulso; ímpeto; **2** entusiasmo; **3** inspiração

elasticidade *s. f.* **1** propriedade que os corpos têm de retomar a sua forma e dimensões depois de submetidos a forças que os deformam; **2** capacidade de se adaptar a novas circunstâncias ou situações; flexibilidade

elástico I *s. m.* cordão, fita ou tecido de material capaz de retomar a forma anterior depois de ser esticado; **II** *adj.* **1** extensível; **2** (*fig.*) flexível

ele *pron. pess.* designa a terceira pessoa do singular e indica a pessoa de que se fala ou escreve ⟨*ele chegou; saí com ele*⟩

electrão *s. m.* FÍS. partícula fundamental carregada de electricidade negativa (carga elementar) que entra na constituição dos átomos e é responsável pelas forças de ligação entre átomos nas moléculas

electricidade *s. f.* **1** FÍS. conjunto dos fenómenos físicos em que estão envolvidas cargas eléctricas, em repouso ou em movimento; **2** FÍS. disciplina que estuda esses fenómenos; **3** forma de energia caracterizada pela facilidade de transformação em outras formas, como calor, luz, movimento, etc.

electricista *s. 2 gén.* pessoa que se dedica à montagem e reparação de instalações eléctricas

eléctrico I *adj.* **1** relativo a electricidade; **2** que produz electricidade; **3** que conduz ou utiliza electricidade; **4** (*fig.*) agitado; **5** (*fig.*) muito rápido; **II** *s. m.* veículo de transporte urbano de passageiros movido a electricidade, sobre carris de ferro; ***carga eléctrica*** região do espaço na qual se exerce força perceptível, diferente da força gravitacional, sobre uma carga eléctrica; ***corrente eléctrica*** movimento ordenado de cargas eléctricas, quantidade de electricidade que atravessa, por segundo, uma secção de um condutor; ***gerador ~*** máquina que converte energia mecânica em energia eléctrica ❖ ***estar ~*** estar muito agitado

electrificar *v. tr.* adaptar ou aplicar a electricidade a (motor, casa, lugar)

electrizante *adj. 2 gén.* **1** que electriza; **2** (*fig.*) excitante; entusiasmante

electrizar I *s. f.* **1** dotar de propriedades eléctricas; **2** carregar de electricidade; **3** (*fig.*) entusiasmar; **II** *v. refl.* **1** carregar-se de electricidade; **2** (*fig.*) entusiasmar-se

electrocardiograma *s. m.* MED. representação gráfica do funcionamento do coração

electrocussão *s. f.* morte por meio da electricidade

electrocutado *adj.* morto por choque eléctrico
electrocutar *v. tr.* matar através de choque eléctrico
eléctrodo *s. m.* condutor metálico através do qual se fornece ou retira corrente eléctrica de um sistema
electrodoméstico *s. m.* máquina ou aparelho eléctrico de uso caseiro, para lazer ou maior comodidade nas tarefas domésticas
electroencefalografia *s. f.* MED. processo que permite o registo das ondas cerebrais, por meio de eléctrodos aplicados à superfície do crânio
electroencefalograma *s. m.* MED. registo gráfico que se obtém através da electroencefalografia
electrólise *s. f.* QUÍM. decomposição de um composto químico por acção da corrente eléctrica
electrólito *s. m.* **1** QUÍM. substância que, por dissolução, aumenta a condutibilidade eléctrica do solvente; **2** QUÍM. solução que contém essa substância
electrónica *s. f.* **1** FÍS. disciplina que estuda os electrões e o seu comportamento sob a acção de campos eléctricos ou magnéticos; **2** ciência que trata das aplicações das válvulas electrónicas à engenharia (rádio, radar, etc.)
electrónico *adj.* **1** relativo a electrónica; **2** relativo aos electrões
electrotecnia *s. f.* disciplina que se ocupa das aplicações práticas da electricidade
electrotécnico *adj.* relativo a electrotecnia
elefante *s. m.* ZOOL. o mais corpulento mamífero terrestre da actualidade, herbívoro, com tromba móvel, grandes orelhas achatadas e dois grandes incisivos
elefante branco *s. m.* objecto, propriedade ou negócio cuja conservação é muito dispendiosa, sendo o seu rendimento de pequena ou nenhuma utilidade
elegância *s. f.* **1** harmonia de formas e de proporções; **2** graciosidade de movimentos; **3** bom gosto no vestir e no falar; requinte; **4** delicadeza
elegante *adj. 2 gén.* **1** harmonioso; proporcionado; **2** gracioso nos movimentos; **3** requintado
eleger *v. tr.* **1** ecolher por eleição ou votação; **2** decidir-se por; **3** adoptar
elegia *s. f.* **1** LIT. poema de assunto triste ou doloroso; **2** LIT. poema com versos hexâmetros e pentâmetros alternados
elegíaco *adj.* próprio de elegia
eleição *s. f.* **1** escolha ou nomeação por votos; **2** preferência; escolha; **~ *directa*** aquela em que o eleitor vota directamente no seu candidato; **~ *indirecta*** aquela em que o o candidato é indirectamente eleito por um colégio eleitoral ❖ ***de* ~** preferido
eleito *adj.* **1** escolhido por votação; **2** preferido
eleitor *s. m.* pessoa que elege ou tem direito de eleger
eleitorado *s. m.* conjunto de pessoas que têm o direito de eleger
eleitoral *adj. 2 gén.* relativo a eleições
elementar *adj. 2 gén.* **1** básico; **2** fundamental
elemento *s. m.* **1** (ciência antiga) cada um dos componentes do Universo (água, ar, terra e fogo); **2** parte que entra na constituição de um todo; **3** pessoa enquanto parte de um grupo ou de um conjunto social; **4** meio ambiente ou grupo social; **5** QUÍM. substância simples de número atómico bem determinado; **6** LING. parte de um todo linguístico (sílaba, palavra,

sujeito, frase) que se pode apreciar em separado através de uma análise

elencar *v. tr.* listar; catalogar

elenco *s. m.* **1** catálogo; índice; **2** conjunto dos artistas que participam numa peça, num filme ou noutro espectáculo

elevação *s. f.* **1** acto de elevar ou de levantar; ascensão; **2** altura a que algo é levantado; **3** lugar cuja altura se destaca em relação ao plano em que se situa; **4** (preço, temperatura) aumento; subida; **5** RELIG. parte da missa em que o sacerdote levanta a hóstia e o cálice, após a consagração; **6** *(fig.)* grandeza; nobreza

elevado *adj.* **1** que tem elevação; **2** (preço, salário) alto; **3** superior

elevador *s. m.* aparelho mecânico que transporta pessoas ou cargas para um andar superior ou inferior; ascensor

elevar I *v. tr.* **1** pôr mais alto; **2** fazer subir; levantar; **3** aumentar; subir (preço, tom de voz); **4** construir; **II** *v. refl.* pôr-se mais alto

eliminação *s. f.* **1** corte; supressão; **2** exclusão

eliminar *v. tr.* **1** retirar; suprimir; **2** expelir (do organismo); **3** afastar (alguém); **4** provocar a morte de; **5** vencer

eliminatória *s. f.* DESP. prova que, num concurso, tem por fim eliminar os concorrentes menos habilitados, apurando os melhores

eliminatório *adj.* **1** que elimina; **2** que selecciona

elipse *s. f.* **1** GEOM. curva de intersecção de uma superfície cónica ou cilíndrica de revolução por um plano que corta todas as geratrizes; **2** GRAM. omissão de uma ou mais palavras que facilmente se subentendem

elíptico *adj.* **1** relativo a elipse; **2** em que há elipse; **3** em forma de elipse

elisão *s. f.* **1** eliminação; **2** GRAM. supressão de um ou mais fonemas num vocábulo

elite *s. f.* minoria privilegiada de um grupo que se destaca pelo prestígio que detém ou pelo poder que exerce

elitismo *s. m.* sistema político ou social que favorece uma minoria privilegiada

elitista I *adj. 2 gén.* **1** relativo a elitismo; **2** que favorece o elitismo; **II** *s. 2 gén.* pessoa que defende o elitismo

elixir *s. m.* **1** FARM. preparado farmacêutico composto de várias substâncias dissolvidas em álcool; **2** *(fig.)* remédio infalível

elmo *s. m.* espécie de capacete com viseira e crista usado até ao séc. XVI

elo *s. m.* **1** cada um dos anéis de uma cadeia ou corrente; **2** *(fig.)* relação

elocução *s. f.* forma de exprimir o pensamento através das palavras ou da escrita

elogiar *v. tr.* manifestar opinião favorável a; gabar

elogio *s. m.* **1** expressão de opinião favorável ou admiração por algo ou alguém; **2** discurso em louvor de alguém; panegírico

eloquência *s. f.* **1** capacidade de falar correctamente e de se exprimir com facilidade; **2** faculdade de convencer por meio da palavra

eloquente *adj. 2 gén.* **1** que se exprime correctamente e com facilidade; **2** convincente; persuasivo

elucidar *v. tr.* tornar claro; explicar

elucidativo *adj.* esclarecedor; explicativo

em *prep.* introduz expressões que designam: lugar ⟨*em casa*⟩; tempo ⟨*em segundos*⟩; modo ou meio ⟨*em poucas palavras*⟩; estado ⟨*em desespero*⟩; proporção ⟨*um em cada*⟩

emagrecer I *v. tr.* tornar (mais) magro; II *v. intr.* perder peso
emagrecimento *s. m.* perda de peso
e-mail *s. m.* {*pl.* e-mails} 1 sistema de troca de mensagens através da Internet ou de ligação em rede; correio electrónico; 2 caixa de correio electrónico
emanar *v. intr.* 1 provir; sair (de); 2 brotar; nascer
emancipação *s. f.* acto ou efeito de se emancipar; libertação
emancipado *adj.* que se emancipou; livre
emancipar I *v. tr.* 1 libertar de uma autoridade, de uma sujeição ou de preconceito(s); 2 tornar independente; II *v. refl.* 1 receber a emancipação; 2 tornar-se livre ou independente
emaranhado I *adj.* 1 enredado; 2 complicado; confuso; II *s. m.* complicação; confusão
emaranhar *v. tr. e refl.* 1 prender(-se) desordenadamente; enredar(-se); 2 complicar(-se)
embaciado *adj.* 1 sem brilho ou transparência; baço; 2 (superfície) coberto de vapor de água
embaciar I *v. tr.* 1 tirar o brilho ou a transparência a; 2 cobrir de vapor de água; II *v. intr.* 1 tornar-se baço; 2 cobrir-se de vapor de água
embaixada *s. f.* 1 cargo de embaixador; 2 missão junto de um governo estrangeiro; 3 local de trabalho ou residência do embaixador; 4 (*fig.*) missão; 5 (*fig.*) recado
embaixador *s. m.* 1 chefe do corpo diplomático de um Estado junto de outro; 2 mensageiro
embaixatriz *s. f.* esposa do embaixador
embalado *adj.* 1 (criança) balançado no colo ou no berço; 2 (objecto) empacotado; 3 (*coloq.*) com velocidade
embalagem *s. f.* 1 acto ou efeito de embalar ou acondicionar; 2 invólucro usado para proteger, transportar e/ou apresentar mercadorias; 3 (*fig., coloq.*) aparência
embalar I *v. tr.* 1 balançar (criança) no colo ou no berço; 2 acondicionar em pacote; empacotar; 3 (*coloq.*) dar impulso ou velocidade; 4 (*fig.*) entreter; II *v. intr.* ganhar velocidade
embalo *s. m.* 1 movimento oscilatório; balanço; 2 agitação da água que faz baloiçar o navio ou o barco; 3 (*fig.*) motivação; capacidade de acção
embalsamado *adj.* (cadáver) tratado com substâncias de modo a resistir à decomposição
embalsamar *v. tr.* tratar (cadáver) com substâncias de modo a resistir à decomposição
embaraçado *adj.* 1 misturado desordenadamente; emaranhado; 2 confuso; 3 complicado
embaraçar I *v. tr.* 1 fazer sentir pouco à vontade; 2 misturar desordenadamente; 3 complicar; II *v. refl.* 1 envergonhar-se; 2 enredar-se
embaraço *s. m.* 1 peturbação; 2 constrangimento; 3 impedimento
embaraçoso *adj.* 1 que causa embaraço; 2 que impede ou dificulta
embarcação *s. f.* qualquer construção destinada a viajar sobre a água; barco
embarcar I *v. tr.* meter a bordo de embarcação, comboio, avião, etc.; II *v. intr.* entrar a bordo de barco, comboio, avião, etc., para viajar
embargar *v. tr.* 1 impedir o uso de (algo) por decisão judicial; suspender; 2 pôr obstáculos a; dificultar
embargo *s. m.* 1 suspensão de sentença ou despacho; 2 impedimento judicial; 3 obstáculo

embarque *s. m.* **1** entrada de pessoas em embarcação, comboio, avião, etc. para viajar; **2** carregamento de mercadorias em embarcação, comboio, avião, etc.; **3** lugar onde se embarca

embarrar *v. intr.* bater contra

embarrilado *adj.* **1** metido em barril; **2** (trânsito) congestionado

embasbacado *adj.* apanhado de surpresa; pasmado

embasbacar I *v. tr.* causar pasmo a; **II** *v. intr. e refl.* ficar pasmado ou estupefacto

embate *s. m.* **1** choque violento; colisão; **2** *(fig.)* conflito; oposição

embater *v. intr.* chocar com violência; colidir

embebedar *v. tr. e refl.* tornar ou ficar bêbedo; embriagar(-se)

embeber I *v. tr.* **1** fazer penetrar um líquido através de; absorver; **2** saturar de um líquido; encharcar; **II** *v. refl.* **1** ensopar-se; encharcar-se; **2** *(fig.)* infiltrar-se; **3** *(fig.)* dedicar-se totalmente a

embelezar *v. tr.* **1** tornar (mais) belo; **2** enfeitar; adornar

embevecido *adj.* encantado; deliciado

embirrar *v. intr.* **1** teimar com vigor; **2** ter aversão a; **3** insistir numa ideia

emblema *s. m.* **1** figura simbólica; **2** insígnia; divisa; **3** atributo

emblemático *adj.* **1** relativo a emblema; **2** representativo; simbólico

embocadura *s. f.* **1** extremidade de um instrumento de sopro que se adapta à boca; bocal; **2** parte do freio que se coloca na boca do animal; **3** foz de um rio

embolia *s. f.* MED. perturbação na circulação sanguínea provocada pela presença de um corpo estranho (coágulo, células, etc.) num vaso

êmbolo *s. m.* **1** MEC. disco ou cilindro com movimento de vaivém em cavidade cilíndrica de certos maquinismos, seringas, etc.; **2** MED. corpo estranho que, no interior de um vaso sanguíneo, provoca embolia

embora *conj.* ainda que; não obstante; se bem que

emboscada *s. f.* **1** espera de uma pessoa, às escondidas, para a agredir; **2** cilada; traição

embraiagem *s. f.* dispositivo que permite ligar ou desligar o motor em relação à caixa das velocidades

embraiar *v. intr.* **1** encaixar a engrenagem de um mecanismo noutra engrenagem; **2** (automóvel) utilizar a embraiagem para ligar o motor à caixa das velocidades

embrenhado *adj.* **1** escondido no mato; **2** *(fig.)* concentrado

embrenhar-se *v. refl.* **1** esconder-se no mato; **2** *(fig.)* concentrar-se

embriagado *adj.* **1** que consumiu álcool em excesso; **2** *(fig.)* extasiado

embriagar I *v. tr.* **1** causar embriaguez a; embebedar; **2** *(fig.)* extasiar; atordoar; **II** *v. refl.* **1** embebedar-se; **2** *(fig.)* extasiar-se

embriaguez *s. f.* **1** estado de excitação e de descoordenação dos movimentos provocado pelo consumo excessivo de álcool; bebedeira; **2** *(fig.)* entusiasmo; êxtase

embrião *s. m.* **1** BIOL. qualquer ser vivo no estado primitivo de desenvolvimento, até atingir forma definitiva, nascer ou eclodir de um ovo; **2** BOT. rudimento de uma planta, contido na semente; **3** *(fig.)* forma inicial; **4** *(fig.)* princípio

embrionário *adj.* **1** que está em embrião; **2** *(fig.)* que começa a desenvolver-se

embrulhada *s. f.* **1** confusão; **2** aldrabice

embrulhado *adj.* **1** envolvido em invólucro; **2** complicado

embrulhar **I** *v. tr.* **1** envolver em material protector e/ou decorativo, formando pacote ou volume transportável; empacotar; **2** *(fig.)* iludir; enganar; **II** *v. intr.* envolver-se

embrulho *s. m.* **1** objecto envolvido em material protector e/ou decorativo; **2** pacote; volume

embrutecer *v. tr. e refl.* **1** tornar(-se) bruto; **2** tornar(-se) insensível

embuste *s. m.* mentira artificiosa; ardil; logro

embusteiro *s. m.* impostor

embutido **I** *adj.* **1** encaixado como parte integrante; **2** metido à força; **II** *s. m.* peça incrustada ou encaixada noutra de natureza diferente

embutir *v. tr.* **1** inserir ou encaixar (peça) em; **2** meter à força

emenda *s. f.* **1** correcção de erro, falta ou defeito; **2** peça que se liga a outra para aumentar o tamanho; **3** ponto em que se ligam duas peças; remendo ❖ ***é pior a ~ que o soneto*** a solução é pior que o problema; ***não ter ~*** não ser capaz de se corrigir; ***servir de ~*** servir como lição

emendar **I** *v. tr.* **1** mudar para melhor; corrigir; **2** unir duas peças para obter um todo; **II** *v. refl.* **1** aperfeiçoar-se; **2** regenerar-se

ementa *s. f.* **1** apontamento; **2** resumo; **3** (restaurante) lista de pratos disponíveis para escolha de refeição

emergência *s. f.* **1** aparecimento; **2** acontecimento inesperado que requer (re)acção imediata ou urgente; **3** situação de gravidade excepcional que obriga a tomar providências apropriadas

emergir *v. intr.* **1** sair de onde estava mergulhado; **2** manifestar-se; **3** acontecer; **4** resultar

emérito *adj.* **1** (professor) aposentado; jubilado; **2** distinto

emersão *s. f.* **1** acto de aparecer ou trazer à superfície de um líquido; **2** ASTRON. aparecimento de um astro

emerso *adj.* que emergiu; aparecido

emigração *s. f.* **1** saída voluntária do país onde se nasceu para se estabelecer noutro país; **2** saída anual e regular das aves emigradoras, de uma região para outra

emigrante *s. 2 gén.* pessoa que deixa o seu país e se estabelece noutro

emigrar *v. intr.* **1** deixar um país para se estabelecer em outro; **2** ir periodicamente de uma região para outra

eminência *s. f.* **1** ponto elevado; **2** altura; **3** *(fig.)* excelência

eminente *adj. 2 gén.* **1** alto; elevado; **2** excelente

emissão *s. f.* **1** acto de emitir ou projectar de si; **2** produção de sons; **3** ECON. acção de pôr em circulação novas moedas, títulos ou papel de crédito, ou o quantitativo dessas moedas ou papel; **4** FÍS. produção num dado ponto e radiação no espaço de ondas electromagnéticas, calor, vibrações mecânicas, partículas elementares, etc.; **5** TV aquilo que é transmitido; programação

emissário *s. m.* mensageiro

emissor **I** *adj.* **1** que emite ou envia; **2** ECON. (banco) que emite moeda em papel ou fiduciária; **3** (rádio) que emite ondas hertzianas; **II** *s. m.* **1** LING. agente que produz uma mensagem; **2** ELECTR. conjunto de dispositivos capazes de transmitir mensagens, sons e/ou imagens

emissora *s. f.* **1** posto que emite ondas hertzianas para telecomunicações;

2 estação que transmite programas radiofónicos ou televisivos
emitir *v. tr.* **1** lançar de si; soltar; **2** produzir (sons); **3** pôr em circulação (moeda); **4** manifestar (opinião)
emoção *s. f.* **1** reacção psíquica e física (agradável ou desagradável) em face de determinada circunstância ou objecto; **2** alteração de ordem ou estabilidade; **3** agitação; alvoroço
emocional *adj. 2 gén.* **1** relativo a emoção; **2** que emociona; **3** (indivíduo) sensível às emoções
emocionante *adj. 2 gén.* **1** que causa emoção; **2** capaz de suscitar sensações fortes de entusiasmo, medo ou tensão
emocionar *v. tr. e refl.* causar ou sentir emoção; comover(-se)
emoldurar *v. tr.* meter em moldura; encaixilhar
emolumento *s. m.* **1** retribuição; gratificação; **2** lucro
emotividade *s. f.* característica de quem reage intensamente a determinadas situações ou circunstâncias
emotivo *adj.* **1** que provoca emoção; **2** sensível a emoções
empacotado *adj.* acondicionado em pacote ou embalagem
empacotar *v. tr.* reunir ou acondicionar em pacote
empada *s. f.* CUL. pequeno pastel de massa folhada, com recheio de carne, peixe, marisco, etc.
empadão *s. m.* CUL. prato de puré de batata ou de arroz com recheio cremoso (de carne, peixe ou legumes), dourado no forno
empalhar *v. tr.* **1** forrar, encher ou revestir de palha; **2** embalsamar (animais)
empalidecer *v. intr.* ficar pálido
empanar *v. intr.* (veículo automóvel) ter uma avaria
empancar **I** *v. tr.* **1** segurar com alavanca de madeira; **2** suster; vedar; **II** *v. intr.* **1** *(coloq.)* não poder andar para diante; **2** *(coloq.)* estar bloqueado
empanturrar *v. tr. e refl.* encher(-se) de comida; enfartar(-se)
emparelhado *adj.* **1** colocado a par; **2** colocado ao mesmo nível; **3** junto; associado; ***rima emparelhada*** aquela que rima aos pares
empastado *adj.* **1** (cabelo) oleoso; **2** (voz) sem clareza; **3** (quadro) coberto com as primeiras tintas
empastar **I** *v. tr.* **1** ligar com pasta; **2** dar as primeiras tintas a (quadro), para esbater depois; **3** tornar (voz, fala) difícil de entender; **II** *v. refl.* **1** formar pasta; **2** (voz, fala) tornar-se difícil de entender
empatado *adj.* **1** (competição, jogo) com igual número de pontos; **2** (eleição) com igual número de votos; **3** retardado
empatar **I** *v. tr.* **1** causar empate a; **2** retardar; **II** *v. intr.* **1** (jogo, votação) obter o mesmo resultado numérico; **2** não conseguir avançar
empate *s. m.* **1** igualdade de votos ou de pontos; **2** indecisão; **3** retardamento
empatia *s. f.* compreensão mútua
empecilho *s. m.* obstáculo; impedimento
empedrado **I** *s. m.* **1** porção de estrada ou rua pavimentada com pedra britada; **2** calçada; **II** *adj.* revestido de pedras
empedrar *v. tr.* calçar com pedras; calcetar
empenar **I** *v. tr.* **1** deformar (madeira) com o calor ou humidade; **2** tornar difícil de mover; emperrar; **II** *v. intr.* (madeira) deformar-se com o calor ou humidade

empenhado *adj.* **1** dado em penhor; **2** endividado; **3** dedicado
empenhamento *s. m.* dedicação; esforço
empenhar I *v. tr.* **1** dar em penhor; **2** fazer contrair dívidas; **3** comprometer; obrigar; **II** *v. refl.* **1** endividar-se; **2** dedicar-se
empenho *s. m.* **1** acto de dar ou de receber em penhor; **2** dedicação; esforço; **3** interesse
emperrar I *v. tr.* **1** tornar perro ou difícil de mover; **2** dificultar; **II** *v. intr.* **1** ficar perro; **2** *(fig.)* teimar
empertigar *v. tr. e refl.* **1** pôr(-se) direito e teso; **2** *(fig.)* envaidecer(-se)
empestar *v. tr.* **1** contaminar com peste; **2** passar mau cheiro a; **3** *(fig.)* corromper
empilhar *v. tr.* dispor em pilhas; amontoar
empinado *adj.* **1** em posição vertical; erguido; **2** com grande declive; **3** *(acad.)* decorado
empinar I *v. tr.* **1** pôr em posição vertical; erguer; **2** *(acad.)* aprender de cor; **II** *v. refl.* **1** pôr-se em posição vertical; erguer-se; **2** (cavalo) erguer--se sobre as patas traseiras
empírico *adj.* **1** relativo ao empirismo; **2** baseado na experiência vulgar ou imediata
empirismo *s. m.* **1** conjunto de conhecimentos colhidos através da observação e da prática; **2** FIL. doutrina, segundo a qual todo o conhecimento humano deriva, directa ou indirectamente, da experiência; **3** *(pej.)* charlatanice
emplastro *s. m.* **1** FARM. medicamento sólido que adere à parte externa do corpo, por efeito do calor; **2** *(fig.)* pessoa doentia, importuna ou parasita
empobrecer I *v. tr.* **1** tornar pobre; **2** diminuir a qualidade de; enfraquecer; **II** *v. intr.* **1** cair na pobreza; **2** perder qualidade; enfraquecer
empobrecimento *s. m.* **1** acto ou efeito de cair na pobreza; **2** perda de qualidade
empolado *adj.* **1** coberto de bolhas que contêm líquido; **2** inchado; **3** *(fig.)* pomposo
empolar I *v. tr.* **1** cobrir de bolhas que contêm líquido; **2** inchar; **3** *(fig.)* exagerar; **II** *v. intr. e refl.* **1** cobrir-se de bolhas; **2** inchar; **3** *(fig.)* tornar-se pomposo e afectado
empoleirado *adj.* **1** colocado no poleiro; **2** *(fig.)* em posição de destaque ou de autoridade
empoleirar I *v. tr.* **1** pôr no poleiro; **2** *(fig.)* elevar a uma posição de destaque ou autoridade; **II** *v. refl.* **1** subir ao poleiro; **2** *(fig.)* ascender a posição elevada
empolgado *adj.* entusiasmado; arrebatado
empolgante *adj. 2 gén.* que provoca entusiasmo ou prende a atenção
empolgar I *v. tr.* **1** apoderar-se violentamente de; **2** *(fig.)* entusiasmar; **II** *v. refl.* *(fig.)* entusiasmar-se
empório *s. m.* **1** praça, porto, cidade ou país de grande importância comercial; **2** grande centro artístico ou comercial; **3** grande armazém
empreendedor I *adj.* **1** que tem iniciativa e vontade para iniciar novos projectos; **2** activo; dinâmico; **II** *s. m.* indivíduo cheio de iniciativa e vontade para iniciar projectos novos, mesmo quando são arriscados
empreender I *v. tr.* **1** propor-se dar início a (algo trabalhoso e difícil); **2** levar a cabo; realizar; **II** *v. intr.* cismar

empreendimento *s. m.* **1** realização de algo difícil e trabalhoso; **2** projecto de execução exigente; obra importante; **3** organização formada para explorar um negócio

empregado I *s. m.* aquele que exerce determinado emprego ou função; **II** *adj.* **1** utilizado; **2** ocupado

empregar I *v. tr.* **1** admitir como empregar; **2** fazer uso de; utilizar; **3** gastar; **II** *v. refl.* ser admitido em emprego

emprego *s. m.* **1** utilização práctica; aplicação; **2** ocupação remunerada; cargo; função; **3** lugar onde se exerce essa ocupação

empregue *adj. 2 gén.* ⟨*p. p. de* **empregar**⟩ aplicado, utilizado

empreitada *s. f.* **1** obra realizada por conta de outrem, mediante pagamento ajustado previamente; **2** trabalho remunerado por pagamento global e não diário; **3** (*fig., coloq.*) tarefa difícil e demorada

empreiteiro *s. m.* **1** aquele que se encarrega da realização de uma obra, segundo as condições previamente acordadas; **2** responsável por uma empresa de construções

empresa *s. f.* **1** tarefa ou empreendimento de execução difícil e/ou laboriosa; **2** organização económica que fornece bens ou serviços, com objectivos de lucro; **3** firma

empresariado *s. m.* conjunto dos empresários

empresarial *adj. 2 gén.* relativo a empresa ou a empresário

empresário *s. m.* **1** dono ou gerente de uma empresa; **2** responsável pela organização e rendibilização da actividade artística de pessoa(s) ou estabelecimento(s)

emprestado *adj.* confiado a outra pessoa, na condição de ser devolvido

emprestar *v. tr.* confiar (algo) a outra pessoa, na condição de ser devolvido

empréstimo *s. m.* **1** cedência gratuita de uma coisa a alguém, com a condição de este a devolver; **2** contrato pelo qual, sob condições definidas, uma pessoa entrega temporariamente a outra dinheiro ou artigos de valor, que serão restituídos com ou sem juros; **3** coisa emprestada; **4** LING. vocábulo proveniente de uma língua, que é incorporado noutra

emproado *adj.* **1** NÁUT. com a proa voltada para determinada direcção; **2** (*fig.*) pretensioso

emproar I *v. tr.* NÁUT. voltar a proa para; **II** *v. refl.* (*fig.*) envaidecer-se

empunhar *v. tr.* **1** segurar pelo cabo; **2** pegar em

empurrão *s. m.* **1** impulso forte que faz mover algo ou alguém para a frente; encontrão; **2** (*fig.*) incentivo

empurrar *v. tr.* **1** dar um ou mais empurrões a; **2** impulsionar com força; **3** (*pop.*) impingir

emudecer *v. tr. e intr.* **1** tornar(-se) mudo; **2** calar(-se); silenciar(-se)

emulsão *s. f.* **1** FARM. preparado de aspecto leitoso que contém substâncias gordurosas; **2** QUÍM. dispersão de um líquido noutro

EN [*abrev. de* **e**strada **n**acional]

ena *interj.* exprime alegria, surpresa ou admiração

enaltecer *v. tr.* exaltar; elogiar

enamorado *adj.* **1** apaixonado; **2** encantado

enamorar *v. tr. e refl.* **1** apaixonar(-se); **2** encantar(-se)

encabeçar *v. tr.* **1** estar à cabeça ou à frente de; principiar; **2** ser o chefe de; liderar

encabulado *adj.* (*Bras.*) acanhado; envergonhado

encabular *v. tr., intr. e refl. (Bras.)* acanhar(-se); envergonhar(-se)

encadeado *adj.* **1** que se sucede em cadeia; **2** relacionado; ***rima encadeada*** aquela em que o final de um verso rima com uma palavra que está no meio do verso seguinte

encadeamento *s. m.* **1** ordenação lógica e sequencial de coisas relacionadas; conexão; **2** LIT. processo poético através do qual se coloca no verso seguinte uma ou mais palavras que completam o sentido do verso anterior

encadear I *v. tr.* **1** prender ou ligar com cadeia; **2** ordenar (coisas relacionadas) de forma lógica e sequencial; **II** *v. refl.* **1** ligar-se; **2** seguir-se

encadernação *s. f.* **1** acto ou efeito de encadernar ou coser as folhas de um livro sobrepondo-lhes uma capa; **2** capa de livro encadernado; **3** secção ou oficina onde se fazem encadernações

encadernar *v. tr.* reunir em caderno ou livro, cosendo ou colando a uma capa, geralmente resistente

encafuar I *v. tr.* **1** meter em caverna ou esconderijo; **2** esconder; **II** *v. refl.* esconder-se

encaixar I *v. tr.* **1** meter em caixa ou caixote; **2** ajustar (dois objectos), fazendo um entrar no encaixe de outro; **3** *(fig., coloq.)* meter na cabeça; **II** *v. intr.* **1** entrar no encaixe; **2** vir a propósito; **III** *v. refl.* **1** ajustar-se; **2** introduzir-se

encaixe *s. m.* **1** acto de inserir uma coisa noutra, ajustando-as; **2** cavidade destinada a receber peça saliente e com forma adequada para se ajustar a ela; **3** ECON. quantidade de dinheiro de que se pode dispor

encaixilhar *v. tr.* meter em caixilho; emoldurar

encaixotar *v. tr.* meter em caixote ou caixa

encalço *s. m.* rasto; pista; ***ir no ~ de*** seguir a pista de; seguir de perto

encalhado *adj.* **1** NÁUT. preso no fundo ou em algum obstáculo; **2** *(fig.)* não conseguir continuar; *(coloq.)* ***estar/ficar ~*** estar/ficar solteiro

encalhar I *v. tr.* NÁUT. fazer (embarcação) dar em seco ou prender em algum obstáculo; **II** *v. intr.* **1** NÁUT. (embarcação) dar em seco ou ficar preso em algum obstáculo; **2** *(fig.)* imobilizar-se; **3** *(coloq.)* não casar

encaminhado *adj.* **1** conduzido para algum lugar; orientado; **2** colocado em andamento; **3** *(fig.)* que recebeu bons conselhos

encaminhar I *v. tr.* **1** mostrar ou abrir caminho a; **2** fazer seguir os trâmites estabelecidos; **3** orientar; **4** *(fig.)* dar bons conselhos a; **II** *v. refl.* **1** dirigir-se; **2** *(fig.)* resolver-se

encanamento *s. m.* **1** conjunto ou disposição de canos ou canais que formam um sistema ou rede; **2** condução de fluidos por canais, canos ou tubos

encandeamento *s. m.* turvação da vista por excesso de luz ou de brilho

encandear I *v. tr.* **1** perturbar a visão de (por meio de luz intensa ou excessiva); **2** ofuscar (o peixe) com o candeio; **3** *(fig.)* deslumbrar; **II** *v. intr.* **1** ficar com a visão perturbada por excessiva exposição à luz; **2** *(fig.)* deslumbrar-se

encantado *adj.* **1** que foi objecto de encantamento ou feitiço; **2** fantástico; **3** maravilhado

encantador I *adj.* **1** que encanta ou maravilha; **2** que atrai ou seduz; **3** que causa prazer; **II** *s. m.* indivíduo capaz de fazer encantamentos; feiticeiro

encantamento *s. m.* **1** feitiço; bruxaria; **2** sedução; encanto
encantar I *v. tr.* **1** impressionar favoravelmente; maravilhar; **2** seduzir; atrair; **3** enfeitiçar; **II** *v. refl.* maravilhar-se
encanto *s. m.* **1** aquilo que agrada muito; **2** atracção; **3** feitiço
encapar *v. tr.* **1** cobrir com capa; **2** envolver; revestir; **3** *(fig.)* disfarçar
encapelado *adj.* **1** (mar) agitado; **2** *(acad.)* que tem capelo (insígnia de doutor)
encaracolado *adj.* com forma de caracol
encaracolar I *v. tr.* dar forma de caracol a; **II** *v. refl.* enrolar-se em espiral
encarar *v. tr.* **1** olhar de frente ou de cara; enfrentar; **2** considerar; examinar
encarcerar *v. tr.* **1** meter em cárcere ou cadeia; prender; **2** afastar do convívio social; isolar
encardido *adj.* sujo
encarecer I *v. tr.* **1** aumentar o preço de; **2** exagerar; **II** *v. intr.* subir de preço
encarecimento *s. m.* **1** subida de preço; **2** interesse; empenho; **3** exagero
encargo *s. m.* **1** obrigação; **2** função; **3** fardo; **4** despesa
encarnação *s. f.* **1** RELIG. mistério pelo qual Deus se fez homem; **2** *(fig.)* manifestação exterior e visível de um espírito; personificação
encarnado I *adj.* **1** que encarnou; **2** vermelho; **3** RELIG. que tomou forma humana; **II** *s. m.* cor vermelha
encarnar I *v. intr.* **1** tornar-se humano; **2** RELIG. (divindade) tomar forma humana; **3** (espírito) entrar num corpo; **II** *v. tr.* adquirir figura de; representar
encaroçar *v. intr.* **1** formar caroços; **2** tornar-se duro como caroço
encarquilhado *adj.* com pregas; enrugado
encarquilhar *v. intr.* formar pregas; enrugar
encarregado I *s. m.* **1** indivíduo responsável por determinada função ou serviço; **2** funcionário que dirige um serviço na ausência do patrão; **II** *adj.* que tem a seu cargo determinada tarefa ou função; **~ *de educação*** pessoa responsável pelo aproveitamento escolar (assiduidade, notas, etc.) de um estudante
encarregar I *v. tr.* atribuir tarefa ou encargo a; **II** *v. refl.* tomar a seu cargo
encarreirar I *v. tr.* **1** abrir caminho para; **2** ensinar o caminho a; **II** *v. intr.* enveredar por bom caminho
encarrilar *v. tr. e intr.* **1** pôr ou entrar nos carris; **2** *(fig.)* pôr(-se) no bom caminho
encartado *adj.* **1** que tem diploma do ofício ou da profissão que exerce; **2** que possui carta de condução
encasacado *adj.* **1** vestido de casaca; **2** bem agasalhado
encasquetar *v. tr. e refl.* **1** colocar (cobertura) na cabeça; **2** *(fig.)* convencer(-se) de
encastrado *adj.* encaixado; embutido
encastrar *v. tr.* fazer encaixar; embutir
encavacado *adj.* envergonhado; embaraçado
encavalitar *v. tr. e refl.* pôr(-se) às cavalitas
encefálico *adj.* relativo a encéfalo
encefalograma *s. m.* MED. radiografia do conteúdo do crânio
encenação *s. f.* **1** CIN., TEAT. organização, coordenação e direcção das componentes que permitem a adaptação de um texto dramático a uma representação teatral ou cinematográfica; realização; **2** TEAT. interpretação

de uma peça; 3 TV montagem; 4 *(fig.)* fingimento; cena

encenador *s. m.* o que faz a encenação de um espectáculo

encenar *v. tr.* 1 CIN., TEAT. organizar e montar (espectáculo, filme); pôr em cena; 2 *(fig.)* simular

encerado *adj.* 1 coberto de ou polido com cera; 2 da cor da cera

enceradora *s. f.* electrodoméstico usado para encerar e dar lustro aos soalhos

encerar *v. tr.* 1 cobrir com cera; 2 dar a cor da cera a

encerrado *adj.* 1 fechado; 2 concluído; 3 incluído

encerramento *s. m.* conclusão; fecho

encerrar I *v. tr.* 1 fechar em algum sítio ou dentro de alguma coisa; 2 prender; 3 incluir; 4 terminar; II *v. refl.* 1 fechar-se dentro de; 2 limitar-se

encestar *v. intr.* DESP. (basquetebol) marcar pontos, introduzindo a bola no cesto

encetar *v. tr.* 1 tirar o primeiro pedaço de (algo intacto); 2 iniciar

encharcado *adj.* 1 coberto de água; alagado; 2 completamente molhado; ensopado; 3 *(fig.)* embriagado

encharcar I *v. tr.* 1 transformar em charco; inundar; 2 molhar completamente; ensopar; II *v. refl.* 1 inundar-se; 2 ensopar-se; 3 *(fig.)* embriagar-se

enchente *s. f.* 1 transbordamento das águas de um rio ou de um lago; 2 acumulação anormal e excessiva de água em terreno; 3 *(fig.)* grande afluência de pessoas a determinado local

encher I *v. tr.* 1 ocupar o espaço disponível; preencher; 2 saciar a fome ou a sede; II *v. intr.* tornar-se cheio; III *v. refl.* 1 ficar cheio ou repleto; 2 saciar-se; 3 *(coloq.)* esgotar a paciência

enchido *s. m.* CUL. alimento constituído por carne condimentada, picada ou em pedaços, inserida em tripa ou outro invólucro flexível em forma de tubo

enchimento *s. m.* 1 acto ou efeito de encher; 2 recheio

enchouriçar *v. tr. e refl.* 1 tornar(-se) espesso ou grosso; 2 *(fig.)* irritar(-se)

enciclopédia *s. f.* 1 obra de referência que inclui informação acessível sobre todos os ramos do saber humano; 2 *(fig.)* pessoa com conhecimentos vastos

enciclopédico *adj.* 1 (obra) que abrange todas as áreas do conhecimento; 2 (pessoa) que possui conhecimentos vastos

enciumar *v. tr. e refl.* encher(-se) de ciúmes

enclausurado *adj.* 1 preso; 2 isolado do convívio social

enclausurar I *v. tr.* 1 prender; 2 isolar do convívio social; II *v. refl.* isolar-se

enclave *s. m.* 1 território de um país encaixado em território de um país estranho; 2 pequeno estado autónomo envolvido por outro

encoberto *adj.* 1 escondido; oculto; 2 (céu) enevoado

encobrir I *v. tr.* 1 não deixar ver; ocultar; 2 não revelar; II *v. intr.* (céu) enublar-se; III *v. refl.* (céu) enublar-se

encolher I *v. tr.* 1 diminuir o tamanho de; 2 contrair; II *v. intr.* diminuir de tamanho; III *v. refl.* 1 contrair-se; 2 *(fig.)* mostrar-se tímido ou reservado; 3 *(fig.)* resignar-se

encolhido *adj.* 1 que diminuiu de tamanho; 2 contraído; 3 *(fig.)* tímido

encomenda *s. f.* 1 pedido de mercadoria a fornecedor ou fabricante; 2 mercadoria, objecto ou serviço encomendado

encomendar *v. tr.* **1** pedir ou mandar fazer (obra, objecto); **2** atribuir como incumbência

encontrão *s. m.* **1** embate ou choque de pessoas ou coisas; **2** impulso forte

encontrar I *v. tr.* **1** descobrir (algo ou alguém); **2** ir de encontro a; **II** *v. refl.* **1** ter um encontro; **2** estar (em determinado lugar, estado)

encontro *s. m.* **1** reunião de duas ou mais pessoas; **2** junção; **3** embate; **4** DESP. desafio entre dois ou mais adversários

encorajar *v. tr.* **1** dar coragem e ânimo a; **2** estimular; incentivar

encornar *v. tr.* **1** *(acad.)* decorar sem entender; **2** *(vulg.)* trair; ser infiel a

encorpado *adj.* corpulento; forte

encorrilhado *adj.* com rugas ou pregas

encorrilhar *v. tr.* formar rugas ou pregas em

encosta *s. f.* declive de um monte; ladeira

encostar I *v. tr.* **1** colocar lado a lado; **2** apoiar contra; **3** fechar (porta, janela) deixando-a fora do trinco; **II** *v. intr.* parar; estacionar; **III** *v. refl.* **1** apoiar-se; **2** deitar-se para repousar; **3** *(fig.)* aproveitar-se do trabalho ou benefício de alguém ❖ ***~ alguém à parede*** não dar alternativa a alguém

encosto *s. m.* **1** aquilo a que alguém ou alguma coisa se encosta; **2** costas de um assento; **3** *(fig.)* apoio

encovado *adj.* **1** metido em cova ou buraco; **2** com olheiras; abatido

encravado *adj.* **1** pregado com prego ou cravo; **2** entalado; **3** que parou de funcionar; **4** (pêlo, unha) que ao crescer penetra na carne; **5** *(coloq.)* que está em dificuldades

encravar I *v. tr.* **1** pregar com prego ou cravo; fixar; **2** entalar; **3** parar o funcionamento de; **4** *(coloq.)* colocar em situação difícil; **II** *v. intr.* **1** ficar preso ou entalado; **2** não funcionar; bloquear; **III** *v. refl.* **1** ficar preso ou entalado; **2** *(coloq.)* meter-se em dificuldades

encrenca I *s. f.* *(pop.)* dificuldade; problema; **II** *s. 2 gén.* *(pop.)* pessoa complicada

encrencado *adj.* difícil de resolver; complicado

encrencar I *v. tr.* **1** trazer problemas a; **2** dificultar; **II** *v. refl.* complicar-se

encrespado *adj.* **1** (cabelo) frisado; **2** (mar) agitado; **3** (pessoa) irritado

encrespar I *v. tr.* frisar (cabelo); **II** *v. refl.* **1** tornar-se eriçado, hirto; **2** (mar) agitar-se; **3** (pessoa) irritar-se

encruado *adj.* **1** quase cru; mal cozido; **2** rijo

encruzilhada *s. f.* ponto onde se cruzam vários caminhos ❖ ***estar numa ~*** não saber que atitude tomar

encurralado *adj.* **1** metido em curral; **2** fechado (em local sem saída ou com a saída trancada); cercado; **3** *(fig.)* sem solução aparente

encurralar *v. tr.* **1** meter (gado) em curral; **2** fechar (em local sem saída); cercar; **3** *(fig.)* colocar num dilema

encurtar *v. tr.* **1** tornar (mais) curto; **2** reduzir o tamanho de; diminuir

endereçar *v. tr.* **1** pôr o endereço em; **2** dirigir a

endereço *s. m.* indicação da morada da pessoa a quem se pode dirigir uma mensagem escrita ou uma encomenda; direcção; INFORM. ***~ electrónico*** expressão que identifica um utilizador numa rede de computadores, permitindo o envio e a recepção de mensagens por correio electrónico

endeusar *v. tr.* **1** atribuir qualidades divinas a; **2** *(fig.)* atribuir qualidades excepcionais a

endiabrado *adj.* 1 que tem o demónio no corpo; 2 *(fig.)* travesso; 3 *(fig.)* furioso

endinheirado *adj.* que tem muito dinheiro; rico

endireita *s. 2 gén. (pop.)* pessoa que trata ossos fracturados ou em luxação

endireitar I *v. tr.* 1 colocar de forma arranjada ou ordenada; compor; 2 *(fig.)* corrigir; emendar; II *v. intr. e refl.* 1 pôr-se direito; 2 *(fig.)* corrigir-se

endívia *s. f.* BOT. planta com folhas frisadas, que se consome crua ou cozida

endividar I *v. tr.* 1 fazer contrair dívidas; 2 tornar devedor; II *v. refl.* contrair dívidas

endocarpo *s. m.* BOT. parte interna do pericarpo dos frutos, que está em contacto com as sementes

endócrino *adj.* relativo a glândula que lança no sangue os produtos que segrega

endocrinologia *s. f.* MED. especialidade que se dedica ao estudo das glândulas de secreção interna (endócrinas) e das hormonas

endocrinologista *s. 2 gén.* MED. especialista em endocrinologia

endogamia *s. f.* 1 BOT. fecundação realizada entre gâmetas que estão separados, mas que tiveram origem comum (no mesmo invólucro celular); 2 costume ou regra que assenta na defesa do casamento entre indivíduos do mesmo grupo étnico, religioso ou social; 3 casamento entre parentes próximos

endoidecer *v. tr. e intr.* 1 tornar(-se) doido; enlouquecer; 2 *(fig.)* desorientar(-se)

endoscopia *s. f.* MED. exame visual das cavidades e órgãos internos do corpo

endosqueleto *s. m.* ANAT. esqueleto interno de um animal, desenvolvido nos vertebrados

endossar *v. tr.* escrever no verso de (cheque, etc.) o nome da pessoa a quem passa a pertencer a quantia ou o direito aí representado

endosso *s. m.* acto de transferir para alguém a propriedade de cheque ou outro título de crédito

endurecer *v. tr. e intr.* 1 tornar ou ficar duro; enrijecer; 2 *(fig.)* tornar(-se) insensível; 3 *(fig.)* tornar(-se) mais resistente à dor, ao sofrimento, etc.

endurecimento *s. m.* 1 espessamento da pele; calo; 2 *(fig.)* insensibilidade; frieza; 3 *(fig.)* resistência à dor, ao sofrimento, etc.

ENE GEOG. [*símbolo de* **és-nordeste**]

eneassílabo I *s. m.* GRAM. palavra de nove sílabas; II *adj.* que tem nove sílabas

energético *adj.* 1 relativo a energia; 2 que transmite energia

energia *s. f.* 1 FÍS. capacidade de produzir trabalho; 2 *(fig.)* firmeza; 3 *(fig.)* força; FÍS. ~ ***atómica/nuclear*** energia libertada através das reacções de fusão e de fissão nuclear

enérgico *adj.* 1 activo; dinâmico; 2 firme; determinado; 3 eficaz

enervante *adj. 2 gén.* que enerva; irritante

enervar I *v. tr.* 1 perturbar o equilíbrio emocional de; 2 irritar; II *v. refl.* irritar-se; perder a calma

enevoado *adj.* 1 (céu) enublado; 2 não transparente; turvo

enfadar *v. tr.* causar enfado ou tédio a; aborrecer

enfado *s. m.* tédio; aborrecimento

enfadonho *adj.* aborrecido; fastidioso

enfardar *v. tr. e intr. (coloq.)* comer muito

enfartado *adj.* cheio (de comida); empanturrado

enfartar *v. tr. e refl.* encher(-se) de comida ou bebida; empanturrar(-se)

enfarte *s. m.* MED. lesão dos tecidos de um órgão causada pela obstrução de um vaso sanguíneo

ênfase *s. f.* **1** RET. figura que consiste em dar a uma palavra importância que ela normalmente não tem; **2** realce; destaque

enfastiado *adj.* entediado; aborrecido

enfático *adj.* **1** em que há ênfase; **2** que sublinha uma ideia, palavra ou frase

enfatizar *v. tr.* **1** dar ênfase ou relevo a; **2** salientar a importância de

enfeitar *v. tr.* **1** pôr enfeites; **2** melhorar a aparência de; **3** meter farpas em (touro)

enfeite *s. m.* objecto usado para tornar mais agradável a aparência de algo ou alguém; adorno

enfeitiçado *adj.* **1** que se enfeitiçou; **2** *(fig.)* encantado

enfeitiçar *v. tr.* **1** fazer feitiço a; **2** *(fig.)* encantar

enfermagem *s. f.* **1** prestação de cuidados especializados a doentes ou acidentados; **2** profissão de enfermeiro; **3** conjunto dos enfermeiros

enfermaria *s. f.* casa ou dependência hospitalar destinada ao tratamento de doentes

enfermeiro *s. m.* profissional que trata de doentes e acidentados; especialista em enfermagem

enfermidade *s. f.* **1** doença; mal; **2** *(fig.)* vício

enfermo *adj. e s. m.* doente

enferrujado *adj.* **1** que tem ferrugem; **2** *(fig.)* que se mexe com dificuldade; entorpecido

enferrujar **I** *v. tr.* tornar ferrugento; oxidar; **II** *v. intr.* **1** criar ferrugem; **2** *(fig.)* entorpecer

enfezado *adj.* pouco desenvolvido; raquítico

enfiada *s. f.* **1** conjunto de objectos atravessados pelo mesmo fio; **2** sequência de palavras, acontecimentos, etc. ❖ ***de ~*** de seguida

enfiado *adj.* **1** que se atravessou com um fio; **2** fechado ou isolado em determinado lugar

enfiar **I** *v. tr.* **1** fazer passar um fio por; **2** pôr (roupa ou calçado); **3** introduzir; **II** *v. refl.* **1** penetrar em; **2** tomar a direcção de

enfim *adv.* por último; finalmente

enforcado *adj.* **1** morto por enforcamento; **2** *(pop.)* que está em má situação financeira

enforcar **I** *v. tr.* suspender (uma pessoa) através de uma corda ou faixa atada à volta do pescoço, provocando a morte por asfixia; **II** *v. refl.* **1** matar-se por enforcamento; **2** *(pop.)* ficar em situação difícil; **3** *(coloq., irón.)* casar-se

enformar **I** *v. tr.* **1** meter em forma (ô) ou molde; **2** dar forma (ó) a; **II** *v. intr.* tomar forma ou corpo; desenvolver-se

enfraquecer **I** *v. tr.* **1** tornar fraco; debilitar; **2** desanimar; **II** *v. intr.* ficar fraco

enfraquecimento *s. m.* **1** perda de força(s); fraqueza; **2** perda de ânimo

enfrascar **I** *v. tr.* **1** meter em frasco; **2** *(coloq.)* embriagar; **II** *v. refl.* **1** impregnar-se; **2** *(coloq.)* embriagar-se

enfrentar *v. tr.* **1** encarar de frente; **2** atacar de frente; defrontar

enfurecer **I** *v. tr.* tornar furioso; irritar; **II** *v. refl.* ficar furioso

enfurecido *adj.* furioso; colérico

engalfinhar I *v. tr.* agarrar; II *v. refl.* 1 agarrar-se ao adversário, lutando corpo a corpo; 2 *(fig.)* envolver-se em discussão acesa
enganado *adj.* 1 que se enganou; 2 induzido em erro; burlado; 3 atraiçoado
enganador *adj. e s. m.* que ou o que engana
enganar I *v. tr.* 1 induzir em erro; fazer acreditar em algo que não é verdadeiro; 2 ser infiel a; 3 atenuar (dor); II *v. refl.* 1 cair em erro; 2 iludir-se
enganchar I *v. tr.* 1 prender com gancho; 2 ligar um objecto a outro com gancho, encaixando-os; II *v. refl.* 1 agarrar-se com força; 2 enlaçar-se
engano *s. m.* 1 erro; 2 equívoco; 3 burla; 4 traição
enganoso *adj.* 1 que induz em erro; enganador; 2 próprio para enganar; fraudulento; 3 ilusório
engarrafado *adj.* 1 metido em garrafa; 2 (trânsito) intenso; congestionado
engarrafamento *s. m.* 1 acto ou efeito de acondicionar líquido em garrafas; 2 (trânsito) congestionamento de veículos na estrada que obriga a paragens sucessivas e prolongadas
engarrafar *v. tr.* 1 meter em garrafa; 2 impedir ou obstruir a circulação de (pessoas ou veículos)
engasgado *adj.* 1 entalado com alguma coisa na garganta; 2 *(fig.)* atrapalhado
engasgar I *v. tr.* 1 dificultar a respiração a; 2 *(fig.)* atrapalhar; II *v. refl.* 1 ficar entalado; 2 *(fig.)* atrapalhar-se; 3 *(fig.)* ficar sem palavras
engastar *v. tr.* inserir, fixando; encaixar
engaste *s. m.* 1 aro em que se incrusta uma pedra preciosa; 2 aquilo que se embutiu
engatar *v. tr.* 1 prender com ganchos; 2 atrelar (veículos, etc.); 3 meter uma mudança em (veículo) a partir da posição de ponto morto; 4 *(coloq.)* seduzir
engate *s. m.* 1 acto de engatar; 2 aparelho com que se atrelam animais a viaturas, ou carros entre si; 3 embraiagem; 4 *(coloq.)* conquista amorosa passageira
engelhado *adj.* 1 (tecido) amarrotado; 2 (pele) enrugado
engelhar *v. tr.* 1 amarrotar; 2 formar rugas
engendrar *v. tr.* 1 dar forma ou existência a; 2 produzir; 3 planear
engenharia *s. f.* 1 aplicação dos princípios científicos à exploração dos recursos naturais e ao projecto e construção de utilidades; 2 conjunto dos engenheiros; 3 profissão de engenheiro; ~ ***ambiental*** disciplina que se dedica ao estudo e desenvolvimento de meios tecnológicos com o objectivo de preservar o ambiente; ~ ***civil*** disciplina que se ocupa de construções e obras (estradas, pontes, barragens, etc.); ~ ***genética*** estudo e desenvolvimento de métodos e tecnologias que permitam alterar a constituição genética dos indivíduos
engenheiro *s. m.* 1 aquele que projecta, calcula ou dirige, tecnicamente, trabalhos de construção; 2 indivíduo licenciado em Engenharia
engenho *s. m.* 1 mecanismo; dispositivo mecânico; 2 aparelho para tirar água de poços; 3 *(fig.)* talento
engenhoca *s. f.* aparelho ou máquina complicada ou mal feita
engenhocas *s. 2 gén. e 2 núm. (coloq.)* pessoa que revela engenho e habilidade
engenhoso *adj.* que revela engenho e habilidade

engessar *v. tr.* **1** cobrir ou rebocar com gesso; **2** revestir de gesso (uma fractura)
englobar *v. tr.* **1** dar forma de globo a; **2** incluir num todo; abranger
engodo *s. m.* **1** isca para pescar; **2** *(fig.)* aquilo que se usa para atrair ou enganar alguém
engolir *v. tr.* **1** fazer entrar no estômago, partindo da boca e passando através da faringe e do esófago; **2** *(fig.)* suportar; **3** *(fig.)* acreditar em (algo que não é verdade) ❖ **~ *em seco*** calar o que estava prestes a dizer-se; **~ *sapos vivos*** aguentar coisas quase insuportáveis
engomar *v. tr.* **1** passar (roupa) a ferro; **2** meter em goma
engonhar *v. intr.* **1** trabalhar devagar; **2** perder tempo
engordar **I** *v. tr.* **1** tornar (mais) gordo; **2** aumentar; desenvolver; **II** *v. intr.* ficar (mais) gordo
engordurar *v. tr.* untar com gordura
engraçado *adj.* **1** com graça; divertido; **2** bonito; gracioso
engraçar *v. intr.* simpatizar com
engrandecer *v. tr.* **1** aumentar; crescer; **2** valorizar
engravatado *adj.* **1** com gravata; **2** bem vestido
engravatar **I** *v. tr.* colovar gravata a (alguém); **II** *v. refl.* **1** pôr gravata; **2** arranjar-se bem
engravidar **I** *v. tr.* tornar grávida; **II** *v. intr.* ficar grávida
engraxadela *s. f.* **1** passagem ligeira de graxa; **2** *(fig.)* bajulação
engraxador *s. m.* **1** aquele que engraxa (calçado); **2** *(coloq.)* bajulador
engraxar *v. tr.* **1** pôr graxa em (calçado, arreios); **2** *(fig.)* bajular
engrenagem *s. f.* **1** MEC. dispositivo constituído por um sistema de rodas dentadas para transmissão de movimentos em diversos maquinismos; **2** modo de funcionamento (de algo complexo)
engrenar *v. tr.* **1** MEC. meter os dentes de uma roda nos vãos dos dentes de outra peça igualmente dentada; **2** meter uma mudança em (veículo) a partir da posição de ponto morto; **3** *(fig.)* relacionar (factos, informações)
engrossar *v. intr.* **1** tornar (mais) grosso ou espesso; **2** aumentar o volume ou a quantidade de
enguia *s. f.* **1** ZOOL. peixe comestível de corpo fino, longo e cilíndrico e pele escorregadia; **2** *(fig.)* pessoa difícil de apanhar
enguiçar **I** *v. tr.* lançar mau-olhado a; **II** *v. intr.* **1** deixar de funcionar; **2** implicar com
enguiço *s. m.* **1** mau-olhado; feitiço; **2** mau pressentimento
enigma *s. m.* **1** descrição ambígua ou metafórica de uma coisa, para ser decifrada por outrem; **2** adivinha; **3** algo obscuro e difícil de compreender
enigmático *adj.* **1** que contém enigma; **2** misterioso; **3** difícil de entender
enjaular *v. tr.* **1** fechar em jaula; **2** *(fig.)* prender
enjeitar *v. tr.* **1** rejeitar; **2** abandonar (filhos, ninho ou ovos); **3** não concordar com
enjoado *adj.* **1** que sente enjoo; **2** aborrecido; farto; **3** desagradável; antipático
enjoar **I** *v. tr.* **1** causar enjoo ou náusea a; **2** sentir repugnância por; **3** causar tédio a; **II** *v. intr.* **1** sofrer de enjoo; **2** sentir tédio
enjoativo *adj.* **1** que causa enjoo; **2** aborrecido
enjoo *s. m.* **1** mal-estar do estômago e da cabeça, acompanhado de vómitos;

náusea; **2** sensação de tédio e aborrecimento; **3** repugnância

enlaçar I *v. tr.* **1** unir ou prender com laços; **2** abraçar; **3** ligar; **II** *v. refl.* **1** abraçar-se; **2** prender-se

enlace *s. m.* **1** acto ou efeito de enlaçar; **2** união; ligação; **3** abraço; **4** casamento

enlamear *v. tr. e refl.* sujar(-se) com lama

enlatado I *adj.* metido em lata; **II** *s. m.* alimento esterilizado e conservado em lata; conserva

enlatar *v. tr.* **1** meter em lata(s); **2** conservar em lata(s)

enlevar I *v. tr.* causar enlevo a; encantar; **II** *v. refl.* ficar encantado

enlevo *s. m.* **1** encantamento; êxtase; **2** aquilo que provoca encanto ou satisfação

enlouquecer *v. tr. e intr.* tornar(-se) louco; endoidecer

enojado *adj.* **1** com nojo ou repugnância; **2** *(fig.)* incomodado

enojar I *v. tr.* **1** causar nojo ou repugnância por; **2** *(fig.)* incomodar; **II** *v. refl.* **1** sentir nojo de; **2** *(fig.)* incomodar-se

enologia *s. f.* ciência que trata da produção e conservação do vinho

enólogo *s. m.* especialista em enologia

enorme *adj. 2 gén.* **1** que é muito grande; **2** que excede a norma; **3** extremamente grave

enormidade *s. f.* **1** qualidade do que é enorme; **2** grande disparate; barbaridade

enquadramento *s. m.* **1** acto ou efeito de enquadrar; **2** acto de pôr em quadro; **3** contexto em que algo se insere; **4** CIN., FOT. acto de posicionar no visor da câmara aquilo que vai ser fotografado ou filmado

enquadrar I *v. tr.* **1** meter em quadro; emoldurar; **2** tornar quadrado; **3** integrar em determinado meio ou contexto; **4** CIN., FOT. posicionar no visor da câmara para fotografar ou filmar; **II** *v. intr.* ficar bem; **III** *v. refl.* **1** ficar em quadro; **2** harmonizar-se

enquanto *conj.* **1** no tempo em que ⟨*enquanto almocei, partiram*⟩; **2** ao mesmo tempo que ⟨*enquanto caminhava, reflectia*⟩; **3** ao passo que ⟨*ela lia enquanto ele dormia*⟩; **4** na qualidade de ⟨*enquanto director*⟩

enraivecer I *v. tr.* causar raiva a; **II** *v. refl.* encolerizar-se

enraizado *adj.* **1** que criou raízes; **2** *(fig.)* que se fixou em algum lugar; **3** *(fig.)* que se tornou hábito

enraizar I *v. intr.* criar raiz ou raízes; **II** *v. tr.* fixar pela raiz; **III** *v. refl.* **1** criar raiz ou raízes; **2** *(fig.)* estabelecer-se; **3** *(fig.)* prender-se a determinado meio e/ou às pessoas que nele habitam

enrascada *s. f.* *(coloq.)* situação complicada; embrulhada

enrascado *adj.* **1** preso em rede; **2** *(coloq.)* metido numa complicação

enrascar I *v. tr.* **1** prender em rede; **2** *(coloq.)* meter em situação complicada; **II** *v. refl.* *(coloq.)* meter-se numa complicação

enredo *s. m.* **1** acto ou efeito de enredar(-se); **2** conjunto de acontecimentos que constituem a acção de uma narrativa; intriga; **3** situação complicada; **4** mexerico

enregelar *v. tr. e intr.* **1** tornar(-se) hirto pelo frio; **2** congelar

enriçado *adj.* (cabelo) crespo; emaranhado

enriçar *v. tr.* tornar (o cabelo) crespo e emaranhado

enrijecer *v. tr. e intr.* tornar(-se) rijo ou forte; endurecer

enriquecer I *v. tr.* **1** tornar rico; **2** *(fig.)* aumentar o valor ou a qualidade de;

II *v. intr.* **1** tornar-se rico; **2** *(fig.)* melhorar em valor ou qualidade

enriquecimento *s. m.* **1** acto ou efeito de tornar(-se) rico; **2** melhoria em qualidade ou valor

enrodilhar *v. tr. e refl.* **1** amarrotar(-se); **2** torcer(-se); **3** *(fig.)* complicar(-se)

enrolamento *s. m.* **1** acto ou efeito de enrolar; **2** ELECTR. conjunto de condutores, formando bobinas, de uma máquina eléctrica

enrolar **I** *v. tr.* **1** dobrar, fazendo rolo; **2** envolver; embrulhar; **3** *(fig.)* complicar; **4** *(fig.)* enganar; **II** *v. refl.* **1** adquirir forma de rolo; **2** envolver-se; embrulhar-se; **3** *(fig.)* tornar--se complicado; **4** *(fig.)* deixar-se enganar

enroscar **I** *v. tr.* **1** torcer em forma de rosca; **2** envolver em espiral; **II** *v. refl.* **1** dar voltas sobre si, formando rosca; **2** encolher-se

enrouquecer *v. intr.* ficar com a voz grossa, áspera e pouco límpida

enrubescer *v. intr.* corar

enrugado *adj.* com rugas ou vincos; amarrotado

enrugar **I** *v. tr.* fazer rugas ou vincos em; amarrotar; **II** *v. refl.* **1** amarrotar-se; **2** *(fig.)* envelhecer

ensaboadela *s. f.* **1** lavagem ligeira com sabão; **2** *(fig.)* repreensão

ensaboar *v. tr.* **1** lavar com água e sabão ou sabonete; **2** *(fig.)* repreender

ensacado *adj.* **1** metido em saco; **2** *(fig.)* encurralado

ensacar *v. tr.* **1** meter em saco ou saca; **2** meter (carne de porco) em tripa; **3** *(fig.)* apropriar-se indevidamente de; **4** *(fig.)* encurralar

ensaiar **I** *v. tr.* **1** treinar ou preparar com vista a uma actuação; **2** submeter a experimentação; **3** tentar; **II** *v. refl.* receber treino ou preparação

ensaio *s. m.* **1** avaliação das propriedades ou características de algo; teste; **2** execução preparatória, total ou parcial, de peça teatral, musical, etc., antes da sua apresentação oficial ao público; **3** *(fig.)* tentativa; **4** LIT. texto de análise e interpretação crítica de determinado assunto

ensaísta *s. 2 gén.* pessoa que escreve ensaios literários

ensamblar *v. tr.* **1** embutir em madeira; **2** fazer entalhes em

ensanduichado *adj.* **1** em forma de sanduíche; **2** *(fig.)* entalado

ensanduichar *v. tr.* **1** fazer sanduíche com; **2** *(fig.)* meter ou entalar (em lugar apertado)

ensanguentado *adj.* **1** coberto ou sujo de sangue; **2** com cor de sangue

ensanguentar *v. tr. e refl.* cobrir(-se) ou sujar(-se) de sangue

enseada *s. f.* pequena baía ou porto

ensejo *s. m.* ocasião adequada; oportunidade

ensimesmar-se *v. refl.* concentrar-se nos próprios pensamentos

ensinadela *s. f.* **1** *(pop.)* repreensão; **2** *(pop.)* experiência custosa; lição

ensinado *adj.* **1** (pessoa) instruído; educado; **2** (animal) domesticado; adestrado; **3** (noção, conhecimento) transmitido

ensinamento *s. m.* **1** acto de ensinar ou transmitir conhecimentos; **2** preceito; norma; **3** lição ou exemplo a reter

ensinar **I** *v. tr.* **1** transmitir conhecimentos e competências a; instruir; **2** explicar; **3** adestrar; treinar (animal); **4** *(fig.)* castigar; **II** *v. intr.* dar aulas; leccionar

ensino *s. m.* **1** transmissão de conhecimentos e competências; instrução; **2** transmissão de princípios relacionados com comportamentos e atitudes correspondentes aos usos socialmente tidos como correctos; educação; **3** (animais) adestramento; treino; ~ ***básico*** ciclo de estudos compreendido nos anos da escolaridade obrigatória; ~ ***especial*** modalidade de ensino escolar destinada a alunos com algum tipo de deficiência física, sensorial ou cognitiva; ~ ***secundário*** ciclo de estudos relativo aos três anos anteriores ao ensino universitário e posteriores ao ensino básico; ~ ***superior*** ciclo de estudos de qualificação profissional cuja conclusão permite a obtenção de um grau académico

ensonado *adj.* cheio de sono

ensopado **I** *adj.* **1** embebido em líquido; **2** encharcado; **II** *s. m.* CUL. guisado com molho abundante servido em fatias de pão embebidas com esse molho

ensopar **I** *v. tr.* **1** embeber em líquido; **2** encharcar; **3** CUL. guisar em molho abundante; **II** *v. refl.* molhar-se completamente

ensurdecedor *adj.* **1** que ensurdece; **2** muito ruidoso

ensurdecer **I** *v. tr.* **1** tornar surdo; **2** abafar o ruído de; **II** *v. intr.* **1** ficar surdo; **2** fazer muito barulho

entaipar *v. tr.* **1** cercar com taipas, paredes ou obstáculos; **2** fechar; encerrar

entalado *adj.* **1** colocado entre talas; **2** colocado em lugar apertado; **3** trilhado; **4** engasgado; **5** *(fig.)* em situação complicada

entalar **I** *v. tr.* **1** meter entre talas; **2** pôr em lugar apertado; **3** trilhar; **4** *(fig.)* colocar em situação difícil; **II** *v. refl.* trilhar-se

entalhar **I** *v. tr.* **1** gravar, cinzelar ou esculpir em madeira; **2** fazer cortes ou incisões em; **II** *v. intr.* fazer obra de talha

entalhe *s. m.* **1** corte ou incisão feita na madeira; **2** conjunto de cortes ou incisões existentes em duas peças de madeira que permitem a sua ligação; **3** obra de arte em madeira; talha

entanto *adv.* entretanto; ***no ~*** porém, apesar disso

então *adv.* **1** nesse ou naquele tempo; **2** nesse caso; ***desde ~*** desde essa altura

entardecer **I** *v. intr.* ir caindo a tarde; **II** *s. m.* pôr-do-sol

ente *s. m.* **1** o que existe; ser; coisa; **2** ser humano; pessoa; **3** aquilo que se supõe existir

enteado *s. m.* **1** indivíduo, em relação ao seu padrasto ou madrasta; **2** *(fig.)* desprotegido

entediar **I** *v. tr.* causar tédio a; aborrecer; **II** *v. refl.* aborrecer-se

entendedor *adj. e s. m.* **1** que ou o que que entende; **2** que ou o que tem prática ou conhecimento de determinada matéria

entender **I** *v. tr.* **1** compreender o significado de; perceber; **2** ser de opinião que; **3** ter conhecimentos ou prática de; **4** deduzir; **II** *v. intr.* ter conhecimentos ou prática de determinada matéria; **III** *v. refl.* **1** estar de acordo; **2** compreender-se; **IV** *s. m.* **1** capacidade de pensar e compreender; entendimento; **2** opinião; ***dar a ~*** insinuar; ***no meu ~*** na minha opinião; *(coloq.)* ~ ***da poda*** ser perito em qualquer assunto, ciência ou arte

entendido **I** *adj.* **1** percebido; **2** combinado; **3** que tem prática ou conhecimentos de determinada matéria; **II** *s. m.* especialista em determinada matéria

entendimento *s. m.* **1** capacidade de pensar e compreender; razão; **2** conhecimento ou domínio de determinada matéria; **3** opinião; **4** acordo

enternecer *v. tr., intr. e refl.* **1** tornar(-se) terno; **2** comover(-se)

enternecimento *s. m.* **1** estado de quem se comove ou sensibiliza; **2** sentimento de pena ou compaixão

enterrado *adj.* **1** colocado debaixo da terra; **2** sepultado; **3** *(fig.)* terminado; **4** *(fig.)* esquecido

enterrar I *v. tr.* **1** colocar debaixo da terra; sepultar; **2** espetar ou cravar bem fundo; **3** *(fig.)* pôr fim a; **4** *(fig.)* esquecer; **II** *v. refl.* **1** entregar-se completamente a (tarefa, actividade); **2** *(fig.)* cair em descrédito; arruinar-se

enterro *s. m.* **1** acto de sepultar um cadáver; **2** conjunto das cerimónias fúnebres; funeral ❖ ***cara de ~*** cara triste ou de aflição; ***ter um lindo ~*** não ter êxito

entidade *s. f.* **1** o que tem existência distinta e independente; ser; **2** indivíduo que ocupa lugar considerado importante; individualidade; **3** instituição, sociedade ou associação com existência jurídica

entoação *s. f.* **1** tom afinado de voz ou instrumento; **2** modulação de voz de quem fala ou recita

entoar *v. tr.* **1** fazer soar; **2** executar (melodia) tocando ou cantando; **3** pôr no tom; **4** emitir (som)

entontecer I *v. tr.* **1** causar tontura ou vertigem a; **2** tornar tolo; **3** fazer perder o juízo; **II** *v. intr.* **1** sentir tontura; **2** ficar tolo; **3** perder o juízo

entornar I *v. tr.* **1** inclinar ou virar (recipiente), voluntariamente ou não; derramar; **2** *(fig.)* espalhar; **II** *v. intr.* *(pop.)* beber em excesso; **III** *v. refl.* **1** (recipiente) virar-se, derramando o líquido que continha; **2** *(pop.)* embriagar-se ❖ ***~ o caldo*** estragar tudo

entorpecente *adj. 2 gén.* que entorpece

entorpecer I *v. tr.* **1** enfraquecer a capacidade de sentir ou reagir; **2** impedir, suspender ou retardar o movimento de; **3** fazer perder a vontade ou o ânimo; **II** *v. intr.* **1** ficar em estado de torpor; **2** perder o ânimo

entorpecido *adj.* **1** insensível; **2** enfraquecido; **3** desanimado

entorpecimento *s. m.* **1** perda de sensibilidade; **2** fraqueza; **3** desânimo

entorse *s. f.* MED. lesão com traumatismo de uma articulação, sem que haja luxação

entortar I *v. tr.* **1** tornar torto, dobrando ou curvando; **2** desviar da direcção devida; **3** *(fig.)* desviar do bom caminho; **II** *v. refl.* **1** ficar torto; **2** *(fig.)* desviar-se do bom caminho

entozoário *s. m.* ZOOL. animal que vive como parasita no interior de outro animal, em especial nos intestinos

entrada *s. f.* **1** acto ou efeito de entrar; ingresso; **2** passagem, abertura ou espaço (com ou sem porta) que dá acesso a um outro espaço; **3** orifício; **4** princípio ou início de algo; **5** bilhete de ingresso; **6** preço desse bilhete; **7** aperitivo servido no início de uma refeição; **8** primeiro pagamento de uma série estabelecida no contrato de um negócio ou transacção; **9** palavra ou expressão registada alfabeticamente num dicionário ou enciclopédia que é objecto de definição ou tradução; **10** INFORM. dado(s) fornecido(s) ao computador ou a um periférico, provenientes do teclado, do gravador de fita ou do leitor de discos

entrançar *v. tr.* dispor em forma de trança; entrelaçar

entranha *s. f.* **1** ANAT. cada uma das vísceras do abdómen ou do tórax; **2** [*pl.*] ventre materno; **3** [*pl.*] *(fig.)* coração; **4** [*pl.*] *(fig.)* íntimo

entranhado *adj.* **1** introduzido profundamente; **2** (cheiro) impregnado; **3** (hábito) enraizado; **4** (sentimento) profundo

entranhar I *v. tr.* **1** meter nas entranhas, no interior; **2** fazer penetrar profundamente; **3** enraizar (no espírito, nos hábitos); **II** *v. refl.* **1** introduzir-se profundamente; **2** enraizar-se (no espírito, nos hábitos); **3** *(fig.)* concentrar-se

entrar *v. intr.* **1** passar para dentro; **2** penetrar; introduzir-se; **3** ser parte integrante; **4** ser incluído ou admitido; **5** contribuir ❖ **~ *com o pé direito*** começar bem; **~ *pelos olhos dentro*** ser óbvio; **~ *por um ouvido e sair por outro*** não ficar na memória

entravar *v. tr.* **1** pôr entrave(s) ou obstáculo(s) a; **2** dificultar o desenvolvimento de; **3** impossibilitar

entrave *s. m.* **1** obstáculo; **2** dificuldade

entre *prep.* **1** introduz expressões que designam: situação intermédia ⟨*entre o claro e o escuro*⟩; espaço intermédio ⟨*entre o portão e a porta*⟩; intervalo de tempo bem determinado ⟨*entre a uma hora e as duas*⟩; quantidade aproximada ⟨*entre quatro e cinco quilos*⟩; reciprocidade ⟨*falaram entre si*⟩; **2** no conjunto de ⟨*entre todos, escolhi este*⟩ ❖ **~ *a vida e a morte*** quase a morrer

entreaberto *adj.* ⟨*p. p. de* **entreabrir**⟩ pouco aberto; semiaberto

entreabrir I *v. tr.* abrir um pouco; **II** *v. intr.* **1** começar a abrir; **2** (tempo) começar a desanuviar; **3** (flor) desabrochar

entreacto *s. m.* **1** TEAT. intervalo entre dois actos de uma representação; **2** monólogo ou peça curta, recitada nesse intervalo

entreajuda *s. f.* ajuda recíproca

entrecortado *adj.* **1** com vários cortes; **2** interrompido por intervalos

entrecortar I *v. tr.* **1** fazer vários cortes; **2** interromper com intervalos; **II** *v. refl.* formar intersecção; cruzar-se

entrecosto *s. m.* carne de porco ou vaca retirada da parte média das costelas do animal

entrega *s. f.* **1** acto ou efeito de entregar; **2** transferência ou transmissão de (objecto, direito, posse, etc.); **3** rendição; **4** dedicação total a algo ou alguém; **~ *ao domicílio*** serviço que leva a encomenda à morada indicada pelo cliente

entregar I *v. tr.* **1** passar ou fazer chegar (algo) às mãos de outra pessoa; **2** confiar temporariamente para certo fim; **3** devolver; **4** trair; denunciar; **5** dar; outorgar; **II** *v. refl.* **1** dedicar-se inteiramente; **2** confiar-se à protecção; **3** submeter-se; **4** render-se; **~ *o jogo*** dar vantagem ao adversário

entregue *adj. 2 gén.* **1** ⟨*p. p. de* **entregar**⟩ posto nas mãos ou na posse de; **2** dedicado; **3** confiado à protecção

entrelaçar *v. tr.* **1** ligar (uma coisa a outra) fazendo-a passar ora por baixo ora por cima; **2** pôr (dedos, mãos) uns entre os outros; **3** combinar; ligar

entrelinha *s. f.* **1** espaço entre duas linhas; **2** o que se escreve nesse espaço; **3** peça utilizada para espaçar a composição tipográfica ❖ ***ler nas entrelinhas*** compreender o sentido implícito

entremear *v. tr.* **1** pôr de permeio; **2** alternar; **3** misturar

entremeio *s. m.* **1** o que está de permeio; **2** o que se encontra entre dois extremos ou limites; **3** tira rendada ou bordada que une duas faixas lisas

entreposto *s. m.* **1** ponto comercial de grande importância; empório; **2** grande depósito de mercadorias
entretanto I *adv.* neste ou naquele meio tempo; **II** *s. m.* intervalo de tempo
entretenimento *s. m.* **1** aquilo que serve para distrair; divertimento; distracção; **2** conjunto de actividades e espectáculos culturais
entreter I *v. tr.* **1** ocupar ou fazer passar o tempo com algo que distrai, diverte e interessa; **2** retardar; **3** iludir; **II** *v. refl.* **1** divertir-se; **2** demorar-se; deter-se
entretido *adj.* **1** distraído; **2** divertido
entrevado *adj. e s. m.* que ou aquele que não se pode mover; paralítico
entrevista *s. f.* **1** conversa entre duas ou mais pessoas para debater assuntos ou obter informações; **2** declarações feitas a um jornalista e divulgadas depois nos meios de comunicação
entrevistador *adj. e s. m.* que ou o que entrevista
entrevistar *v. tr.* **1** ter entrevista com; **2** fazer perguntas a
entristecer I *v. tr.* tornar triste; **II** *v. intr.* ficar triste
entroncado *adj.* **1** que criou tronco, engrossando; **2** *(fig.)* corpulento
entroncamento *s. m.* **1** lugar onde se reúnem dois ou mais caminhos; **2** junção de linhas-férreas; **3** ramificação
Entrudo *s. m.* Carnaval
entulho *s. m.* **1** conjunto de fragmentos resultantes de uma construção, demolição ou desmoronamento; **2** aquilo que se utiliza para encher ou nivelar depressões de terreno, valas, etc.; **3** lixo; **4** *(fig.)* conjunto de coisas sem importância
entupido *adj.* **1** tapado; obstruído; **2** cheio; **3** *(fig.)* sem resposta
entupir I *v. tr.* **1** tapar; obstruir, impedindo a passagem ou circulação; **2** encher completamente; **3** *(fig.)* deixar sem palavras; **II** *v. intr.* **1** ficar obstruído; **2** *(fig.)* ficar sem palavras
entusiasmado *adj.* cheio de entusiasmo; animado
entusiasmar I *v. tr.* **1** encher de entusiasmo; **2** encorajar; animar; **II** *v. refl.* encher-se de entusiasmo
entusiasmo *s. m.* **1** forte interesse por determinada causa, coisa ou pessoa, que se traduz em dedicação ou adesão; **2** espírito de iniciativa; **3** convicção na realização de algo; **4** grande alegria; arrebatamento
entusiasta *s. 2 gén.* **1** pessoa que demonstra grande interesse por causa, coisa ou pessoa; **2** admirador fervoroso; fã
entusiástico *adj.* **1** que revela entusiasmo; **2** ardente; caloroso
enublado *adj.* (céu) coberto de nuvens
enumeração *s. f.* **1** acto de nomear um por um todos os elementos de um conjunto; contagem; **2** listagem ou exposição desses elementos
enumerar *v. tr.* **1** nomear um por um todos os elementos de um conjunto; contar; **2** fazer uma listagem ou exposição metódica desses elementos
enunciado I *s. m.* **1** exposição clara de uma proposição a definir, explicar ou demonstrar; **2** sequência de discurso resultante de um acto de produção linguística; **3** conjunto de perguntas de uma prova escrita; **II** *adj.* **1** exposto; **2** declarado
enunciar I *v. tr.* expor oralmente ou por escrito; exprimir; **II** *v. refl.* manifestar-se
envaidecer *v. tr. e refl.* encher(-se) de vaidade ou orgulho

envasilhar *v. tr.* deitar num recipiente para líquidos

envelhecer I *v. tr.* 1 tornar velho; 2 amadurecer; II *v. intr.* 1 sofrer os efeitos da passagem do tempo; ficar velho; 2 amadurecer

envelhecimento *s. m.* acto ou efeito de tornar(-se) mais velho

envelope *s. m.* invólucro de papel, dobrado em forma de bolsa, utilizado para enviar cartas e cartões

envenenado *adj.* 1 que ingeriu veneno; 2 contaminado com substâncias tóxicas; 3 (*fig.*) pervertido; 4 (*fig.*) com má intenção

envenenamento *s. m.* 1 acto de administrar ou de ingerir veneno; 2 contaminação com substâncias tóxicas; intoxicação; 3 (*fig.*) corrupção; 4 (*fig.*) deturpação

envenenar I *v. tr.* 1 ministrar veneno a; 2 contaminar com substâncias tóxicas; intoxicar; 3 (*fig.*) perverter; 4 (*fig.*) deturpar; 5 (*fig.*) causar desentendimento através de intrigas; II *v. refl.* 1 ingerir veneno; 2 sofrer intoxicação

enveredar *v. intr.* 1 seguir para determinado lugar; 2 seguir determinada opção

envergadura *s. f.* 1 NÁUT. parte mais larga das velas do navio; 2 ZOOL. distância entre as extremidades das asas, quando abertas; 3 dimensão; 4 (*fig.*) importância

envergonhado *adj.* 1 com vergonha; 2 tímido; 3 humilhado

envergonhar I *v. tr.* 1 causar vergonha a; embaraçar; 2 humilhar; II *v. refl.* ter vergonha

envernizar *v. tr.* 1 pôr verniz em; 2 dar brilho a; polir; 3 (*fig.*) disfarçar

enviado I *s. m.* 1 encarregado de levar a um destino uma carta, notícia, mensagem, etc.; 2 representante de um país em missão diplomática; II *adj.* 1 mandado; 2 expedido

enviar *v. tr.* 1 fazer seguir para determinado destino ou destinatário; 2 fazer partir alguém para determinado lugar, com uma missão ou tarefa a cumprir; 3 dirigir; 4 atirar

envidraçado *adj.* 1 com vidraças ou vidros; 2 com aparência de vidro; vidrado

envidraçar *v. tr.* 1 pôr vidraças ou vidros em; 2 dar aparência de vidro a

enviesado *adj.* 1 oblíquo; 2 torto; 3 estrábico

enviesar I *v. tr.* 1 fazer, cortar ou pôr de viés; 2 entortar; 3 (*fig.*) dar má orientação a; II *v. intr.* 1 seguir obliquamente; 2 (*fig.*) enveredar por mau caminho

envio *s. m.* 1 acto ou efeito de enviar; 2 remessa; expedição

enviuvar I *v. intr.* perder o cônjuge por morte deste; II *v. tr.* tornar viúvo

envolto *adj.* 1 coberto; 2 embrulhado; 3 rodeado

envolvente I *adj. 2 gén.* 1 que rodeia ou cerca; 2 que abrange; 3 que prende ou absorve; 4 que seduz; II *s. f.* contexto ou meio em que algo se insere

envolver I *v. tr.* 1 cobrir; 2 embrulhar; 3 rodear; 4 cingir; 5 abranger; 6 comprometer; 7 seduzir; II *v. refl.* 1 cobrir-se; 2 tomar parte; estar implicado; 3 ter relação (afectiva ou sexual) com alguém

envolvido *adj.* 1 coberto; 2 embrulhado; 3 rodeado; 4 incluído; 5 implicado

envolvimento *s. m.* 1 acto ou efeito de envolver-(se); 2 contexto ou meio em que algo se insere; 3 participação; 4 relação afectiva ou amorosa

enxada *s. f.* AGRIC. utensílio com cabo de madeira e lâmina de metal para cavar e revolver a terra

enxaguar *v. tr.* **1** passar por água limpa para tirar o sabão; **2** lavar ligeiramente
enxame *s. m.* **1** conjunto de abelhas associadas que acompanham a sua rainha e pertencem a uma colmeia; **2** *(fig.)* multidão
enxaqueca *s. f.* MED. dor intensa, geralmente num só lado da cabeça, que pode ser acompanhada de náuseas, vómitos e perturbações de visão
enxergar *v. tr.* **1** ver a custo; **2** ver ao longe; avistar; **3** *(fig.)* perceber
enxertar *v. tr.* **1** AGRIC. inserir ramo de uma planta sobre outra planta, para que se desenvolva; **2** MED. transplantar uma parte do organismo animal para outra região do mesmo ou de outro indivíduo
enxerto *s. m.* **1** AGRIC. planta mista proveniente de enxerto; **2** AGRIC. ramo de uma planta que se aplica sobre outra planta, para que se desenvolva; **3** MED. transplantação de uma parte do organismo animal (especialmente um tecido) para outra região do mesmo ou de outro indivíduo; *(pop.)* ***~ de pancada*** sova; tareia
enxofre *s. m.* QUÍM. elemento com o número atómico 16 e símbolo S, sólido, cristalizável e combustível
enxotar *v. tr.* **1** afugentar, assustando com gestos ou com gritos; **2** expulsar de modo agressivo
enxoval *s. m.* conjunto de peças de roupa e objectos necessários para o serviço e uso de um bebé ou de uma pessoa que monta uma casa
enxovalhar *v. tr.* **1** amarrotar; **2** *(fig.)* ofender; humilhar
enxugar I *v. tr.* **1** fazer perder a humidade; **2** secar; **II** *v. intr.* secar
enxurrada *s. f.* **1** torrente de água formada pela chuva; **2** corrente de águas sujas ou de esgotos; **3** *(fig.)* abundância
enxuto *adj.* ⟨*p. p. de* **enxugar**⟩ sem humidade; seco
enzima *s. f.* BIOL., QUÍM. substância orgânica, produzida por células vivas, que actua como catalisador em certas transformações químicas
eólico *adj.* **1** relativo a vento; **2** produzido pelo vento
epicentro *s. m.* GEOL. região da superfície terrestre, por cima do hipocentro, onde é máxima a intensidade de um abalo sísmico e onde este atingiu em primeiro lugar a superfície do solo
épico I *adj.* **1** relativo a epopeia; **2** heróico; **3** *(fig.)* extraordinário; **II** *s. m.* autor de epopeia
epidemia *s. f.* **1** MED. doença que ataca simultaneamente muitos indivíduos na mesma terra ou região; **2** MED. surto periódico de uma doença infecciosa; **3** *(fig., pej.)* moda generalizada
epidémico *adj.* **1** relativo a epidemia; **2** contagioso
epiderme *s. f.* **1** ANAT. camada externa da pele dos vertebrados, constituída por células, que assenta sobre a derme e a protege; **2** ANAT. revestimento celular do corpo dos invertebrados; **3** BOT. camada celular que reveste a periferia de órgãos vegetais
epidural *s. f.* MED. anestesia aplicada na superfície externa da dura-máter e usada frequentemente para atenuar as dores do parto
epiglote *s. f.* ANAT. válvula cartilaginosa que impede a entrada dos alimentos na laringe
epígrafe *s. f.* **1** inscrição em local destacado de edifício, monumento, etc.; **2** citação ou fragmento de texto no início de um livro ou capítulo; mote
epilepsia *s. f.* MED. doença cerebral que se manifesta através de convulsões e perda dos sentidos

epiléptico *adj. e s. m.* que ou aquele que sofre de epilepsia

epílogo *s. m.* **1** conclusão de um livro ou de um discurso que recapitula o que se tratou; **2** conclusão; desfecho

episcopado *s. m.* **1** dignidade, funções e jurisdição de bispo; **2** tempo durante o qual um bispo desempenha as suas funções; **3** território sujeito à administração de um bispo; **4** conjunto dos bispos

episcopal *adj. 2 gén.* referente a bispo

episódio *s. m.* **1** LIT. incidente relacionado com a acção principal de uma narrativa; **2** TEAT. cena acessória inserida na acção principal; **3** facto sem grandes consequências

epíteto *s. m.* **1** LING. palavra que se junta a um substantivo para o qualificar ou realçar a sua significação; **2** alcunha

época *s. f.* **1** período assinalado por determinados factos, políticas, ideologias, movimentos, etc. que o distinguem; **2** certo período de tempo com características específicas; **3** quadra; **4** GEOL. unidade de tempo durante a qual se formaram as rochas de uma série (conjunto de terrenos)

epopeia *s. f.* **1** LIT. poema narrativo de grande dimensão em que se celebra geralmente uma acção grandiosa e heróica protagonizada por um herói com qualidades excepcionais; **2** série de grandes acontecimentos; **3** (*fig.*) grande aventura

épsilo *s. m.* quinta letra do alfabeto grego, correspondente ao *e* aberto

épsilon *s. m.* vd. **épsilo**

equação *s. f.* **1** MAT. igualdade entre duas quantidades, que se verifica apenas para certos valores de algumas incógnitas que entram nela; **2** identidade de condições ou de situação; **3** redução de um problema a alternativas claras, de modo a decidir solução

equacionar *v. tr.* **1** pôr em equação; **2** reduzir um problema a alternativas claras, de modo a decidir solução; **3** avaliar

equador *s. m.* **1** GEOG. círculo máximo da esfera terrestre cujo plano é perpendicular ao eixo da Terra; **2** MAT. circunferência descrita pelo vértice de uma elipse que gera um elipsóide de revolução

equalizador *s. m.* aparelho que reduz a distorção de um sinal sonoro, corrigindo as frequências

equatorial *adj. 2 gén.* **1** relativo a equador; **2** localizado no equador

equiângulo *adj.* GEOM. que tem os ângulos iguais

equidade *s. f.* **1** justiça e imparcialidade nos julgamentos; **2** rectidão

equidistante *adj. 2 gén.* (ponto, linha, objecto) situado a distâncias iguais

equilátero *adj.* **1** GEOM. que tem os lados iguais; **2** GEOM. (triângulo) que tem os três ângulos iguais

equilibrado *adj.* **1** que está em equilíbrio, em posição estável; **2** que está ao mesmo nível de outro; **3** que revela bom senso e estabilidade emocional

equilibrar **I** *v. tr.* **1** pôr em equilíbrio; **2** conservar o equilíbrio de; **3** contrabalançar; **II** *v. refl.* **1** manter-se em equilíbrio; **2** tornar-se harmonioso

equilíbrio *s. m.* **1** MEC. estado de um corpo em que as forças sobre ele aplicadas contrabalançam mutuamente os seus efeitos; **2** igualdade entre forças, quantidades, etc.; **3** estabilidade mental e emocional

equilibrista *s. 2 gén.* **1** pessoa que se mantém em equilíbrio numa posição difícil e perigosa; **2** artista que

faz exercícios de equilíbrio, por exemplo sobre uma corda
equimose *s. f.* MED. mancha, de coloração variável, que aparece na pele ou no interior de alguns órgãos, originada por extravasamento de sangue
equinócio *s. m.* **1** ASTRON. momento em que o Sol, no movimento anual aparente, corta o equador celeste, fazendo com que o dia e a noite tenham igual duração; **2** cada uma das duas épocas (21 de Março e 23 de Setembro) em que o Sol corta o equador celeste; **~ *da Primavera*** momento em que o Sol passa do hemisfério sul para o hemisfério norte, em 21 de Março; **~ *do Outono*** momento em que o Sol passa do hemisfério norte para o hemisfério sul, em 23 de Setembro
equipa *s. f.* **1** grupo de pessoas que trabalham em conjunto para o mesmo fim; **2** grupo de pessoas que participam num competição desportiva, lutando em conjunto pela vitória
equipamento *s. m.* **1** conjunto de meios materiais necessários a determinada actividade; **2** vestuário e acessórios utilizados para praticar determinado desporto
equipar I *v. tr.* fornecer um conjunto de meios necessários a determinada actividade; **II** *v. refl.* preparar-se com o equipamento necessário
equiparação *s. f.* acto ou efeito de equiparar ou pôr em paralelo
equiparar I *v. tr.* **1** comparar; pôr em paralelo; **2** igualar; **II** *v. refl.* igualar-se
equiparável *adj. 2 gén.* que se pode equiparar; comparável
equipe *s. f. (Bras.)* vd. **equipa**
equitação *s. f.* DESP. arte de montar a cavalo
equitativo *adj.* que tem equidade; justo
equivalência *s. f.* correspondência de valor, natureza, ou função
equivalente I *adj. 2 gén.* **1** que tem valor igual (em quantidade ou qualidade); **2** que tem o mesmo significado; **II** *s. m.* **1** aquilo que equivale; **2** palavra ou expressão com o mesmo significado que outra
equivaler *v. intr.* **1** ter igual valor; **2** ter o mesmo significado
equivocado *adj.* enganado
equivocar I *v. tr.* induzir em erro; enganar; **II** *v. refl.* enganar-se
equívoco I *s. m.* **1** engano; **2** mal-entendido; **II** *adj.* **1** ambíguo; **2** duvidoso
Er QUÍM. [*símbolo de* **érbio**]
era *s. f.* **1** período que se inicia numa data fixa e importante, a partir do qual se começam a contar os anos; **2** GEOL. grande divisão tempo durante a qual se formou um grupo de rochas; **~ *de Cristo*** a que decorre desde o nascimento de Cristo
erário *s. m.* recursos financeiros públicos
érbio *s. m.* QUÍM. elemento com o número atómico 68 e símbolo Er, que pertence ao grupo das terras raras
erecção *s. f.* **1** acto de erguer ou construir; **2** instituição; **3** FISIOL. transformação de um órgão mole em rígido, erguendo-se, por afluxo de sangue
erecto *adj.* **1** erguido; **2** endurecido
eremita *s. 2 gén.* **1** pessoa que vive num ermo, em recolhimento; **2** *(fig.)* pessoa que evita o convívio social
ergonomia *s. f.* disciplina científica que procura adequar o local de trabalho e o equipamento ao sistema de trabalho e ao utilizador, gerando mais conforto, segurança e eficiência
ergonómico *adj.* **1** relativo a ergonomia; **2** adaptado às características e necessidades do utilizador

erguer I *v. tr.* **1** levantar; **2** construir; **3** endireitar; **II** *v. refl.* levantar-se
erguido *adj.* **1** levantado; **2** em posição vertical
eriçado *adj.* **1** encrespado; **2** espetado; hirto
eriçar *v. tr. e refl.* **1** tornar(-se) crespo e espetado; **2** arrepiar(-se)
erigir *v. tr.* **1** pôr na vertical; levantar; **2** construir; **3** fundar
eritrócito *s. m.* célula responsável pela cor vermelha do sangue; glóbulo vermelho
ermida *s. f.* pequeno templo ou capela em sítio ermo
ermo I *s. m.* lugar despovoado, deserto; **II** *adj.* **1** despovoado; **2** deserto
erosão *s. f.* **1** GEOL. fenómeno resultante da actividade dos agentes externos (ar, vento, água, seres vivos, etc.) que alteram o relevo terrestre; **2** *(fig.)* desgaste
erosivo *adj.* que causa erosão
erótico *adj.* **1** relativo a erotismo; **2** que desperta desejo sexual
erotismo *s. m.* **1** qualidade do que desperta o desejo sexual; **2** sensualidade; **3** presença ou manifestação da sexualidade de forma explícita (em filme, livro, etc.)
erradicar *v. tr.* **1** arrancar pela raiz; **2** destruir totalmente; eliminar
errado *adj.* **1** que cometeu erro; enganado; **2** que não é adequado; incorrecto
errante *adj. 2 gén.* **1** que erra ou vagueia; **2** sem residência fixa
errar I *v. tr.* **1** enganar-se em; **2** falhar; **II** *v. intr.* **1** cometer erro; **2** agir de forma incorrecta; **3** vaguear
errata *s. f.* lista dos erros tipográficos num livro, impresso, etc., com indicação das respectivas correcções
erro *s. m.* **1** decisão, acto ou resposta incorrecta; **2** juízo falso; engano; **3** falta; culpa; ~ ***de palmatória*** erro imperdoável
erróneo *adj.* **1** que contém erro; **2** falso
erudição *s. f.* instrução e conhecimentos vastos e variados
erudito I *s. m.* aquele que revela instrução e conhecimentos vastos e variados; **II** *adj.* **1** que tem conhecimentos vastos; **2** adquirido através do estudo; **3** culto (por oposição a popular)
erupção *s. f.* **1** saída impetuosa; **2** GEOL. emissão violenta de gases e matérias vulcânicas; **3** MED. aparecimento de pequenas lesões na pele
eruptivo *adj.* **1** relativo a erupção; **2** que causa erupção
erva *s. f.* **1** BOT. planta de caule verde e tenro, geralmente pequena, que pode ser anual ou perene; **2** *(gír.)* marijuana; ~ ***aromática*** erva com aroma utilizada como tempero na culinária; ~ ***daninha*** erva que prejudica o crescimento de outras plantas; ~ ***medicinal*** erva com aplicações terapêuticas
erva-cidreira *s. f.* {*pl.* ervas-cidreiras} BOT. planta aromática com folhas ovais serradas, com efeito antiespasmódico e calmante, muito usada para fazer chá
ervanária *s. f.* loja onde se vendem plantas medicinais e produtos naturais
ervanário *s. m.* **1** o que recolhe ou vende plantas medicinais; **2** loja onde se vendem plantas medicinais
ervilha *s. f.* **1** BOT. planta trepadeira de caule longo e ramos delicados, cujos frutos são vagens alongadas com sementes comestíveis; **2** BOT. vagem ou semente desta planta
Es QUÍM. [*símbolo de* **einsténio**]

ES [*sigla de* Ensino Secundário]

esbaforido *adj.* **1** sem fôlego; ofegante; **2** cheio de pressa

esbanjamento *s. m.* gasto excessivo de algum bem, especialmente dinheiro; desperdício

esbanjar *v. tr.* gastar em excesso; desbaratar

esbarrar *v. intr. e refl.* **1** chocar; embater; **2** encontrar de repente

esbater I *v. tr.* **1** atenuar os contrastes ou as cores de; **2** suavizar; **II** *v. refl.* tornar-se menos nítido

esbelto *adj.* elegante; bem proporcionado

esboçar I *v. tr.* **1** delinear os contornos de; **2** *(fig.)* descrever ou idealizar em traços gerais; **II** *v. refl.* começar a tomar forma; delinear-se

esboço *s. m.* **1** delineamento inicial e pouco pormenorizado de desenho ou obra de pintura; **2** *(fig.)* traços gerais do que se vai desenvolver

esbofetear *v. tr.* dar bofetadas a

esborrachado *adj.* **1** achatado; **2** esmagado

esborrachar I *v. tr.* deformar, achatando ou comprimindo; esmagar; **II** *v. refl.* cair violentamente, desfazendo-se

esbranquiçado *adj.* **1** quase branco; **2** pálido

esbugalhado *adj.* (olho) muito saliente; arregalado

esbugalhar *v. tr.* **1** tirar os bugalhos a; **2** arregalar (os olhos)

esburacado *adj.* com buracos

esburacar *v. tr.* fazer buracos em

escabeche *s. m.* **1** CUL. molho à base de azeite, vinagre, louro, alho e cebola, para tempero ou conserva de peixe ou de carne; **2** *(pop.)* grande confusão

escabroso *adj.* **1** com desníveis acentuados; acidentado; **2** obsceno; indecente

escachar *v. tr.* **1** abrir pelo meio; **2** escancarar

escada *s. f.* **1** série de degraus, dispostos em plano inclinado, para subir ou descer; **2** utensílio formado por duas barras paralelas ligadas por travessas que servem de degraus; **~ *de caracol*** escada cujos degraus estão dispostos em espiral

escadaria *s. f.* série de escadas separadas por patamares

escada rolante *s. f.* série de degraus metálicos accionados mecanicamente

escadote *s. m.* escada portátil formada por duas peças que se abrem em ângulo

escafandro *s. m.* fato impermeável e hermeticamente fechado, provido de ar para respiração, que permite ficar muito tempo debaixo de água

escala *s. f.* **1** (mapa, planta) linha graduada que relaciona as dimensões e distâncias representadas num plano com as dimensões e distâncias reais; **2** chegada de navio ou avião para receber carga ou passageiros ou para reabastecimento; **3** graduação; hierarquia; **4** MÚS. série de sons musicais dentro de uma oitava ❖ ***em grande ~*** em grande quantidade

escalada *s. f.* **1** DESP. actividade de montanha cujo objectivo é superar um obstáculo vertical (parede de rocha ou parede artificial); **2** subida difícil; **3** *(fig.)* intensificação

escalão *s. m.* **1** cada um dos níveis de uma série; **2** plano ou passagem por onde se sobe ou desce

escalar *v. tr.* **1** subir a (lugar íngreme); trepar; **2** cortar (o cabelo) em escala

escaldado *adj.* **1** que se queimou com líquido a ferver; **2** *(fig.)* que aprendeu com a experiência

escaldante *adj. 2 gén.* **1** que escalda ou queima; **2** *(fig.)* polémico; **3** *(fig.)* que envolve sexo de forma explícita

escaldão *s. m.* queimadura provocada pelo sol ou pelo contacto com substâncias muito quentes

escalda-pés *s. m. 2 núm.* banho que se dá aos pés, com água muito quente

escaldar **I** *v. tr.* **1** queimar com líquido ou vapor quente; **2** *(fig.)* dar lição a; **II** *v. intr.* estar muito quente; **III** *v. refl.* **1** queimar-se com líquido ou vapor quente; **2** *(fig.)* ficar advertido ou preparado para um mal ou perigo

escaleno *adj.* **1** GEOM. (triângulo) que tem os lados todos diferentes; **2** GEOM. (trapézio) que tem os lados não paralelos diferentes

escalfado *adj.* (ovo) passado por água muito quente

escalfar *v. tr.* CUL. passar por água quente sem deixar cozer (ovos, etc.)

escalonamento *s. m.* **1** disposição em degraus; **2** distribuição por níveis; graduação; **3** organização; agrupamento

escalonar *v. tr.* **1** dispor em degraus; **2** distribuir por grupos, escalões ou categorias; **3** organizar segundo um dado critério; agrupar

escalope *s. m.* CUL. fatia delgada de carne, geralmente de vitela ou de peru, panada e frita

escama *s. f.* **1** ZOOL. cada uma das lâminas finas e com reflexos que revestem a pele de muitos peixes; **2** cada uma das pequenas películas que se destacam e separam da epiderme

escamado *adj.* **1** que ficou sem escamas; **2** *(fig.)* irritado

escamar *v. tr.* **1** tirar as escamas a; **2** *(fig.)* irritar

escamotear *v. tr.* **1** fazer desaparecer sem se notar; **2** encobrir

escancarado *adj.* **1** aberto de par em par; **2** evidente; claro

escancarar *v. tr.* **1** abrir de par em par; **2** expor

escanchar **I** *v. tr.* abrir ao meio; **II** *v. refl.* sentar-se com uma perna para cada lado

escandalizado *adj.* chocado; indignado

escandalizar **I** *v. tr.* **1** causar escândalo ou indignação; **2** ofender; **II** *v. refl.* **1** chocar-se; **2** ofender-se

escândalo *s. m.* **1** acto considerado contrário à moral e/ou aos bons costumes e que provoca indignação; **2** tumulto; desordem; **3** facto que provoca revolta ou indignação

escandaloso *adj.* **1** que produz escândalo; **2** vergonhoso

escandinavo **I** *s. m.* {*f.* escandinava} pessoa natural da Escandinávia; **II** *adj.* relativo à Escandinávia

escândio *s. m.* QUÍM. elemento metálico, com o número atómico 21 e símbolo Sc

escangalhar *v. tr. e refl.* **1** desmanchar(-se); **2** estragar(-se) ❖ ***escangalhar-se a rir*** desatar às gargalhadas

escantilhão *s. m.* medida utilizada para regular distâncias (em actividades agrícolas, mecânicas, etc.) ❖ ***de ~*** precipitadamente

escanzelado *adj.* *(pop.)* muito magro

escapadela *s. f.* **1** fuga repentina; **2** ausência breve

escapar **I** *v. intr.* **1** libertar-se; **2** fugir; **3** sobreviver; **4** *(fig.)* ser dito por distracção; **5** *(fig.)* não ser tomado em consideração; **II** *v. refl.* **1** libertar-se; **2** fugir a um compromisso

escaparate *s. m.* **1** armário envidraçado; **2** vitrina

escapatória *s. f.* meio hábil de evitar uma dificuldade; subterfúgio

escape *s. m.* **1** fuga; evasão; **2** expulsão de gases de um motor; **3** tubo por onde esses gases são libertados

escapulário *s. m.* **1** parte do vestuário de frades e freiras que cai sobre o peito; **2** objecto de devoção constituído por um fio que une dois quadrados pequenos benzidos, que se coloca ao pescoço

escapulir *v. intr. e refl.* escapar-se; fugir

escarafunchar *v. tr.* **1** remexer; esgravatar; **2** *(fig.)* investigar em pormenor

escaravelho *s. m.* ZOOL. insecto com antenas articuladas e corpo achatado, de cor escura, que se alimenta de excrementos de mamíferos herbívoros

escarcéu *s. m.* **1** grande onda que se forma com o mar revolto; **2** *(fig.)* grande alarido; confusão

escarlate I *s. m.* cor vermelha muito viva; **II** *adj.* de cor vermelha

escarlatina *s. f.* MED. doença febril, aguda, infecciosa e muito contagiosa, que provoca o aparecimento de manchas vermelhas na pele

escarnecer *v. tr. e intr.* troçar de

escárnio *s. m.* **1** troça; zombaria; **2** desprezo

escarpa *s. f.* encosta íngreme

escarpado *adj.* que tem escarpa ou grande declive; íngreme

escarrapachado *adj.* **1** sentado com as pernas abertas; **2** estendido no chão; estatelado; **3** *(coloq.)* bem visível

escarrapachar *v. tr.* **1** sentar abrindo as pernas completamente; **2** *(pop.)* pôr em lugar visível

escarrar I *v. tr.* cuspir; **II** *v. intr.* expelir escarro; expectorar

escarro *s. m.* **1** matéria viscosa segregada pelas mucosas (em especial das vias respiratórias) e expelida pela boca; expectoração; **2** *(fig.)* coisa ou pessoa desprezível

escassear *v. intr.* existir em pouca quantidade

escassez *s. f.* insuficiência; falta

escasso *adj.* que existe em pequena quantidade; insuficiente

escavação *s. f.* **1** acto de abrir buracos ou cavidades; **2** trabalho de desaterro para nivelar ou abrir corte em terreno; **3** ARQUEOL. conjunto de trabalhos efectuados para recolha de vestígios arqueológicos

escavadora *s. f.* máquina utilizada para escavar, revolver ou retirar a terra de um terreno

escavar *v. tr.* **1** abrir cavidade ou buraco em; **2** *(fig.)* pesquisar

esclarecedor *adj.* **1** que esclarece; **2** compreensível

esclarecer I *v. tr.* **1** tornar claro ou compreensível; **2** explicar; informar; **II** *v. refl.* **1** obter esclarecimento sobre; **2** instruir-se

esclarecido *adj.* **1** explicado; **2** instruído

esclarecimento *s. m.* **1** acto de explicar o sentido de; elucidação; **2** explicação; **3** sabedoria

esclavagismo *s. m.* **1** sistema social que baseia a sua organização económica na escravatura; **2** comércio de escravos

esclavagista I *adj. 2 gén.* **1** que é partidário do esclavagismo; **2** (sistema social) que permite ou se baseia na escravatura; **II** *s. 2 gén.* pessoa partidária do esclavagismo

esclerose *s. f.* MED. endurecimento do tecido conjuntivo de um órgão

esclerótica *s. f.* ANAT. membrana conjuntiva, exterior, do globo ocular

escoadouro *s. m.* cano, conduta ou vala por onde se escoam líquidos

escoamento *s. m.* **1** acto de escoar; **2** declive por onde se escoam as águas; **3** ECON. saída de bens ou produtos; venda; **4** circulação de veículos ou pessoas

escoar *v. tr.* **1** fazer escorrer (um líquido); **2** ECON. distribuir e/ou vender (bens, produtos); **3** permitir a circulação de (veículos ou pessoas)

escocês I *s. m.* {*f.* escocesa} **1** pessoa natural da Escócia; **2** língua céltica falada em algumas regiões da Escócia; **II** *adj.* **1** relativo à Escócia; **2** (tecido) em xadrez de cores vivas

escol *s. m.* aquilo que é considerado melhor num grupo ou numa sociedade; elite

escola *s. f.* **1** instituição pública ou privada onde se ministra o ensino; **2** edifício onde funciona essa instituição; **3** doutrina importante em determinada área do saber; **4** conjunto de seguidores de uma doutrina ou de um conjunto de princípios; **5** (*fig.*) experiência ❖ ***fazer ~*** criar adeptos; ***ter ~*** ser manhoso

escolar *adj. 2 gén.* **1** relativo a escola; **2** próprio para ser utilizado na escola

escolaridade *s. f.* frequência da escola; ***~ obrigatória*** obrigatoriedade de frequência das actividades lectivas até um determinado nível de escolaridade (actualmente até ao 9.º ano), imposta por lei a crianças em idade escolar

escolha *s. f.* **1** preferência por uma coisa, entre duas ou mais; opção; **2** aquilo que se preferiu ou seleccionou

escolher *v. tr.* fazer escolha de; seleccionar

escolhido *adj.* que foi preferido ou seleccionado

escolho *s. m.* **1** rochedo à flor da água; **2** (*fig.*) obstáculo

escolta *s. f.* conjunto de pessoas, corpo de tropas, embarcações, aviões, etc., destacados para acompanhar e proteger alguém ou alguma coisa

escoltar *v. tr.* acompanhar para guardar ou proteger

escombros *s. m. pl.* destroços; ruínas

esconder *v. tr.* **1** colocar em lugar onde não se possa descobrir; ocultar; **2** não revelar; manter em segredo

esconderijo *s. m.* lugar onde se esconde, ou próprio para se esconder, alguém ou alguma coisa

escondidas *s. f. pl.* jogo de crianças no qual uma tem de descobrir as outras, que se esconderam; ***às ~*** sem ninguém ver, ocultamente

escondido *adj.* que se escondeu; oculto

esconjurar *v. tr.* **1** afastar ou afugentar (algo considerado maligno) por meio de ritual apropriado; exorcismar; **2** amaldiçoar

esconjuro *s. m.* **1** ritual usado para afugentar algo que se considera maligno; exorcismo; **2** maldição

escopo *s. m.* **1** ponto de mira; **2** alvo; objectivo

escopro *s. m.* instrumento cortante numa das extremidades, que serve para lavrar ou gravar pedra, madeira e metal; cinzel

escora *s. f.* **1** peça que serve para amparar ou suster; **2** (*fig.*) amparo

escorbuto *s. m.* MED. doença caracterizada por inchaço e hemorragia, em especial nas gengivas, provocada por falta de vitamina C

escória *s. f.* **1** resíduos sólidos provenientes da fusão de metais; **2** (*fig., pej.*) gente considerada desprezível

escoriação *s. f.* MED. ferimento na pele, geralmente superficial; esfoladela

escorpiano *s. m.* ASTROL. pessoa que nasceu sob o signo de Escorpião

escorpião *s. m.* ZOOL. aracnídeo venenoso que possui um espigão na cauda por onde o liberta veneno, e que geralmente aparece debaixo de pedras

Escorpião *s. m.* 1 ASTROL. oitava constelação do zodíaco situada no hemisfério sul; 2 ASTROL. oitavo signo do zodíaco (23 de Outubro a 21 de Novembro)

escorraçar *v. tr.* expulsar violentamente; enxotar

escorregadela *s. f.* 1 acto de escorregar ou deslizar com o próprio peso; 2 *(fig.)* engano; lapso; deslize

escorregadio *adj.* 1 que faz escorregar com facilidade; 2 *(fig.)* que implica riscos

escorregão *s. m.* 1 acto de escorregar; queda; 2 brinquedo infantil constituído por uma tábua polida e inclinada, sobre a qual as crianças deslizam

escorregar *v. intr.* 1 deslizar e ser levado pelo próprio peso do corpo; 2 *(fig.)* cometer uma falha ou inconfidência

escorrer I *v. tr.* 1 fazer correr (um líquido); 2 retirar o líquido de; 3 verter; **II** *v. intr.* 1 perder o líquido em excesso; 2 correr; fluir

escotilha *s. f.* NÁUT. alçapão ou abertura no convés, no porão ou nas cobertas do navio

escova *s. f.* utensílio com pêlos ou outro tipo de filamentos flexíveis, que serve para limpar, alisar e dar brilho

escovadela *s. f.* limpeza rápida com escova

escovar *v. tr.* passar a escova para limpar, polir ou alisar

escravatura *s. f.* 1 comércio de escravos; 2 estado ou condição de escravo

escravidão *s. f.* 1 estado ou condição de escravo; 2 sujeição; opressão

escravizar *v. tr.* 1 reduzir à condição de escravo; 2 submeter; subjugar

escravo I *s. m.* 1 pessoa privada de liberdade e submetida a um poder absoluto; 2 aquele que vive em absoluta dependência de algo ou alguém; 3 *(fig.)* pessoa que trabalha em excesso; **II** *adj.* subjugado; dominado

escrever I *v. tr.* 1 representar por meio de caracteres gráficos; 2 exprimir-se por meio da escrita; 3 compor (obra literária, música, tese); **II** *v. intr.* 1 ser escritor; 2 enviar carta, e-mail, etc.; **III** *v. refl.* trocar correspondência (com alguém)

escrevinhar *v. tr.* 1 escrever coisas sem importância; rabiscar; 2 fazer anotações nas margens de um texto

escriba *s. m.* HIST. indivíduo que tinha por profissão copiar manuscritos (antes da invenção da imprensa); copista

escrita *s. f.* 1 representação do pensamento e da palavra por meio de sinais convencionais; 2 conjunto de caracteres adoptado num sistema de representação gráfica; 3 estilo pessoal de expressão escrita; 4 caligrafia

escrito I *adj.* 1 ⟨*p. p. de* **escrever**⟩ representado por signos gráficos ou letras; 2 predestinado; **II** *s. m.* 1 qualquer documento expresso por sinais gráficos em papel ou material semelhante; 2 bilhete

escritor *s. m.* autor de obras literárias ou científicas

escritório *s. m.* 1 local onde se exerce uma actividade administrativa, se fazem negócios, se recebem clientes, etc.; 2 compartimento de uma habitação destinado ao trabalho intelectual, onde geralmente existe uma secretária, estantes com livros, etc.

escritura *s. f.* DIR. documento legal, reconhecido pelo notário, que valida um contrato, uma transacção ou um negócio

escrituração *s. f.* registo, em livro próprio, de operações comerciais

escriturário *s. m.* encarregado do registo de despesas e tarefas semelhantes, num escritório

escrivaninha *s. f.* mesa de trabalho, por vezes com tampo móvel; secretária

escrivão *s. m.* funcionário público que escreve e expede documentos legais

escroto *s. m.* ANAT. saco cutâneo que contém os testículos

escrúpulo *s. m.* **1** inquietação da consciência; **2** rigor; **3** forte sentido moral; **4** remorso

escrupuloso *adj.* **1** que tem escrúpulos; **2** muito cuidadoso

escrutínio *s. m.* **1** votação por meio de boletins lançados numa urna; **2** apuramento dos votos; **3** exame minucioso

escudar *v. tr. e refl.* **1** defender(-se) com escudo; **2** proteger(-se)

escudo *s. m.* **1** arma defensiva, geralmente circular; **2** antiga unidade monetária de Portugal substituída pelo euro em 1999

esculpir *v. tr.* lavrar figuras ou ornamentos em matéria dura (pedra, madeira, etc.)

escultor *s. m.* artista que trabalha em escultura

escultura *s. f.* **1** arte de representar objectos ou figuras em relevo ou em três dimensões, moldando pedra, madeira ou outro material duro; **2** obra produzida por escultor

escultural *adj. 2 gén.* **1** relativo a escultura; **2** com formas perfeitas

escuma *s. f.* vd. **espuma**

escumadeira *s. f.* colher com orifícios, para escumar líquidos

escumalha *s. f.* **1** resíduos provenientes do metal em fusão; **2** *(fig., pej.)* grupo mais desfavorecido da sociedade

escumar I *v. tr.* retirar a espuma de; **II** *v. intr.* formar espuma

escuna *s. f.* NÁUT. embarcação de dois mastros, com vela triangular na popa e velas redondas na proa

escuras *elem. da loc. adv.* **às ~** com falta de luz; sem entender nada

escurecer I *v. tr.* **1** tornar escuro; **2** tornar obscuro ou confuso; **II** *v. intr.* **1** começar a anoitecer; **2** tornar-se sombrio

escuridão *s. f.* **1** ausência de luz; obscuridade; **2** cegueira; **3** *(fig.)* desconhecimento total; ignorância

escuro I *adj.* **1** em que não há luz; com pouca ou nenhuma claridade; **2** de cor negra ou quase negra; **3** *(fig.)* difícil de compreender; **4** *(fig.)* ilícito ou suspeito; **II** *s. m.* **1** escuridão; ausência de luz; **2** lugar sombrio; **3** tom negro ou quase negro ❖ ***~ como breu*** muito escuro

escusado *adj.* supérfluo; dispensável

escusar I *v. tr.* **1** dispensar de serviço ou obrigação; **2** desculpar; **II** *v. intr.* não ser necessário

escuta I *s. f.* detecção e registo de comunicações ou conversas telefónicas, radiofónicas, etc., sem que os interlocutores se apercebam; **II** *s. 2 gén.* pessoa que escuta conversas ou comunicações entre outras pessoas

escutar *v. tr.* **1** ouvir, prestando atenção; **2** ouvir secretamente uma conversa ou comunicação; **3** seguir o conselho de

escuteiro *s. m.* membro de uma associação de escutismo

escutismo *s. m.* doutrina que tem por fim o aperfeiçoamento moral, intelectual e fisico das crianças e dos jovens, por meio do desenvolvimento do seu espírito cívico

esdrúxulo *adj.* GRAM. (palavra) que tem o acento tónico na antepenúltima sílaba

ESE GEOG. [*símbolo de* **és-sudeste**]

esfacelar *v. tr.* **1** causar gangrena a; **2** destruir; estragar
esfalfado *adj.* *(coloq.)* muito cansado; estafado
esfalfar **I** *v. tr.* causar muito cansaço a; estafar; **II** *v. refl.* estafar-se
esfaquear *v. tr.* dar facadas em
esfarelado *adj.* **1** transformado em farelo; **2** feito em pedaços ou migalhas
esfarelar *v. tr. e intr.* reduzir(-se) a migalhas; desfazer(-se)
esfarrapado *adj.* **1** feito em farrapos; roto; **2** andrajoso; maltrapilho
esfarrapar *v. tr.* fazer em farrapos
esfarripar *v. tr.* fazer em farripas; desfiar
esfera *s. f.* **1** GEOM. sólido cuja superfície tem todos os pontos equidistantes de um mesmo ponto (centro); **2** corpo redondo; globo; **3** *(fig.)* área; ~ ***armilar*** dispositivo formado por anéis fixos que representam círculos da esfera celeste; ASTRON. ~ ***celeste*** esfera imaginária cujo centro é o local onde se encontra o observador e que serve para definir a direcção dos astros
esférico **I** *adj.* com forma de esfera; redondo; **II** *s. m.* *(gír.)* (futebol) bola
esferográfica *s. f.* caneta com uma pequena esfera móvel na extremidade para regular o fluxo da tinta
esferovite *s. f.* material plástico muito leve, usado em embalagens e como revestimento térmico
esfiapar *v. tr., intr. e refl.* fazer(-se) em fiapos; desfiar(-se)
esfinge *s. f.* **1** MITOL. monstro fabuloso com cabeça humana e corpo de leão que devorava quem não decifrasse os seus enigmas; **2** *(fig.)* pessoa calada e misteriosa
esfoladela *s. f.* ferida superficial
esfolar **I** *v. tr.* **1** tirar a pele a; **2** ferir ou arranhar superficialmente; **II** *v. intr.* perder a pele
esfoliação *s. f.* **1** queda ou separação, em lâminas, da camada exterior de uma superfície; **2** eliminação das células mortas acumuladas nas camadas superficiais da pele
esfoliante **I** *adj. 2 gén.* que causa esfoliação; **II** *s. m.* produto que permite eliminar as células mortas acumuladas nas camadas superficiais da pele
esfomeado *adj.* cheio de fome; faminto
esforçado *adj.* que se esforça; diligente
esforçar **I** *v. tr.* **1** dar coragem a; **2** reforçar; **II** *v. refl.* dar o máximo de si para conseguir (algo); dedicar-se a
esforço *s. m.* **1** emprego de forças físicas, morais e/ou intelectuais para conseguir algo; **2** aquilo que exige empenho e trabalho para ser realizado
esfregão *s. m.* pano, esponja ou outro material utilizado para esfregar
esfregar *v. tr.* **1** passar repetidas vezes a mão ou um objecto sobre a superfície de; friccionar; **2** lavar com escova ou esfregão, friccionando ❖ ~ ***as mãos de contente*** mostrar-se muito satisfeito; ***enquanto o Diabo esfrega um olho*** num instante
esfregona *s. f.* utensílio para limpeza do chão formado por um cabo com tiras de pano absorvente na ponta
esfriar *v. tr. e intr.* **1** tornar(-se) frio; arrefecer; **2** *(fig.)* enfraquecer
esfumar **I** *v. tr.* **1** (pintura, desenho) esbater os traços a carvão; **2** escurecer com fumo; **II** *v. refl.* desaparecer aos poucos; dissipar-se
esgaçar *v. tr. e intr.* rasgar(-se) separando os fios
esgadanhar *v. tr.* arranhar com as unhas
esgalhar **I** *v. tr.* cortar os galhos a; **II** *v. intr.* **1** (árvore) lançar ramos novos; ramificar-se; **2** *(pop.)* trabalhar muito

esganado *adj.* **1** sufocado; estrangulado; **2** *(pop.)* esfomeado; sôfrego
esganar *v. tr.* matar sufocando
esganiçado *adj.* (som, voz) muito agudo
esganiçar I *v. tr.* tornar (um som) agudo; **II** *v. refl.* **1** soltar gritos agudos e desagradáveis; **2** falar ou cantar com som estridente
esgaravatar *v. tr.* **1** remexer a terra com os dedos ou as unhas; **2** procurar demoradamente; **3** *(fig.)* pesquisar
esgazeado *adj.* **1** (olhar, expressão) assustado; admirado; **2** (cor, tom) desbotado
esgotado *adj.* **1** tirado até à última gota; **2** gasto até ao fim; **3** extenuado
esgotamento *s. m.* **1** acto de gastar até ao fim; **2** grande cansaço físico e/ou moral; MED. **~ *nervoso*** estado patológico causado por tensão nervosa ou por cansaço intelectual
esgotante *adj. 2 gén.* **1** que esgota; **2** muito cansativo; extenuante
esgotar I *v. tr.* **1** tirar até à última gota; **2** gastar até ao fim; **3** tratar (um assunto) a fundo; **II** *v. intr.* acabar; **III** *v. refl.* **1** acabar; **2** extenuar-se
esgoto *s. m.* cano ou conduta para despejos
esgravatar *v. tr.* vd. **esgaravatar**
esgrima *s. f.* DESP. jogo praticado com espada, sabre ou florete
esgrimir I *v. tr.* **1** manejar (armas brancas); **2** agitar; brandir; **II** *v. intr.* **1** lutar (com armas brancas); **2** DESP. praticar esgrima
esgrimista *s. 2 gén.* pessoa que pratica ou ensina esgrima
esgrouviado *adj.* **1** magro e alto como o grou (ave); **2** desalinhado
esguedelhado *adj.* despenteado; desgrenhado
esguedelhar *v. tr. e refl.* despentear(-se); desgrenhar(-se)
esgueirar I *v. tr.* desviar; **II** *v. refl.* afastar-se ou fugir sorrateiramente
esguelha *s. f.* posição oblíqua; ***de ~*** de soslaio; de lado; obliquamente
esguichar I *v. tr.* expelir com força (um jacto de líquido) através de um orifício; **II** *v. intr.* sair em jacto
esguicho *s. m.* **1** acto de lançar (líquido) em forma de jacto; **2** jacto de um líquido
esguio *adj.* **1** comprido ou alto e estreito; **2** delgado
eslavo I *s. m.* **1** indivíduo pertencente a um dos diversos povos da Europa central e oriental; **2** conjunto de línguas indo-europeias faladas na Europa central e oriental; **II** *adj.* relativo aos povos da Europa central e oriental
eslovaco I *s. m.* {*f.* eslovaca} **1** pessoa natural da Eslováquia (Europa Central); **2** língua eslava falada na Eslováquia; **II** *adj.* relativo à Eslováquia
esloveno I *s. m.* {*f.* eslovena} **1** pessoa natural da Eslovénia (Europa Central); **2** língua eslava falada na Eslovénia; **II** *adj.* relativo à Eslovénia
esmagado *adj.* **1** achatado; comprimido; **2** *(fig.)* vencido
esmagador *adj.* **1** que esmaga; **2** que oprime; **3** indiscutível
esmagar *v. tr.* **1** deformar, comprimindo com força; **2** *(fig.)* vencer com grande vantagem; **3** *(fig.)* oprimir
esmaltar *v. tr.* **1** aplicar esmalte a; **2** *(fig.)* realçar
esmalte *s. m.* **1** camada vítrea que se aplica sobre objectos de metal, de porcelana, etc., como protecção ou ornamento; **2** ANAT. substância calcificada, brilhante e resistente, que reveste e protege a coroa dos dentes
esmerado *adj.* **1** que revela esmero ou cuidado; **2** perfeito

esmeralda I *s. f.* 1 MIN. pedra preciosa geralmente de cor verde; 2 cor verde dessa pedra; II *adj.* de cor verde semelhante à dessa pedra preciosa
esmerar I *v. tr.* fazer com esmero, com perfeição; II *v. refl.* 1 empregar todos os esforços; 2 aperfeiçoar-se
esmeril *s. m.* pedra dura que, reduzida a pó, serve para polir metais, vidros, etc.
esmerilar *v. tr.* polir; afiar
esmerilhão *s. m.* ZOOL. ave de rapina diurna
esmero *s. m.* cuidado extremo com que se realiza algo; perfeição
esmigalhar *v. tr. e refl.* desfazer(-se) em migalhas; triturar(-se)
esmiuçar *v. tr.* 1 dividir em partes muito pequenas; 2 reduzir a pó; 3 analisar minuciosamente; investigar
esmola *s. f.* 1 aquilo que se dá às pessoas pobres para as ajudar; 2 contribuição gratuita; donativo
esmorecer I *v. tr.* fazer perder o ânimo; II *v. intr.* 1 desanimar; 2 enfraquecer
esmurraçar *v. tr.* agredir com murros; esmurrar
esmurrado *adj.* 1 agredido com murros; 2 estragado; danificado
esmurrar *v. tr.* 1 agredir com murros; 2 espancar; 3 causar estragos em; danificar
és-nordeste *s. m.* GEOG. ponto subcolateral (intermédio), equidistante do este e do nordeste
esófago *s. m.* ANAT. órgão do aparelho digestivo constituído por um canal que estabelece a comunicação da faringe com o estômago
esotérico *adj.* 1 apenas destinado aos iniciados (de uma doutrina, escola, seita, etc.); 2 apenas compreensível para algumas pessoas; enigmático
esoterismo *s. m.* FIL. doutrina secreta cujos ensinamentos são comunicados apenas aos iniciados
espaçado *adj.* 1 em que há espaços ou intervalos; 2 vagaroso; lento
espacial *adj. 2 gén.* 1 relativo a espaço; 2 que existe no espaço
espaço *s. m.* 1 lugar ou extensão mais ou menos delimitado, cuja área pode conter alguma coisa; 2 extensão indefinida que contém o sistem solar, as estrelas, etc.; 3 intervalo; 4 capacidade de um lugar; ~ ***aéreo*** espaço sobreposto ao território de um Estado, que possui sobre ele direitos de soberania ❖ ~ ***de manobra*** espaço para agir; ***dar*** ~ dar tempo; ***de*** ~ ***a*** ~ com intervalos
espaçoso *adj.* que tem muito espaço
espada I *s. f.* 1 arma branca constituída por uma lâmina comprida de ferro ou de aço, perfurante, com um ou dois gumes, punho e guardas; 2 *(fig.)* poder militar; 3 [*pl.*] um dos naipes (preto) de um baralho de cartas, com uma figura desenhada em forma de ponta de lança; II *s. m.* (tauromaquia) toureiro que mata o touro com espada; matador ❖ ~ ***de dois gumes*** aquilo que tem vantagens e inconvenientes; ***entre a*** ~ ***e a parede*** em situação de saída difícil ou impossível
espadachim *s. m.* aquele que luta com espada
espadarte *s. m.* ZOOL. peixe de grande porte que vive nos mares quentes e que possui o maxilar superior com bordos cortantes e prolongado em forma de espada
espádua *s. f.* 1 ANAT. região que corresponde à omoplata; ombro; 2 ANAT. (quadrúpedes) região correspondente à parte superior dos membros anteriores

espairecer *v. tr. e intr.* distrair(-se); entreter(-se)
espaldar *s. m.* **1** aparelho de ginástica preso à parede, constituído por traves horizontais de madeira, utilizado para exercícios de suspensão e de apoio; **2** parte da cadeia onde se apoiam as costas
espalha-brasas *s. 2 gén. e 2 núm.* pessoa alegre e espalhafatosa
espalhafato *s. m.* grande confusão; aparato
espalhafatoso *adj.* **1** que faz espalhafato; aparatoso; **2** extravagante
espalhanço *s. m.* **1** *(pop.)* fracasso; **2** *(acad.)* mau resultado num exame
espalhar I *v. tr.* **1** fazer alastrar; difundir; **2** tornar público; divulgar; **II** *v. refl.* **1** difundir-se; **2** divulgar-se; **3** *(pop.)* cair; **4** *(acad.)* ter mau resultado num exame; reprovar
espalmado *adj.* chato; plano
espalmar *v. tr.* tornar chato ou plano
espampanante *adj. 2 gén.* que dá nas vistas; espalhafatoso
espanador *s. m.* espécie de vassoura pequena com que se limpa o pó
espancar *v. tr.* bater; agredir violentamente com socos, pontapés, etc.
espanhol I *s. m.* {*f.* espanhola} **1** pessoa natural de Espanha; **2** língua falada em Espanha e em alguns países da América Latina; **II** *adj.* relativo a Espanha
espantado *adj.* admirado; surpreendido
espantalho *s. m.* figura ou objecto que se usa no campo para afugentar os pássaros
espantar I *v. tr.* **1** causar espanto; admirar; **2** assustar; **3** afugentar; **II** *v. refl.* **1** admirar-se; **2** assustar-se ❖ **~ *a caça*** perder uma oportunidade; **~ *o sono*** fazer perder o sono
espanto *s. m.* **1** medo; susto; **2** grande admiração; assombro; **3** maravilha
espantoso *adj.* **1** que causa espanto; **2** assustador; **3** extraordinário; incrível
espargata *s. f.* DESP. posição de ginástica acrobática e ballet em que as pernas se afastam lateralmente, em extensão, sobre o pavimento
espargir *v. tr.* espalhar (líquido) em pequenas gotas; borrifar
espargo *s. m.* BOT. planta vivaz que produz rebentos carnosos de forma alongada, usados na alimentação
esparguete *s. m.* CUL. massa de sêmola de trigo em forma de cilindros compridos e delgados
esparregado *s. m.* CUL. puré de couve nabiça ou galega servido como acompanhamento
esparrela *s. f.* **1** armadilha para pássaros; **2** *(fig.)* cilada ❖ ***cair na* ~** deixar-se enganar
espartilho *s. m.* espécie de cinta, que vai das ancas até abaixo dos seios, com que se cinge a cintura
espasmo *s. m.* MED. contracção involuntária e convulsiva dos músculos
espatifar *v. tr.* **1** desfazer em pedaços; **2** dar cabo de; estragar
espátula *s. f.* espécie de faca sem gume, com extremidade larga e plana, utilizada para espalhar substâncias pastosas
especado *adj.* **1** firmado com estaca; **2** parado; imóvel
especial *adj. 2 gén.* **1** particular; individual; **2** destinado a um fim particular; específico; **3** fora do vulgar; excelente
especialidade *s. f.* **1** ramo de actividade ou área que alguém domina; **2** CUL. prato típico de uma região, de um restaurante ou de um cozinheiro
especialista *s. 2 gén.* pessoa especializada em determinada profissão ou actividade; perito

especialização *s. f.* **1** acto de especializar(-se); **2** estudo aprofundado de um ramo específico da ciência ou da técnica
especializado *adj.* **1** que se especializou em determinada ciência ou técnica; **2** relativo a uma área específica
especializar **I** *v. tr.* distinguir; particularizar; **II** *v. refl.* **1** tornar-se especialista; **2** distinguir-se
especialmente *adv.* **1** de modo especial; **2** particularmente
especiaria *s. f.* CUL. erva aromática usada para condimentar alimentos
espécie *s. f.* **1** qualidade; género; **2** caso particular; variedade; **3** conjunto de elementos com uma característica comum que os distingue e que permite classificá-los como uma classe, categoria, tipo, etc.; **4** BIOL. grupo taxionómico inferior ao género ❖ ***fazer ~*** causar certa impressão
especificação *s. f.* descrição pormenorizada; discriminação
especificado *adj.* discriminado; pormenorizado
especificar *v. tr.* **1** indicar a espécie de; classificar; **2** discriminar; detalhar
específico *adj.* **1** próprio de uma espécie; **2** exclusivo; especial
espécime *s. m.* **1** amostra; modelo; exemplo; **2** BIOL. indivíduo de uma espécie
espectacular *adj. 2 gén.* **1** relativo a espectáculo; **2** que dá nas vistas; aparatoso; **3** *(coloq.)* excelente; maravilhoso
espectáculo *s. m.* **1** aquilo que prende o olhar ou a atenção; **2** exibição artística de teatro, canto, dança, etc.; **3** *(coloq.)* aquilo que é considerado excepcionalmente bom; **4** *(irón.)* escândalo ❖ ***dar ~*** dar escândalo
espectador *adj. e s. m.* **1** que ou o que assiste a um espectáculo; **2** observador
espectro *s. m.* aparição de uma pessoa já falecida; fantasma
especulação *s. f.* **1** investigação teórica; análise; **2** hipótese; conjectura; **3** ECON. operação comercial com lucros exagerados e pouco legítimos
especulador *adj. e s. m.* que ou aquele que especula
especular **I** *v. intr.* estudar com atenção; investigar; **II** *v. intr.* **1** fazer conjecturas; **2** ECON. negociar com lucro excessivo
espelhar **I** *v. tr.* **1** transformar em espelho; **2** reflectir; **II** *v. intr.* brilhar; **III** *v. refl.* tornar-se evidente; revelar-se
espelho *s. m.* **1** superfície muito polida que reflecte os raios luminosos e as imagens que sobre ela incidem; **2** *(fig.)* imagem; representação; **3** placa externa que remata o buraco de fechaduras ou de interruptores
espelunca *s. f.* lugar miserável; antro
espera *s. f.* **1** acto ou efeito de esperar ou aguardar; **2** demora; **3** expectativa
esperado *adj.* **1** que se espera; **2** que se prevê; **3** desejado
esperança *s. f.* **1** confiança em conseguir o que se deseja; **2** expectativa ❖ ***andar de esperanças*** estar grávida
esperançoso *adj.* **1** que tem esperança; **2** que dá esperança; prometedor
esperanto *s. m.* idioma artificial inventado para facilitar a comunicação entre pessoas de línguas maternas diferentes (final do séc. XIX)
esperar **I** *v. tr.* **1** estar à espera; aguardar; **2** ter esperança em; confiar em; **3** contar com; prever; **II** *v. intr.* **1** estar à espera; **2** confiar

esperma *s. m.* BIOL. líquido segregado pelos órgãos genitais masculinos, que contém os espermatozóides; sémen

espermatozóide *s. m.* BIOL. célula genital masculina, móvel e em estado de maturação

espermicida I *adj. 2 gén.* que destrói os espermatozóides; **II** *s. m.* FARM. substância de uso contraceptivo que destrói os espermatozóides

espernear *v. intr.* agitar as pernas repetidamente e com violência

espertalhão *s. m.* indivíduo astuto e malicioso; finório

esperteza *s. f.* **1** qualidade do que é perspicaz e inteligente; **2** acção ou dito que revela essas características

esperto *adj.* que percebe as coisas com facilidade e rapidez; atento; vivo

espessante I *adj. 2 gén.* que torna (algo) espesso; **II** *s. m.* substância utilizada na indústria alimentar para tornar um líquido mais espesso ou dar-lhe uma consistência gelatinosa

espesso *adj.* **1** denso; grosso; **2** que tem consistência pastosa; cremoso; **3** encorpado; volumoso

espessura *s. f.* **1** qualidade do que é espesso ou grosso; **2** característica do que tem uma certa densidade ou consistência

espetada *s. f.* CUL. enfiada de pedaços de carne, de peixe e/ou de legumes que se assam de uma vez no espeto

espetanço *s. m.* **1** *(coloq.)* prejuízo ou mau êxito num negócio; fracasso; **2** *(coloq.)* má figura

espetar I *v. tr.* **1** enfiar a ponta aguçada de um objecto em; **2** trespassar; cravar; **II** *v. refl.* **1** picar-se; ferir-se com uma ponta afiada; **2** ficar espetado; eriçar-se; **3** *(coloq.)* fracassar; **4** *(coloq.)* fazer má figura

espeto *s. m.* **1** haste de ferro ou pau em que se enfia carne, peixe, etc. para assar; **2** *(fig.)* pessoa alta e muito magra

espevitado *adj.* **1** desembaraçado; esperto; **2** atrevido

espezinhar *v. tr.* **1** calcar violentamente com os pés; **2** *(fig.)* humilhar; oprimir

espia *s. 2 gén.* **1** pessoa que espreita secretamente as acções de outra; **2** sentinela; vigia

espião *s. m.* **1** indivíduo contratado por alguém para observar e obter informações confidenciais sobre entidades e/ou organizações políticas ou financeiras; **2** aquele que observa algo ou alguém em segredo

espiar *v. tr.* observar em segredo, geralmente para obter informações

espicaçar *v. tr.* **1** picar com o bico; **2** *(fig.)* estimular; instigar

espiga *s. f.* **1** BOT. tipo de inflorescência agrupada, cujas flores se dispõem ao longo de um eixo alongado; **2** parte terminal de plantas como o milho, o trigo e a cevada, que contém os grãos; **3** pequena película cutânea que se levanta junto da raiz das unhas; **4** *(fig.)* maçada

espigado *adj.* **1** (cereal) que tem espiga; **2** (cabelo) com as pontas a abrir; **3** (pessoa) crescido

espigadote *adj. (coloq.)* alto; crescido

espigar *v. intr.* **1** (cereal) lançar espiga; germinar; **2** (pontas do cabelo) abrir; **3** (pessoa) ficar alto

espinafre *s. m.* **1** BOT. planta herbácea com folhas grossas e verde escuras, muito usada em sopas e saladas; **2** *(coloq., fig.)* pessoa alta e magra

espinal *adj. 2 gén.* **1** relativo à espinha dorsal; **2** semelhante a uma espinha

espingarda *s. f.* arma de fogo com cano comprido e coronha, que se apoia no ombro para atirar

espinha *s. f.* **1** ANAT. coluna vertebral; **2** osso alongado, fino e pontiagudo do esqueleto dos peixes; **3** borbulha que aparece à superfície da pele

espinha dorsal *s. f.* **1** ANAT. conjunto de vértebras articuladas ou sobrepostas na parte dorsal do tronco, formando uma espécie de coluna que vai do crânio ao cóccix; coluna vertebral; **2** *(fig.)* aquilo que sustenta algo; base; fundamento

espinho *s. m.* **1** órgão agudo e rígido de um vegetal, que provém de ramo, folha, etc., profundamente modificados; pico; **2** pêlo rígido de alguns animais; **3** ponta aguçada; **4** *(fig.)* situação complicada; dificuldade

espinhoso *adj.* **1** que tem espinhos ou pontas aguçadas; **2** *(fig.)* difícil; **3** *(fig.)* delicado

espionagem *s. f.* **1** actividade de quem é contratado para observar secretamente algo ou alguém; **2** serviço organizado de um país ou de uma entidade para obter informações confidenciais sobre algo ou alguém

espionar *v. tr. e intr.* **1** investigar como espião; **2** observar em segredo

espiral I *s. f.* **1** GEOM. linha curva, ilimitada, descrita por um ponto que dá voltas sucessivas em torno de outro, e do qual se afasta progressivamente; **2** qualquer objecto cuja forma se assemelha a essa linha; **II** *adj. 2 gén.* que tem forma de caracol

espírita I *adj. 2 gén.* relativo ao espiritismo; **II** *s. 2 gén.* pessoa que cultiva o espiritismo

espiritismo *s. m.* doutrina baseada na crença na possibilidade de as almas dos mortos comunicarem com os vivos por intermédio dos médiuns

espiritista *adj. e s. 2 gén.* vd. **espírita**

espírito *s. m.* **1** parte imaterial e inteligente do ser humano; **2** RELIG. princípio incorpóreo que anima um ser vivo; alma; **3** entidade sobrenatural; **4** ideia ou inspiração fundamental (de obra, doutrina, etc.); **5** disposições intelectuais e morais de um indivíduo ou de um grupo (espírito crítico, espírito de equipa)

espiritual I *adj. 2 gén.* **1** relativo ao espírito; imaterial; **2** relativo a religião; **II** *s. m.* cântico religioso de origem africana

espiritualidade *s. f.* **1** qualidade do que é espiritual; **2** qualidade do que tem ou manifesta actividade espiritual intensa; religiosidade; misticismo

espirituoso *adj.* **1** (pessoa) que revela graça; **2** (bebida) que contém álcool

espirrar I *v. intr.* **1** dar espirros; **2** esguichar; **II** *v. tr.* lançar com força

espirro *s. m.* **1** expulsão ruidosa e súbita de ar pelo nariz e pela boca, por efeito do movimento convulsivo das vias respiratórias; **2** esguicho

esplanada *s. f.* espaço privativo de restaurante ou café, ao ar livre, com mesas e cadeiras

esplêndido *adj.* **1** que tem esplendor; grandioso; **2** magnífico

esplendor *s. m.* **1** brilho intenso; fulgor; **2** *(fig.)* luxo

esplendoroso *adj.* **1** cheio de esplendor ou de brilho; **2** magnífico

espoleta *s. f.* dispositivo que produz a detonação de cargas explosivas e projécteis

espoliação *s. f.* acto de privar alguém da posse de algo por meio de fraude ou de violência

espoliar *v. tr.* tirar a alguém, por violência ou fraude, a propriedade de alguma coisa; despojar

espólio *s. m.* **1** despojos de guerra; **2** produto de uma espoliação ou de um roubo; **3** bens que ficaram por morte de alguém

esponja *s. f.* **1** ZOOL. animal marinho, invertebrado, que possui um esqueleto fibroso e poroso; **2** objecto de material poroso e absorvente utilizado no banho ou para limpezas; **3** *(coloq.)* pessoa que consome muitas bebidas alcoólicas ❖ ***beber como uma ~*** beber bebidas alcoólicas em excesso; ***passar uma ~ sobre*** esquecer; desculpar

esponjoso *adj.* **1** semelhante a esponja; **2** absorvente e poroso

espontaneidade *s. f.* qualidade do que é espontâneo; naturalidade

espontâneo *adj.* **1** que se faz voluntariamente, independentemente de uma causa externa; **2** sincero; natural; **3** irreflectido

espontar *v. intr.* **1** começar a surgir; despontar; **2** nascer

espora *s. f.* utensílio de metal que se prende ao calcanhar do cavaleiro e que este utiliza para incitar o animal a andar ou a acelerar o movimento

esporádico *adj.* **1** raro; **2** casual

esporão *s. m.* ZOOL. saliência córnea no tarso de alguns machos galináceos

esposa *s. f.* mulher em relação à pessoa com quem casou

esposo *s. m.* marido em relação à pessoa com quem casou

espreguiçadeira *s. f.* cadeira articulada, alongada e reclinável, própria para uma pessoa se estender

espreguiçar-se *v. refl.* distender os braços e as pernas; desentorpecer-se

espreita *s. f.* acto de espreitar ou de espiar; ***à ~*** de vigia

espreitadela *s. f.* acto de espreitar de modo rápido e subtil

espreitar *v. tr.* **1** observar secretamente; espiar; **2** estar à espera de (uma oportunidade)

espremedor *s. m.* aparelho manual ou eléctrico utilizado para espremer frutos

espremer **I** *v. tr.* **1** comprimir ou apertar para extrair um suco; **2** *(fig.)* obrigar; forçar; **3** *(fig.)* interrogar exercendo coacção; **II** *v. refl.* **1** contorcer-se; **2** fazer força por expelir alguma coisa

espuma *s. f.* **1** conjunto de bolhas que se formam à superfície dos líquidos agitados ou em fermentação; **2** baba; ***~ de barbear*** substância que se aplica no rosto para fazer a barba

espumadeira *s. f.* utensílio culinário para tirar a espuma; escumadeira

espumante **I** *s. m.* vinho naturalmente gasoso; champanhe; **II** *adj. 2 gén.* que tem, faz ou deita espuma

espumar **I** *v. tr.* tirar a espuma a; **II** *v. intr.* **1** deitar ou formar espuma; **2** *(fig.)* estar furioso

espumoso *adj.* que tem, faz ou deita espuma

esquadra *s. f.* **1** NÁUT. conjunto de navios de guerra; **2** MIL. pequeno grupo de soldados sob o comando de um sargento ou cabo; **3** posto policial ❖ ***de cabo de ~*** próprio de quem é ignorante e incompetente

esquadrão *s. m.* MIL. subunidade de cavalaria, acima de pelotão e abaixo de grupo (de esquadrões), geralmente comandada por um capitão

esquadria *s. f.* **1** ângulo recto ou de 90°; **2** corte em ângulo recto; **3** instrumento utilizado por pedreiros para traçar e medir ângulos; esquadro; **4** pedra de cantaria rectangular; ***em ~*** em ângulo recto

esquadro *s. m.* instrumento em forma de triângulo rectângulo, com que se traçam ou medem ângulos rectos e se tiram perpendiculares
esquálido *adj.* **1** pálido; descorado; **2** sujo; imundo
esquartejar *v. tr.* **1** partir em quartos; retalhar; **2** desmembrar
esquecer I *v. tr.* **1** não se lembrar de; **2** não fazer caso de; **II** *v. intr.* **1** ser esquecido; **2** afastar o pensamento de coisas desagradáveis; **III** *v. refl.* não se lembrar
esquecido *adj.* **1** (facto) que se esqueceu; **2** (objecto) abandonado; **3** (pessoa) que tem má memória
esquecimento *s. m.* **1** acto ou efeito de esquecer; **2** falta de memória ❖ ***cair no ~*** ser esquecido
esquelético *adj.* **1** relativo ao esqueleto; **2** *(fig.)* extremamente magro
esqueleto *s. m.* **1** ANAT. estrutura de ossos, cartilagens e ligamentos que protege os órgãos internos do corpo dos seres humanos e dos animais vertebrados e que serve de apoio aos músculos; **2** *(fig.)* pessoa muito magra; **3** armação; estrutura
esquema *s. m.* **1** representação gráfica e simplificada das funções e relações de um objecto, processo, movimento, etc.; **2** resumo; esboço
esquemático *adj.* **1** em forma de esquema; **2** resumido
esquematizar *v. tr.* **1** representar em esquema; **2** traçar as linhas gerais de; resumir
esquentador *s. m.* aparelho de aquecimento alimentado a energia eléctrica ou combustível
esquentar I *v. tr.* **1** aquecer; **2** *(fig.)* irritar; **II** *v. intr. e refl.* **1** ficar quente; **2** *(fig.)* irritar-se
esquerda *s. f.* **1** lado esquerdo; **2** mão correspondente ao lado do coração; **3** POL. grupo que representa as correntes progressistas
esquerdista I *adj. 2 gén.* **1** relativo à esquerda; **2** que faz parte de um grupo político de esquerda; **II** *s. 2 gén.* membro ou simpatizante de um grupo político de esquerda
esquerdo *adj.* **1** que fica do lado do coração; **2** que usa preferencialmente a mão esquerda; canhoto
esqui *s. m.* **1** DESP. cada uma das pranchas, com uma extremidade ligeiramente recurvada para cima, usadas como patins para deslizar sobre a neve ou sobre a água; **2** DESP. actividade praticada com esses utensílios; ***~ aquático*** desporto praticado na água em que se utiliza um ou dois esquis para deslizar sobre a superfície, sendo o praticante puxado por uma lancha
esquiador *s. m.* DESP. praticante de esqui
esquiar *v. intr.* deslizar com esqui sobre a neve ou sobre a água
esquilo *s. m.* ZOOL. pequeno mamífero roedor, de cauda longa, que se alimenta de nozes e sementes e vive nas árvores
esquimó I *adj. 2 gén.* relativo aos povos da Gronelândia, Norte do Canadá e Alasca; **II** *s. 2 gén.* pessoa pertencente aos povos que habitam as regiões árcticas
esquina *s. f.* **1** ângulo saliente formado por duas superfícies; canto exterior; **2** ângulo formado pelo cruzamento de duas ruas; ***ao virar da ~*** muito próximo
esquisitice *s. f.* característica do que é esquisito; excentricidade
esquisito *adj.* **1** estranho; fora do vulgar; **2** extravagante; **3** inexplicável
esquisso *s. m.* esboço de um desenho; croqui

esquivar-se *v. refl.* **1** evitar (algo ou alguém) desagradável; **2** desaparecer discretamente

esquivo *adj.* que é pouco sociável; arisco

esquizofrenia *s. f.* MED. doença mental caracterizada pela dissociação entre o pensamento do doente e a realidade física do seu corpo ou do ambiente em que ele se encontra

esquizofrénico *adj. e s. m.* MED. que ou pessoa que sofre de esquizofrenia

esse *pron. dem.* designa pessoa ou coisa afastada da pessoa que fala e próxima da pessoa com quem se fala ⟨*esse rapaz; esse texto*⟩

essência *s. f.* **1** conjunto dos elementos ou qualidades constitutivas de um ser, que o definem; **2** ideia principal; **3** FARM. óleo aromático extraído de plantas; óleo essencial

essencial **I** *adj. 2 gén.* **1** que constitui a essência; **2** fundamental; **3** indispensável; **II** *s. m.* a coisa principal

és-sudeste *s. m.* GEOG. ponto subcolateral (intermédio), equidistante do este e do sudeste

és-sueste *s. m.* vd. **és-sudeste**

esta *pron. dem.* designa pessoa ou coisa próxima da pessoa que fala ⟨*esta criança; esta semana*⟩

estabelecer **I** *v. tr.* **1** fundar; **2** pôr em vigor; **3** determinar; **4** ordenar; **II** *v. refl.* **1** fixar residência; **2** montar um estabelecimento comercial

estabelecimento *s. m.* **1** acto de criar ou instituir; **2** fixação; definição; **3** instituição particular ou pública; **4** casa comercial; loja

estabilidade *s. f.* qualidade de estável; firmeza; segurança

estabilizar **I** *v. tr.* dar estabilidade a; **II** *v. intr. e refl.* **1** ficar estável; **2** permanecer

estábulo *s. m.* **1** curral em que se abriga o gado; **2** instalação para recolha e tratamento de cavalos

estaca *s. f.* **1** pau ou vara que se crava na terra para segurar ou prender alguma coisa; **2** BOT. extremidade de um ramo que se enterra para dar origem a uma nova planta

estação *s. f.* **1** local de paragem de qualquer viatura, para embarque, desembarque, etc.; **2** repartição, edifício ou administração de certos serviços públicos; **3** cada uma das quatro divisões do ano: Primavera, Verão, Outono e Inverno; **4** período; época

estação de serviço *s. f.* área junto à estrada com bomba de gasolina e outros serviços, como cafetaria, restaurante e sanitários

estação espacial *s. f.* (astronáutica) estrutura colocada em órbita que serve de base a pesquisas e experiências científicas, apoiando missões espaciais e o lançamento de satélites e mísseis

estacionamento *s. m.* **1** acto de estacionar; **2** lugar para estacionar um veículo; **3** MIL. permanência temporária de tropas num dado lugar

estacionar **I** *v. intr.* **1** parar; deter-se; **2** não progredir; estagnar; **II** *v. tr.* arrumar (veículo)

estacionário *adj.* **1** imóvel; parado; **2** que não progride; estagnado

estada *s. f.* **1** paragem em determinado lugar; **2** permanência; estadia

estadia *s. f.* permanência em determinado lugar; estada

estádio *s. m.* **1** campo para competições desportivas, circundado de bancadas em anfiteatro para o público; **2** fase; período

estadista *s. 2 gén.* pessoa versada em negócios políticos de um Estado

estado *s. m.* **1** situação de algo ou alguém em determinado momento; condição; **2** condição física ou psicológica de uma pessoa; ~ ***civil*** situação jurídica de uma pessoa em relação à família (solteiro, casado, divorciado, etc.); ~ ***de choque*** reacção do organismo a uma situação de emoção violenta; ~ ***de espírito*** disposição emocional em que uma pessoa se encontra; ~ ***de graça*** condição de quem recebeu graça divina; pureza; *(fig.)* estado de quem está muito feliz; ~ ***de sítio*** situação em que um governo assume poderes excepcionais (suspensão das garantias constitucionais, imposição temporária de um regime militar) em virtude de uma ameaça interna ou externa ao país; ~ ***interessante*** gravidez

Estado *s. m.* nação politicamente organizada; ~ ***de direito*** nação cujos órgãos governativos foram eleitos democraticamente

estado-maior *s. m.* {*pl.* estados-maiores} MIL. corpo de oficiais auxiliares directos do comandante nos estudos da situação, planeamentos e tomadas de decisão

estado-membro *s. m.* {*pl.* estados-membros} país que pertence a uma comunidade internacional de países

estafa *s. f. (coloq.)* enorme cansaço

estafado *adj. (coloq.)* muito cansado

estafar *v. tr. e refl. (coloq.)* cansar(-se) muito; fatigar(-se)

estafermo *s. m.* **1** *(depr.)* pessoa inútil; **2** *(depr.)* empecilho; estorvo

estafeta I *s. 2 gén.* pessoa portadora de mensagens, principalmente de correspondência; **II** *s. f.* DESP. prova desportiva dividida em etapas, em que os elementos da mesma equipa se revezam no percurso

estagiar *v. intr.* fazer estágio

estagiário I *s. m.* pessoa que faz estágio; **II** *adj.* relativo a estágio

estágio *s. m.* período de trabalho por tempo determinado para formação e aprendizagem de uma prática profissional

estagnação *s. f.* falta de movimento ou de progresso; paralisação

estagnado *adj.* **1** (líquido) que não flui; **2** (pessoa, situação) que não progride

estagnar I *v. tr.* **1** impedir que corra; estancar; **2** paralisar; **II** *v. intr.* **1** (líquido) não correr; **2** (pessoa, situação) ficar paralisado; não evoluir

estalactite *s. f.* GEOL. formação sedimentar, de forma alongada, cilíndrica a cónica, pendente da abóbada das grutas calcárias

estalada *s. f.* **1** ruído daquilo que estala; **2** *(pop.)* bofetada

estaladiço *adj.* que produz um ruído seco ao ser trincado; crocante

estalagem *s. f.* casa que recebe hóspedes mediante pagamento; hospedaria

estalagmite *s. f.* GEOL. formação sedimentar de precipitação, de forma geralmente colunar, desenvolvido a partir do chão de uma gruta calcária

estalar *v. intr.* **1** abrir rachas ou fendas; **2** emitir um som seco; **3** rebentar; **4** *(fig.)* surgir de repente

estaleiro *s. m.* **1** lugar onde se constroem e reparam navios; **2** local onde decorre uma obra

estalido *s. m.* **1** som agudo causado por choque ou atrito; **2** ruído seco e breve provocado por madeira a arder

estalo *s. m.* **1** ruído seco do que se racha ou parte; **2** crepitação da madeira a arder; **3** *(pop.)* bofetada

estame *s. m.* BOT. órgão masculino das flores

estampa *s. f.* **1** imagem impressa por meio de chapa gravada; **2** ilustração

estampado I *adj.* 1 impresso; publicado; 2 visível; patente; 3 (tecido) com motivos ou padrões; II *s. m.* tecido com motivos ou padrões

estampagem *s. f.* processo de reprodução de letras, imagens ou padrões em tecido, papel ou outros materiais, por meio de chapas ou rolos gravados

estampar *v. tr.* 1 reproduzir letras, imagens ou padrões em tecido, papel ou outros materiais, por meio de chapas ou rolos gravados; 2 imprimir

estancar I *v. tr.* 1 fazer parar; deter (líquido); 2 esgotar; II *v. intr. e refl.* 1 (líquido) parar de correr; 2 esgotar-se

estância *s. f.* 1 local onde se permanece temporariamente, para descanso, tratamento, etc.; 2 LIT. grupo de versos de um poema; estrofe; ~ ***balnear*** local para férias junto a uma praia marítima ou fluvial

estandardização *s. f.* redução de elementos do mesmo género a um só tipo, segundo um modelo ou padrão; uniformização

estandardizar *v. tr.* uniformizar segundo um modelo ou padrão

estandarte *s. m.* distintivo de uma corporação religiosa, militar ou civil

estanho *s. m.* QUÍM. elemento com o número atómico 50 e símbolo Sn, metálico, branco e maleável

estanque *adj. 2 gén.* 1 que não deixa passar água; vedado; 2 estagnado; parado

estante *s. f.* 1 móvel com prateleiras para livros, papéis, etc.; 2 MÚS. suporte onde se coloca a partitura da composição a executar

estapafúrdio *adj.* 1 *(coloq.)* excêntrico; 2 *(coloq.)* disparatado

estar *v. intr.* 1 encontrar-se em determinado local; 2 fazer uma visita a; 3 encontrar-se com alguém; 4 marcar presença; 5 ficar situado; 6 consistir em; 7 estar prestes a ❖ ~ ***de partida*** estar prestes a abandonar um local; ~ ***mortinho/morto por*** estar ansioso por; ~ ***nas suas sete quintas*** encontrar-se numa situação muito agradável; ~ ***por tudo*** estar disposto a qualquer coisa; ***estar-se nas tintas*** estar desinteressado

estardalhaço *s. m.* 1 *(coloq.)* grande barulho; 2 *(coloq.)* alvoroço

estarrecer *v. intr.* ficar apavorado

estatal *adj. 2 gén.* pertencente ou relativo ao Estado

estatelado *adj.* estendido no chão; derrubado

estatelar I *v. tr.* deitar ao chão; II *v. refl.* ficar estendido no chão

estático *adj.* imóvel; parado

estatística *s. f.* ciência que tem por objecto obter, organizar e analisar dados, determinar as correlações que apresentem e tirar delas as suas consequências para a descrição e explicação de factos e fenómenos

estatístico *adj.* relativo a estatística

estátua *s. f.* escultura em três dimensões que representa uma personagem ou uma divindade

estatueta *s. f.* pequena estátua ou escultura, geralmente representando uma figura humana ou animal

estatura *s. f.* 1 altura de uma pessoa; 2 importância; valor

estatuto *s. m.* 1 lei que rege um Estado, uma sociedade, etc.; 2 norma ou regulamento de uma instituição; 3 categoria; condição

estável *adj. 2 gén.* 1 constante; 2 firme; 3 equilibrado

este[1] [ɛ] *s. m.* GEOG. ponto cardeal situado à direita do observador voltado para norte; leste

este[2] [e] *pron. dem.* designa pessoa ou coisa próxima da pessoa que fala ⟨*este rapaz, este trabalho*⟩

esteio *s. m.* **1** coluna ou peça que serve para segurar alguma coisa; **2** *(fig.)* suporte; apoio

esteira *s. f.* **1** tapete de junco, palma, etc.; **2** vestígio; **3** *(fig.)* exemplo

estendal *s. m.* **1** corda ou armação onde se estende a roupa para secar; **2** *(coloq.)* ostentação; alarde

estender I *v. tr.* **1** desdobrar (mapa, toalha); **2** esticar (braços, pernas); **3** prolongar (prazo); **4** espalhar (sentimento, fenómeno); **5** colocar (roupa) na corda para secar; **II** *v. refl.* **1** deitar-se; **2** (temporal) prolongar-se; **3** *(coloq.)* cair, estatelar-se

estenografia *s. f.* técnica de escrita por meio de abreviaturas

estepe *s. f.* GEOG. associação ou formação vegetal que se caracteriza pela pouca densidade da vegetação herbácea, rasteira, com predominância de gramíneas

esterco *s. m.* **1** estrume; **2** excremento; **3** imundície; **4** *(cal.)* coisa reles

estéreo *adj.* *(coloq.)* vd. **estereofónico**

estereofonia *s. f.* técnica de gravação, transmissão e reprodução de sons por meio de dois canais diferentes, que torna possível a reconstituição do relevo sonoro

estereofónico *adj.* **1** relativo a estereofonia; **2** (sistema) que funciona pelo princípio de estereofonia

estereótipo *s. m.* **1** padrão de julgamento baseado em ideias preconcebidas; preconceito; **2** aquilo que se adapta a um padrão; **3** aquilo que não tem originalidade; lugar-comum

estéril *adj. 2 gén.* **1** (solo) que não produz; que não dá frutos; **2** (pessoa, animal) que é incapaz de procriar; **3** (medida, projecto) que não tem resultados positivos; infrutífero

esterilidade *s. f.* **1** condição de estéril; improdutividade; **2** *(fig.)* falta de criatividade

esterilização *s. f.* **1** intervenção cirúrgica que torna uma pessoa ou um animal incapaz de procriar; **2** destruição dos germes em substâncias, alimentos, etc.; desinfecção

esterilizar *v. tr.* **1** tornar (pessoa, animal) incapaz de procriar; **2** tornar (solo) improdutivo; **3** destruir os germes de; **4** *(fig.)* tornar inútil

esterno *s. m.* ANAT. osso da parte anterior do tórax, ao qual se ligam as sete primeiras costelas

estética *s. f.* **1** FIL. estudo das condições e dos efeitos da criação artística; **2** reflexão sobre a beleza; **3** harmonia de formas e cores; beleza

esteticista *s. 2 gén.* pessoa que se dedica profissionalmente a tratamentos de beleza (limpeza de pele, maquilhagem, etc.)

estético *adj.* **1** relativo a estética; **2** harmonioso; belo

estetoscópio *s. m.* MED. instrumento para auscultar a respiração, os batimentos do coração e outros sons produzidos pelo corpo

estibordo *s. m.* NÁUT. lado direito do navio, para quem olha da popa para a proa

esticanço *s. m.* *(acad.)* mau resultado num exame

esticão *s. m.* puxão forte; ***roubo por ~*** roubo em local público, em que o ladrão puxa violentamente pelos objectos

esticar I *v. tr.* **1** puxar com força; **2** distender (parte do corpo); **3** prolongar (prazo); **II** *v. refl.* deitar-se; recostar-se ❖ *(pop.)* ***~ o pernil*** morrer

estigma *s. m.* **1** marca deixada por ferida; cicatriz; **2** sinal natural no corpo; **3** *(fig.)* coisa considerada indigna; desonra

estigmatismo *s. m.* FÍS. propriedade de certos sistemas ópticos de fazer

convergir os raios luminosos com origem num mesmo ponto, para um único ponto focal
estigmatizar *v. tr.* **1** marcar com sinal infamante; condenar; **2** fazer cair em descrédito; desacretitar
estilhaçar *v. tr. e intr.* partir(-se) em pedaços; fragmentar(-se)
estilhaço *s. m.* pedaço ou lasca (de vidro, madeira, etc.); fragmento
estilismo *s. m.* desenho e confecção de vestuário de moda
estilista *s. 2 gén.* pessoa que se dedica a desenhar roupa; criador de moda
estilística *s. f.* LING. disciplina que estuda a função expressiva da língua nos seus processos e efeitos de estilo
estilístico *adj.* relativo a estilo ou a estilística
estilizar *v. tr.* **1** alterar o estilo ou a forma estética de; **2** aperfeiçoar
estilo *s. m.* **1** forma como uma pessoa usa os recursos da língua para se exprimir; **2** modo de expressão que identifica e caracteriza determinado grupo, classe ou actividade profissional; **3** conjunto de gostos ou atitudes característicos de uma pessoa ou de um grupo; **4** conjunto de características formais que identificam um objecto segundo a época em que foi produzido
estima *s. f.* **1** consideração; **2** afecto
estimado *adj.* apreciado; querido
estimar *v. tr.* **1** ter estima por; **2** esperar; **3** calcular
estimativa *s. f.* cálculo aproximado
estimulante **I** *adj. 2 gén.* que estimula; excitante; **II** *s. m.* FARM. medicamento com propriedades que dão energia e aumentam as capacidades físicas e psíquicas
estimular *v. tr.* **1** aumentar a actividade; fortalecer; **2** encorajar; incentivar
estímulo *s. m.* **1** FISIOL. qualquer agente que provoca uma reacção num órgão ou num tecido; **2** aquilo que estimula ou que anima; incentivo
Estio *s. m.* Verão
estipular *v. tr.* determinar; impor
estirador *s. m.* prancheta ou mesa em que se assenta e estica o papel para desenhar
estirão *s. m.* caminhada longa
estirar *v. tr.* **1** alongar; esticar; **2** deitar ao comprido
estirpe *s. f.* **1** BOT. raiz; **2** *(fig.)* ascendência; linhagem
estivador *s. m.* trabalhador portuário que descarrega a carga de um navio
estivagem *s. f.* NÁUT. descarregamento de mercadorias num porto
estival *adj. 2 gén.* relativo ao Verão
estofador *s. m.* **1** aquele que tem como profissão estofar móveis; **2** fabricante ou vendedor de móveis estofados
estofar *v. tr.* forrar (sofás, cadeiras, etc.) com tecido
estofo *s. m.* **1** tecido grosso, encorpado, utilizado para forrar sofás e cadeiras, e para fazer cortinas; **2** *(fig.)* (de pessoa) qualidade; energia
estoicismo *s. m.* FIL. doutrina que se caracteriza pela indiferença em relação à dor e pela firmeza de ânimo na procura da serenidade
estóico **I** *adj.* relativo ao estoicismo; **II** *s. m.* adepto do estoicismo
estoirar *v. intr.* vd. **estourar**
estoiro *s. m.* vd. **estouro**
estojo *s. m.* pequena caixa ou bolsa de pele, plástico ou outros materiais, geralmente com divisões para os objectos a que se destina
estola *s. f.* **1** tira larga de seda que o sacerdote usa em volta do pescoço; **2** acessório feminino, de tecido fino ou de pele animal, usado sobre os ombros

estomacal *adj. 2 gén.* relativo ao estômago

estômago *s. m.* **1** ANAT. órgão do tubo digestivo, situado entre o esófago e o duodeno, onde se dá a passagem do bolo alimentar a quimo; **2** *(fig.)* sangue-frio; coragem ❖ ***dar a volta ao ~*** incomodar

estomatologia *s. f.* MED. especialidade que trata das doenças da boca

estomatologista *s. 2 gén.* especialista em estomatologia

estónio I *s. m.* {*f.* estónia} pessoa natural da Estónia (norte da Europa); **II** *adj.* relativo à Estónia

estonteante *adj. 2 gén.* **1** perturbador; **2** *(fig.)* deslumbrante

estontear *v. tr.* **1** perturbar; **2** *(fig.)* deslumbrar

estopada *s. f. (coloq.)* maçada

estore *s. m.* cortina lisa com um mecanismo apropriado para subir e descer

estória *s. f.* história ficcional ou popular; conto

estorninho *s. m.* ZOOL. pássaro de plumagem negra e lustrosa com reflexos esverdeados

estorricar I *v. tr.* **1** deixar secar demais; **2** torrar; **II** *v. intr.* torrar-se

estorvar *v. tr.* **1** dificultar a realização de; **2** impedir o acesso a; **3** incomodar

estorvo *s. m.* **1** incómodo; **2** obstáculo; **3** aborrecimento

estourar I *v. tr.* fazer rebentar; **II** *v. intr.* **1** (pneu, balão) rebentar com estrondo; **2** (bomba) explodir; **3** (escândalo) revelar-se; **4** *(fig.)* (cabeça) latejar de dor

estoura-vergas *s. 2 gén. 2 núm.* pessoa estouvada ou imprudente; doidivanas

estouro *s. m.* **1** estrondo provocado por rebentamento; **2** *(fig.)* acontecimento imprevisto; **3** *(fig.)* discussão violenta

estouvado *adj.* que age irreflectidamente; que não tem cuidado

estrábico *adj.* que sofre de estrabismo; vesgo

estrabismo *s. m.* MED. problema de visão que não permite dirigir simultaneamente os eixos oculares para o mesmo ponto

estraçalhar *v. tr.* **1** cortar em pedaços; **2** despedaçar com fúria

estrada *s. f.* **1** via de comunicação terrestre especialmente destinada ao trânsito de veículos automóveis; **2** *(fig.)* caminho; meio

estrado *s. m.* **1** palanque; **2** parte da cama sobre a qual assenta o colchão

estragado *adj.* **1** (alimento) deteriorado; podre; **2** (aparelho, máquina) em mau estado; danificado

estragar I *v. tr.* **1** danificar (aparelho, máquina); **2** prejudicar (a saúde); **3** frustrar (planos); **4** *(coloq.)* mimar demasiado; **II** *v. refl.* (comida) deteriorar-se; ficar podre

estrago *s. m.* **1** dano; **2** deterioração

estrambólico *adj. (coloq.)* extravagante; esquisito

estrangeirado *s. m.* HIST. aquele que, no século XVIII, em resultado de estadias no estrangeiro, trazia para Portugal as ideias do Iluminismo

estrangeirismo *s. m.* palavra ou locução de origem estrangeira

estrangeiro I *adj.* **1** que é natural de outro país; **2** que não pertence ou que se considera não pertencente a uma região, um grupo, etc.; estranho; **II** *s. m.* **1** pessoa natural de um país diferente daquele onde se encontra; **2** conjunto dos países diferentes daquele onde se nasceu

estrangulamento *s. m.* **1** acto ou efeito de estrangular; **2** morte por asfixia; **3** estreitamento de qualquer coisa; aperto

estrangular *v. tr.* **1** apertar o pescoço a alguém, provocando a sufocação; esganar; **2** tornar muito estreito; apertar

estranhamento *s. m.* **1** admiração; espanto; **2** estranheza

estranhar I *v. tr.* **1** achar estranho ou pouco natural; **2** não se adaptar a; **3** admirar-se com; **II** *v. intr.* ter sensação desagradável perante (coisa nova ou desconhecida)

estranheza *s. f.* **1** qualidade de estranho; **2** desconfiança; **3** admiração

estranho I *adj.* **1** desconhecido; **2** invulgar; **3** misterioso; **II** *s. m.* **1** pessoa desconhecida; **2** pessoa natural de outro país

estranja I *s. 2 gén. (coloq.)* pessoa estrangeira; **II** *adj. 2 gén. (coloq.)* estrangeiro

estratagema *s. m.* meio astucioso para atingir um fim; subterfúgio

estratégia *s. f.* **1** arte de coordenar as forças militares, políticas e económicas envolvidas na condução de um conflito ou na preparação da defesa de um país; **2** conjunto dos meios e planos para atingir um fim

estratégico *adj.* **1** relativo a estratégia; **2** astucioso; ardiloso

estratego *s. m.* especialista em estratégia

estratificação *s. f.* **1** GEOL. disposição das rochas sedimentares em estratos ou camadas; **2** qualquer disposição em camadas sobrepostas; **3** distribuição (de dados, informações) em segmentos; hierarquização

estratificar *v. tr.* **1** dispor em estratos ou camadas; **2** dividir em segmentos segundo um princípio hierárquico; hierarquizar

estrato *s. m.* **1** GEOL. cada uma das camadas dos terrenos sedimentares; **2** METEOR. nuvem disposta em camadas horizontais, uniformes, entre 1000 e 2000 m de altitude; **3** segmento da sociedade; camada

estratosfera *s. f.* GEOG. região da atmosfera que começa a cerca de 13 quilómetros acima da superfície da Terra, e onde a temperatura é sensivelmente constante nas camadas inferiores, mas aumenta com a altitude até atingir um máximo de 0 °C entre 50 e 60 km

estrear I *v. tr.* **1** usar pela primeira vez (roupa, calçado); **2** exibir (filme, peça) pela primeira vez; **II** *v. intr.* (filme, peça) ser exibido pela primeira vez; **III** *v. refl.* apresentar-se em público ou actuar pela primeira vez

estrebaria *s. f.* local onde se recolhem cavalos e arreios; cavalariça

estrebuchar *v. intr.* agitar-se convulsivamente

estreia *s. f.* **1** primeira exibição de peça ou filme; **2** primeiro trabalho de um autor ou actor

estreitamento *s. m.* acto ou efeito de estreitar(-se); aperto

estreitar *v. tr. e intr.* tornar(-se) mais estreito; apertar(-se)

estreiteza *s. f.* **1** qualidade de estreito; **2** falta de espaço; aperto; **3** *(fig.)* falta de abertura ou de receptividade a novas ideias

estreito I *adj.* **1** (lugar) com pouco espaço; apertado; **2** (parentesco) chegado; próximo; **3** (relação) em que há intimidade; **4** (espírito, mentalidade) pouco receptivo a novas ideias; tacanho; **II** *s. m.* GEOG. canal natural que liga dois mares ou duas partes do mesmo mar

estrela *s. f.* **1** ASTRON. corpo celeste aparentemente fixo e com luz própria; **2** *(fig.)* suposta influência (positiva ou negativa) de um astro no destino de alguém; sina; **3** *(fig.)* guia;

direcção; **4** (*fig.*) pessoa que se destaca numa atividade; personalidade famosa (de cinema, teatro, televisão)

estrela-cadente *s. f.* {*pl.* estrelas-cadentes} ASTRON. meteoro que deixa um rasto luminoso quando entra em contacto com os gases da atmosfera terrestre

estrelado *adj.* **1** (céu) coberto de estrelas; **2** (ovo) frito sem ser batido

estrela-do-mar *s. f.* {*pl.* estrelas-do-mar} ZOOL. animal marinho invertebrado cujo corpo se assemelha ao de uma estrela, com cinco ou mais braços em redor de um disco central

Estrela Polar *s. f.* ASTRON. estrela mais brilhante da constelação Ursa Menor, que está mais próxima do Pólo Norte

estrelar *v. tr.* fritar (ovo)

estrelato *s. m.* celebridade; fama

estrelícia *s. f.* **1** BOT. planta ornamental originária da África do Sul; **2** BOT. flor dessa planta

estremadura *s. f.* região situada na fronteira de um país

estremecer I *v. tr.* fazer tremer; sacudir; **II** *v. intr.* **1** tremer; **2** arrepiar-se

estremunhado *adj.* (*coloq.*) sonolento

estria *s. f.* linha fina que forma um sulco na pele ou numa superfície

estribeira *s. f.* (*coloq.*) sangue-frio ❖ ***perder as estribeiras*** descontrolar-se

estribo *s. m.* **1** peça em que o cavaleiro apoia o pé quando cavalga; **2** degrau para apoio à entrada e saída de carruagens

estricnina *s. f.* QUÍM. substância venenosa, que se extrai de alguns vegetais e que, em doses controladas, é usada em certas terapias

estridente *adj. 2 gén.* que tem um som agudo e penetrante

estritamente *adv.* rigorosamente; à risca

estrito *adj.* **1** restrito; **2** rigoroso

estrofe *s. f.* LIT. cada um dos grupos de versos de um poema; estância

estroina *s. 2 gén.* (*coloq.*) pessoa leviana ou irresponsável; doidivanas

estroinice *s. f.* (*coloq.*) atitude de estroina; extravagância

estroncar *v. tr.* **1** desmembrar; **2** quebrar

estrôncio *s. m.* QUÍM. elemento com o número atómico 38 e símbolo Sr

estrondo *s. m.* **1** ruído forte; **2** agitação; **3** (*fig.*) ostentação

estrondoso *adj.* **1** ruidoso; **2** (*coloq.*) espectacular

estropiado *adj.* que sofreu amputação; mutilado

estropiar *v. tr.* cortar um membro a; mutilar

estropício *s. m.* prejuízo; estrago

estrugido *s. m.* CUL. preparado de cebola frita em gordura; refogado

estrumar *v. tr.* AGRIC. adubar (terra) com estrume

estrume *s. m.* AGRIC. mistura fermentada dos dejectos de animais domésticos, usada para fertilizar a terra; adubo

estrutura *s. f.* **1** disposição e organização dos elementos essenciais que compõem um todo; **2** construção; edificação; **3** aquilo que sustenta alguma coisa; armação; **4** BIOL. conjunto dos diversos elementos que formam um organismo; **5** LIT. disposição ordenada das partes de um texto

estrutural *adj. 2 gén.* **1** relativo a estrutura; **2** fundamental; essencial

estruturar *v. tr.* organizar a estrutura de; construir; elaborar

estuário *s. m.* GEOG. alargamento de um rio junto à foz

estucador *s. m.* operário que trabalha com estuque

estucar *v. tr.* revestir (uma superfície) com estuque
estudante *s. 2 gén.* pessoa que estuda
estudantil *adj. 2 gén.* relativo a estudante
estudar I *v. tr.* **1** aplicar as faculdades intelectuais à aquisição de novos conhecimentos; aprender (arte, ciência, técnica, etc.); **2** frequentar aulas ou curso de; **3** CIN., TEAT. decorar (papel, texto); **4** reflectir; meditar; **II** *v. intr.* ser estudante; **III** *v. refl.* observar-se atentamente
estúdio *s. m.* **1** recinto equipado para a realização de gravações sonoras ou de imagem, revelação de filmes, etc.; **2** local onde se gravam as cenas interiores e exteriores de um filme; **3** oficina de pintura, escultura, arquitectura, etc.; atelier; **4** apartamento de uma assoalhada
estudioso *adj.* que estuda muito; aplicado
estudo *s. m.* **1** aplicação das capacidades intelectuais à aprendizagem de (algo); **2** investigação literária, artística ou científica sobre determinada disciplina; **3** observação; análise
estufa *s. f.* **1** estrutura envidraçada para cultivo de plantas que precisem de protecção ou de um ambiente diferente do do exterior; **2** *(fig.)* recinto demasiado quente; ECOL., METEOR. ***efeito de ~*** fenómeno de aquecimento da superfície da Terra causado pela retenção do calor solar provocada pela poluição atmosférica
estufado *s. m.* CUL. prato preparado em lume brando, num recipiente fechado, com gordura; guisado
estufar *v. tr.* CUL. cozinhar em lume brando com gordura e com os sucos próprios dos alimentos; guisar
estupefacção *s. f.* **1** adormecimento de uma parte do corpo; **2** espanto; surpresa
estupefaciente *s. m.* substância tóxica que provoca alterações do sistema nervoso e pode causar habituação; narcótico
estupefacto *adj.* surpreendido; pasmado
estupendo *adj.* excelente; óptimo
estupidez *s. f.* burrice; parvoíce
estúpido *adj.* burro; parvo
estupor *s. m.* **1** MED. estado de suspensão da actividade física e psicológica em que o doente, embora consciente, não responde a estímulos externos; **2** *(coloq.)* pessoa com mau carácter
estuporar *v. tr. (cal.)* destruir; arruinar
estuprar *v. tr.* violar (alguém)
estupro *s. m.* violação (de alguém)
estuque *s. m.* argamassa feita com cal, areia e gesso, utilizada em acabamentos
esturjão *s. m.* ZOOL. peixe de grande porte, de cuja ova se faz o caviar
esturricar *v. tr. e intr.* torrar muito; queimar
esturro *s. m.* **1** estado do que está queimado; **2** cheiro de coisa queimada ❖ ***cheirar a ~*** ser caso para desconfiar
esvanecer *v. intr.* dissipar-se; desaparecer
esvaziar I *v. tr.* **1** tornar vazio; **2** desocupar; **3** *(fig.)* retirar o significado; **II** *v. refl.* **1** ficar vazio; **2** *(fig.)* perder o significado
esverdeado *adj.* semelhante a verde
esvoaçar *v. intr.* voar rasteiro
ET [*sigla de* extraterrestre]
eta *s. m.* sétima letra do alfabeto grego, correspondete ao *e* fechado
ETA [*sigla de* Euzkadi ta Askatsuna] o País Basco e Liberdade (grupo independentista basco)
etapa *s. f.* **1** percurso ou distância entre dois pontos determinados que se

vence sem parar; **2** fase; **3** DESP. cada um dos tempos em que se divide uma competição ou um campeonato

ETAR [*sigla de* **e**stação de **t**ratamento de **á**guas **r**esiduais]

etário *adj.* relativo a idade

etarra *s. 2 gén.* membro da ETA (grupo independentista basco)

etc. [*abrev. de* **et** **c**etera]

éter *s. m.* QUÍM. líquido volátil e inflamável resultante da desidratação do álcool pelo ácido sulfúrico

etéreo *adj.* **1** relativo ao éter; **2** *(fig.)* elevado; sublime; **3** *(fig.)* puro; celestial

eternidade *s. f.* **1** qualidade do que não tem início nem fim; **2** RELIG. vida após a morte; vida eterna; **3** tempo muito longo

eternizar *v. tr. e refl.* **1** tornar(-se) eterno; **2** prolongar(-se)

eterno *adj.* **1** sem início nem fim; **2** imortal; **3** de duração indefinida

ética *s. f.* **1** FIL. disciplina que procura determinar a finalidade o os princípios que orientam a vida humana; **2** conjunto de normas e princípios de ordem moral que regem a conduta de uma pessoa, de um grupo ou de uma sociedade

ético *adj.* **1** relativo à ética; **2** aceitável (do ponto de vista moral)

etílico *adj.* QUÍM. (álcool) obtido da fermentação de substâncias açucaradas

étimo *s. m.* **1** LING. palavra que dá origem a outras palavras; **2** LING. origem de uma palavra; etimologia

etimologia *s. f.* LING. estudo da origem e evolução das palavras

etíope **I** *s. 2 gén.* pessoa natural da Etiópia (África); **II** *adj.* relativo à Etiópia

etiqueta *s. f.* **1** rótulo de produto ou objecto que indica o conteúdo, o preço e outras informações; **2** pedaço de tecido cosido no interior de peça de vestuário com a indicação do tamanho, composição e fabricante; **3** conjunto de regras a seguir em ocasiões solenes; protocolo

etiquetar *v. tr.* **1** pôr etiqueta em; **2** classificar; rotular

etnia *s. f.* conjunto de pessoas unidas por uma cultura e língua comuns; grupo étnico

étnico *adj.* relativo a etnia

etnografia *s. f.* estudo descritivo dos aspectos sociais e culturais de um povo

eu **I** *pron. pess.* designa a primeira pessoa do singular e indica quem fala ou escreve ⟨*aqui estou eu*⟩; **II** *s. m.* **1** individualidade do ser umano; **2** personalidade de quem fala ou escreve

Eu QUÍM. [*símbolo de* **európio**]

eucalipto *s. m.* BOT. árvore de crescimento rápido, com folhas rijas e aromáticas

Eucaristia *s. f.* **1** RELIG. (Igreja Católica) sacramento segundo o qual o pão e o vinho se convertem, respectivamente, no corpo e sangue de Cristo; **2** RELIG. o pão e o vinho consagrados e transubstanciados em Cristo; **3** RELIG. hóstia consagrada

eufemismo *s. m.* LING. figura de estilo que consiste em suavizar uma ideia (desagradável ou grosseira) por meio de uma expessão mais agradável

eufonia *s. f.* combinação de sons agradáveis ao ouvido

eufónico *adj.* **1** relativoa a eufonia; **2** harmonioso

euforia *s. f.* alegria exagerada e repentina; exaltação

eufórico *adj.* entusiasmado; animado

eunuco *s. m.* **1** HIST. homem castrado que guardava as mulheres do harém; **2** homem fraco ou impotente

EUR [*abrev. de* **euro**]

euro *s. m.* **1** unidade monetária de doze estados-membros da União Europeia; **2** vento de leste

eurocêntrico *adj.* centrado na Europa ou nos europeus

eurocentrismo *s. m.* **1** atitude de valorização das culturas e instituições europeias; **2** influência política, económica, social e cultural exercida pela Europa

eurocepticismo *s. m.* POL. atitude de oposição à integração do próprio país na União Europeia

eurocéptico *adj. e s. m.* POL. que se opõe à integração do seu país na União Europeia

eurodeputado *s. m.* POL. deputado eleito para o Parlamento Europeu como representante de um estado-membro da União Europeia

europeísmo *s. m.* **1** qualidade de europeu; **2** POL. posição favorável à União Europeia

europeísta *adj. e s. 2 gén.* POL. que ou pessoa que defende a União Europeia

europeu **I** *s. m.* {*f.* europeia} pessoa natural da Europa; **II** *adj.* relativo à Europa

európio *s. m.* QUÍM. elemento metálico, com o número atómico 63 e símbolo Eu

eutanásia *s. f.* defesa da antecipação da morte a doentes incuráveis, para lhes poupar o sofrimento da agonia

evacuação *s. f.* **1** acto ou efeito de evacuar; saída; **2** expulsão de matérias fecais; dejecção

evacuar **I** *v. tr.* sair de; desocupar; **II** *v. intr.* expelir os excrementos; defecar

evadir-se *v. refl.* escapar furtivamente; fugir

evangelho *s. m.* **1** RELIG. doutrina cristã; **2** (*fig.*) verdade indiscutível

Evangelho *s. m.* **1** RELIG. cada um dos quatro primeiros livros do Novo Testamento; **2** RELIG. textos desses livros que são lidos durante a missa

evangélico *adj.* **1** relativo ao Evangelho; **2** que está de acordo com o Evangelho; **3** relativo a Igrejas e comunidades religiosas com origem na Reforma protestante (séc. XVI)

evangelista **I** *s. m.* autor de um dos quatro livros do Evangelho; **II** *s. 2 gén.* pessoa que preconiza uma nova doutrina

evangelização *s. f.* **1** propagação dos ensinamentos do Evangelho; **2** difusão de uma ideia ou doutrina

evangelizar *v. tr.* **1** difundir os ensinamentos do Evangelho; **2** divulgar (ideia, doutrina)

evaporação *s. f.* transformação de um líquido em vapor

evaporar **I** *v. tr.* **1** transformar um líquido em vapor; **2** (*fig.*) gastar; dissipar (dinheiro, recurso); **II** *v. refl.* **1** (líquido) transformar-se em vapor; **2** (*fig.*) (dinheiro, recurso) dissipar-se; desaparecer

evasão *s. f.* saída; fuga; ~ ***fiscal*** falta deliberada e fraudulenta de pagamento de imposto obrigatório por parte do contribuinte

evasiva *s. f.* frase com que se procura fugir de uma dificuldade ou de uma resposta clara; subterfúgio

evasivo *adj.* serve de subterfúgio; pouco claro

evento *s. m.* **1** acontecimento; facto; **2** sucesso; êxito

eventual *adj. 2 gén.* **1** possível; **2** ocasional

eventualidade *s. f.* **1** possibilidade; **2** casualidade

evidência *s. f.* **1** qualidade de evidente; clareza; **2** certeza manifesta

evidenciar **I** *v. tr.* tornar claro ou evidente; **II** *v. refl.* destacar-se

evidente *adj. 2 gén.* claro; manifesto
evitar *v. tr.* **1** fugir a (algo desagradável); **2** impedir (um erro, um acidente)
evitável *adj. 2 gén.* que se pode evitar
evocação *s. f.* acto ou efeito de evocar; chamamento
evocar *v. tr.* **1** chamar; **2** relembrar
evolução *s. f.* desenvolvimento progressivo; transformação
evoluir *v. intr.* passar por uma transformação gradual; desenvolver-se
evolutivo *adj.* que produz evolução
EVT (ensino) [*sigla de* Educação Visual e Tecnológica]
ex. [*abrev. de* **ex**emplo]
exacerbar *v. tr. e refl.* **1** agravar(-se); **2** exaltar(-se)
exactamente *adv.* precisamente; rigorosamente
exactidão *s. f.* precisão; rigor
exacto *adj.* **1** correcto; **2** rigoroso
exagerado *adj.* **1** em que há exagero; **2** excessivo
exagerar *v. tr. e intr.* **1** apresentar algo como sendo maior do que realmente é; **2** ampliar; aumentar
exagero *s. m.* **1** acto de exagerar; **2** aumento excessivo
exalação *s. f.* **1** acto ou efeito de exalar; **2** vapor; cheiro
exalar *v. tr.* lançar (vapor, cheiro)
exaltação *s. f.* **1** elogio; **2** irritação
exaltado *adj.* **1** elogiado; **2** irritado
exaltar I *v. tr.* **1** elogiar; **2** irritar; **II** *v. refl.* irritar-se
exame *s. m.* **1** análise minuciosa; **2** prova para avaliação de aptidões ou conhecimentos; **3** MED. teste médico para efeito de diagnóstico; **~ *de admissão*** prova a que alguém se submete ao concorrer a um emprego, curso ou função; **~ *final*** última prova a que é submetido um estudante antes de ser considerado aprovado na matéria em avaliação
examinar *v. tr.* **1** estudar; **2** observar
exasperar I *v. tr.* causar irritação; **II** *v. refl.* sentir irritação
exaustão *s. f.* cansaço extremo; esgotamento
exaustivo *adj.* fatigante; cansativo
exausto *adj.* fatigado; cansado
exaustor *s. m.* aparelho que aspira fumos e maus cheiros de cozinhas e recintos fechados
excedentário *adj. e s. m.* que ou o que excede o número fixado para um dado sector ou serviço
excedente *s. m.* aquilo que sobra
exceder I *v. tr.* ultrapassar; superar; **II** *v. refl.* **1** esmerar-se; **2** ir além do que é conveniente
excelência *s. f.* **1** qualidade do que é excelente; **2** superioridade ❖ ***por ~*** acima de qualquer coisa
excelente *adj. 2 gén.* muito bom
excelso *adj.* sublime; excelente
excentricidade *s. f.* **1** qualidade de excêntrico; **2** maneira de pensar ou agir que se afasta dos padrões convencionais; extravagância
excêntrico *adj.* **1** situado fora do centro; **2** original; extravagante
excepção *s. f.* **1** desvio da regra geral; **2** caso particular; **3** privilégio ❖ ***com ~ de*** menos; ***sem ~*** sem falha
excepcional *adj. 2 gén.* fora do comum; notável
excepto *prep.* salvo; menos
exceptuar *v. tr.* deixar de fora; não incluir
excerto *s. m.* trecho; fragmento
excessivo *adj.* exagerado; demasiado
excesso *s. m.* **1** falta de moderação; **2** excedente; sobra
excitação *s. f.* **1** estado de agitação emocional; **2** reacção positiva do corpo a um estímulo sexual; **3** incitamento
excitante *adj. 2 gén.* **1** que provoca excitação; estimulante; **2** emocionante

excitar I *v. tr.* provocar excitação em; estimular; II *v. refl.* reagir positivamente a um estímulo sexual

exclamação *s. f.* 1 grito súbito de admiração, prazer, espanto, etc.; 2 interjeição; ***ponto de ~*** sinal gráfico (!) indicativo de admiração

exclamar *v. tr.* dizer em voz alta, com ênfase

exclamativo *adj.* que exprime exclamação

excluído *adj.* 1 que não foi incluído; posto de lado; 2 *(acad.)* reprovado

excluir *v. tr.* 1 pôr de lado; afastar; 2 não mencionar; omitir

exclusão *s. f.* 1 afastamento (de algo ou alguém); 2 omissão; 3 *(acad.)* reprovação (em exame ou prova); ***~ social*** afastamento ou tratamento injusto de pessoa(s) por se considerar que não se enquadra(m) nos padrões convencionais da sociedade; marginalização; ***por ~ de partes*** por eliminação de hipóteses

exclusividade *s. f.* 1 qualidade do que é único; 2 estado do que não tem adversários ou concorrentes; 3 direito exclusivo de venda de um produto numa determinada área e durante num dado período; monopólio

exclusivo I *adj.* 1 que exclui ou afasta; 2 que não é compatível com (outra coisa); 3 que pertence apenas a uma pessoa; II *s. m.* direito de não ter adversários ou concorrentes; monopólio

excomungar *v. tr.* 1 RELIG. expulsar (membro de uma comunidade religiosa); 2 amaldiçoar

excomunhão *s. f.* RELIG. expulsão de uma pessoa da comunidade religiosa a que pertencia

excremento *s. m.* matéria sólida (fezes) ou líquida (urina, suor, etc.) que é expelida pelo organismo

excursão *s. f.* 1 viagem de recreio, em grupo e geralmente com um guia; passeio; 2 *(fig.)* divagação

execução *s. f.* 1 realização (de tarefa); 2 concretização (de plano, projecto); 3 cumprimento (de ordem); 4 (de pessoa) cumprimento de pena de morte; 5 interpretação (de peça musical)

executar *v. tr.* 1 realizar (tarefa); 2 cumprir (ordem); 3 concretizar (projecto); 4 aplicar pena de morte; 5 interpretar (peça musical)

executável *adj.* que se pode executar; realizável

executivo I *adj.* 1 que executa ou realiza; 2 (poder) que tem a tarefa de executar as leis e os regulamentos; II *s. m.* 1 funcionário superior que participa na orientação da actividade financeira, administrativa ou técnica de uma empresa; 2 poder que tem a seu cargo executar ou fazer cumprir as leis; governo

exemplar I *adj. 2 gén.* 1 que serve de exemplo; 2 perfeito; II *s. m.* 1 modelo a seguir; 2 cada indivíduo da mesma variedade ou espécie (animal vegetal, etc.); 3 cada um dos livros de uma mesma edição

exemplificação *s. f.* acto ou efeito de exemplificar; demonstração

exemplificar *v. tr.* explicar com exemplos; demonstrar

exemplo *s. m.* 1 frase ou facto que demonstra a verdade de uma regra ou de uma afirmação; 2 aquilo que pode ou deve ser imitado; modelo ❖ ***a ~ de*** tomando como modelo; ***dar o ~*** agir de forma a incitar alguém a fazer o mesmo; ***sem ~*** excepcionalmente

exéquias *s. f. pl.* cerimónias fúnebres

exercer *v. tr.* 1 pôr em prática (influência, poder); 2 fazer uso de (um direito); 3 desempenhar (uma função, uma actividade)

exercício *s. m.* **1** prática (de influência, poder); **2** acto de fazer valer (um direito); **3** desempenho (de função, actividade)
exercitar *v. tr.* **1** repetir um movimento ou uma actividade para aperfeiçoar a sua execução; praticar; treinar; **2** pôr em acção; exercer
exército *s. m.* conjunto das forças militares terrestres de um país
exibição *s. f.* **1** apresentação ao público; **2** projecção de um filme; **3** ostentação
exibicionismo *s. m.* **1** mania da ostentação; **2** tendência patológica para mostrar os órgãos genitais
exibicionista **I** *adj.* relativo a exibicionismo; **II** *s. 2 gén.* pessoa que pratica exibicionismo
exibir **I** *v. tr.* **1** apresentar; mostrar; **2** ostentar; **3** projectar (um filme); **II** *v. refl.* pavonear-se
exigência *s. f.* **1** qualidade de exigente; **2** pedido; **3** reivindicação; **4** rigor
exigente *adj. 2 gén.* **1** que pede com insistência; **2** que é difícil de contentar
exigir *v. tr.* **1** reivindicar; reclamar; **2** ter necessidade de; requerer
exíguo *adj.* **1** de pequenas dimensões; acanhado; **2** escasso; insuficiente
exilado *adj. e s. m.* que ou aquele que foi expulso da pátria; expatriado
exilar **I** *v. tr.* expulsar da pátria; **II** *v. refl.* sair da pátria
exílio *s. m.* **1** saída da pátria (forçada ou por livre escolha); desterro; **2** *(fig.)* isolamento; solidão
exímio *adj.* excelente; eminente
existência *s. f.* **1** facto de existir; **2** vida; **3** modo de viver; **4** realidade
existente *adj. 2 gén.* **1** que existe; **2** real
existir *v. intr.* **1** ter existência real; ser; **2** viver; **3** haver
êxito *s. m.* resultado feliz; sucesso; **~ *de bilheteira*** filme, peça de teatro ou espectáculo visto por um grande número de pessoas; **~ *de livraria*** livro que se vende em maior número ou que se situa entre os mais vendidos num dado período
êxodo *s. m.* emigração ou saída de um povo ou de um grande número de pessoas
exoneração *s. f.* demissão; destituição
exonerar *v. tr.* demitir; destituir
exorbitância *s. f.* **1** preço muito alto; **2** exagero
exorbitante *adj. 2 gén.* excessivo; exagerado
exorcismo *s. m.* ritual para afastar o Demónio ou os espíritos malignos
exorcista *s. 2 gén.* pessoa que faz exorcismo(s)
exorcizar *v. tr.* expulsar espíritos malignos por meio de exorcismos
exórdio *s. m.* RET. parte inicial de um discurso onde se resume o assunto que se vai tratar
exortação *s. f.* **1** encorajamento; estímulo; **2** advertência; conselho
exortar *v. tr.* **1** encorajar; estimular; **2** advertir; aconselhar
exótico *adj.* excêntrico; esquisito
expandir **I** *v. tr.* **1** dilatar; alargar; **2** espalhar (influência, poder); **3** manifestar (emoções, sentimentos); **II** *v. refl.* **1** alargar-se; **2** abrir-se; desabafar
expansão *s. f.* **1** alargamento; **2** difusão; propagação
expansionismo *s. m.* política de alargamento do território de um país para além das suas fronteiras
expansivo *adj.* (pessoa) comunicativo; extrovertido; franco

expatriado *s. m.* pessoa que vive fora da sua pátria; exilado
expatriar I *v. tr.* expulsar da pátria; II *v. refl.* sair da pátria
expectativa *s. f.* esperança de que ocorra alguma coisa
expectoração *s. f.* MED. expulsão, por meio da tosse, de secreções das vias respiratórias
expectorante *s. m.* FARM. medicamento que provoca ou facilita a expectoração
expectorar *v. tr. e intr.* expelir pela boca secreções provenientes das vias respiratórias
expedição *s. f.* 1 viagem de estudo a determinada região; 2 envio (de correspondência, encomenda); 3 MIL. envio de tropas para determinado lugar
expediente *s. m.* 1 execução de tarefas num escritório ou serviço; 2 horário de funcionamento de uma repartição pública; 3 meio para resolver um problema ou encontrar uma solução; 4 desembaraço; desenvoltura
expedir *v. tr.* 1 enviar; 2 despachar
expedito *adj.* desembaraçado; activo
expelir *v. tr.* lançar para fora com violência; expulsar
experiência *s. f.* 1 conhecimento obtido por meio dos sentidos; 2 conhecimento específico obtido pela prática de uma actividade; 3 tentativa; ensaio
experiente *adj. 2 gén.* 1 que tem prática; 2 que tem conhecimento
experimentado *adj.* 1 que foi tentado ou testado; 2 que conhece bem algo; conhecedor
experimental *adj. 2 gén.* 1 relativo a experiência; 2 baseado na experiência; empírico
experimentar *v. tr.* 1 provar (comida, roupa); 2 submeter à experiência; 3 passar por
expiação *s. f.* cumprimento de pena ou castigo; penitência
expiar *v. tr.* 1 reparar (falta ou culpa) por meio de penitência; 2 sofrer as consequências de
expiatório *adj.* relativo a expiação; ***bode ~*** pessoa sobre quem se fazem cair as culpas dos outros
expiração *s. f.* 1 (respiração) expulsão de ar dos pulmões; 2 final ou limite de um prazo
expirar *v. intr.* 1 (respiração) expulsar o ar dos pulmões; 2 (prazo) terminar
explanação *s. f.* 1 explicação; 2 exposição
explanar *v. tr.* 1 explicar; 2 expor
explicação *s. f.* 1 esclarecimento; 2 justificação; desculpa; 3 lição paga, geralmente particular, que se dá a um aluno sobre determinada matéria
explicador *s. m.* 1 aquele que explica; 2 aquele que dá lições particulares
explicar I *v. tr.* 1 esclarecer; 2 expor; 3 dar lições particulares a; II *v. refl.* justificar os seus actos ou as suas palavras
explicativo *adj.* que serve para explicar; elucidativo
explicável *adj. 2 gén.* que se pode explicar
explicitar *v. tr.* tornar explícito; clarificar
explícito *adj.* claro; manifesto
explodir *v. intr.* 1 sofrer explosão; rebentar; 2 (*fig.*) manifestar-se de forma súbita e ruidosa; 3 (*fig.*) descontrolar-se
exploração *s. f.* 1 estudo ou investigação de uma região ou de um território; 2 pesquisa (de recursos naturais) com equipamento apropriado; 3 abuso da ingenuidade ou da situação particular de alguém; 4 cobrança de preço demasiado alto por um objecto ou serviço

explorador *s. m.* **1** pessoa que se dedica a pesquisas de carácter científico; investigador; **2** pessoa que se aproveita da ingenuidade ou da situação de alguém

explorar *v. tr.* **1** pesquisar; estudar (região, recursos naturais); **2** induzir alguém em erro; enganar; **3** vender a um preço muito alto

explosão *s. f.* **1** (de bomba) reacção química, rápida e violenta, acompanhada de grande subida de temperatura e de libertação de gases; **2** (*fig.*) manifestação súbita de emoções ou sentimentos

explosivo **I** *s. m.* substância inflamável, capaz de explodir; **II** *adj.* **1** (substância) que produz explosão; **2** (pessoa) (*fig.*) que reage impetuosamente

expoente *s. m.* **1** MAT. número que indica o grau da potência a que uma quantidade é elevada; **2** pessoa que, pelas suas qualidades, é considerada um(a) representante ilustre da sua profissão, disciplina, etc.

expor **I** *v. tr.* **1** colocar em exibição; mostrar; **2** descrever; **3** explicar; **II** *v. refl.* **1** apresentar-se ao público; **2** sujeitar-se à acção de

exportação *s. f.* venda ou envio de produtos de um país para outro

exportador *s. m.* aquele que exporta

exportar *v. tr.* vender ou enviar algo para fora do país de origem

exposição *s. f.* **1** exibição pública; mostra; **2** explicação; **3** descrição

expositor *s. m.* móvel em que se expõe alguma coisa; mostruário

exposto *adj.* **1** ⟨*p. p. de* **expor**⟩ que está à vista; patente; **2** FOT. (filme) que foi submetido à acção da luz

expressamente *adv.* **1** claramente; **2** com o fim exclusivo de

expressão *s. f.* **1** manifestação de pensamentos por gestos ou palavras; **2** frase; dito; **3** personificação (de coisa abstracta ou inanimada); **4** MAT. representação do valor de uma quantidade em forma algébrica; LING. ~ ***idiomática*** conjunto de palavras que funcionam como uma unidade cujo significado não é literal

expressar *v. tr. e refl.* vd. **exprimir**

expressionismo *s. m.* ART. PLÁST. movimento que procura retratar as emoções e reacções subjectivas que os factos e objectos provocam no artista, e não a realidade objectiva

expressionista **I** *adj. 2 gén.* relativo ao expressionismo; **II** *s. 2 gén.* pessoa adepta ou praticante do expressionismo

expressividade *s. f.* **1** qualidade do que é expressivo; **2** intensidade de expressão

expressivo *adj.* **1** que exprime com clareza; **2** que tem vivacidade

expresso **I** *s. m.* **1** meio de transporte que vai do local de partida ao destino sem fazer paragens; **2** café tirado em máquina própria, que fica com uma camada de espuma no topo; **II** *adj.* **1** ⟨*p. p. de* **exprimir**⟩ explícito; **2** rápido

exprimir *v. tr. e refl.* manifestar(-se) por palavras ou gestos; revelar(-se)

expropriação *s. f.* desapropriação de alguém de um bem que lhe pertence, a troco de indemnização

expropriar *v. tr.* privar (alguém) da posse de uma propriedade, legalmente e a troco de indemnização

expugnar *v. tr.* **1** conquistar; **2** vencer

expulsão *s. f.* **1** acto de fazer sair (de algum lugar); retirada forçada; **2** abandono (de um grupo, organismo, etc.)

expulsar *v. tr.* **1** fazer sair à força; **2** afastar

expurgação *s. f.* purificação

expurgar *v. tr.* **1** limpar, eliminando as impurezas; purificar; **2** MED. desinfectar uma ferida
êxtase *s. m.* estado de arrebatamento provocado por emoções fortes (de alegria, prazer, entusiasmo, etc.)
extasiado *adj.* arrebatado; encantado
extemporâneo *adj.* que vem fora do tempo próprio; inoportuno
extensão *s. f.* **1** qualidade do que é extenso; vastidão; **2** dimensão; alcance; **3** ELECTR. fio eléctrico móvel que se liga ao fio de um aparelho eléctrico para lhe aumentar o comprimento
extensivo *adj.* **1** que se aplica a um grande número de pessoas ou casos; **2** amplo; abrangente; lato
extenso *adj.* **1** (em tamanho) vasto; amplo; **2** (texto, discurso) comprido; longo ❖ ***por ~*** com todas as letras
extenuado *adj.* cansado; estafado
extenuante *adj. 2 gén.* cansativo; estafante; desgastante
extenuar *v. tr.* cansar; estafar
exterior I *s. m.* **1** parte de fora; **2** aparência; **3** estrangeiro; **II** *adj. 2 gén.* **1** do lado de fora; **2** físico; **3** estranho
exteriorização *s. f.* manifestação de ideias ou sentimentos
exteriorizar *v. tr.* manifestar
exteriormente *adv.* **1** do lado de fora; **2** aparentemente
exterminação *s. f.* vd. **extermínio**
exterminar *v. tr.* destruir; aniquilar
extermínio *s. m.* destruição; aniquilamento
externato *s. m.* estabelecimento de ensino para alunos externos
externo *adj.* **1** que está no lado de fora; exterior; **2** aparente; **3** estrangeiro; **4** (aluno) que não come nem dorme na escola que frequenta
extinção *s. f.* **1** (do fogo) acto ou efeito de extinguir(-se); **2** abolição (de privilégio, direito); **3** desaparecimento definitivo de uma espécie ou de um povo; BIOL., ECOL. (ser vivo, espécie) ***em vias de ~*** prestes a desaparecer definitivamente
extinguir I *v. tr.* **1** apagar (fogo); **2** fazer desaparecer; exterminar (uma espécie, um povo); **II** *v. refl.* **1** (fogo) apagar-se; **2** (espécie, povo) desaparecer definitivamente
extinto *adj.* **1** (fogo) apagado; **2** (vulcão) que já não entra em erupção; **3** (espécie, povo) desaparecido
extintor *s. m.* dispositivo cilíndrico portátil, usado para combater o fogo
extorquir *v. tr.* obter algo (de alguém) por meio de violência ou ameaça
extorsão *s. f.* acto de tentar obter algo (de alguém) por meio de violência ou ameaça
extra I *s. m.* **1** peça suplementar de um aparelho; **2** trabalho executado fora do horário normal; **3** pagamento por esse trabalho; **II** *adj. 2 gén.* **1** *(coloq.)* suplementar; **2** *(coloq.)* extraordinário
extracção *s. f.* **1** acto de arrancar algo do lugar onde se encontrava; **2** processo de retirar das jazidas qualquer mineral; **3** remoção (de dente, tecido, etc.); **4** (lotaria, totoloto) sorteio dos números premiados
extracto *s. m.* **1** essência aromática; **2** fragmento; trecho; **3** (bancário) registo dos movimentos de uma conta (despesas, levantamentos, etc.)
extracurricular *adj. 2 gén.* que não faz parte do currículo escolar
extradição *s. f.* DIR. entrega de uma pessoa acusada de um crime no seu país e refugiada num país estrangeiro, ao governo do país de origem, para ser julgada
extraditar *v. tr.* DIR. entregar (uma pessoa) ao governo do país que reclama essa entrega para realizar o julgamento

extrair *v. tr.* **1** remover (dente, tecido, etc.); **2** retirar (minério) de jazida
extraordinário *adj.* **1** notável; **2** suplementar
extraterrestre *s. 2 gén.* suposto habitante de um planeta exterior à Terra
extravagância *s. f.* **1** coisa fora do comum; **2** *(pej.)* capricho
extravagante *adj. 2 gén.* fora do comum; excêntrico
extraviar I *v. tr.* **1** fazer desaparecer de maneira fraudulenta; **2** desencaminhar; **II** *v. refl.* **1** desaparecer; perder-se; **2** perverter-se
extravio *s. m.* **1** desvio fraudulento (de dinheiro); **2** desaparecimento (de carta); **3** perversão
extrema-unção *s. f.* {*pl.* extremas-unções} RELIG. (Igreja Católica) unção dos fiéis que estão à beira da morte com os santos óleos
extremidade *s. f.* **1** parte extrema; ponta; **2** limite; fim
extremismo *s. m.* defesa de soluções extremas ou radicais para os problemas
extremista I *s. 2 gén.* pessoa que defende soluções extremas; radical; **II** *adj. 2 gén.* relativo a extremismo; radical
extremo I *adj.* **1** situado na extremidade; final; **2** que atingiu o ponto máximo; **3** excessivo; radical; **II** *s. m.* **1** ponto mais distante; extremidade; **2** limite
extremoso *adj.* carinhoso; afectuoso
extrínseco *adj.* que não faz parte da essência; exterior
extrovertido *adj.* que comunica com facilidade; expansivo
exuberância *s. f.* **1** abundância; fartura; **2** vivacidade; entusiasmo
exuberante *adj. 2 gén.* **1** em que há abundância; **2** animado
exultação *s. f.* alegria; júbilo
exultar *v. intr.* sentir alegria
exumação *s. f.* desenterramento (de cadáver)
exumar *v. tr.* tirar (um cadáver) da sepultura
eyeliner *s. m.* {*pl.* eyeliners} cosmético líquido com o qual se faz um risco na pálpebra, junto das pestanas

F

f *s. m.* sexta letra e quarta consoante do alfabeto

F QUÍM. [*símbolo de* **flúor**]

FA [*sigla de* Forças Armadas]

fá *s. m.* MÚS. quarta nota da escala natural

fã *s. 2 gén.* **1** pessoa que manifesta grande admiração por uma figura pública, um clube, etc.; **2** pessoa que tem grande interesse por

fábrica *s. f.* **1** empresa destinada à transformação ou conservação de matérias-primas; **2** fabricação; fabrico

fabricação *s. f.* **1** acto, efeito ou processo de fabricar; **2** produto fabricado

fabricante *s. 2 gén.* **1** pessoa que fabrica produtos ou dirige uma produção; **2** empresa que fabrica produtos

fabricar *v. tr.* **1** produzir através de meios mecânicos; **2** produzir em fábrica; manufacturar

fabrico *s. m.* **1** acto, efeito ou processo de produzir ou transformar bens destinados ao comércio ou à indústria; fabricação; **2** produto fabricado; produção

fabril *adj. 2 gén.* relativo a fábrica ou a fabricante

fábula *s. f.* LIT. narrativa curta e imaginária, com objectivo pedagógico e moral, geralmente protagonizada por animais ou seres inanimados

fabuloso *adj.* **1** relativo a fábula; **2** imaginário; **3** extraordinário

faca *s. f.* instrumento cortante composto de lâmina e cabo; (ambiente, situação) ***de cortar à ~*** pesado; opressivo ❖ ***ter a ~ e o queijo na mão*** ter o poder de fazer alguma coisa

facada *s. f.* **1** golpe de faca; **2** (*fig.*) traição

facalhão *s. m.* faca grande

façanha *s. f.* acção notável; proeza

facção *s. f.* **1** POL. partido; **2** parte divergente de um grupo

faccioso *adj.* que não julga com isenção; parcial

face *s. f.* **1** rosto; cara; **2** lado da frente ❖ ***em ~ de*** perante; ***~ a ~*** frente a frente; ***fazer ~ a*** enfrentar

faceta *s. f.* característica especial de uma pessoa ou de uma coisa; traço

fachada *s. f.* face exterior de um edifício

facho *s. m.* archote; tocha

facial *adj. 2 gén.* relativo a face; ***creme ~*** creme para tratamento do rosto

fácil *adj. 2 gén.* **1** que se faz ou se obtém sem dificuldade; acessível; **2** que se compreende sem custo; simples

facilidade *s. f.* **1** qualidade do que é fácil; **2** ausência de obstáculo ou dificuldade

facílimo *adj.* (*superl. de* **fácil**) muito fácil

facilitar **I** *v. tr.* **1** tornar fácil; **2** pôr à disposição; **II** *v. intr.* confiar excessiva e imprudente

fac-símile *s. m.* {*pl.* fac-símiles} reprodução exacta de assinatura, escrito ou estampa; cópia

facto *s. m.* **1** acontecimento; **2** acção realizada; **3** aquilo que é real; ~ ***consumado*** ocorrência que já se verificou ou que certamente se verificará; ***chegar a vias de*** ~ chegar ao confronto físico (com alguém) ❖ ***de*** ~ na realidade

factor *s. m.* **1** agente de uma acção; **2** causa; **3** MAT. número ou letra que se multiplica na expressão de um produto

factorial *adj. 2 gén.* MAT. relativo a factor

factual *adj. 2 gén.* **1** relativo a facto; **2** real; verdadeiro

factura *s. f.* registo de mercadorias vendidas ou enviadas, com a indicação de quantidades, preços, etc.

facturação *s. f.* **1** acto de processar facturas de bens ou serviços; **2** valor total das vendas de uma empresa, num dado período

facturar *v. tr.* **1** fazer factura de (bens, mercadorias ou serviços); **2** ganhar dinheiro

faculdade *s. f.* **1** capacidade; **2** aptidão; **3** escola de ensino superior destinada ao ensino de uma área específica do conhecimento e que confere graus académicos

facultar *v. tr.* **1** possibilitar; **2** pôr à disposição

facultativo *adj.* que não é obrigatório; opcional

fada *s. f.* **1** figura feminina a que se atribuem poderes sobrenaturais ou mágicos; **2** *(fig.)* mulher muito bela

fadado *adj. (pop.)* predestinado

fadiga *s. f.* **1** cansaço; **2** trabalho árduo

fadista *s. 2 gén.* pessoa que canta o fado

fado *s. m.* **1** destino; **2** MÚS. canção típica lisboeta, de carácter popular, interpretada ao som de guitarra portuguesa; **3** MÚS. canção das serenatas dos estudantes de Coimbra, com características de balada

fagote *s. m.* MÚS. instrumento de sopro, de madeira e com palheta dupla

fagotista *s. 2 gén.* pessoa que toca fagote

fagulha *s. f.* faísca; faúlha

Fahrenheit *adj.* **1** FÍS. diz-se da escala de temperatura, geralmente usada na Grã-Bretanha e nos Estados Unidos da América, em que 32 graus correspondem a 0 °C e 212 graus correspondem a 100 °C; **2** FÍS. diz-se do grau desta escala, de símbolo F

faia *s. f.* BOT. pequena árvore nativa da Europa, que fornece madeira muito apreciada

faial *s. m.* mata de faias

faiança *s. f.* louça de barro, vidrada ou esmaltada e pintada

faina *s. f.* **1** NÁUT. serviço a bordo de navios; **2** trabalho; azáfama

fair play *s. m.* **1** honestidade no modo de agir; **2** aceitação de um resultado ou de uma situação adversa; **3** imparcialidade

faisão *s. m.* ZOOL. ave galinácea originária da Ásia, cujo macho apresenta plumagem colorida e cauda longa

faísca *s. f.* chispa lançada por metais em brasa; centelha

faiscar *v. intr.* **1** (metal, fogo) lançar faíscas; **2** cintilar

faixa *s. f.* **1** tira de pano para apertar ou enfeitar a cintura; **2** ligadura; **3** cada uma das zonas de gravação de um disco ou de um CD; ~ ***de rodagem*** parte da plataforma de estrada ou rua destinada ao trânsito de veículos; ~ ***etária*** período de tempo que abrange um dado número de anos na idade (das pessoas); conjunto de pessoas com a mesma idade

fala *s. f.* **1** acto ou faculdade de falar; **2** linguagem oral; **3** palavra;

discurso; ***perder a/ficar sem ~*** não saber o que dizer; ficar calado

fala-barato *s. m. (depr.)* aquele que fala muito e a despropósito

falácia *s. f.* engano

falacioso *adj.* enganador

falado *adj.* **1** dito; comentado; **2** famoso; célebre

falador *adj. e s. m.* que ou o que fala muito

falange *s. f.* ANAT. cada um dos ossos que formam o esqueleto dos dedos

falangeta *s. f.* ANAT. terceira falange, a menor, que ocupa a extremidade distal dos dedos em muitos vertebrados

falanginha *s. f.* ANAT. segunda falange, em muitos vertebrados, nos dedos que possuem três destes ossos

falante *adj. 2 gén.* **1** pessoa que fala; **2** LING. emissor

falar I *v. tr.* **1** exprimir por palavras; declarar; **2** saber exprimir-se (em língua estrangeira); **3** *(Bras.)* dizer; **II** *v. intr.* **1** articular palavras; **2** *(Bras.)* dizer; **III** *v. refl.* dar-se com; **IV** *s. m.* **1** expressão por meio de palavras; **2** linguagem; **3** dialecto ❖ ***dar que ~*** suscitar comentários; ***por ~ nisso*** a propósito (disso)

falatório *s. m.* **1** comentário sem valor ou fundamento; **2** má-língua

falcão *s. m.* ZOOL. ave de rapina diurna com bico curvo e garras muito afiadas

falcatrua *s. f.* fraude

falecer *v. intr.* morrer

falecido I *adj.* morto; **II** *s. m.* pessoa que morreu; defunto

falecimento *s. m.* morte

falência *s. f.* estado da entidade ou do empresário que não tem meios para cumprir as suas obrigações (pagamento a credores, de salários, etc.); bancarrota; ***abrir ~*** declarar publicamente que não se tem meios para pagar o que se deve; ***~ fraudulenta*** situação de ruptura financeira causada por procedimentos fraudulentos da parte da entidade ou pessoa falida

falésia *s. f.* GEOL. escarpa na costa causada pela erosão marinha

falha *s. f.* **1** erro; defeito; **2** lacuna; falta; **3** (de máquina) avaria; **4** GEOL. fractura das camadas geológicas em determinado plano

falhado *adj.* **1** (tentativa, plano) que não deu resultado; gorado; **2** (pessoa) que não teve sucesso

falhanço *s. m.* **1** fracasso; fiasco; **2** desilusão

falhar I *v. tr.* não acertar em; **II** *v. intr.* **1** não ter sucesso; **2** faltar a; **3** (tiro) não acertar no alvo; **4** (plano) não acontecer como se esperava

fálico *adj.* relativo ao falo (pénis)

falido *adj.* **1** que faliu; **2** que falhou

falinhas-mansas *s. 2 gén. e 2 núm.* pessoa que fala de forma manhosa, com o objectivo de conseguir alguma coisa

falir *v. intr.* **1** ECON. suspender compromissos comerciais por falta de meios; **2** fracassar

falível *adj. 2 gén.* **1** que pode falhar ou enganar-se; **2** em que pode haver erro

falo *s. m.* pénis

falsário *s. m.* **1** falsificador; **2** mentiroso

falsete *s. m.* MÚS. forma de colocação da voz utilizada pelos cantores masculinos para imitar o soprano

falsidade *s. f.* **1** qualidade do que é falso; **2** mentira; calúnia

falsificação *s. f.* **1** acto ou efeito de falsificar; **2** objecto falsificado

falsificador *s. m.* aquele que falsifica

falsificar *v. tr.* **1** copiar de forma fraudulenta; **2** adulterar (bebidas, alimentos); **3** fazer passar por verdadeiro (o que é falso)

falso I *adj.* **1** que não é verdadeiro; **2** que imita ou finge; **3** errado; **4** falsificado; **5** (pessoa) desleal; **II** *s. m.* **1** aquilo que é contrário à verdade ou à realidade; **2** mentira; calúnia ❖ ***dar um passo em ~*** avançar sem segurança

falta *s. f.* **1** escassez; carência; **2** erro; falha; **3** não comparência; ausência; **4** DESP. procedimento contrário às regras (de jogo ou modalidade); infracção; ***sem ~*** impreterivelmente

faltar *v. intr.* **1** fazer falta; **2** não comparecer; **3** não cumprir; ***~ à palavra*** não cumprir o que se prometeu

fama *s. f.* **1** opinião geral; **2** celebridade; **3** reputação

famigerado *adj.* **1** célebre; **2** *(pej.)* que tem má fama

família *s. f.* **1** conjunto de pessoas com relação de parentesco que vivem juntas; agregado familiar; **2** grupo de pessoas formado pelos progenitores e seus descendentes; linhagem

familiar I *s. 2 gén.* pessoa da (mesma) família; parente; **II** *adj. 2 gén.* **1** que é da família; **2** conhecido; **3** caseiro

familiaridade *s. f.* **1** intimidade; **2** confiança

familiarizado *adj.* **1** habituado; **2** íntimo

familiarizar I *v. tr.* **1** tornar familiar; **2** habituar; **3** vulgarizar; **II** *v. refl.* **1** relacionar-se; **2** habituar-se

faminto *adj.* **1** esfomeado; **2** *(fig.)* ávido

famoso *adj.* **1** notável; célebre; **2** excelente

fanado *adj. (pop.)* roubado

fanar *v. tr. (pop.)* roubar

fanático *adj. e s. m.* **1** que ou pessoa que revela um apego excessivo a (uma religião, um partido); extremista; **2** que ou pessoa que tem uma paixão excessiva por; apaixonado

fanatismo *s. m.* **1** fé exclusiva e intolerante numa religião, doutrina ou ideologia; **2** dedicação excessiva a algo ou alguém

fandango *s. m.* MÚS. dança popular de origem espanhola, sapateada e acompanhada de guitarra e castanholas

faneca *s. f.* ZOOL. peixe teleósteo marinho, muito apreciado na alimentação

fanfarra *s. f.* banda de música só com instrumentos de metal e de percussão

fanfarrão *s. m.* aquele que se arma em valente

fanhoso *adj.* **1** (pessoa) que fala como se tivesse o nariz tapado; **2** (som) anasalado

fanico *s. m.* **1** desmaio; **2** pedaço

fantasia *s. f.* **1** imagem criada pela imaginação; ficção; **2** capacidade imaginativa; imaginação; **3** traje utilizado no Carnaval e noutras festas; **4** jóia falsa ou de pouco valor

fantasiar I *v. tr.* **1** criar na imaginação; **2** planear; **II** *v. intr.* sonhar; **III** *v. refl.* mascarar-se

fantasioso *adj.* **1** em que há fantasia; **2** imaginativo

fantasista *adj. 2 gén.* **1** que tem uma imaginação fértil; **2** afastado da realidade

fantasma *s. m.* **1** suposta aparição de pessoa morta ou afastada; alma do outro mundo; **2** *(fig.)* pessoa muito magra e pálida

fantasmagórico *adj.* **1** próprio de fantasma; **2** irreal; ilusório

fantástico *adj.* **1** imaginário; **2** extraordinário; **3** inacreditável

fantochada *s. f.* **1** espectáculo com fantoches; **2** *(fig.)* cena ridícula ou caricata; palhaçada

fantoche *s. m.* **1** boneco de pano em forma de luva, no qual se introduz a mão para o mover; **2** *(fig.)* pessoa incapaz de agir ou pensar por si própria

FAP [*sigla de* Força Aérea Portuguesa]

faqueiro *s. m.* **1** conjunto completo de talheres da mesma marca e do mesmo material; **2** caixa ou estojo onde se guardam os talheres de mesa

faquir *s. m.* indivíduo que se submete publicamente a provas de sofrimento físico sem dar sinais de sensibilidade

faraó *s. m.* título dos antigos soberanos do Egipto

faraónico *adj.* **1** próprio dos faraós; **2** *(fig.)* grandioso; sumptuoso

farda *s. f.* uniforme

fardar *v. tr. e refl.* vestir(-se) com farda

fardo *s. m.* **1** objecto ou conjunto de objectos embrulhados que se destinam a transporte; carga; **2** embrulho; pacote; **3** *(fig.)* coisa difícil de suportar

farejar *v. tr. e intr.* **1** seguir ou procurar pelo faro; cheirar; **2** *(fig.)* pressentir; adivinhar

farelo *s. m.* resíduos de cereais moídos

farfalhudo *adj.* vistoso; garrido

farináceo *adj.* **1** relativo a farinha; **2** que contém ou produz farinha

faringe *s. f.* ANAT. órgão constituído por tecido muscular e membranoso, que estabece a ligação do nariz e da boca com a laringe e o esófago

faringite *s. f.* MED. inflamação da faringe

farinha *s. f.* pó obtido através da moagem de cereais e utilizado na alimentação ❖ ***não fazer ~ com (alguém)*** não se entender com (alguém)

farinha-de-pau *s. f.* {*pl.* farinhas-de-pau} farinha de mandioca muito fina, usada em culinária

farinheira *s. f.* CUL. enchido feito de gordura de porco, farinha ou miolo de pão e temperos

farinhento *adj.* **1** que contém farinha; **2** semelhante a farinha

fariseu *s. m.* **1** RELIG. (séc. II a. C.) membro de uma seita judaica caracterizada pela observância exageradamente rigorosa das escrituras; **2** *(pej.)* hipócrita

farmacêutico I *s. m.* especialista em farmácia (disciplina); **II** *adj.* relativo a farmácia

farmácia *s. f.* **1** ciência e arte de preparar e conservar medicamentos; **2** estabelecimento onde se vendem medicamentos; **3** profissão de farmacêutico; **4** armário ou caixa onde se guardam medicamentos

farmacologia *s. f.* MED. disciplina que se dedica ao estudo e à classificação dos medicamentos

farmacologista *s. 2 gén.* especialista em farmacologia

farnel *s. m.* pequena refeição que se leva para uma viagem, para o trabalho ou para a escola; merenda

faro *s. m.* **1** olfacto dos animais; **2** *(fig.)* intuição

faroeste *s. m.* **1** região do extremo Oeste dos Estados Unidos da América; **2** *(fig.)* região com elevado índice de criminalidade

farofa *s. f.* *(Bras.)* CUL. farinha de mandioca frita em manteiga ou outra gordura, e por vezes misturada com ovos, carne, etc.

farol *s. m.* **1** torre com um foco luminoso, que serve de guia à navegação; **2** dispositivo luminoso colocado em automóveis; **3** *(fig.)* guia

faroleiro *s. m.* indivíduo encarregado de um farol

farolim *s. m.* cada um dos quatro pequenos faróis, dois dianteiros e dois traseiros, destinados a assinalar a presença de um automóvel
farpa *s. f.* **1** pequena lasca de madeira; **2** (para touros) bandarilha
farpado *adj.* recortado em forma de farpa; ***arame ~*** fio metálico com pequenas pontas soltas, disposto em fiadas horizontais para formar uma barreira de defesa ou protecção
farpela *s. f.* roupa; vestuário
farra *s. f.* divertimento; pândega
farrapo *s. m.* **1** pano muito usado e gasto; trapo; **2** *(fig.)* pessoa miserável; **3** *(fig.)* pessoa muito abatida ou doente
farrapo-velho *s. m.* CUL. refeição preparada com restos de uma refeição anterior; roupa-velha
farripa *s. f.* cabelo fino e curto
farrista *s. 2 gén.* pessoa que gosta de farra(s); borguista
farrusco *adj.* escuro; negro
farsa *s. f.* **1** peça de carácter popular e burlesco; **2** *(fig.)* acto ou acontecimento ridículo; **3** *(fig.)* impostura
farta *elem. da loc. adv.* ***à ~*** em abundância; com fartura
fartar *v. tr. e refl.* **1** encher(-se); atulhar(-se); **2** *(fig.)* cansar(-se); aborrecer(-se)
farto *adj.* **1** (refeição) abundante e variado; **2** (pessoa) empanturrado; **3** *(fig.)* (pessoa) saturado
fartura *s. f.* **1** grande quantidade; abundância; **2** CUL. doce fino e comprido feito de farinha e água, cuja massa é frita em espiral e depois cortada em pedaços e polvilhada com açúcar e canela ❖ ***com ~*** em abundância
fascículo *s. m.* caderno ou folheto destacável que se publica por partes e periodicamente
fascinação *s. f.* **1** encantamento; **2** atracção
fascinado *adj.* encantado; deslumbrado
fascinante *adj. 2 gén.* encantador; deslumbrante
fascinar *v. tr.* **1** encantar; deslumbrar; **2** atrair; seduzir
fascínio *s. m.* **1** encantamento; **2** sedução
fascismo *s. m.* HIST., POL. sistema nacionalista e imperialista caracterizado pelo exercício de um poder ditatorial baseado na repressão de qualquer forma de oposição
fascista I *adj. 2 gén.* relativo ao fascismo; **II** *s. 2 gén.* pessoa partidária do fascismo
fase *s. f.* **1** período de uma evolução ou de um processo; etapa; **2** ELECTR. cada um dos circuitos ou enrolamentos de um sistema polifásico; **3** ELECTR. cada uma das linhas ou terminais de um sistema polifásico; **4** ASTRON. cada uma das diferentes aparências da Lua
faseado *adj.* **1** dividido em fases; **2** (pagamento) dividido em fracções
fasquia *s. f.* **1** ripa de madeira estreita e comprida; **2** DESP. tira de madeira ou de outro material que os atletas têm de transpor no salto à vara e no salto em altura; **3** *(fig.)* objectivo a superar; meta
fast-food *s. m.* vd. **pronto-a-comer**
fastidioso *adj.* aborrecido
fastio *s. m.* **1** tédio; **2** aversão; **3** falta de apetite
fatal *adj. 2 gén.* **1** mortal; **2** inevitável
fatalidade *s. f.* **1** destino inevitável; **2** desgraça
fatalismo *s. m.* **1** tendência para acreditar que tudo está determinado e nada pode contrariar o destino; **2** tendência para esperar sempre o pior; pessimismo

fatalista *s. 2 gén.* **1** pessoa que acredita no fatalismo; **2** pessoa pessimista

fatalmente *adv.* **1** inevitavelmente; **2** tragicamente

fatela *adj. 2 gén.* **1** *(pej.)* que é considerado de má qualidade; **2** *(pej.)* que revela mau gosto

fatia *s. f.* **1** pedaço de pão ou de outro alimento cortado em forma de lâmina e com certa espessura; **2** parcela

fático *adj.* LING. (palavra, expressão) que é utilizado para estabelecer o acto comunicativo e não para transmitir informação; ***função fática*** função da linguagem em que o acto comunicativo tem como objectivo assegurar ou manter o contacto entre o locutor e o interlocutor

fatídico *adj.* fatal; trágico

fatigante *adj. 2 gén.* **1** cansativo; **2** maçador

fatigar I *v. tr.* **1** causar fadiga a; **2** aborrecer; **II** *v. refl.* cansar-se

fatiota *s. f. (coloq.)* traje

fato *s. m.* **1** vestuário masculino constituído por calças, casaco e, por vezes, colete; **2** vestuário feminino composto de saia ou calças e casaco; **3** roupa exterior; traje

fato-de-banho *s. m.* {*pl.* fatos-de--banho} peça de vestuário geralmente usada na praia ou na piscina

fato-de-treino *s. m.* {*pl.* fatos-de--treino} vestuário desportivo constituído por calças e camisola ou blusão, em material extensível

fato-macaco *s. m.* {*pl.* fatos-macaco} vestuário de trabalho, geralmente largo e de tecido resistente, de uma só peça

faúlha *s. f.* chispa lançada por metais em brasa; faísca

fauna *s. f.* **1** conjunto de espécies animais que caracterizam uma região ou época; **2** *(pej.)* grupo de marginais

fauno *s. m.* MITOL. divindade campestre entre os Romanos, representada com pés e chifres de cabra

fausto *s. m.* luxo; pompa

faustoso *adj.* luxuoso; pomposo

fava *s. f.* **1** BOT. planta cultivada pelo valor nutritivo das suas sementes; faveira; **2** BOT. fruto ou semente dessa árvore, utilizado na alimentação humana; ***favas contadas*** coisa certa; negócio seguro ❖ ***mandar à ~*** mandar embora, com enfado ou desprezo; ***pagar as favas*** suportar o prejuízo ou a responsabilidade

favela *s. f. (Bras.)* aglomeração de habitações toscas construídas com materiais abandonados em determinadas zonas dos grandes centros urbanos

favo *s. m.* alvéolo ou conjunto de alvéolos de cera construído pelas abelhas para depositarem o mel, o pólen e os ovos

favor *s. m.* **1** serviço prestado por amizade ou delicadeza; obséquio; **2** remissão de culpa; graça; **3** benefício; vantagem ❖ ***a/em ~ de*** em benefício de

favorável *adj. 2 gén.* **1** que favorece ou auxilia; **2** (situação, vento) oportuno; propício

favorecer I *v. tr.* **1** apoiar; **2** tomar partido de; **3** ser favorável ou propício a; **4** realçar qualidade ou mérito de; **II** *v. refl.* tirar proveito para si próprio

favorecido *adj.* **1** protegido; **2** privilegiado; **3** realçado

favorecimento *s. m.* **1** protecção parcial; **2** concessão de um privilégio

favoritismo *s. m.* **1** preferência dada por favor e não por mérito; **2** protecção com parcialidade

favorito *adj.* preferido; predilecto
fax *s. m.* {*pl.* faxes} **1** sistema de transmissão electrónica de documentos através da rede telefónica; **2** máquina que envia e recebe documentos através desse sistema; **3** documento enviado por esse sistema
faxina *s. f.* **1** MIL. serviço de limpeza de um quartel; **2** limpeza geral
faz-de-conta *s. m. 2 núm.* **1** imaginação; **2** fingimento
fazenda *s. f.* **1** tecido; pano; **2** tesouro público; finanças; **3** propriedade rural; quinta
fazendeiro *s. m.* proprietário de uma quinta
fazer **I** *v. tr.* **1** executar; **2** produzir; **3** preparar (refeição, etc.); **4** praticar (desporto, etc.); **5** colocar (questão, pergunta); **6** obrigar a; **II** *v. impess.* **1** ocorrer (fenómeno atmosférico); estar (frio, calor); **2** ter passado (período de tempo); **III** *v. intr.* **1** exercer (profissão, actividade); **2** representar (papel, personagem); **IV** *v. refl.* **1** tornar-se; **2** fingir-se ❖ ***~ anos*** comemorar um aniversário; ***~ as vezes de*** substituir; ***~ efeito*** causar sensação; ***~ por*** esforçar-se por
faz-tudo *s. 2 gén. 2 núm.* **1** pessoa que exerce várias profissões; **2** pessoa que conserta todo o tipo de objectos
Fe QUÍM. [*símbolo de* **ferro**]
fé *s. f.* **1** RELIG. adesão aos dogmas de uma doutrina religiosa; **2** crença absoluta na existência ou veracidade de um facto; convicção ❖ *(coloq.)* ***dar ~ de*** aperceber-se de
fealdade *s. f.* qualidade do que é feio
febra *s. f.* carne sem osso nem gordura; escalope
febrão *s. m.* ⟨*aum. de* **febre**⟩ febre muito alta
febre *s. f.* **1** MED. estado patológico que se manifesta pela subida da temperatura do organismo acima do normal; **2** *(fig.)* desejo intenso; exaltação
febre-amarela *s. f.* {*pl.* febres-amarelas} doença infecciosa, epidémica, que é transmitida por um mosquito
febre-dos-fenos *s. f.* {*pl.* febres-dos-fenos} MED. alergia provocada pelo pólen de certas plantas, especialmente gramíneas
febril *adj. 2 gén.* **1** MED. que tem febre; **2** *(fig.)* exaltado
fecal *adj. 2 gén.* relativo às fezes
fechado *adj.* **1** (porta, janela) que não permite o acesso ou a comunicação; **2** (loja) encerrado; **3** (pessoa) reservado; **4** (negócio) concluído; **5** compacto; denso
fechadura *s. f.* aparelho metálico com uma ou mais linguetas accionadas por uma chave, para fechar portas, gavetas, etc.
fechar **I** *v. tr.* **1** impedir o acesso ou a comunicação a; **2** cerrar com chave, tranca ou outro meio; **3** interromper a actividade ou o funcionamento de; **4** concluir (um negócio); **II** *v. intr.* (fábrica, loja) cessar a actividade; encerrar; **III** *v. refl.* **1** colocar-se em lugar fechado; **2** retrair-se ❖ ***~ a sete chaves*** ocultar ou guardar com todo o cuidado; ***fechar-se em copas*** não se manifestar
fecho *s. m.* **1** peça que serve para fechar ou cerrar uma porta, janela, etc.; **2** (de roupa) vd. **fecho-ecler**
fecho-ecler *s. m.* {*pl.* fechos-ecleres} fecho corrediço munido de dentes que, ao se unirem ou separarem, fecham ou abrem peças de roupa, malas, carteiras, etc.
fécula *s. f.* substância farinácea que se encontra em tubérculos, como a batata, e que é utilizada como alimento

fecundação *s. f.* BIOL. união do espermatozóide com o óvulo, dando origem ao ovo (zigoto)

fecundar I *v. tr.* **1** actuar provocando a formação de um ovo; **2** tornar capaz de reproduzir ou gerar; **3** *(fig.)* fazer progredir; fomentar; **II** *v. intr.* **1** conceber; gerar; **2** *(fig.)* desenvolver-se

fecundidade *s. f.* **1** qualidade de fecundo; fertilidade; **2** abundância

fecundo *adj.* **1** fértil; **2** abundante

fedelho *s. m.* *(pop.)* miúdo; garoto

feder *v. intr.* *(cal.)* cheirar mal

federação *s. f.* **1** união política de vários estados sob um governo central; **2** associação

federado *adj.* **1** que pertence a federação; **2** aliado; unido

federal *adj. 2 gén.* relativo a federação

federalismo *s. m.* POL. união de vários estados numa só nação, conservando cada um deles a sua autonomia em questões que não pertencem ao interesse comum

federalista I *adj. 2 gén.* relativo a federalismo; **II** *s. 2 gén.* pessoa que defende o federalismo

fedor *s. m.* *(cal.)* mau cheiro

fedorento *adj.* *(cal.)* que tem mau cheiro

feedback *s. m.* **1** LING. reenvio de uma mensagem para o receptor; **2** reacção; resposta

feição *s. f.* **1** forma; figura; **2** temperamento; carácter; **3** [*pl.*] traços do rosto ❖ ***estar de ~*** ser favorável

feijão *s. m.* **1** BOT. designação de diversas plantas leguminosas, muito apreciadas na alimentação; feijoeiro; **2** BOT. fruto ou semente dessas plantas

feijão-frade *s. m.* {*pl.* feijões-frades} **1** BOT. planta leguminosa cujo fruto é uma vagem fina, comprida, com sementes comestíveis; **2** BOT. semente dessa planta, de cor amarelada, com uma mancha preta no centro

feijão-fradinho *s. m.* vd. **feijão-frade**

feijão-verde *s. m.* {*pl.* feijões-verdes} BOT. vagem que contém a semente do feijão

feijoada *s. f.* CUL. refeição preparada com feijão e vários tipos de carne

feijoeiro *s. m.* BOT. planta trepadeira produtora de feijões

feio *adj.* **1** (pessoa, objecto) que tem aspecto pouco atraente; **2** (atitude, situação) desagradável

feira *s. f.* **1** mercado que se realiza com certa periodicidade; **2** venda de artigos (livros, etc.) a preço de custo, para escoar stocks; **3** exposição; **4** *(fig.)* balbúrdia; ***~ da ladra*** local público em que se vendem objectos e artigos usados

feirante *s. 2 gén.* pessoa que vende em feira(s)

feita *s. f.* ocasião; vez ❖ ***desta ~*** nesta ocasião

feitiçaria *s. f.* **1** obra de feiticeiro ou de feiticeira; bruxaria; **2** *(fig.)* sedução

feiticeiro *s. m.* aquele que pratica feitiços; bruxo ❖ ***virar-se o feitiço contra o ~*** alguém sofrer o mal que preparou para os outros

feitiço *s. m.* **1** coisa feita por arte mágica ou feitiçaria; bruxedo; **2** objecto a que se atribuem poderes mágicos; amuleto ❖ ***virar-se o ~ contra o feiticeiro*** alguém sofrer o mal que preparou para os outros

feitio *s. m.* **1** forma; **2** corte (de roupa); **3** temperamento

feito I *adj.* **1** executado; realizado; **2** terminado; concluído; **II** *s. m.* realização; acção ❖ ***dito e ~*** feito imediatamente a seguir

feitoria *s. f.* HIST. casa de comércio pertencente à Coroa, situada nos portos das colónias

feixe *s. m.* conjunto de objectos da mesma espécie, reunidos ao comprido e atados; molho; braçado

fel *s. m.* **1** FISIOL. líquido amargo e viscoso, de cor amarela ou esverdeada, que é segregado pelo fígado; bílis; **2** *(fig.)* amargura; ressentimento

felicidade *s. f.* **1** qualidade ou estado de feliz; **2** boa fortuna; sorte; **3** êxito; sucesso

felicíssimo *adj.* ⟨*superl. de* **feliz**⟩ muito feliz

felicitação *s. f.* **1** cumprimento; **2** [*pl.*] congratulação; parabéns

felicitar I *v. tr.* cumprimentar; **II** *v. refl.* congratular-se

felino *adj.* **1** ZOOL. semelhante ao gato ou aos animais da mesma família; **2** *(fig.)* traiçoeiro

feliz *adj. 2 gén.* **1** que goza de felicidade; **2** bem sucedido; próspero; **3** que tem sorte; afortunado

felizardo I *adj.* feliz; **II** *s. m.* pessoa feliz

felpo *s. m.* pêlo saliente de estofo ou tecido

felpudo *adj.* revestido de pequenos pêlos

feltro *s. m.* espécie de estofo, de lã ou de pêlo, produzido por empastamento; ***caneta de ~*** utensílio para escrever ou marcar com ponta grossa e porosa; marcador

fêmea *s. f.* **1** animal do sexo feminino; **2** *(pej.)* ser humano do sexo feminino; **3** *(téc.)* peça com orifício, sulco ou concavidade que recebe outra saliente (macho) para seu complemento

feminilidade *s. f.* qualidade ou característica de mulher

feminino I *adj.* **1** relativo a fêmea; **2** relativo a mulher; **II** *s. m.* GRAM. categoria do género gramatical oposta à do género masculino

feminismo *s. m.* defesa da igualdade de direitos entre a mulher e o homem

feminista *adj. e s. 2 gén.* que ou pessoa que é partidária do feminismo

fémur *s. m.* ANAT. osso que constitui o esqueleto da coxa

fenda *s. f.* abertura estreita; racha; frincha

fénix *s. f.* MITOL. ave fabulosa que, segundo a crença, vivia muitos séculos e, depois de queimada, renascia das próprias cinzas

feno *s. m.* erva seca utilizada como alimento para animais

fenomenal *adj. 2 gén.* **1** relativo a fenómeno; **2** *(fig.)* excepcional

fenómeno *s. m.* **1** facto ou ocorrência passível de observação; **2** acontecimento raro ou surpreendente; **3** ser ou objecto com características extraordinárias

fera *s. f.* **1** ZOOL. animal carnívoro feroz; **2** *(fig.)* pessoa cruel

féretro *s. m.* caixão

feriado *s. m.* dia em que não se trabalha, por determinação civil ou religiosa

férias *s. f. pl.* período de descanso de trabalhadores, estudantes, etc.

ferida *s. f.* **1** lesão causada por golpe ou impacto; ferimento; **2** *(fig.)* desgosto; dor ❖ ***mexer/tocar na ~*** acertar no ponto fraco; ***pôr o dedo na ~*** identificar o ponto central de uma questão

ferido I *adj.* **1** que sofreu lesão; **2** *(fig.)* ofendido; **II** *s. m.* pessoa que se feriu ou sofreu lesão

ferimento *s. m.* lesão; ferida

ferir I *v. tr.* **1** causar ferimento a; **2** *(fig.)* ofender; **II** *v. refl.* sofrer lesão; magoar-se

fermentação *s. f.* **1** transformação química da matéria orgânica pela acção de fermentos; **2** *(fig.)* agitação

fermentar I *v. tr.* 1 produzir fermentação em; fazer levedar; 2 *(fig.)* agitar; estimular; II *v. intr.* decompor--se; levedar

fermento *s. m.* 1 agente (enzima, organismo) que provoca fermentação; 2 massa de farinha que fermentou e se usa para levedar o pão; levedura

férmio *s. m.* QUÍM. elemento radioactivo, obtido artificialmente, com o número atómico 100 e símbolo Fm

ferocidade *s. f.* crueldade

feroz *adj. 2 gén.* 1 (animal) selvagem; 2 (pessoa) cruel

ferradela *s. f.* 1 (de cão) mordedela; dentada; 2 (de insecto) picada

ferrado *adj.* 1 obstinado; teimoso; 2 *(Bras.) (coloq.)* em situação difícil; atrapalhado

ferradura *s. f.* peça de ferro em forma de semicírculo, que se aplica na face interior do casco dos cavalos

ferramenta *s. f.* 1 utensílio; 2 *(fig.)* meio para realizar um objectivo

ferrão *s. m.* órgão em forma de agulha, existente na extremidade do corpo de alguns insectos, que funciona como arma defensiva

ferrar *v. tr.* 1 (cão) morder; 2 (insecto) picar; 3 pôr ferraduras a (cavalo); 4 marcar (animal) com ferro quente ❖ ***~ a dormir*** adormecer profundamente; ***~ o galho*** dormir

ferreiro *s. m.* operário que trabalha o ferro

ferrenho *adj. (coloq.)* inflexível; intransigente

férreo *adj.* 1 feito de ferro; 2 *(fig.)* que não cede; inflexível; 3 (sono) profundo

ferrinhos *s. m. pl.* MÚS. instrumento musical formado por um triângulo de ferro ou aço que se percute com outro ferro

ferro *s. m.* 1 QUÍM. elemento com o número atómico 26 e símbolo Fe, metálico, dúctil e maleável; 2 utensílio ou objecto fabricado com esse metal; 3 instrumento para engomar a roupa; 4 NÁUT. âncora; ***~ fundido*** liga de ferro e carbono, com teor de carbono superior ao do aço ❖ ***a ~ e fogo*** de forma violenta; ***malhar em ~ frio*** esforçar-se sem resultado

ferroada *s. f.* picada com ferrão

ferrolho *s. m.* tranqueta de ferro com que se fecham portas e janelas

ferro-velho *s. m.* {*pl.* ferros-velhos} objectos usados, geralmente metálicos e de pouco valor; sucata

ferrovia *s. f.* caminho-de-ferro

ferroviário *adj.* relativo aos caminhos-de-ferro

ferrugem *s. f.* 1 óxido de ferro hidratado que se forma na superfície do ferro exposto à humidade; 2 *(coloq.)* entorpecimento das articulações; 3 *(pop.)* velhice

ferrugento *adj.* 1 que tem ferrugem; 2 *(coloq.)* trôpego; 3 *(pop.)* velho

ferry *s. m. (coloq.)* vd. **ferryboat**

ferryboat *s. m.* {*pl.* ferryboats} barco que faz travessias curtas em rios, para transporte de pessoas, veículos ou mercadorias

fértil *adj. 2 gén.* 1 (solo) que tem grande capacidade produtiva; 2 (pessoa) capaz de gerar filhos; 3 *(fig.)* abundante; 4 *(fig.)* inventivo

fertilidade *s. f.* 1 capacidade de gerar filhos; 2 *(fig.)* abundância; 3 *(fig.)* capacidade de ser criativo

fertilização *s. f.* 1 acto ou efeito de fertilizar; 2 BIOL. fecundação

fertilizante *s. m.* AGRIC. produto que fornece nutrientes às plantas

fertilizar *v. tr.* tornar fértil ou produtivo (o solo)

fervedor *s. m.* utensílio de cozinha para ferver leite
fervente *adj. 2 gén.* **1** que ferve; **2** (*fig.*) (sentimento, discussão) exaltado
ferver *v. intr.* **1** entrar ou estar em ebulição; borbulhar; **2** escaldar; queimar; **3** sentir intensamente (emoção, raiva)
fervilhar *v. intr.* **1** (líquido) ferver pouco mas continuamente; borbulhar; **2** (*fig.*) agitar-se
fervor *s. m.* **1** ardor; **2** paixão
fervoroso *adj.* **1** dedicado; **2** apaixonado
fervura *s. f.* **1** estado do líquido que ferve; ebulição; **2** (*fig.*) alvoroço; agitação; ***pôr/deitar água na ~*** acalmar os ânimos
festa *s. f.* **1** comemoração pública em honra de um acontecimento ou de uma pessoa; **2** reunião privada em que se celebra um acontecimento; **3** manifestação de alegria; **4** carícia
festança *s. f.* festa alegre e ruidosa
festarola *s. f.* (*pop.*) festa pequena e informal
festejar *v. tr.* **1** fazer festa em honra de; comemorar; **2** aplaudir; saudar
festejo *s. m.* **1** comemoração; **2** solenidade civil ou religiosa
festim *s. m.* festa particular ou em família
festival *s. m.* espectáculo ou série de espectáculos artísticos ou desportivos
festividade *s. f.* festa civil ou religiosa
festivo *adj.* **1** relativo a festa; **2** alegre; divertido
fetiche *s. m.* pessoa ou objecto que é alvo de um interesse obsessivo ou irracional
fétido *adj.* que cheira mal
feto *s. m.* **1** BIOL. ser na fase inicial do seu desenvolvimento; embrião; **2** BOT. planta com folhas compostas recortadas

feudal *adj. 2 gén.* HIST. relativo a feudo ou a feudalismo
feudalismo *s. m.* HIST. (Idade Média) regime fundamentado na ligação estreita entre a autoridade e a propriedade da terra, e caracterizado por uma relação de dependência entre vassalos e suseranos
feudalista *adj. 2 gén.* relativo ao feudalismo
feudo *s. m.* HIST. terra ou propriedade concedida pelo senhor a um vassalo, com a obrigação de prestação de certos serviços e pagamento de foro ou tributo
fêvera *s. f.* carne sem osso nem gordura; escalope
Fevereiro *s. m.* segundo mês do ano civil, com vinte e oito dias nos anos comuns e vinte e nove nos anos bissextos
fezes *s. f. pl.* excrementos
fi *s. m.* vigésima primeira letra do alfabeto grego (**φ**, **Φ**)
fiabilidade *s. f.* **1** qualidade do que é fiável; **2** confiança; credibilidade
fiação *s. f.* fábrica ou lugar onde se fia
fiado **I** *adv.* **1** confiante; **2** vendido a crédito; **II** *adv.* a crédito
fiador *s. m.* pessoa que se obriga a realizar o pagamento de outra pessoa, caso esta não cumpra as suas obrigações no prazo e nas condições predefinidas
fiambre *s. m.* CUL. carne de porco, geralmente cortada em fatias
fiança *s. f.* **1** garantia pela qual uma pessoa assegura o cumprimento de uma obrigação de outra pessoa; caução; **2** valores depositados como garantia de qualquer obrigação
fiapo *s. m.* fio estreito ou frágil
fiar **I** *v. tr.* **1** reduzir a fio; **2** vender fiado; **3** confiar; **II** *v. refl.* ter confiança; acreditar

fiasco *s. m.* resultado desfavorável; fracasso
fiável *adj. 2 gén.* **1** em que se pode confiar; **2** que merece crédito
fibra *s. f.* **1** BIOL. elemento fino e longo que entra na constituição de substâncias dos seres vivos e dos minerais; **2** *(fig.)* força; coragem
fibroma *s. m.* MED. tumor benigno
fibroso *adj.* **1** composto de fibras; **2** semelhante a fibras
ficar I *v. intr.* **1** permanecer; **2** sobrar; **3** estar situado; **4** tornar-se; **5** guardar; **6** ser adiado; **II** *v. refl.* não reagir; ceder
ficção *s. f.* **1** invenção de coisas imaginárias; fantasia; **2** LIT. tipo de literatura que assenta em acontecimentos e/ou personagens criados pela imaginação; ~ ***científica*** literatura cujo enredo se baseia no desenvolvimento científico e em situações resultantes desse desenvolvimento
ficcional *s. 2 gén.* **1** relativo a ficção; **2** inventado; imaginado
ficcionista *adj. e s. 2 gén.* que ou pessoa que escreve obras de ficção
ficha *s. f.* **1** ELECTR. terminal de cabo eléctrico ou peça com dois pernos para ligação à tomada de corrente; **2** folha ou cartão para arquivo e catalogação de documentos ou livros; **3** pequena peça que representa determinada quantia em certos jogos; **4** senha numerada distribuída entre pessoas que esperam ser atendidas num serviço público; **5** registo dos dados relevantes da vida pessoal e/ou profissional de alguém; ELECTR. ~ ***dupla*** extensão ou tomada com duas saídas; CIN., TV ~ ***técnica*** lista dos nomes dos profissionais e entidades envolvidos directa ou indirectamente num trabalho (filme, documentário, etc.); ELECTR. ~ ***tripla*** extensão ou tomada com três saídas
ficheiro *s. m.* **1** caixa, gaveta ou pasta onde se guardam fichas; **2** INFORM. conjunto de informações, devidamente estruturado e conservado na memória secundária de um sistema informático; **3** catálogo
fictício *adj.* **1** que não é verdadeiro ou real; **2** criado pela imaginação
fidalgo *s. m.* **1** HIST. indivíduo com título de nobreza; **2** *(coloq.)* snobe
fidedigno *adj.* em que se pode confiar
fidelidade *s. f.* **1** lealdade; **2** exactidão
fidelíssimo *adj.* ⟨*superl. de* **fiel**⟩ totalmente fiel
fidelização *s. f.* (marketing) estratégia cujo objectivo é tornar os consumidores clientes habituais de determinada marca, produto ou serviço
fidelizar *v. tr.* (marketing) tornar (um cliente) consumidor habitual
fiel I *adj. 2 gén.* **1** (pessoa) leal; **2** (descrição) exacto; **II** *s. m.* fio indicador do equilíbrio de uma balança
FIFA [*sigla de* **F**édération **I**nternationale de **F**ootball **A**ssociation] Federação Internacional de Futebol
figa *s. f.* gesto com a mão fechada e o dedo polegar metido entre o indicador e o médio, para dar sorte; *(coloq.)* ***fazer figas*** desejar o melhor (a alguém)
figadeira *s. f.* *(pop.)* fígado
fígado *s. m.* **1** ANAT. órgão próximo do tubo digestivo com funções muito importantes, como a secreção biliar e glicogénica; **2** *(fig.)* carácter; temperamento
figo *s. m.* BOT. fruto da figueira, carnudo, geralmente verde ou roxo, com polpa avermelhada ❖ ***chamar--lhe um ~*** aproveitar-se de
figueira *s. f.* BOT. árvore produtora de figos

figura *s. f.* **1** forma exterior; aparência; **2** impressão que as pessoas e as coisas produzem; **3** gravura; ilustração; **4** GEOM. conjunto de pontos, linhas ou superfícies; **5** pessoa importante; personalidade; RET. ~ ***de estilo*** utilização das palavras com sentido diferente do literal ❖ ***fazer boa/má*** ~ ser bem/mal sucedido; ~ ***de urso*** atitude ridícula ou decepcionante

figurado *adj.* que não é literal; metafórico

figurante *s. 2 gén.* CIN., TEAT., TV. pessoa que tem um papel muito secundário e geralmente mudo

figurar *v. intr.* **1** fazer parte; **2** representar-se

figurativo *adj.* que representa através de um símbolo; simbólico

figurino *s. m.* **1** modelo de roupa recomendado pela moda; **2** revista de moda

fila *s. f.* série de pessoas, animais ou coisas colocadas umas atrás das outras; fileira; ~ ***indiana*** série de pessoas colocadas umas atrás das outras (uma a uma)

filamento *s. m.* **1** fio; **2** fibra

filantropia *s. f.* **1** interesse pela felicidade e pelo bem-estar dos outros; **2** generosidade

filantrópico *adj.* **1** relativo a filantropia; **2** que tem objectivos humanitários

filantropo *s. m.* aquele que procura melhorar a situação dos outros; altruísta

filão *s. m.* **1** GEOL. introdução de rochas eruptivas em fendas; **2** *(fig.)* fonte de vantagens e benefícios ❖ ***explorar o*** ~ aproveitar a ocasião

filarmónica *s. f.* banda de música

filarmónico *adj.* relativo a grupos ou sociedades musicais

filatelia *s. f.* **1** estudo dos selos de correio; **2** colecção desses selos

filatelista *s. 2 gén.* pessoa que estuda e/ou colecciona selos do correio

fileira *s. f.* fila; linha

filete *s. m.* CUL. posta de peixe ou carne

filha *s. f.* indivíduo do sexo feminino em relação aos seus pais

filharada *s. f.* *(coloq.)* grande número de filhos

filho *s. m.* **1** indivíduo do sexo masculino em relação aos seus pais; **2** [*pl.*] descendentes

filhó *s. f.* CUL. bolinho feito de farinha e ovos, frito e polvilhado com açúcar e canela

filho da mãe *s. m.* *(pop.)* insulto que exprime desprezo e aversão por alguém

filho da puta *s. m.* *(vulg.)* insulto que exprime forte desprezo e aversão por alguém

filhote *s. m.* **1** ⟨*dim. de* **filho**⟩ filho pequeno ou muito novo; **2** ZOOL. cria

filiação *s. f.* **1** indicação dos pais de uma pessoa; **2** admissão (em grupo ou partido)

filial *s. f.* estabelecimento comercial ou financeiro subordinado a uma agência central; sucursal

filiar **I** *v. tr.* **1** adoptar como filho; perfilhar; **2** admitir como membro (em grupo ou partido); **II** *v. refl.* inscrever-se como membro

filigrana *s. f.* peça de ourivesaria feita de fios delgados de ouro ou prata

filipino **I** *s. m.* {*f.* filipina} pessoa natural da República das Filipinas; **II** *adj.* **1** relativo às Filipinas; **2** HIST. relativo à dinastia dos Filipes, reis de Espanha e de Portugal

filmagem *s. f.* CIN., TV acto de filmar; gravação

filmar *v. tr.* CIN., TV registar em filme; gravar

filme *s. m.* **1** FOT., CIN. faixa estreita de material plástico, revestida de uma emulsão sensível à luz, usada para registar imagens paradas ou em movimento; **2** CIN., TV sequência de imagens registadas em película com uma câmara, que se projectam num ecrã; **3** *(coloq.)* história complicada ou exagerada

filosofal *adj. 2 gén.* relativo a filosofia

filosofar *v. intr.* estudar ou meditar sobre questões filosóficas

filosofia *s. f.* **1** indagação racional sobre o mundo e o homem, com o propósito de encontrar a sua explicação última; **2** sistema de pensamento; **3** serenidade de espírito; sabedoria

filosófico *adj.* relativo a filosofia

filósofo *s. m.* pessoa que se dedica ao estudo da filosofia

filoxera *s. f.* **1** ZOOL. insecto que ataca as folhas e as raízes da videira; **2** AGRIC. doença produzida na videira por este insecto

filtrar *v. tr.* **1** passar (um líquido) por um filtro; coar; **2** impedir a passagem de; reter; **3** *(fig.)* seleccionar

filtro *s. m.* **1** utensílio de matéria porosa ou com pequenos orifícios para coar líquidos ou gases; **2** FOT., CIN. placa ou tela usada para regular a intensidade da luz

fim *s. m.* **1** final; **2** conclusão; **3** objectivo ❖ ***a ~ de*** com o objectivo de; ***ao ~ e ao cabo*** afinal; *(Bras.)* ***estar a ~ de*** estar com disposição para; *(Bras.)* ***ser o ~ da picada*** ser difícil de suportar; ***por ~*** finalmente; ***sem ~*** eternamente

fim-de-semana *s. m.* {*pl.* fins-de--semana} período em que geralmente não se trabalha, que decorre desde sexta-feira à noite até domingo à noite

finado I *s. m.* pessoa que morreu; falecido; **II** *adj.* morto

final I *adj. 2 gén.* **1** último; **2** definitivo; **II** *s. m.* **1** fim; **2** última parte; **III** *s. f.* DESP. última prova de um campeonato ou competição por eliminatórias

finalidade *s. f.* propósito; intenção

finalista *s. 2 gén.* **1** DESP. pessoa ou equipa que participa na última prova de uma competição; **2** *(acad.)* estudante que frequenta o último ano de um curso

finalização *s. f.* **1** acabamento; conclusão; **2** DESP. (futebol) lance para golo

finalizar I *v. tr.* concluir; acabar; **II** *v. intr.* **1** ter fim; terminar; **2** DESP. (futebol) chutar para marcar golo

finanças *s. f. pl.* **1** estado de um país, de uma empresa ou de uma pessoa em termos de recursos económicos; **2** conjunto de receitas e despesas de um Estado; **3** tesouro público

financeiro *adj.* relativo às finanças

financiamento *s. m.* **1** acto ou efeito de financiar; **2** importância concedida para financiar

financiar *v. tr.* **1** suportar os custos de; **2** conceder (valor monetário) como financiamento

finca-pé *s. m.* {*pl.* finca-pés} determinação; persistência ❖ ***fazer ~*** teimar

findar I *v. tr.* pôr fim a; **II** *v. intr.* (prazo) chegar ao fim

findável *adj. 2 gén.* que tem fim; finito

findo *adj.* terminado; concluído

fineza *s. f.* delicadeza; amabilidade

fingido *adj.* **1** (pessoa) hipócrita; **2** (sentimento) simulado

fingidor *s. m.* aquele que finge

fingimento *s. m.* **1** simulação; **2** hipocrisia

fingir I *v. tr.* **1** exprimir sem sinceridade; **2** inventar; **II** *v. intr.* **1** ser hipócrita; **2** ocultar sentimento ou intenção; **III** *v. refl.* querer passar por; aparentar

finissecular *adj. 2 gén.* LIT. próprio do fim de século

finito *adj.* que tem fim; limitado

finlandês I *s. m.* {*f.* finlandesa} **1** pessoa natural da Finlândia; **2** língua oficial da Finlândia; **II** *adj.* relativo à Finlândia

fino I *adj.* **1** pouco espesso; **2** delgado; **3** *(coloq.)* esperto; **4** requintado; **5** (voz) agudo; **6** *(pop.)* com saúde; **II** *s. m. (reg.)* copo alto e esguio de cerveja de pressão; imperial

finório *adj. (coloq.)* espertalhão; manhoso

finta *s. f.* DESP. ataque simulado para enganar o adversário; drible

fintar *v. tr.* DESP. enganar o adversário com um ataque simulado; driblar

fio *s. m.* **1** fibra ou filamento de matéria têxtil; linha; **2** corrente (de um líquido) contínua, mas com pouco volume; **3** cordão (de ouro ou prata) para usar ao pescoço; **~ *condutor*** filamento metálico condutor de electricidade; indício que serve de referência para descobrir a solução de um problema ou de uma dificuldade; ideia ou princípio que aparece de forma sistemática num sistema de pensamento, numa tese, etc. ❖ ***a ~*** seguidamente; ***de ~ a pavio*** do princípio ao fim; ***estar por um ~*** estar em risco; ***perder o ~ à meada*** interromper o fluxo de ideias ou de conversa

fio dental *s. m.* **1** fio de nylon usado para remover pedaços de comida de entre os dentes; **2** peça inferior do biquíni ou calcinhas que descobrem totalmente as nádegas

fio-de-prumo *s. m.* {*pl.* fios-de--prumo} utensílio de metal pesado, suspenso por um fio, usado para verificar a verticalidade de um objecto ou de um lugar

fiorde *s. m.* GEOG. golfo estreito e profundo, entre montanhas

fios-de-ovos *s. m. pl.* CUL. doce em forma de fios, feitos com gemas de ovos e cozidos em calda de açúcar

firma *s. f.* estabelecimento industrial ou comercial; empresa

firmado *adj.* **1** (objecto) apoiado; fixo; **2** (acordo) estabelecido; assinado

firmamento *s. m.* céu

firmar *v. tr.* **1** fixar (objecto); **2** estabelecer (acordo); **3** consolidar (relação, amizade)

firme *adj. 2 gén.* **1** (objecto) fixo; estável; **2** (pessoa) determinado; **3** (decisão) inabalável

firmeza *s. f.* **1** (de objecto) estabilidade; segurança; **2** (de pessoa) determinação; coragem

fiscal I *adj. 2 gén.* **1** relativo ao fisco; **2** relativo a fiscalização; **II** *s. 2 gén.* **1** pessoa que trabalha em órgão da administração encarregado dos impostos; **2** pessoa que trabalha na alfândega

fiscal-de-linha *s. 2 gén.* DESP. (futebol) auxiliar do árbitro, cuja função é acenar com uma pequena bandeira sempre que a bola transpõe as linhas laterais ou de fundo ou sempre que algum jogador se encontra em fora--de-jogo

fiscalidade *s. f.* **1** sistema de cobrança de impostos; **2** conjunto de impostos em vigor

fiscalização *s. f.* **1** controlo; **2** verificação

fiscalizar I *v. tr.* **1** verificar a realização de (obra, projecto); **2** inspeccionar; **II** *v. intr.* exercer as funções de fiscal

fisco *s. m.* **1** ECON. parte da administração pública encarregada da definição e cobrança de taxas e impostos; **2** conjunto dos recursos financeiros de um Estado; ***fuga ao ~*** falta deliberada e fraudulenta de pagamento de imposto obrigatório por parte do contribuinte

fisga *s. f.* forquilha a que se prendem dois elásticos e que serve para atirar pequenas pedras

fisgada *s. f. (pop.)* dor súbita

fisgado *adj.* **1** apanhado com fisga; **2** apanhado; **3** *(coloq.)* premeditado

física *s. f.* ciência da matéria e da energia, que inclui os princípios que governam o movimento das partículas e das ondas, a interacção entre as partículas, as propriedades de moléculas, átomos e núcleos atómicos, bem como de sistemas gasosos, líquidos e sólidos

físico I *adj.* **1** relativo às leis da natureza; **2** relativo ao corpo; **II** *s. m.* **1** especialista em física; **2** corpo

físico-química *s. f.* {*pl.* físico-químicas} disciplina que usa métodos da física e da química para estudar as características macroscópicas e microscópicas de um sistema

fisiologia *s. f.* BIOL. disciplina que estuda os fenómenos vitais e as funções dos órgãos dos seres vivos

fisiológico *adj.* relativo a fisiologia

fisionomia *s. f.* traços do rosto; feições

fisionómico *adj.* relativo ao rosto

fisioterapeuta *s. 2 gén.* especialista em fisioterapia

fisioterapia *s. f.* tratamento de doenças através de agentes físicos e naturais

fissura *s. f.* fenda; greta

fístula *s. f.* MED. orifício ou canal anormal, congénito ou acidental, que liga dois órgãos entre si ou um órgão ao exterior

fita *s. f.* **1** tecido estreito e comprido para atar ou enfeitar; **2** banda fina de tecido, embebida em tinta, utilizada em máquinas de escrever e impressoras; **3** película; filme; **4** cena fingida; ***~ magnética*** tira fina, plástica, utilizada em gravadores, vídeos e computadores, para registo de sons, imagens, dados informáticos, etc.; ***~ métrica*** tira dividida em centímetros e metros, utilizada para fazer medições ❖ ***fazer fitas*** dar escândalo

fita-cola *s. f.* {*pl.* fitas-colas} fita adesiva, usada para fechar embalagens e fixar objectos

fitar *v. tr.* fixar a vista em

fito *s. m.* **1** alvo; **2** objectivo

fivela *s. f.* peça metálica que se prende a uma correia, fita ou cinto para apertar

fixação *s. f.* **1** acto ou processo de fixar; **2** obsessão

fixador *s. m.* (de cabelo) substância que serve para fixar o penteado

fixar I *v. tr.* **1** prender; **2** determinar; **3** fitar; **4** memorizar; **II** *v. refl.* **1** apoiar-se; **2** estabelecer-se

fixe *adj. 2 gén.* **1** *(coloq.)* (coisa) óptimo; **2** *(coloq.)* (pessoa) leal

fixo *adj.* **1** imóvel; **2** firme; **3** constante; **4** definido; ***ideia fixa*** ideia que nunca se afasta do espírito; ***preço ~*** valor predeterminado, não sujeito a variação

flacidez *s. f.* qualidade ou estado de flácido

flácido *adj.* que não tem firmeza ou elasticidade; mole

flagelação *s. f.* **1** tortura; **2** aflição

flagelar *v. tr.* **1** torturar; **2** afligir

flagelo *s. m.* **1** tortura; **2** calamidade

flagrante *adj. 2 gén.* incontestável; evidente; DIR. ***~ delito*** infracção ou crime em que o infractor é surpreendido no momento em que o pratica

flamenco *s. m.* MÚS. música e dança populares andaluzas, com raízes ciganas, que são acompanhadas de guitarras e palmas

flamengo I *s. m.* {*f.* flamenga} **1** pessoa natural da Flandres (Europa central); **2** dialecto neerlandês falado na Bélgica; **II** *adj.* **1** relativo à Flandres; **2** (queijo) preparado com leite de vaca e originário da Holanda

flamingo *s. m.* ZOOL. ave pernalta de grande porte, com pescoço longo e plumagem rosada

flan *s. m.* CUL. pudim feito de ovos, leite, açúcar e farinha

flanco *s. m.* **1** ANAT. região lateral do tronco, entre a anca e as costelas; **2** parte lateral; lado

flanela *s. f.* tecido de lã ou algodão cardado

flash *s. m.* **1** FOT. dispositivo que produz um clarão no momento em que se tira uma fotografia num lugar com pouca luz; **2** *(coloq.)* ideia repentina

flashback *s. m.* **1** LIT. narração de um acontecimento anterior ao tempo em que decorre a acção; **2** CIN. parte de um filme que mostra uma cena anterior à acção

flauta *s. f.* MÚS. instrumento de sopro, em forma de tubo, sem palheta e com buracos

flautim *s. m.* MÚS. instrumento de sopro menor e mais fino que a flauta

flautista *s. 2 gén.* pessoa que toca flauta

flebite *s. f.* MED. inflamação das paredes das veias

flecha *s. f.* arma de arremesso, constituída por uma haste de metal ou de madeira aguçada na ponta, que se lança com um arco ❖ ***como uma ~*** a grande velocidade; ***subir em ~*** subir muito e rapidamente

flectir *v. tr.* dobrar; curvar

fleumático *adj.* **1** imperturbável; **2** indiferente

flexão *s. f.* **1** acto de dobrar ou curvar (joelhos, etc.); **2** GRAM. conjunto de diferentes formas que tomam as palavras variáveis, conforme o número, género, grau, modo, tempo, pessoa e aspecto que designam; **3** DESP. exercício físico em que se trabalham os membros superiores, flectindo-os várias vezes

flexibilidade *s. f.* **1** qualidade do que é flexível; elasticidade; **2** capacidade de adaptação a diferentes situações

flexibilizar *v. tr.* tornar flexível

flexionar *v. tr.* **1** curvar; flectir; **2** GRAM. apresentar a flexão de (uma palavra)

flexível *adj. 2 gén.* **1** (material) maleável; elástico; **2** (pessoa) dócil; submisso

flipado *adj. (coloq.)* furioso; descontrolado

flipar *v. intr. (coloq.)* perder a calma subitamente; explodir

flip-flop *s. m.* {*pl.* flip-flops} DESP. salto para trás, realizado com o apoio das mãos

flipper *s. m.* {*pl.* flippers} jogo electrónico em que uma ou mais pequenas bolas são impelidas ao longo de uma superfície inclinada, através de vários obstáculos

flirt *s. m.* relação amorosa passageira; caso

flirtar *v. intr.* manter uma ligação amorosa passageira com alguém

floco *s. m.* **1** bloco de neve que esvoaça e cai lentamente; **2** tufo de pêlo; **3** [*pl.*] produto alimentar à base de partículas de cereais

flor *s. f.* BOT. órgão vegetal composto por sépalas (cálice), pétalas (corola), estames e gineceu; *(fig.)* ***~ de estufa***

pessoa frágil e delicada ❖ ***à ~ de*** à superfície de; **~ *da idade*** juventude; ***não ser ~ que se cheire*** não ser digno de confiança; ***ter os nervos à ~ da pele*** irritar-se com facilidade

flora *s. f.* **1** BOT. conjunto das espécies vegetais que se desenvolvem numa região; **2** MED. conjunto de microrganismos que existem em determinada parte do corpo

floreado *adj.* **1** enfeitado; **2** vistoso

floreira *s. f.* vaso para flores

florescente *adj. 2 gén.* **1** que floresce; **2** próspero

florescer *v. intr.* **1** dar flor; **2** prosperar

florescimento *s. f.* **1** BOT. aparecimento de flores numa planta; **2** progresso

floresta *s. f.* **1** vegetação densa de árvores, arbustos e outras plantas, que cobre uma vasta área de terreno; **2** *(fig.)* grande quantidade de coisas; **~ *virgem*** floresta que nunca foi vista ou explorada

florestação *s. f.* plantação de árvores em floresta

florestal *adj. 2 gén.* relativo a floresta

floricultor *s. m.* pessoa que cultiva flores

floricultura *s. f.* cultura de flores

florido *adj.* **1** (jardim) coberto de flores; **2** (tecido) adornado com flores; estampado

florim *s. m.* antiga unidade monetária da Holanda, substituída pelo euro em 1999

florir *v. intr.* deitar flores; desabrochar

florista *s. 2 gén.* pessoa que vende flores

fluência *s. f.* facilidade de expressão

fluente *adj. 2 gén.* **1** que corre com facilidade; **2** que tem facilidade de expressão

fluidez *s. f.* **1** qualidade do que corre ou desliza facilmente; **2** facilidade de expressão

fluido I *s. m.* FÍS. substância que toma facilmente a forma do recipiente que a contém, devido à mobilidade das suas moléculas; **II** *adj.* **1** que corre ou desliza com facilidade; **2** espontâneo; natural

fluir *v. intr.* **1** (líquido) correr; deslizar; **2** (palavras) sair com facilidade

flúor *s. m.* QUÍM. elemento gasoso com o número atómico 9 e símbolo F, muito venenoso e de cheiro intenso

fluorescência *s. f.* FÍS. emissão de luz por parte de um corpo, provocada por qualquer processo excepto aquecimento

fluorescente *adj. 2 gén.* **1** que tem a propriedade da fluorescência; **2** (caneta) que serve para sublinhar por meio de cor forte

flutuação *s. f.* **1** oscilação; **2** variação

flutuante *adj. 2 gén.* **1** variável; **2** instável

flutuar *v. intr.* **1** (barco) boiar; **2** (preço, valor) variar; **3** (ao vento) agitar-se

fluvial *adj. 2 gén.* relativo ao rio

fluxo *s. m.* **1** movimento constante de um fluido; corrente; **2** conjunto de pessoas ou coisas que se deslocam na mesma direcção; **3** *(fig.)* grande quantidade

Fm QUÍM. [*símbolo de* **férmio**]

FMI [*sigla de* Fundo **M**onetário **I**nternacional]

fobia *s. f.* medo ou aversão impossível de conter

foca *s. f.* ZOOL. mamífero carnívoro e anfíbio com pêlo raso e membros curtos, espalmados em barbatanas

focagem *s. f.* **1** FOT. ajustamento da lente de modo a obter uma imagem nítida; **2** acto de pôr em destaque ou em evidência

focalização *s. f.* **1** LIT. posicionamento do narrador em face da acção e das personagens; **2** acto de pôr em destaque ou em evidência; **3** FOT. vd. **focagem**

focalizar *v. tr.* pôr em evidência; salientar

focar *v. tr.* **1** FOT. ajustar uma lente de modo a obter uma imagem nítida; **2** abordar (um assunto, uma questão)

focinho *s. m.* **1** parte anterior e saliente da cabeça de vários animais; **2** *(pop.)* cara; rosto

foco *s. m.* **1** projector de luz; **2** ponto para onde converge algo; centro; ***estar em ~*** estar em discussão; estar em evidência; ***pôr em ~*** colocar em evidência; salientar

foder I *v. tr.* **1** *(vulg.)* ter relações sexuais; **2** *(vulg.)* prejudicar; **II** *v. intr. e refl.* *(vulg.)* prejudicar-se; ***foda-se!*** exclamação que exprime impaciência ou indignação

fodido *adj.* *(vulg.)* prejudicado; arruinado

fofo *adj.* **1** (material) mole; macio; **2** (pessoa) doce; terno

fofoca *s. f.* *(Bras.)* mexerico; bisbilhotice

fofocar *v. intr.* *(Bras.)* bisbilhotar

fofoqueiro *s. m.* *(Bras.)* bisbilhoteiro; coscuvilheiro

fogaça *s. f.* *(reg.)* pão grande e doce

fogão *s. m.* **1** aparelho doméstico utilizado para cozinhar os alimentos; **2** vão aberto na parede ou aparelho que constitui uma fonte de calor para aquecer o ambiente

fogareiro *s. m.* utensílio portátil de ferro, latão ou barro, usado para cozinhar, e que funciona a carvão, petróleo, electricidade ou gás

fogo *s. m.* **1** produção simultânea de calor, luz, fumo e gases resultantes da combustão de uma substância inflamável; **2** detonação de arma; tiro; **3** incêndio; **4** lareira; **5** habitação; **6** *(fig.)* paixão; **7** *(fig.)* entusiasmo; ***~ cruzado*** disparos cujas trajectórias se cruzam ou que provêm de diversos pontos em direcção a um só alvo; ***~ posto*** incêndio de origem criminosa

fogo-de-artifício *s. m.* {*pl.* fogos-de-artifício} grupo de peças de pirotecnia que se queimam em noites de festa, produzindo jogos de luzes acompanhados de estrondo

fogo-de-vista *s. m.* {*pl.* fogos-de-vista} aquilo que impressiona pela aparência, mas que não tem conteúdo ou não é real

fogo-preso *s. m.* {*pl.* fogos-presos} grupo de peças de pirotecnia que são queimadas em armações fixas

fogosidade *s. f.* **1** inquietação; **2** entusiasmo

fogoso *adj.* **1** impetuoso; **2** enérgico

fogueira *s. f.* **1** monte de lenha ou outra matéria combustível à qual se pegou fogo; **2** labareda produzida por matéria em combustão ❖ ***deitar achas na ~*** piorar uma situação

foguetão *s. m.* veículo espacial que atinge grandes velocidades e é utilizado para transportar satélites artificiais e lançá-los em órbita, para exploração do espaço cósmico, etc.

foguete *s. m.* peça de pirotecnia composta por um tubo com matérias explosivas e um rastilho ao qual se pega fogo ❖ ***deitar foguetes antes da festa*** festejar uma coisa antes de a conseguir; ***fazer a festa e deitar os foguetes*** rir-se das suas próprias piadas

foice *s. f.* utensílio agrícola formado por uma lâmina de aço ou ferro, curva e estreita, fixa num cabo curto, utilizado para ceifar ou segar

❖ ***a talho de ~*** a propósito; ***meter ~ em seara alheia*** meter-se no que não lhe diz respeito

folar *s. m.* **1** CUL. bolo de Páscoa pouco doce recheado com ovos cozidos inteiros; **2** prenda que os padrinhos dão aos afilhados na Páscoa

folclore *s. m.* conjunto das tradições de um povo (música, dança, provérbios, lendas)

folclórico *adj.* **1** relativo a folclore; **2** *(pej.)* colorido; berrante

fole *s. m.* instrumento composto de um conjunto maleável que une duas ou três tábuas horizontais e que se desdobra e aperta como num harmónio

fôlego *s. m.* **1** acto de inspirar e expirar; respiração; **2** capacidade de manter o ar nos pulmões; **3** descanso para recuperar forças; **4** *(fig.)* ânimo; alento

foleirada *s. f.* *(coloq.)* o que é de mau gosto ou de má qualidade

foleiro *adj.* **1** *(coloq.)* (ambiente, comentário) que revela mau gosto; **2** *(coloq.)* (objecto) que é de má qualidade

folga *s. f.* **1** interrupção de uma actividade ou do trabalho; **2** período de descanso; **3** desafogo; alívio

folgado *adj.* **1** (vestuário) largo; **2** (vida) despreocupado; **3** *(Bras.)* (pessoa) descansado; ocioso

folgar *v. intr.* **1** descansar; **2** divertir-se; **3** alegrar-se

folgazão *adj.* que gosta de se divertir; brincalhão

folha *s. f.* **1** BOT. órgão vegetal, geralmente verde e laminar, que se insere no caule, nos ramos ou nas raízes das plantas; **2** pedaço de papel, normalmente rectangular ou quadrado; **3** chapa fina de qualquer material; INFORM. ***~ de cálculo*** ficheiro formado por uma grelha de colunas e linhas onde se inserem dados numéricos, fórmulas ou texto, usado para planeamento e cálculo financeiro; ***~ de pagamentos*** registo dos salários de funcionários ou empregados; ***~ de presença*** folha onde assinam os participantes de um dado evento (aula, conferência, etc.); ***~ de serviço*** registo da vida profissional de um funcionário (funções desempenhadas, faltas, etc.) ❖ ***novo em ~*** que ainda não foi usado

folhado **I** *adj.* **1** cheio de folhas; **2** revestido de camadas finas (de madeira ou metal); **II** *s. m.* CUL. pastel de massa trabalhada em camadas finas, recheado de carne, peixe ou legumes

folhagem *s. f.* conjunto das folhas de uma ou mais plantas

folheado *s. m.* folha delgada de madeira ou outro material que reveste exteriormente uma peça

folhear *v. tr.* **1** revestir de folhas; **2** percorrer as folhas de (livro)

folhetim *s. m.* **1** romance, novela ou conto editado em jornal ou difundido pela televisão ou pela rádio, em partes, com uma dada periodicidade; **2** *(pej.)* obra literária considerada de pouco valor

folheto *s. m.* **1** livro de poucas folhas; brochura; **2** impresso de uma ou mais folhas com indicações informativas ou publicitárias

folho [o] *s. m.* tira franzida ou pregueada em peça de vestuário, etc.

folia *s. f.* grande divertimento; pândega

folião *s. m.* pessoa que gosta de pândega; borguista

fome *s. f.* **1** sensação provocada pela necessidade de comer; **2** falta de alimentos; **3** *(fig.)* desejo ardente; sofreguidão ❖ ***enganar a ~*** comer alguma coisa leve para atenuar a sensação de fome; ~ ***canina*** fome intensa ou exagerada; ***matar a ~*** saciar a necessidade de comer; ***passar ~*** atravessar um período considerável sem ter alimento ou com alimentação insuficiente

fomentar *v. tr.* **1** desenvolver; **2** estimular

fomento *s. m.* **1** desenvolvimento; **2** estímulo

fonador *adj.* produtor de som ou voz; ANAT. ***aparelho ~*** conjunto de órgãos que intervêm na produção dos sons da língua

fondue *s. m.* {*pl.* fondues} CUL. prato que consiste num molho à base de queijo derretido, onde se mergulham pão, legumes, etc.

fonema *s. m.* LING. unidade menor do sistema fonológico de uma língua

fonética *s. f.* disciplina que estuda e descreve os sons das línguas na sua realização concreta

fonético *adj.* relativo a fonética

fónico *adj.* relativo à voz ou aos sons da linguagem

fonologia *s. f.* disciplina que estuda e descreve os sons como unidades distintas (fonemas) e a sua função no sistema linguístico

fontainha *s. f.* fonte pequena

fontanário *s. m.* estrutura artificial para abastecimento público de água

fonte *s. f.* **1** lugar de onde brota água; nascente; **2** chafariz; **3** ANAT. cada um dos lados da região temporal; **4** origem; ELECTR. ~ ***de alimentação*** dispositivo que fornece corrente eléctrica a um circuito; ~ ***de rendimento*** actividade ou local de onde provêm os recursos financeiros de uma pessoa ou de uma empresa

footing *s. m.* passeio ou caminhada a pé, como exercício físico ou para espairecer

fora I *adv.* **1** no lado exterior; **2** no estrangeiro; **II** *prep.* excepto; menos; ***fora!*** exclamação utilizada para expulsar alguém ❖ *(Bras.)* ***dar o ~*** desaparecer; ~ ***de si*** descontrolado

fora-da-lei *adj. e s. 2 gén. 2 núm.* que ou pessoa que não vive segundo as regras ou leis da sociedade

fora-de-jogo *s. m. 2 núm.* DESP. infracção cometida pelo jogador que, no momento em que lhe é passada a bola, tem apenas um ou nenhum jogador da equipa adversária entre ele e a baliza

foragido *s. m.* pessoa que fugiu e se escondeu para escapar à justiça ou a perseguição; fugitivo

forasteiro *s. m.* pessoa que vem de fora; estrangeiro

forca *s. f.* instrumento de execução da pena de morte por estrangulamento

força *s. f.* **1** FÍS. agente físico capaz de alterar o estado de repouso ou de movimento de um corpo; **2** robustez física; **3** energia; coragem; **4** impulso; **5** poder; **6** MIL. conjunto de tropas; ~ ***aérea*** força responsável pela aviação militar e pela defesa aérea de um país; ***forças armadas*** conjunto do poder militar (exército, marinha e aviação) de um país ❖ ***a toda a ~*** por todos os meios; ***à ~*** violentamente; ***à (viva) ~*** a todo o custo; ***por ~*** necessariamente

forcado *s. m.* indivíduo que, nas touradas, pega o touro

forçado *adj.* **1** obrigado; **2** não natural

forçar *v. tr.* **1** obrigar; **2** entrar à força em; **3** arrombar (porta, janela); **4** submeter (vista, voz) a um esforço excessivo

forçoso *adj.* absolutamente necessário; indispensável

forint *s. m.* {*pl.* forints} unidade monetária da Hungria

forja *s. f.* fornalha e bigorna usados para trabalhar o metal ❖ (*fig.*) ***estar na ~*** estar em preparação

forjado *adj.* trabalhado na forja; ***ferro ~*** ferro puro e muito resistente, fundido e malhado na forja até tomar determinada forma

forjar *v. tr.* **1** trabalhar (metal) em forja; **2** (*fig.*) inventar

forma[1] [ɔ] *s. f.* **1** formato; **2** maneira; **3** aparência física; **4** condição ❖ ***de ~ alguma/nenhuma*** de modo nenhum; ***desta/dessa ~*** deste/desse modo; ***de qualquer ~*** independentemente das circunstâncias; ***estar em ~*** estar em boas condições físicas; ***estar em baixo de ~*** estar deprimido ou abatido fisicamente

forma[2] [o] *s. f.* **1** recipiente onde se leva a cozer massa de bolos e outras preparações culinárias; **2** molde (para sapatos)

formação *s. f.* **1** acto ou modo de formar ou constituir algo; criação; **2** modo como uma pessoa é criada; educação; **3** MIL. conjunto dos elementos que constituem um corpo de tropas; **4** conjunto de conhecimentos relativos a uma área científica ou exigidos para exercer uma actividade; ***acção de ~*** sessão ou conjunto de sessões de actualização de conhecimentos profissionais

formado *adj.* **1** constituído; **2** licenciado

formador *s. m.* pessoa que dá formação; professor

formal *adj. 2 gén.* **1** relativo a forma; **2** segundo as formalidades

formalidade *s. f.* **1** norma de procedimento; **2** protocolo; etiqueta

formalização *s. f.* realização efectiva; concretização

formalizado *adj.* realizado; concretizado

formalizar *v. tr. e refl.* realizar(-se); concretizar(-se)

formão *s. m.* utensílio rectangular, com uma lâmina larga e achatada com gume numa das extremidades e cabo na outra

formar I *v. tr.* **1** dar forma a; **2** fundar; **3** educar; **4** compor; **II** *v. intr.* MIL. entrar em formatura; **III** *v. refl.* **1** surgir; **2** (na universidade) licenciar-se

formatação *s. f.* INFORM. preparação de um suporte de dados para receber e armazenar informação

formatar *v. tr.* INFORM. preparar (suporte de dados) para receber e armazenar informação

formato *s. m.* **1** tamanho; medida; **2** forma exterior; configuração

formatura *s. f.* **1** MIL. disposição ordenada de tropas; **2** conclusão de um curso universitário

formidável *adj. 2 gén.* excelente; espantoso

formiga *s. f.* **1** ZOOL. insecto himenóptero, muito pequeno, que vive em colónias; **2** (*fig.*) pessoa poupada e trabalhadora

formigueiro *s. m.* **1** construção feita debaixo da terra pelas formigas; **2** grande quantidade de pessoas; multidão; **3** comichão no corpo

formoso *adj.* belo

formosura *s. f.* beleza

fórmula *s. f.* **1** expressão que enuncia uma regra ou um princípio; **2** modelo que inclui os termos exatos em que devem ser redigidos certos documentos; **3** MAT. expressão com que se enuncia a relação entre diversas variáveis e constantes; **4** DESP. categoria de automóveis de alta velocidade, cujo motor tem de respeitar requisitos técnicos

formular *v. tr.* **1** expor com clareza; enunciar; **2** conceber; formar

formulário *s. m.* modelo de documento impresso com espaços em branco para serem preeenchidos com dados pessoais

fornada *s. f.* **1** quantidade de alimentos que se cozem de uma só vez; **2** *(fig.)* conjunto de coisas que se fazem de uma vez

fornalha *s. f.* parte do fogão própria para assar alimentos

fornecedor *s. m.* pessoa ou empresa que fornece; abastecedor

fornecer *v. tr.* **1** abastecer; **2** pôr à disposição

fornecimento *s. m.* **1** abastecimento; **2** disponibilização (de algo)

fornicar *v. tr. e intr. (vulg.)* ter relações sexuais com

forno *s. m.* **1** compartimento de fogão, ou aparelho independente, onde se assam, gratinam ou aquecem alimentos; **2** *(fig.)* lugar muito quente

foro *s. m.* **1** alçada; competência; **2** tribunal; ~ ***íntimo*** consciência

forrado *adj.* **1** (roupa) que tem forro; **2** (parede) revestido de papel, madeira ou outro material

forrar *v. tr.* **1** pôr forro a (peça de roupa); **2** revestir com papel ou outro material

forreta *s. 2 gén.* pessoa apegada ao dinheiro; sovina

forro *s. m.* **1** revestimento interior de peças de vestuário e calçado; **2** substância que serve para revestir ou reforçar um artefacto

fortalecer *v. tr.* tornar forte; robustecer

fortalecimento *s. m.* **1** robustecimento; **2** reforço

fortaleza *s. f.* fortificação; castelo

forte **I** *adj. 2 gén.* **1** (pessoa) robusto; corpulento; **2** (objecto) sólido; consistente; **II** *s. m.* **1** castelo; **2** talento ou aptidão especial; **III** *adv.* com força

fortificante **I** *adj. 2 gén.* que dá força ou vigor; **II** *s. m.* medicamento ou substância que se destina a fazer recuperar as forças

fortificar *v. tr.* **1** fortalecer; **2** MIL. munir de meios de defesa

fortuito *adj.* casual; acidental

fortuna *s. f.* **1** riqueza material; **2** sucesso; **3** destino

fórum *s. m.* **1** centro de diversas actividades culturais; **2** HIST. praça pública, na Roma antiga

fosco *adj.* **1** que perdeu o brilho; **2** que não é polido

fosfato *s. m.* QUÍM. qualquer sal do ácido fosfórico

fosfórico *adj.* QUÍM. (composto) que contém fósforo

fósforo *s. m.* **1** QUÍM. elemento não-metálico, com o número atómico 15 e símbolo P, inflamável e luminoso; **2** palito que tem numa das extremidades uma substância inflamável por fricção

fossa *s. f.* **1** cavidade mais ou menos profunda; cova; **2** *(Bras.) (coloq.)* depressão; ANAT. ***fossas nasais*** cavidades comuns ao crânio e à face, que o ar percorre antes de chegar aos pulmões ❖ ***estar na ~*** estar muito deprimido

fóssil *s. m.* **1** resto ou vestígio de animal ou vegetal de época passada que aparece conservado nos depósitos sedimentares da crosta terrestre; **2** *(fig.)* coisa antiquada

fossilizar *v. intr.* **1** GEOL. tornar-se fóssil; **2** *(pej.)* ficar agarrado a ideias antiquadas; não progredir

fosso *s. m.* **1** abertura mais ou menos profunda na terra; **2** vala aberta artificialmente para canalizar água; **3** *(fig.)* separação profunda entre pessoas; abismo

fotão *s. m.* FÍS. partícula elementar de carga eléctrica nula
foto *s. f. (Bras.) (coloq.)* fotografia
fotocópia *s. f.* **1** reprodução instantânea de documentos escritos ou impressos em papel ou acetato por meio de um processo fotográfico em máquina própria; **2** cópia obtida através deste processo
fotocopiadora *s. f.* máquina electrónica que utiliza um processo fotográfico para produzir uma cópia instantânea de um documento escrito ou impresso
fotocopiar *v. tr.* reproduzir rapidamente (documento) através de um processo fotográfico
fotogénico *adj.* que fica bem representado em fotografia
fotografar *v. tr.* reproduzir por meio de fotografia
fotografia *s. f.* **1** processo de produção e fixação de imagens de pessoas ou objectos numa superfície impregnada com um produto sensível às radiações luminosas; **2** imagem obtida por esse processo; retrato; **~ *digital*** técnica de obtenção e manipulação de fotografias com o auxílio do computador; **~ *tipo passe*** fotografia de pequenas dimensões que é utilizada em documentos de identificação
fotográfico *adj.* **1** relativo a fotografia; **2** *(fig.)* exacto; rigoroso
fotógrafo *s. m.* pessoa que se dedica à fotografia como amador ou profissional
fotojornalismo *s. m.* tipo de jornalismo em que as fotografias constituem o principal material informativo
fotojornalista *s. 2 gén.* pessoa que se dedica ao fotojornalismo
fotólise *s. f.* QUÍM. decomposição ou dissociação de uma molécula causada por absorção de radiação
fotomontagem *s. f.* **1** técnica de combinação de imagens para criar uma nova composição; **2** fotografia resultante dessa técnica
fotossensível *adj. 2 gén.* sensível às radiações luminosas
fotossíntese *s. f.* BOT. função pela qual as plantas verdes, em presença da luz, fixam o carbono do dióxido de carbono do meio externo e libertam oxigénio; função clorofilina
foxtrot *s. m.* MÚS. dança de salão de origem americana
foz *s. f.* GEOG. ponto onde desagua um rio ou outro curso de água
Fr QUÍM. [*símbolo de* **frâncio**]
fracassar *v. intr.* **1** não ter êxito; falhar; **2** desanimar
fracasso *s. m.* **1** mau resultado; insucesso; **2** desastre
fracção *s. f.* **1** parte de um todo; parcela; **2** MAT. expressão que designa uma ou mais das partes iguais em que se dividiu uma grandeza tomada como unidade; **3** parte dissidente de um grupo; facção
fraccionário *adj.* **1** (numeral) que indica uma ou mais partes iguais em que foi dividida a unidade; **2** MAT. em que há fracção
fraco I *adj.* **1** (pessoa) sem força; débil; **2** (objecto) sem qualidade; pouco resistente; **II** *s. m.* inclinação irresistível; predilecção
fractal *s. m.* MAT. forma geométrica de aspecto irregular ou fragmentado que se pode decompor indefinidamente
fractura *s. f.* **1** MED. ruptura parcial ou total de um osso ou de uma cartilagem; **2** rompimento; quebra
fracturar *v. tr.* **1** MED. partir (osso, cartilagem); **2** quebrar; partir
frade *s. m.* membro de uma ordem religiosa
fraga *s. f.* penhasco; rochedo

fragata *s. f.* **1** NÁUT. barcaça muito sólida, de boca aberta e popa chata; **2** NÁUT. navio de guerra do século XVII, de tamanho inferior ao da nau
frágil *adj. 2 gén.* **1** (objecto) pouco resistente; **2** (saúde) débil; **3** (pessoa) franzino
fragilidade *s. f.* **1** qualidade de frágil; **2** debilidade física; **3** instabilidade
fragilizar *v. tr.* **1** tornar frágil; **2** enfraquecer; debilitar
fragmentação *s. f.* separação em fragmentos; divisão
fragmentar *v. tr. e refl.* reduzir(-se) a fragmentos; quebrar(-se)
fragmentário *adj.* **1** dividido em fragmentos; **2** incompleto
fragmento *s. m.* porção de coisa que se dividiu ou quebrou; pedaço
fragrância *s. f.* cheiro agradável; aroma
fralda *s. f.* peça de material absorvente que se coloca entre as pernas e a envolver as nádegas de bebés ou de pessoas incontinentes
fraldário *s. m.* instalação pública (em centro comercial, aeroporto, etc.) para troca de fraldas a bebés
framboesa *s. f.* BOT. fruto pequeno e múltiplo, vermelho quando maduro, de aroma intenso e sabor doce
francês I *s. m.* {*f.* francesa} **1** pessoa natural de França; **2** língua oficial em França, Bélgica, Luxemburgo, Suíça e Canadá; **II** *adj.* relativo a França
francesinha *s. f.* CUL. prato composto por uma sande feita com pão de forma, bife, fiambre, linguiça e mortadela ou salsicha, coberta de queijo e molho picante
franchisado *s. m.* ECON. empresa que adquire os direitos de outra de forma a explorar o seu conceito de negócio e respectiva marca
franchising *s. m.* ECON. acordo no qual uma empresa cede a outra o direito de uso da sua marca ou patente
frâncio *s. m.* QUÍM. metal alcalino, radioactivo, artificial, com o número atómico 87 e símbolo Fr
franciscano *adj.* RELIG. relativo à Ordem de S. Francisco ❖ ***pobreza franciscana*** miséria extrema
franco I *s. m.* antiga unidade monetária de França, Bélgica, Andorra, Luxemburgo e Mónaco, substituída pelo euro em 1999; **II** *adj.* **1** sincero; **2** livre
franco-atirador *s. m.* {*pl.* franco-atiradores} indivíduo que combate por iniciativa própria, sem estar integrado num exército
francófono *adj.* **1** (pessoa) que fala francês; **2** (país) cuja língua oficial é o francês
frangalho *s. m.* **1** farrapo; **2** coisa de pouco valor ❖ ***estar/ficar em frangalhos*** estar/ficar feito em farrapos
franganito *s. m.* **1** frango pequeno; **2** *(pop.)* adolescente
frango *s. m.* **1** ZOOL. pinto crescido, antes de ser galo; **2** *(gír.)* (futebol) remate aparentemente fácil que o guarda-redes não defende
franja *s. f.* **1** faixa estreita de tecido com fios ou cordões pendurados; **2** tira de cabelo que descai sobre a testa ❖ ***ter os nervos em ~*** estar muito nervoso
franqueza *s. f.* sinceridade
franquia *s. f.* **1** isenção de encargo ou dever; regalia; **2** autorização para envio gratuito de correspondência ou encomendas
franquiar *v. tr.* pôr selo ou franquia em (correspondência ou encomenda)
franzido *adj.* que tem pregas ou rugas; enrugado
franzino *adj.* magro; delgado

franzir *v. tr.* **1** fazer pequenas pregas em (tecido); **2** contrair (sobrancelha, testa); ~ ***o sobrolho*** revelar desagrado
fraque *s. m.* casaco do traje masculino de cerimónia, com abas que descem até à dobra do joelho, e arredondado pela frente acima da cintura
fraquejar *v. intr.* **1** enfraquecer; **2** desanimar
fraqueza *s. f.* **1** falta de força; **2** falta de coragem; **3** imperfeição; **4** fome
fraquinho *s. m.* ⟨*dim. de* **fraco**⟩ predilecção; paixão
frasco *s. m.* recipiente de vidro ou louça, com tampa ou rolha, para líquidos e substâncias sólidas
frase *s. f.* unidade linguística constituída por elementos organizados segundo uma ordem hierárquica, entre os quais se estabelecem relações sintácticas e semânticas ❖ ~ ***feita*** sequência de palavras fixada pelo uso e que tem um sentido específico
fraternal *adj. 2 gén.* **1** relativo a irmãos; **2** (*fig.*) afectuoso
fraternidade *s. f.* **1** parentesco entre irmãos; **2** afecto ou carinho entre irmãos; **3** (*fig.*) amor ao próximo
fratricídio *s. m.* **1** assassínio de irmão ou irmã; **2** (*fig.*) guerra civil
fraudar *v. tr.* cometer fraude contra; enganar
fraude *s. f.* **1** acto de má-fé praticado com o objectivo de enganar ou prejudicar alguém; burla; **2** falsificação de marcas ou produtos; ~ ***fiscal*** falta deliberada e fraudulenta de pagamento de impostos por parte do contribuinte
fraudulento *adj.* em que há fraude; enganador
freelancer *s. 2 gén.* {*pl.* freelancers} pessoa que trabalha por conta própria, prestando serviços temporários ou ocasionais; trabalhador independente
freguês *s. m.* cliente
freguesia *s. f.* **1** subdivisão de um concelho que constitui a menor entidade administrativa; **2** clientela
frei *s. m.* RELIG. membro de uma ordem religiosa; monge
freima *s. f.* (*pop.*) impaciência; pressa
freio *s. m.* **1** peça metálica presa às rédeas das cavalgaduras e que lhes atravessa a boca, servindo para as conduzir; **2** (*fig.*) travão; obstáculo
freira *s. f.* mulher que professou numa ordem religiosa; monja
frenesim *s. m.* **1** excitação; exaltação; **2** impaciência
frenético *adj.* impaciente; inquieto
frente *s. f.* **1** lado frontal; **2** dianteira; vanguarda; **3** MIL. zona onde estão em contacto forças inimigas; **4** METEOR. superfície de descontinuidade entre duas massas de ar com origem e temperaturas diferentes; ~ ***fria*** superfície de separação entre duas massas de ar, em que a massa de ar frio, mais densa, avança e toma o lugar da massa de ar quente; ~ ***quente*** superfície de separação entre duas massas de ar, em que a massa de ar quente avança e toma o lugar da massa de ar frio ❖ ***fazer ~ a*** resistir a; ~ ***a*** ~ face a face; ***ir em*** ~ avançar
frente-a-frente *s. m.* conversa em directo entre duas pessoas
frequência *s. f.* **1** qualidade de frequente; repetição; **2** acção de frequentar; **3** (ensino superior) teste realizado no fim de cada semestre
frequentador *s. m.* pessoa que vai com frequência a determinado local
frequentar *v. tr.* **1** ir muitas vezes a (um local); **2** assistir a (aulas, curso)
frequente *adj. 2 gén.* que se repete regularmente; continuado
fresca *s. f.* **1** ar fresco e ameno; **2** sombra; ***à*** ~ com pouca roupa ou vestuário leve

fresco I *adj.* 1 (temperatura) ligeiramente frio; ameno; 2 (tecido) leve; fino; 3 (pintura, tinta) que ainda não está seco; 4 *(fig.)* recente; II *s. m.* 1 (pintura) técnica que consiste em pintar paredes e tectos sobre reboco fresco e húmido com tinta diluída em água de cal; 2 pintura feita por este processo ❖ ***pôr-se ao ~*** desaparecer

frescura *s. f.* 1 estado de fresco; 2 aragem fresca; 3 *(fig.)* vivacidade; 4 *(Bras.) (coloq.)* atrevimento; presunção

fresta *s. f.* abertura estreita; fenda

fretar *v. tr.* dar ou alugar (meio de transporte) durante um período de tempo, mediante o pagamento de um valor

frete *s. m.* 1 valor pago pelo aluguer de um meio de transporte; 2 *(coloq.)* maçada; ***fazer um ~*** suportar algo a contragosto

fricassé *s. m.* CUL. guisado de carne ou peixe partido aos bocados, com molho preparado com gema de ovo e salsa picada

fricativa *s. f.* LING. consoante em cuja produção intervém uma fricção originada pelo estreitamento de órgãos do aparelho fonador

fricção *s. f.* 1 acto de friccionar ou esfregar; 2 massagem; 3 atrito; 4 *(fig.)* divergência

friccionar *v. tr.* 1 fazer fricção em (alguém); 2 esfregar

frieira *s. f.* MED. inflamação da pele produzida pelo frio, acompanhada de inchaço, prurido e ardor

frieza *s. f.* 1 falta de calor; 2 indiferença

frigideira *s. f.* utensílio redondo de barro ou de metal, pouco fundo e com um cabo comprido, utilizado para fritar

frigidez *s. f.* 1 qualidade daquilo que é muito frio; 2 *(fig.)* desinteresse; indiferença; 3 *(fig.)* ausência de desejo ou de prazer sexual

frígido *adj.* 1 muito frio; 2 *(fig.)* insensível

frigorífico *s. m.* aparelho com um gerador de frio artificial que se destina a conservar, manter frescos ou congelar produtos alimentares

frincha *s. f.* abertura muito estreita; fresta

frio I *adj.* 1 que está a uma temperatura baixa; 2 que perdeu o calor; 3 *(fig.)* indiferente; II *s. m.* 1 baixa temperatura atmosférica; 2 sensação produzida pela falta de calor ❖ ***de cabeça fria*** calmamente; ***malhar em ferro ~*** insistir inutilmente

friorento *adj.* que é muito sensível ao frio

frisa *s. f.* camarote ao nível da plateia

frisado *adj.* (cabelo) encaracolado

frisar *v. tr.* 1 encaracolar (o cabelo); 2 *(fig.)* salientar

friso *s. m.* ARQ. parte intermédia entre a cornija e a arquitrave

fritadeira *s. f.* vd. **figideira**

fritar *v. tr.* cozer (alimento) em gordura vegetal ou animal a alta temperatura

frito *adj.* 1 ⟨*p. p. de* **fritar**⟩ (alimento) cozinhado em gordura vegetal ou animal a alta temperatura; 2 *(coloq.)* (pessoa) em situação difícil; em apuros

fritura *s. f.* qualquer alimento frito

frivolidade *s. f.* 1 qualidade do que é superficial; futilidade; 2 coisa sem importância; ninharia

frívolo *adj.* superficial; fútil

frondoso *adj.* 1 coberto de folhas ou ramos; 2 que tem muitas ramificações; 3 *(fig.)* abundante; extenso

fronha *s. f.* 1 capa de tecido que envolve e protege a almofada; 2 *(pop.)* rosto; cara

frontal I *s. m.* frontaria principal de um edifício; fachada; II *adj. 2 gén.* 1 (choque, colisão) de frente; 2 (pessoa) franco

frontalidade *s. f.* franqueza; sinceridade
frontão *s. m.* ARQ. peça da parte superior de portas e janelas, ou que coroa a fachada principal de um edifício
frontaria *s. f.* ARQ. fachada principal de um edifício
fronte *s. f.* ANAT. parte ântero-superior da cabeça, compreendida entre os olhos e o couro cabeludo; testa
fronteira *s. f.* **1** linha que delimita uma região ou um território; **2** linha de separação entre dois países
fronteiriço *adj.* que se encontra ou vive na fronteira
frontispício *s. m.* **1** página inicial de um livro, que contém o título, o nome do autor, a editora, etc.; **2** ARQ. fachada principal de um edifício
frota *s. f.* **1** conjunto de navios de guerra; **2** conjunto de veículos pertencentes a uma mesma pessoa ou empresa
frouxidão *s. f.* falta de energia; moleza
frouxo *adj.* **1** (corda) folgado; solto; **2** (músculo) sem vigor ou robustez; **3** (pessoa) sem forças; **4** (argumento, desculpa) que não tem rigor ou coerência
frugal *adj. 2 gén.* **1** (pessoa) moderado (sobretudo na alimentação); sóbrio; **2** (refeição) ligeiro; leve
fruição *s. f.* **1** aproveitamento ou utilização de algo; **2** gozo; posse
fruir *v. tr.* **1** estar na posse de; **2** tirar proveito de; gozar
frustração *s. f.* decepção; desilusão
frustrado *adj.* decepcionado; desiludido
frustrante *adj. 2 gén.* que causa frustração
frustrar *v. tr.* **1** não corresponder à expectativa de (alguém); **2** fazer falhar
fruta *s. f.* designação dos frutos comestíveis; ~ ***cristalizada*** frutos conservados em calda de açúcar
fruteira *s. f.* recipiente onde se serve fruta
fruticultura *s. f.* cultura de árvores de fruto
frutífero *adj.* **1** que produz frutos; **2** *(fig.)* produtivo; proveitoso
fruto *s. m.* **1** BOT. corpo que contém a semente; **2** AGRIC. qualquer produto da terra; **3** resultado; **4** lucro; *(fig.)* (Bíblia) ~ ***proibido*** fruto da árvore da ciência do bem e do mal que Adão e Eva comeram, contrariando as ordens de Deus; aquilo que, por ser proibido, se torna mais tentador ❖ ***colher os frutos de*** conseguir bons resultados em função da dedicação, do esforço, etc.; ***dar frutos*** ter um resultado positivo
frutose *s. f.* QUÍM. açúcar existente nos frutos e no mel
frutuoso *adj.* **1** que dá muitos frutos; **2** proveitoso
FSE [*sigla de* Fundo Social Europeu]
fuça *s. f.* *(coloq.)* cara; rosto
fuelóleo *s. m.* produto da destilação do petróleo, usado como combustível em estufas (fogões), caldeiras, fornos e motores de combustão interna
fufa *adj. e s. f.* *(pop.)* lésbica
fuga *s. f.* **1** acto ou efeito de fugir; evasão; **2** saída de gás ou líquido; **3** MÚS. composição polifónica em contraponto; ~ ***ao fisco*** falta deliberada e fraudulenta de pagamento de imposto obrigatório por parte do contribuinte
fugacidade *s. f.* qualidade do que passa rapidamente; transitoriedade
fugaz *adj. 2 gén.* **1** rápido; veloz; **2** que dura pouco tempo; efémero
fugida *s. f.* **1** retirada rápida; fuga; **2** ida e volta rápida a um lugar; escapadela; ***de*** ~ apressadamente
fugidio *adj.* que passa muito depressa; fugaz

fugir *v. intr.* **1** afastar-se rapidamente para evitar um perigo, um incómodo, etc.; **2** (prisioneiro) sair do local onde se estava preso; evadir-se; **3** desaparecer; **4** livrar-se de

fugitivo *s. m.* pessoa que fugiu

fuinha **I** *s. f.* ZOOL. pequeno mamífero carnívoro, de corpo flexível e esguio, focinho pontiagudo e patas curtas, que exala um cheiro intenso e desagradável; **II** *s. 2 gén.* pessoa bisbilhoteira

fulano *s. m. (coloq.)* pessoa cujo nome não se conhece ou não se quer dizer; sujeito

fulcral *adj. 2 gén.* fundamental; crucial

fulcro *s. m.* **1** ponto central; **2** ponto de apoio

fulgor *s. m.* **1** brilho intenso; **2** *(fig.)* brilhantismo

fulgurante *adj. 2 gén.* **1** que brilha; **2** *(fig.)* notável

fuligem *s. f.* substância preta, resultante da decomposição de matérias combustíveis

fulminante *adj. 2 gén.* **1** que lança raios; **2** (doença) que mata rápida ou instantaneamente; **3** (palavra, olhar) indignado; colérico

fulminar *v. tr.* **1** lançar raios contra; **2** *(fig.)* (com palavra, olhar) causar espanto ou pavor a

fulo *adj. (coloq.)* muito zangado; furioso

fumador *s. m.* pessoa que fuma; **~ *passivo*** pessoa que inala involuntariamente fumo de tabaco

fumar *v. tr. e intr.* **1** inspirar e expirar (fumo de tabaco); **2** curar ou secar (alimento) ao fumo

fumarada *s. f.* grande quantidade de fumo

fumegante *adj. 2 gén.* que lança fumo

fumegar *v. intr.* **1** lançar fumo; **2** *(fig.)* exaltar-se

fumeiro *s. m.* vão da chaminé, onde se penduram chouriços e carnes para defumar

fumo *s. m.* **1** mistura complexa de gases ou vapores, com partículas em suspensão, que se desprendem dos corpos em combustão; **2** mistura de gases produzidos pela combustão do tabaco; **3** *(fig.)* coisa que passa depressa

funboard *s. m.* DESP. desporto praticado com uma prancha própria para planar e com alças para os pés

função *s. f.* **1** desempenho de uma actividade ou de um cargo; **2** profissão; trabalho; **3** utilidade; uso

funcional *adj. 2 gén.* **1** relativo às funções de um órgão ou aparelho; **2** de fácil aplicação ou uso

funcionalismo *s. m.* **1** sistema administrativo que tem como base a existência de um grande número de funcionários; **2** classe dos funcionários públicos

funcionamento *s. m.* **1** acto ou efeito de funcionar; **2** acção; actividade; **3** desempenho

funcionar *v. intr.* **1** exercer a sua função; trabalhar; **2** estar em actividade; **3** *(fig.)* dar bom resultado

funcionário *s. m.* empregado

fundação *s. f.* **1** criação; **2** origem; **3** instituição

fundador *adj. e s. m.* criador

fundamental *adj. 2 gén.* **1** essencial; **2** principal

fundamentalismo *s. m.* RELIG. qualquer corrente, movimento ou atitude conservadora e intransigente que defende a obediência rigorosa e literal a um conjunto de princípios básicos

fundamentalista *adj. e s. 2 gén.* que ou pessoa que defende o fundamentalismo

fundamentar **I** *v. tr.* **1** justificar; **2** basear; **II** *v. refl.* basear-se

fundamento *s. m.* **1** alicerce; base; **2** conjunto de princípios de funcionamento de uma instituição, de um grupo, etc.; **3** motivo; razão; ***sem ~*** sem prova; sem explicação

fundão *s. m.* lugar mais fundo de um rio

fundar *v. tr.* **1** criar; **2** basear

fundiário *adj.* agrário

fundição *s. f.* fábrica ou oficina onde se funde e trabalha o metal

fundir I *v. tr.* **1** fazer passar (qualquer substância) do estado sólido ao líquido; **2** ligar; unir; **II** *v. intr.* ELECTR. derreter-se (fio de chumbo num circuito eléctrico)

fundo I *s. m.* **1** parte mais baixa de um local onde corre água; **2** parte mais distante de um ponto; **3** parte mais interior; âmago; **II** *adj.* profundo

fúnebre *adj. 2 gén.* **1** relativo a funeral; **2** triste; ***cortejo ~*** conjunto de pessoas que acompanham um funeral

funeral *s. m.* cerimónia de enterramento; enterro

funerária *s. f.* empresa comercial que se destina a realizar funerais; agência funerária

funerário *adj.* relativo a morte ou a funeral

funesto *adj.* doloroso; triste

fungar *v. intr.* absorver ou expelir ar pelo nariz

fungo *s. m.* BOT. organismo unicelular ou pluricelular, que se reproduz por esporos e pode ser parasita de planta ou de animal ou viver sobre matérias orgânicas que se encontrem de preferência em lugares húmidos e pouco iluminados

funil *s. m.* utensílio de plástico, vidro ou outro material, de forma cónica, com um tubo fino no vértice, que serve para passar um líquido para dentro de um recipiente de boca ou gargalo estreito

furacão *s. m.* **1** ventania repentina e violenta; **2** tufão ou ciclone das regiões tropicais

furador *s. m.* utensílio que serve para fazer dois furos simultaneamente nas margens de folhas de papel

fura-greves *s. 2 gén. 2 núm.* pessoa que não participa numa greve para a qual foi convocada

furão *s. m.* ZOOL. pequeno mamífero carnívoro, de corpo flexível, patas curtas e pelagem acinzentada

furar *v. tr.* **1** fazer um ou mais furos; **2** passar através de (uma multidão); **3** *(coloq.)* fazer fracassar; frustrar

furgão *s. m.* **1** carrinha para transporte de mercadorias; **2** carruagem coberta de comboio destinada ao transporte de bagagens, encomendas, etc.

furgoneta *s. f.* carrinha fechada, geralmente com porta traseira, destinada ao transporte de mercadorias

fúria *s. f.* **1** raiva; cólera; **2** entusiasmo; arrebatamento

Fúria *s. f.* MITOL. cada uma das divindades que atormentavam os condenados no Inferno

furibundo *adj.* furioso

furioso *adj.* **1** muito zangado ou irritado; raivoso; **2** impetuoso; arrebatado

furna *s. f.* caverna; gruta

furo *s. m.* **1** orifício; buraco; **2** orifício feito num pneu, esvaziando-o; **3** *(acad.)* período de tempo sem aulas, geralmente de uma hora e entre dois tempos lectivos

furor *s. m.* **1** ira; **2** entusiasmo

furtar I *v. tr.* **1** roubar; **2** desviar; **II** *v. refl.* esquivar-se

furtivo *adj.* **1** que procura passar despercebido; **2** que está ilegal; clandestino

furto *s. m.* roubo
furúnculo *s. m.* MED. pequeno nódulo doloroso que se forma em torno da raiz de um pêlo ou de uma glândula sudorípara, devido a inflamação do tecido celular
fusão *s. f.* **1** acto de fundir (metal, minério); **2** FÍS. passagem do estado sólido ao líquido, por acção do calor; **3** união; aliança
fusco *adj.* **1** que tem pouco brilho; **2** escuro; sombrio
fuselagem *s. f.* AERON. parte principal e mais resistente do avião, constituída pelo espaço onde se instalam os tripulantes, passageiros e a carga a transportar, e onde se fixam as asas do aparelho
fusível *s. m.* ELECTR. fio metálico aplicado num circuito eléctrico para o interromper, fundindo-se sempre que a intensidade da corrente ultrapassa certo limite
fuso *s. m.* pequeno instrumento de madeira, arredondado, grosso no centro e pontiagudo nas extremidades, usado para fiar, torcer e enrolar o fio em trabalhos de roca; ~ ***horário*** cada uma das vinte e quatro partes da superfície terrestre limitadas por pares de meridianos que distam 15° entre si, correspondendo a cada uma a mesma hora legal para todos os pontos nela situados
fustigar *v. tr.* **1** bater; açoitar; **2** agredir com violência; **3** *(fig.)* criticar violentamente
futebol *s. m.* DESP. jogo entre duas equipas de onze jogadores, em campo rectangular, relvado, em que cada grupo procura meter a bola na baliza do adversário, sem lhe tocar com os membros superiores; ~ ***de praia*** futebol adaptado para ser jogado à beira-mar, com uma bola impermeabilizada; ~ ***de salão*** modalidade de futebol que se pratica em recinto fechado; futsal
futebolista *s. 2 gén.* DESP. praticante de futebol
futebolístico *adj.* DESP. relativo a futebol
fútil *adj. 2 gén.* **1** (coisa) que tem pouco valor; insignificante; **2** (pessoa) frívolo; leviano
futilidade *s. f.* **1** qualidade do que tem pouco ou nenhum valor; **2** carácter de quem dá muita importância ao que é insignificante ou inúti
futon *s. m.* {*pl.* futons} colchão de origem japonesa, mais ou menos espesso, constituído por camadas de algodão
futsal *s. m.* DESP. futebol de salão
futurismo *s. m.* movimento artístico do início do século XX baseado numa noção dinâmica e enérgica da vida, exaltando a força, a velocidade e a tecnologia
futurista **I** *adj. 2 gén.* próprio do futurismo; **II** *s. 2 gén.* adepto do futurismo
futuro **I** *s. m.* **1** tempo posterior ao presente; **2** GRAM. tempo verbal que se identifica por uma série de afixos que localizam a acção ou estado indicado pelo verbo num momento posterior ao da enunciação; **II** *adj.* que esta por acontecer; vindouro
futurologia *s. f.* previsão de acontecimentos futuros
futurologista *s. 2 gén.* pessoa que se dedica a futurologia
fuzilamento *s. m.* **1** morte por disparo com arma de fogo; **2** execução de um condenado à morte por um pelotão militar
fuzilar *v. tr.* matar com tiro de arma de fogo
fuzileiro *s. m.* **1** MIL. soldado que fuzila; **2** MIL. membro da marinha de guerra

G

g I *s. m.* sétima letra e quinta consoante do alfabeto; **II** [*símbolo de* **grama**]

G7 [*sigla de* **G**rupo dos **Sete**] conjunto dos sete países mais industrializados (França, Grã-Bretanha, Estados Unidos da América, Alemanha, Japão, Itália e Canadá)

G8 [*sigla de* **G**rupo dos **Oito**] conjunto dos oito países mais industrializados (os do G7 mais a Rússia)

Ga QUÍM. [*símbolo de* **gálio**]

gabar **I** *v. tr.* elogiar; enaltecer; **II** *v. refl.* vangloriar-se

gabardina *s. f.* peça de vestuário impermeável para proteger da chuva; impermeável

gabarito *s. m.* **1** ENG. modelo em tamanho natural para traçar ou controlar elementos de construção; **2** *(fig.)* categoria; nível

gabarola *adj. e s. 2 gén. (coloq.)* que ou pessoa que se gaba muito

gabarolice *s. f.* qualidade de quem se gaba muito; armanço

gabinete *s. m.* **1** sala de trabalho; escritório; **2** compartimento reservado; **3** POL. conjunto dos ministros de um governo; ministério; **4** POL. conjunto dos auxiliares ou colaboradores de um superior

gabordo *s. m.* NÁUT. prancha inferior que forma o bordo exterior do navio

gadanha *s. f.* **1** AGRIC. foice de lâmina larga e curva, com o cabo comprido, para cortar cereais; **2** *(pop.)* mão; garra

gado *s. m.* conjunto dos animais criados para serviços agrícolas e consumo doméstico

gadolínio *s. m.* QUÍM. elemento metálico com o número atómico 64 e símbolo Gd

gafanhoto *s. m.* ZOOL. insecto de corpo alongado com dois pares de asas e patas posteriores fortes, que se desloca por saltos; saltão

gafe *s. f.* acção ou dito impensado, que provoca um embaraço ou um equívoco; lapso

gagá *adj. 2 gén. (coloq.)* que perdeu as suas faculdades intelectuais; senil; caquéctico

gago *adj. e s. m.* que ou pessoa que gagueja

gaguejar *v. intr.* **1** pronunciar com interrupções, repetindo ou prolongando as sílabas; **2** falar com hesitação

gaguez *s. f.* MED. dificuldade de pronúncia que se caracteriza pela repetição, interrupção ou prolongamento de certas sílabas

gaiato *s. m.* **1** rapaz travesso; **2** jovem brincalhão

gaio *s. m.* ZOOL. ave sedentária com penas acastanhadas, asas e cauda negras, bico curto e poupa riscada

gaiola *s. f.* **1** caixa com grades para prender animais, especialmente aves; jaula; **2** *(fig.)* prisão; cárcere

gaita *s. f.* **1** instrumento de sopro que consiste num tubo com palheta e orifícios; **2** qualquer instrumento de sopro para crianças; pífaro; **3** *(pop.)* contrariedade

gaita-de-beiços *s. f.* {*pl.* gaitas-de--beiços} MÚS. instrumento de sopro constituído por palhetas metálicas de vários tamanhos, fixas a uma prancheta com orifícios

gaita-de-foles *s. f.* {*pl.* gaitas-de-foles} MÚS. instrumento composto por diversos tubos ligados a um saco de couro, que se enche de ar através de um tubo superior

gaiteiro *adj.* **1** (pessoa) alegre; **2** (cor) garrido

gaivota *s. f.* **1** ZOOL. ave aquática de cor branca ou acinzentada, bico curvado e dedos anteriores unidos por uma membrana; **2** pequeno barco de recreio, movido a pedais

gajo *s. m.* *(cal.)* pessoa cujo nome não se quer dizer; sujeito; fulano

gala *s. f.* **1** festa solene; cerimónia; **2** pompa; ostentação; **3** traje de cerimónia; ***fazer ~*** vangloriar-se

galã *s. m.* **1** CIN., TEAT., TV actor com boa aparência física e modos elegantes que desempenha o papel masculino principal; **2** *(coloq.)* homem elegante e sedutor

galáctico *adj.* relativo a galáxia

galactose *s. f.* **1** fenómeno da produção de leite pela glândula mamária; **2** um dos açúcares em que se decompõe o leite

galaico *adj.* relativo à Galiza

galaico-português **I** *adj.* relativo à Galiza e a Portugal; **II** *s. m.* língua românica falada no Noroeste da Península Ibérica até meados do séc. XIV

galante *adj. 2 gén.* **1** elegante; distinto; **2** gentil; **3** malicioso

galantear *v. tr.* dirigir galanteios a; seduzir

galanteio *s. m.* dito lisonjeador; piropo

galantina *s. f.* vd. **galantine**

galantine *s. f.* CUL. alimento composto por carnes frias cobertas com uma camada de gelatina, geralmente consumidas frias

galão *s. m.* **1** MIL. tira dourada usada como distintivo no uniforme dos oficiais; **2** *(reg.)* bebida de café com leite servida em copo alto

galar *v. tr.* **1** (aves) fecundar a fêmea; cobrir; **2** *(pop.)* olhar com admiração; apreciar

galardão *s. m.* **1** distinção; prémio; **2** honra; glória

galardoar *v. tr.* conferir galardão a; premiar

galáxia *s. f.* ASTRON. sistema astral composto por um elevado número de estrelas e outros astros, poeira cósmica e gás, que pode apresentar forma espiral, elíptica ou irregular

Galáxia *s. f.* ASTRON. sistema astral a que pertence o sistema solar; Via Láctea

galdéria *s. f.* *(depr.)* mulher leviana

galdério *adj. e s. m.* **1** *(depr.)* que ou o que anda sempre a vadiar; **2** *(depr.)* aldrabão; intrujão

galé *s. f.* NÁUT. antiga embarcação de vela movida a remos

galeão *s. m.* NÁUT. antigo navio de guerra, de grande porte, quatro mastros, popa arredondada e com grande capacidade de carga

galega *s. f.* BOT. variedade de plantas, como a oliveira, a couve e a videira

galego **I** *s. m.* {*f.* galega} **1** pessoa natural da Galiza; **2** língua românica falada na Galiza; **II** *adj.* relativo à Galiza

galera *s. f.* **1** NÁUT. antigo navio mercante, de vela, dois ou três mastros e movido a remos; **2** *(Bras.)* *(coloq.)* grupo de amigos; malta

galeria *s. f.* **1** edifício ou compartimento destinado a guardar e expor objectos de arte; **2** ARQ. corredor largo e comprido com janelas de ambos os lados; **3** (sala de espectáculo) tribuna comprida destinada ao público; **4** (mina) corredor subterrâneo

galerista *s. 2 gén.* pessoa proprietária de uma galeria de arte

galês I *s. m.* {*f.* galesa} **1** pessoa natural do País de Gales; **2** língua de origem céltica falada no País de Gales; **II** *adj.* relativo ao País de Gales

galgar *v. tr.* **1** saltar por cima de; transpor; **2** subir; trepar

galgo *s. m.* ZOOL. cão de corpo esguio, focinho comprido e pernas longas, que se caracteriza pela agilidade e rapidez

galhardete *s. m.* **1** pequena bandeira, normalmente triangular, que identifica um grupo militar, um clube desportivo, etc.; **2** bandeira estreita e comprida para decoração de ruas ou edifícios

galheta *s. f.* **1** pequeno recipiente de vidro, com gargalo, usado para servir à mesa azeite ou vinagre; **2** cada um dos dois vasos que contêm o vinho e a água na missa; **3** *(coloq.)* bofetada

galheteiro *s. m.* utensílio de mesa onde se colocam as galhetas, o saleiro e o pimenteiro

galho *s. m.* **1** divisão do caule de árvores e arbustos; ramo; **2** (de animal) chifre; corno; **3** parte de um cacho de frutos; gaipo; ***ferrar o ~*** adormecer; *(Bras.)* ***quebrar o ~*** resolver uma dificuldade

galhofa *s. f.* **1** brincadeira; risota; **2** gozo; escárnio

galhofeiro *adj. e s. m.* brincalhão; divertido

galicismo *s. m.* LING. palavra ou frase de origem francesa, integrada noutra língua

gálico *adj.* relativo à Gália (antigo nome da França)

galináceo *adj.* relativo a aves de voo pesado, com bico forte e pequena membrana interdigital

galinha *s. f.* ZOOL. ave de crista carnuda, asas curtas e bico forte, frequentemente criada em capoeiras e usada na alimentação humana; ***pele de ~*** pele arrepiada ❖ ***deitar-se com as galinhas*** ir para a cama muito cedo; ***quando as galinhas tiverem dentes*** nunca; jamais

galinheiro *s. m.* **1** área, geralmente delimitada por uma rede metálica, onde se criam galinhas; capoeira; **2** *(coloq.)* (sala de espectáculo) zona por cima da última fila de camarotes onde os lugares são mais baratos; geral

galinhola *s. f.* ZOOL. ave pernalta migratória de bico comprido, plumagem cinzento-avermelhada com manchas escuras, e voo curto e lento

gálio *s. m.* QUÍM. elemento com o número atómico 31 e símbolo Ga

galispo *s. m.* **1** ZOOL. ave pernalta, com um penacho negro na cabeça, dorso escuro e peito branco; **2** ZOOL. galo pequeno

galo *s. m.* **1** ZOOL. macho adulto da galinha, com crista carnuda, asas curtas e largas, penas longas e coloridas; **2** *(coloq.)* inchaço na cabeça, causado por uma pancada ou queda

galocha *s. f.* bota alta de borracha

galopante *adj. 2 gén.* **1** que galopa; **2** que apresenta evolução rápida; **3** MED. que alastra ou contamina rapidamente

galopar I *v. intr.* **1** andar a galope; **2** andar depressa; **3** desenvolver-se rapidamente; **II** *v. tr.* percorrer a galope ou rapidamente

galope *s. m.* deslocação rápida de certos quadrúpedes (como o cavalo)

galvânico *adj.* relativo a galvinismo

galvanismo *s. m.* ELECTR., FÍS. conjunto dos fenómenos produzidos pelas correntes contínuas originadas nas pilhas ou nos acumuladores

galvanização *s. f.* **1** METAL. processo de recobrir uma peça de metal com zinco, para evitar a corrosão atmosférica ou a oxidação; zincagem; **2** *(fig.)* incitamento; estímulo

galvanizado *adj.* **1** revestido de metal; zincado; **2** *(fig.)* empolgado; entusiasmado

galvanizar *v. tr.* **1** METAL. revestir com uma camada de zinco; zincar; **2** *(fig.)* incitar; estimular

gama I *s. f.* **1** (de produtos, ideias) série; **2** (de cor) escala; **II** *s. m.* terceira letra do alfabeto grego, correspondente ao *g*

gamado *adj.* **1** *(pop.)* roubado; **2** *(Bras.)* *(coloq.)* apaixonado

gamanço *s. m.* *(pop.)* roubo

gamão *s. m.* jogo de dados entre duas pessoas no qual o objectivo é fazer avançar as peças sobre um tabuleiro de dois compartimentos

gamar I *v. tr.* *(pop.)* roubar; **II** *v. intr.* *(Bras.)* apaixonar-se por

gamba *s. f.* **1** ZOOL. crustáceo parecido com o camarão; **2** MÚS. espécie de viola de cordas friccionáveis, semelhante ao violoncelo

gambiarra *s. f.* **1** extensão eléctrica, de fio comprido, com uma lâmpada na extremidade que permite levar a luz a sítios afastados; **2** TEAT. fileira de luzes na parte superior do palco

gambozinos *s. m. pl.* animais imaginários com que se enganam as pessoas ingénuas, mandando caçá-los; ***andar aos ~*** andar desnorteado; vaguear

gamela *s. f.* vasilha de madeira em que se dá de comer aos porcos e a outros animais

gâmeta *s. m.* BIOL. cada uma das células sexuais (femininas ou masculinas) que, ao unir-se a outra do género oposto, forma o ovo

gamo *s. m.* ZOOL. mamífero ruminante, de pêlo escuro com manchas brancas, e chifres ramificados e espalmados nas extremidades

gana *s. f.* **1** grande desejo; vontade; **2** ódio; desejo de vingança; ***ter ganas de*** ter muita vontade de

ganância *s. f.* desejo ávido de riqueza; ambição

ganancioso *adj.* ávido de riquezas; ambicioso

ganapada *s. f.* *(pop.)* bando de garotos; garotada

ganapo *s. m.* *(pop.)* rapaz; garoto

gancho *s. m.* **1** peça curva de metal, para para agarrar ou suspender alguma coisa; **2** arame curvo usado para prender o cabelo; (pessoa) ***ser de ~*** ser complicado; ser difícil de compreender; ser teimoso

gandaia *s. f.* *(coloq.)* ociosidade; vadiagem

gandulo *s. m.* *(pej.)* indivíduo que não tem ocupação; vadio

ganês I *s. m.* {*f.* ganesa} pessoa natural do Gana (África ocidental); **II** *adj.* relativo ao Gana

gang *s. m.* {*pl.* gangs} bando de malfeitores; quadrilha

ganga *s. f.* tecido de algodão resistente, usado em vestuário (sobretudo jeans)

gânglio *s. m.* **1** ANAT. cada uma das dilatações que se situam ao longo dos vasos linfáticos ou dos nervos que contêm fibras e células nervosas;

2 MED. pequeno nódulo causado pela inflamação de uma dessas dilatações

gangrena *s. f.* MED. morte e decomposição dos tecidos em determinada parte do corpo

gângster *s. 2 gén.* **1** membro de um bando de malfeitores; bandido; **2** *(fig.)* pessoa sem escrúpulos

ganha-pão *s. m.* {*pl.* ganha-pães} profissão ou utensílio de trabalho com que se adquirem os meios de subsistência

ganhar I *v. tr.* **1** obter por meio de esforço ou trabalho; adquirir; **2** ficar à frente numa competição; vencer; **3** conquistar; **4** alcançar; **II** *v. intr.* **1** levar vantagem; **2** ter resultado; **3** aumentar em crédito; ***~ a vida*** adquirir meios de subsistência; ***~ terreno*** ter cada vez mais vantagens ou importância

ganho *s. m.* lucro; proveito

ganido *s. m.* **1** grito emitido pelos cães; **2** *(fig.)* voz esganiçada

ganir *v. intr.* (cão) soltar ganidos

ganso *s. m.* ZOOL. ave corpulenta, de asas largas e acizentadas, pescoço comprido, bico curto e resistente, e patas rosadas

ganza *s. f.* *(gír.)* erva; haxixe; ***fumar uma ~*** fumar droga

ganzado *adj.* *(gír.)* drogado; pedrado

garagem *s. f.* **1** local coberto para recolha de veículos automóveis; **2** oficina de reparação e manutenção de veículos

garagista *s. 2 gén.* pessoa proprietária ou encarregada de uma garagem

garanhão *s. m.* **1** cavalo destinado a reprodução; **2** *(fig.)* homem mulherengo

garante *s. 2 gén.* **1** DIR. fiador; **2** pessoa responsável pelo cumprimento ou realização de algo

garantia *s. f.* **1** documento que assegura a qualidade de um produto, responsabilizando o fabricante pelo seu funcionamento, durante um determinado período de tempo; **2** prazo de validade desse compromisso; **3** certeza; **4** privilégio; **5** DIR. fiança; caução

garantir *v. tr.* **1** afirmar como certo; **2** proporcionar; **3** responsabilizar-se por; **4** defender

garatuja *s. f.* letra mal feita; rabisco; gatafunho

garbo *s. m.* elegância; distinção

garça *s. f.* ZOOL. ave pernalta, com um penacho na cabeça, pescoço e bico compridos, que vive em bandos junto de rios e lagoas

garço *adj.* que é verde-azulado; esverdeado

garçon *s. m.* {*f.* garçonete} *(Bras.)* pessoa que serve às mesas

gardénia *s. f.* BOT. arbusto de caule espinhoso, folhas grandes e ovais, que dá flores brancas e bagas amarelas com polpa vermelha

gare *s. f.* parte coberta das estações de caminho-de-ferro onde embarcam e desembarcam passageiros

garfada *s. f.* porção de alimentos que o garfo leva de uma vez

garfo *s. m.* instrumento de dois ou mais dentes com que se come ou espeta ❖ ***ser um bom ~*** comer muito

gargalhada *s. f.* risada ruidosa e prolongada

gargalo *s. m.* parte superior e estreita de garrafa ou de outra vasilha

garganta *s. f.* **1** ANAT. região posterior da cavidade bucal; goelas; **2** GEOG. passagem estreita entre serras; desfiladeiro; **3** *(fig.)* voz; **4** *(fig.)* palavreado ❖ ***ter muita ~*** armar-se

gargantilha *s. f.* colar curto, com uma ou mais voltas, que se usa rente ao pescoço

gargarejar *v. intr.* agitar um líquido na garganta; bochechar

gargarejo *s. m.* **1** acto de gargarejar; **2** líquido usado para gargarejar

gárgula *s. f.* **1** ARQ. figura esculpida em pedra, para escoamento das águas da chuva, que ornamenta os monumentos ogivais; **2** goteira por onde escorre a água de uma fonte

garina *s. f.* **1** *(coloq.)* rapariga; **2** *(coloq.)* namorada

garino *s. m. (coloq.)* rapaz

garnacha *s. f.* vestimenta comprida de sacerdotes e de magistrados

garnisé *s. 2 gén.* **1** ZOOL. galinha pequena, criada em capoeira; **2** *(fig.)* garoto

garotada *s. f.* **1** conjunto de garotos; **2** brincadeira; criancice

garotice *s. f.* acto próprio de garoto; brincadeira; criancice

garoto *s. m.* **1** rapaz; **2** *(reg.)* bebida de café com leite em chávena de café

garra *s. f.* **1** unha forte, curva e pontiaguda de alguns animais; **2** *(fig.)* força de vontade; ❖ ***ter ~*** ter força de vontade; ter talento

garrafa *s. f.* vasilha, geralmente de vidro, com gargalo estreito e comprido

garrafão *s. m.* garrafa grande, geralmente com revestimento plástico ou de palha

garrafa-termo *s. f.* {*pl.* garrafas-termos} recipiente composto de uma garrafa de vidro de parede dupla, revestida de material metálico ou plástico, para conservar a temperatura dos líquidos colocados no interior

garrafeira *s. f.* lugar onde se guardam garrafas de bebidas alcoólicas; adega

garraiada *s. f.* **1** manada de garraios; **2** corrida de garraios

garraio *s. m.* **1** touro novo que ainda não foi corrido; **2** *(fig.)* pessoa inexperiente

garrido *adj.* **1** colorido; **2** vistoso; **3** alegre

garrote *s. m.* MED. tira, normalmente de borracha, com que se interrompe a circulação nos membros superiores ou inferiores, para evitar perdas de sangue

garupa *s. f.* **1** parte posterior do cavalo, entre o lombo e a cauda; anca; **2** mala que se leva atrás da sela

gás *s. m.* **1** FÍS., QUÍM. substância que existe no estado gasoso; **2** fluido gasoso combustível usado para aquecimento e iluminação; **3** *(fig.)* entusiasmo; animação; **4** [*pl.*] acumulação de vapores no estômago e nos intestinos; **5** [*pl.*] expulsão de vapores acumulados nos intestinos; ***a todo o ~*** com muita velocidade/pressa

gascão **I** *s. m.* {*f.* gascoa} **1** pessoa natural da Gasconha (sudoeste de França); **2** dialecto falado na região da Gasconha; **II** *adj.* relativo à Gasconha

gaseificação *s. f.* acto ou efeito de gaseificar(-se)

gaseificado *adj.* (bebida) que contém gás carbónico

gaseificar *v. tr.* **1** reduzir ao estado gasoso; **2** dissolver gás carbónico em (bebida)

gasganete *s. m. (coloq.)* garganta; pescoço

gasoduto *s. m.* canalização que transporta produtos gasosos a grandes distâncias

gasóleo *s. m.* QUÍM. produto proveniente da destilação do petróleo, usado como combustível

gasolina *s. f.* substância que se obtém na destilação do petróleo e que é usada nos motores de veículos

gasolineira *s. f.* posto de abastecimento de combustível; bomba de gasolina
gasolineiro *s. m.* pessoa que trabalha numa bomba de gasolina
gasosa *s. f.* **1** bebida refrigerante com gás; **2** *(pop.)* pressa; velocidade
gasoso *adj.* **1** que apresenta propriedades semelhantes às do ar; **2** (bebida) gaseificado
gaspacho *s. m.* CUL. sopa fria preparada com pão, tomate, pimento, cebola e alho, e temperada com azeite, sal e vinagre
gastar **I** *v. tr.* **1** despender (dinheiro); **2** esbanjar (fortuna, herança); **3** consumir (energia, combustível); **4** deteriorar; destruir; **5** usar (roupa, calçado); **II** *v. refl.* **1** (produto) vender-se com facilidade; **2** esgotar-se; **3** arruinar-se
gasto **I** *adj.* **1** consumido; **2** deteriorado; usado; **II** *s. m.* **1** dispêndio de dinheiro; despesa; **2** consumo
gastrenterite *s. f.* MED. inflamação das mucosas do estômago e dos intestinos
gastrenterologia *s. f.* MED. especialidade que se ocupa das doenças do aparelho digestivo
gastrenterologista *s. 2 gén.* MED. especialista em doenças do aparelho digestivo
gástrico *adj.* relativo ao estômago
gastrintestinal *adj. 2 gén.* relativo ao estômago e ao intestino
gastrite *s. f.* MED. inflamação das paredes internas do estômago
gastronomia *s. f.* arte de cozinhar; culinária
gastronómico *adj.* relativo a gastronomia ou a gastrónomo
gastrónomo *s. m.* **1** pessoa que aprecia os prazeres da mesa; **2** CUL. especialista na arte de cozinhar
gastrópodes *s. m. pl.* ZOOL. classe de moluscos com concha univalve ou sem concha, cabeça distinta e pé alargado em palmilha, a que pertencem o caracol e a lesma
gata *s. f.* **1** ZOOL. fêmea do gato; **2** *(Bras.)* mulher atraente; **3** *(Bras.)* namorada ❖ ***andar de gatas*** andar apoiando as mãos e os joelhos no chão; *(fig.)* ***de gatas*** muito cansado
gata-borralheira *s. f.* {*pl.* gatas-borralheiras} mulher que se ocupa exclusivamente dos trabalhos domésticos
gatafunhar *v. intr.* fazer gatafunhos; rabiscar
gatafunho *s. m.* desenho ou letra mal feitos; rabisco
gatilho *s. m.* dispositivo de arma de fogo que se puxa para disparar
gatinhar *v. intr.* andar de gatas
gato *s. m.* **1** ZOOL. mamífero carnívoro, doméstico, de cabeça redonda, bigodes, garras retrácteis, com uma excelente visão nocturna; **2** (em trabalho, texto) erro; gralha; **3** *(Bras.)* homem atraente; **4** *(Bras.)* namorado ❖ ***dar-se como cão e ~*** dar-se muito mal; ***vender ~ por lebre*** enganar, vendendo o mau como se fosse bom
gato-bravo *s. m.* {*pl.* gatos-bravos} ZOOL. gato selvagem, robusto, com a extremidade da cauda preta
gato-pingado *s. m.* {*pl.* gatos-pingados} **1** *(coloq.)* pessoa insignificante; **2** [*pl.*] *(coloq.)* pessoas que formam um pequeno grupo
gato-sapato *s. m.* {*pl.* gatos-sapatos} coisa desprezível ❖ ***fazer ~ de (alguém)*** fazer de (alguém) o que se quer
gatunagem *s. f.* **1** bando de gatunos; quadrilha; **2** acto de gatunos; vandalismo
gatuno *adj. e s. m.* ladrão; larápio
gaúcho *s. m.* *(Bras.)* camponês que se dedica à criação de gado

gaulês I *s. m.* {*f.* gaulesa} **1** pessoa natural da Gália (actual França); **2** língua céltica falada na Gália; **II** *adj.* relativo à Gália
gávea *s. f.* **1** NÁUT. plataforma redonda situada no cimo do mastro do navio; **2** NÁUT. vela redonda imediatamente acima da vela grande
gaveta *s. f.* compartimento corrediço de um móvel que serve para guardar objectos; ***ficar na ~*** ser esquecido ou omitido
gavetão *s. m.* gaveta grande
gaveto *s. m.* **1** peça côncava ou convexa, usada em carpintaria; **2** esquina de um edifício
gavião *s. m.* ZOOL. ave de rapina diurna, plumagem cinzenta-azulada e patas com unhas pontiagudas, que se alimenta de outras aves e de roedores
gavinha *s. f.* BOT. órgão vegetal, em forma de fio, para fixar certas plantas a suportes
gay *adj. e s. 2 gén.* que ou pessoa que se relaciona sexualmente com pessoas do mesmo sexo; homossexual
gaze *s. f.* FARM., MED. tecido esterilizado usado para fazer curativos
gazela *s. f.* ZOOL. mamífero herbívoro ruminante, de pernas longas, chifres curvos, cauda curta e olhos negros grandes
gazeta *s. f.* **1** publicação periódica; jornal; **2** falta a um compromisso ❖ ***fazer ~*** faltar às aulas ou ao trabalho sem motivo
gazeteiro *s. m.* pessoa que falta muito (a aulas, trabalho)
gazua *s. f.* instrumento de ferro para abrir fechaduras
Gb FÍS. [*símbolo de* **gilbert**]
GB **I** [*sigla de* Grã-Bretanha]; **II** INFORM. [*símbolo de* **gigabyte**]
Gd QUÍM. [*símbolo de* **gadolínio**]
Ge QUÍM. [*símbolo de* **germânio**]
geada *s. f.* METEOR. orvalho congelado em consequência de arrefecimento
gear *v. intr.* formar-se geada; cair geada
gebo *adj.* **1** corcunda; **2** maltrapilho
géiser *s. m.* GEOL. fonte de água quente, de origem vulcânica, que lança no ar jactos de água e vapor
gel *s. m.* **1** FARM., QUÍM. preparado ou substância de aspecto gelatinoso; **2** cosmético de consistência gelatinosa que se aplica no cabelo para o fixar
geladeira *s. f.* *(Bras.)* frigorífico
gelado **I** *s. m.* CUL. doce preparado com leite, natas, açúcar e frutos ou chocolate, que se congela para ganhar consistência; sorvete; **II** *adj.* **1** que se transformou em gelo; congelado; **2** coberto de gelo; **3** que provoca sensação de frio
gelar *v. tr. e refl.* **1** converter(-se) em gelo; **2** resfriar(-se); **3** paralisar(-se)
gelataria *s. f.* loja onde se fabricam e/ou servem gelados
gelatina *s. f.* QUÍM. proteína extraída de ossos, cartilagens e tendões de animais, que, dissolvida em água, toma a consistência de geleia
gelatinoso *adj.* **1** com consistência idêntica à da gelatina; **2** pegajoso
geleia *s. f.* CUL. compota preparada com o líquido resultante da cozedura de frutos que, quando arrefece, tem uma consistência mole e gelatinosa
geleira *s. f.* **1** GEOG. grande massa de gelo acumulada nas regiões polares ou em zonas montanhosas; **2** *(Bras.)* frigorífico
gélido *adj.* **1** muito frio; **2** *(fig.)* insensível; indiferente
gelificar *v. tr.* **1** transformar em gelo; **2** transformar em gel ou em gelatina
gelo *s. m.* **1** água no estado sólido; **2** frio excessivo; **3** *(fig.)* insensibilidade; indiferença

gema *s. f.* **1** parte amarela, central, do ovo; **2** BOT. saliência no caule ou ramos de uma planta, que dá origem a folhas, flores ou outros ramo; rebento; **3** MIN. pedra preciosa ou semipreciosa; **4** *(fig.)* aquilo que é mais puro; **5** *(fig.)* parte essencial

gemada *s. f.* CUL. alimento preparado com gema de ovo crua, batida com açúcar

gémeo I *adj.* **1** que nasceu do mesmo parto; **2** idêntico; semelhante; **3** ANAT. diz-se de cada um dos músculos da barriga da perna; **II** *s. m.* pessoa que nasceu do mesmo parto que outrem; ***gémeos falsos*** gémeos que provêm de células diferentes, fecundadas por espermatozóides diferentes; ***gémeos verdadeiros*** gémeos que provêm do mesmo ovo, fecundado por um espermatozóide

Gémeos *s. m. pl.* **1** ASTRON. terceira constelação do zodíaco situada no hemisfério norte; **2** ASTROL. terceiro signo do zodíaco (22 de Maio a 21 de Junho)

gemer *v. intr.* dar gemidos; suspirar

gemido *s. m.* **1** lamento doloroso; **2** suspiro

geminação *s. f.* **1** disposição aos pares; **2** GRAM. duplicação de uma consoante

geminado *adj.* **1** disposto aos pares; **2** duplicado; **3** (edifício) que está encostado a outro por uma das paredes laterais

geminar *v. tr.* duplicar; dobrar

geminiano *s. m.* ASTROL. pessoa que nasceu sob o signo de Gémeos

genciana *s. f.* BOT. planta herbácea de crescimento lento, cujas raízes são utilizadas em farmácia

gene *s. m.* BIOL. partícula do cromossoma que determina a transmissão de caracteres hereditários

genealogia *s. f.* **1** série de gerações pertencentes a uma família; **2** registo cronológico da filiação de uma pessoa; **3** origem; **4** linhagem

genealógico *adj.* relativo a genealogia

genealogista *s. 2 gén.* especialista em genealogia

genebra *s. f.* bebida preparada com aguardente de cereais e aromatizada com bagas de zimbro

genebrino I *s. m.* {*f.* genebrina} pessoa natural de Genebra (Suíça); **II** *adj.* relativo a Genebra

general *s. m.* **1** MIL. militar de graduação imediatamente superior à de brigadeiro; **2** *(fig.)* chefe

generalidade *s. f.* **1** maior número; maioria; **2** ideia ou princípio geral; **3** [*pl.*] princípios gerais ❖ ***na ~*** na maior parte dos casos; em geral

generalização *s. f.* vulgarização; difusão

generalizar *v. tr. e intr.* **1** tornar(-se) geral; vulgarizar(-se); **2** aplicar a muitas coisas as conclusões da observação feita apenas numa ou num número reduzido de coisas

generativo *adj.* **1** que tem a propriedade de gerar; **2** relativo a geração

genericamente *adv.* de modo genérico; em geral

genérico I *s. m.* **1** CIN., TV lista com o nome dos participantes na realização de um filme ou de um programa; **2** FARM. medicamento designado pelo princípio activo e não por uma marca específica, que é vendido a preço baixo; **II** *adj.* **1** relativo a género; **2** geral; vago

género *s. m.* **1** conjunto de seres com características comuns; espécie; **2** estilo; tipo; **3** GRAM. categoria gramatical baseada na distinção dos sexos (masculino ou feminino) ou atribuída por convenção; **4** BIOL. grupo taxionómico inferior à família e superior à espécie (designado em latim); **5** LIT. categoria em que se agrupam obras ou composições em função das suas características formais ou de conteúdo; ***géneros alimentícios*** substâncias usadas na alimentação humana

generosidade *s. f.* qualidade de quem é generoso; bondade

generoso *adj.* **1** (pessoa) que gosta de dar; **2** (vinho) com elevada graduação alcoólica e de boa qualidade

génese *s. f.* origem; ponto de partida

genesíaco *adj.* relativo ao Génesis ou a geração

Génesis *s. f.* RELIG. (Bíblia) primeiro livro do Antigo Testamento, que trata da formação do Mundo

genética *s. f.* BIOL. ciência que estuda os fenómenos e as leis da transmissão hereditária dos caracteres dos seres vivos

geneticista *s. 2 gén.* especialista em genética

genético *adj.* BIOL. relativo a genética ou a gene

gengibre *s. m.* BOT. planta herbácea das regiões tropicais, com flores verde-amareladas em espiga, caule com aroma forte e sabor picante, utilizada em farmácia e culinária

gengiva *s. f.* ANAT. mucosa que cobre as arcadas alveolares e os espaços entre os dentes

gengivite *s. f.* MED. inflamação das gengivas

genial *adj. 2 gén.* **1** que revela génio; **2** excelente; fantástico

genialidade *s. f.* **1** qualidade de genial; **2** poder do génio; talento

genica *s. f.* *(pop.)* energia; vigor

génio *s. m.* **1** carácter; temperamento; **2** nível extraordinário de certas capacidades; **3** *(fig.)* pessoa muito inteligente

genitais *s. m. pl.* órgãos sexuais ou reprodutores

genital *adj. 2 gén.* **1** relativo a geração; **2** (órgão) que se destina à procriação; reprodutor

genitivo *s. m.* GRAM. (declinação) caso que exprime a função de complemento limitativo, possessivo ou determinativo

genocídio *s. m.* **1** destruição sistemática e metódica de um grupo étnico ou de uma raça pelo extermínio dos seus indivíduos; **2** crime que consiste na eliminação de todas as formas de expressão da identidade colectiva de um povo

genoma *s. m.* **1** BIOL. estrutura de genes distribuída por vinte e três pares de cromossomas que constitui a informação genética de cada indivíduo; **2** BIOL. conjunto de genes que formam a estrutura de uma espécie

genótipo *s. m.* BIOL. constituição hereditária de um organismo formada pelos genes existentes nas suas células

genovês I *s. m.* {*f.* genovesa} pessoa natural de Génova (Itália); **II** *adj.* relativo a Génova

genro *s. m.* marido em relação aos pais da sua esposa

gentalha *s. f.* *(depr.)* gente reles; ralé

gente *s. f.* **1** multidão de pessoas; **2** número indeterminado de pessoas; **3** conjunto de habitantes de uma região; povo

gentil *adj. 2 gén.* amável; delicado

gentileza *s. f.* amabilidade; delicadeza

gentílico *adj.* pagão

gentinha *s. f.* **1** *(depr.)* pessoas de camadas sociais desfavorecidas; **2** *(depr.)* pessoas bisbilhoteiras

gentio *s. m.* (entre os primeiros Cristãos) aquele que não segue a religião cristã; pagão

gentleman *s. m.* {*pl.* gentlemen} homem distinto e cortês; cavalheiro

genuflexão *s. f.* acto de dobrar a perna à altura do joelho

genuflexório *s. m.* móvel em forma de cadeira, com estrado baixo para alguém se ajoelhar

genuíno *adj.* **1** (pele, sentimento) puro; verdadeiro; **2** (pessoa) sincero; franco

geocêntrico *adj.* **1** ASTRON. relativo ao centro da Terra; **2** (sistema) que toma o centro da Terra como ponto de referência

geocentrismo *s. m.* ASTRON. teoria cosmológica que considerava a Terra como centro do Universo, com todos os astros a girar à sua volta

geocíclico *adj.* relativo à órbita da Terra

geodesia *s. f.* ciência que estuda a forma e as dimensões da Terra

geodinâmica *s. f.* GEOL. disciplina que estuda as modificações da crusta terrestre provocadas por agentes internos e externos

geofísica *s. f.* GEOL. estudo dos fenómenos físicos que alteram a estrutura da Terra (gravidade, magnetismo, meteorologia, etc.)

geografia *s. f.* **1** ciência que estuda as diferentes partes da superfície terrestre e os fenómenos físicos, biológicos e humanos que aí se verificam; **2** conjunto de características geográficas de determinada região; **~ *humana*** estudo das mudanças verificadas no globo terrestre em consequência das actividades humanas; **~ *política*** estudo da influência de factores económicos, geográficos e demográficos sobre a política (sobretudo externa) de um país

geográfico *adj.* relativo a geografia

geógrafo *s. m.* especialista em geografia

geologia *s. f.* ciência que estuda a estrutura, forma e origem da Terra

geológico *adj.* relativo a geologia

geólogo *s. m.* especialista em geologia

geómetra *s. 2 gén.* especialista em geometria

geometria *s. f.* **1** ciência que estuda o espaço e as figuras que podem ocupá-lo; **2** discilina que estuda as propriedades e as dimensões de pontos, linhas, ângulos, curvas, superfícies e sólidos

geométrico *adj.* relativo a geometria

georgiano I *s. m.* {*f.* georgiana} **1** pessoa natural da Geórgia (mar Negro); **2** língua oficial da Geórgia; **II** *adj.* relativo à Geórgia

geosfera *s. f.* GEOL. parte sólida da Terra

geração *s. f.* **1** função pela qual um ser produz outro da mesma espécie; procriação; **2** ascendentes e descendentes de uma pessoa; linhagem; **3** grupo de pessoas nascidas na mesma época

geracional *adj. 2 gén.* próprio de uma geração

gerador *s. m.* **1** o que gera ou produz; causador; **2** máquina que converte qualquer forma de energia em energia eléctrica

geral I *adj. 2 gén.* **1** comum a um conjunto de casos ou de pessoas; **2** genérico; universal; **3** vago; indeterminado; **II** *s. m.* (sala de espectáculo) zona por cima da última fila de camarotes onde os lugares são mais baratos; galinheiro ❖ ***em ~*** habitualmente

geralmente *adv.* **1** na maioria dos casos; **2** normalmente

gerar I *v. tr.* **1** BIOL. dar vida ou existência a; conceber; **2** produzir; criar;

3 causar; formar; **II** *v. refl.* desenvolver-se; formar-se

geratriz *s. f.* GEOM. linha que, ao mover-se, gera uma superfície

gerência *s. f.* **1** função ou cargo de gestão de uma empresa ou organização; administração; **2** conjunto de pessoas que gerem uma empresa ou organização

gerente I *s. 2 gén.* pessoa responsável pela gestão de bens ou serviços públicos ou privados; administrador; **II** *adj. 2 gén.* que gere; que dirige

geringonça *s. f.* coisa mal feita e que se demancha facilmente; engenhoca

gerir *v. tr.* **1** administrar; dirigir; **2** resolver com eficácia (conflito, problema)

germânico *adj.* **1** relativo à Alemanha; **2** relativo às regiões de língua alemã

germânio *s. m.* QUÍM. elemento com o número atómico 32 e símbolo Ge, de aspecto metálico, semicondutor

germanista *s. 2 gén.* especialista em línguas e literaturas germânicas

germanizar *v. tr.* dar carácter alemão a

germe *s. m.* **1** BIOL. organismo na fase inicial do seu desenvolvimento; embrião; **2** BOT. parte da semente ou da raiz que origina uma nova planta; **3** *(fig.)* origem; causa

gérmen *s. m.* vd. **germe**

germicida *adj. 2 gén. e s. m.* que ou substância que destrói os germes ou micróbios

germinação *s. f.* **1** BIOL. desenvolvimento, a partir de um embrião, que dá origem a um novo ser; **2** BOT. processo de desenvolvimento de uma semente; **3** *(fig.)* evolução

germinar *v. intr.* **1** BOT. deitar rebentos; desabrochar; **2** *(fig.)* evoluir

gerúndio *s. m.* GRAM. forma nominal do verbo terminada em *-ndo*, que exprime o decurso de uma acção e desempenha a função de advérbio ou adjectivo

gerundivo *s. m.* GRAM. forma verbal latina variável terminada em *-ndus, -nda, -ndum*, que exprime a acção do verbo como devendo ser realizada

gesso *s. m.* mineral usado em moldes e na imobilização de membros fracturados

gesta *s. f.* façanha; proeza

gestação *s. f.* **1** tempo entre a concepção e o parto; gravidez; **2** *(fig.)* tempo de formação de qualquer coisa

gestão *s. f.* **1** administração (de empresa, instituição, etc.); **2** conjunto de medidas de administração (de organização, empresa, etc.) aplicadas num dado período; **3** utilização racional de recursos em função de um determinado projecto ou objectivo

gesticulação *s. f.* acto ou efeito de fazer gestos; expressão gestual

gesticular *v. tr. e intr.* exprimir(-se) por meio de gestos

gesto *s. m.* **1** movimento do corpo, principalmente da cabeça e dos braços, para exprimir ideias ou sentimentos; aceno; **2** forma de se manifestar; atitude

gestor *s. m.* administrador; gerente

gestual *adj. 2 gén.* **1** relativo a gesto; **2** (linguagem) que se realiza por meio de gestos

ghetto *s. m.* vd. **gueto**

giesta *s. f.* BOT. arbusto com flores amarelas ou brancas perfumadas

gigabyte *s. m.* INFORM. unidade de medida de informação digital, equivalente a 1024 megabytes (símbolo GB)

gigante I *adj. 2 gén.* de grandes proporções; enorme; **II** *s. 2 gén.* **1** pessoa de estatura superior à média;

2 criatura imaginária de proporções extraordinárias

gigantesco *adj.* **1** que tem estatura de gigante; **2** de grandes proporções; enorme; **3** *(fig.)* grandioso

gigolô *s. m.* aquele que vive à custa de uma prostituta

gilete *s. m.* lâmina de barbear descartável

gimnodesportivo *adj.* (local) reservado à prática de desporto

gin *s. m.* bebida alcoólica, semelhante a aguardente, preparada com cereais (cevada, trigo, aveia) e zimbro

ginásio *s. m.* recinto próprio para a prática de actividades desportivas

ginasta *s. 2 gén.* DESP. pessoa que pratica ginástica; atleta

ginástica *s. f.* **1** arte ou prática desportiva que tem como objectivo desenvolver e fortificar o corpo; **2** conjunto de exercícios ou de movimentos próprios para esse fim; **3** destreza; agilidade

gincana *s. f.* competição em que a classificação dos concorrentes depende não só da competitividade desportiva mas também da sua perícia e habilidade em diversas provas

gineceu *s. m.* **1** BOT. parte feminina de uma flor, que é o conjunto dos seus carpelos; pistilo; **2** HIST. aposento da habitação grega destinado às mulheres

ginecologia *s. f.* MED. especialidade que trata da fisiologia e doenças dos órgãos sexuais femininos

ginecológico *adj.* relativo a ginecologia

ginecologista *s. 2 gén.* MED. especialista em ginecologia

gingar *v. intr.* baloiçar; bambolear-se

ginja *s. f.* **1** BOT. fruto da ginjeira, semelhante à cereja, de cor vermelha escura e sabor amargo; **2** licor fabricado com esse fruto, aguardente e açúcar

ginjeira *s. f.* BOT. árvore cujo fruto é a ginja ❖ ***conhecer de ~*** conhecer bem e há muito tempo

ginjinha *s. f.* bebida feita com aguardente, ginjas e açúcar

gira-discos *s. m. 2 núm.* aparelho eléctrico constituído por um prato giratório onde se coloca um disco de vinil, cujo som é reproduzido por um amplificador e transmitido por colunas

girafa *s. f.* **1** ZOOL. mamífero ruminante, de pernas e pescoço muito longos, cabeça com dois chifres pequenos, e pêlo amarelado com manchas acastanhadas; **2** *(fig.)* pessoa alta com pescoço comprido

girar *v. intr.* **1** andar à roda; rodar; **2** andar de um lado para outro; circular

girassol *s. m.* BOT. planta herbácea, com grandes pétalas amarelas com a parte central castanha, que se volta para o Sol

giratório *adj.* que gira em torno de um eixo

gíria *s. f.* linguagem específica utilizada por pessoas de um dado grupo profissional ou social

girino *s. m.* ZOOL. larva dos anfíbios, com cauda e guelras externas, que se desenvolve dentro de água

giro I *adj.* **1** *(coloq.)* bonito; **2** *(coloq.)* interessante; **II** *s. m.* **1** passeio; **2** rotação; volta

giroscópio *s. m.* FÍS. aparelho usado na estabilização de aviões e navios

giz *s. m.* pau branco ou de cor, usado para escrever no quadro preto

glacé *s. m.* CUL. cobertura de bolos feita com açúcar e claras de ovos

glacial *adj. 2 gén.* **1** gelado; **2** frio como o gelo; **3** *(fig.)* insensível

glaciar *s. m.* GEOL. massa enorme de gelo que se forma pela acumulação de neve e que desliza devagar
glaciário *adj.* relativo a gelo ou a glaciar
gladiador *s. m.* HIST. (Roma antiga) homem que combatia na arena com outros homens ou com feras
gladíolo *s. m.* BOT. planta bolbosa de flores coloridas em espiga, cujo fruto é constituído por uma cápsula, onde se encontram as sementes
glamoroso *adj.* que tem glamour; charmoso; atraente
glamour *s. m.* fascínio exercício por uma pessoa; charme; encanto
glande *s. f.* **1** ANAT. extremidade do pénis; **2** BOT. fruto protegido por uma cúpula, como nas bolotas
glândula *s. f.* ANAT. órgão cuja função é produzir uma secreção, que é lançada no exterior ou levada pelo sangue a outras partes do organismo
glandular *adj. 2 gén.* ANAT. relativo a glândula
glauco *adj.* (cor) verde-mar; esverdeado
glaucoma *s. m.* MED. doença caracterizada por aumento da pressão no interior do olho que provoca uma diminuição do poder visual
glicemia *s. f.* MED. taxa de açúcar ou glicose no sangue
glicémia *s. f.* vd. **glicemia**
glicémico *adj.* relativo a glicemia
glicerina *s. f.* QUÍM. líquido que se extrai das gorduras obtidas no fabrico de sabão
glícidos *s. m. pl.* QUÍM. grupo de substâncias químicas que inclui os açúcares
glicínia *s. f.* BOT. planta trepadora com cachos de flores lilás, muito perfumadas
glicose *s. f.* QUÍM. açúcar que se encontra nas plantas e especialmente nos frutos (principal fonte de energia para os organismos vivos)
global *adj. 2 gén.* considerado em conjunto; total
globalidade *s. f.* totalidade; generalidade
globalização *s. f.* ECON., POL. fenómeno de interdependência de mercados e produtores ao nível mundial
globalizar *v. tr.* **1** considerar em conjunto; **2** tornar comum
globalmente *adv.* em conjunto; na totalidade
globo *s. m.* **1** corpo esférico; **2** esfera terrestre; Terra; **3** bola de vidro ou cristal que se coloca em volta de uma lâmpada para atenuar a luz; ANAT. ~ ***ocular*** órgão de forma esférica, alojado na órbita e constituído por três membranas (esclerótica, corióide e retina)
globular *adj. 2 gén.* **1** relativo a glóbulo; **2** em forma de glóbulo
glóbulo *s. m.* corpo pequeno e esférico que se encontra no sangue; ~ ***branco*** célula sanguínea que desempenha um papel importante nos processos de defesa imunitária do organismo; ~ ***vermelho*** célula responsável pela cor vermelha do sangue; eritrócito
glória *s. f.* celebridade; fama
glorificação *s. f.* homenagem
glorificar *v. tr.* prestar culto ou homenagem a; exaltar; louvar
glorioso *adj.* **1** notável; ilustre; **2** vitorioso; célebre
glosa *s. f.* LIT. composição poética em que cada estrofe acaba por um dos versos do mote
glossário *s. m.* **1** vocabulário em que se dá a explicação de certas palavras antigas ou pouco conhecidas;

2 dicionário de termos técnicos; 3 lista de palavras ordenadas alfabeticamente apresentada no final de uma obra

glote *s. f.* ANAT. abertura na parte superior da laringe

glucose *s. f.* vd. **glicose**

glutão *adj. e s. m.* que ou pessoa que come muito e com avidez; comilão

glúten *s. m.* mistura de proteínas existente nas sementes dos cereais, especialmente no trigo

GMT [*sigla de* **G**reenwich **M**ean **T**ime] Tempo Médio de Greenwich

gnomo *s. m.* figura imaginária que vive na floresta e tem poderes mágicos

gnose *s. f.* conhecimento; sabedoria

gnosiologia *s. f.* FIL. teoria ou doutrina do conhecimento

gnosticismo *s. m.* FIL. conhecimento místico das verdades divinas e transcendentes

gnóstico **I** *adj.* relativo a gnose ou a gnosticismo; **II** *s. m.* pessoa que segue o gnosticismo

GNR [*abrev. de* **G**uarda **N**acional **R**epublicana]

godé *s. m.* **1** pequena tigela onde se diluem tintas; **2** (tecido) corte em viés para dar um efeito ondulado

goela *s. f.* ANAT. abertura que separa a boca da faringe; garganta

goiaba *s. f.* BOT. fruto da goiabeira, arredondado, de cor verde amarelada na casca e laranja-avermelhado na polpa, utilizado no fabrico de goiabada

goiabada *s. f.* CUL. doce de goiaba

goiabeira *s. f.* BOT. árvore do Brasil e das Antilhas, de flores pequenas e brancas, cujo fruto é a goiaba

gola *s. f.* **1** parte do vestuário em volta do pescoço; **2** colarinho de camisa

golada *s. f.* porção de líquido que se engole de uma vez; gole; trago

gole *s. m.* porção de líquido engolido de uma só vez; trago

goleada *s. f.* **1** DESP. grande número de golos; **2** DESP. vitória por um grande número de golos

goleador *s. m.* DESP. jogador que marca muitos golos

golear *v. tr. e intr.* DESP. vencer por vários golos

golfada *s. f.* jacto; jorro de água

golfe *s. m.* DESP. jogo em que se procura inserir uma pequena bola em buracos distribuídos ao longo de um percurso, com a ajuda de um taco

golfinho *s. m.* ZOOL. mamífero aquático de tom cinzento, com focinho alongado, barbatanas anteriores e uma barbatana caudal

golfo *s. m.* GEOG. porção de mar que entra pela terra

golo *s. m.* DESP. entrada da bola na baliza (em vários desportos)

golpe *s. m.* **1** ferimento feito com instrumento cortante; corte; **2** abalo; choque; **3** lance; rasgo de sorte; **~ *de Estado*** acto de força pelo qual um governo é derrubado e substituído por outro; **~ *de mestre*** acto praticado com grande perícia; **~ *de misericórdia*** ferimento dado para apressar a morte; (*fig.*) acto que destrói definitivamente algo que estava em decadência; **~ *do baú*** casamento por interesse económico

golpear *v. tr.* dar golpes em; cortar

goma *s. f.* **1** substância viscosa e transparente das plantas; **2** amido próprio para engomar a roupa; **3** (*Bras.*) pastilha elástica

gomo *s. m.* **1** BOT. corpo ovóide ou globoso que origina um ramo normal ou uma flor; rebento; **2** cada uma das partes em que se dividem certos frutos

gôndola *s. f.* embarcação comprida e chata, com as extremidades elevadas, movida a remos (vulgar nos canais de Veneza)

gondoleiro *s. m.* indivíduo que conduz gôndolas

gongo *s. m.* MÚS. instrumento musical de percussão composto por um disco metálico que se faz vibrar com uma baqueta

gonzo *s. m.* peça de metal constituída por duas chapas unidas por um eixo para permitir o movimento (de porta ou janela); dobradiça

gorar *v. tr. e intr.* frustrar(-se); malograr(-se)

goraz *s. m.* ZOOL. peixe comestível de corpo alongado

gordo I *adj.* **1** (pessoa) que tem excesso de gordura no corpo; **2** (alimento) que tem gordura; **II** *s. m.* pessoa obesa

gorducho *adj. (coloq.)* que é um tanto gordo

gordura *s. f.* **1** substância animal adiposa; **2** banha; sebo; **3** adiposidade; obesidade

gordurento *adj.* vd. **gorduroso**

gorduroso *adj.* **1** que tem gordura; **2** sujo de gordura

gorila *s. m.* ZOOL. mamífero da ordem dos primatas, de cabeça robusta, orelhas pequenas, orifícios nasais largos, pescoço curto e musculoso, boca grande, mãos e pés largos e braços compridos

gorja *s. f.* **1** garganta; goela; **2** pescoço; cachaço

gorjear *v. intr.* (aves) soltar sons agradáveis; cantar

gorjeio *s. m.* **1** canto das aves; **2** chilreio das crianças

gorjeta *s. f.* pequena gratificação em dinheiro a quem prestou um serviço

gorro *s. m.* **1** barrete de lã; **2** carapuça preta usada por estudantes com a capa e a batina

gospel *s. m.* MÚS. canto típico dos cultos evangélicos da comunidade negra norte-americana que influenciou o soul

gostar *v. tr.* **1** achar (algo) agradável; **2** saborear; apreciar; **3** sentir simpatia ou afeição por alguém; **4** sentir prazer em

gosto *s. m.* **1** paladar; sabor; **2** satisfação; prazer; ***com ~*** com prazer; ***fazer ~*** ter prazer em

gostoso *adj.* que tem sabor agradável; saboroso

gota *s. f.* **1** porção minúscula de um líquido; pinga; **2** MED. doença devida a perturbação do metabolismo do ácido úrico e caracterizada por crises de artrite aguda ❖ ***~ a ~*** às pingas, em pequenas doses

goteira *s. f.* cano que recebe as águas da chuva dos telhados e as conduz para fora das paredes

gotejar *v. intr.* cair gota a gota; pingar

gótico I *s. m.* **1** ART. PLÁST. (séc. XII a XV) estilo arquitectónico desenvolvido na Europa ocidental, caracterizado pela forma ogival das abóbadas e dos arcos; **2** LIT. (séc. XVIII) género narrativo que explora temas sinistros em ambientes lúgubres, como castelos arruinados e assombrados, etc.; **II** *adj.* relativo a esses estilos

gotícula *s. f.* gota pequena

gourde *s. f.* {*pl.* gourdes} unidade monetária do Haiti

governação *s. f.* POL. exercício dos poderes de administração e orientação dos diversos sectores de um Estado; governo

governado *adj.* **1** dirigido; administrado; **2** (pessoa) poupado; económico

governador *s. m.* pessoa que governa um estado ou uma região administrativa

governador-geral *s. m.* {*pl.* governadores-gerais} governador que tem outros governadores sob a sua alçada, ou que administra uma vasta região de um país
governamental *adj. 2 gén.* relativo a governo
governanta *s. f.* mulher contratada para governar uma casa
governante *s. 2 gén.* pessoa que governa um Estado
governar I *v. tr.* **1** administrar; reger; **2** conduzir; dirigir; **II** *v. intr.* exercer autoridade como chefe de governo; **III** *v. refl.* cuidar dos próprios interesses
governo *s. m.* **1** administração dos vários sectores de um Estado, de um país ou de uma organização; **2** sistema político pelo qual se rege um Estado; **3** poder executivo; **4** administração; direcção
governo-sombra *s. m.* {*pl.* governos-sombra} POL. conjunto de dirigentes da oposição que seguem a actividade governamental, repartindo entre si o acompanhamento dos assuntos relativos às várias pastas ministeriais
gozar I *v. tr.* **1** ter prazer em; fruir; **2** rir-se de alguém ou de alguma coisa; **3** tirar proveito de; desfrutar; **II** *v. intr.* sentir prazer; divertir-se
gozo *s. m.* **1** fruição; prazer; **2** troça; zombaria
graal *s. m.* (tradição medieval) vaso sagrado que teria sido utilizado por Jesus, na última ceia com os apóstolos
graça *s. f.* **1** favor que se faz ou se recebe; **2** piada; gracejo; **3** elegância; **4** RELIG. dom concedido por Deus ❖ ***cair nas boas graças de*** conquistar a amizade ou protecção de alguém; ***dar um ar da sua ~*** sorrir; ***de ~*** gratuitamente; ***não estar para graças*** não estar com disposição para brincadeiras
gracejar *v. intr.* dizer piadas
gracejo *s. m.* piada; graça
graciosidade *s. f.* elegância
gracioso *adj.* **1** elegante; **2** engraçado
gradação *s. f.* (de luz, cor) aumento ou diminuição gradual
gradativo *adj.* em que há gradação; progressivo
grade *s. f.* **1** armação de madeira ou de metal, com intervalos, para vedar ou resguardar um local; **2** caixa de plástico para transporte de bebidas engarrafadas
gradeado I *s. m.* vedação em forma de grade; gradeamento; **II** *adj.* que tem grade
gradeamento *s. m.* conjunto de grades (de um local ou edifício)
grado I *adj.* graúdo; crescido; **II** *s. m.* **1** GEOM. centésima parte de um quadrante da circunferência; **2** vontade; gosto; ***de bom ~*** de boa vontade; ***de mau ~*** de má vontade
graduação *s. f.* **1** divisão numa escala graduada; **2** (óptica) potência de uma lente em dioptrias; **3** grau do ensino superior após conclusão do curso; **4** MIL. posto; categoria
graduado *adj.* **1** que está marcado com graus ou unidades de medida; **2** que possui um grau académico; **3** que ocupa um posto militar
gradual *adj. 2 gén.* que se faz por graus; progressivo
gradualmente *adv.* por graus; progressivamente
graduar I *v. tr.* **1** dividir em graus; **2** MIL. ordenar por categorias; **II** *v. refl.* tirar um curso; formar-se
grafema *s. m.* LING. cada uma das unidades da palavra escrita
graffiti *s. m.* vd. **grafiti**

grafia *s. f.* **1** uso de sinais escritos para exprimir ideias; escrita; **2** maneira de escrever

gráfica *s. f.* oficina de artes gráficas

gráfico I *s. m.* **1** representação da variação interdependente de duas grandezas através de várias figuras geométricas; **2** pessoa que trabalha na indústria gráfica; **II** *adj.* **1** relativo a grafia; **2** representado por desenho ou formas geométricas

grã-fino *s. m.* {*pl.* grã-finos} *(Bras.)* *(depr.)* pessoa rica

grafismo *s. m.* **1** expressão gráfica da escrita; **2** modo pessoal de escrever ou desenhar

grafite *s. f.* MIN. mineral de cor preta constituído por carbono, e utilizado no fabrico de lápis

grafiti *s. m.* palavra, frase ou desenho, de carácter jocoso, contestatário ou obsceno, pintado em muro ou parede

grafito *s. m.* inscrição ou desenho em paredes e monumentos antigos

grafo *s. m.* MAT. conjunto de pontos e segmentos que os unem, que permite a descrição de realidades matemáticas e é utilizado em sistemas informáticos e linguagens de programação

grafonola *s. f.* antigo instrumento de gravação e reprodução de sons com o altifalante encerrado numa caixa portátil

grageia *s. f.* FARM. medicamento, geralmente oval ou arredondado, duro, para chupar ou engolir; pastilha

grainha *s. f.* BOT. semente da uva e de outros frutos

gralha *s. f.* **1** ZOOL. ave semelhante ao corvo, de cor preta com brilho violeta, bico comprido e curvo, e asas compridas e estreitas; **2** TIP. erro; **3** *(fig.)* pessoa faladora; tagarela

grama *s. m.* FÍS. unidade de massa do sistema CGS (centímetro, grama, segundo), que é a milésima parte da massa do quilograma

gramar *v. tr.* **1** *(coloq.)* aguentar uma situação incómoda; suportar; **2** *(coloq.)* gostar de; apreciar

gramática *s. f.* **1** LING. disciplina que estuda a organização e o funcionamento de uma língua; **2** livro que contém os princípios e as normas da organização e funcionamento de uma língua

gramatical *adj. 2 gén.* **1** relativo a gramática; **2** que está de acordo com a gramática

gramaticalidade *s. f.* qualidade de uma proposição que obedece às regras sintácticas próprias de uma língua

gramático I *s. m.* pessoa que se dedica ao estudo da gramática; **II** *adj.* relativo a gramática

gramofone *s. m.* antigo instrumento que grava e reproduz o som por meio de um disco giratório, transmitindo-o através de um altifalante

grampo *s. m.* **1** peça que segura ou liga dois elementos de uma construção; **2** *(Bras.)* gancho de cabelo

granada *s. f.* MIL. projéctil explosivo que se lança com a mão ou com arma de fogo

granadeiro *s. m.* MIL. soldado encarregado de lançar granadas

granadino I *s. m.* {*f.* granadina} pessoa natural de Granada (cidade espanhola ou ilha do mar das Caraíbas); **II** *adj.* relativo a Granada

grandalhão I *adj.* que é excessivamente grande; **II** *s. m.* pessoa muito alta e corpulenta

grand danois *s. m.* ZOOL. vd. **dogue**

grande *adj. 2 gén.* **1** de tamanho maior que o normal; considerável;

2 crescido; adulto; 3 poderoso; magnífico ❖ *à ~* com luxo; em excesso

grande área *s. f.* DESP. parte do campo de futebol próxima da baliza, onde o guarda-redes pode usar as mãos para dominar a bola

grandeza *s. f.* 1 tamanho; extensão; 2 quantidade susceptível de aumento ou diminuição; 3 excelência; 4 importância

grandiloquência *s. f.* estilo elevado ou eloquente

grandiloquente *adj. 2 gén.* que se exprime num estilo pomposo

grandíloquo *adj.* (estilo) elevado; sublime

grandiosidade *s. f.* imponência; majestade

grandioso *adj.* muito grande; imponente

granel *s. m.* 1 celeiro; tulha para cereais; 2 TIP. prova antes de ser paginada; *a ~* em grandes quantidades

granítico *adj.* relativo a granito

granito *s. m.* GEOL. rocha eruptiva, plutónica, granular, utilizada em construções e pavimentos

granívoro *adj.* que se alimenta de grãos ou sementes

granizada *s. f.* queda de granizo; saraivada

granizar *v. intr.* cair granizo

granizo *s. m.* METEOR. precipitação atmosférica de grânulos de gelo, que se formam na passagem das gotas de água por uma camada de ar muito fria; saraiva

granja *s. f.* propriedade agrícola

grânulo *s. m.* pequeno grão

grão *s. m.* 1 semente ou fruto dos cereais e de alguns legumes; 2 corpúsculo arredondado

grão-de-bico *s. m.* {*pl.* grãos-de-bico} 1 BOT. planta herbácea com folhas folhas pequenas serradas, flores geralmente brancas e fruto constituído por uma vagem, com sementes amareladas; 2 BOT. semente dessa planta, de forma arredondada terminando num bico, utilizada na alimentação

grão-ducado *s. m.* {*pl.* grão-ducados} território governado por um grão-duque

grão-duque *s. m.* {*pl.* grão-duques} título de certos príncipes reinantes

grão-mestre *s. m.* {*pl.* grão-mestres} chefe de uma ordem de cavalaria, da maçonaria, etc.

grasnar *v. intr.* (corvo, pato) soltar a voz

grasnido *s. m.* voz de corvo ou pato

grassar *v. intr.* alastrar-se; propagar-se

gratidão *s. f.* reconhecimento; agradecimento

gratificação *s. f.* 1 pagamento adicional a um funcionário como prémio de trabalho; remuneração; 2 gorjeta; 3 demonstração de agradecimento

gratificante *adj. 2 gén.* que satisfaz; satisfatório; compensador

gratificar *v. tr.* dar uma gratificação a; recompensar

gratinado *s. m.* CUL. prato que foi ao forno a gratinar

gratinar *v. tr.* CUL. levar ao forno a torrar uma crosta de queijo ou pão ralado que se espalhou por cima de um prato

grátis I *adv.* sem remuneração; gratuitamente; II *adj. 2 gén. 2 núm.* gratuito; de graça

grato *adj.* agradecido; reconhecido

gratuito *adj.* 1 feito de graça; grátis; 2 sem motivo; injustificado

grau *s. m.* 1 categoria; posição; 2 cada uma das partes em que se divide uma escala; 3 proximidade dos membros de uma família entre várias gerações; 4 unidade de medida; 5 título académico; 6 estado; nível;

7 GRAM. categoria com que se especifica a noção de maior ou menor intensidade de uma propriedade
graúdo *adj.* **1** grande; crescido; **2** em grande quantidade; abundante
gravação *s. f.* **1** registo de sons ou imagens em suportes materiais por meio de processos magnéticos, ópticos, electrónicos, etc.; **2** acto ou efeito de gravar letras, símbolos ou imagens em superfícies duras
gravador *s. m.* **1** aparelho que grava sons ou imagens num suporte material; **2** pessoa que faz gravuras
gravar *v. tr.* **1** fixar sons ou imagens em disco ou em fita magnética; **2** esculpir com buril ou cinzel (em pedra, madeira ou outro material); **3** reter na memória; fixar; **4** INFORM. guardar (dados, ficheiros) na memória do computador
gravata *s. f.* tira de tecido, estreita e comprida, que se usa com um nó à volta do pescoço
grave *adj. 2 gén.* **1** perigoso; **2** sério; **3** FÍS. sujeito às leis da gravidade; pesado; **4** GRAM. (palavra) que tem acento tónico na penúltima sílaba; **5** GRAM. (acento) que assinala a contracção da preposição *a* com a forma feminina do artigo definido *a* e com os pronomes demonstrativos *a(s), aquele(s), aquela(s), aquilo*
graveto *s. m.* **1** pedaço de lenha; cavaco; **2** ancinho para apanhar sargaço
grávida *s. f.* mulher em estado de gravidez
gravidade *s. f.* **1** FÍS. força atractiva que a Terra exerce sobre os corpos; **2** seriedade; importância; **3** circunstância perigosa
gravidez *s. f.* estado da mulher e das fêmeas dos mamíferos em geral, durante o tempo em que se desenvolve o feto no útero; gestação
gravilha *s. f.* agregado granulado
gravitação *s. f.* FÍS. atracção que os corpos exercem uns sobre os outros
gravitacional *adj. 2 gén.* relativo a gravitação
gravitar *v. intr.* **1** FÍS. andar à volta de, por efeito da gravitação; **2** *(fig.)* ter como objectivo principal; centrar-se em
gravura *s. f.* **1** arte de gravar em materiais duros; **2** arte de fixar e reproduzir imagens, símbolos, etc. em diversos materiais; **3** imagem; estampa
graxa *s. f.* **1** mistura de pó de fuligem ou de outras substâncias com gordura, para dar brilho a couro (de calçado, arreios, etc.); **2** *(coloq.)* adulação; ***dar ~ a*** bajular
graxista *s. 2 gén. (pop.)* pessoa que dá graxa; adulador
gregário *adj.* que vive em grupo
grego I *s. m.* {*f.* grega} **1** pessoa natural da Grécia; **2** língua oficial da Grécia; **II** *adj.* relativo à Grécia ❖ ***ver-se ~*** ter dificuldade em
gregoriano *adj.* **1** relativo ao papa Gregório XIII e à reforma do calendário por ele realizada; **2** MÚS. relativo ao cantochão (atribuído ao papa Gregório I)
grei *s. f.* rebanho de gado miúdo
grelar *v. intr.* (semente, tubérculo) lançar grelo; germinar
grelha *s. f.* **1** grade de ferro para assar ou torrar alimentos sobre brasas; **2** parte anterior do automóvel que possibilita a ventilação do motor; **3** TV quadro em que se apresenta a programação de um canal para um determinado período
grelhado I *adj.* assado na grelha; **II** *s. m.* CUL. refeição de carne ou peixe preparado na grelha
grelhador *s. m.* **1** utensílio de cozinha para grelhar ou tostar alimentos;

2 parte do forno própria para grelhar alimentos
grelhar *v. tr.* CUL. assar ou torrar sobre a grelha
grelo *s. m.* **1** BOT. gomo que se desenvolve na semente; rebento; **2** *(gír.)* fita pequena e estreita, da cor adoptada pela respectiva Faculdade, que ornamenta a pasta dos estudantes do penúltimo ano de um curso superior
grémio *s. m.* corporação; associação
grenha *s. f.* **1** cabelo emaranhado ou em desalinho; **2** juba; **3** mata densa
grés *s. m.* GEOL. rocha sedimentar constituída por areias ligadas por um cimento; arenito
greta *s. f.* **1** (na pele) corte; **2** (no solo) fenda
gretado *adj.* que tem gretas; fendido
gretar *v. intr. e refl.* ficar com greta ou fenda; rachar-se; fender-se
greve *s. f.* **1** interrupção voluntária e colectiva do trabalho feita por funcionários, na tentativa de obter melhores condições de trabalho; **2** falta colectiva de estudantes às aulas; ***~ de fome*** recusa de comer, em sinal de protesto ou como forma de reivindicação
grevista I *s. 2 gén.* pessoa que participa numa greve; **II** *adj. 2 gén.* relativo a greve
grifo *s. m.* **1** ZOOL. abutre sedentário; **2** MITOL. animal fabuloso, com cabeça, bico e asas de águia e corpo de leão; **3** assunto obscuro; enigma; **4** TIP. tipo de letra inclinada para a direita; itálico
grilhão *s. m.* **1** corrente forte de metal; **2** *(fig.)* prisão
grilo *s. m.* ZOOL. insecto de cor escura com dois pares de asas, antenas longas e patas posteriores desenvolvidas para o salto, cujo macho produz um som estridente com as asas
grinalda *s. f.* coroa de flores, ramos, pérolas, etc.
gringo *s. m.* *(Bras.)* *(pej.)* pessoa estrangeira
gripal *adj. 2 gén.* relativo a gripe
gripar *v. intr.* **1** (pessoa) contrair gripe; **2** MEC. (motor) ficar com peças coladas, por falta de lubrificação, deixando de funcionar
gripe *s. f.* MED. doença febril, contagiosa, que geralmente provoca febre, dores de cabeça e dificuldades respiratórias
grisalho *adj.* **1** acinzentado; **2** (cabelo) que tem brancas
gritar I *v. intr.* **1** soltar gritos; **2** ralhar; **3** queixar-se; **II** *v. tr.* dizer em voz alta
gritaria *s. f.* conjunto de gritos; berreiro
grito *s. m.* **1** som agudo; berro; **2** palavras ditas em tom de protesto
grogue I *s. m.* bebida alcoólica com aguardente, água quente, açúcar e casca de limão, ou com uma mistura semelhante; **II** *adj. 2 gén.* *(coloq.)* bêbedo
grosa *s. f.* **1** doze dúzias; **2** lima grossa
grosar *v. tr.* limar com grosa
groselha *s. f.* **1** BOT. fruto pequeno, de cor branca ou vermelha e sabor ácido, utilizado na preparação de geleia ou xarope; **2** xarope deste fruto que se bebe misturado com água
groselheira *s. f.* BOT. arbusto espinhoso com flores de cor amarelo-esverdeada, cujo fruto é a groselha
grosseirão *adj.* (pessoa) muito grosseiro; mal-educado
grosseiro *adj.* **1** (pessoa) indelicado; ordinário; **2** (material, objecto) de má qualidade; tosco
grosseria *s. f.* indelicadeza; má-criação

grossista *s. 2 gén.* comerciante que vende por grosso; armazenista

grosso **I** *s. m.* a parte maior ou mais significativa de algo; **II** *adj.* **1** (objecto) de diâmetro considerável; **2** (líquido) denso; consistente; **3** (voz) grave; **4** (pessoa) grosseiro; **5** *(pop.)* embriagado; ***por ~*** em grandes quantidades; por atacado

grossura *s. f.* espessura; largura

grotesco *adj.* ridículo; caricato

grua *s. f.* aparelho para levantar e deslocar corpos pesados; guindaste

grudar *v. tr. e intr.* colar(-se); unir(-se)

grude *s. m.* cola dissolvida em água, usada para unir peças de madeira

grugulejar *v. intr.* (peru) soltar a voz

grumo *s. m.* **1** aglomeração de partículas; grânulo; **2** pequeno coágulo

grunhido *s. m.* **1** som produzido pelo porco ou pelo javali; **2** som áspero e pouco claro

grunhir *v. intr.* **1** (porco, javali) soltar grunhidos; **2** resmungar

grunho *s. m. (cal.)* indivíduo grosseiro

grupo *s. m.* **1** conjunto de pessoas ou objectos que formam um todo; **2** conjunto de pessoas ou coisas reunidas; **3** associação, geralmente cultural, recreativa ou desportiva; **4** BIOL. conjunto de seres vivos com certos características comuns que servem de base à constituição das categorias sistemáticas (espécie, género, família, etc.); MED. **~ *sanguíneo*** cada um dos tipos de sangue humano

gruta *s. f.* cavidade natural ou artificial na rocha, de grandes dimensões; caverna

guache *s. m.* **1** substância corante que se dissolve num pouco de água e se utiliza para pintar; **2** pintura feita com essa substância

guarani *s. m.* {*pl.* guaranis} unidade monetária do Paraguai

guarda **I** *s. 2 gén.* **1** pessoa encarregada de guardar alguma coisa; vigia; **2** polícia; **II** *s. f.* **1** protecção; defesa; **2** conservação; **3** grupo de militares que ocupam um posto de defesa ou vigilância

guarda-chuva *s. m.* {*pl.* guarda-chuvas} objecto portátil para abrigar da chuva, formado por uma armação de varetas móveis, coberta de pano, e por uma haste central; chapéu-de-chuva

guarda-costas *s. m. 2 núm.* pessoa que acompanha outra para a defender

guarda-fatos *s. m. 2 núm.* armário para guardar roupa; guarda-vestidos

guarda-florestal *s. 2 gén.* {*pl.* guardas-florestais} pessoa que vigia as florestas e matas nacionais

guarda-jóias *s. m. 2 núm.* pequeno cofre onde se guardam jóias e outros objectos de valor

guarda-lamas *s. m. 2 núm.* peça colocada diante ou por cima das rodas de um veículo para o resguardar dos salpicos da lama

guarda-livros *s. m. 2 núm.* pessoa que regista o movimento das transacções de uma casa comercial

guardanapo *s. m.* pano ou papel com que se limpa a boca e as mãos

guarda-nocturno *s. m.* {*pl.* guardas-nocturnos} pessoa que faz a vigilância de um local ou estabelecimento, durante a noite; segurança

guardar *v. tr.* **1** estar de guarda a; vigiar para defender ou proteger; **2** preservar; conservar; **3** colocar no local devido; arrumar

guarda-redes *s. 2 gén. 2 núm.* DESP. jogador que guarda a baliza da sua equipa para impedir a entrada da bola

guarda-roupa *s. m.* {*pl.* guarda-roupas} **1** móvel ou compartimento de uma casa onde se guarda a roupa; **2** conjunto das peças de vestuário de uma pessoa

guarda-sol *s. m.* {*pl.* guarda-sóis} objecto para abrigar do sol, formado por uma armação de varetas móveis, coberta de pano, e por uma haste central; chapéu-de-sol

guarda-vestidos *s. m. 2 núm.* armário para guardar roupa; guarda-fatos; guarda-roupa

guardião *s. m.* pessoa que guarda algo

guarida *s. f.* abrigo; protecção

guarnecer *v. tr.* **1** equipar; **2** enfeitar; **3** caiar (parede); estucar

guarnição *s. f.* **1** enfeite; adorno; **2** CUL. acompanhamento de um prato principal; **3** MIL. força que defende um quartel ou uma fortificação

guatemalteco I *s. m.* {*f.* guatemalteca} pessoa natural da Guatemala (América Central); **II** *adj.* relativo à Guatemala

guedelha *s. f.* cabelo comprido e despenteado

guedelhudo *adj.* com o cabelo comprido e despenteado

gueixa *s. f.* jovem dançarina japonesa

guelra *s. f.* ZOOL. órgão respiratório dos animais aquáticos; brânquia

guerra *s. f.* **1** luta armada entre grupos ou países; **2** conflito; combate; **3** competição entre grupos que exercem a mesma actividade; concorrência; ~ ***aberta*** guerra declarada; ~ ***atómica/nuclear*** guerra na qual são utilizadas bombas atómicas ou termonucleares; ~ ***biológica/bacteriológica*** guerra em que se usam organismos vivos (bactérias, vírus) para espalhar doenças ou matar; ~ ***civil*** guerra que se trava entre pessoas da mesma nação; ~ ***de nervos*** situação de forte tensão psicológica; situação de grande ansiedade; ~ ***química*** guerra em que se utilizam como armas substâncias tóxicas, prejudiciais à vida; HIST. ~ ***santa*** guerra contra os infiéis, sob o pretexto de os expulsar dos lugares santos

guerrear *v. tr.* **1** fazer guerra a; combater; **2** fazer oposição a; hostilizar

guerreiro I *s. m.* pessoa que participa numa guerra; **II** *adj.* **1** relativo a guerra; **2** dedicado à guerra

guerrilha *s. f.* **1** força militar não disciplinada ou bando armado, que actua de surpresa; **2** braço armado de um grupo político

guerrilheiro *s. m.* membro de uma guerrilha

gueto *s. m.* **1** HIST. bairro onde viviam os Judeus; **2** local onde habita um determinada comunidade, geralmente separada da restante população por questões raciais, económica, etc.; **3** situação de marginalização ou de isolamento forçado

guia I *s. 2 gén.* **1** pessoa que conduz um grupo (numa excursão ou visita turística); **2** orientador; conselheiro; **II** *s. m.* **1** publicação de ensino prático; manual; **2** roteiro turístico; **III** *s. f.* **1** documento que acompanha uma pessoa ou uma encomenda até à sua entrega; **2** [*pl.*] (em estrada) traços que marcam a separação da berma

guiador *s. m.* peça metálica que dirige os movimentos de veículos; volante

guião *s. m.* **1** CIN. texto escrito que contém a acção e os diálogos de um filme; **2** estandarte que vai à frente de uma procissão, irmandade ou tropa

guiar I *v. tr.* **1** dirigir; levar; **2** conduzir um veículo; **3** aconselhar; orientar; **II** *v. refl.* orientar-se

guiché *s. m.* abertura no vidro de um balcão por onde se fala para quem está do outro lado

guilhotina *s. f.* **1** instrumento de decapitação, constituído por uma lâmina cortante que se move verticalmente; **2** máquina de cortar papel

guinada *s. f.* **1** dor forte e súbita; pontada; **2** desvio repentino de um veículo; **3** salto do cavalo para fugir do castigo; **4** NÁUT. desvio que uma embarcação faz do seu rumo

guinar *v. intr.* desviar-se rapidamente

guinchar *v. intr.* dar guinchos

guincho *s. m.* **1** som agudo e inarticulado; **2** máquina para levantar e deslocar objectos pesados

guindaste *s. m.* aparelho para levantar e deslocar corpos pesados

guineense **I** *s. 2 gén.* pessoa natural da Guiné ou da Guiné-Bissau; **II** *adj. 2 gén.* relativo à Guiné ou à Guiné-Bissau

guionista *s. 2 gén.* CIN. pessoa que escreve e prepara textos com diálogos e instruções para a realização de filmes

guisado *s. m.* CUL. refeição preparada com alimentos refogados

guisar *v. tr.* CUL. cozinhar com refogado

guita *s. f.* **1** cordel; **2** *(coloq.)* dinheiro; **3** *(gír.)* pressa

guitarra *s. f.* MÚS. instrumento musical com seis pares de cordas, braço comprido e caixa de ressonância de madeira; ~ ***eléctrica*** instrumento musical semelhante à guitarra, cuja caixa de ressonância está ligada a um amplificador eléctrico; ~ ***portuguesa*** guitarra em forma de pêra, com seis cordas duplas, utilizada geralmente para acompanhar o fado

guitarrada *s. f.* **1** toque de guitarra; **2** concerto de guitarras

guitarrilha *s. f.* MÚS. guitarra pequena de quatro cordas

guitarrista *s. 2 gén.* MÚS. pessoa que toca guitarra

guizo *s. m.* brinquedo esférico com bolinhas maciças no seu interior que, ao agitarem-se, produzem som

gula *s. f.* **1** excesso no comer e no beber; gulodice; **2** desejo exagerado; sofreguidão

gulodice *s. f.* **1** doce ou iguaria muito apetitosa; **2** gosto excessivo por doces

guloseima *s. f.* doce ou iguaria muito apetitosa

guloso *adj. e s. m.* que ou pessoa que gosta de gulodices; glutão

gume *s. m.* lado afiado de um instrumento cortante; fio

guru *s. 2 gén.* guia ou mentor espiritual

gusa *s. f.* **1** ENG. ferro fundido ainda não purificado, obtido nos altos-fornos; **2** NÁUT. barras de metal fundido para lastro do navio

gustação *s. f.* **1** prova; degustação; **2** sabor

gustativo *adj.* relativo ao sentido do gosto

gutural *adj. 2 gén.* que sai ou procede da garganta

H

h I *s. m.* oitava letra e sexta consoante do alfabeto; **II** FÍS. [*símbolo de* **hora**]

H QUÍM. [*símbolo de* **hidrogénio**]

hábil *adj. 2 gén.* **1** apto; capaz; **2** ágil; **3** astuto

habilidade *s. f.* **1** capacidade; aptidão; jeito; **2** [*pl.*] trabalhos manuais que exigem paciência; **3** [*pl.*] exercícios físicos de agilidade

habilidoso *adj. e s. m.* jeitoso; hábil

habilitação *s. f.* **1** aptidão; capacidade; **2** DIR. título ou documento que habilita; **3** [*pl.*] conjunto de qualificações académicas; **4** [*pl.*] conjunto de requisitos necessários para o desempenho de um cargo

habilitado *adj.* que possui habilitações; apto; capaz

habilitar *v. tr. e refl.* **1** tornar(-se) apto; **2** preparar(-se)

habilmente *adv.* **1** com habilidade ou destreza; **2** com inteligência ou astúcia

habitabilidade *s. f.* qualidade do que é próprio para habitação ou está em condições de ser habitado

habitação *s. f.* casa; residência; domicílio

habitacional *adj. 2 gén.* relativo a habitação

habitáculo *s. m.* **1** (de automóvel) espaço destinado ao condutor e aos passageiros; **2** (de avião) espaço destinado ao piloto; **3** habitação pequena; cubículo

habitado *adj.* em que existem habitantes; ocupado; povoado

habitante *adj. e s. 2 gén.* que ou pessoa que mora num determinado lugar; residente

habitar *v. tr. e intr.* residir em; morar em

habitat *s. m.* {*pl.* habitats} **1** BIOL. ambiente próprio de um ser vivo ou de uma espécie; meio natural; **2** distribuição das habitações humanas, o seu agrupamento e as suas relações próprias

habitável *adj. 2 gén.* **1** que se pode habitar; **2** próprio para se habitar

hábito *s. m.* **1** repetição frequente de certos actos; rotina; **2** costume; uso; **3** traje usado por membro de comunidade religiosa; **4** MIN. forma característica dos minerais ❖ ***o ~ não faz o monge*** não se deve julgar as pessoas apenas pela aparência

habituação *s. f.* **1** acção de habituar ou habituar-se; hábito; **2** MED. tolerância do organismo a determinados tóxicos, resultante do seu uso repetido

habituado *adj.* acostumado; adaptado

habitual *adj. 2 gén.* **1** frequente; usual; **2** vulgar; comum

habituar *v. tr. e refl.* acostumar(-se)

hacker *s. 2 gén.* {*pl.* hackers} INFORM. pessoa que viola a segurança de sistemas informáticos; pirata informático

háfnio *s. m.* QUÍM. elemento com o número atómico 72 e símbolo Hf, metálico e maleável

haitiano I *s. m.* {*f.* haitiana} pessoa natural do Haiti (Antilhas); **II** *adj.* relativo ao Haiti

hálito *s. m.* **1** cheiro que se exala pela boca; **2** ar expirado; bafo

halitose *s. f.* MED. mau hálito

hall *s. m.* {*pl.* halls} compartimento de entrada de uma casa; átrio; vestíbulo

halo *s. m.* **1** METEOR. círculo luminoso em volta do Sol e da Lua, resultante do reflexo ou da refracção da luz em cristais de gelo suspensos na atmosfera; **2** ANAT. círculo avermelhado que circunda o mamilo; **3** (iconografia cristã) auréola que rodeia a cabeça de Cristo e dos santos; **4** (*fig.*) esplendor; brilho

halogéneo *s. m.* QUÍM. qualquer elemento da família do cloro (flúor, cloro, bromo, iodo e ástato)

haltere *s. m.* DESP. aparelho de ginástica, de tamanho variável, constituído por uma barra com duas esferas ou discos de peso variável nas extremidades, utilizado para exercitar os músculos

halterofilia *s. f.* DESP. actividade que consiste em exercitar os músculos por meio de halteres

halterofilista *s. 2 gén.* DESP. pessoa que pratica halterofilia

hambúrguer *s. m.* CUL. bife de carne picada de forma arredondada, que se come geralmente frito ou grelhado

hamster *s. m.* {*pl.* hamsters} ZOOL. mamífero roedor semelhante a um rato pequeno, com cauda curta e peluda e bochechas providas de papos onde transporta os alimentos

handebol *s. m.* DESP. vd. **andebol**

handebolista *s. 2 gén.* DESP. vd. **andebolista**

handicap *s. m.* {*pl.* handicaps} **1** DESP. vantagem que um concorrente concede a outro para igualar as possibilidades de vitória; **2** qualquer desvantagem; obstáculo

hangar *s. m.* {*pl.* hangars} **1** AERON. construção para abrigo e reparação de aeronaves; **2** armazém aberto para guardar mercadorias

hardware *s. m.* INFORM. conjunto dos elementos físicos de um computador, que inclui o dispositivo principal e os periféricos (como teclado, monitor e impressora)

harém *s. m.* **1** parte do palácio destinada às mulheres de um príncipe muçulmano; **2** conjunto das mulheres de um sultão

harmonia *s. f.* **1** disposição ordenada entre as partes de um todo; coerência; proporção; **2** combinação agradável de sons; **3** acordo; entendimento

harmónica *s. f.* **1** MÚS. pequeno instrumento de sopro, com vários orifícios, que se faz correr entre os lábios; **2** MÚS. instrumento de percussão constituído por uma caixa de ressonância com lâminas de vidro ou de metal, que se tocam com uma pequena vara de madeira

harmónico *adj.* **1** relativo a harmonia; **2** coerente; proporcionado

harmónio *s. m.* MÚS. pequeno órgão portátil

harmonioso *adj.* **1** que tem harmonia; melodioso; **2** proporcionado; equilibrado

harmonização *s. f.* **1** conciliação; **2** harmonia

harmonizar I *v. tr.* tornar harmónico; conciliar; **II** *v. refl.* estar em harmonia; concordar

harpa *s. f.* MÚS. instrumento musical triangular com cordas de comprimento diverso que se dedilham com as duas mãos

harpejo *s. m.* MÚS. acorde em que as notas são tocadas de modo rápido e sucessivo

hasta s. *f.* **1** lança; **2** leilão; ~ ***pública*** venda judicial de bens a quem oferecer o maior lanço; leilão

haste s. *f.* **1** pau ou ferro delgado ou peça semelhante em que se fixa ou apoia algo; **2** BOT. pedúnculo; caule; **3** (de bandeira) mastro; **4** (de animal) chifre

hastear v. *tr.* **1** içar (bandeira); **2** desfraldar (velas)

havaiano I s. *m.* {*f.* havaiana} pessoa natural das ilhas Havai (Oceano Pacífico); **II** *adj.* relativo às ilhas Havai

havano I s. *m.* {*f.* havana} **1** pessoa natural de Havana (capital de Cuba); **2** charuto fabricado em Havana; **II** *adj.* relativo a Havana

haver I v. *intr.* **1** existir; ser; **2** acontecer; passar-se; **II** v. *tr.* **1** ter; possuir; **2** obter; conseguir; **3** julgar; considerar; **4** receber de volta; reaver; **III** v. *refl.* **1** portar-se; **2** arranjar-se; **3** proceder; **4** lidar com; **5** prestar contas a; **IV** s. *m.* **1** ECON. aquilo que se tem a receber; crédito; **2** [*pl.*] bens; riquezas

haxixe s. *m.* **1** BOT. variedade de cânhamo de que se fumam ou mascam as folhas secas; **2** narcótico feito da resina deste vegetal

HC QUÍM. [*símbolo de* **hidrato de carbono**]

HD INFORM. [*sigla de* **h**ard **d**isk] disco duro; disco rígido

He QUÍM. [*símbolo de* **hélio**]

heavy-metal s. *m.* MÚS. estilo popular nas décadas de 1970-80, caracterizado por batidas rápidas e fortes, e sons distorcidos produzidos por guitarras eléctricas

hebdomadário I *adj.* semanal; **II** s. *m.* publicação periódica semanal; semanário

hebraico I s. *m.* **1** pessoa pertencente aos Hebreus (antigo povo da Judeia); **2** língua dos Hebreus, na qual foi escrito quase todo o Antigo Testamento; **II** *adj.* relativo ao antigo povo da Judeia

hebreu s. *m. e adj.* vd. **hebraico**

hecatombe s. *f.* **1** calamidade; desgraça; **2** (*fig.*) sacrifício de muitas vítimas; mortandade

hectare s. *m.* unidade de medida agrária equivalente a cem ares ou a um hectómetro quadrado

hectograma s. *m.* massa ou peso de cem gramas

hectolitro s. *m.* medida de capacidade equivalente a cem litros

hectómetro s. *m.* medida de comprimento equivalente a cem metros

hediondo *adj.* **1** repugnante; nojento; **2** asqueroso; horrendo

hedonismo s. *m.* **1** FIL. doutrina que atribui predominância ao prazer; **2** RELIG. sistema moral que considera o prazer como o supremo bem que a vontade deve atingir; **3** PSIC. tendência para agir de maneira a evitar o que é desagradável e a atingir o que é agradável

hedonista I s. *2 gén.* pessoa adepta do hedonismo; **II** *adj. 2 gén.* relativo ao hedonismo

hegemonia s. *f.* **1** supremacia de uma cidade, povo ou nação sobre outras cidades, povos ou nações; **2** (*fig.*) superioridade; preponderância

hegemónico *adj.* **1** relativo a hegemonia; **2** (*fig.*) que exerce domínio

helénico *adj.* relativo à Hélade (antiga Grécia)

helenismo s. *m.* **1** cultura e civilização da Grécia antiga; **2** palavra ou expressão própria da língua grega

helenista s. *2 gén.* pessoa versada na língua ou na civilização da Grécia antiga

helenístico *adj.* **1** relativo à cultura grega; **2** relativo à civilização da Grécia antiga

hélice *s. f.* **1** AERON., NÁUT. aparelho giratório que serve para fazer avançar helicópteros e navios; **2** curva descrita por um ponto quando este efectua sucessivas rotações em torno de um eixo, acompanhadas de deslocamento contínuo paralelamente a esse eixo

helicóptero *s. m.* AERON. aparelho de aviação capaz de se elevar verticalmente, de se deslocar e de se sustentar no ar por meio de hélices horizontais

hélio *s. m.* QUÍM. elemento gasoso, incolor e inodoro, com o número atómico 2 e símbolo He, pertencente à família dos gases nobres

heliocêntrico *adj.* **1** ASTRON. relativo ao centro do Sol; **2** (sistema) que toma o Sol como ponto de referência

heliocentrismo *s. m.* ASTRON. teoria cosmológica que considerava o Sol como centro do Universo

heliporto *s. m.* AERON. lugar destinado à descolagem e aterragem de helicópteros

helvético **I** *s. m.* {*f.* helvética} pessoa natural da Suíça; **II** *adj.* relativo à Suíça

hem *interj.* **1** exprime dúvida em relação a algo que não se ouviu bem e desejo de repetição; **2** exprime espanto ou indignação

hematoma *s. m.* MED. acumulação de sangue resultante de hemorragia

hematose *s. f.* FISIOL. fenómeno respiratório de transformação do sangue venoso em sangue arterial

hemiciclo *s. m.* **1** espaço semicircular, geralmente com bancadas para espectadores; **2** local com estrutura semelhante, onde têm lugar as sessões de uma assembleia

hemisfério *s. m.* **1** metade de uma esfera; **2** GEOG. cada uma das metades do globo terrestre, separadas pelo equador ou por um meridiano; **3** ANAT. cada uma das duas metades do cérebro ou do cerebelo

hemistíquio *s. m.* **1** LIT. metade de um verso alexandrino; **2** LIT. cada uma das duas partes de um verso dividido pela cesura

hemodialisado *adj. e s. m.* que ou pessoa que foi submetida a tratamento por hemodiálise

hemodiálise *s. f.* MED. processo de purificação do sangue, que consiste na extracção dos resíduos tóxicos nele contidos por meio de filtração

hemofilia *s. f.* MED. doença hereditária caracterizada por problemas de coagulação do sangue e tendência para hemorragias graves

hemofílico **I** *s. m.* pessoa que sofre de hemofilia; **II** *adj.* relativo a hemofilia

hemoglobina *s. f.* BIOL. proteína existente nos glóbulos vermelhos, responsável pela cor vermelha do sangue e pela transmissão de oxigénio às células

hemorragia *s. f.* MED. derramamento de sangue para fora dos vasos sanguíneos

hemorróida *s. f.* MED. dilatação de veia na mucosa do ânus ou do recto

hendecágono *s. m.* GEOM. polígono com onze ângulos e onze lados

hendecassílabo **I** *s. m.* GRAM. palavra de onze sílabas; **II** *adj.* que tem onze sílabas

hepático *adj.* relativo ao fígado

hepatite *s. f.* MED. inflamação do fígado, causada por vírus ou por agentes tóxicos

heptágono *s. m.* GEOM. polígono com sete ângulos e sete lados

heptassílabo I *s. m.* GRAM. palavra de sete sílabas; **II** *adj.* que tem sete sílabas
hera *s. f.* BOT. planta trepadeira de caule lenhoso e folhas verdes persistentes
heráldica *s. f.* **1** ciência que estuda os brasões; **2** conjunto dos emblemas ou símbolos usados nos brasões
herança *s. f.* **1** aquilo que se herda por morte de alguém; **2** BIOL. conjunto de caracteres genéticos transmitidos hereditariamente; **3** *(fig.)* tradição; legado
herbáceo *adj.* **1** relativo a erva; **2** (planta) que tem consistência tenra, não lenhosa
herbicida *adj. e s. m.* que ou substância que destrói ervas daninhas
herbívoro *adj. e s. m.* que ou animal que se alimenta especialmente de vegetais
hércules *s. m. 2 núm.* indivíduo com muita força
herdade *s. f.* propriedade rural; quinta
herdar *v. tr.* **1** receber, após a morte de uma pessoa, bens que lhe pertenciam; **2** adquirir por parentesco ou por hereditariedade
herdeiro *s. m.* **1** pessoa que herda; **2** descendente; sucessor
hereditariedade *s. f.* BIOL. processo de transmissão de caracteres às gerações seguintes segundo determinadas leis
hereditário *adj.* **1** que se transmite por reprodução; genético; **2** que se transmite por herança
herege *adj. e s. 2 gén.* **1** RELIG. que ou pessoa que nega ou põe em dúvida verdades da fé; **2** *(pej.)* ateu
heresia *s. f.* **1** RELIG. doutrina contrária ao que a Igreja define como dogma ou verdade de fé; **2** *(pop.)* acto ou palavra ofensiva da religião; **3** *(fig.)* disparate; absurdo
herético I *adj.* relativo a heresia; **II** *s. m.* pessoa que nega ou põe em dúvida verdades da fé; herege
hermafrodita I *adj. 2 gén.* **1** BIOL. (ser vivo) que apresenta características de ambos os sexos; **2** BOT. (flor) que possui estames e carpelos; **II** *s. 2 gén.* ser vivo com características de ambos os sexos
hermafroditismo *s. m.* BIOL. qualidade do ser que apresenta características de ambos os sexos; androginia
hermeneuta *s. 2 gén.* especialista na interpretação de textos
hermenêutica *s. f.* **1** actividade de interpretação de textos; **2** interpretação dos textos da Bíblia
hermético *adj.* **1** fechado de forma a não deixar entrar o ar; **2** difícil de compreender; obscuro
hermetismo *s. m.* qualidade do que é obscuro ou difícil de compreender
hérnia *s. f.* MED. tumor mole, que se forma com a saída total ou parcial de uma víscera para fora da membrana que a reveste
herói *s. m.* **1** homem que se destaca por um acto de coragem, força ou outra qualidade notável; **2** aquele que é o centro das atenções; **3** CIN., LIT. personagem principal; protagonista
heróico *adj.* **1** que revela coragem ou força extraordinárias; **2** ousado; valente; **3** (verso) que tem dez sílabas (com acento predominante na 6.ª e na 10.ª); **4** (estilo, género literário) que celebra façanhas de heróis
herói-cómico *adj.* (género literário) que é ao mesmo tempo heróico e cómico
heroína *s. f.* **1** mulher que se destaca por um acto de coragem, força ou outra qualidade notável; **2** aquela que é o centro das atenções; **3** CIN., LIT. personagem principal; protagonista;

4 droga estupefaciente derivada da morfina

heroísmo *s. m.* **1** qualidade de herói; **2** coragem; **3** acto heróico

herpes *s. m. 2 núm.* MED. erupção cutânea, aguda, caracterizada por bolhas amarelas que formam crostas no período de cura

hertz *s. m. 2 núm.* FÍS. unidade de frequência, igual a um ciclo por segundo

hertziano *adj.* FÍS. relativo a ondas electromagnéticas

hesitação *s. f.* dúvida; indecisão

hesitante *adj. 2 gén.* indeciso; inseguro

hesitar *v. intr.* **1** estar indeciso; duvidar; **2** mostrar receio

heterodoxia *s. f.* **1** oposição a uma doutrina considerada verdadeira; **2** atitude que contraria padrões ou normas estabelecidos

heterodoxo *adj. e s. m.* **1** que ou aquele que se opõe a uma doutrina considerada verdadeira; **2** que ou aquele que contraria padrões ou normas estabelecidos

heterogeneidade *s. f.* qualidade do que é formado por partes de natureza diferente

heterogéneo *adj.* que é formado por partes de natureza diferente

heteronímia *s. f.* **1** LIT. adopção, por um autor, de um ou mais nomes ou personalidades; **2** LIT. conjunto dos diferentes heterónimos de um autor

heterónimo *s. m.* LIT. personalidade criada por um autor, com qualidades e tendências próprias

heterossexual *adj. e s. 2 gén.* que ou pessoa que tem atracção sexual por pessoas do sexo oposto

heterossexualidade *s. f.* atracção sexual entre pessoas de sexo diferente

heureca *interj.* exprime alegria ou entusiasmo por se ter encontrado inesperadamente a solução de um problema

heurística *s. f.* **1** conjunto de métodos e regras que conduzem à descoberta e à resolução de problemas; **2** método de ensino que procura que o aluno atinja os conhecimentos ou as soluções pelo seu próprio esforço

heurístico *adj. 2 gén.* **1** relativo a descoberta; **2** que conduz à descoberta

hexagonal *adj. 2 gén.* **1** GEOM. que tem seis ângulos; **2** GEOM. que tem por base um hexágono

hexágono *s. m.* GEOM. polígono de seis lados e seis ângulos

hexâmetro *s. m.* LIT. verso grego ou latino de seis pés

hexassílabo I *s. m.* GRAM. palavra de seis sílabas; **II** *adj.* que tem seis sílabas

Hf QUÍM. [*símbolo de* **háfnio**]

Hg QUÍM. [*símbolo de* **mercúrio**]

hiato *s. m.* **1** GRAM. grupo de duas vogais que não formam ditongo; **2** (*fig.*) intervalo; interrupção; **3** (*fig.*) falha; lacuna

hibernação *s. f.* ZOOL. inactividade de certos animais durante o Inverno em que se verifica uma diminuição da temperatura do corpo e do metabolismo

hibernar *v. intr.* passar o Inverno em hibernação

hibridismo *s. m.* **1** qualidade do que é híbrido; **2** GRAM. palavra formada por elementos de línguas diferentes

híbrido I *s. m.* BIOL. ser vivo que resulta do cruzamento de espécies diferentes; **II** *adj.* **1** (ser vivo) fruto do cruzamento de espécies; **2** (palavra) formado por elementos de línguas diferentes

hidra *s. f.* ZOOL. animal de corpo cilíndrico, com tentáculos numa das extremidades, que vive em água doce

hidrângea *s. f.* BOT. planta ornamental com pequenas flores brancas, azuis ou rosadas; hortênsia

hidratação *s. f.* **1** acto ou efeito de hidratar(-se); **2** restabelecimento da humidade natural de um corpo

hidratado *adj.* **1** que se hidratou; **2** QUÍM. combinado com água

hidratante **I** *adj. 2 gén.* que hidrata; **II** *s. m.* (creme, loção) produto usado para hidratar a pele

hidratar *v. tr.* **1** tratar (pele, cabelo) com água, de modo a restabelecer a humidade natural; **2** QUÍM. combinar com os elementos da água

hidrato *s. m.* QUÍM. composto que resulta da combinação entre moléculas de água com moléculas de outra substância; **~ *de carbono*** composto orgânico constituído por carbono, hidrogénio e oxigénio

hidráulica *s. f.* estudo do equilíbrio e movimento da água e outros fluidos e a sua aplicação à engenharia

hidráulico *adj.* relativo ao movimento de líquidos, especialmente da água

hídrico *adj.* relativo ou pertencente à água

hidroavião *s. m.* AERON. aeronave com flutuadores no trem de aterragem para poder pousar na água

hidrocarboneto *s. m.* QUÍM. composto binário de carbono e hidrogénio; carboneto de hidrogénio

hidroeléctrico *adj.* relativo à transformação de energia hidráulica em energia eléctrica

hidrófilo *adj.* (algodão) que tem acção absorvente, em especial para a água

hidrogénio *s. m.* QUÍM. elemento com o número atómico 1 e símbolo H, gasoso, incolor e inodoro, que entra na formação da água e de muitos outros compostos

hidroginástica *s. f.* DESP. ginástica aeróbica que se pratica dentro de água

hidrografia *s. f.* GEOG. disciplina que estuda a parte líquida da Terra

hidrográfico *adj.* relativo a hidrografia

hidrólise *s. f.* QUÍM. decomposição entre determinado composto e a água, com rotura das moléculas de água em H e OH

hidrologia *s. f.* GEOG. ciência que estuda as propriedades e distribuição geográfica das águas superficiais e subterrâneas

hidromel *s. m.* bebida, fermentada ou não, feita de água e de mel

hidrómetro *s. m.* FÍS. aparelho de medição da densidade ou velocidade dos líquidos

hidromotor *s. m.* motor accionado por pressão da água

hidroplano *s. m.* AERON. vd. **hidroavião**

hidrosfera *s. f.* GEOL. parte da superfície terrestre composta pelo conjunto de vastas zonas de água

hidrospeed *s. m.* DESP. actividade em que o praticante desce um rio sobre uma prancha, equipado com fato isotérmico, colete, barbatanas, joelheiras e capacete

hidróstato *s. m.* **1** FÍS. aparelho que permite trabalhar debaixo de água; **2** dispositivo flutuante de metal com que se pesam corpos

hidroterapeuta *s. 2 gén.* especialista em hidroterapia

hidroterapia *s. f.* MED. qualquer terapia com aplicação de água

hidróxido *s. m.* **1** QUÍM. anião exclusivamente formado por oxigénio e hidrogénio; **2** QUÍM. composto que contém esse anião e um catião metálico

hiena *s. f.* ZOOL. mamífero carnívoro, que devora carne apodrecida e que vive na África e na Ásia

hierarquia *s. f.* **1** distribuição ordenada de poderes que estabelece relações de subordinação; **2** classificação por ordem crescente ou decrescente segundo uma escala de valor ou de importância

hierárquico *adj.* relativo a hierarquia

hierarquização *s. f.* **1** organização que obedece a uma ordem hierárquica; **2** distribuição (de dados, informações) segundo uma escala de valor ou de importância

hierarquizar *v. tr.* **1** organizar segundo uma ordem hierárquica; **2** ordenar segundo uma escala de valor ou de importância

hieróglifo *s. m.* símbolo usado no sistema de escrita dos antigos Egípcios

hífen *s. m.* traço de união, usado para separar elementos de palavras compostas

hifenização *s. f.* utilização ou colocação de hífen (numa palavra)

hifenizar *v. tr.* escrever (uma palavra) com hífen

hi-fi MÚS. [*sigla de* **hi**gh **fi**delity] alta fidelidade

higiene *s. f.* limpeza; asseio

higiénico *adj.* relativo a higiene

hilariante *adj. 2 gén.* que provoca riso ou alegria; divertido; cómico

hímen *s. m.* **1** ANAT. membrana que tapa parcialmente a vagina, na mulher virgem; **2** BOT. formação membranosa que envolve e protege a corola de uma flor em botão

hindu **I** *s. 2 gén.* **1** pessoa natural da Índia; **2** pessoa que pratica ou estuda o hinduísmo; **II** *adj. 2 gén.* **1** relativo aos naturais da Índia; **2** relativo ao hinduísmo

hinduísmo *s. m.* RELIG. conjunto dos sistemas religiosos actuais da Índia, caracterizado pela pluralidade de cultos e de deuses

hinduísta **I** *adj. 2 gén.* relativo a hinduísmo; **II** *s. 2 gén.* pessoa que se dedica ao estudo do hinduísmo

hino *s. m.* canto de celebração ou de louvor

hióide *s. m.* ANAT. pequeno osso situado na face anterior do pescoço

hipálage *s. f.* GRAM., RET. figura pela qual se atribui a certas palavras o que pertence a outras da mesma frase

hiperácido *adj.* muito ácido

hiperactividade *s. f.* **1** actividade excessiva; **2** actividade superior à que é normal

hiperactivo *adj.* **1** que é excessivamente activo; **2** que tem uma actividade superior à normal

hipérbato *s. m.* GRAM. figura de estilo que inverte a ordem habitual das palavras ou das frases

hipérbole *s. f.* GRAM. figura de estilo que consiste no exagero de expressão, ampliando a verdadeira dimensão das coisas

hiperbólico *adj.* **1** relativo a hipérbole; **2** exagerado

hipericão *s. m.* BOT. planta medicinal de caule lenhoso e flores amarelas

hiperligação *s. f.* INFORM. apontador que permite a ligação entre documentos na Internet; link

hipermédia *s. m.* INFORM. associação de texto, som e imagem, de forma que o utilizador passe de um para outro independentemente da sua sequência linear

hipermercado *s. m.* grande estabelecimento comercial em regime de auto-serviço, que oferece uma vasta gama de produtos alimentares, electrodomésticos, vestuário e outros

hiperónimo *s. m.* LING. termo cuja significação inclui o(s) sentido(s) de um ou de diversos termos (hipónimos)

hipersensibilidade *s. f.* sensibilidade excessiva
hipersensível *adj. 2 gén.* extremamente sensível
hipersónico *adj.* (fenómeno) que se dá a velocidade superior à velocidade do som
hipertensão *s. f.* MED. tensão arterial superior à considerada normal
hipertenso *adj. e s. m.* que ou pessoa que sofre de hipertensão
hipertrofia *s. f.* MED. aumento de volume excessivo de um órgão
hip-hop *s. m. 2 núm.* movimento juvenil que se manifesta em formas musicais e artísticas como o break, o rap e os graffiti
hípico *adj.* **1** relativo a cavalo; **2** relativo a hipismo
hipismo *s. m.* DESP. conjunto de actividades desportivas praticadas a cavalo; equitação
hipnose *s. f.* sono provocado por processos artificiais
hipnotismo *s. m.* conjunto de técnicas que permitem provocar o sono artificial ou um estado de rigidez muscular por meio de mecanismos de sugestão
hipnotizador *s. m.* pessoa que hipnotiza
hipnotizar *v. tr.* **1** fazer cair em hipnose; **2** *(fig.)* enfeitiçar
hipoalergénico *adj.* FARM. (substância) que provoca poucas reacções alérgicas
hipocalórico *adj.* (alimento) que tem poucas calorias
hipocondria *s. f.* MED. estado de preocupação constante e exagerada em relação à própria saúde, associado à ideia de doenças imaginárias
hipocondríaco *adj. e s. m.* que ou pessoa que sofre de hipocondria
hipocôndrio *s. m.* ANAT. cada uma das faces laterais do abdómen, por baixo das falsas costelas
hipocrisia *s. f.* fingimento; falsidade
hipócrita **I** *adj. 2 gén.* **1** em que há hipocrisia; **2** fingido; falso; **II** *s. 2 gén.* pessoa que dissimula a sua verdadeira natureza
hipódromo *s. m.* recinto onde se realizam corridas de cavalos
hipónimo *s. m.* LING. termo cujo sentido está incluído na significação de um termo mais abrangente (hiperónimo)
hipopótamo *s. m.* ZOOL. mamífero robusto, de pele espessa e focinho longo, que vive junto dos lagos e rios, especialmente em África
hipoteca *s. f.* sujeição de bens imóveis para garantir o pagamento de uma dívida, sem transferir ao credor a posse desses mesmos bens
hipotecar *v. tr.* dar ou sujeitar por hipoteca
hipotensão *s. f.* MED. tensão sanguínea arterial abaixo do normal
hipotenso *adj. e s. m.* que ou pessoa que sofre de hipotensão
hipotenusa *s. f.* MAT. (triângulo rectângulo) lado oposto ao ângulo recto
hipotermia *s. f.* MED. descida anormal da temperatura do corpo, geralmente provocada por uma exposição prolongada ao frio
hipótese *s. f.* **1** suposição; exemplo; **2** acontecimento possível, mas incerto; possibilidade; **3** teoria; especulação; ***por ~*** por suposição
hipotético *adj.* relativo a hipótese
hippie *s. 2 gén.* {*pl.* hippies} adepto de um movimento de juventude dos anos 70 caracterizado pela recusa dos valores e moral tradicionais, e pela defesa da paz e amor universais

hipsometria *s. f.* GEOG. processo de medição de altitudes com aplicação de meios geodésicos ou barométricos
hipsómetro *s. m.* METEOR. instrumento destinado a medir a altitude de um lugar
hirto *adj.* teso; rígido
hispânico I *adj.* relativo a Espanha; espanhol; castelhano; II *s. m.* indivíduo natural de um país da América latina e residente nos Estados Unidos da América
histamina *s. f.* QUÍM. substância existente no corpo humano e nos tecidos animais, responsável por algumas manifestações alérgicas
histamínico *adj.* relativo a histamina
histerectomia *s. f.* MED. remoção do útero ou de parte dele
histeria *s. f.* 1 MED. doença nervosa caracterizada pela exteriorização exagerada de perturbações de natureza emocional ou afectiva; 2 excitação descontrolada
histérico I *adj.* relativo a histeria; II *s. m.* 1 MED. pessoa que sofre de histeria; 2 pessoa que manifesta grande excitação ou nervosismo
histerismo *s. m.* vd. **histeria**
histologia *s. f.* BIOL. ciência que se dedica ao estudo dos tecidos
história *s. f.* 1 evolução da humanidade; 2 narração crítica e pormenorizada dos factos que fazem parte do passado de um ou mais países ou povos; 3 sucessão natural desses factos; 4 ramo do conhecimento que se ocupa do estudo do passado, da sua análise e interpretação; 5 estudo da origem e do progresso de uma ciência, arte, ou área de conhecimento; 6 narrativa; conto; 7 LING. conjunto das acções e das situações representadas num texto narrativo; ***~ aos quadradinhos*** história contada através de desenhos sequenciais; ***~ da carochinha*** mentira; ***~ do arco-da--velha*** história complicada e inverosímil ❖ ***passar à ~*** cair no esquecimento
historiador *s. m.* pessoa que escreve sobre história
historial *s. m.* conjunto dos factos passados relativos a uma coisa
historicamente *adv.* 1 em relação à história; 2 de acordo com a história
historicidade *s. f.* 1 carácter do que é histórico; 2 autenticidade; veracidade
histórico *adj.* 1 relativo à história; 2 verdadeiro; autêntico; 3 digno de figurar na história; memorável
historieta *s. f.* 1 narrativa sobre um facto pouco importante; 2 narrativa breve
historiografia *s. f.* 1 estudo e descrição da história; 2 conjunto das obras sobre a história de uma dada época
HIV MED. [*sigla de* **H**uman **I**mmunodeficiency **V**irus] Vírus da Imunodeficiência Humana, responsável pela sida
Ho QUÍM. [*símbolo de* **hólmio**]
hobby *s. m.* {*pl.* hobbies} actividade que se pratica nos tempos livres; passatempo
hoje *adv.* 1 no dia em que se está; 2 no presente; actualmente; ***de ~ em diante*** daqui para o futuro; ***~ em dia*** actualmente
holanda *s. f.* tecido fino de linho
holandês I *s. m.* {*f.* holandesa} 1 pessoa natural da Holanda; 2 língua falada na Holanda; II *adj.* relativo à Holanda
holding *s. f.* {*pl.* holdings} ECON. empresa proprietária de acções de outras empresas cuja actividade se resume à administração desses valores
holígane *s. 2 gén.* vd. **hooligan**

hollywoodesco *adj.* **1** relativo a Hollywood; **2** próprio da indústria cinematográfica; glamoroso

hólmio *s. m.* QUÍM. elemento com o número atómico 67 e símbolo Ho, metálico, macio e prateado

holocausto *s. m.* **1** RELIG. sacrifício em que a vítima era totalmente consumida pelo fogo; **2** massacre; destruição

Holocausto *s. m.* HIST. homicídio em massa, sobretudo de judeus durante a Segunda Guerra Mundial

holofote *s. m.* projector para iluminar objectos à distância

holograma *s. m.* fotografia que produz uma imagem tridimensional quando iluminada por um feixe de raios laser

homem *s. m.* **1** mamífero primata, bípede, que se distingue dos outros animais pela capacidade de produção de linguagem articulada e desenvolvimento intelectual; **2** ser humano; **3** pessoa adulta do sexo masculino; **4** *(pop.)* marido; companheiro; ~ ***de palavra*** homem que cumpre o que promete; ~ ***feito*** homem adulto

Homem *s. m.* *(fig.)* espécie humana; humanidade

homem-rã *s. m.* {*pl.* homens-rãs} mergulhador profissional que executa pesquisas subaquáticas

homenageado *adj. e s. m.* que ou pessoa que recebeu homenagem

homenagear *v. tr.* **1** prestar homenagem a; **2** venerar

homenagem *s. f.* prova de veneração, admiração ou reconhecimento

homenzinho *s. m.* **1** homem baixo e magro; **2** *(pej.)* homem insignificante; **3** rapaz no início da adolescência

homeopata *s. 2 gén.* MED. pessoa que trata por meio de homeopatia

homeopatia *s. f.* MED. método terapêutico que utiliza substâncias em doses diluídas para produzir efeitos semelhantes aos que as pessoas apresentam, levando o organismo a reagir com os seus próprios mecanismos de defesa

homeopático *adj.* relativo a homeopatia

homessa *interj.* *(pop.)* exprime admiração ou indignação

homicida *adj. e s. 2 gén.* que ou pessoa que comete homicídio

homicídio *s. m.* morte de uma pessoa praticada por outra; assassínio

homilia *s. f.* RELIG. comentário do Evangelho feito pelo sacerdote na missa

hominídeo **I** *adj.* relativo aos hominídeos; **II** *s. m.* espécime dos hominídeos

hominídeos *s. m. pl.* ZOOL. família de primatas antropóides a que pertence o homem

hominização *s. f.* evolução física e intelectual do homem desde a sua fase primitiva até ao estádio de desenvolvimento actual

homófono *adj.* GRAM. diz-se de palavra que tem pronúncia igual à de outra, mas sentido e grafia diferentes

homogeneidade *s. f.* qualidade do que é composto por elementos da mesma natureza; uniformidade

homogeneização *s. f.* acto ou efeito de tornar homogéneo; uniformização

homogeneizar *v. tr.* tornar homogéneo; uniformizar

homogéneo *adj.* **1** composto de partes da mesma natureza; uniforme; **2** análogo; idêntico

homógrafo *adj.* GRAM. diz-se de palavra que, em relação a outra, apresenta a mesma grafia, pronúncia igual ou diferente e sentido diferente
homologação *s. f.* aprovação; confirmação
homologado *adj.* que se homologou; ratificado; confirmado
homologar *v. tr.* confirmar por sentença ou por autoridade judicial; ratificar
homologia *s. f.* **1** semelhança de origem e estrutura entre elementos de um todo; **2** RET. repetição de palavras, conceitos, ou outros elementos, num discurso
homólogo *adj.* **1** equivalente; correspondente; **2** BIOL. (cromossoma) que é portador de genes correspondentes a caracteres da mesma ordem; **3** GEOM. diz-se dos lados que se correspondem e são opostos a ângulos iguais, em figuras semelhantes
homónimo *adj.* **1** que tem o mesmo nome; **2** GRAM. diz-se da palavra que tem pronúncia igual a outra palavra, mas significação e grafia diferentes; **3** GRAM. diz-se da palavra que tem pronúncia e grafia iguais a outra palavra, mas significação diferente
homossexual *adj. e s. 2 gén.* que ou pessoa que se sente atraída sexualmente por pessoas do mesmo sexo
homossexualidade *s. f.* atracção sexual por indivíduos do mesmo sexo
hondurenho **I** *s. m.* {*f.* hondurenha} pessoa natural das Honduras (América Central); **II** *adj.* relativo às Honduras
honestidade *s. f.* **1** integridade; lealdade; **2** seriedade
honesto *adj.* **1** íntegro; sério; leal; **2** digno; honrado
honor *s. m.* *(ant.)* honra; bom nome; ***dama de ~*** rapariga ou senhora que acompanha a noiva na cerimónia do casamento
honorabilidade *s. f.* honestidade; integridade
honorário *adj.* (estatuto, membro) que confere a honra de um cargo sem os respectivos proveitos ou encargos materiais
honorários *s. m. pl.* pagamento por serviços prestados por profissionais que exercem profissões liberais; vencimento
honorável *adj. 2 gén.* digno de veneração ou respeito
honorificar *v. tr.* conceder honras a; galardoar
honorífico *adj.* **1** que distingue; **2** honorário
honoris causa *locução* concedido como homenagem ou por motivo honroso
honra *s. f.* **1** conjunto de qualidades morais que orientam a conduta; dignidade; **2** boa reputação; **3** homenagem que se presta a alguém; **4** privilégio; **5** motivo de orgulho; **6** [*pl.*] demonstrações de respeito; ***com muita ~*** com muito prazer; ***em ~ de*** em homenagem a; ***ter a ~ de*** sentir prazer em
honradez *s. f.* honestidade; integridade
honrado *adj.* **1** honesto; **2** respeitado
honrar *v. tr.* **1** conferir honra(s) a; **2** respeitar
honroso *adj.* **1** que enobrece; dignificante; **2** que tem honra; digno
hooligan *s. 2 gén.* {*pl.* hooligans} pessoa, geralmente jovem, com comportamento agressivo e desordeiro
hóquei *s. m.* DESP. jogo entre duas equipas, cujo objectivo é introduzir uma pequena bola ou disco na baliza contrária, usando um taco recurvado na ponta; ***~ em patins***

hóquei praticado sobre patins de rodas por duas equipas de cinco jogadores; ~ ***sobre o gelo*** hóquei praticado em pista de gelo por duas equipas de seis jogadores

hoquista *s. 2 gén.* DESP. praticante de hóquei

hora *s. f.* **1** período correspondente à vigésima quarta parte do dia; **2** período de tempo correspondente a 60 minutos; **3** momento; **4** [*pl.*] espaço de tempo indefinido; **5** [*pl.*] livro de orações ❖ ***a toda a ~*** sempre; ***~ a ~*** a cada momento; ***estar na ~*** ser tempo de começar; ***na ~ H*** no momento exacto; no momento certo; ***a horas*** a tempo; ***ter a barriga a dar horas*** estar com fome

horário *s. m.* **1** tabela que indica as horas a que se realizam certos serviços; **2** período de funcionamento de um serviço ou de uma actividade regular; TV ***~ nobre*** hora do dia em que se verifica maior audiência

horda *s. f.* bando indisciplinado ou desordenado

horizontal I *s. f.* MAT. linha paralela ao horizonte; **II** *adj. 2 gén.* **1** relativo a horizonte; **2** deitado

horizonte *s. m.* **1** espaço da superfície terrestre abrangido pela vista; **2** perspectiva; **3** (*fig.*) futuro; GEOG. ***linha do ~*** linha de contacto entre o céu e a terra; ***ter horizontes largos/curtos*** ter/não ter ambições

hormona *s. f.* FISIOL. substância proveniente da elaboração de certas glândulas

hormonal *adj. 2 gén.* relativo a hormona(s)

horóscopo *s. m.* **1** ASTROL. representação das posições relativas dos planetas e dos signos do zodíaco num dado momento, utilizada para inferir sobre a personalidade de alguém ou prever acontecimentos da sua vida; mapa astral; **2** ASTROL. previsões feitas a partir desta representação

horrendo *adj.* que causa horror; medonho; tremendo

horripilante *adj. 2 gén.* **1** horrível; **2** assustador

horrível *adj. 2 gén.* **1** medonho; assustador; **2** péssimo; muito mau

horror *s. m.* **1** aversão; **2** pavor; **3** coisa ou pessoa horrível

horrorizar I *v. tr.* causar horror a; apavorar; **II** *v. refl.* encher-se de horror; apavorar-se

horroroso *adj.* **1** tremendo; medonho; **2** cruel; maldoso

horta *s. f.* terreno plantado de hortaliças e legumes

hortaliça *s. f.* designação de plantas herbáceas comestíveis e ricas em vitaminas, cultivadas em hortas

hortelã *s. f.* BOT. planta herbácea aromática, de pequenas folhas moles e verdes, usada em farmácia e culinária

hortelã-pimenta *s. f.* {*pl.* hortelãs-pimentas} BOT. planta herbácea aromática, com aplicações culinárias, medicinais e industriais

hortense *adj. 2 gén.* **1** relativo a horta; **2** produzido em horta; hortícola

hortênsia *s. f.* BOT. planta ornamental com pequenas flores brancas, azuis ou rosadas; hidrângea

hortícola *adj. 2 gén.* produzido em horta; hortense

horto *s. m.* local onde se cultivam e/ou vendem plantas e sementes

hosana I *s. m.* RELIG. hino que se canta no Domingo de Ramos; **II** *interj.* exprime alegria e louvor

hospedagem *s. f.* **1** acto de hospedar; acolhimento; **2** estabelecimento que recebe hóspedes; hospedaria

hospedar I *v. tr.* acolher como hóspede; alojar; II *v. refl.* instalar-se como hóspede; alojar-se
hospedaria *s. f.* casa que recebe hóspedes, mediante pagamento; estalagem
hóspede *s. 2 gén.* pessoa que se aloja temporariamente em casa de alguém ou em hospedaria
hospedeira *s. f.* membro feminino da tripulação de um avião encarregado de atender os passageiros
hospedeiro I *adj.* 1 que recebe alguém como hóspede; 2 BIOL. (organismo) que abriga um parasita; II *s. m.* 1 dono de hospedaria; 2 BIOL. animal ou planta onde se instala um organismo parasita, que pode provocar doenças
hospício *s. m.* 1 estabelecimento para pessoas com perturbações mentais; 2 instituição de caridade onde se albergam pessoas pobres
hospital *s. m.* estabelecimento onde se atendem e tratam doentes
hospitalar *adj. 2 gén.* relativo a hospital ou a hospício
hospitaleiro *adj.* que recebe bem; acolhedor
hospitalidade *s. f.* acolhimento; recepção agradável
hospitalizado *adj.* internado em hospital
hospitalizar *v. tr.* internar em hospital
hoste *s. f.* 1 conjunto de soldados; tropa; 2 (*fig.*) multidão; bando
hóstia *s. f.* RELIG. partícula de massa de trigo, consagrada na missa e usada no sacramento da Eucaristia
hostil *adj. 2 gén.* 1 inimigo; adverso; 2 ameaçador; agressivo
hostilidade *s. f.* 1 agressividade; 2 conjunto de operações de guerra
hostilizar *v. tr.* 1 tratar (alguém) como inimigo; 2 fazer guerra a; combater
hotel *s. m.* estabelecimento onde se alugam temporariamente quartos, com ou sem serviço de refeições
hotelaria *s. f.* ramo de actividade que se dedica à administração de hotéis
hoteleiro I *adj.* relativo a hotel ou a hotelaria; II *s. m.* dono ou gerente de hotel
hovercraft *s. m.* {*pl.* hovercrafts} veículo para transporte de passageiros e carga no mar que se desloca sobre uma almofada de ar produzida por ventoinhas ou jactos colocados na parte de baixo
hryvnia *s. m.* {*pl.* hryvnias} unidade monetária da Ucrânia
HTML INFORM. [*sigla de* **h**yper**t**ext **m**arkup **l**anguage] linguagem utilizada na construção de páginas na Internet
HTTP INFORM. [*sigla de* **h**yper**t**ext **t**ransfer **p**rotocol] protocolo da Internet utilizado para a transferência de ficheiros entre computadores
hulha *s. f.* carvão fóssil, negro e compacto, com grande percentagem de carbono
hum *interj.* exprime dúvida, hesitação ou impaciência
humanidade *s. f.* 1 conjunto dos seres humanos; 2 natureza humana; 3 benevolência; 4 [*pl.*] estudo das letras clássicas
humanismo *s. m.* 1 HIST. movimento intelectual do Renascimento caracterizado pelo regresso às letras, às artes e ao pensamento da Antiguidade greco-romana; 2 FIL. concepção segundo a qual o homem é o valor supremo
humanista I *adj. 2 gén.* relativo ao humanismo; II *s. 2 gén.* 1 FIL. pessoa

adepta do humanismo; **2** HIST. estudioso das obras da Antiguidade clássica

humanitário *adj.* que procura o bem-estar da humanidade; altruísta

humanizar *v. tr. e refl.* **1** tornar(-se) humano; **2** tornar(-se) compreensivo ou sociável

humano I *adj.* **1** relativo ao homem; **2** bondoso; compreensivo; **II** *s. m.* ser humano; homem

humedecer I *v. tr.* molhar levemente; **II** *v. intr.* ficar húmido

humidade *s. f.* **1** qualidade do que está ligeiramente molhado; **2** quantidade de vapor de água na atmosfera

húmido *adj.* **1** ligeiramente molhado; **2** impregnado de água ou de vapor

humildade *s. f.* **1** reconhecimento dos próprios erros ou defeitos; modéstia; **2** respeito; **3** pobreza

humilde *adj. 2 gén.* **1** modesto; simples; **2** submisso; **3** pobre

humilhação *s. f.* rebaixamento; vergonha

humilhante *adj. 2 gén.* que humilha ou rebaixa

humilhar *v. tr. e refl.* rebaixar(-se); sujeitar(-se)

humo *s. m.* vd. **húmus**

humor *s. m.* **1** capacidade para apreciar o que é cómico; **2** disposição de espírito; **3** temperamento; **4** ANAT. substância fluida existente no corpo

humorismo *s. m.* **1** boa disposição; **2** veia cómica

humorista *s. 2 gén.* **1** pessoa que fala ou escreve com graça; cómico; **2** pessoa que escreve textos cómicos

humorístico *adj.* **1** relativo a humor; **2** cómico; **3** satírico

húmus *s. m.* BIOL. matéria orgânica, misturada com partículas minerais do solo, proveniente de restos animais e vegetais decompostos ou em decomposição

húngaro I *s. m.* {*f.* húngara} **1** pessoa natural da Hungria; **2** língua falada na Hungria; **II** *adj.* relativo à Hungria

hurra *interj.* exprime alegria ou aprovação

husky *s. m.* {*pl.* huskies} ZOOL. cão de estatura média, robusto, com orelhas espetadas e pêlo denso de cor acinzentada

Hz FÍS. [*símbolo de* **hertz**]

I

i *s. m.* nona letra e terceira vogal do alfabeto

I QUÍM. [*símbolo de* **iodo**]

ião *s. m.* QUÍM. átomo ou grupo de átomos que captam ou perdem um ou mais electrões, adquirindo uma carga eléctrica negativa ou positiva, respectivamente

iate *s. m.* NÁUT. embarcação de recreio, de motor ou de velas

ibérico I *s. m.* pessoa natural da Península Ibérica; **II** *adj.* relativo à Península Ibérica

ibid. [*abrev. de* ibidem] no mesmo lugar

ibidem *adv.* indica que o que se cita é do mesmo livro ou do mesmo autor citados anteriormente

IC *s. m.* **1** (comboio) [*abrev. de* **i**nter**c**idades]; **2** (estrada) [*abrev. de* **I**tinerário **C**omplementar]

içar *v. tr.* fazer subir; levantar

icebergue *s. m.* GEOG. grande bloco de gelo flutuante, proveniente da fractura de um glaciar ao atingir o mar

ícone *s. m.* **1** RELIG. imagem de uma figura ou cena sagrada; **2** pessoa, facto ou coisa que representam determinado movimento, período, actividade, etc.; **3** INFORM. símbolo que, numa interface gráfica, representa uma função ou um documento que o utilizador pode seleccionar

iconografia *s. f.* estudo e descrição das imagens e símbolos representados em quadros, retratos, pinturas, estátuas, etc.

iconologia *s. f.* estudo e interpretação de imagens, monumentos antigos, figuras alegóricas e seus atributos

icterícia *s. f.* MED. doença que se manifesta numa coloração amarela dos tecidos, mucosas e alguns órgãos

ictiologia *s. f.* ZOOL. disciplina que estuda os peixes

id. [*abrev. de* **id**em] o mesmo

ida *s. f.* **1** acto de ir de um lugar para outro; **2** distância que se percorre nessa deslocação ❖ ~ ***e volta*** acto de ir e voltar

idade *s. f.* **1** número de anos de uma pessoa ou de um animal desde o seu nascimento; **2** cada uma das épocas em que se costuma dividir a vida do homem; **3** subdivisão geocronológica correspondente ao andar; **4** cada um dos períodos convencionais em que se divide a história; ~ ***avançada*** velhice

ideal I *adj. 2 gén.* **1** que constitui uma ideia; **2** exemplar; perfeito; **3** imaginário; **II** *s. m.* **1** princípio ou valor que se defende e em que se acredita; **2** perfeição

idealismo *s. m.* **1** FIL. doutrina segundo a qual o mundo exterior, material, só é compreendido através da sua existência espiritual ou mental; **2** tendência para valorizar o ideal em detrimento do real

idealista I *s. 2 gén.* **1** partidário do idealismo; **2** *(pej.)* pessoa pouco prática; **II** *adj. 2 gén.* **1** relativo ao idealismo; **2** seguidor do idealismo; **3** *(pej.)* pouco prático

idealizar *v. tr.* **1** dar carácter de ideal a; **2** imaginar; **3** planear
ideia *s. f.* **1** qualquer representação mental; noção; **2** pensamento; **3** opinião; conceito; **4** plano; intenção; ~ ***feita*** preconceito; ~ ***fixa*** ideia constante
idem *pron. dem.* o mesmo; a mesma coisa
idêntico *adj.* **1** igual; **2** parecido
identidade *s. f.* **1** característica do que é igual ou semelhante; **2** conjunto de características essenciais e distintivas de uma pessoa, de um grupo ou de uma coisa
identificação *s. f.* **1** reconhecimento da identidade de uma coisa ou de um indivíduo; **2** documento que comprova a identidade de alguém
identificar I *v. tr.* **1** provar ou reconhecer a identidade de; **2** indicar a natureza e as características de; **3** tornar idêntico ou igual; **II** *v. refl.* **1** apresentar documentos legais que provam a identidade; **2** apresentar-se; **3** partilhar aquilo que outro sente ou pensa
ideologia *s. f.* sistema de ideias, valores e princípios que definem uma determinada visão do mundo, orientando a forma de agir de uma pessoa ou de um grupo
ideológico *adj.* relativo a ideologia
idílico *adj.* **1** relativo a idílio; **2** bucólico; **3** sonhador
idioma *s. m.* **1** língua de um povo ou de uma nação, considerada nas suas características próprias (léxico, regras gramaticais, fonética, etc.); **2** forma de expressão que caracteriza uma pessoa, um período ou um movimento artístico
idiomático *adj.* relativo a idioma; ***expressão idiomática*** frase ou expressão com sentido próprio que normalmente não pode ser entendida de forma literal; frase feita; idiomatismo
idiomatismo *s. m.* frase ou expressão com sentido próprio que normalmente não pode ser entendida de forma literal; frase feita
idiota *adj. e s. 2 gén.* que ou pessoa que é pouco inteligente; pateta
idiotice *s. f.* **1** qualidade de idiota; **2** atitude ou comportamento insensato ou pouco inteligente
idolatrar *v. tr.* **1** prestar culto a ídolos; adorar; **2** *(fig.)* amar cegamente
idolatria *s. f.* **1** culto prestado a ídolos; **2** *(fig.)* amor excessivo
ídolo *s. m.* **1** imagem que representa uma divindade e à qual se presta culto; **2** *(fig.)* pessoa ou coisa muito admirada
idoneidade *s. f.* qualidade do que é adequado ou capaz para determinado objectivo
idóneo *adj.* **1** próprio; adequado; **2** capaz; competente; **3** honesto
idoso *adj. e s. m.* que ou o que tem idade avançada; velho
i. e. [*abrev. de* **isto é**]
iene *s. m.* unidade monetária do Japão; yen
ignição *s. f.* **1** combustão sem chama de um material no estado sólido; **2** mecanismo através do qual se põe em funcionamento um motor de combustão interna
ignóbil *adj. 2 gén.* desprezível; vil
ignorância *s. f.* **1** falta de conhecimento ou de cultura; **2** estado daquele que desconhece algo
ignorante *adj. e s. 2 gén.* **1** que ou pessoa que desconhece algo; **2** que ou pessoa que não tem conhecimentos por falta de instrução
ignorar *v. tr.* **1** não ter conhecimento de; não saber; **2** não prestar atenção a

igreja *s. f.* **1** edifício destinado ao culto de uma religião; **2** comunidade dos fiéis de determinada religião; ~ ***matriz*** igreja principal de uma freguesia

Igreja *s. f.* **1** conjunto do clero e fiéis católicos; **2** conjunto das autoridades religiosas que formam a hierarquia católica

igual **I** *adj. 2 gén.* **1** que não apresenta diferenças; idêntico; **2** com as mesmas características; **II** *s. m.* **1** o que ocupa a mesma posição que outra em determinada hierarquia; **2** sinal de igualdade (=) ❖ ***de ~ para ~*** sem diferenças de posição; ***sem ~*** único

igualar **I** *v. tr.* **1** tornar igual; **2** obter o mesmo resultado que; **II** *v. intr.* **1** ser igual; **2** obter o mesmo resultado; **III** *v. refl.* **1** tornar-se igual; **2** comparar-se

igualdade *s. f.* **1** qualidade do que não apresenta diferenças; **2** princípio de organização social segundo o qual todos os indivíduos devem ser tratados de modo igual

iguana *s. f.* ZOOL. réptil de grande porte, existente na América Central e do Sul, que possui uma crista da cabeça até à cauda

iguaria *s. f.* **1** alimento delicado e/ou apetitoso; **2** qualquer alimento

ilação *s. f.* acto ou efeito de inferir; conclusão

ilegal *adj. 2 gén.* proibido por lei; ilícito

ilegalidade *s. f.* **1** qualidade do que é ilegal ou proibido por lei; **2** acto contrário à lei

ilegítimo *adj.* **1** que vai contra a lei; **2** injusto; **3** *(ant.)* (filho) nascido fora do casamento

ilegível *adj. 2 gén.* que não se pode ler

íleo *s. m.* ANAT. parte terminal do intestino delgado

ileso *adj.* sem lesão ou ferimento; incólume

iletrado *adj. e s. m.* **1** que ou o que tem pouca instrução; **2** analfabeto

ilha *s. f.* **1** GEOG. porção de terra emersa rodeada de água; **2** *(fig.)* aquilo que está isolado

ilhéu **I** *s. m.* **1** indivíduo natural de uma ilha; **2** pequena ilha; **II** *adj.* relativo a ilha

ilhó *s. m.* orifício por onde passa um cordão ou uma fita

ilhota *s. f.* ilha pequena

ilibar *v. tr.* **1** tirar a mancha a; **2** livrar de acusação ou de condenação

ilícito *adj.* contrário à lei; proibido

ilimitado *adj.* sem limites; infinito

ilíquido *adj.* (rendimento) que não sofreu deduções; bruto

ilógico *adj.* **1** sem lógica; **2** contrário à lógica; absurdo

iludir **I** *v. tr.* fazer acreditar naquilo que não é verdadeiro; enganar; **II** *v. refl.* enganar-se

iluminação *s. f.* **1** luz existente em determinado espaço; **2** arte ou técnica da utilização da luz natural ou artificial; **3** *(fig.)* inspiração súbita

iluminado *adj.* **1** que recebe luz; **2** em que há claridade; **3** *(fig.)* inspirado

iluminar **I** *v. tr.* **1** difundir luz sobre; **2** enfeitar com luzes; **3** *(fig.)* inspirar; **II** *v. refl.* **1** encher-se de luz; **2** *(fig.)* inspirar-se

Iluminismo *s. m.* HIST. movimento cultural e intelectual na Europa do séc. XVIII, caracterizado pela confiança na razão e na ciência e pela defesa da liberdade de pensamento

iluminista **I** *adj. 2 gén.* relativo ao Iluminismo; **II** *s. 2 gén.* pessoa partidária do Iluminismo

iluminura *s. f.* miniatura pintada a cores com que se ilustravam pergaminhos e manuscritos

ilusão *s. f.* **1** erro de percepção visual; **2** crença ou ideia falsa

ilusionismo *s. m.* arte de criar ilusão através da ligeireza dos movimentos, principalmente de mãos; prestidigitação

ilusionista *s. 2 gén.* pessoa que pratica o ilusionismo; prestidigitador

ilusório *adj.* **1** que produz ilusão; enganador; **2** falso

ilustração *s. f.* **1** imagem que complementa texto; **2** técnica de criação e/ou selecção de imagens para complemento de texto; **3** exemplo que esclarece algo; **4** soma de conhecimentos; sabedoria

ilustrado *adj.* **1** com ilustrações ou gravuras; **2** instruído

ilustrador *adj. e s. m.* **1** que ou aquele que esclarece; **2** que ou artista que faz ilustrações

ilustrar *v. tr.* **1** complementar com ilustrações ou imagens; **2** esclarecer; exemplificar; **3** instruir

ilustrativo *adj.* **1** que complementa através da imagem; **2** que esclarece

ilustre *adj. 2 gén.* **1** com qualidades notáveis; **2** célebre; **3** nobre

imaculado *adj.* **1** sem mancha ou nódoa; limpo; **2** puro

imagem *s. f.* **1** representação (gráfica, plástica, fotográfica) de algo ou alguém; **2** RELIG. pintura ou escultura de uma figura ou cena sagrada destinada ao culto; **3** cópia; **4** LIT. recurso estilístico pelo qual se substitui uma descrição exacta por uma simbólica

imaginação *s. f.* **1** faculdade do espírito de representar ou conceber imagens; **2** faculdade de criar ou inventar; criatividade; **3** fantasia

imaginar **I** *v. tr.* **1** representar ou conceber na imaginação; **2** criar; inventar; **3** supor; **II** *v. refl.* julgar-se

imaginário **I** *adj.* que só existe na imaginação; fictício; **II** *s. m.* **1** domínio criado pela imaginação; **2** conjunto de símbolos e valores cultivados por determinado grupo de pessoas, por um povo, etc., geralmente através de imagens

imaginativo *adj.* **1** que imagina com facilidade; **2** criativo

íman *s. m.* objecto que tem a propriedade de atrair certos metais e suas ligas, como o ferro

imanente *adj. 2 gén.* inerente a um ser ou a um objecto

imaterial *adj. 2 gén.* que não é formado de matéria; incorpóreo

imaturidade *s. f.* condição do que é imaturo, do que não atingiu o seu desenvolvimento

imaturo *adj.* **1** que não está maduro; **2** que não atingiu o desenvolvimento completo

imbatível *adj. 2 gén.* que não se pode bater ou derrotar

imbecil *adj. e s. 2 gén.* que ou pessoa que manifesta pouca inteligência

imberbe *adj. e s. 2 gén.* **1** que ou o que ainda não tem barba; **2** que ou pessoa que é nova

imbróglio *s. m.* situação muito confusa ou complicada

imediação *s. f.* **1** facto de estar próximo; **2** [*pl.*] proximidades

imediatismo *s. m.* **1** forma de agir sem rodeios; **2** atitude do que procura apenas lucros rápidos

imediato *adj.* **1** que não tem nada de permeio; contíguo; **2** que se segue sem intervalo; instantâneo

imensidade *s. f.* **1** qualidade de imenso; **2** extensão ou quantidade imensa

imenso I *adj.* que não se pode medir ou contar; incomensurável; II *adv.* muitíssimo
imensurável *adj. 2 gén.* que não se pode medir
imerecido *adj.* não merecido; indevido
imergir *v. intr.* 1 submergir; 2 afundar-se
imersão *s. f.* acto de imergir; submersão
imerso *adj.* 1 mergulhado; 2 (*fig.*) absorto
imigração *s. f.* entrada de estrangeiros num país com o fim de nele se estabelecerem
imigrante *adj. e s. 2 gén.* que ou pessoa que imigra
imigrar *v. intr.* entrar num país diferente do seu para se estabelecer nele
iminência *s. f.* qualidade de iminente, do que está prestes a acontecer
iminente *adj. 2 gén.* prestes a acontecer; próximo
imiscuir-se *v. refl.* 1 tomar parte em algo; 2 intrometer-se; 3 misturar-se
imitação *s. f.* 1 reprodução o mais exacta possível; cópia; 2 falsificação
imitador *adj. e s. m.* que ou o que imita
imitar *v. tr.* 1 reproduzir o mais fielmente possível; copiar; 2 falsificar
imitável *adj. 2 gén.* que se pode ou deve imitar
imobiliária *s. f.* empresa que se dedida à comercialização de bens imóveis (terrenos, edifícios, etc.)
imobilidade *s. f.* condição ou estado de imóvel, do que não se desloca
imobilizado *adj.* 1 que se tornou imóvel; 2 paralisado
imobilizar I *v. tr.* 1 tornar imóvel ou fixo; 2 paralisar; II *v. refl.* 1 tornar-se imóvel; 2 estacionar
imodéstia *s. f.* falta de modéstia; vaidade
imodesto *adj.* vaidoso; presumido
imoral *adj. 2 gén.* 1 contrário à moral; 2 desonesto; 3 escandaloso
imoralidade *s. f.* 1 qualidade do que é imoral; 2 acto ou dito imoral
imortal *adj. 2 gén.* 1 que não morre; eterno; 2 (*fig.*) infindável; permanente
imortalidade *s. f.* 1 qualidade ou condição de imortal; 2 fama que não se extingue
imortalizar *v. tr. e refl.* 1 tornar(-se) imortal; 2 perpetuar(-se)
imóvel I *adj. 2 gén.* 1 sem movimento; parado; 2 que não se pode deslocar; II *s. m.* bem (prédio ou valor) que não pode ser deslocado por sua natureza ou por disposição da lei
impaciência *s. f.* 1 falta de paciência; 2 irritação
impaciente *adj. 2 gén.* 1 que não tem paciência; 2 que não gosta de esperar; 3 inquieto
impacte *s. m.* vd. **impacto**
impacto *s. m.* 1 embate; colisão; 2 impressão muito profunda; 3 efeito forte provocado por algo ou alguém; ECOL. ~ ***ambiental*** conjunto das alterações produzidas pelo Homem que afectam o bem-estar da população e a qualidade dos recursos ambientais
impagável *adj. 2 gén.* 1 que não se pode pagar; 2 que não tem preço; 3 (*fig.*) muito engraçado
ímpar *adj. 2 gén.* 1 MAT. (número) que não é divisível em dois números inteiros iguais; 2 que não tem par; 3 único
imparável *adj. 2 gén.* 1 que não pára; 2 (*fig.*) incansável
imparcial *adj. 2 gén.* que não é parcial; neutro; justo

imparcialidade *s. f.* qualidade de imparcial; neutralidade
impasse *s. m.* situação de resolução difícil; dilema
impassível *adj. 2 gén.* que não demonstra nenhuma emoção; imperturbável
impávido *adj.* que não tem medo ou pavor
impecável *adj. 2 gén.* **1** que não está sujeito a pecar ou a falhar; **2** irrepreensível; perfeito
impedido *adj.* **1** que tem impedimento; **2** obstruído; **3** (linha telefónica) ocupado
impedimento *s. m.* aquilo que impede a realização de algo; obstáculo
impedir *v. tr.* **1** dificultar ou tornar (algo) irrealizável; **2** opor-se a
impeditivo *adj.* que impede
impelir *v. tr.* **1** dar impulso a; empurrar; **2** *(fig.)* incitar
impenetrável *adj. 2 gén.* **1** que não permite acesso ou passagem; **2** *(fig.)* que não se pode compreender; misterioso
impensado *adj.* em que não se pensou; irreflectido
impensável *adj. 2 gén.* que não se pode pensar ou supor
imperador *s. m.* soberano de um império
imperar *v. intr.* **1** governar com autoridade suprema; **2** exercer grande influência; **3** sobressair
imperativo **I** *adj.* **1** com carácter de ordem; autoritário; **2** que se impõe; impreterível; **3** GRAM. (modo verbal) que exprime a acção como uma ordem, um conselho, um pedido ou um convite; **II** *s. m.* **1** imposição; dever; **2** GRAM. modo verbal que exprime uma ordem, um conselho, um pedido ou um convite
imperatriz *s. f.* **1** soberana de um império; **2** mulher do imperador
imperceptível *adj. 2 gén.* **1** que escapa aos sentidos; **2** ténue; subtil
imperdoável *adj. 2 gén.* que não se pode perdoar
imperfeição *s. f.* qualidade de imperfeito; defeito
imperfeito **I** *adj.* **1** que não é perfeito; que tem defeitos ou incorrecções; **2** incompleto; **3** GRAM. (tempo verbal) que exprime um processo inacabado ou durativo, principalmente no passado; **II** *s. m.* GRAM. tempo verbal que exprime um processo inacabado ou durativo, principalmente no passado
imperial **I** *adj. 2 gén.* **1** relativo a império ou imperador; **2** autoritário; **II** *s. f. (reg.)* copo alto e fino de cerveja de pressão; fino
imperialismo *s. m.* sistema político que preconiza o domínio de uma nação sobre outras
imperialista **I** *adj. 2 gén.* **1** relativo a imperialismo; **2** partidário do imperialismo; **II** *s. 2 gén.* pessoa partidária do imperialismo
império *s. m.* **1** estado governado por um imperador; **2** estado com vasta extensão territorial; **3** *(fig.)* empresa ou grupo económico de grande dimensão
impermeabilidade *s. f.* qualidade do que não deixa penetrar a água ou outro fluido
impermeável **I** *adj. 2 gén.* que não se deixa atravessar por fluidos; **II** *s. m.* capa ou casaco fabricada/o com material resistente à água, para proteger da chuva
impertinente *adj. 2 gén.* **1** que não é pertinente; despropositado; **2** atrevido; insolente

imperturbável *adj. 2 gén.* que não se perturba; inalterável

impessoal *adj. 2 gén.* **1** que não se refere ou não pertence a uma pessoa em particular; **2** que não reflecte uma característica individual; incaracterístico; **3** GRAM. (frase, verbo) que não possui sujeito

ímpeto *s. m.* **1** movimento repentino; impulso; **2** entusiasmo

impetuoso *adj.* **1** que se move com força e rapidez; **2** que age de acordo com impulsos

impiedade *s. f.* **1** desrespeito pela religião e pelo que é sagrado; **2** crueldade

impiedoso *adj.* **1** sem piedade; **2** insensível; cruel

impingir *v. tr.* **1** dar com força; **2** forçar (alguém) a ficar com; **3** fazer (alguém) acreditar em

ímpio *adj. e s. m.* que ou o que não tem fé ou que despreza a religião

implacável *adj. 2 gén.* **1** impossível de acalmar; **2** inflexível

implantação *s. f.* **1** acto de fixar ou inserir; **2** acto de estabelecer com carácter definitivo

implantar *v. tr. e refl.* **1** estabelecer(-se) com carácter definitivo; fixar(-se); **2** inserir(-se)

implante *s. m.* MED. material orgânico ou inorgânico que é inserido ou enxertado no organismo

implementar *v. tr.* pôr em prática; executar

implicação *s. f.* **1** relação entre objectos ou factos em que um pressupõe o outro; **2** envolvimento; **3** embirração

implicância *s. f.* tendência para implicar; embirração

implicar I *v. tr.* **1** comprometer; envolver num problema; **2** ter como consequência; acarretar; **II** *v. intr.* causar discussão

implícito *adj.* que está envolvido, mas não expresso claramente; subentendido

implodir *v. tr. e intr.* causar ou sofrer efeito de implosão

implorar *v. tr.* pedir insistentemente; suplicar

implosão *s. f.* detonação de explosivos orientada de modo a concentrar os detritos numa área limitada (por exemplo em demolições)

impoluto *adj.* não poluído; sem mancha

imponência *s. f.* qualidade de imponente; majestade

imponente *adj. 2 gén.* **1** que se impõe pela sua majestade; **2** que inspira respeito

impopular *adj. 2 gén.* que não é conhecido ou que não agrada à maioria

impopularidade *s. f.* **1** qualidade de impopular; **2** falta de popularidade

impor I *v. tr.* **1** tornar obrigatório; **2** estabelecer; **3** incutir; **II** *v. refl.* **1** fazer-se respeitar; **2** obrigar-se

importação *s. f.* introdução num país de mercadorias, ideias ou costumes estrangeiros

importador *adj. e s. m.* que ou pessoa que importa

importância *s. f.* **1** qualidade do que é importante, do que tem valor ou interesse; **2** autoridade; prestígio; **3** quantia monetária

importante I *adj. 2 gén.* **1** que tem valor ou interesse; **2** útil; necessário; **3** que tem prestígio e influência; **4** *(pej.)* presumido; **II** *s. m.* aquilo que é essencial

importar I *v. tr.* introduzir (algo vindo de outro país ou região); **II** *v. intr.* **1** ter importância; ter valor ou interesse; **2** ser necessário; **III** *v. refl.* atribuir importância

importunar *v. tr.* causar incómodo a

importuno *adj.* que incomoda; maçador

imposição *s. f.* **1** ordem ou determinação a que tem de se obedecer; **2** acto de colocar por cima, nomeadamente as mãos sobre a cabeça de outra pessoa, para transmissão de um poder ou de uma graça

impossibilidade *s. f.* qualidade do que é impossível

impossibilitar *v. tr.* **1** tornar impossível ou irrealizável; **2** fazer perder a aptidão ou a capacidade para

impossível I *adj. 2 gén.* **1** que não pode existir ou realizar-se; **2** extremamente difícil; **3** em que é difícil acreditar; **4** insuportável; **II** *s. m.* **1** aquilo que não pode existir ou realizar-se; **2** o que é extremamente difícil de alcançar

imposto I *adj.* **1** tornado obrigatório por lei ou determinação superior; **2** colocado sobre; **II** *s. m.* taxa exigida pelo Estado para fazer face às despesas públicas

impostor *adj. e s. m.* que ou aquele que se apresenta com identidade falsa, com o propósito de enganar

impostura *s. f.* **1** acto de se apresentar com uma identidade falsa, com o objectivo de enganar; **2** mentira

impotência *s. f.* **1** impossibilidade de acção por falta de forças ou meios; **2** MED. incapacidade para realizar o acto sexual

impotente *adj. 2 gén.* **1** impossibilitado de agir por falta de forças ou meios; **2** MED. incapaz de realizar o acto sexual

impraticável *adj. 2 gén.* **1** que não se pode pôr em prática; **2** intransitável

imprecisão *s. f.* falta de precisão ou de rigor; indeterminação

impreciso *adj.* que não tem precisão; indeterminado

impregnado *adj.* **1** embebido; encharcado; **2** infiltrado

impregnar *v. tr. e refl.* **1** embeber(-se); encharcar(-se); **2** infiltrar(-se)

imprensa *s. f.* **1** conjunto dos jornais e publicações semelhantes; **2** conjunto dos meios de comunicação social; **3** conjunto dos jornalistas e repórteres; ~ ***sensacionalista*** aquela que procura o sensacionalismo das notícias, para causar impacto e chocar a opinião pública

imprescindível *adj. 2 gén.* de que não se pode prescindir; absolutamente necessário

impressão *s. f.* **1** acto de reproduzir fixando texto ou imagem em papel através de equipamento adequado (prensas, impressoras, etc.); **2** cópia(s) obtida(s) por este processo; **3** arte ou técnica de imprimir; **4** sensação desagradável; estranheza; **5** opinião vaga, sem fundamento

impressão digital *s. f.* **1** marca deixada pela pressão da polpa de um dedo sobre uma superfície; **2** marca de tinta deixada pela pressão do polegar, para efeitos de identificação

impressionado *adj.* que se impressionou; perturbado

impressionante *adj. 2 gén.* **1** que causa espanto ou estranheza; **2** comovente

impressionar I *v. tr.* **1** causar impressão em; **2** comover; **II** *v. refl.* perturbar-se

impressionável *adj. 2 gén.* que se impressiona facilmente; susceptível

impressionismo *s. m.* ART. PLÁST., LIT. movimento artístico do fim do séc. XIX que se preocupou sobretudo com a análise da cor e com as impressões imediatas

impressionista I *adj. 2 gén.* **1** relativo a impressionismo; **2** que cultiva o impressionismo; **II** *s. 2 gén.* artista que cultiva o impressionismo
impresso I *s. m.* **1** obra impressa; **2** modelo com texto estabelecido usado para requerimentos, declarações, etc.; **II** *adj.* que se imprimiu
impressora *s. f.* **1** máquina que se destina a reproduzir em papel ou outro material, com tinta, textos e/ou imagens; **2** dispositivo de saída, comandado pelo computador, que imprime no papel textos e imagens
impreterível *adj. 2 gén.* que não se pode preterir ou adiar
imprevidência *s. f.* falta de previsão; descuido
imprevidente *adj. 2 gén.* que não é previdente; descuidado
imprevisível *adj. 2 gén.* que não se pode prever
imprevisto I *s. m.* acontecimento inesperado; **II** *adj.* não previsto; inesperado
imprimir *v. tr.* **1** produzir cópia(s) de, através de impressão; **2** *(fig.)* publicar; **3** *(fig.)* incutir
improbabilidade *s. f.* falta de probabilidade; incerteza
improdutivo *adj.* **1** que não produz; estéril; **2** que não rende
impróprio *adj.* **1** que não tem as condições necessárias; inadequado; **2** inconveniente
improvável *adj. 2 gén.* **1** que não é provável acontecer; **2** que não se pode provar
improvisar I *v. tr.* **1** fazer ou produzir sem qualquer preparação anterior; **2** arranjar à pressa; **II** *v. intr.* agir sem qualquer preparação anterior
improviso *s. m.* tudo o que se realiza ou inventa de repente, sem qualquer preparação anterior ❖ ***de ~*** à pressa
imprudência *s. f.* **1** qualidade de imprudente; **2** acto ou dito irreflectido, descuidado
imprudente *adj. 2 gén.* que manifesta falta de ponderação; descuidado
impudor *s. m.* falta de vergonha ou de decência
impugnação *s. f.* **1** acto de pugnar contra ou fazer oposição a; **2** contestação
impugnar *v. tr.* **1** pugnar contra; fazer oposição a; **2** contestar
impulsionador *s. m.* que ou aquele que impulsiona
impulsionar *v. tr.* **1** dar impulso a; impelir; **2** estimular
impulsivo *adj.* **1** que impulsiona; **2** que estimula; **3** (pessoa) que age repentinamente e sem reflectir
impulso *s. m.* **1** acto de impelir, de impulsionar com força; **2** movimento resultante desse acto; **3** incitamento; estímulo
impune *adj. 2 gén.* que não recebeu castigo
impureza *s. f.* **1** qualidade de impuro; **2** substância que polui ou contamina; **3** falta de pudor
impuro *adj.* **1** que tem mistura ou elementos estranhos à sua composição; **2** contaminado
imputar *v. tr.* atribuir (a alguém) a responsabilidade de um acto
imundície *s. f.* falta de limpeza; sujidade
imundo *adj.* **1** extremamente sujo; **2** repugnante
imune *adj. 2 gén.* que não está sujeito; dotado de imunidade
imunidade *s. f.* **1** qualidade do que está isento de um encargo ou obrigação; **2** BIOL. invulnerabilidade do organismo ao ataque de certos agentes infecciosos ou tóxicos

imunitário *adj.* relativo a imunidade
imunodeficiência *s. f.* MED. incapacidade de resistir a infecções por deficiência do sistema imunitário
imunologia *s. f.* MED. disciplina que estuda os meios de defesa naturais do organismo e o modo de as reforçar
imunologista *s. 2 gén.* MED. especialista em imunologia
imutável *adj. 2 gén.* que não muda; inalterável
in *adv. (coloq.)* na moda; ***estar ~*** estar na moda
In QUÍM. [*símbolo de* **índio**]
inabalável *adj. 2 gén.* **1** que não se pode abalar; firme; **2** inflexível
inábil *adj. 2 gén.* **1** que não tem habilidade; **2** incapaz
inabilidade *s. f.* falta de capacidade ou de aptidão
inabitado *adj.* sem habitantes; despovoado
inabitável *adj. 2 gén.* sem condições para ser habitado
inacabado *adj.* por acabar; incompleto
inaceitável *adj. 2 gén.* que não se pode aceitar
inacessível *adj. 2 gén.* **1** a que não se pode chegar; **2** incompreensível; **3** (pessoa) difícil de encontrar
inacreditável *adj. 2 gén.* **1** em que não se consegue acreditar; **2** extraordinário
inactividade *s. f.* falta de actividade; inércia
inactivo *adj.* **1** que está parado; que não tem actividade; **2** que não trabalha
inadiável *adj. 2 gén.* que não se pode adiar
inadmissível *adj. 2 gén.* que não se pode permitir ou aceitar; intolerável
inadvertência *s. f.* falta de atenção ou de cuidado
inadvertido *adj.* **1** que não foi avisado; **2** feito sem reflexão; descuidado
inalação *s. f.* **1** acto de inalar; **2** MED. aplicação de medicamentos através das vias respiratórias
inalador *s. m.* instrumento próprio para administrar medicamentos através das vias respiratórias por pulverização
inalar *v. tr.* absorver através das vias respiratórias; aspirar
inalcançável *adj. 2 gén.* que não se consegue alcançar
inalienável *adj. 2 gén.* que não pode ser transmitido ou vendido
inalterado *adj.* que não sofreu alteração
inalterável *adj. 2 gén.* **1** que não se altera; **2** imperturbável
inanimado *adj.* **1** sem alma; **2** desmaiado; **3** sem vida
inaptidão *s. f.* falta de aptidão; incapacidade
inapto *adj.* que não é apto; que não tem capacidade
inato *adj.* que nasce com o indivíduo; natural
inaudito *adj.* **1** que nunca se ouviu dizer; **2** extraordinário
inaudível *adj. 2 gén.* que não se consegue ouvir
inauguração *s. f.* **1** festa ou cerimónia em que se celebra a apresentação de algo ou o início do seu funcionamento; **2** início
inaugural *adj. 2 gén.* relativo a inauguração
inaugurar *v. tr.* **1** apresentar pela primeira vez ao público, geralmente com festa ou solenidade; **2** pôr a funcionar pela primeira vez

incalculável *adj. 2 gén.* que não se pode calcular
incandescência *s. f.* estado de um corpo que se tornou luminoso sob o efeito de temperatura elevada
incandescente *adj. 2 gén.* em brasa
incansável *adj. 2 gén.* **1** que não se cansa; **2** trabalhador
incapacidade *s. f.* falta de capacidade física ou intelectual; inaptidão
incapacitado *adj.* que possui incapacidade física ou intelectual; inapto
incapacitar *v. tr. e refl.* tornar incapaz(-se); inabilitar(-se)
incapaz *adj. 2 gén.* que não é capaz; inapto
incauto *adj.* que não tem cautela; imprudente
incendiar I *v. tr.* **1** pôr fogo a; fazer arder; **2** *(fig.)* exaltar; **II** *v. refl.* **1** pegar fogo; **2** *(fig.)* exaltar-se
incendiário I *adj.* **1** que incendeia; **2** próprio para incendiar; **II** *s. m.* **1** o que põe fogo; **2** *(fig.)* revolucionário
incêndio *s. m.* fogo intenso que provoca danos materiais
incenso *s. m.* substância resinosa, aromática, que exala um odor característico
incentivar *v. tr.* dar incentivo a; estimular
incentivo *s. m.* aquilo que estimula ou incita
incerteza *s. f.* falta de certeza; dúvida
incerto *adj.* **1** duvidoso; ambíguo; **2** vago; impreciso; **3** hesitante; **4** inconstante
incessante *adj. 2 gén.* **1** que não cessa; contínuo; **2** constante
incesto *s. m.* união sexual ilícita entre parentes consanguíneos ou afins
incestuoso *adj.* **1** relativo a incesto; **2** que provém de incesto
inchaço *s. m.* aumento de volume, geralmente devido a inflamação
inchado *adj.* **1** que inchou ou aumentou de volume; **2** *(fig., pej.)* pretensioso
inchar *v. intr.* **1** aumentar de volume, geralmente por inflamação; **2** *(fig.)* ensoberbecer-se
incidência *s. f.* **1** acto de incidir ou recair sobre; **2** acontecimento; ocorrência; **3** frequência com que algo ocorre
incidente I *s. m.* circunstâcia acidental, acessória de um acontecimento principal; **II** *adj. 2 gén.* **1** que incide; **2** acessório
incidir *v. intr.* **1** cair (sobre); recair; **2** sobrevir; ocorrer
incineração *s. f.* **1** acto de incinerar ou reduzir a cinzas; **2** processo químico industrial de tratamento de resíduos sólidos urbanos, efectuado por via térmica
incineradora *s. f.* máquina que faz a incineração de resíduos industriais ou outros
incinerar *v. tr.* **1** queimar ou reduzir a cinzas; **2** tratar (resíduos sólidos urbanos)
incipiente *adj. 2 gén.* **1** que está no início; principiante; **2** pouco desenvolvido
incisão *s. f.* **1** corte; golpe; **2** MED. golpe em tecido, por meio de instrumento cortante
incisivo I *adj.* **1** que corta; **2** penetrante; **II** *s. m.* ANAT. cada um dos dentes, tipicamente próprios para cortar, que ocupam a parte anterior dos maxilares
incitar *v. tr.* **1** dar estímulo a; instigar; **2** desafiar
incivilizado *adj.* não civilizado; inculto

inclemência *s. f.* **1** falta de clemência; **2** dureza; severidade
inclemente *adj. 2 gén.* **1** muito severo; **2** cruel; desumano
inclinação *s. f.* **1** estado ou posição do que está inclinado; **2** posição oblíqua de uma linha recta ou de uma superfície relativamente ao plano do horizonte; **3** *(fig.)* tendência
inclinado *adj.* **1** que se inclinou; **2** em posição oblíqua; **3** *(fig.)* propenso
inclinar **I** *v. tr.* **1** pôr em direcção oblíqua à vertical; **2** curvar; **3** *(fig.)* predispor; **II** *v. refl.* **1** dobrar o corpo; curvar-se; **2** *(fig.)* manifestar simpatia; **III** *v. intr.* ficar em posição oblíqua
incluir **I** *v. tr.* **1** inserir; acrescentar; **2** conter em si; abranger; **II** *v. refl.* inserir-se
inclusão *s. f.* **1** acto de incluir; **2** estado do que está inserido ou compreendido em algo
inclusivamente *adv.* sem exclusão
inclusive *adv.* vd. **inclusivamente**
inclusivo *adj.* que inclui ou pode incluir ou abranger
incluso *adj.* **1** incluído; **2** abrangido
incoerência *s. f.* falta de coerência ou lógica; desconexão
incoerente *adj. 2 gén.* **1** que não é coerente; sem ligação lógica; **2** contraditório
incógnita *s. f.* **1** MAT. valor desconhecido que é preciso determinar, na resolução de um problema; **2** *(fig.)* incerteza
incógnito **I** *adj.* **1** desconhecido; **2** que procura não ser reconhecido; **II** *adv.* de modo a não ser reconhecido; **III** *s. m.* indivíduo cuja identidade se desconhece
incognoscível *adj. 2 gén.* que não se pode conhecer; inacessível
incolor *adj. 2 gén.* sem cor
incólume *adj. 2 gén.* são e salvo; ileso
incomensurável *adj. 2 gén.* **1** que não se pode medir; **2** imenso
incomodado *adj.* **1** importunado; **2** maldisposto
incomodar **I** *v. tr.* causar incómodo a; importunar; **II** *v. refl.* **1** aborrecer-se; **2** dar-se ao trabalho
incomodativo *adj.* que incomoda
incómodo **I** *adj.* **1** desconfortável; **2** que causa transtorno; **3** que constrange ou embaraça; **II** *s. m.* maçada; aborrecimento
incomparável *adj. 2 gén.* **1** que não tem comparação; **2** único
incompatibilidade *s. f.* qualidade de incompatível; falta de compatibilidade
incompatibilizar *v. tr. e refl.* tornar(-se) incompatível ou inconciliável
incompatível *adj. 2 gén.* que não é compatível; que não pode coexistir com outro
incompetência *s. f.* falta de aptidão e de conhecimentos necessários; inabilidade
incompetente *adj. 2 gén.* que revela falta de aptidão ou de conhecimentos; inábil
incompleto *adj.* que não está completo ou acabado
incomportável *adj. 2 gén.* que não se pode admitir ou tolerar
incompreendido *adj.* **1** que não é compreendido; **2** que não é aceite ou reconhecido
incompreensível *adj. 2 gén.* que não se pode compreender ou perceber
incomunicável *adj. 2 gén.* **1** que não se pode comunicar ou transmitir; **2** de difícil acesso
inconcebível *adj. 2 gén.* **1** que não se pode conceber, perceber ou imaginar; **2** extraordinário

inconciliável *adj. 2 gén.* que não se pode conciliar ou harmonizar

incondicional *adj. 2 gén.* que não está sujeito a qualquer condição ou restrição

inconfidência *s. f.* **1** falta de lealdade; **2** revelação de um segredo

inconformado *adj.* **1** que não se conforma; **2** não resignado

inconfundível *adj. 2 gén.* que não se pode confundir pelas suas características

inconsciência *s. f.* **1** qualidade ou estado de inconsciente; **2** falta de responsabilidade; **3** carácter dos fenómenos que escapam à consciência

inconsciente I *adj. 2 gén.* **1** que não tem consciência da própria existência; **2** feito sem cuidado e ponderação; **3** que age sem cuidado; irresponsável; **II** *s. m.* PSIC. nível da vida mental do qual uma pessoa não tem consciência (ao contrário do consciente)

inconsequente *adj. 2 gén.* **1** que não é consequente; **2** sem lógica; incoerente; **3** irreflectido

inconsistência *s. f.* **1** falta de consistência; **2** falta de firmeza nas ideias, nas opiniões

inconsistente *adj. 2 gén.* **1** que não tem consistência; **2** que revela falta de lógica; **3** inconstante

inconsolável *adj. 2 gén.* **1** que não se pode consolar; **2** tristíssimo

inconstância *s. f.* **1** falta de constância; **2** qualidade do que está sujeito a mudança; **3** tendência para mudar de ideias ou de opinião; instabilidade

inconstante *adj. 2 gén.* **1** que não tem constância; **2** que está sujeito a mudança; **3** que muda frequentemente e de forma imprevisível

inconstitucional *adj. 2 gén.* que não respeita a constituição

inconstitucionalidade *s. f.* qualidade daquilo que desrespeita os princípios ou regras fixados na constituição

incontável *adj. 2 gén.* **1** que não se pode contar; muito numeroso; **2** inenarrável

incontestável *adj. 2 gén.* que não pode ser contestado; indiscutível

incontinência *s. f.* **1** falta de continência ou moderação; **2** MED. incapacidade de controlar a emissão de certas excreções como a urina e as fezes

incontinente *adj. e s. 2 gén.* **1** que ou o que não tem continência; imoderado; **2** MED. que ou o que sofre de incontinência

incontroverso *adj.* que não está sujeito a controvérsia; indiscutível

inconveniência *s. f.* **1** falta de conveniência; **2** qualidade do que é impróprio ou inoportuno; **3** indelicadeza; indiscrição

inconveniente I *adj. 2 gén.* **1** não conveniente; **2** inadequado; inoportuno; **3** indecente; **II** *s. m.* defeito; desvantagem

incorporar I *v. tr.* **1** dar forma material a; **2** inserir num conjunto; integrar; **3** admitir em grupo ou corporação; **II** *v. intr.* fazer parte; integrar; **III** *v. refl.* **1** adquirir forma material; **2** passar a fazer parte de

incorpóreo *adj.* que não é corpóreo; imaterial

incorrecção *s. f.* **1** falta de correcção; erro; **2** inexactidão; **3** indelicadeza

incorrecto *adj.* **1** que contém erros ou falhas; **2** inexacto; **3** inconveniente; indelicado

incorrer *v. intr.* **1** ficar comprometido ou envolvido em; **2** ficar sujeito (a)

incorrigível *adj. 2 gén.* **1** que não se pode corrigir; **2** que não se emenda

incorruptível *adj. 2 gén.* **1** (alimento) que não se estraga; **2** (pessoa) que não se deixa corromper
incrédulo *adj.* **1** que não tem fé; **2** que duvida; céptico
incrementar *v. tr.* dar incremento a; fomentar
incremento *s. m.* **1** acto de crescer ou aumentar; **2** desenvolvimento
incriminar **I** *v. tr.* atribuir responsabilidade de falta ou crime a; acusar; **II** *v. refl.* deixar transparecer uma culpa
incrível *adj. 2 gén.* **1** em que não se pode acreditar; **2** extraordinário
incrustar *v. tr.* **1** introduzir numa peça (pedaços de outra) como ornamento; **2** inserir em; embutir
incubação *s. f.* **1** acto de incubar; **2** acto de chocar ovos, por meio natural ou artificial; **3** MED. período de tempo entre a aquisição de uma doença e a sua manifestação
incubadora *s. f.* **1** aparelho para incubação de ovos; **2** MED. aparelho usado em pediatria para manter um recém-nascido prematuro em condições de temperatura e humidade convenientes
incubar *v. tr.* **1** chocar ovos por meio natural ou artificial; **2** ser portador de agente patológico; **3** *(fig.)* desenvolver gradualmente
inculcar *v. tr.* gravar no espírito de; incutir
inculto *adj.* **1** não cultivado; bravio; **2** sem instrução
incumbência *s. f.* **1** acto de incumbir alguém de uma tarefa ou responsabilidade; **2** essa tarefa ou responsabilidade
incumbir **I** *v. tr.* encarregar alguém de determinada tarefa ou responsabilidade; **II** *v. refl.* encarregar-se
incurável *adj. 2 gén.* **1** que não tem cura; **2** *(fig.)* incorrigível
incúria *s. f.* falta de cuidado; negligência
incursão *s. f.* **1** investida em território inimigo; **2** passeio; viagem
incutir *v. tr.* **1** gravar no espírito de; infundir; **2** suscitar
indagar **I** *v. tr.* **1** procurar saber; **2** perguntar; **II** *v. intr.* fazer perguntas
indecência *s. f.* falta de correcção, de compostura
indecente *adj. 2 gén.* **1** inconveniente; impróprio; **2** obsceno; **3** desonesto
indecifrável *adj. 2 gén.* **1** que não se pode decifrar; **2** incompreensível
indecisão *s. f.* hesitação; irresolução
indeciso *adj.* **1** hesitante; **2** vago; indistinto
indecoroso *adj.* contrário à compostura ou à decência
indeferido *adj.* não concedido; recusado
indeferimento *s. m.* acto de indeferir ou recusar (pedido, requerimento, etc.)
indeferir *v. tr.* não atender; recusar (pedido, requerimento, etc.)
indefeso *adj.* sem defesa ou protecção
indefinido *adj.* **1** não definido; indeterminado; **2** indistinto; vago; **3** GRAM. (artigo) que se refere a algo ou alguém indeterminado
indelével *adj. 2 gén.* que não se pode apagar
indelicadeza *s. f.* falta de delicadeza ou gentileza
indelicado *adj.* que não é delicado ou atencioso
indemnização *s. f.* reparação de um prejuízo ou de uma perda; compensação
indemnizar *v. tr.* dar indemnização a; compensar

independência *s. f.* **1** qualidade do que goza de liberdade e autonomia; **2** autonomia política

independente *adj. 2 gén.* **1** livre; autónomo; **2** que goza de autonomia política

indescritível *adj. 2 gén.* **1** que não se pode descrever; **2** *(fig.)* extraordinário

indesculpável *adj. 2 gén.* que não se pode desculpar

indesejável *adj. 2 gén.* **1** que não se pode desejar; **2** inoportuno

indestrutível *adj. 2 gén.* **1** que não pode ser destruído; **2** *(fig.)* inabalável

indeterminado *adj.* **1** não estabelecido ou fixado; **2** vago; impreciso

índex *s. m.* **1** lista de matérias, capítulos ou termos contidos num livro; **2** dedo indicador

indiano I *s. m.* {*f.* indiana} pessoa natural da Índia; **II** *adj.* relativo à Índia

indicação *s. f.* **1** informação; **2** instrução precisa; recomendação; **3** sugestão

indicado *adj.* **1** apropriado; **2** assinalado; **3** recomendado

indicador I *s. m.* **1** ANAT. dedo da mão humana que fica entre o polegar e o médio; **2** aquilo que serve de indicação; indicativo; **II** *adj.* que indica

indicar *v. tr.* **1** mostrar com o dedo; **2** assinalar; **3** dar a conhecer; revelar; **4** sugerir; aconselhar; **5** recomendar

indicativo I *adj.* que indica; **II** *s. m.* **1** o que serve de indicação; indicador; **2** GRAM. modo verbal que exprime a acção como uma realidade, uma certeza; **3** número atribuído a um país, zona ou rede telefónica, que se marca antes do o número de telefone

índice *s. m.* **1** lista de assuntos, capítulos, temas, etc., que geralmente aparece no início ou fim de uma publicação, com a indicação das páginas onde estes se iniciam; **2** lista de termos, temas ou autores organizada por ordem alfabética; **3** valor indicativo da frequência ou do nível de determinada realidade quantificável (ex.: nível de inteligência); **4** número ou letra que se regista à direita e abaixo de outra letra em notação algébrica, geométrica, etc.

indício *s. m.* **1** sinal; vestígio; **2** DIR. elemento material de um crime

indiferença *s. f.* insensibilidade e desinteresse relativamente a algo ou alguém

indiferente *adj. 2 gén.* **1** que manifesta falta de interesse ou de entusiasmo; **2** insensível

indígena *adj. e s. 2 gén.* que ou pessoa que é natural do lugar ou país que habita

indigência *s. f.* situação de pobreza extrema; miséria

indigente *adj. e s. 2 gén.* que ou pessoa que vive na miséria; pobre

indigestão *s. f.* MED. perturbação das funções digestivas

indigesto *adj.* **1** que não foi digerido; **2** que é difícil de digerir; **3** *(fig.)* difícil de suportar

indigitar *v. tr.* **1** indicar com o dedo; **2** propor; recomendar

indignação *s. f.* sentimento de exaltação e revolta provocado por ofensa ou injustiça

indignado *adj.* exaltado; revoltado

indignar I *v. tr.* causar indignação a; revoltar; **II** *v. refl.* revoltar-se

indignidade *s. f.* **1** falta de dignidade; **2** atitude incorrecta, desonesta

indigno *adj.* **1** não digno; **2** impróprio; **3** que não merece respeito

índigo *s. m.* substância azulada, usada como corante, que se obtém de algumas plantas; anil

índio I *s. m.* **1** pessoa natural do continente americano; ameríndio; **2** QUÍM. elemento com o número atómico 49, de símbolo In, metálico, mole, semelhante ao estanho; **II** *adj.* relativo aos nativos do continente americano
indirecta *s. f.* *(coloq.)* referência irónica ou piada pouco explícita
indirecto *adj.* **1** não directo; que não se desloca em linha recta; **2** (comentário) dissimulado; **3** (comunicação, troca) que se faz através de intermediários
indisciplina *s. f.* **1** falta de disciplina; **2** acto ou dito contrário à ordem ou regras estabelecidas
indisciplinado *adj.* **1** que não obedece a ordens; insubordinado; **2** que não segue um método; desordenado
indiscreto *adj.* **1** imprudente; inconveniente; **2** inconfidente; **3** bisbilhoteiro
indiscrição *s. f.* **1** falta de discrição; inconveniência; **2** revelação de um segredo; **3** imprudência
indiscriminado *adj.* sem discriminação; indistinto
indiscutível *adj. 2 gén.* **1** que não admite discussão; **2** incontestável
indispensável *adj. 2 gén.* que não se pode dispensar; imprescindível
indisponível *adj. 2 gén.* **1** de que não se pode dispor; **2** que está ocupado, impedido
indispor I *v. tr.* **1** alterar a boa disposição de; **2** aborrecer; incomodar; **II** *v. refl.* zangar-se
indisposição *s. f.* **1** falta de disposição; **2** leve mal-estar físico
indisposto *adj.* **1** ⟨*p. p. de* **indispor**⟩ maldisposto; **2** incomodado; **3** desavindo
indisputável *adj. 2 gén.* **1** que não pode ser disputado; **2** incontestável
indissociável *adj. 2 gén.* que não se pode dissociar; inseparável
indissolúvel *adj. 2 gén.* que não se pode dissolver
indistinto *adj.* **1** pouco nítido; indefinido; **2** que não se distingue dos outros; **3** confuso
individual I *adj. 2 gén.* **1** relativo a indivíduo; **2** que diz respeito apenas a uma pessoa; **II** *s. m.* superfície de pano ou de outro material, geralmente rectangular, sobre a qual se colocam os utensílios necessários à refeição de uma pessoa
individualidade *s. f.* **1** conjunto das qualidades típicas e distintivas de cada indivíduo; **2** pessoa considerada importante; personalidade
individualismo *s. m.* **1** doutrina ou atitude que valoriza a autonomia individual em detrimento de objectivos colectivos; **2** *(pej.)* egoísmo
individualista *adj. e s. 2 gén.* **1** partidário do individualismo; **2** *(pej.)* egoísta
indivíduo *s. m.* **1** exemplar de uma espécie; **2** ser humano; pessoa; **3** determinado homem; sujeito
indivisível *adj. 2 gén.* que não se pode dividir
indo-europeu I *s. m.* {*pl.* indo-europeus} grupo de línguas faladas em parte da Ásia e em grande parte da Europa; **II** *adj.* relativo à Europa e à Índia
índole *s. f.* temperamento; carácter
indolência *s. f.* **1** indiferença; **2** preguiça
indolente *adj. 2 gén.* **1** insensível; **2** ocioso; preguiçoso
indolor *adj. 2 gén.* **1** que não causa dor; **2** *(fig.)* leve; suave
indomável *adj. 2 gén.* **1** que não se pode domar; **2** inflexível

indonésio I *s. m.* {*f.* indonésia} pessoa natural da Indonésia; **II** *adj.* relativo à Indonésia

indubitável *adj. 2 gén.* que não admite dúvida; incontestável

indução *s. f.* **1** forma de raciocínio que parte de aspectos particulares para chegar a uma conclusão geral; **2** sugestão

indulgência *s. f.* **1** disposição para perdoar; **2** RELIG. remissão da pena por pecados cometidos

indulgente *adj. 2 gén.* **1** que tende a perdoar; **2** tolerante

indumentária *s. f.* traje; vestuário

indústria *s. f.* actividade económica que tem por fim a exploração de matérias-primas e de fontes de energia e a transformação das matérias-primas em bens de produção e de consumo

industrial I *adj. 2 gén.* **1** relativo a indústria; **2** (zona) em que a indústria está desenvolvida; **II** *s. 2 gén.* proprietário ou director de uma indústria

industrialização *s. f.* **1** aplicação das técnicas industriais; **2** acto de promover o desenvolvimento industrial

industrializar *v. tr.* **1** aplicar as técnicas industriais a; **2** promover o desenvolvimento industrial

indutivo *adj.* relativo a indução

induzir *v. tr.* **1** concluir por indução; deduzir; **2** incitar

inebriar *v. tr.* **1** embriagar; **2** (*fig.*) extasiar

inédito *adj.* **1** (obra) não publicado; **2** original

inefável *adj. 2 gén.* **1** que não se pode descrever; indescritível; **2** (*fig.*) encantador

ineficácia *s. f.* **1** falta de eficácia; **2** inutilidade

ineficaz *adj. 2 gén.* **1** que não produz efeito; **2** inútil

inegável *adj. 2 gén.* que não se pode negar; incontestável

inenarrável *adj. 2 gén.* que não se pode narrar

inequívoco *adj.* que não é equívoco ou ambíguo

inércia *s. f.* **1** FÍS. resistência dos corpos materiais à alteração do seu estado de repouso ou do seu movimento; **2** falta de movimento ou de actividade; apatia

inerente *adj. 2 gén.* que constitui uma característica essencial de algo ou alguém

inerte *adj. 2 gén.* sem movimento ou actividade própria

inesgotável *adj. 2 gén.* que não se esgota

inesperado *adj.* não esperado; imprevisto

inesquecível *adj. 2 gén.* que não se pode esquecer

inestético *adj.* contrário à estética; de mau gosto

inestimável *adj. 2 gén.* **1** difícil ou impossível de avaliar; **2** de enorme valor

inevitável *adj. 2 gén.* que não se pode evitar

inexequível *adj. 2 gén.* impossível de executar; irrealizável

inexistência *s. f.* não existência; ausência

inexistente *adj. 2 gén.* que não existe

inexorável *adj. 2 gén.* **1** inflexível; implacável; **2** muito rigoroso

inexperiência *s. f.* **1** falta de experiência; **2** erro cometido por falta de experiência

inexperiente *adj. 2 gén.* **1** que tem falta de experiência ou de prática; **2** ingénuo

inexplicável *adj. 2 gén.* que não se pode explicar

inexplorado *adj.* **1** ainda não explorado; **2** desconhecido

inexpressivo *adj.* sem expressão; que não exprime nada

inexpugnável *adj. 2 gén.* **1** que não se pode conquistar pela força; **2** *(fig.)* invencível

infalível *adj. 2 gén.* que não falha; que nunca se engana

infame *adj. 2 gén.* **1** que não tem boa fama; desacreditado; **2** desprezível

infâmia *s. f.* **1** perda da boa fama; desonra; **2** acto infame, que desonra

infância *s. f.* primeiro período da vida humana, desde o nascimento até à adolescência

infantaria *s. f.* MIL. conjunto de tropas treinadas para combater a pé

infantário *s. m.* estabelecimento destinado a receber crianças pequenas durante o dia

infante *s. m.* **1** *(ant.)* criança; **2** filho varão do rei, mas não herdeiro do trono

infanticídio *s. m.* assassínio de uma criança, especialmente de um recém-nascido

infantil *adj. 2 gén.* **1** relativo a ou próprio de crianças; pueril; **2** que age como uma criança

infantilidade *s. f.* **1** qualidade de infantil; criancice; **2** comportamento próprio de crianças

infanto-juvenil *adj. 2 gén.* **1** relativo à infância e à juventude; **2** destinado a crianças e jovens

infecção *s. f.* **1** MED. doença originada por agentes patogénicos (vírus ou bactérias) introduzidos num organismo; **2** contaminação; contágio

infeccionar I *v. tr.* **1** originar infecção em; **2** contaminar; **II** *v. intr.* desenvolver infecção

infeccioso *adj.* **1** que resulta de infecção; **2** que produz infecção

infectado *adj.* que sofreu infecção

infectar I *v. tr.* transmitir doença a; contaminar; **II** *v. intr.* desenvolver infecção; **III** *v. refl.* contaminar-se

infecto-contagioso *adj.* MED. que causa infecção e se transmite por contágio

infecundo *adj.* improdutivo; estéril

infelicidade *s. f.* **1** estado de infeliz; **2** desgraça; infortúnio

infeliz *adj. e s. 2 gén.* que ou o que não é feliz; desafortunado

inferior I *adj.* **1** em posição menos elevada; **2** de menor qualidade; **3** subordinado a outro; **II** *s. m.* pessoa que está abaixo de outra em autoridade, categoria, dignidade, etc.

inferioridade *s. f.* qualidade ou estado do que é inferior

inferiorizar I *v. tr.* tornar (algo ou alguém) inferior, diminuindo-lhe a importância, o valor, etc.; rebaixar; **II** *v. refl.* rebaixar-se

inferir *v. tr.* concluir; deduzir

infernal *adj. 2 gén.* **1** relativo a Inferno; **2** insuportável

infernizar *v. tr.* **1** atormentar; **2** tornar insuportável

Inferno *s. m.* RELIG. lugar dos que, mortos em pecado mortal, sofrem uma pena eterna

infértil *adj. 2 gén.* estéril; improdutivo

infertilidade *s. f.* qualidade de infértil

infestar *v. tr.* **1** invadir, causando danos; **2** MED. (parasitas) contaminar (o organismo), causando doenças

infidelidade *s. f.* **1** qualidade de infiel; **2** violação da confiança ou dos compromissos assumidos com alguém; deslealdade

infiel *adj. 2 gén.* **1** que quebra a confiança de alguém; **2** que não respeita os compromissos

infiltração *s. f.* **1** penetração gradual de um líquido em corpos sólidos; **2** introdução secreta de uma pessoa numa organização inimiga

infiltrar-se *v. refl.* **1** (líquido) penetrar gradualmente; **2** *(fig.)* (pessoa) introduzir-se secretamente

ínfimo *adj.* **1** que é o mais baixo; **2** mínimo

infindável *adj. 2 gén.* que não tem fim

infinidade *s. f.* **1** qualidade do que é infinito; **2** grande quantidade

infinitivo *s. m.* GRAM. forma nominal do verbo que traduz um processo em potência e não exprime por si nem o tempo nem o modo

infinito I *adj.* que não tem fim ou limites; ilimitado; **II** *s. m.* **1** aquilo que não tem limites; **2** vd. **infinitivo**

inflação *s. f.* **1** ECON. subida geral dos preços, com uma consequente diminuição do poder de compra; **2** aumento injustificado

inflacionar *v. tr.* **1** ECON. causar desvalorização de moeda por meio de emissão excessiva; **2** ECON. colocar no mercado mais do que ele pode absorver

inflacionário *adj.* **1** relativo a inflação; **2** que promove a inflação

inflamação *s. f.* **1** acto de inflamar(-se); **2** MED. reacção do organismo a determinados microrganismos, substâncias tóxicas, etc., geralmente acompanhada de dor, calor e inchaço

inflamado *adj.* **1** em chama; **2** que apresenta inflamação; **3** *(fig.)* exaltado

inflamar I *v. tr.* **1** pôr em chamas; **2** MED. provocar inflamação; **3** *(fig.)* exaltar; **II** *v. refl.* **1** converter-se em chamas; **2** MED. sofrer inflamação; **3** *(fig.)* exaltar-se

inflamatório *adj.* relativo a inflamação

inflamável *adj. 2 gén.* **1** susceptível de se inflamar; **2** (substância) que se inflama facilmente

inflexível *adj. 2 gén.* **1** que não é flexível; **2** que não se curva ou dobra; **3** *(fig.)* que não cede; implacável

infligir *v. tr.* **1** aplicar ou impor (pena, castigo); **2** causar

influência *s. f.* **1** efeito ou interferência que se exerce sobre algo ou aguém; **2** autoridade; poder

influenciar *v. tr.* **1** exercer influência em; **2** afectar; alterar

influenciável *adj. 2 gén.* susceptível de sofrer influência

influente *adj. 2 gén.* que exerce influência

influir *v. intr.* **1** exercer influência; **2** ter importância

influxo *s. m.* **1** afluência; convergência; **2** maré cheia

informação *s. f.* **1** acto de informar(-se); **2** indicação; esclarecimento; **3** dados ou conhecimentos disponíveis sobre determinado assunto; **4** notícia

informado *adj.* esclarecido; instruído

informador *adj. e s. m.* que ou o que informa

informal *adj. 2 gén.* **1** desprovido de formalidades; **2** sem cerimónia; **3** (linguagem) coloquial

informar I *v. tr.* **1** dar informações a; **2** instruir; ensinar; **II** *v. refl.* **1** procurar informações; **2** investigar

informática *s. f.* ciência e técnica que tem por objecto o tratamento de dados relativos à informação por processos racionais e automáticos, através de computadores e aparelhos complementares destes

informático I *s. m.* especialista em informática; **II** *adj.* relativo a informática

informativo *adj.* destinado a informar
informatizado *adj.* (serviço) que utiliza os sistemas e recursos informáticos
informatizar *v. tr.* utilizar os sistemas e recursos informáticos para estruturar a informação
infortúnio *s. m.* infelicidade; adversidade
infracção *s. f.* violação de lei ou convenção; transgressão
infractor *adj. e s. m.* que ou o que infringe; transgressor
infra-estrutura *s. f.* {*pl.* infra-estruturas} **1** suporte de uma construção; alicerce; **2** conjunto de instalações ou de meios necessários ao funcionamento de uma actividade ou conjunto de actividades
infravermelho *adj.* relativo às radiações electromagnéticas de frequência inferior à da radiação visível
infringir *v. tr.* não respeitar; transgredir
infrutífero *adj.* **1** que não produz fruto; estéril; **2** *(fig.)* inútil
infundado *adj.* **1** sem fundamento ou base; **2** injustificado
infundir *v. tr.* **1** derramar (líquido); **2** inspirar; incutir
infusão *s. f.* **1** acto de colocar plantas ou outra substância num líquido a ferver, de forma a extrair-lhes os princípios alimentícios ou medicamentosos; **2** produto desta operação
ingenuidade *s. f.* qualidade de ingénuo; inocência; simplicidade
ingénuo *adj.* inocente; simples
ingerir *v. tr.* introduzir no estômago; engolir
ingestão *s. f.* acto de ingerir; deglutição
inglês I *s. m.* {*f.* inglesa} **1** pessoa natural de Inglaterra; **2** língua oficial de vários Estados, nomeadamente Inglaterra, Estados Unidos, Austrália e Nova Zelândia; **II** *adj.* relativo a Inglaterra ❖ ***para ~ ver*** para dar nas vistas
inglório *adj.* sem glória
ingratidão *s. f.* **1** falta de gratidão ou reconhecimento; **2** característica daquilo que produz resultados que não compensam o esforço realizado
ingrato *adj.* **1** que não manifesta agradecimento ou reconhecimento; **2** (actividade) que não compensa o trabalho realizado
ingrediente *s. m.* **1** substância que entra na preparação de alimentos, etc.; **2** *(fig.)* elemento constituinte; componente
íngreme *adj. 2 gén.* **1** muito inclinado; com forte declive; **2** *(fig.)* árduo
ingressar *v. intr.* **1** entrar; **2** passar a fazer parte (de)
ingresso *s. m.* **1** entrada; **2** admissão (em grupo, organização, etc.)
inibição *s. f.* **1** acto de inibir(-se); **2** aquilo que impede ou constrange algo (atitude, comportamento, etc.) espontâneo
inibido *adj.* que sofre inibição
inibir *v. tr.* impedir; constranger (algo espontâneo)
iniciação *s. f.* **1** acto de iniciar(-se); **2** introdução a uma experiência nova, desconhecida; **3** admissão numa seita ou organização secreta; **4** fase de aprendizagem das primeiras noções de uma ciência, arte, etc.
iniciado I *adj.* **1** principiado; **2** instruído nas primeiras noções (de doutrina, ciência, etc.); **II** *s. m.* principiante
inicial I *adj.* que está no início; **II** *s. f.* primeira letra de um nome ou de qualquer palavra
inicializar *v. tr.* INFORM. preparar um dispositivo (hardware ou software) para ser utilizado, repondo os valores tidos como iniciais

iniciar I *v. tr.* **1** começar; **2** admitir à iniciação; **3** INFORM. fazer o arranque de (computador); **II** *v. refl.* **1** adquirir os primeiros conhecimentos; **2** receber a iniciação

iniciativa *s. f.* **1** acto de ser o primeiro a realizar ou a pôr (algo) em prática; **2** característica do que está disposto a propor algo novo ou a pô-lo em prática

início *s. m.* princípio; começo

inigualável *adj. 2 gén.* que não se pode igualar; incomparável

inimaginável *adj. 2 gén.* que não se pode imaginar; impensável

inimigo I *adj.* **1** hostil; adverso; **2** que prejudica; **II** *s. m.* aquele que é hostil, adverso

inimizade *s. f.* falta de amizade; ódio

ininteligível *adj. 2 gén.* que não se pode entender

ininterrupto *adj.* não interrompido; contínuo

injecção *s. f.* **1** MED. introdução de um líquido num órgão ou no tecido cutâneo, por meio de seringa; **2** *(coloq.)* conversa enfadonha

injectado *adj.* introduzido por meio de injecção

injectar I *v. tr.* introduzir (líquido) por meio de seringa ou agulha; **II** *v. refl.* consumir drogas por via intravenosa

injúria *s. f.* **1** injustiça; **2** ofensa; insulto; **3** dano

injuriar *v. tr.* **1** ofender; insultar; **2** causar danos

injurioso *adj.* ofensivo; insultuoso

injustiça *s. f.* **1** falta de justiça; **2** acção ou situação que viola os direitos de alguém

injustificado *adj.* sem justificação

injustificável *adj. 2 gén.* que não se pode justificar

injusto *adj.* **1** que não está de acordo com a justiça; **2** não merecido

inocência *s. f.* **1** qualidade de inocente; **2** ausência de culpa; **3** simplicidade; ingenuidade

inocentar *v. tr.* declarar inocente

inocente *adj. 2 gén.* **1** sem culpa; **2** simples; ingénuo

inócuo *adj.* inofensivo

inodoro *adj.* que não tem odor

inofensivo *adj.* que não faz mal, não prejudica

inoportuno *adj.* que não é oportuno; que se faz ou sucede fora da altura conveniente

inorgânico *adj.* **1** que não tem órgãos; **2** relativo aos compostos químicos de origem mineral

inóspito *adj.* **1** não hospitaleiro; **2** com más condições para viver

inovação *s. f.* **1** introdução de uma mudança, de uma novidade; **2** aquilo que é novo; novidade

inovador *adj. e s. m.* que ou o que inova

inovar *v. tr.* **1** tornar novo; renovar; **2** introduzir inovação, mudança

inox *s. m.* aço inoxidável

inoxidável *adj. 2 gén.* que não se oxida

inqualificável *adj. 2 gén.* que não se pode qualificar

inquebrável *adj. 2 gén.* que não se pode quebrar

inquérito *s. m.* pesquisa metódica baseada em questões e recolha de testemunhos; investigação

inquestionável *adj. 2 gén.* não questionável; indiscutível

inquietação *s. f.* perturbação ou agitação do espírito

inquietante *adj. 2 gén.* que causa inquietação

inquietar I *v. tr.* causar inquietação a; perturbar; **II** *v. refl.* perturbar-se

inquieto *adj.* agitado; perturbado

inquilino *s. m.* pessoa que mora em casa arrendada
inquirir *v. tr.* **1** colher informações sobre; averiguar; **2** perguntar
Inquisição *s. f.* HIST. (séc. XIII) tribunal eclesiástico instituído pela Igreja Católica para julgar pessoas acusadas de heresia e feitiçaria; Santo Ofício
inquisidor *s. m.* HIST. juiz do tribunal da Inquisição
inquisidor-mor *s. m.* {*pl.* inquisidores-mores} HIST. presidente do tribunal da Inquisição
insaciável *adj. 2 gén.* que não se farta ou satifaz
insalubre *adj. 2 gén.* **1** prejudicial para a saúde; **2** que provoca doença
insanidade *s. f.* loucura; demência
insano *adj.* louco; demente
insatisfação *s. f.* estado de insatisfeito; descontentamento
insatisfatório *adj.* **1** que não satisfaz; **2** insuficiente
insatisfeito *adj.* não satisfeito; descontente
inscrever I *v. tr.* **1** gravar em pedra, metal ou outro material; **2** escrever numa lista ou registo; matricular; **II** *v. refl.* **1** fazer inscrição ou matrícula; **2** incluir-se
inscrição *s. f.* **1** escrito gravado ou em relevo numa superfície de pedra, metal, madeira, etc.; **2** acto de inscrever(-se) numa lista ou registo; matrícula
inscrito *adj.* **1** ⟨*p. p. de* **inscrever**⟩ gravado; **2** incluído em lista ou registo; matriculado
insecticida I *s. m.* substância ou preparado químico que se usa para matar insectos; **II** *adj. 2 gén.* que serve para matar insectos
insecto *s. m.* ZOOL. artrópode com o corpo dividido em cabeça, tórax e abdómen e com três pares de patas
insegurança *s. f.* **1** falta de segurança; **2** sensação de incerteza; inquietação; **3** sensação de exposição ao perigo
inseguro *adj.* **1** perigoso; arriscado; **2** que sente falta de confiança
inseminação *s. f.* BIOL. conjunto de fenómenos que levam o espermatozóide ao contacto com o óvulo para o fecundar
inseminar *v. tr.* BIOL. introduzir o sémen na cavidade uterina para permitir a fecundação
insensatez *s. f.* **1** falta de sensatez; **2** qualidade de insensato
insensato *adj.* que não tem bom senso ou razão
insensibilidade *s. f.* falta de sensibilidade; indiferença
insensível *adj. 2 gén.* **1** que não tem sensibilidade física; **2** que não reage a emoções ou sentimentos; indiferente
inseparável *adj. 2 gén.* que não se pode separar
inserção *s. f.* acto ou efeito de inserir(-se)
inserir I *v. tr.* **1** colocar; introduzir; **2** incluir; **II** *v. refl.* introduzir-se
insígnia *s. f.* **1** sinal distintivo de dignidade, função ou nobreza; **2** estandarte
insignificância *s. f.* **1** qualidade de insignificante; **2** coisa de pouco valor, sem importância
insignificante *adj. 2 gén.* de pouco ou nenhum valor; sem importância
insinuação *s. f.* acto de dar a entender algo de modo subtil; alusão
insinuante *adj. 2 gén.* que sabe como agradar; cativante; atraente
insinuar I *v. tr.* **1** introduzir; **2** dar a entender algo de modo subtil; **II** *v. refl.* introduzir-se; fazer-se aceitar
insípido *adj.* **1** que não tem sabor; **2** (*fig., pej.*) sem interesse

insistência *s. f.* **1** persistência; **2** teimosia

insistente *adj. 2 gén.* **1** persistente; **2** teimoso

insistir *v. intr.* **1** persistir; perseverar; **2** teimar

insociável *adj. 2 gén.* **1** que não gosta do convívio social; **2** intratável

insolação *s. f.* MED. estado patológico causado por exposição aos raios solares por demasiado tempo

insolência *s. f.* falta de respeito; impertinência

insolente *adj. 2 gén.* atrevido; impertinente

insólito *adj.* **1** fora do habitual; **2** extraordinário

insolúvel *adj. 2 gén.* **1** que não se dissolve; **2** *(fig.)* sem solução

insolvência *s. f.* DIR. qualidade ou estado do que está impossibilitado de pagar as suas dívidas

insolvente *adj. 2 gén.* que não pode pagar o que deve

insónia *s. f.* dificuldade em dormir

insosso *adj.* **1** que tem pouco ou não tem sal; **2** *(fig.)* sem interesse

inspecção *s. f.* **1** acto de examinar, de observar com cuidado; vistoria; **2** repartição encarregada de fazer vistorias

inspeccionar *v. tr.* examinar; vistoriar

inspector *s. m.* indivíduo encarregado de inspecções ou vistorias

inspiração *s. f.* **1** entrada do ar para os pulmões; **2** estímulo à criatividade; **3** ideia súbita e espontânea; iluminação

inspirar I *v. tr.* **1** introduzir (ar) nos pulmões; **2** causar inspiração a; estimular as capacidades de (alguém); **II** *v. intr.* introduzir ar nos pulmões; **III** *v. refl.* receber inspiração

instabilidade *s. f.* **1** estado de um corpo com pouco equilíbrio; **2** insegurança; incerteza; **3** inconstância

instalação *s. f.* **1** acto de instalar(-se); **2** colocação e montagem de sistemas, aparelhos, peças, etc.; **3** conjunto de peças, aparelhos, etc. necessários a um determinado fim (como numa instalação eléctrica); **4** [*pl.*] área (edifícios, conjunto de salas, etc.) onde funciona determinada actividade; INFORM. **~ *completa*** aquela que copia para o disco rígido de um computador todos os componentes de um programa; **~ *parcial*** aquela que copia para o disco rígido apenas os componente essenciais à execução de um programa

instalar I *v. tr.* **1** colocar em algum lugar; acomodar; **2** colocar e montar (sistemas, aparelhos, peças, etc.) de modo a que funcione; **II** *v. refl.* **1** acomodar-se; **2** estabelecer-se

instantâneo *adj.* **1** que acontece num instante; momentâneo; **2** que se faz num instante

instante *s. m.* espaço de tempo muito curto; momento

instar I *v. intr.* **1** insistir; **2** manifestar desacordo; questionar; **II** *v. tr.* solicitar

instauração *s. f.* acto de estabelecer ou fundar

instaurar *v. tr.* **1** estabelecer; **2** fundar; inaugurar; **3** DIR. dar início a (um processo)

instável *adj. 2 gén.* **1** com pouco equilíbrio; **2** incerto; inseguro; **3** inconstante

instigar *v. tr.* incitar; estimular

instintivo *adj.* **1** relativo a instinto; **2** que provém do instinto; inconsciente

instinto *s. m.* **1** aspecto inconsciente do comportamento dos animais que os faz reagir, em determinadas condições, de modo automático; **2** impulso espontâneo

institucional *adj. 2 gén.* relativo a instituição

institucionalização *s. f.* acto de dar forma de instituição a

institucionalizar I *v. tr.* dar forma de instituição a; oficializar; **II** *v. refl.* tornar-se oficial

instituição *s. f.* **1** acto ou efeito de instituir ou criar; **2** cada uma das estruturas básicas de organização de uma sociedade; **3** organização ou estabelecimento de utilidade pública ou privada

instituir I *v. tr.* **1** criar; estabelecer; **2** nomear; atribuir cargo ou tarefa a; **II** *v. refl.* nomear-se

instituto *s. m.* **1** o que está estabelecido; regulamento; **2** instituição pública ou privada

instrução *s. f.* **1** acto de instruir ou ensinar; **2** conjunto de conhecimentos adquiridos; saber; **3** [*pl.*] indicações de utilização de um produto ou aparelho

instruído *adj.* **1** que recebeu instrução; **2** educado; culto

instruir I *v. tr.* **1** ensinar; **2** dar instruções ou indicações; orientar; **II** *v. refl.* **1** adquirir conhecimentos; **2** informar-se

instrumental I *adj. 2 gén.* **1** relativo a instrumento; **2** (música) interpretada apenas por instrumentos; **II** *s. m.* conjunto de instrumentos

instrumentista *s. 2 gén.* **1** MÚS. pessoa que compõe música instrumental; **2** MÚS. pessoa que toca um instrumento num grupo

instrumento *s. m.* **1** utensílio ou ferramenta para execução de algum trabalho; **2** (*fig.*) meio para obter algo; recurso; **3** aparelho ou objecto que produz sons musicais

instrutivo *adj.* **1** próprio para instruir; **2** educativo

instrutor *s. m.* professor; monitor

insubmissão *s. f.* **1** falta de submissão; rebeldia; **2** desobediência

insubmisso *adj.* **1** que não se submete; rebelde; **2** desobediente

insubordinado *adj.* indisciplinado; insubmisso

insubstituível *adj. 2 gén.* que não se pode substituir

insucesso *s. m.* mau resultado; fracasso

insuficiência *s. f.* qualidade de insuficiente; escassez

insuficiente *adj. 2 gén.* que não é suficiente; escasso

insuflar *v. tr.* encher de ar, soprando

insuflável *adj. 2 gén.* que se pode encher de ar

insular *adj. 2 gén.* relativo a ilha

insularidade *s. f.* **1** condição do que tem características de ilha; **2** dificuldade ou falta de comunicação por terra com outros lugares

insulina *s. f.* MED. hormona segregada pelo pâncreas, importante na transformação dos açúcares no organismo e responsável pela regulação dos níveis de glicose no sangue

insultar *v. tr.* dirigir um insulto a; ofender

insulto *s. m.* **1** palavra ou atitude que ofende; **2** falta de respeito

insuperável *adj. 2 gén.* **1** que não se pode superar ou ultrapassar; **2** que não se pode vencer; imbatível

insuportável *adj. 2 gén.* impossível ou muito difícil de suportar; intolerável

insurgir *v. tr. e refl.* revoltar(-se)

insurrecto *adj.* que se insurge; insubordinado

insurreição *s. f.* acto de insurgir(-se); sublevação

insuspeito *adj.* **1** não suspeito; **2** digno de confiança; **3** imparcial

insustentável *adj. 2 gén.* **1** que não se pode sustentar ou manter; **2** sem fundamento

intacto *adj.* **1** não mexido ou alterado; **2** sem danos; ileso; **3** *(fig.)* puro

intangível *adj. 2 gén.* que não se pode tocar

íntegra *s. f.* totalidade; ***na ~*** totalmente; sem omitir nada

integração *s. f.* **1** inclusão de um elemento num grupo; **2** processo de adaptação de um indivíduo ou grupo a uma sociedade ou cultura

integrado *adj.* **1** incluído; **2** assimilado; adaptado

integral *adj. 2 gén.* **1** total; completo; **2** (alimento) que possui todas as propriedades originais

integrante *adj. 2 gén.* **1** que integra; que faz parte; **2** GRAM. (oração, conjunção) que exerce a função de complemento; completivo

integrar I *v. tr.* **1** incorporar num conjunto, formando um todo; **2** adaptar; **II** *v. refl.* **1** tornar-se parte integrante de; **2** adaptar-se a

integridade *s. f.* **1** estado do que está inteiro; **2** estado do que se encontra intacto; **3** *(fig.)* honestidade; rectidão

íntegro *adj.* **1** inteiro; completo; **2** *(fig.)* honesto; recto

inteirar I *v. tr.* **1** tornar inteiro; completar; **2** informar; **II** *v. refl.* informar-se

inteiriço *adj.* **1** feito de uma só peça; **2** hirto

inteiro *adj.* **1** completo; total; **2** que não tem separação ou divisão; intacto; **3** que forma uma peça única; inteiriço; **4** MAT. (número) que é formado só de unidades; que não tem fracções

intelecto *s. m.* inteligência; entendimento

intelectual I *s. 2 gén.* **1** pessoa cuja actividade principal requer o uso do raciocínio; **2** pessoa que tem grande interesse por actividades que requerem inteligência e raciocínio; **II** *adj. 2 gén.* relativo a intelecto; mental

inteligência *s. f.* **1** capacidade de aprender e compreender, aplicando correctamente os conhecimentos; **2** perspicácia; **3** pessoa de grandes capacidades mentais; sumidade

inteligente *adj. 2 gén.* **1** que tem a capacidade de aprender e compreender; **2** que tem inteligência acima da média

inteligível *adj. 2 gén.* **1** que pode ser apreendido pela inteligência; **2** que se entende bem; compreensível; **3** que se ouve bem

intempérie *s. f.* METEOR. tempestade

intempestivo *adj.* **1** que acontece fora do tempo próprio; **2** súbito; repentino

intenção *s. f.* o que se tenciona fazer; propósito; ideia

intencionado *adj.* feito com intenção; propositado

intencional *adj. 2 gén.* **1** relativo a intenção; **2** propositado

intendência *s. f.* gestão; administração

intendente *s. 2 gén.* o que dirige ou administra um serviço público ou grande estabelecimento

intensidade *s. f.* **1** qualidade de intenso; **2** grau elevado; força

intensificar *v. tr. e refl.* tornar(-se) mais intenso ou mais forte; aumentar

intensivo *adj.* **1** intenso; **2** em que se realizam esforços ou meios em pouco tempo; **3** breve e eficaz

intenso *adj.* **1** forte; vigoroso; **2** excessivo; **3** violento

intento *s. m.* intenção; propósito; objectivo
interacção *s. f.* **1** acção ou intervenção recíproca; **2** INFORM. troca de informação entre o utilizador e um sistema informático
interactivo *adj.* **1** relativo a interacção; **2** em que existe interacção
interagir *v. intr.* exercer intervenção mútua
interajuda *s. f.* ajuda recíproca
intercalar I *v. tr.* inserir no meio; **II** *adj. 2 gén.* que se insere no meio
intercâmbio *s. m.* troca; permuta
interceder *v. tr.* intervir a favor de alguém ou de alguma coisa
interceptar *v. tr.* **1** interromper o curso de; **2** fazer parar; impedir
intercessão *s. f.* acto de interceder; intervenção
intercomunicador *s. m.* aparelho que serve de emissor e receptor (telefónico ou radiofónico) para comunicação local
intercontinental *adj. 2 gén.* relativo a dois ou mais continentes
interdição *s. f.* proibição; impedimento
interdisciplinar *adj. 2 gén.* relativo a duas ou mais disciplinas
interditar *v. tr.* proibir; impedir
interdito *adj.* que tem interdição; proibido
interessado *adj. e s. m.* que ou o que tem interesse em algo
interessante *adj. 2 gén.* **1** que desperta interesse e motivação; **2** que prende a atenção; cativante
interessar I *v. tr.* **1** despertar interesse em; **2** cativar; **II** *v. intr.* **1** ter interesse, importância ou utilidade; **2** dizer respeito a; **III** *v. refl.* sentir interesse por
interesse *s. m.* **1** aquilo que convém e que importa; **2** o que desperta a atenção ou a curiosidade; **3** proveito; vantagem; **4** procura de benefícios pessoais; **5** empenho; dedicação
interesseiro *adj. e s. m.* que ou o que age em função da vantagem pessoal
interface *s. f.* INFORM. apresentação gráfica dos dados e das funções de um programa
interferência *s. f.* **1** acto de interferir; intervenção; **2** distorção de sons produzida pela recepção de sinais que se sobrepõem
interferir *v. intr.* **1** intervir; participar; **2** produzir interferência
intergovernamental *adj. 2 gén.* que se realiza entre dois ou mais governos
interino *adj.* provisório
interior I *s. m.* **1** parte de dentro; **2** parte interna de um país (por oposição ao litoral ou às fronteiras); **3** íntimo de uma pessoa; **II** *adj.* **1** interno; **2** (compartimento) sem janelas
interiorização *s. f.* **1** acto de interiorizar; **2** assimilação de ideias, sentimentos, etc.
interiorizar *v. tr.* **1** tornar interior; introduzir no espírito ou no pensamento; **2** assimilar; tornar inconsciente (ideias, sentimentos, etc.)
interjeição *s. f.* GRAM. palavra ou expressão que serve para exprimir um sentimento ou uma reacção (alegria, admiração, etc.), uma ordem, chamar a atenção ou imitar um som
interligado *adj.* em que existe ligação entre duas ou mais coisas
interligar *v. tr.* ligar (duas ou mais coisas) entre si
interlocutor *s. m.* **1** pessoa que intervém num diálogo; **2** LING. sujeito falante que recebe ou produz enunciados
intermediário *adj. e s. m.* que ou pessoa que faz a ligação entre outras pessoas ou grupos; mediador

intermédio *adj. e s. m.* que ou o que está entre dois pontos ou termos

interminável *adj. 2 gén.* **1** que não se pode terminar; **2** sem fim; infinito

intermitente *adj. 2 gén.* que se sucede com interrupções ou intervalos

intermodal *adj. 2 gén.* (sistema de transporte) que permite o acesso a diversos meios ou rotas

internacional *adj. 2 gén.* **1** relativo a duas ou mais nações; **2** que se realiza entre duas ou mais nações

internacionalização *s. f.* acto ou efeito de tornar internacional

internado *adj.* que está colocado numa instituição (hospital, colégio interno, etc.)

internamento *s. m.* colocação de uma pessoa numa instituição (como um hospital, um colégio interno, etc.)

internar *v. tr.* **1** colocar em asilo, colégio, etc. como residente; **2** colocar em hospital para tratamento por mais de um dia

internato *s. m.* **1** estabelecimento de ensino onde os alunos residem; **2** estabelecimento de assistência a crianças carenciadas

internauta *s. 2 gén.* INFORM. pessoa que navega na Internet; cibernauta

Internet *s. f.* INFORM. rede mundial de comunicação por computadores, que permite a troca de mensagens e o acesso a uma grande quantidade de informação

interno *adj.* **1** interior; **2** (estudante) que reside no colégio onde estuda

interpelação *s. f.* acto de interpelar

interpelar *v. tr.* dirigir a palavra a (alguém) em pergunta ou pedido de explicação

interpor **I** *v. tr.* **1** pôr no meio; **2** contrapor; **3** DIR. apresentar um recurso; **II** *v. refl.* pôr-se no meio

interpretação *s. f.* **1** acto de interpretar; **2** sentido que se atribui a algo; **3** MÚS. execução; **4** CIN., TEAT., TV representação

interpretar *v. tr.* **1** determinar o sentido de; **2** julgar; entender; **3** traduzir; **4** MÚS. executar; **5** CIN., TEAT., TV representar

intérprete *s. 2 gén.* **1** pessoa que serve de intermediário entre duas ou mais pessoas de línguas diferentes, traduzindo o que é dito; **2** MÚS. executante; **3** CIN., TEAT., TV pessoa que representa um papel

interregno *s. m.* **1** período de tempo em que não existe rei; **2** *(fig.)* interrupção; intervalo

interrogação *s. f.* **1** pergunta; **2** dúvida

interrogar **I** *v. tr.* **1** fazer perguntas; **2** proceder a um interrogatório; **II** *v. refl.* questionar-se

interrogativo *adj.* próprio para interrogar

interrogatório *s. m.* série de perguntas

interromper **I** *v. tr.* **1** cortar, impedir a continuidade de; **2** fazer parar momentaneamente; **3** cortar a palavra a; **II** *v. refl.* sofrer interrupção

interrupção *s. f.* acto de interromper; paragem

interruptor *s. m.* ELECTR. pequeno dispositivo que permite abrir ou fechar um circuito eléctrico

intersecção *s. f.* **1** união de duas linhas que se cruzam; **2** ponto em que se verifica essa união

intersectar *v. tr.* interromper o curso de; cortar

interurbano *adj.* que une duas ou mais cidades

intervalo *s. m.* **1** espaço entre dois pontos ou dois objectos; **2** espaço de tempo entre acontecimentos, datas, épocas, etc.; **3** interrupção temporária; pausa

intervenção *s. f.* **1** acto de intervir ou tomar parte em; **2** operação cirúrgica
interveniente *adj. e s. 2 gén.* participante; mediador
intervir *v. intr.* **1** tomar parte activa; interferir; **2** exercer autoridade
intestinal *adj. 2 gén.* relativo a intestino
intestino I *s. m.* ANAT. parte do tubo digestivo que une o estômago ao ânus e se divide em delgado e grosso; **II** *adj.* **1** interno; **2** (guerra) civil
intimação *s. f.* **1** acto ou efeito de intimar; **2** DIR. notificação judicial
intimar *v. tr.* **1** DIR. notificar; **2** ordenar de forma autoritária
intimidade *s. f.* **1** qualidade de íntimo; **2** vida íntima; privacidade; **3** relação íntima; **4** ausência de cerimónia
intimidar I *v. tr.* **1** inspirar medo; assustar; **2** inibir; **II** *v. refl.* **1** assustar-se; **2** inibir-se
íntimo I *adj.* **1** que constitui a essência de algo; **2** interior; **3** que mantém uma relação muito próxima; **4** particular; privado; **II** *s. m.* **1** essência; **2** interior
intitular I *v. tr.* dar título ou nome a; **II** *v. refl.* ter como nome; chamar-se
intocável *adj. 2 gén.* **1** em que não se pode tocar; **2** inatacável; indestrutível
intolerância *s. f.* falta de tolerância em relação a ideias, opiniões ou crenças diferentes; intransigência
intolerante *adj. 2 gén.* que não é tolerante; intransigente
intolerável *adj. 2 gén.* que não se pode tolerar ou admitir
intoxicação *s. f.* envenenamento por acção de substância tóxica; MED. **~ *alimentar*** acção nociva exercida no organismo por uma substância alimentar deteriorada
intoxicar *v. tr.* envenenar com substâcia tóxica
intragável *adj. 2 gén.* **1** que não se pode tragar; **2** (*fig., pej.*) insuportável
intranet *s. f.* INFORM. rede interna de computadores de uma organização que pode utilizar os protocolos da Internet
intranquilo *adj.* inquieto
intransigência *s. f.* **1** falta de transigência; intolerância; **2** severidade
intransigente *adj. 2 gén.* **1** que não transige; intolerante; **2** severo
intransitável *adj. 2 gén.* por onde não se consegue passar
intransitivo *adj.* GRAM. (verbo) que tem sentido completo, não pedindo complemento directo nem indirecto
intransmissível *adj. 2 gén.* que não é transmissível
intransponível *adj. 2 gén.* que não se pode transpor
intratável *adj. 2 gén.* **1** que não se pode tratar; **2** insociável
intriga *s. f.* **1** boato; mexerico; **2** conspiração; **3** conjunto de acontecimentos que formam o fio condutor de uma peça, filme ou narrativa; enredo
intrigado *adj.* **1** perplexo; **2** desconfiado
intrigante *adj. 2 gén.* que causa estranheza ou perplexidade
intrigar I *v. tr.* **1** criar intrigas; **2** tornar perplexo ou desconfiado; **II** *v. refl.* tornar-se perplexo ou desconfiado
intriguista *adj. e s. 2 gén.* que ou pessoa que produz intrigas
intrínseco *adj.* que faz parte da natureza de algo; inerente
introdução *s. f.* **1** acto de introduzir(-se); **2** texto preliminar e explicativo de uma obra, tese, etc.; prefácio
introdutório *adj.* que serve de introdução
introduzir I *v. tr.* **1** fazer entrar; inserir; **2** incluir; incorporar; **3** apresentar; **4** importar de outro país;

5 fazer adoptar; estabelecer; **II** *v. refl.* penetrar

intrometer *v. refl.* meter-se no que não lhe diz respeito

intrometido *adj.* indiscreto; metediço

intromissão *s. f.* acto de se meter no que não lhe diz respeito

introspecção *s. f.* exame ou análise interior (de pensamentos, sentimentos, etc.)

introspectivo *adj.* que examina o interior

introvertido *adj.* metido consigo; pouco comunicativo

intrujão *s. m.* aldrabão; vigarista

intrujar *v. tr.* enganar; aldrabar

intrujice *s. f.* aldrabice; vigarice

intruso *s. m.* **1** o que se introduz em algum lugar ou toma posse de algo ilegalmente; **2** o que aparece sem ser desejado

intuição *s. f.* **1** capacidade de perceber ou pressentir os acontecimentos, sem a ajuda do raciocínio; **2** pressentimento

intuitivo *adj.* **1** relativo a intuição; **2** evidente; imediato

intuito *s. m.* o que se tem em vista; objectivo

inultrapassável *adj. 2 gén.* que não se pode ultrapassar

inumerável *adj. 2 gén.* **1** que não se pode numerar ou contar; **2** muito numeroso

inúmero *adj.* vd. **inumerável**

inundação *s. f.* grande abundância de águas que provoca estragos, devido a excesso de chuvas, subida de maré, etc.

inundado *adj.* **1** que sofreu inundação; alagado; **2** *(fig.)* invadido

inundar I *v. tr.* **1** cobrir ou encher de água ou outro líquido; alagar; **2** *(fig.)* invadir; **II** *v. refl.* alagar-se

inusitado *adj.* **1** raro; desusado; **2** estranho

inútil *adj. 2 gén.* **1** sem utilidade; **2** infrutífero; vão; **3** *(pej.)* (pessoa) incapaz

inutilidade *s. f.* **1** falta de utilidade; **2** o que é inútil, não serve para nada

inutilizado *adj.* **1** que se tornou inútil; **2** (objecto) danificado; **3** *(pej.)* (pessoa) incapacitado

inutilizar *v. tr.* **1** tornar inútil; **2** danificar, impedindo o funcionamento de; **3** tornar incapaz por problema físico ou mental

invadir *v. tr.* **1** ocupar por meio da força; **2** apoderar-se de

invalidar *v. tr.* **1** tornar inválido; anular; **2** inutilizar

invalidez *s. f.* estado de quem, por incapacidade física ou mental permanente, não pode exercer a sua actividade profissional

inválido I *adj.* **1** sem validade; nulo; **2** incapacitado; **II** *s. m.* indivíduo que, por falta de capacidade física ou mental permanente, está impossibilitado de exercer a sua actividade profissional

invariável *adj. 2 gén.* **1** não variável; constante; **2** GRAM. (palavra) que não tem flexão

invasão *s. f.* **1** acto de invadir ou ocupar pela força; **2** *(fig.)* difusão

invasor *adj. e s. m.* que ou o que invade

inveja *s. f.* cobiça de algo que pertence a outra pessoa, que provoca degosto

invejar *v. tr.* ter inveja de; cobiçar

invejável *adj. 2 gén.* digno de inveja; desejável

invejoso *adj. e s. m.* que ou o que manifesta inveja

invenção *s. f.* **1** faculdade de produzir ou criar coisas novas; **2** produto dessa faculdade; descoberta; **3** mentira

invencível *adj. 2 gén.* que não pode ser vencido
inventar *v. tr.* **1** criar ou decobrir algo novo; **2** afirmar coisas que não existem; mentir
inventariação *s. f.* acto de inventariar
inventariar *v. tr.* **1** fazer o inventário de; **2** catalogar
inventário *s. m.* **1** enumeração e descrição detalhada dos bens pertencentes a uma pessoa, empresa, etc.; **2** catálogo; lista
inventivo *adj.* **1** criativo; **2** engenhoso
invento *s. m.* **1** coisa inventada; invenção; **2** aparelho ou mecanismo inventado
inventor *adj. e s. m.* que ou o que inventa ou cria algo novo
Inverno *s. m.* estação do ano entre o Outono e a Primavera (de 22 de Dezembro a 21 de Março)
inverosímil *adj. 2 gén.* que não é ou não parece ser verdadeiro
inverosimilhança *s. f.* **1** falta de verosimilhança; **2** característica do que não parece verdadeiro
inversão *s. f.* **1** troca da posição ou da direcção de elementos ou objectos; **2** estado do está trocado ou em sentido oposto
inverso I *s. m.* **1** contrário; **2** reverso; **II** *adj.* **1** em sentido contrário; **2** oposto
invertebrado I *adj.* ZOOL. que não possui coluna vertebral; **II** *s. m.* ZOOL. animal que não possui coluna vertebral
inverter I *v. tr.* **1** colocar em sentido contrário; **2** trocar a ordem de; **II** *v. intr.* voltar-se em sentido contrário
invertido *adj.* **1** em sentido contrário; **2** alterado
invés *s. m.* lado oposto; avesso; ***ao ~*** ao contrário
investida *s. f.* **1** ataque; assalto; **2** *(fig.)* tentativa
investidor *s. m.* aquele que investe
investigação *s. f.* **1** pesquisa detalhada e metódica de algo; **2** conjunto de estudos e pesquisas sobre um tema, geralmente de carácter científico
investigador *s. m.* aquele que investiga
investigar *v. tr.* **1** tentar descobrir; **2** pesquisar de modo minucioso
investimento *s. m.* **1** acto de investir; **2** aplicação de capitais ou outros recursos no desenvolvimento de determinada actividade, com o fim de aumentar os ganhos ou lucros
investir I *v. tr.* **1** atacar; **2** eleger; nomear; **3** aplicar (esforço, tempo, capitais, etc.) para obter lucros ou bons resultados; **II** *v. intr.* **1** atacar; **2** aplicar recursos para obter lucros ou bons resultados
inveterado *adj.* **1** muito antigo; **2** que possui determinado hábito enraizado
inviável *adj. 2 gén.* **1** não viável; inacessível; **2** não realizável
invicto *adj.* não vencido
inviolável *adj. 2 gén.* que não se deve ou não se pode violar
invisível *adj. 2 gén.* **1** que não se pode ver; **2** que não se conhece
invisual *adj. e s. 2 gén.* cego
in vitro *loc.* QUÍM., BIOL., MED. designa qualquer fenómeno fisiológico que se opera fora do organismo, num tubo de ensaio, numa proveta, etc.
invocar *v. tr.* **1** pedir o auxílio ou a protecção de; **2** recorrer a
invólucro *s. m.* o que serve para envolver, cobrir ou revestir algo
involuntário *adj.* realizado sem intervenção da vontade; espontâneo
invulgar *adj. 2 gén.* não vulgar; raro

iodo *s. m.* QUÍM. elemento com o número atómico 53 e símbolo I, não-metal halogéneo

ioga *s. m.* conjunto de exercícios de postura corporal e controlo da respiração, que procura estabelecer o equilíbrio entre a mente e o corpo

iogurte *s. m.* alimento preparado com leite coalhado submetido à acção de fermentos lácteos, por vezes adoçado, aromatizado ou com pedaços de frutas

ioió *s. m.* brinquedo constituído por dois discos, unidos no centro por um pequeno cilindro em volta do qual se prende um cordão que o faz subir e descer

iota *s. m.* nona letra do alfabeto grego, correspondente ao *i*

IP [*sigla de* Itinerário Principal]

ípsilo *s. m.* vigésima do alfabeto grego (y,Y)

ípsilon *s. m.* vd. **ípsilo**

ir I *v. intr.* **1** deslocar-se de um lugar para outro; **2** dirigir-se para; **3** estar presente; comparecer; **4** progredir; evoluir; **5** passar (bem ou mal) de saúde; **II** *v. refl.* **1** sair de um lugar; partir; **2** desaparecer; **~ *ao ar*** perder-se; frustrar-se; **~ *desta para melhor*** morrer; **~ *longe*** prometer muito

Ir QUÍM. [*símbolo de* **irídio**]

ira *s. f.* cólera; raiva

irado *adj.* enraivecido

iraniano I *s. m.* {*f.* iraniana} pessoa natural do Irão; **II** *adj.* relativo ao Irão

iraquiano I *s. m.* {*f.* iraquiana} pessoa natural do Iraque; **II** *adj.* relativo ao Iraque

irar I *v. tr.* causar ira a; enraivecer; **II** *v. refl.* enraivecer-se

irascível *adj. 2 gén.* que se irrita facilmente

IRC I [*abrev. de* Imposto sobre o Rendimento das Pessoas Colectivas]; **II** INFORM. [*sigla de* Internet Relay Chat] serviço fornecido na Internet que permite conversar em tempo real, através de mensagens escritas

irídio *s. m.* QUÍM. elemento com o número atómico 77 e símbolo Ir, metálico, muito duro e denso

íris *s. f.* ANAT. membrana do globo ocular onde se encontra a abertura denominada pupila ou menina-do-olho

irlandês I *s. m.* {*f.* irlandesa} **1** pessoa natural da Irlanda; **2** língua falada na República da Irlanda; **II** *adj.* relativo à Irlanda

irmã *s. f.* **1** aquela que, em relação a outrem, é filha do mesmo pai e da mesma mãe, ou só do mesmo pai, ou só da mesma mãe; **2** freira

irmão *s. m.* **1** aquele que, em relação a outrem, é filho do mesmo pai e da mesma mãe, ou só do mesmo pai, ou só da mesma mãe; **2** frade

ironia *s. f.* uso de palavra ou expressão em sentido oposto àquele que se deveria usar para definir algo

irónico *adj.* em que há ironia; sarcástico

ironizar I *v. tr.* exprimir com ironia; **II** *v. intr.* fazer ironia; troçar

irra *interj.* exprime irritação

irracional I *adj. 2 gén.* **1** não racional; ilógico; **2** contrário à razão; **3** que não possui raciocínio; **II** *s. m.* animal que não possui raciocínio

irracionalidade *s. f.* **1** característica do ser que é destituído de raciocínio; **2** falta de razão ou lógica nas ideias

irradiação *s. f.* **1** propagação por meio de raios; **2** *(fig.)* difusão

irradiar *v. tr.* **1** emitir (calor, luz, etc.); **2** *(fig.)* manifestar; propagar (sentimento); **3** *(fig.)* divulgar (ideias)

irreal *adj. 2 gén.* **1** que não pertence à realidade; **2** imaginário

irrealidade *s. f.* **1** qualidade de irreal; **2** falta de adequação à realidade

irrealista I *adj. 2 gén.* **1** não realista; **2** que não se adequa à realidade; **II** *s. 2 gén.* pessoa a quem falta o sentido da realidade

irreconciliável *adj. 2 gén.* que não se pode reconciliar

irreconhecível *adj. 2 gén.* que não se pode reconhecer; muito modificado

irrecuperável *adj. 2 gén.* que não pode ser recuperado; perdido

irrecusável *adj. 2 gén.* que não se pode recusar

irredutível *adj. 2 gén.* **1** que não se pode reduzir ou decompor; **2** (pessoa) inflexível

irreflectido *adj.* **1** que não foi ponderado; **2** impensado

irrefutável *adj. 2 gén.* que não se pode refutar; incontestável

irregular *adj. 2 gén.* **1** que não é regular ou uniforme; **2** que contraria as regras estabelecidas; **3** (pessoa) desigual nas atitudes ou no rendimento

irregularidade *s. f.* **1** qualidade de irregular; desigualdade; **2** procedimento ou situação irregular

irrelevante *adj. 2 gén.* que não tem relevo ou importância

irremediável *adj. 2 gén.* que não pode ser remediado

irreparável *adj. 2 gén.* que não se pode reparar; irremediável

irrepreensível *adj. 2 gén.* **1** em que não há nada a repreender; **2** perfeito

irrequieto *adj.* **1** desassossegado; agitado; **2** turbulento

irresoluto *adj.* indeciso

irrespirável *adj. 2 gén.* que não se pode respirar

irresponsabilidade *s. f.* qualidade de irresponsável; falta de responsabilidade

irresponsável *adj. 2 gén.* **1** que não pode ser responsabilizado; **2** que manifesta falta de responsabilidade

irreverência *s. f.* falta de reverência; desrespeito

irreverente *adj. 2 gén.* que mostra irreverência ou desrespeito

irreversível *adj. 2 gén.* que não pode mudar de sentido ou direcção; que não pode voltar atrás

irrevogável *adj. 2 gén.* que não se pode revogar ou anular

irrigação *s. f.* **1** acto de irrigar ou molhar; **2** AGRIC. rega artificial de terras; **3** BIOL. circulação natural de líquidos no organismo

irrigar *v. tr.* **1** molhar; **2** regar

irrisório *adj.* **1** ridículo; **2** insignificante

irritabilidade *s. f.* **1** qualidade de irritável; **2** tendência para se irritar; **3** FISIOL. propriedade dos tecidos e dos nervos de reagir a estímulos

irritação *s. f.* **1** acto de irritar(-se); **2** estado de nervosismo e de cólera; **3** FISIOL. reacção de um tecido ou de um nervo a um estímulo

irritadiço *adj.* que se irrita com facilidade; irritável

irritado *adj.* **1** enervado; exasperado; **2** (pele) inflamado; sensibilizado

irritante *adj. 2 gén.* que irrita

irritar I *v. tr.* **1** causar irritação a; enervar; **2** inflamar (pele); **3** estimular (tecido, órgão, etc.); **II** *v. refl.* enervar-se

irritável *adj. 2 gén.* que se irrita com facilidade

irromper *v. intr.* **1** entrar impetuosamente; invadir; **2** surgir de repente; brotar

IRS [*abrev. de* **I**mposto sobre o **R**endimento das Pessoas **S**ingulares]

isca *s. f.* **1** CUL. fritura feita com tiras de bacalhau envolvidas em polme; **2** vd. **isco**

isco *s. m.* **1** substância que se põe no anzol para atrair os peixes; **2** (*fig.*)

atractivo ❖ ***morder o ~*** cair na armadilha; deixar-se enganar

isenção *s. f.* **1** qualidade de isento ou imparcial; justiça; **2** dispensa do cumprimento de uma obrigação; ~ ***fiscal*** dispensa concedida por lei do pagamento de um imposto

isentar *v. tr. e refl.* tornar(-se) isento; desobrigar(-se)

isento *adj.* **1** dispensado de encargo ou obrigação; **2** livre; **3** neutro; imparcial

islâmico *adj.* relativo a islamita ou a islamismo

islamismo *s. m.* RELIG. religião monoteísta fundada pelo profeta árabe Maomé cuja doutrina se encontra codificada no Corão, o livro sagrado dos muçulmanos

islamita *adj. e s. 2 gén.* que ou pessoa que segue o islamismo

islandês **I** *s. m.* {*f.* islandesa} **1** pessoa natural da Islândia; **2** língua falada na Islândia; **II** *adj.* relativo à Islândia

isolado *adj.* **1** separado daquilo que o rodeia; **2** só; solitário; **3** incomunicável; **4** único; **5** ELECTR. revestido de material isolante

isolamento *s. m.* **1** acto de isolar(-se); **2** estado daquele que vive afastado do convívio social

isolante **I** *adj. 2 gén.* **1** que isola; **2** ELECTR. que não é condutor de energia; **3** (corpo) que não transmite electricidade; **II** *s. m.* material que não é condutor de energia

isolar **I** *v. tr.* **1** separar; pôr à parte; **2** pôr incomunicável; **3** ELECTR. revestir de material isolante; **II** *v. refl.* separar-se

isósceles *adj.* GEOM. (triângulo, trapézio) que tem dois lados iguais

isqueiro *s. m.* pequeno utensílio com um reservatório de gás, que se inflama pelo atrito de uma roseta de aço

israelita **I** *s. 2 gén.* pessoa pertencente ao povo de Israel; **II** *adj. 2 gén.* relativo a Israel ou ao seu povo

isso *pron. dem.* essa coisa; essas coisas; ***isso!*** exclamação que designa aprovação ou concordância; ***nem por ~*** não tanto como se diz; não muito; ***por ~*** por essa razão; por esse motivo

istmo *s. m.* **1** GEOG. faixa estreita de terra que liga uma península ao continente; **2** ANAT. estreitamento que liga duas partes de um órgão ou dois órgãos entre si

isto *pron. dem.* esta coisa; estas coisas; ~ ***é*** ou seja; quer dizer

italiano **I** *s. m.* {*f.* italiana} **1** pessoa natural de Itália; **2** língua falada na Itália, na Suíça italiana e em San Marino; **II** *adj.* relativo a Itália

itálico **I** *s. m.* tipo de letra inclinada para a direita; grifo; **II** *adj.* **1** relativo a esse tipo de letra; **2** relativo a Itália

item *s. m.* {*pl.* itens} **1** cada um dos artigos de um contrato, regulamento, etc.; **2** cada um dos elementos de um conjunto

iterativo *adj.* repetido

itérbio *s. m.* QUÍM. elemento com o número atómico 70 e símbolo Yb

itinerante *adj. 2 gén.* que se desloca

itinerário *s. m.* **1** caminho a percorrer; percurso; **2** indicação de todas as paragens ou pontos de passagem que fazem parte de um percurso

ítrio *s. m.* QUÍM. elemento metálico com o número atómico 39 e símbolo Y

IVA [*sigla de* **I**mposto sobre o **V**alor **A**crescentado]

J

j *s. m.* décima letra e sétima consoante do alfabeto

J [*símbolo de* **joule**]

já *adv.* **1** agora mesmo; imediatamente; **2** nesse tempo; **3** antecipadamente; de antemão; **4** naquele momento; ***~ agora*** perante isso; ***~ que*** visto que

jacaré *s. m.* ZOOL. grande réptil com o focinho largo e achatado, frequente nos pântanos e rios da América do Sul

jackpot *s. m.* {*pl.* jackpots} prémio mais alto de um jogo, resultante da sucessiva acumulação do valor em causa a partir de apostas falhadas

jacobino I *s. m.* POL., HIST. membro dum clube político francês revolucionário (Clube dos Jacobinos), fundado em 1789; **II** *adj.* relativo aos membros do Clube dos Jacobinos

jacto *s. m.* saída impetuosa de um líquido através de um pequeno orifício; esguicho

jacúzi *s. m.* banheira equipada com um dispositivo que provoca ondulações na água, massajando o corpo

jade *s. m.* MIN. pedra semipreciosa muito dura, de cor esverdeada, frequentemente utilizada em objectos decorativos e de adorno

jaguar *s. m.* ZOOL. mamífero carnívoro de cor amarelada e manchas pretas irregulares em todo o corpo, semelhante ao tigre, que vive no continente americano

jamaicano I *s. m.* {*f.* jamaicana} pessoa natural da Jamaica (América Central); **II** *adj.* relativo à Jamaica

jamais *adv.* **1** nunca; **2** alguma vez

jamboré *s. m.* encontro, geralmente internacional, de escuteiros

janeiras *s. f. pl.* cantigas populares de boas-festas que se entoam no Ano Novo

Janeiro *s. m.* primeiro mês do ano civil, com trinta e um dias

janela *s. f.* **1** abertura na parede de um edifício ou num veículo, com um caixilho interior que suporta um vidro ou outro material transparente, e que serve para deixar entrar o ar e a luz; **2** INFORM. parte da superfície do ecrã do computador, geralmente de forma rectangular, destinada a mostrar uma aplicação ou um ficheiro ❖ ***deitar dinheiro pela ~ fora*** desperdiçar dinheiro

jangada *s. f.* estrutura flutuante constituída por troncos ou outros objectos leves como barris vazios, que se utiliza para o transporte sobre a água

janota *adj. 2 gén.* **1** que tem muito cuidado com a apresentação; **2** elegante

janta *s. f.* *(pop.)* vd. **jantar**

jantar I *s. m.* **1** refeição que se toma ao fim da tarde ou no início da noite; **2** comida que compõe essa refeição; **II** *v. tr.* comer (os alimentos que compõem essa refeição); **III** *v. intr.* tomar uma das principais refeições diárias ao fim da tarde ou no início da noite

jantarada *s. f.* *(coloq.)* jantar abundante; comezaina

jante *s. f.* aro da roda de um veículo automóvel, em que se encaixa o pneu

japonês I *s. m.* {*f.* japonesa} **1** pessoa natural do Japão; **2** língua falada no Japão; **II** *adj.* relativo ao Japão

jaqueta *s. f.* casaco curto e sem abas que chega apenas à cintura

jarda *s. f.* medida de comprimento inglesa equivalente a 0,914 m

jardim *s. m.* extensão de terreno onde geralmente se cultivam plantas de adorno e árvores, em espaço público ou privado

jardim botânico *s. m.* terreno em que se cultivam diversas plantas para estudo científico

jardim-de-infância *s. m.* {*pl.* jardins-de-infância} estabelecimento de ensino que se ocupa de crianças em idade pré-escolar

jardim-infantil *s. m.* {*pl.* jardins-infantis} vd. **jardim-de-infância**

jardim zoológico *s. m.* local onde vivem e estão expostos ao público animais de várias espécies

jardinagem *s. f.* arte de cultivar jardins, tatando da sua manutenção

jardinar *v. intr.* **1** cultivar um jardim; **2** dedicar-se à jardinagem

jardineira *s. f.* **1** mulher que se ocupa do cultivo e manutenção de jardins; **2** CUL. guisado, geralmente de vitela, em que entram diversos legumes frescos; **3** [*pl.*] peça de vestuário, geralmente calças ou calções, com peitilho e alças a cruzar nas costas

jardineiro *s. m.* indivíduo que se ocupa do cultivo e manutenção de jardins

jargão *s. m.* **1** linguagem corrompida ou incompreensível; **2** linguagem codificada, utilizada por determinados grupos sociais ou culturais; gíria

jarra *s. f.* recipiente utilizado para colocar flores ou como ornamento

jarrão *s. m.* jarra grande, utilizado como elemento decorativo

jarro *s. m.* **1** recipiente alto, com asa e bico, para servir água ou vinho; jarra; **2** quantidade de líquido que esse recipiente contém; **3** BOT. planta com flor envolta numa folha branca; **4** BOT. flor dessa planta

jasmim *s. m.* BOT. planta ornamental, de caule flexível trepador e flores aromáticas brancas, amarelas ou rosa

jaspe *s. m.* MIN. variedade de quartzo, opaca e de cores diversas, usada em jóias e peças decorativas

jaula *s. f.* caixa de grades, em geral de ferro, utilizada para abrigar ou transportar animais selvagens

javali *s. m.* ZOOL. mamífero corpulento com pelagem espessa, áspera e cinzenta, que constitui a principal espécie de porcos selvagens

javardice *s. f.* **1** (*depr., pop.*) porcaria; **2** (*depr., pop.*) grande confusão

javardo I *s. m.* (*depr., pop.*) homem grosseiro e porco; **II** *adj.* (*depr., pop.*) porco; nojento

javardolas *s. 2 gén. e 2 núm.* vd. **javardo**

jazer *v. intr.* **1** estar deitado, estendido; **2** estar morto ou como morto; **3** estar sepultado; **4** estar situado

jazida *s. f.* **1** sepultura; **2** GEOL. concentração natural de minério; jazigo mineral

jazigo *s. m.* **1** sepultura; **2** pequena edificação, nos cemitérios, destinada a sepultar várias pessoas, em geral da mesma família; **3** GEOL. concentração natural de minério

jazz *s. m.* MÚS. género vocal e instrumental de origem negro-americana, caracterizado pela improvisação e pelos ritmos sincopados

jeans *s. m. pl.* calças de ganga
jeito *s. m.* **1** disposição natural; habilidade; **2** modo; forma; maneira; **3** pequeno movimento; gesto; **4** lesão num músculo ou tendão devido a movimento em falso, contusão, etc.; **5** cuidado; **6** arranjo; arrumação; ***a ~*** em ocasião oportuna; ***com ~*** com cuidado; ***dar ~*** ter utilidade; ser oportuno; ***dar um ~*** dar uma arrumação; ***fazer um ~*** fazer um pequeno favor
jeitoso *adj.* **1** que tem jeito; habilidoso; **2** útil; apropriado; **3** com boa aparência; atraente
jejuar *v. intr.* **1** privar-se de comer; **2** reduzir a quantidade de alimentos ingeridos; **3** *(fig.)* abster-se de algo considerado agradável
jejum *s. m.* **1** privação ou redução de alimentos, por vontade própria ou por imposição; **2** estado da pessoa que jejua; **3** *(fig.)* privação de algo agradável; ***em ~*** sem ingerir nada desde o dia anterior
jejuno *s. m.* ANAT. porção do intestino delgado entre o duodeno e o íleo
jerico *s. m.* ZOOL. mamífero semelhante ao cavalo mas menos corpulento, com orelhas mais compridas e pelagem cinzenta ou acastanhada; jumento
jeropiga *s. f.* **1** bebida muito alcoólica feita de mosto, aguardente e açúcar; **2** *(pej.)* vinho de fraca qualidade
jesuíta I *s. m.* **1** membro da Companhia de Jesus, (ordem religiosa fundada por Santo Inácio de Loiola no séc. XVI); **2** CUL. bolo triangular de massa folhada coberta por uma camada solidificada de claras batidas com açúcar; **II** *adj.* relativo à Companhia de Jesus
jesus *interj.* exprime admiração, surpresa ou susto
jet-lag *s. m.* perturbação do ritmo biológico causada por viagens de avião muito longas através de zonas com diferentes fusos horários, o que provoca cansaço, alteração do ciclo do sono, etc.
jet-set *s. m.* grupo de pessoas, geralmente ricas, que têm uma vida social intensa
jibóia *s. f.* ZOOL. grande serpente não venenosa, geralmente de cor acinzentada, que se alimenta de roedores e de aves e vive na América do Sul
jipe *s. m.* veículo automóvel com tracção às quatro rodas, capaz de circular em terrenos difíceis
joalharia *s. f.* **1** arte de trabalhar materiais preciosos e semipreciosos transformando-os em jóias; **2** estabelecimento comercial onde se vendem jóias
joalheiro I *s. m.* fabricante ou vendedor de jóias; **II** *adj.* relativo a jóia(s)
joanete *s. m.* MED. deformação saliente na base do dedo grande do pé
joaninha *s. f.* ZOOL. pequeno insecto de corpo semiesférico, com asas membranosas, de cor negra por baixo e vermelha por cima, e com diversos pontos pretos
joão-pestana *s. m.* *(pop.)* sono
jocoso *adj.* **1** que provoca riso; engraçado; **2** trocista
joelhada *s. f.* pancada dada com o joelho ou no joelho
joelheira *s. f.* **1** pedaço de tecido, geralmente oval, que se cose nas calças para proteger a zona dos joelhos; **2** DESP. peça almofadada que resguarda os joelhos dos jogadores
joelho *s. m.* **1** ANAT. zona de articulação da coxa com a perna; **2** parte do vestuário que cobre essa zona do corpo ❖ ***fazer em cima do ~*** improvisar; ***pedir de joelhos*** implorar

jogada *s. f.* **1** manobra ou procedimento do jogador sempre que chega a sua vez, e que deve respeitar as regras do jogo; **2** *(coloq.)* estratagema

jogador I *s. m.* **1** pessoa que participa num jogo; **2** pessoa cuja profissão consiste em praticar uma modalidade desportiva; **3** pessoa que tem o hábito de jogar a dinheiro; **II** *adj.* **1** que joga; **2** que tem o hábito de jogar a dinheiro

jogar I *v. tr.* **1** participar em jogo ou desporto, de acordo com determinadas regras; **2** praticar com regularidade (modalidade desportiva); **3** atirar; lançar; **4** arriscar no jogo; **II** *v. intr.* **1** tomar parte em jogo ou desporto; **2** ter o vício de participar em actividades, arriscando dinheiro; **3** combinar; condizer

jogging *s. m.* DESP. actividade de manutenção física, que consiste em correr a pé, em andamento moderado

jogo *s. m.* **1** actividade lúdica ou competitiva em que as regras estabelecidas determinam quem ganha e quem perde; **2** grupo de peças ou elementos que formam um conjunto; **3** manobra; disfarce; ***jogos olímpicos*** competição desportiva internacional, em que estão representadas todas as modalidades aprovadas pelo Comité Olímpico Internacional, que se realiza de quatro em quatro anos, em país decidido previamente; ❖ ***abrir o ~*** mostrar as verdadeiras intenções; ***pôr em ~*** arriscar

jogral *s. m.* indivíduo que, na Idade Média, tocava vários instrumentos e cantava versos na corte

jóia *s. f.* **1** objecto de adorno, de material valioso e trabalhado com arte; **2** *(fig.)* pessoa ou coisa de grande valor; **3** quantia que se paga pela inscrição em certas associações

joint-venture *s. m.* {*pl.* joint-ventures} ECON. empreendimento conjunto de duas ou mais empresas com vista à exploração de um ou mais ramos comerciais

joio *s. m.* BOT. planta herbácea espontânea, frequente nas searas, que prejudica as culturas através do seus frutos, portadores de uma substância tóxica; ***separar o trigo do ~*** separar o que é bom do que é mau

jóquei *s. m.* DESP. corredor profissional de corridas de cavalos

jóquer *s. m.* **1** carta extra de um baralho, geralmente com a figura de um bobo; **2** sorteio de um número de série registado num boletim

jordano I *s. m.* {*f.* jordana} pessoa natural da Jordânia; **II** *adj.* relativo à Jordânia

jornada *s. f.* **1** caminhada feita num dia; **2** trabalho realizado durante um dia; **3** dia destinado à reflexão sobre um dado assunto ou à prática de determinadas actividades; **4** DESP. dia em que decorre um acontecimento desportivo, num campeonato ou torneio

jornal *s. m.* **1** publicação periódica que contém notícias, reportagens, crónicas, entrevistas, anúncios e outro tipo de informação de interesse público; **2** instituição que edita essa publicação; **3** TV. apresentação das notícias do dia; noticiário

jornalismo *s. m.* actividade profissional da pessoa que trabalha na comunicação social, em publicações periódicas, na televisão ou na rádio (pode incluir o trabalho de redacção de artigos, realização de entrevistas, elaboração de noticiários, etc.)

jornalista *s. 2 gén.* pessoa que trabalha na comunicação social, como repórter, redactor, etc.

jornalístico *adj.* relativo a jornal ou a jornalista

jorrar *v. intr.* sair com força e abundância; irromper

jorro *s. m.* **1** saída impetuosa e abundante de um líquido; **2** emissão repentina de um feixe de luz; ***a jorros*** com força e em grande quantidade

jovem **I** *s. 2 gén.* pessoa com pouca idade; **II** *adj. 2 gén.* **1** com pouca idade; novo; **2** recente; **3** (animal, árvore) em fase de crescimento

jovial *adj. 2 gén.* alegre e bem-disposto; prazenteiro

jovialidade *s. f.* qualidade de jovial; carácter alegre e prazenteiro

joystick *s. m.* {*pl.* joysticks} INFORM. dispositivo manual ligado a um computador, constituído por uma alavanca que se move sobre uma base e por vários botões, que permitem o controlo do cursor

JPEG INFORM. [*sigla de* **J**oint **P**hotographic **E**xperts **G**roup] formato de armazenamento de imagens

juba *s. f.* **1** pêlo longo que cresce ao no pescoço e na cabeça do leão; **2** (*fig.*) cabelo abundante e com muito volume

jubilado **I** *adj.* **1** aposentado por limite de idade; **2** muito experiente e com prestígio; emérito; **II** *s. m.* (ensino superior) professor aposentado por limite de idade

jubilar-se *v. refl.* obter a jubilação; aposentar-se

jubileu *s. m.* **1** RELIG. indulgência plenária concedida pelo Papa, em certas solenidades; **2** RELIG. ano santo durante o qual a Igreja concede graças espirituais especiais; **3** quinquagésimo aniversário de função, actividade, instituição, etc.; **4** festa comemorativa de aposentação por limite de idade

júbilo *s. m.* grande alegria ou contentamento

jubiloso *adj.* cheio de júbilo; contente

judaico *adj.* relativo aos Judeus ou ao judaísmo

judaísmo *s. m.* **1** RELIG. doutrina monoteísta assente no Antigo Testamento; religião judaica; **2** cultura e civilização judaicas

judeu **I** *s. m.* {*f.* judia} **1** pessoa natural da Judeia; **2** pessoa que segue o judaísmo; **II** *adj.* relativo à Judeia

judicial *adj. 2 gén.* **1** relativo a juízo ou a tribunal; **2** relativo a justiça

judiciário *adj.* relativo a justiça ou a juiz

judo *s. m.* DESP. luta defensiva baseada na agilidade e flexibilidade dos praticantes

judoca *s. 2 gén.* DESP. praticante de judo

jugoslavo **I** *s. m.* {*f.* jugoslava} pessoa natural da Jugoslávia; **II** *adj.* relativo à Jugoslávia

juiz *s. m.* **1** DIR. magistrado que administra a justiça, tendo como função aplicar a lei; **2** DESP. árbitro

juiz-de-campo *s. m.* {*pl.* juízes-de-campo} DESP. árbitro

juiz-de-linha *s. m.* {*pl.* juízes-de-linha} DESP. (futebol) pessoa que assinala com uma pequena bandeira a saída da bola pela linha lateral ou pela linha de fundo; árbitro auxiliar

juízo *s. m.* **1** acto de julgar; **2** tino; bom senso; **3** opinião sobre algo ou alguém; **4** DIR. decisão do tribunal; sentença; ❖ ***fazer um ~*** dar uma opinião; (*coloq.*) ***moer o ~*** importunar; ***perder o ~*** endoidecer

julgamento *s. m.* **1** DIR. audiência em que se analisam as provas trazidas ao conhecimento do tribunal, que aplica as regras de direito adequadas, proferindo uma decisão final; **2** DIR. essa decisão final; sentença; **3** parecer; opinião

julgar I *v. tr.* 1 decidir, enquanto juiz ou árbitro; 2 formar opinião sobre; avaliar; 3 supor; II *v. intr.* pronunciar sentença; decidir; III *v. refl.* imaginar-se; supor-se

Julho *s. m.* sétimo mês do ano civil, com trinta e um dias

jumento *s. m.* ZOOL. mamífero semelhante ao cavalo, mas com orelhas mais compridas; burro

junção *s. f.* 1 união de duas ou mais pessoas ou coisas; 2 ponto onde duas ou mais coisas se ligam; confluência

Junho *s. m.* sexto mês do ano civil, com trinta dias

júnior I *adj. 2 gén.* 1 que é mais novo ou mais jovem; 2 DESP. relativo a um grupo de praticantes com idades entre os 16 e os 19 anos; II *s. 2 gén.* DESP. praticante de um desporto cuja idade está compreendida entre os 16 e os 19 anos

junta *s. f.* 1 ponto de união entre dois ou mais objectos ou superfícies; 2 parelha de bois ou vacas; 3 entidade com funções políticas ou administrativas; 4 organismo público de natureza administrativa ou consultiva

juntar I *v. tr.* 1 pôr junto; aproximar; 2 reunir; agrupar; 3 acrescentar; II *v. refl.* 1 aproximar-se; 2 reunir-se; 3 passar a viver maritalmente, sem casar

junto I *adj.* 1 unido; ligado; 2 próximo; chegado; 3 reunido; II *adv.* 1 unido a outra coisa; 2 ao lado; ***por ~*** de uma só vez; ao todo

Júpiter *s. m.* 1 ASTRON. o maior dos planetas do sistema solar, exterior, situado entre Marte e Saturno; 2 MITOL. pai dos deuses; Zeus

jura *s. f.* juramento; promessa

jurado I *adj.* declarado de modo solene; II *s. m.* DIR. membro de um júri num tribunal

juramento *s. m.* promessa solene, invocando algo que se considera sagrado; jura

jurar I *v. tr.* 1 prometer solenemente, invocando como testemunho algo que se considera sagrado; 2 afirmar com toda a certeza; garantir; II *v. intr.* prestar juramento

Jurássico *s. m.* GEOL. segundo período do Mesozóico, a seguir ao Triásico

júri *s. m.* 1 DIR. conjunto de pessoas seleccionadas de modo aleatório, convocadas por um tribunal para julgar uma causa; 2 conjunto de examinadores que avaliam o mérito de uma pessoa, um grupo, uma obra ou uma actuação, sujeitos a exame ou a concurso

jurídico *adj.* 1 relativo ao direito; 2 conforme o direito

jurisdição *s. f.* 1 DIR. poder legal para aplicar as leis ou administrar a justiça; 2 território no qual uma autoridade exerce esse poder; 3 alçada; competência

jurista *s. 2 gén.* pessoa conhecedora de leis que dá pareceres sobre questões jurídicas

juro *s. m.* valor percentual que se recebe por dinheiro emprestado, investido ou depositado durante um determinado período

jusante *s. f.* sentido para onde correm as águas de uma corrente; ***a ~*** para o lado da foz

justa *elem. da loc. adv.* ***à ~*** na medida certa

justapor I *v. tr.* pôr junto ou perto; II *v. refl.* juntar-se

justaposição *s. f.* 1 situação de contiguidade entre duas coisas, sem nada a separá-las; 2 LING. processo de formação de palavras, em que cada elemento conserva a sua forma gráfica e a sua pronúncia

justiça *s. f.* **1** carácter do que respeita o que é direito e justo; equidade; **2** poder de aplicar as leis, de acordo com os direitos de cada um; **3** conjunto de pessoas, instituições e serviços que determinam e garantem a aplicação das leis

justiceiro *adj. e s. m.* **1** que ou pessoa que faz justiça ou aplica a lei; **2** que ou pessoa que se atribui o direito de fazer justiça pelas próprias mãos

justificação *s. f.* **1** conjunto de argumentos que dão razão a alguém; **2** DIR. conjunto de provas apresentadas num processo judicial; **3** TIP. configuração de um texto de modo a que este caiba dentro das margens

justificar **I** *v. tr.* **1** apresentar o motivo de ou a razão para; fundamentar; **2** provar a inocência de; desculpar; **3** TIP. configurar um texto de modo a que este caiba dentro das margens; **II** *v. refl.* **1** desculpar-se; **2** explicar-se

justificativa *s. f.* prova ou documento que demonstra a veracidade de um facto

justificativo *adj.* que serve para justificar

justificável *adj. 2 gén.* que pode ser justificado

justo *adj.* **1** de acordo com a justiça; **2** que age de forma correcta e imparcial; **3** merecido; **4** exacto; preciso; **5** que assenta bem; apertado

juta *s. f.* BOT. planta herbácea de folhas recortadas e pontiagudas, que fornece fibras utilizadas na indústria têxtil

juvenil **I** *adj. 2 gén.* **1** relativo a juventude; **2** jovem; **3** destinado a jovens; **4** DESP. formado por praticantes com idades entre os 14 e os 16 anos; **II** *s. 2 gén.* DESP. praticante de uma actividade desportiva cuja idade está compreendida entre os 14 e os 16 anos

juventude *s. f.* **1** período da vida humana que se segue à infância e antecede a idade adulta; **2** conjunto de pessoas que estão nesse período da vida; jovens

K

k *s. m.* décima primeira letra do alfabeto

K QUÍM. [*símbolo de* **potássio**]

kamikaze **I** *s. m.* {*pl.* kamikazes} **1** aviador treinado para se lançar em ataque suicida; **2** *(fig.)* indivíduo imprudente, que arrisca a própria vida; **II** *adj. 2 gén.* **1** relativo a piloto ou ataque suicida; **2** *(fig.)* imprudente; arriscado

karaoke *s. m.* **1** forma de entretenimento em que uma pessoa canta ao som de música pré-gravada, enquanto a letra passa num ecrã; **2** bar que oferece esse tipo de entretenimento

karaté *s. m.* DESP. método de combate e defesa pessoal que consiste em golpes rápidos e vigorosos, de mão e de pé, sobre pontos vitais do adversário

karateca *s. 2 gén.* DESP. praticante de karaté

karbovanet *s. m.* unidade monetária da Ucrânia

karma *s. m.* vd. **carma**

kart *s. m.* {*pl.* karts} pequeno automóvel de competição, de um só lugar, sem carroçaria nem suspensão

karting *s. m.* DESP. corrida de kart

kartista *s. 2 gén.* DESP. praticante de karting

kartódromo *s. m.* pista para corridas de kart

KB INFORM. [*símbolo de* **kilobyte**]

Kcal [*símbolo de* **quilocaloria**]

ketchup *s. m.* CUL. molho cremoso feito de concentrado de tomate aromatizado e outros condimentos (cebola, sal, açúcar, etc.)

kg [*símbolo de* **quilograma**]

kHz FÍS. [*símbolo de* **quilohertz**]

kilobyte *s. m.* INFORM. unidade de medida de informação equivalente a 1024 bytes

kilovolt *s. m.* FÍS. medida de potencial eléctrico equivalente a 1000 volts

kilowatt *s. m.* FÍS. unidade de medida de potência equivalente a 1000 watts

kilt *s. m.* {*pl.* kilts} saia até aos joelhos, de tecido de lã quadriculado, pregueada e com trespasse lateral, que faz parte do traje típico escocês

kimono *s. m.* vd. **quimono**

kina *s. m.* {*pl.* kinas} unidade monetária da Papua Nova Guiné

king *s. m.* jogo de cartas em que jogam quatro pessoas e em que um naipe é trunfo

kip *s. m.* {*pl.* kips} unidade monetária do Laos

kit *s. m.* {*pl.* kits} **1** estojo com diversos artigos para um fim específico; **2** conjunto de peças que se vendem soltas com folheto explicativo para facilitar a sua montagem; **3** sistema montado pelo próprio utilizador

kitchenette *s. f.* {*pl.* kitchenettes} pequena cozinha geralmente integrada em sala de apartamento pequeno

kitsch **I** *adj. 2 gén.* que é considerado de mau gosto ou de má qualidade; melodramático; sensacionalista; **II** *s. m.* tendência, manifestação ou objecto que explora estereótipos sentimentalistas, melodramáticos ou sensacionalistas

kiwi *s. m.* BOT. vd. **quivi**

km [*símbolo de* **quilómetro**]

km/h [*símbolo de* **quilómetros por hora**]

knock-out *s. m.* DESP. (pugilismo) golpe que põe o adversário fora de combate

know-how *s. m.* **1** capacidade para executar tarefas práticas; habilidade; **2** série de conhecimentos e técnicas adquiridos por alguém; experiência

K.O. DESP. (pugilismo) [*abrev. de* **knock-out**] fora de combate

kosovar I *s. 2 gén.* pessoa natural do Kosovo (nos Balcãs); **II** *adj. 2 gén.* relativo ao Kosovo

koweitiano *s. m.* vd. **kuwaitiano**

Kr QUÍM. [*símbolo de* **crípton**]

kuna *s. m.* {*pl.* kunas} unidade monetária da Croácia

kung-fu *s. m.* DESP. arte marcial chinesa parecida com o karaté que se baseia em exercícios de concentração e técnicas de defesa pessoal

kuwaitiano I *s. m.* {*f.* kuwaitiana} pessoa natural do Kuwait; **II** *adj.* relativo ao Kuwait

kV FÍS. [*símbolo de* **kilovolt**]

kW FÍS. [*símbolo de* **kilowatt**]

kwacha *s. m.* {*pl.* kwachas} unidade monetária do Malawi e da Zâmbia

kwanza *s. m.* {*pl.* kwanzas} unidade monetária de Angola

kyat *s. m.* {*pl.* kyats} unidade monetária de Myanmar

L

l *s. m.* décima segunda letra e nona consoante do alfabeto

L *s. m.* (numeração romana) número 50

la *pron. pess. e dem.* variante do pronome *a*, sempre que antecedido por formas verbais terminadas em *-r*, *-s* ou *-z*, depois dos pronomes átonos *nos* e *vos* e do advérbio *eis*, que perdem a consoante final ⟨*vê-la; ei-la; trá-la*⟩

La QUÍM. [*símbolo de* **lantânio**]

lá I *adv.* **1** naquele lugar; ali; **2** àquele lugar; **3** nesse tempo; então; **II** *s. m.* MÚS. sexta nota da escala musical natural

lã *s. f.* **1** pêlo ondulado e macio que reveste o corpo de alguns animais, como o carneiro; **2** tecido feito desse pêlo; ***com pezinhos de ~*** sem barrulho; sorrateiramente

labareda *s. f.* língua de fogo; chama alta

lábia *s. f.* conversa fiada; palavreado com objectivo de enganar

labial *adj. 2 gén.* **1** relativo a lábio; **2** GRAM. (consoante) que se articula com os lábios

lábio *s. m.* ANAT. cada uma das duas partes carnudas, externas e móveis que contornam a entrada da cavidade bucal

labirinto *s. m.* **1** estrutura composta por vários caminhos que se cruzam de tal forma que se torna difícil encontrar a única saída; **2** (*fig.*) confusão; situação complicada

laboral *adj. 2 gén.* relativo a trabalho

laborar *v. intr.* exercer uma actividade; trabalhar

laboratório *s. m.* **1** lugar apetrechado para experiências ou trabalhos científicos ou para análises, testes, preparação de medicamentos, etc.; **2** lugar onde se fazem trabalhos fotográficos e cinematográficos (ampliação, revelação, etc.)

labrego *adj.* rude; grosseiro

labuta *s. f.* trabalho árduo

labutar *v. intr.* trabalhar intensamente e com perseverança

laca *s. f.* **1** resina que se extrai de várias plantas; **2** substância com que se pulveriza o cabelo para o fixar

laçada *s. f.* nó que se desata facilmente

lacado *adj.* revestido de laca

lacaio *s. m.* criado que acompanhava o amo nos seus passeios ou viagens

lacar *v. tr.* revestir de laca

laçarote *s. m.* laço grande, geralmente para enfeitar

laço *s. m.* **1** espécie de nó que se desata facilmente; **2** acessório de vestuário que consiste numa tira de tecido que passa por baixo do colarinho e termina com um nó; **3** (*fig.*) aliança; união

lacónico *adj.* breve; conciso

lacrar *v. tr.* fechar com lacre

lacrau *s. m.* ZOOL. vd. **escorpião**

lacre *s. m.* substância resinosa misturada com um corante, usada para garantir a inviolabilidade do fecho em correspondências, garrafas, etc.

lacrimal *adj. 2 gén.* relativo a lágrima(s)
lacrimejar *v. intr.* verter lágrimas
lacrimogéneo *adj.* que provoca lágrimas
lactação *s. f.* **1** acto de amamentar; **2** formação do leite nas glândulas mamárias e a sua condução para o exterior
lácteo *adj.* **1** relativo a leite; **2** que contém ou produz leite
lacticínio *s. m.* preparado comestível feito com leite ou com derivados de leite
lactose *s. f.* QUÍM. açúcar existente no leite dos mamíferos
lacuna *s. f.* espaço vazio; falta
lacustre *adj. 2 gén.* **1** relativo a lago; **2** que vive nas margens ou nas águas de um lago
ladainha *s. f.* **1** RELIG. série de breves invocações que se dirigem a Deus, à Virgem e aos santos no culto católico; **2** *(fig.)* lengalenga
ladear *v. tr.* **1** acompanhar ao lado; **2** estar ao lado de
ladeira *s. f.* inclinação de terreno; encosta
ladeiro *adj.* **1** que pende para o lado; **2** (prato) pouco fundo
ladino *adj.* vivo; traquinas
lado *s. m.* **1** lugar ou parte que fica à esquerda ou à direita de algo; **2** GEOM. cada uma das linhas que formam um ângulo ou polígono; **3** partido; posição; **4** sítio; lugar ❖ ***olhar de ~*** olhar com desprezo; ***para os lados de*** na direcção de; ***pôr de ~*** desprezar
ladrão I *s. m.* pessoa que rouba; gatuno; **II** *adj.* que rouba
ladrar *v. intr.* **1** dar latidos; latir; **2** *(fig.)* gritar
ladrilhar *v. tr.* revestir de ladrilhos
ladrilho *s. m.* **1** pequena placa de barro cozido, cerâmica, cimento, etc., utilizada para revestir pavimentos; **2** pequeno cubo de marmelada
lagar *s. m.* espécie de tanque onde se espremem ou pisam certos frutos, como as uvas
lagarta *s. f.* **1** ZOOL. larva dos insectos, de corpo alongado e mole; **2** MEC. conjunto de chapas metálicas articuladas que se colocam nas rodas de veículos pesados, permitindo a sua circulação em terreno acidentado
lagartixa *s. f.* ZOOL. pequeno réptil trepador que se alimenta de insectos; sardanisca
lagarto *s. m.* ZOOL. réptil de corpo longo, patas curtas e cauda comprida
lago *s. m.* **1** GEOG. acumulação permanente de águas numa depressão fechada; **2** grande quantidade de líquido entornado no chão
lagoa *s. f.* GEOG. acumulação de águas numa depressão fechada com pouca profundidade
lagosta *s. f.* ZOOL. crustáceo de grande porte, com dez patas, corpo revestido por uma carapaça espessa e antenas longas
lagostim *s. m.* ZOOL. crustáceo com dez patas, semelhante à lagosta mas desprovido de antenas
lágrima *s. f.* gota do líquido incolor segregado pelas glândulas lacrimais ❖ ***lágrimas de crocodilo*** lágrimas fingidas; choro hipócrita
laguna *s. f.* bacia litoral de águas quietas, separada do mar apenas por uma faixa de areia
laia *s. f.* conjunto de características; qualidade ❖ ***à ~ de*** à maneira de
laico *adj. e s. m.* que ou o que não pertence a nenhuma ordem religosa; leigo
laje *s. f.* **1** pedra lisa, geralmente quadrada ou rectangular, utilizada em

pavimentos; **2** pedra rectangular utilizada para cobrir sepulturas
lajeado *s. m.* superfície coberta de lajes
lama I *s. f.* **1** terra ensopada em água; lodo; **2** ZOOL. mamífero ruminante da América do Sul, com pêlo semelhante a lã; alpaca; **II** *s. m.* sacerdote budista ❖ ***arrastar pela ~*** difamar
lamaçal *s. m.* sítio onde há muita lama; lodaçal
lamacento *adj.* **1** em que há muita lama; **2** semelhante a lama
lamaísmo *s. m.* RELIG. forma particular do budismo professado pelos lamas (sacerdotes budistas)
lambada *s. f.* **1** bofetada; **2** MÚS. dança popular cantada, cuja coreografia é próxima do samba
lambão *adj. e s. m.* lambareiro; glutão
lambareiro I *s. m.* pessoa gulosa, que gosta de lambarices; **II** *adj.* guloso
lambarice *s. f.* **1** qualidade de lambareiro; **2** guloseima
lambda *s. m.* décima primeira letra do alfabeto grego, correspondente ao *l*
lambe-botas *s. 2 gén. e 2 núm.* pessoa bajuladora, graxista
lamber I *v. tr.* **1** passar a língua por; **2** *(fig.)* devorar; **II** *v. refl.* **1** (animal) passar a língua sobre si próprio; **2** regalar-se ❖ ***~ as botas a alguém*** dar graxa a alguém
lambidela *s. f.* acto de lamber
lambido *adj.* **1** *(pop.)* bem vestido; **2** com o cabelo muito molhado
lambreta *s. f.* veículo motorizado de duas rodas, espécie de motocicleta
lambuzar *v. tr.* pôr nódoas em; sujar
lamecha *adj. e s. 2 gén.* que ou aquele que é demasiado sensível; piegas
lamela *s. f.* **1** pequena lâmina; **2** lâmina de vidro, muito fina, para observações ao microscópio
lamentação *s. f.* queixume; lamento
lamentar I *v. tr.* **1** chorar com lamentos; **2** ter pena de; lastimar; **II** *v. refl.* lastimar-se
lamentável *adj. 2 gén.* digno de ser lamentado; infeliz
lamento *s. m.* **1** queixa; lamentação; **2** choro; gemido; **3** LIT. composição poética que exprime dor ou saudade pela morte de alguém
lâmina *s. f.* **1** pedaço de metal chato e muito delgado; **2** folha metálica de arma ou instrumento cortante; **3** pequena chapa de vidro, sobre a qual se coloca o material a examinar ao microscópio
laminado *adj.* **1** composto de lâminas; **2** reduzido a lâminas
laminar *v. tr.* reduzir a lâmina
lâmpada *s. f.* objecto de vidro, geralmente com forma arredondada ou cilíndrica, no qual é produzida luz artificial
lamparina *s. f.* objecto constituído por um recipiente de vidro que contém líquido combustível e um pavio, que se acende para iluminar ou aquecer pequenos volumes
lampeiro *adj.* **1** apressado; **2** atrevido
lampião *s. m.* **1** peça de iluminação portátil ou fixa em tecto ou parede; **2** poste de iluminação pública
lampreia *s. f.* ZOOL. peixe de formato cilíndrico e alongado e de pele viscosa, que vive nas águas frias
lamúria *s. f.* queixa; lamentação
lamuriar-se *v. refl.* lamentar-se; lastimar-se
lança *s. f.* arma formada por uma haste comprida com uma lâmina pontiaguda na extremidade; ***meter uma ~ em África*** realizar uma proeza
lançamento *s. m.* **1** acto de lançar; arremesso; **2** projecção de foguetão,

satélite, etc. no espaço através de um mecanismo de propulsão; **3** divulgação de novo produto junto do público

lançar I *v. tr.* **1** arremessar com força; atirar; **2** projectar (foguetão, satélite) no espaço; **3** fazer nascer ou germinar; **4** promover; divulgar (novo produto); **5** apresentar ao público (livro, filme); **II** *v. refl.* atirar-se

lance *s. m.* **1** acto de lançar; **2** facto; acontecimento; **3** risco; perigo; **4** rasgo; impulso; **5** etapa; fase; **6** oferta de preço para a aquisição de um bem em leilão; lanço

lanceta *s. f.* instrumento cortante com que se realizam pequenas cirurgias

lancetar *v. tr.* cortar com lanceta

lancha *s. f.* pequena embarcação a motor para serviço dos navios, tráfego costeiro, pesca, recreio, etc.

lanchar I *v. tr.* comer como lanche; **II** *v. intr.* tomar uma refeição ligeira a meio da tarde

lanche *s. m.* pequena refeição que se toma a meio da tarde; merenda

lancheira *s. f.* maleta de mão para transportar comida e conservá-la durante algumas horas

lancinante *adj. 2 gén.* **1** que se sente por pontadas ou picadas; **2** muito doloroso

lanço *s. m.* **1** acto ou efeito de lançar; arremesso; **2** oferta de preço para a aquisição de um bem em leilão; lance; **3** parte de uma escada entre dois patamares

languidez *s. f.* **1** moleza; frouxidão; **2** apatia

lânguido *adj.* **1** sem forças; debilitado; **2** sensual

lanho *s. m.* golpe com instrumento cortante

lanifício *s. m.* **1** trabalho de lã; **2** estabelecimento onde se fabricam fios ou tecidos de lã

lantânio *s. m.* QUÍM. elemento com o número atómico 57 e símbolo La, de características metálicas

lantejoula *s. f.* pequena chapa circular e brilhante que se aplica como adorno em peças de vestuário

lanterna *s. f.* **1** objecto de iluminação portátil ou fixo, cuja luz é resguardada por uma protecção de vidro; **2** objecto portátil de iluminação alimentado a pilhas

lapa *s. f.* **1** pedra que sobressai de um rochedo, formando um abrigo; **2** ZOOL. molusco de concha univalve, que aparece com muita frequência preso aos rochedos do litoral; **3** *(fig.)* pessoa importuna

lapela *s. f.* parte anterior e superior de um casaco, fraque, etc., voltada para fora

lapidado *adj.* **1** apedrejado; **2** polido; **3** aperfeiçoado

lapidagem *s. f.* operação de lapidar pedras preciosas

lapidar I *v. tr.* **1** apedrejar; **2** talhar e polir (pedras preciosas); **3** aperfeiçoar; **II** *adj. 2 gén.* **1** relativo a lápide; **2** (inscrição) gravado em pedra; **3** *(fig.)* de qualidade superior

lápide *s. f.* **1** pedra com inscrição que comemora um facto notável ou celebra a memória de alguém; **2** placa de pedra que cobre um túmulo

lápis *s. m. 2 núm.* utensílio que serve para escrever ou desenhar com grafite ou outro material apropriado

lapiseira *s. f.* instrumento cilíndrico em que se introduz grafite e que facilita a sua utilização para escrever ou desenhar

lápis-lazúli *s. m.* {*pl.* lápis-lazúlis} MIN. mineral de cor azul utilizado em objectos ornamentais

lapso *s. m.* **1** intervalo de tempo; **2** erro; descuido

laqueação *s. f.* MED. acto de laquear

laquear *v. tr.* MED. ligar ou fechar (vaso sanguíneo, etc.) de modo definitivo ou temporário

lar *s. m.* **1** casa de habitação; **2** família

laranja **I** *s. f.* BOT. fruto da laranjeira, de forma arredondada e composto de gomos carnudos e sumarentos, com casca cuja cor varia entre o amarelo e o cor-de-laranja; **II** *adj. 2 gén. 2 núm.* que tem a cor característica deste fruto; **III** *s. m.* cor resultante da adição de vermelho e amarelo

laranjada *s. f.* bebida que contém sumo ou essência de laranja

laranjeira *s. f.* BOT. árvore originária da China, que produz flores brancas e frutos (laranjas) carnudos e sumarentos

larápio *s. m.* ladrão; gatuno

lareira *s. f.* fogão de sala

larga *s. f.* folga; ***à ~*** com largueza; à vontade; com abundância

largada *s. f.* partida de um lugar; saída

largar **I** *v. tr.* **1** soltar; desprender; **2** deixar a companhia de; afastar-se de; **3** abandonar; **4** deixar sair; deitar; **II** *v. intr.* partir

largo **I** *adj.* **1** que não é estreito ou apertado; **2** com bastante largura; amplo; **3** grande; considerável; **II** *s. m.* **1** praça onde desembocam várias ruas; **2** largura; ***ao ~*** longe; à distância

largura *s. f.* **1** dimensão perpendicular ao comprimento; **2** qualidade de largo; largueza

laringe *s. f.* ANAT. órgão situado entre a faringe e a traqueia, constituído essencialmente por cartilagens e músculos, e que contém as cordas vocais

laringite *s. f.* MED. inflamação da laringe

larva *s. f.* ZOOL. estado imaturo de alguns insectos, depois de saírem do ovo

lasanha *s. f.* CUL. prato confeccionado com tiras largas de massa de farinha de trigo entremeadas com recheio, geralmente de carne picada ou legumes e molho branco

lasca *s. f.* **1** fragmento delgado de madeira, pedra ou metal; **2** pedaço pequeno e fino; fatia

lascado *adj.* rachado; fendido

lascar *v. tr. e intr.* partir(-se) em lascas; fender(-se)

lascívia *s. f.* **1** qualidade de lascivo; **2** sensualidade exagerada

lascivo *adj.* que tem inclinação para a sensualidade

laser *s. m.* FÍS. aparelho que emite radiação electromagnética com elevadíssima intensidade

lástima *s. f.* **1** pena; compaixão; **2** desgraça; infelicidade

lastimar **I** *v. tr.* ter pena de; lamentar; **II** *v. refl.* queixar-se; lamentar-se

lastimável *adj. 2 gén.* digno de lástima; lamentável

lastimoso *adj.* **1** lastimável; **2** choroso

lastro *s. m.* **1** NÁUT. peso que se mete no porão de uma embarcação para lhe aumentar a estabilidade; **2** *(pop.)* pequena porção de comida com que se prepara o estômago antes de uma refeição ou de ingerir bebidas alcoólicas

lata *s. f.* **1** chapa de ferro, delgada e estanhada; **2** recipiente feito desse material, frequentemente utilizado para bebidas e conservas; **3** *(coloq.)* descaramento; atrevimento

latão *s. m.* liga de cobre e zinco, que pode também conter outros metais

latejar *v. intr.* palpitar; pulsar

latente *adj. 2 gén.* **1** que não se manifesta exteriormente; oculto; **2** potencial

lateral *adj. 2 gén.* **1** relativo a lado; **2** que está ao lado; **3** que está à margem de algo

latido *s. m.* **1** acto de latir ou ladrar; **2** voz do cão

latifundiário I *adj. 2 gén.* relativo a latifúndio; **II** *s. m.* proprietário de latifúndio

latifúndio *s. m.* propriedade rural de grande extensão

latim *s. m.* língua espalhada pelo Império Romano, da qual derivaram as chamadas línguas românicas (português, espanhol, francês, italiano, romeno); ~ ***clássico*** latim dos escritores da época clássica; ~ ***popular*** latim, de sintaxe mais simples, falado pelas classes populares ❖ ***perder o seu*** ~ perder o tempo e o esforço

latinismo *s. m.* construção, palavra ou locução própria da língua latina

latinizar I *v. tr.* **1** dar forma ou terminação latina a (uma palavra de outra língua); **2** tornar latino (nas ideias, costumes, etc.); **II** *v. intr.* falar latim

latino I *adj.* **1** relativo ao latim; **2** escrito ou pronunciado em latim; **II** *s. m.* **1** pessoa natural de países cujas línguas derivam do latim e que foram influenciados pela civilização mediterrânica; **2** pessoa natural do Lácio (região da Itália central)

latino-americano I *adj.* relativo à América latina; **II** *s. m.* {*pl.* latino-americanos} pessoa natural de um país da América latina

latir *v. intr.* soltar latidos; ladrar

latitude *s. f.* GEOG. medida (em graus) do arco do meridiano compreendido entre determinado local e o equador

lato *adj.* largo; extenso

latrina *s. f.* sanita; retrete

laudatório *adj.* relativo a louvor

laureado I *adj.* **1** premiado; **2** louvado; elogiado; **II** *s. m.* aquele que obteve prémio em concurso ou exame

laurear *v. tr.* **1** premiar; **2** festejar; aplaudir

laurêncio *s. m.* QUÍM. elemento metálico e radioactivo, de número atómico 103 e símbolo Lr

lauto *adj.* **1** abundante; **2** magnífico; sumptuoso

lava *s. f.* GEOL. matéria em fusão expelida pelos vulcões

lavabo *s. m.* **1** lavatório; **2** [*pl.*] instalações sanitárias em lugares públicos como restaurantes, cafés, etc.

lavadela *s. f.* lavagem ligeira

lavado *adj.* **1** que se lavou; limpo; **2** encharcado; banhado; ~ ***em lágrimas*** cheio de lágrimas

lavagante *s. m.* ZOOL. crustáceo grande parecido com a lagosta, com carapaça longa e estreita, de coloração azulada e cujas patas da frente terminam em pinças

lavagem *s. f.* **1** acto de lavar; **2** operação de limpeza de órgãos ou cavidades, como os intestinos ou o estômago, para remover substâncias nocivas; **3** comida para porcos

lava-louça *s. m.* {*pl.* lava-louças} dispositivo de cozinha para lavagem da louça que consiste numa espécie de bacia com escoamento no fundo, instalada por baixo de torneira(s) de água

lavanda *s. f.* BOT. planta subarbustiva aromática, com flores azuladas ou violáceas, de onde se extrai um óleo essencial usado em perfumaria; alfazema

lavandaria *s. f.* **1** dependência de casa, hotel, etc., onde a roupa é lavada e passada a ferro; **2** estabelecimento comercial com esse fim

lavar I *v. tr.* **1** limpar com líquido, geralmente água; **2** banhar; regar; **II** *v. refl.* limpar-se com água
lavatório *s. m.* peça de louça sanitária utilizada essencialmente para lavar as mãos e a cara
lavável *adj. 2 gén.* que se pode lavar
lavoura *s. f.* preparação e cultivo da terra; agricultura
lavrado *adj.* **1** (terreno) cultivado; **2** (tecido) bordado; **3** (documento) redigido
lavrador I *s. m.* **1** aquele que lavra ou cultiva terras; agricultor; **2** proprietário de herdade; **II** *adj.* que lavra ou cultiva terras
lavrar *v. tr.* **1** revolver (a terra), preparando-a para cultivo; **2** bordar; **3** gravar ornamentos em pedra, metal ou madeira; **4** redigir (acta ou sentença)
laxante I *s. m.* FARM. purgante ligeiro que se utiliza para facilitar a evacuação das fezes; **II** *adj. 2 gén.* purgante
layout *s. m.* {*pl.* layouts} INFORM. disposição da informação num documento, incluindo o formato, o tamanho, a distribuição ou a organização gráfica
lazer *s. m.* **1** tempo disponível para além do trabalho ou do cumprimento de obrigações, que se pode dedicar ao descanso e divertimento; tempo livre; **2** actividade que se pratica durante esse tempo; hobby
leal *adj. 2 gén.* **1** sincero; honesto; **2** fiel aos compromissos
lealdade *s. f.* **1** qualidade de leal; **2** fidelidade aos compromissos
leão *s. m.* ZOOL. predador mamífero, carnívoro, que vive nas selvas da África e da Ásia e tem pêlo castanho-amarelado, sendo o macho provido de uma juba em redor da cabeça (é considerado o rei dos animais)
Leão *s. m.* **1** ASTRON. quinta constelação do zodíaco situada no hemisfério norte; **2** ASTROL. quinto signo do zodíaco (23 de Julho a 22 de Agosto)
leão-marinho *s. m.* {*pl.* leões-marinhos} ZOOL. mamífero aquático, carnívoro, semelhante à foca mas de maior dimensão, de cor negra e pequenas orelhas
leasing *s. m.* {*pl.* leasings} modalidade de contrato que combina aluguer e venda à prestação
lebre *s. f.* mamífero roedor semelhante ao coelho mas de maior dimensão, de orelhas muito compridas e extremamente veloz; ***comer gato por ~*** deixar-se enganar
leccionar I *v. tr.* dar lições ou explicações a; ensinar; **II** *v. intr.* ser professor ou explicador
lectivo *adj.* relativo a lição, aula ou ano escolar
legação *s. f.* **1** acto de legar; **2** representação diplomática de um governo junto de outro
legado *s. m.* **1** DIR. aquilo que se deixa em testamento a quem não é herdeiro legítimo; **2** aquilo que uma época ou uma geração transmite às seguintes; **3** enviado de um governo junto do governo de outro país
legal *adj. 2 gén.* **1** relativo a lei; **2** conforme a lei; **3** *(Bras.)* óptimo; certo
legalidade *s. f.* carácter do que é legal; conformidade com a lei
legalização *s. f.* acto de legalizar
legalizar *v. tr.* **1** tornar legal ou conforme a lei; **2** reconhecer como verdadeiro; autenticar (documento, assinatura)
legar *v. tr.* **1** deixar como herança; **2** transmitir
legenda *s. f.* **1** nota informativa que acompanha uma imagem ou um esquema; **2** CIN., TV texto que corre em rodapé no ecrã com a tradução do texto original dos programas

legendagem *s. f.* **1** inserção de legendas em (filme, gravura, etc.); **2** conjunto de legendas

legendar *v. tr.* fazer a legendagem de

legião *s. f.* **1** MIL. corpo ou divisão do exército; **2** *(fig.)* multidão

legibilidade *s. f.* carácter do que é legível; clareza

legionário *s. m.* soldado de uma legião

legislação *s. f.* **1** conjunto das leis do sistema jurídico de um país; **2** conjunto das leis que regulam uma determinada matéria

legislador *adj. e s. m.* que ou aquele que é autor de leis

legislar *v. tr. e intr.* **1** elaborar leis; **2** estabelecer por lei

legislativo *adj.* **1** relativo à legislação ou ao poder de legislar; **2** que legisla; legislador

legislatura *s. f.* período durante o qual os membros de uma assembleia legislativa exercem o seu mandato

legista *adj. e s. 2 gén.* especialista em leis

legitimidade *s. f.* **1** qualidade de legítimo; **2** conformidade com a lei; legalidade; **3** autenticidade

legítimo *adj.* **1** que está de acordo com a lei; legal; **2** fundado no direito, na razão ou na justiça; **3** autêntico; **4** *(ant.)* (filho) concebido dentro do casamento

legível *adj. 2 gén.* que se lê com facilidade pela sua clareza

légua *s. f.* **1** *(ant.)* unidade de medida itinerária equivalnte a cinco quilómetros; **2** *(fig.)* grande distância; ***à ~*** a grande distância; distintamente

legume *s. m.* BOT. planta ou parte de planta leguminosa ou herbácea, usada na alimentação humana na forma de folhas, bolbos, talos, grãos, etc., especialmente em saladas ou na sopa; verdura

Leguminosas *s. f. pl.* BOT. família de plantas cujos frutos são vagens, e que inclui árvores, arbustos, ervas e trepadeiras

leguminoso *adj.* (planta) cujos frutos são vagens ou legumes

lei *s. f.* **1** regra estabelecida pelo poder legislativo cujo cumprimento visa a organização da sociedade; **2** preceito; norma; **3** regra geral que exprime uma relação regular entre fenómenos

leigo *adj. e s. m.* **1** que ou o que não tem ordens sacras; laico; **2** inexperiente em determinado assunto; desconhecedor

leilão *s. m.* venda pública de objectos que se entregam a quem oferecer o maior preço; hasta pública

leiloar *v. tr.* pôr ou vender em leilão

leiloeiro *s. m.* **1** pessoa que apregoa em leilões; **2** organizador de leilões

leitão *s. m.* ZOOL. porco muito novo que se alimenta de leite

leitaria *s. f.* **1** estabelecimento onde se vende leite; **2** estabelecimento onde se realiza o tratamento do leite e se fabricam os seus derivados

leite *s. m.* líquido branco segregado pelas glândulas mamárias das fêmeas dos mamíferos; ***~ condensado*** leite concentrado por evaporação e adição de açúcar, geralmente enlatado

leite-creme *s. m.* {*pl.* leites-creme} CUL. doce feito de leite, farinha, ovos e açúcar; que se serve coberto de canela ou açúcar queimado

leitmotiv *s. m.* tema que se repete na composição de uma obra literária ou musical

leito *s. m.* **1** cama; **2** parte da superfície terrestre sobre a qual corre um rio

leitor I *s. m.* **1** aquele que lê; **2** professor que, em comissão de serviço, ensina as suas língua e literatura em universidades estrangeiras; **II** *adj.* que lê

leitoso *adj.* que tem cor ou aparência de leite

leitura *s. f.* **1** acto de ler; **2** aquilo que se lê; **3** gosto por ler

lema *s. m.* **1** proposição que constitui a demonstração de um teorema; **2** norma de procedimento; **3** palavra que figura como entrada num dicionário ou num vocabulário

lembrança *s. f.* **1** recordação de algo passado; memória; **2** pequeno presente; **3** [*pl.*] cumprimentos

lembrar I *v. tr.* **1** trazer à memória; recordar; **2** sugerir; **II** *v. intr.* vir à memória; **III** *v. refl.* recordar-se

leme *s. m.* AERON., NÁUT. estrutura ou aparelho com que se dirigem as embarcações ou aviões, colocado, respectivamente, à popa e na cauda

lenço *s. m.* **1** pedaço de pano próprio para uma pessoa se assoar; **2** pedaço de tecido usado como acessório de vestuário para colocar à volta do pescoço ou na cabeça; ***~ de papel*** pedaço de papel quadrado para uma pessoa se assoar

lençol *s. m.* **1** peça grande de tecido usada para cobrir o colchão da cama ou a(s) pessoa(s) a dormir na cama; **2** grande extensão de água ou petróleo ❖ ***estar em maus lençóis*** estar em situação difícil ou embaraçosa

lenda *s. f.* **1** narrativa escrita ou tradição de acontecimentos ou feitos fantásticos; **2** (*fig.*) história falsa

lendário *adj.* **1** relativo a lenda; **2** fictício; **3** célebre

lêndea *s. f.* ZOOL. ovo depositado pelos piolhos nos cabelos

lengalenga *s. f.* narrativa extensa e monótona

lenha *s. f.* madeira utilizada como combustível

lenhador *s. m.* indivíduo que colhe, corta ou racha lenha

lenhoso *adj.* com a consistência ou o aspecto da madeira

leninismo *s. m.* POL. doutrina fundada no marxismo e elaborada por Lenine (1870-1924)

lenitivo I *adj.* que suaviza as dores; **II** *s. m.* **1** FARM. medicamento que suaviza as dores; **2** (*fig.*) alívio

lente *s. f.* pedaço de vidro ou de outro material óptico transparente utilizado para corrigir um problema visual; ***~ de contacto*** lente que se adapta à córnea por simples aderência

lentejoula *s. f.* vd. **lantejoula**

lentidão *s. f.* **1** qualidade de lento; **2** falta de agilidade ou de actividade

lentilha *s. f.* BOT. planta herbácea e anual, originária da Ásia, que produz sementes nutritivas

lento *adj.* que tem falta de rapidez ou de agilidade; vagaroso; demorado

leoa *s. f.* ZOOL. fêmea do leão

leonino *adj.* **1** relativo ou semelhante ao leão; **2** próprio de leão

leopardo *s. m.* ZOOL. mamífero carnívoro, com pêlo geralmente amarelado e manchas negras, que vive nas florestas da África e de parte da Ásia

lepra *s. f.* **1** MED. infecção de pele, crónica e contagiosa, que se transmitide por contacto directo; **2** (*fig.*) coisa nociva que se propaga

leproso *adj. e s. m.* MED. que ou aquele que sofre de lepra

leque *s. m.* **1** objecto constituído por pequenas varetas revestidas de tecido ou papel, que se abre e fecha produzindo corrente de ar; abano; **2** gama; conjunto

ler I *v. tr.* **1** percorrer com a vista (palavra, texto) interpretando o seu significado; **2** pronunciar em voz alta; **3** adivinhar; **II** *v. intr.* conhecer as letras do alfabeto, juntando-as em palavras; ~ ***nas entrelinhas*** entender aquilo que não se diz claramente

lerdo *adj.* **1** lento; vagaroso; **2** estúpido; tolo

léria *s. f.* palavreado para enganar; lábia

lesão *s. f.* **1** MED. traumatismo ou ferimento provocado por acção violenta de um agente externo; **2** MED. qualquer doença num órgão; **3** DIR. violação de um direito; **4** dano; prejuízo

lesar *v. tr.* **1** provocar lesão em; **2** violar um direito; **3** prejudicar

lésbica *s. f.* mulher homossexual

lésbico *adj.* **1** (mulher) que sente atracção sexual por mulheres; **2** relativo à relação íntima entre mulheres

lesionar I *v. tr.* causar lesão a; **II** *v. refl.* sofrer lesão física

lesma *s. f.* **1** ZOOL. molusco que vive em locais húmidos e se alimenta exclusivamente de vegetais, sendo nocivo à agricultura; **2** *(fig., pej.)* pessoa muito vagarosa

leste *s. m.* GEOG ponto cardeal situado à direita do observador voltado para norte; este ❖ ***estar a ~*** não perceber nada (de um assunto)

letal *adj. 2 gén.* **1** relativo a morte; **2** que provoca a morte; mortal

letargia *s. f.* **1** sono artificial provocado por hipnose ou por um medicamento (narcose); **2** apatia

letárgico *adj.* **1** relativo a letargia; **2** que sofre de letargia

letra *s. f.* **1** cada um dos caracteres do alfabeto; **2** forma como cada pessoa os representa; caligrafia; **3** palavras ou versos que constituem o texto de uma canção; **4** sentido que se exprime claramente; sentido literal ❖ ***à ~*** literalmente; rigorosamente; ***com todas as letras*** pormenorizadamente; sem omitir nada

letrado *adj. e s. m.* **1** que ou aquele que é instruído, culto; **2** que ou aquele que tem conhecimento de leis; jurista

letreiro *s. m.* tabuleta com informação de interesse público

léu *s. m. (pop.)* ociosidade ❖ ***ao ~*** nu

leucemia *s. f.* MED. doença grave caracterizada por um aumento permanente de glóbulos brancos (leucócitos) no sangue

leucócito *s. m.* célula sanguínea com papel essencial na defesa imunitária do organismo; glóbulo branco

lev *s. m.* {*pl.* leva} unidade monetária da Bulgária

levado *adj.* **1** transportado; conduzido; **2** travesso; que faz asneiras; ***~ da breca*** travesso; traquinas

levantamento *s. m.* **1** acto de levantar; **2** pesquisa; **3** insubordinação; revolta; **4** (topografia) conjunto das operações de medida no terreno que permitem obter elementos para a sua representação gráfica

levantar I *v. tr.* **1** pôr em pé ou na vertical; **2** erguer; içar; **3** erigir (construção); **4** proceder ao levantamento de (uma carta, uma planta); **5** suscitar (problema, dúvida); **6** estimular (o ânimo); dar vida ou alegria a; **II** *v. intr.* erguer-se; **III** *v. refl.* **1** pôr-se de pé; erguer-se; **2** sair da cama; **3** (tempestade) desencadear-se

levante *s. m.* ponto cardeal situado à direita do observador voltado para norte; este

levar I *v. tr.* **1** transportar consigo; **2** conduzir a alguém ou a algum lugar; guiar; **3** fazer desprender; arrancar; **4** trazer vestido ou como acessório; **5** ter capacidade para; comportar; **6** passar (a vida, o tempo); **7** apanhar (surra, bofetada); **II** *v. intr.* *(pop.)* apanhar pancada ❖ ***~ a mal*** não gostar

leve *adj. 2 gén.* **1** que tem pouco peso; **2** ligeiro; **3** suave; delicado; **4** sem gravidade; **5** (alimento) de fácil digestão; **6** aliviado

levedar **I** *v. tr.* fazer fermentar; **II** *v. intr.* (massa) fermentar

levedura *s. f.* fungo responsável pela fermentação na panificação e na indústria de bolos e de bebidas; fermento

leveza *s. f.* **1** qualidade de leve; **2** ligeireza; delicadeza; **3** leviandade

leviandade *s. f.* **1** qualidade de leviano; **2** falta de reflexão; imprudência

leviano *adj.* imprudente; irreflectido

levitação *s. f.* acto de erguer algo no ar, mantendo-o suspenso sem meios visíveis

levitar *v. intr.* (corpo) erguer-se e ficar no espaço sem um suporte visível

lexema *s. m.* LING. unidade lexical; vocábulo

lexical *adj. 2 gén.* **1** relativo a léxico; **2** relativo a palavra

léxico *s. m.* **1** vocabulário de uma língua; **2** glossário de termos técnicos de uma área especilizada

lexicografia *s. f.* LING. ramo que se ocupa do estudo do vocabulário de uma língua, especialmente da forma e significação das palavras

lexicógrafo *s. m.* **1** pessoa que se dedica à lexicografia; **2** autor de um léxico; dicionarista

lezíria *s. f.* GEOG. terreno alagado pelas enchentes, nas margens de um rio

lhe *pron. pess.* designa a terceira pessoa do singular e indica: a pessoa ou coisa de que se fala ou escreve ⟨*contei-lhe*⟩; a pessoa a quem se fala ou escreve ⟨*já lhe disse que sim*⟩

Li QUÍM. [*símbolo de* **lítio**]

libanês **I** *s. m.* {*f.* libanesa} pessoa natural do Líbano; **II** *adj.* relativo ao Líbano

libelinha *s. f.* vd. **libélula**

libélula *s. f.* ZOOL. insecto carnívoro de corpo estreito, olhos grandes e dois pares de asas transparentes

liberação *s. f.* libertação de uma obrigação ou de uma dívida

liberado *adj.* livre de obrigação ou compromisso

liberal **I** *adj. 2 gén.* **1** generoso; **2** tolerante; **3** que defende o liberalismo; **4** (profissão) que tem carácter intelectual e independente; **II** *s. 2 gén.* POL. partidário do liberalismo

liberalidade *s. f.* **1** qualidade de liberal; **2** generosidade

liberalismo *s. m.* **1** POL. doutrina baseada na defesa da liberdade individual, na área intelectual, política, religiosa e económica; **2** qualidade do que é pródigo ou generoso

liberalização *s. f.* acto de liberalizar

liberalizar *v. tr.* **1** dar em grande quantidade; prodigalizar; **2** tornar liberal; **3** conceder livre acesso, circulação ou aceitação a

liberar *v. tr.* **1** tornar livre; **2** libertar de dívida ou obrigação

liberdade *s. f.* **1** direito ou condição do que pode agir e pensar de acordo com a sua vontade, livre de qualquer coerção ou impedimento; **2** estado do que é livre; **3** independência; autonomia

libertação *s. f.* acto de conceder ou de alcançar a liberdade

libertar *v. tr. e refl.* **1** tornar(-se) livre; livrar(-se); **2** tornar(-se) independente ou autónomo

libertinagem *s. f.* **1** carácter de libertino; **2** devassidão

libertino *adj.* que ou aquele que leva uma vida devassa

libidinoso *adj.* **1** relativo ao prazer sexual, ou que o sugere; **2** devasso; depravado

libido *s. f.* desejo sexual
líbio I *s. m.* {*f.* líbia} pessoa natural da Líbia (Norte da África); **II** *adj.* relativo à Líbia
libra *s. f.* **1** unidade monetária de Reino Unido, Chipre, Egipto, Líbano, Malta, Síria e Sudão; **2** antiga unidade monetária da Irlanda, substituída pelo euro em 1999
libreto *s. m.* MÚS. texto (prosa ou verso) de uma ópera
lição *s. f.* **1** exposição oral ou escrita de qualquer matéria a ser ensinada; aula; **2** cada uma das unidades temáticas que constituem a matéria de uma disciplina; **3** *(fig.)* repreensão; **4** *(fig.)* ensinamento
liceal *adj. 2 gén.* **1** relativo a liceu; **2** que estuda em liceu
licença *s. f.* permissão; autorização
licenciado I *s. m.* aquele que tem licenciatura conferida por uma universidade; **II** *adj.* **1** que tem licenciatura; formado; **2** que tem licença ou autorização
licenciando *s. m.* aluno de um curso superior
licenciar I *v. tr.* **1** conceder uma licença para determinado fim; **2** conferir o grau de licenciado a; **II** *v. refl.* obter o grau de licenciado; formar-se
licenciatura *s. f.* grau académico obtido com a conclusão de um curso universitário
licencioso *adj.* que leva uma vida desordenada, sem regras; indisciplinado
liceu *s. m.* *(ant.)* estabelecimento oficial de ensino secundário que dava acesso à Universidade
licitação *s. f.* formulação dos lanços em leilão
licitante *s. 2 gén.* pessoa que faz uma oferta de compra pelo preço indicado
licitar I *v. intr.* oferecer um lanço ou quantia para obter o que se vende em leilão; **II** *v. tr.* **1** pôr em leilão; **2** oferecer lanço sobre (o que se vende em leilão)
lícito *adj.* **1** permitido; **2** conforme à lei; legal
licor *s. m.* bebida doce e aromática que tem por base a aguardente ou o álcool
licorne *s. m.* animal fabuloso com um chifre no meio da testa; unicórnio
licra *s. f.* tecido sintético elástico com que se fazem peças de vestuário
lida *s. f.* **1** acto de lidar; **2** trabalho; faina
lidar I *v. intr.* **1** trabalhar; labutar; **2** combater; **II** *v. tr.* tourear
líder *s. 2 gén.* pessoa que lidera; chefe
liderança *s. f.* função de líder; chefia
liderar *v. tr.* exercer a função de líder; dirigir
lifting *s. m.* {*pl.* liftings} operação de cirurgia estética que consiste em esticar a pele da face para atenuar os sinais de envelheciemnto
liga *s. f.* **1** acto de ligar; união; **2** aliança entre Estados com o objectivo de defender interesses comuns; **3** sociedade ou associação com qualquer objectivo; **4** fita elástica para cingir a meia à perna; **5** QUÍM. material que resulta da fusão conjunta de dois ou mais metais
ligação *s. f.* **1** acto ou efeito de ligar; união; **2** o que serve para ligar; ligamento; **3** relação entre duas ou mais coisas; nexo; **4** vínculo entre pessoas; relação; **5** comunicação (rodoviária, telefónica, etc.)
ligado *adj.* **1** junto; unido; **2** relacionado; **3** que mantém relação ou conexão com
ligadura *s. f.* tira longa de pano, geralmente elástica, que se coloca em volta

de uma parte do corpo magoada para a proteger ou imobilizar

ligamento *s. m.* **1** aquilo que serve de ligação ou união; vínculo; **2** ANAT. conjunto de fibras resistentes que ligam ossos entre si (especialmente de articulações), assim como diversos órgãos ou partes do corpo

ligar I *v. tr.* **1** atar com ligadura; **2** juntar; unir; **3** misturar dois ou mais metais para obter uma liga; **4** relacionar; **5** estabelecer comunicação entre; **6** pôr em funcionamento; II *v. intr.* **1** (metais) formar liga; **2** estabelecer comunicação entre; **3** dar atenção ou importância; **4** telefonar a alguém; III *v. refl.* **1** associar-se; formar aliança; **2** unir-se

ligeireza *s. f.* **1** qualidade de ligeiro; **2** rapidez; agilidade; **3** *(fig.)* leviandade

ligeiro I *adj.* **1** ágil; desembaraçado; **2** suave; leve; **3** vago; indefinido; II *adv.* com rapidez; depressa

lignite *s. m.* vd. **lignito**

lignito *s. f.* MIN. carvão fóssil que contém restos de vegetais, de cor castanha ou negra, com fraco poder combustível

lilás I *s. m.* **1** BOT. arbusto que produz flores de cor arroxeada, azulada ou branca, muito cultivado em jardins como planta ornamental; **2** cor arroxeada, vulgar nas flores dessa planta; II *adj. 2 gén.* que tem essa cor

liliputiano *adj.* muito pequeno

lima *s. f.* **1** instrumento com lâmina de metal, áspera, usado para polir metais ou outros materias duros; **2** BOT. fruto da limeira, pequeno e oval, com casca amarelo-esverdeada e sabor amargo

limalha *s. f.* pedaço de um material (madeira, papel, etc.) que se solta ou raspa; apara

limão *s. m.* BOT. fruto do limoeiro, de formato oval, com casca amarela quando maduro, e sabor ácido

limar *v. tr.* **1** desbastar ou polir com lima; **2** *(fig.)* aperfeiçoar

limbo *s. m.* RELIG. (catolicismo) lugar para onde vão as almas das crianças que morrem sem baptismo

limiar *s. m.* **1** soleira da porta; **2** entrada; **3** *(fig.)* começo; princípio

limitação *s. f.* **1** acto de determinar os limites de algo; **2** limite; restrição; **3** falha; defeito

limitado *adj.* **1** pouco extenso; **2** restrito; **3** que apresenta limitações intelectuais

limitar I *v. tr.* **1** determinar os limites de; demarcar; **2** restringir; **3** moderar; II *v. refl.* **1** não passar além de; **2** contentar-se com

limitativo *adj.* que limita; restritivo

limite *s. m.* **1** linha que demarca a extensão de superfícies ou terrenos contíguos; **2** fim; termo; **3** ponto que não se deve ultrapassar

limítrofe *adj. 2 gén.* contíguo a; vizinho

limo *s. m.* **1** BOT. vegetação verde que reveste chão, troncos, pedras, etc. com humidade; **2** BOT. algas verdes que se misturam no lodo dos fundos aquáticos

limoeiro *s. m.* BOT. árvore de folhas persistentes, que produz frutos (limões) com casca amarela, aromáticos e muito ácidos

limonada *s. f.* bebida preparada com sumo de limão, água e açúcar

limpa-chaminés *s. 2 gén. 2 núm.* **1** objecto utilizado para limpar o interior das chaminés; **2** indivíduo que limpa chaminés

limpa-neves *s. m. 2 núm.* veículo munido de dispositivos apropriados para remover a neve das estradas

limpa-pára-brisas *s. m. 2 núm.* dispositivo com lâmina(s) de borracha macia que, deslizando sobre a superfície exterior do pára-brisas de um automóvel, o limpa da chuva e da sujidade

limpar **I** *v. tr.* **1** tornar limpo; remover a sujidade de; **2** purificar; **3** secar; enxugar; **4** *(coloq.)* esvaziar; **II** *v. intr.* (tempo) desanuviar

limpa-vidros *s. m. 2 núm.* detergente próprio para lavar vidros

limpeza *s. f.* **1** acto ou efeito de limpar; **2** qualidade de limpo; asseio; **3** desenvoltura; eficiência

limpidez *s. f.* qualidade de límpido; nitidez

límpido *adj.* **1** claro; transparente; **2** desanuviado; sem nuvens

limpo *adj.* **1** sem sujidade; asseado; **2** claro; desanuviado; **3** sem misturas; puro; **4** honesto; **5** (dinheiro) livre de descontos ou despesas; líquido ❖ ***pôr em pratos limpos*** esclarecer; ***tirar a ~*** obter a explicação de

limusina *s. f.* automóvel longo e luxuoso, cujo habitáculo de passageiros está separado do motorista por vidro ou janela e isolado do exterior por vidros escuros

lince *s. m.* ZOOL. mamífero carnívoro, muito ágil, que possui um grupo de pêlos longos em cada orelha e olhar agudo ❖ ***ter olhos de ~*** ter visão excepcional

linchamento *s. m.* execução de um criminoso pela multidão, sem julgamento

linchar *v. tr.* (multidão, grupo) executar (criminoso) pelas suas próprias mãos

lindeza *s. f.* **1** beleza; **2** perfeição

lindo *adj.* **1** muito bonito; belo; **2** elegante

linear *adj. 2 gén.* **1** relativo a linha; **2** que se representa por uma linha; **3** *(fig.)* claro; simples

linearidade *s. f.* qualidade do que é linear

linfa *s. f.* **1** BIOL. líquido esbranquiçado que circula nos vasos linfáticos, constituído essencialmente por plasma e glóbulos brancos; **2** BOT. líquido nutritivo que circula nas plantas; seiva

linfático *adj.* **1** relativo a linfa; **2** que contém linfa

lingerie *s. f.* roupa interior feminina

lingote *s. m.* barra de metal fundido

língua *s. f.* **1** ANAT. órgão musculoso e móvel existente na cavidade bucal, tipicamente alongado, que serve para a degustação e a deglutição, sendo também importante na articulação dos sons; **2** sistema abstracto de signos e de regras gramaticais que possibilita a expressão e a comunicação; ***~ materna*** língua adquirida por um falante na primeira infância; ***~ morta*** língua que já não se fala ❖ ***dar à ~*** ser indiscreto; tagarelar; ***saber alguma coisa na ponta da ~*** saber alguma coisa muito bem ou de cor; ***sem papas na ~*** sem rodeios; ***ter alguma coisa debaixo da ~*** estar quase a lembrar-se de alguma coisa

língua-de-gato *s. f.* {*pl.* línguas-de-gato} variedade de biscoito miúdo semelhante à língua do gato

linguado *s. m.* ZOOL. peixe de corpo muito achatado e alongado, que vive no fundo de mares ou de rios, e que possui os dois olhos situados de um só lado da cabeça

linguagem *s. f.* **1** qualquer sistema ou conjunto de sinais convencionais, fonéticos ou visuais, que servem para a expressão dos pensamentos e sentimentos; **2** sistema de comunicação natural, utilizado pelos animais; **3** modo pessoal pelo qual uma pessoa se exprime; INFORM. ***~ de programação*** linguagem de precisão em que cada palavra tem um único significado e que pode traduzir-se em instruções exactas que o computador sabe interpretar; ~ *gestual* linguagem expressa por gestos, especialmente das mãos, utilizada geralmente por pessoas com problemas auditivos

linguajar **I** *v. intr.* dar à língua; tagarelar; **II** *s. m.* modo de falar com características próprias de uma região, classe, grupo, etc.

linguarudo *s. m.* pessoa que fala demais, especialmente sobre os outros

lingueta *s. f.* **1** pequena haste indicadora do equilíbrio de uma balança; **2** parte móvel da fechadura que é accionada pelo rodar da chave; **3** peça que protege o peito do pé, no calçado com atacadores; **4** MÚS. lâmina móvel de certos instrumentos de sopro

linguiça *s. f.* CUL. espécie de chouriço delgado feito de carne de porco

linguista *adj. e s. 2 gén.* **1** que ou pessoa que se dedica ao estudo das línguas; **2** especialista em linguística

linguística *s. f.* ciência que tem por objecto de estudo a linguagem humana

linguístico *adj.* relativo a linguística ou a língua

linha *s. f.* **1** fio utilizado para coser, bordar, etc.; **2** fio em que se pendura o anzol, utilizado para pescar; **3** traço ou risco contínuo, de espessura variável; **4** sequência horizontal de palavras num texto; **5** comunicação telefónica; **6** serviço de transportes habitual existente entre dois locais; **7** sistema de carris sobre o qual circulam veículos como o comboio e o eléctrico; **8** série de pessoas ou objectos alinhados numa mesma direcção; **9** boa forma física; **10** (*fig.*) orientação; ***em ~*** em fila; ***manter a ~*** manter a boa forma física ❖ ***andar na ~*** comportar-se devidamente; ***fazer trinta por uma ~*** fazer todos os possíveis; ***por linhas travessas*** indirectamente

linhaça *s. f.* semente do linho

linhagem *s. f.* sequência de gerações de uma família

linho *s. m.* **1** BOT. planta herbácea com pequenas flores azuis, que fornece fibras muito utilizadas na indústria de tecidos; **2** tecido fabricado com essas fibras

link *s. m.* {*pl.* links} INFORM. vd. **hiperligação**

linóleo *s. m.* tecido forte e impermeável feito de juta e untado com uma mistura de óleo e cortiça em pó, usado como tapete ou cobertura

liofilização *s. f.* processo moderno de conservação de alimentos e outras substâncias (sangue, antibióticos, etc.) por meio de congelação rápida a baixa temperatura

liofilizar *v. tr.* submeter (produto) a liofilização

lípidos *s. m. pl.* QUÍM. grupo de substâncias orgânicas, insolúveis em água, cuja função é armazenar energia; gorduras

lipoaspiração *s. f.* MED. aspiração de gorduras subcutâneas excessivas

lipoma *s. m.* MED. tumor benigno proveniente de um aumento do tecido adiposo

liquefacção *s. f.* passagem de uma substância do estado sólido ou do estado gasoso ao estado líquido

liquefazer *v. tr. e refl.* tornar(-se) líquido

liquefeito *adj.* ⟨*p. p. de* **liquefazer**⟩ tornado líquido

líquen *s. m.* BOT. associação simbiótica de fungos com algas

liquidação *s. f.* **1** apuramento de contas; **2** pagamento de contas ou de dívidas; **3** COM. venda de bens a preço reduzido, de modo a esgotar rapidamente o stock; **4** *(fig.)* aniquilação; extermínio

liquidado *adj.* **1** pago; **2** aniquilado; exterminado

liquidar *v. tr.* **1** apurar e acertar (as contas); **2** pagar (conta, dívida); **3** vender a preço reduzido; **4** *(fig.)* aniquilar; exterminar

liquidez *s. f.* **1** qualidade ou estado de líquido; **2** ECON. possibilidade de converter bens ou títulos em dinheiro

liquidificador *s. m.* pequeno electrodoméstico utilizado para triturar e misturar determinados elementos, em especial bebidas e frutas

liquidificar I *v. tr.* **1** tornar líquido; **2** misturar com liquidificador; **II** *v. intr.* tornar-se líquido

líquido I *adj.* **1** relativo ao estado da matéria em que esta flui, adquirindo a forma dos recipientes em que se encontra; **2** ECON. (quantia) resultante da dedução de descontos ou despesas; **II** *s. m.* **1** substância que flui, não tendo forma própria; **2** bebida

lira *s. f.* **1** MÚS. instrumento em forma de U com uma barra horizontal no topo, onde se fixam as cordas; **2** antiga unidade monetária de Itália, San Marino e do Vaticano substituída pelo euro em 1999

lírica *s. f.* LIT. género em geral manifestado em textos de poesia, em que o autor exprime a sua subjectividade

lírico I *s. m.* **1** LIT. género em que o autor exprime a sua subjectividade; **2** poeta que cultiva esse género; **II** *adj.* que cultiva esse género

lírio *s. m.* BOT. planta herbácea que produz flores perfumadas, cultivada para fins ornamentais

lirismo *s. m.* **1** LIT. estilo que valoriza a expressão da subjectividade pelo autor; **2** *(pej.)* falta de espírito prático

lis *s. 2 gén.* BOT. flor perfumada do lírio

lisboeta I *s. 2 gén.* pessoa natural de Lisboa; **II** *adj. 2 gén.* relativo a Lisboa

liso *adj.* **1** (superfície) plano e regular, sem asperezas; **2** suave; macio; **3** (tecido) que apresenta apenas uma cor uniforme; **4** (cabelo) a direito, sem ondas nem caracóis; **5** *(coloq.)* sem dinheiro

lisonja *s. f.* adulação; louvor exagerado

lisonjear I *v. tr.* elogiar exageradamente; bajular; **II** *v. refl.* orgulhar-se

lisonjeiro *adj.* **1** que lisonjeia; **2** elogioso

lista *s. f.* sequência de pessoas ou coisas por escrito; listagem

listado *adj.* incluído em lista

listagem *s. f.* **1** relação de pessoas ou coisas; lista; **2** INFORM. apresentação de programas ou dados existentes na memória do computador

listar *v. tr.* incluir ou registar em lista

listra *s. f.* risca em tecido, de cor diferente da do fundo do mesmo; lista

listrado *adj.* com listras ou riscas

litania *s. f.* vd. **ladainha**

liteira *s. f.* cadeirinha portátil, coberta, sustentada por duas varas compridas, que era conduzida por homens ou por animais de carga

literacia *s. f.* capacidade de ler e escrever; alfabetismo

literal *adj. 2 gén.* **1** que reproduz o sentido exacto de cada palavra; **2** rigoroso

literariedade *s. f.* qualidade de literário

literário *adj.* **1** relativo a literatura; **2** que possui características (semânticas, linguísticas) próprias das obras literárias

literato *adj. e s. m.* **1** que ou o que produz obras literárias; escritor; **2** que ou indivíduo que possui vastos conhecimentos de literatura

literatura *s. f.* **1** arte de compor obras literárias; **2** conjunto de produções literárias de um país, cultura, época, etc.

litigante *adj. e s. 2 gén.* DIR. que ou pessoa que intervém num processo litigioso

litigar I *v. tr.* **1** DIR. dar início a litígio ou acção judicial sobre; **2** entrar em disputa sobre; **II** *v. intr.* participar em litígio

litígio *s. m.* **1** DIR. acção ou questão judicial; **2** conflito

litigioso *adj.* **1** relativo a litígio; **2** que envolve litígio; **3** conflituoso

lítio *s. m.* QUÍM. elemento com o número atómico 3 e símbolo Li, que é um metal alcalino, branco e pouco denso

litoral I *s. m.* região situada à beira-mar; **II** *adj. 2 gén.* que se situa à beira-mar

litosfera *s. f.* GEOL. parte externa e rígida da Terra, que inclui a crusta terrestre

litro *s. m.* unidade de medida de capacidade que equivale a um decímetro cúbico

lituano I *s. m.* {*f.* lituana} **1** pessoa natural da Lituânia; **2** língua báltica falada na Lituânia; **II** *adj.* relativo à Lituânia

liturgia *s. f.* RELIG. conjunto de orações e práticas do culto religioso estabelecidos por uma igreja

litúrgico *adj.* relativo a liturgia

lividez *s. f.* estado de lívido; palidez

lívido *adj.* muito pálido

livrar I *v. tr.* **1** tornar livre; libertar; **2** salvar de dificuldade ou perigo; **II** *v. refl.* **1** libertar-se; **2** escapar

livraria *s. f.* estabelecimento comercial onde se vendem livros

livre I *adj. 2 gén.* **1** que possui liberdade; **2** autónomo; independente; **3** que possui independência política; **4** isento; dispensado; **5** que foi absolvido de um crime; **6** não ocupado; disponível; **II** *s. m.* DESP. (futebol) sanção imposta a uma equipa por infracção das leis de jogo, que obriga à passagem da posse da bola para a equipa adversária, que a pode pontapear a partir de situação estática para a baliza do opositor

livre-arbítrio *s. m.* {*pl.* livres-arbítrios} FIL. possibilidade de escolher ou decidir de acordo com a própria vontade

livre-câmbio *s. m.* {*pl.* livres-câmbios} ECON. permuta de mercadorias entre países, sem direitos alfandegários

livreiro I *adj.* relativo a livros; **II** *s. m.* comerciante de livros

livresco *adj.* **1** relativo a livros; **2** (conhecimento) proveniente da leitura de livros, e não da experiência

livrete *s. m.* documento em que estão registadas as características de um veículo (marca, cilindrada, etc.)

livre-trânsito *s. m.* {*pl.* livres-trânsitos} cartão que permite a entrada em certos lugares, transportes públicos ou espectáculos

livro *s. m.* **1** reunião de cadernos, manuscritos ou impressos, cosidos ordenadamente, formando um volume encadernado ou brochado; **2** obra literária ou científica; ***~ de bolso*** livro de tamanho reduzido e em geral com preço baixo ❖ ***ser um ~ aberto*** saber muito

livro de cheques *s. m.* conjunto de impressos emitidos por um banco que, devidamente preenchidos e assinados, permitem ao seu titular movimentar dinheiro de uma conta

livro de ponto *s. m.* livro usado nas escolas pelos professores para fazer o registo diário das actividades lectivas de uma turma

lixa *s. f.* papel revestido por uma camada áspera, utilizado para desgastar ou polir materiais

lixadela *s. f.* **1** acto de lixar superficialmente; **2** *(cal.)* acto de prejudicar alguém

lixar **I** *v. tr.* **1** desgastar ou polir com lixa; **2** *(cal.)* tramar; prejudicar; **II** *v. refl.* *(cal.)* tramar-se; prejudicar-se; ***que se lixe!*** não importa!

lixeira *s. f.* **1** local onde são acumulados indevidamente resíduos ou detritos indiscriminados; **2** sítio imundo

lixeiro *s. m.* indivíduo encarregado de recolher e transportar lixo

lixívia *s. f.* solução alcalina utilizada para lavagem de tecidos e como desinfectante

lixo *s. m.* **1** objecto que se deita fora por não ter utilidade nem valor; **2** detritos resultantes de actividades industriais, domésticas, etc.; **3** recipiente em que se acumulam esses detritos

lm FÍS. [*símbolo de* **lúmen**]

lo *pron. pess. e dem.* variante do pronome o, sempre que antecedido por formas verbais terminadas em *-r*, *-s* ou *-z*, depois dos pronomes átonos *nos* e *vos* e do advérbio *eis*, que perdem a consoante final ⟨*vê-lo; ei-lo; di-lo;*⟩

lobby *s. m.* {*pl.* lobbies} POL. grupo organizado de pessoas que procuram influenciar os deputados no sentido de votarem a favor de determinados interesses

lobisomem *s. m.* homem que, segundo a crença popular, se transforma em lobo e vagueia de noite para cumprir o seu destino

lobo [o] *s. m.* ZOOL. mamífero carnívoro, feroz, semelhante a um cão grande, que habita regiões isoladas da Europa, Ásia e América do Norte

lobo [ɔ] *s. m.* ANAT. parte arredondada e saliente de um órgão

lobo-marinho *s. m.* {*pl.* lobos-marinhos} ZOOL. mamífero aquático, carnívoro, de coloração negra, que habita os mares gelados

lóbulo *s. m.* **1** ANAT. parte pequena, arredondada e saliente de um órgão; **2** BOT. recorte pouco profundo no bordo das folhas vegetais ou em qualquer órgão

locação *s. f.* contrato pelo qual uma das partes se obriga a ceder à outra a utilização de um bem (móvel ou imóvel), ou a prestar-lhe determinado serviço, mediante retribuição

local **I** *s. m.* localidade; sítio; **II** *adj. 2 gén.* **1** relativo a determinado lugar; **2** (infecção, anestesia) limitado a uma área restrita do corpo

localidade *s. f.* pequena zona pertencente a uma cidade, região ou país

localização *s. f.* **1** acto de localizar(-se); **2** local onde se encontra uma pessoa ou um objecto, ou onde tem lugar determinado fenómeno

localizado *adj.* **1** que se localizou; **2** situado em determinado local; **3** limitado a uma área determinada

localizar **I** *v. tr.* determinar o lugar em que se encontra; **II** *v. refl.* encontrar-se situado

loção *s. f.* **1** preparado farmacêutico utilizado para tratamento de doenças cutâneas ou para cuidados de higiene; **2** líquido perfumado utilizado para cuidados de beleza

locatário *s. m.* aquele que toma alguma coisa de aluguer; inquilino

lockout *s. m.* {*pl.* lockouts} encerramento de um local de trabalho por iniciativa patronal, como forma de pressão face a reivindicações dos trabalhadores ou face a um movimento grevista

locomoção *s. f.* acto de se deslocar de um lugar para outro

locomotiva *s. f.* máquina a vapor que se move sobre trilhos e que reboca as carruagens de um comboio

locução *s. f.* **1** maneira de dizer ou de pronunciar; dicção; **2** GRAM. conjunto de palavras que funcionam como uma unidade

locutor *s. m.* **1** profissional que apresenta programas na rádio ou televisão; **2** LING. agente que produz uma mensagem; emissor

lodaçal *s. m.* lugar onde existe muito lodo; lamaçal

lodo *s. m.* depósito de matéria orgânica em decomposição que se acumula no fundo de rios, lagos e mares

logaritmo *s. m.* MAT. expoente ao qual se deve elevar o número escolhido para base para se obter o número dado

lógica *s. f.* **1** FIL. disciplina que tem como objecto as formas de pensamento e de raciocínio; **2** nexo entre factos ou ideias; coerência

lógico *adj.* **1** relativo a lógica; **2** que tem lógica, coerência

logística *s. f.* MIL. organização e planeamento do transporte, equipamento e abastecimento de tropas

logístico *adj.* relativo a logística

logo I *adv.* **1** imediatamente; **2** mais tarde; **3** em seguida; **II** *conj.* portanto; por conseguinte; ***~ que*** no momento em que; mal

logótipo *s. m.* marca constituída por um grupo de letras, formando sigla ou palavra, com um design característico para identificar uma empresa, instituição, etc.

lograr I *v. tr.* **1** alcançar; obter; **2** enganar; **II** *v. intr.* ter bom resultado

logro *s. m.* estratagema para enganar; fraude

loiça *s. f.* vd. **louça**

loiro *adj. e s. m.* vd. **louro**

loisa *s. f.* vd. **lousa**

loja *s. f.* estabelecimento para exposição e venda de mercadorias

lojista *adj. e s. 2 gén.* que ou pessoa que é proprietária de uma loja

lomba *s. f.* **1** cume de monte ou serra; **2** pequena elevação no pavimento de uma estrada, para obrigar os veículos a reduzir a velocidade

lombada *s. f.* parte da encadernação de um livro, que reveste a costura dos cadernos, em que geralmente figura o título, o nome do autor, a editora, etc.

lombar *adj. 2 gén.* relativo a lombo

lombo *s. m.* **1** parte carnuda pegada à espinha dorsal nos animais; dorso; **2** carne dessa parte, muito utilizada na alimentação

lombriga *s. f.* ZOOL. verme intestinal, parasita de muitos animais, especialmente do homem

lona *s. f.* tecido grosso e resistente de que se fazem as velas dos navios, toldos, tendas de campanha, etc. ❖ ***estar nas lonas*** estar sem dinheiro; estar muito gasto

longa-metragem *s. f.* {*pl.* longas-metragens} CIN. filme de longa duração

longe I *adv.* a grande distância, no espaço ou no tempo; **II** *adj. 2 gén.* distante; longínquo; ***ao ~*** a grande distância; ***de ~ a ~*** de tempos a tempos; ***ir ~*** dar esperanças; ter sucesso; ***ir ~ demais*** exagerar

longevidade *s. f.* **1** qualidade de longevo; **2** vida longa

longevo *adj.* **1** que chegou a idade avançada; **2** duradouro

longilíneo *adj.* delgado e comprido
longínquo *adj.* afastado; distante no espaço ou no tempo
longitude *s. f.* GEOG. medida (em graus) do arco do equador compreendido entre o meridiano que passa pelo observatório astronómico de Greenwich e o meridiano que passa pelo observador
longitudinal *adj. 2 gén.* **1** relativo a longitude; **2** no sentido do comprimento
longo *adj.* **1** extenso; comprido; **2** que dura muito; demorado
lontra *s. f.* ZOOL. mamífero carnívoro, aquático, com pêlo suave e acastanhado e membranas entre os dedos
looping *s. m.* {*pl.* loopings} AERON. acrobacia aérea, em que o avião descreve um círculo na vertical
loquacidade *s. f.* qualidade de loquaz
loquaz *adj. 2 gén.* **1** falador; **2** eloquente
lorca *s. f.* buraco no solo ou no tronco de uma árvore onde se acolhem certos animais, como o coelho, o rato, etc.
lorde *s. m.* **1** título de nobreza atribuído na Inglaterra aos nobres e aos pares do reino; **2** membro da câmara alta do parlamento inglês; **3** *(pop.)* indivíduo que vive com ostentação
lorpa *adj. e s. 2 gén.* *(depr.)* imbecil; parvo
lorpice *s. f.* qualidade ou atitude própria de lorpa; parvoíce
losango *s. m.* GEOM. quadrilátero plano com os lados iguais
lota *s. f.* local onde se vende o peixe, sobretudo a revendedores, à chegada dos barcos de pesca
lotação *s. f.* capacidade, ou número máximo de pessoas que um lugar, um recinto ou um veículo pode comportar
lotaria *s. f.* jogo de azar por meio de bilhetes numerados, com prémios em dinheiro
lote *s. m.* **1** cada uma das partes de um todo que se divide; **2** conjunto; grupo de objectos; **3** parcela de terreno para urbanização ou pequena exploração agrícola
loteamento *s. m.* divisão de um terreno em lotes, geralmente destinados à urbanização
lotear *v. tr.* dividir (terreno) em parcelas para venda, geralmente destinadas à urbanização
loto *s. m.* jogo de azar, cujo objectivo é completar os números que figuram nos cartões, à medida que se retiram do saco as peças cilíndricas numeradas; quino
louça *s. f.* qualquer produto de cerâmica, especialmente o conjunto de recipientes utilizado para serviço de mesa e de cozinha
louco *adj. e s. m.* que ou o que perdeu a razão; doido
loucura *s. f.* **1** estado de louco, do que sofre de perturbação mental; **2** falta de sensatez; **3** extravagância
louraça *s. f.* *(coloq.)* mulher loura e vistosa
loureiro *s. m.* BOT. árvore que produz pequenas bagas escuras e folhas persistentes e aromáticas, muito utilizadas como condimento
louro I *adj.* de cor entre o dourado e o castanho-claro; **II** *s. m.* **1** indivíduo com o cabelo dessa cor; **2** folha de loureiro; **3** BOT. vd. **loureiro**
lousa *s. f.* rocha metamórfica cinzento-escura, que se separa em lâminas, usada para revestir telhados, paredes, etc.; ardósia
louva-a-deus *s. m. 2 núm.* ZOOL. insecto carnívoro, de corpo estreito

e alongado e patas dianteiras compridas, que em repouso permanecem erguidas e unidas

louvar **I** *v. tr.* dirigir louvores a; enaltecer; **II** *v. refl.* enaltecer-se

louvável *adj. 2 gén.* digno de louvor

louvor *s. m.* **1** acto de louvar; **2** elogio; exaltação dos méritos de algo ou alguém

Lr QUÍM. [*símbolo de* **laurêncio**]

Lu QUÍM. [*símbolo de* **lutécio**]

lua *s. f.* planeta que gira em torno da Terra, de que é satélite; ~ ***cheia*** fase da Lua em que a Terra se encontra entre o Sol e a Lua e esta nos mostra a face iluminada; ~ ***nova*** fase da Lua em que esta se encontra entre o Sol e a Terra, com a face não iluminada voltada para a Terra ❖ ***andar na ~*** estar distraído; ***pedir a ~*** pedir o impossível

lua-de-mel *s. f.* {*pl.* luas-de-mel} **1** primeiros tempos após o casamento; **2** período de férias imediatamente a seguir ao casamento

luar *s. m.* luz do Sol reflectida pela Lua

lubrificação *s. f.* aplicação de óleo num mecanismo para reduzir o atrito, facilitando o seu funcionamento

lubrificante **I** *s. m.* substância untuosa que tem a propriedade de lubrificar, como o óleo e a cera; **II** *adj. 2 gén.* que lubrifica

lubrificar *v. tr.* aplicar óleo (em mecanismo) para reduzir o atrito e facilitar o funcionamento

lucidez *s. f.* **1** claridade; brilho; **2** qualidade de lúcido; **3** clareza de raciocínio; perspicácia

lúcido *adj.* **1** que brilha; **2** de raciocínio claro; perspicaz

lucrar **I** *v. tr.* beneficiar; ganhar; **II** *v. intr.* tirar lucro ou vantagens

lucrativo *adj.* que dá lucro; proveitoso

lucro *s. m.* **1** ganho ou rendimento resultante de venda ou investimento; **2** vantagem; benefício

ludibriar *v. tr.* enganar; iludir

lúdico *adj.* relativo a jogo ou divertimento

lufada *s. f.* rajada de vento

lugar *s. m.* **1** sítio; local; **2** povoação; localidade; **3** posição; **4** cargo; emprego ❖ ***em ~ de*** em vez de; ***ter ~*** acontecer; realizar-se; ***tomar o ~ de*** substituir; ***um ~ ao sol*** situação favorável ou vantajosa

lugar-comum *s. m.* {*pl.* lugares-comuns} dito sem originalidade; banalidade

lugarejo *s. m.* lugar pequeno; aldeola

lúgubre *adj. 2 gén.* **1** relativo a morte ou a funeral; **2** triste; soturno; **3** sinistro

lula *s. f.* ZOOL. molusco marinho, com olhos desenvolvidos, corpo alongado e provido de pequenos tentáculos

lulu *s. m.* cãozinho de luxo, de pêlo comprido

lume *s. m.* **1** fogo; **2** luz; clarão; **3** (*pop.*) aquilo que se usa para acender um cigarro (fósforo, isqueiro, etc.) ❖ ***vir a ~*** ser publicado

lúmen *s. m.* FÍS. unidade de fluxo luminoso do Sistema Internacional, de símbolo lm

luminosidade *s. f.* **1** qualidade de luminoso; **2** intensidade de luz emitida

luminoso *adj.* **1** que tem luz própria; **2** que emite luz; **3** brilhante; resplandecente; **4** (*fig.*) (ideia) que demonstra inteligência; brilhante

lunar *adj. 2 gén.* relativo a Lua

lunático **I** *adj.* **1** influenciado pela Lua; **2** aluado; distraído; **II** *s. m.* aquele que é aluado ou distraído

luneta *s. f.* **1** lente que serve para corrigir ou ampliar a visão; **2** [*pl.*] óculos que se seguram apenas no nariz

lupa *s. f.* lente que transmite uma imagem ampliada dos objectos
lúpulo *s. m.* BOT. planta herbácea, trepadora e aromática, utilizada no fabrico da cerveja
lúpus *s. m.* MED. doença de pele
lusco-fusco *s. m.* crepúsculo; anoitecer
lusitano I *s. m.* {*f.* lusitana} pessoa natural da Lusitânia; português; **II** *adj.* relativo à Lusitânia
luso *adj.* lusitano; português
lusofonia *s. f.* conjunto dos países em que o português é a língua oficial ou dominante
lusófono *adj.* (país, povo) cuja língua oficial é o português
lustre *s. m.* **1** brilho de um objecto polido; **2** candeeiro de tecto com braços e várias luzes
lustroso *adj.* brilhante; luzidio
luta *s. f.* **1** combate desportivo; **2** batalha; disputa; **3** oposição de interesses; conflito; ***dar ~*** resistir; exigir esforço
lutador *adj. e s. m.* **1** que ou atleta que participa em combates desportivos; **2** que ou o que luta para alcançar um objectivo
lutar *v. intr.* **1** travar luta; combater; **2** esforçar-se
lutécio *s. m.* QUÍM. elemento metálico com o número atómico 71 e símbolo Lu
luteranismo *s. m.* RELIG. doutrina fundada por Martinho Lutero (1483-1546), que defende a livre interpretação da Bíblia
luterano I *s. m.* seguidor do luteranismo; **II** *adj.* relativo a luteranismo
luto *s. m.* **1** dor causada pela morte de alguém ou por grande calamidade; **2** traje escuro em sinal de tristeza pela morte de alguém
luva *s. f.* **1** peça de vestuário para a mão, para agasalhar ou adornar; **2** peça de borracha ou de outro material com que se cobre a mão, para a proteger; **3** *(fig.)* suborno ❖ ***assentar como uma ~*** ficar bem; ***de ~ branca*** delicadamente
luxação *s. f.* MED. lesão articular caracterizada pelo deslocamento de dois ou mais ossos
luxemburguês I *s. m.* {*f.* luxemburguesa} pessoa natural do Luxemburgo; **II** *adj.* relativo ao Luxemburgo
luxo *s. m.* ostentação; requinte ❖ ***de ~*** de qualidade excelente; ***dar-se ao ~ de*** permitir-se a extravagância de
luxuoso *adj.* que ostenta luxo
luxúria *s. f.* **1** viço da vegetação; **2** sensualidade exagerada; lascívia
luxuriante *adj. 2 gén.* viçoso; exuberante
luz *s. f.* **1** luminosidade; claridade; **2** *(fig.)* verdade; **3** *(fig.)* intuição; **4** [*pl.*] *(fig.)* noções; conhecimentos ❖ ***à ~ de*** segundo o ponto de vista; ***dar à ~*** parir; ***dar/ter ~ verde*** dar/ter permissão; ***vir à ~*** tornar-se conhecido
luzerna *s. f.* BOT. planta forraginosa da família das Leguminosas; alfafa
luzidio *adj.* que luz; brilhante
luzir *v. intr.* emitir luz; brilhar
lx FÍS. [*símbolo de* **lux**]
lycra® *s. f.* vd. **licra**

M

m **I** s. *m.* décima terceira letra do alfabeto; **II** [*símbolo de* **metro**]; **III** [*símbolo de* **minuto**]

M s. *m.* (numeração romana) número 1000

maca s. *f.* cama articulada, assente numa armação móvel, para transportar doentes ou feridos

maçã s. *f.* BOT. fruto da macieira, de forma arredondada e polpa consistente; ANAT. ***~ do rosto*** saliências das faces, formadas pelos ossos malares

macabro *adj.* **1** relativo a morte; fúnebre; **2** que desperta terror; sinistro

macacada s. *f.* coisa pouco séria; palhaçada

macacão s. *m.* **1** calças de tecido resistente com peitilho; **2** peça de vestuário inteiriça que cobre o tronco e os membros; fato-macaco

macaco s. *m.* **1** ZOOL. mamífero da ordem dos primatas, de corpo peludo, cérebro desenvolvido, membros superiores mais compridos que os inferiores e mãos e pés terminados em dedos ágeis; **2** MEC. aparelho que serve para levantar grandes pesos a pequena altura

maçada s. *f.* **1** situação aborrecida; incómodo; **2** conversa enfadonha; lengalenga

maçã-de-adão s. *f.* {*pl.* maçãs-de--adão} (*pop.*) saliência formada pela cartilagem tireóide, na parte anterior do pescoço dos homens

maçador *adj.* aborrecido; enfadonho

macaense **I** s. *2 gén.* pessoa natural de Macau; **II** *adj. 2 gén.* relativo a Macau

macambúzio *adj.* **1** carrancudo; **2** triste

maçaneta s. *f.* **1** puxador de porta ou janela esférico ou piramidal; **2** baqueta de tambor ou de bombo

mação s. *m.* membro da maçonaria; franco-mação

maçapão s. *m.* CUL. massa preparada com amêndoa, clara de ovo e açúcar, usada para decorar bolos ou para rechear bombons

macaquice s. *f.* gesto ou trejeito ridículo; careta

macaquinho s. *m.* ⟨*dim. de* **macaco**⟩ macaco pequeno; (*coloq.*) ***ter macaquinhos no sótão*** ter pouco juízo

maçar v. *tr.* importunar; aborrecer

maçarico s. *m.* aparelho que produz uma chama de elevada temperatura por meio de oxigenação proveniente do escape de ar ou oxigénio comprimido, através de um tubo

maçaroca s. *f.* espiga de milho

macarrão s. *m.* CUL. massa de farinha em forma de tubos comprimidos mais ou menos delgados

macarrónico *adj.* (idioma) falado e/ou escrito de forma incorrecta; incompreensível

macedónia s. *f.* CUL. mistura de legumes cortados aos quadradinhos, usada em saladas, sopas, etc.

macedónio **I** s. *m.* {*f.* macedónia} **1** pessoa natural da Macedónia; **2** língua eslava falada na Macedónia e em parte da Grécia; **II** *adj.* relativo à Macedónia

maceração *s. f.* **1** amolecimento de uma substância sólida por imersão num líquido; **2** acto de pisar algo para lhe extrair o suco

macerar *v. tr.* **1** amolecer (substância sólida) num líquido; **2** amassar um corpo para lhe extrair o suco; pisar

machadada *s. f.* golpe de machado

machado *s. m.* instrumento cortante, formado por uma cunha de ferro afiada, fixa a um cabo de madeira, que serve para abater árvores, rachar lenha, etc.

machão *s. m.* **1** indivíduo que se gaba da sua masculinidade e gosta de exibir características tipicamente masculinas; **2** homem alto e robusto

machete *s. m.* faca-de-mato para abrir passagem nas florestas

machismo *s. m.* **1** defesa da supremacia do macho; **2** atitude de dominação do homem em relação à mulher

machista *adj. e s. 2 gén.* que ou pessoa que é defensora do machismo

macho I *s. m.* **1** ZOOL. animal do sexo masculino; **2** ser humano do sexo masculino; homem; **3** peça (de colchete, rosca, etc.) que se encaixa noutra (fêmea); **4** ZOOL. animal híbrido, estéril, produto do cruzamento do cavalo com a jumenta, ou da égua com o jumento; **II** *adj.* **1** BIOL. que é do sexo masculino; **2** com características próprias do homem

maciço I *adj.* **1** compacto; sólido; **2** espesso; denso; **3** relativo a um grande número de pessoas; **II** *s. m.* **1** GEOL. conjunto de montanhas que formam um bloco; **2** arvoredo compacto

macieira *s. f.* BOT. árvore produtora de maçãs

macilento *adj.* **1** magro; abatido; **2** descorado; pálido

macio *adj.* **1** suave ao tacto ou ao paladar; **2** de consistência mole; fofo; **3** *(fig.)* delicado; meigo

maço *s. m.* **1** conjunto de coisas ligadas, formando um volume; **2** espécie de martelo formado por um bloco de madeira dura, geralmente em forma de paralelepípedo

maçonaria *s. f.* sociedade secreta cuja doutrina tem como rótulo a fraternidade e a filantropia universais; franco-maçonaria

maçónico *adj.* relativo à maçonaria

macramé *s. m.* obra têxtil feita à mão com cordão entrelaçado e nós, formando desenhos variados

má-criação *s. f.* {*pl.* más-criações} **1** falta de educação; **2** acto ou dito grosseiro

macrobiótica *s. f.* **1** estudo da saúde humana que procura prolongar a vida por meio de regras de higiene e de um regime alimentar; **2** regime alimentar à base de cereais integrais, peixe, legumes e frutos frescos

macrobiótico *adj.* relativo a macrobiótica

macrocosmo *s. m.* Universo considerado como um todo orgânico

macroeconomia *s. f.* ECON. ciência que estuda os aspectos económicos globais de um país ou de uma região

macroeconómico *adj.* relativo a macroeconomia

macromolécula *s. f.* QUÍM. molécula formada por um grande número de átomos

macroscópico *adj.* **1** visível a olho nu; **2** *(fig.)* que não tem detalhe; superficial

maçudo *adj.* (assunto, conversa, texto) enfadonho; maçador

mácula *s. f.* **1** mancha de sujidade; nódoa; **2** *(fig.)* desonra

macumba *s. f. (Bras.)* culto afro-brasileiro que associa elementos de crenças ameríndias, do catolicismo, do espiritismo, do ocultismo e de outras práticas

madeira *s. f.* **1** parte lenhosa, compacta e dura, que compõe o tronco e os ramos de alguns vegetais; **2** conjunto de tábuas, barrotes e outros materiais usados em carpintaria, construção, etc.

madeirense **I** *s. 2 gén.* pessoa natural da ilha da Madeira; **II** *adj. 2 gén.* relativo à ilha da Madeira

madeixa *s. f.* feixe de cabelos; mecha

má-disposição *s. f.* **1** mau humor; **2** enjoo

madrasta *s. f.* **1** mulher casada, em relação aos filhos que o marido tem do casamento anterior; **2** *(fig., pej.)* mãe pouco carinhosa

madre *s. f.* **1** RELIG. superiora de um convento; **2** RELIG. freira; irmã; **3** ANAT. útero; **4** ARQ. viga horizontal que serve de apoio aos barrotes

madrepérola *s. f.* camada interna, calcária e brilhante, da concha dos moluscos

madrépora *s. f.* ZOOL. animal marinho cujo esqueleto forma os recifes de coral nos mares tropicais

madressilva *s. f.* BOT. planta trepadeira com flores aromáticas amareladas e bagas vermelhas

madrigal *s. m.* **1** LIT. composição poética de carácter amoroso ou lisonjeiro; **2** MÚS. composição vocal para ser interpretada por uma ou várias vozes; **3** cumprimento lisonjeiro; galanteio

madrinha *s. f.* **1** mulher que serve de testemunha em baptizado, crisma ou casamento; **2** protectora; patrocinadora; **3** mulher escolhida para representar uma instituição, entidade, etc.

madrugada *s. f.* período que antecede o nascer do Sol; alvorada; aurora

madrugador *adj. e s. m.* que ou pessoa que se levanta muito cedo

madrugar *v. intr.* acordar ou levantar-se cedo

madureza *s. f.* qualidade ou estado do que está maduro

maduro *adj.* **1** (fruto) que atingiu o último grau de desenvolvimento; amadurecido; **2** (pessoa) completamente formado; crescido; **3** (acto, decisão) ponderado; reflectido

mãe *s. f.* **1** mulher que deu à luz um ou mais filhos; **2** mulher que dispensa cuidados maternais; **3** ZOOL. fêmea que deu à luz uma ou mais crias; **4** *(fig.)* causa; fonte; **5** *(fig.)* lugar onde algo teve início; berço

mãe de aluguer *s. f.* mulher que cede o seu útero para a gestação de um filho que após o parto é entregue a outras pessoas

mãe-de-santo *s. f.* {*pl.* mães-de--santo} *(Bras.)* sacerdotisa de candomblé, macumba e de outras práticas de origem popular

maestria *s. f.* perícia; perfeição

maestrina *s. f.* **1** MÚS. regente de orquestra, coro ou banda; **2** MÚS. compositora de música ligeira

maestrino *s. m.* MÚS. compositor de música ligeira

maestro *s. m.* **1** MÚS. regente de orquestra, coro ou banda; **2** MÚS. compositor de música

mafarrico *s. m.* **1** *(pop.)* Demónio; **2** *(fig.)* pessoa endiabrada

máfia *s. f.* seita criminosa bem organizada

mafioso **I** *s. m.* membro da máfia; **II** *adj.* **1** relativo à máfia; **2** que não tem escrúpulos

magala *s. m. (pop.)* soldado; recruta

maganão *s. m.* indivíduo maroto ou brincalhão; patusco
maganice *s. f.* brincadeira; marotice
magazine *s. m.* publicação periódica, geralmente ilustrada, que trata de vários assuntos; revista
magenta *s. m.* cor vermelho-escura; carmim
magia *s. f.* **1** arte com que se pretende produzir efeitos extraordinários, por meio de fórmulas ou de rituais secretos, com o auxílio de espíritos, génios e demónios; **2** criação de ilusões através de truques; ilusionismo; **3** *(fig.)* encanto; fascínio; **~ *branca*** prática mágica que procura proteger alguém de forças malignas ou da má sorte; **~ *negra*** prática mágica cuja intenção é causar danos ou prejudicar alguém; bruxaria ❖ ***por ~*** misteriosamente
magicar *v. tr. e intr.* pensar muito (em); cismar
mágico I *s. m.* **1** homem que pratica magia; feiticeiro; bruxo; **2** ilusionista; **II** *adj.* **1** relativo a magia; **2** que não tem explicação racional; fantástico; **3** *(fig.)* fascinante; encantador
magistério *s. m.* **1** cargo de professor; **2** ensino; docência
magistrado *s. m.* **1** funcionário público com autoridade judicial ou administrativa; **2** juiz
magistral *adj. 2 gén.* **1** perfeito; exemplar; **2** pedante; presumido
magistratura *s. f.* **1** exercício das funções de magistrado; **2** duração dessas funções
magma *s. m.* GEOL. massa de minerais em fusão proveniente de zonas do interior da Terra
magnânimo *adj.* **1** bondoso; generoso; **2** que perdoa com facilidade; tolerante
magnata *s. 2 gén.* **1** pessoa muito rica e influente; **2** pessoa importante na área dos negócios
magnate *s. 2 gén.* vd. **magnata**
magnésio *s. m.* QUÍM. elemento com o número atómico 12 e símbolo Mg, metálico, esbranquiçado e pouco denso
magnete *s. m.* objecto que atrai certos metais; íman
magnético *adj.* **1** relativo a magnete ou a magnetismo; **2** que atrai certos metais; **3** *(fig.)* que exerce uma forte atracção
magnetismo *s. m.* **1** FÍS. propriedade atractiva dos magnetes ou ímanes; **2** *(fig.)* poder de atracção
magneto *s. m.* ELECTR. gerador eléctrico de indução em que o campo indutor é produzido por um magnete permanente
magnificência *s. f.* **1** imponência; **2** ostentação; **3** generosidade
magnífico *adj.* **1** esplêndido; **2** grandioso; **3** generoso
magnitude *s. f.* **1** representação numérica da intensidade de um sismo; **2** grandeza; importância
magno *adj.* muito importante
magnólia *s. f.* **1** BOT. árvore ou arbusto de flores grandes e aromáticas; **2** BOT. flor dessa planta
magnório *s. m. (reg.)* vd. **nêspera**
mago *s. m.* homem que pratica magia; mágico
mágoa *s. f.* **1** tristeza; desgosto; **2** rancor; ressentimento
magoado *adj.* **1** triste; **2** ofendido; **3** ressentido
magoar *v. tr. e refl.* **1** ferir(-se); **2** ofender(-se)
magote *s. m.* grande número de coisas ou de pessoas; montão
magreza *s. f.* **1** qualidade ou estado de magro; **2** qualidade do que é pouco produtivo; **3** *(fig.)* pobreza

magricela *adj. e s. 2 gén. (pej.)* pessoa muito magra e pálida

magricelas *adj. e s. 2 gén. 2 núm.* vd. **magricela**

magro *adj.* **1** (pessoa) que tem pouco peso; **2** (carne) que tem pouca gordura; **3** (iogurte, leite) que tem baixo teor de gorduras

magusto *s. m.* festa, geralmente ao ar livre, em que se assam castanhas

maia I *s. f.* BOT. giesta de flor amarela que floresce no início de Maio; **II** *s. 2 gén.* pessoa natural dos maias, povo da América Central; **III** *s. m.* língua falada pelos maias

Maio *s. m.* quinto mês do ano civil, com trinta e um dias

maionese *s. f.* **1** CUL. molho frio, feito de azeite, vinagre, gemas de ovos, sal e especiarias; **2** CUL. refeição fria preparada com legumes, peixe e esse molho; salada russa

maior *adj. 2 gén.* **1** ⟨*comp. de* **grande**⟩ que excede outro em tamanho, espaço, intensidade ou número; superior; **2** que atingiu a maioridade; *~ de idade* que atingiu a idade legal de reger a sua pessoa e os seus bens ❖ *(coloq.)* ***estar na ~*** estar despreocupado; ***ser o ~*** ser fantástico

maioral *s. 2 gén.* **1** pessoa que chefia outras; líder; **2** pessoa que se distingue pela sua superioridade

maioria *s. f.* **1** superioridade numérica; **2** a maior parte; o maior número; **3** maior número de votos obtido numa votação; POL. ***~ absoluta*** maioria que atinge mais de metade do total de votos; ***~ relativa*** superioridade numérica de votos, inferior à maioria absoluta ❖ ***por ~ de razão*** com mais razão

maioridade *s. f.* **1** idade fixada por lei a partir da qual se entra legalmente no gozo dos direitos civis (em Portugal, 18 anos); **2** estado de completo desenvolvimento (de um grupo ou de uma sociedade)

maioritário *adj.* **1** relativo a maioria; **2** que representa a maior parte

mais I *s. m.* **1** sinal da adição (+); **2** a maior parte; **3** resto; **II** *adv.* **1** em maior quantidade; **2** além disso; também; **3** de preferência; antes; **4** outra vez; novamente; **III** *pron. indef.* **1** em maior quantidade; em maior número; **2** restantes; demais; **IV** *prep.* com ⟨*o rapaz saiu mais a irmã*⟩; **V** *conj.* e ⟨*dois mais dois são quatro*⟩ ❖ ***de ~*** em excesso; ***~ ou menos*** cerca de; ***~ tarde ou ~ cedo*** quando menos se esperar; ***sem ~ nem menos*** sem razão/motivo

maisena *s. f.* substância farinácea constituída por amido de milho

mais-que-perfeito *s. m.* GRAM. tempo verbal que exprime uma acção já passada em relação a uma época ou circunstância também já passada

mais-que-tudo *s. 2 gén. 2 núm.* pessoa muito amada

mais-valia *s. f.* ECON. aumento de valor adquirido por uma mercadoria ou por um bem

maiúscula *s. f.* uma das duas formas de representar uma letra do alfabeto, que corresponde ao tamanho maior (é usada no início de períodos e de nomes próprios); capital

maiúsculo *adj.* (letra do alfabeto) de tamanho maior; grande

majestade *s. f.* **1** qualidade do que impõe respeito; imponência; **2** excelência; superioridade; **3** poder supremo

Majestade *s. f.* título dado a reis e rainhas

majestático *adj.* **1** relativo a majestade; **2** grandioso; GRAM. ***plural ~*** emprego da 1.ª e 2.ª pessoas do plural para indicar a respectiva pessoa do singular

majestoso *adj.* **1** que impõe respeito ou veneração; **2** grandioso; **3** sublime

major *s. m.* **1** MIL. patente entre a de capitão e a de tenente-coronel; **2** MIL. oficial que ocupa esse posto

majorete *s. f.* jovem que participa em desfiles de rua, geralmente com uniforme do grupo que representa

mal I *adv.* **1** de forma diferente da desejada ou conveniente; **2** de modo incompleto; **3** a custo; **4** pouco; **II** *conj.* logo que; assim que; **III** *s. m.* **1** aquilo que é contrário ao bem; **2** infelicidade; **3** defeito; **4** doença; **5** ofensa ❖ ***arrancar o ~ pela raiz*** resolver um problema pela sua origem; ***de ~ a pior*** cada vez pior; ***levar a ~*** ofender-se; ***~ por ~*** de preferência

mala *s. f.* **1** saco de couro, tecido ou outro material resistente, fechado ou não com cadeado, que se usa para transportar roupa ou objectos de uso pessoal; **2** carteira de mão; **3** compartimento situado na parte traseira dos automóveis, destinado a carregar sacos ou outros objectos; porta-bagagens

malabar I *adj. 2 gén.* relativo à região de Malabar (costa ocidental da Índia); **II** *s. 2 gén.* pessoa natural da região de Malabar; **III** *s. m.* língua falada na costa de Malabar

malabarismo *s. m.* **1** execução de movimentos e posições difíceis, prestidigitações e outros exercícios manuais; equilibrismo; **2** habilidade para lidar com situações difíceis ou adversas

malabarista *s. 2 gén.* **1** pessoa que executa jogos de agilidade; equilibrista; **2** pessoa com habilidade para contornar dificuldades

mal-agradecido *adj.* ingrato

malagueta *s. f.* **1** BOT. fruto pequeno, vermelho, alongado, picante e aromático, muito usado como condimento; **2** NÁUT. cavilha que contorna os cabos de laborar

malaio I *s. m.* {*f.* malaia} **1** pessoa natural da Malásia; **2** língua falada na Malásia e em regiões vizinhas; **II** *adj.* relativo à Malásia

mal-amado *adj. e s. m.* que ou pessoa que não é correspondida no seu amor

mal-amanhado *adj.* **1** tosco; **2** desajeitado

malandrice *s. f.* **1** qualidade ou acto de malandro; traquinice; **2** falta de ocupação; ociosidade

malandro I *adj.* **1** maroto; brincalhão; **2** que não gosta de trabalhar; preguiçoso; **II** *s. m.* **1** indivíduo preguiçoso; **2** vigarista

malaquite *s. f.* MIN. mineral de cor verde que cristaliza no sistema monoclínico e que, depois de polido, é usado como ornamento

malar *s. m.* ANAT. osso par da face, que forma o esqueleto das maçãs do rosto

malária *s. f.* MED. doença crónica causada por parasitas no sangue e que é transmitida pela mordida de mosquitos

malcheiroso *adj.* que cheira mal

malcomportado *adj.* que revela mau comportamento

malcriadice *s. f.* atitude ou dito de malcriado; grosseria

malcriado *adj.* que revela má educação; grosseiro

maldade *s. f.* **1** característica do que é mau; **2** crueldade; **3** malícia; **4** travessura

maldição *s. f.* **1** palavra ou expressão que revela a vontade de que algo negativo aconteça a alguém; praga; **2** (*fig.*) desgraça; calamidade

maldisposto *adj.* **1** enjoado; **2** aborrecido

maldito *adj.* **1** que foi amaldiçoado; **2** que exerce má influência; **3** que causa infelicidade

maldizente *adj. e s. 2 gén.* que ou pessoa que fala mal dos outros; má-língua

maldizer *v. tr.* **1** amaldiçoar; **2** dizer mal de

maldoso *adj.* **1** que tem maldade; mau; **2** malicioso

maleabilidade *s. f.* **1** qualidade do que é maleável; flexibilidade; **2** *(fig.)* facilidade de adaptação às circunstâncias

maleável *adj. 2 gén.* **1** flexível; **2** *(fig.)* que se adapta com facilidade às circunstâncias

maledicência *s. f.* **1** qualidade de maledicente; **2** hábito de dizer mal das outras pessoas; **3** difamação

mal-educado *adj.* que tem má educação; malcriado

malefício *s. m.* **1** aquilo que tem efeito nocivo; **2** prejuízo; dano

maléfico *adj.* **1** que provoca dano(s); nocivo; **2** malvado; mau

mal-encarado *adj.* carrancudo

mal-entendido *s. m.* {*pl.* mal-entendidos} **1** equívoco; engano; **2** desentendimento; divergência

mal-estar *s. m.* {*pl.* mal-estares} **1** (físico) indisposição; **2** (moral) inquietação

malévolo *adj.* malvado; mau

malfadado *adj.* que tem má sorte; desgraçado

malfeitor *adj. e s. m.* que ou aquele que pratica actos condenáveis; criminoso

malformação *s. f.* MED. deformação congénita de uma parte do corpo

malga *s. f.* tigela funda de louça em que se toma sopa

malha *s. f.* **1** cada um dos nós, voltas ou laçadas de um fio têxtil que formam um tecido; **2** tecido formado pelo encadeamento desses nós; **3** peça de vestuário feita desse tecido; **4** mancha na pele de um animal

malhado *adj.* **1** (animal) que tem malhas ou manchas; **2** (cereal) debulhado com o malho

malhão *s. m. (reg.)* MÚS. canção e dança popular de ritmo animado

malhar **I** *v. tr.* separar os cereais da espiga, batendo-os; debulhar; **II** *v. intr.* *(coloq.)* cair

malho *s. m.* grande martelo, de cabeça pesada, sem unhas nem orelhas, que se pega com ambas as mãos e é usado para bater o ferro

mal-humorado *adj.* que está de mau humor; irritado

malícia *s. f.* **1** maldade; **2** astúcia; **3** intenção satírica; **4** dito picante

malicioso *adj.* **1** maldoso; **2** manhoso; **3** mordaz

maligno *adj.* **1** (acto, carácter) propenso para o mal; **2** (indício, sinal) que anuncia desgraça; **3** MED. (doença, tumor) que pode levar à morte

má-língua **I** *s. f.* {*pl.* más-línguas} hábito de dizer mal de tudo e de todos; **II** *adj. e s. 2 gén.* que ou pessoa que fala mal dos outros

mal-intencionado *adj.* que tem más intenções ou mau carácter

maljeitoso *adj.* **1** (pessoa) desajeitado; **2** (objecto) disforme

malmequer *s. m.* BOT. planta com flores brancas ou amarelas e capítulos grandes; bem-me-quer; margarida

malograr *v. tr.* frustrar(-se); anular(-se)

malogro *s. m.* **1** fracasso; **2** revés

malote *s. m.* mala pequena

malparado *adj.* **1** mal encaminhado; comprometido; **2** que não está seguro; arriscado

malquerer *v. tr.* desejar mal a; detestar
malta *s. f.* 1 *(coloq.)* conjunto de pessoas com idade próxima e interesses comuns; 2 grupo; multidão
malte *s. m.* cevada germinada e seca, usada no fabrico de cerveja
maltês I *s. m.* {*f.* maltesa} 1 pessoa natural de Malta (no mar Mediterrâneo); 2 língua falada em Malta; II *adj.* 1 relativo a Malta; 2 (gato) de tom cinzento-azulado
maltose *s. f.* QUÍM. açúcar existente no malte que se obtém por hidrólise do amido sob a acção de ácidos diluídos ou de fermentos
maltrapilho *adj.* que se veste com andrajos; esfarrapado
maltratar *v. tr.* 1 tratar mal; agredir; 2 bater em; espancar
maluco *adj. e s. m.* 1 que ou aquele que sofre de perturbação mental; 2 que ou aquele que não tem juízo
maluqueira *s. f.* vd. **maluquice**
maluquice *s. f.* 1 acto ou dito próprio de maluco; disparate; 2 extravagância; excentricidade
malva I *s. f.* 1 BOT. planta herbácea cultivada pelas suas propriedades medicinais; 2 BOT. flor dessa planta; II *s. m.* cor violeta dessa flor; III *adj. 2 gén.* que tem essa cor
malvadez *s. f.* perversidade; crueldade
malvado *adj.* perverso; mau
malvisto *adj.* 1 que tem má fama; 2 que não é querido
mama *s. f.* 1 (animal) órgão glandular que segrega o leite nas fêmeas dos mamíferos; 2 (mulher) cada uma das glândulas mamárias; seio; peito; 3 período da amamentação
mamã *s. f. (infant.)* mãe
mamada *s. f.* 1 acto de mamar; 2 quantidade de leite que se mama de uma vez; 3 tempo de cada amamentação
mamão *adj.* que mama muito
mamar *v. tr.* 1 sugar (o leite da mãe); 2 *(pop.)* extorquir (dinheiro)
mamário *adj.* relativo a mama
mamarracho *s. m.* 1 qualquer obra imperfeita ou sem valor; 2 edifício demasiado grande ou de proporções exageradas
mambo *s. m.* música e dança cubana representando uma mistura de ritmos latino-americanos
mamífero I *adj.* que possui mamas; II *s. m.* ZOOL. animal vertebrado com mamas, sistema nervoso desenvolvido, respiração pulmonar, o corpo mais ou menos revestido de pêlos, e que normalmente se alimenta de leite nas primeiras idades
mamilo *s. m.* ANAT. bico da mama ou do peito
mamografia *s. f.* MED. radiografia da glândula mamária
mamute *s. m.* ZOOL. elefante fóssil com dentes longos curvados para cima e para trás e corpo revestido de pêlos compridos
mana *s. f. (coloq.)* irmã
manada *s. f.* 1 rebanho de gado bovino; 2 *(fig.)* grupo de pessoas que se deixam conduzir passivamente
manancial *s. m.* 1 nascente de água; fonte; 2 *(fig.)* princípio abundante de alguma coisa
manápula *s. f.* mão muito grande
manat *s. m.* {*pl.* manats} unidade monetária do Azerbaijão e do Turquemenistão
mancar *v. intr.* andar, inclinando-se mais para um lado do que para o outro; coxear
mancebo *s. m.* indivíduo jovem; rapaz
mancha *s. f.* 1 nódoa; 2 *(fig.)* mácula (na honra ou na reputação)
manchar *v. tr.* 1 sujar; 2 *(fig.)* macular (a honra ou a reputação)

manchete *s. f.* **1** título de notícia ou artigo, em letras grandes, na primeira página de jornal ou revista; **2** notícia com maior destaque num noticiário

manco *adj.* privado de um membro ou parte dele; coxo; aleijado

manda-chuva *s. 2 gén.* {*pl.* manda-chuvas} **1** pessoa importante; magnata; **2** pessoa que lidera; chefe

mandado *s. m.* **1** ordem expressa do que se deve fazer; **2** DIR. determinação escrita emitida por autoridade judicial ou administrativa

mandala *s. m.* (budismo, hinduísmo) diagrama composto de formas geométricas concêntricas que representa o universo e é utilizado como ponto focal na prática da meditação

mandamento *s. m.* **1** acto ou efeito de mandar; **2** ordem; determinação; **3** RELIG. (Catolicismo) cada um dos dez preceitos que a Igreja impõe aos seus fiéis

mandão *adj. e s. m.* autoritário; prepotente

mandar I *v. tr.* **1** ordenar; **2** enviar; **3** encomendar; **II** *v. intr.* exercer autoridade; dominar

mandarim *s. m.* língua oficial da China

mandatar *v. tr.* **1** fazer-se representar por; **2** delegar poder ou responsabilidade em

mandatário *s. m.* **1** pessoa que recebe mandato ou procuração para agir em nome de alguém; **2** pessoa que representa outra; representante

mandato *s. m.* **1** poder concedido por meio de votação a uma pessoa ou a um partido para governar durante determinado período; **2** período de exercício de um cargo eleitoral

mandíbula *s. f.* ANAT., ZOOL. maxila inferior do homem e de outros vertebrados

mandioca *s. f.* **1** BOT. planta arbustiva cuja raiz é comestível e da qual se produzem farinhas; **2** BOT. raiz dessa planta

mando *s. m.* **1** autoridade; comando; **2** ordem; decreto

mandolim *s. m.* MÚS. instrumento de cordas, semelhante ao alaúde, que se toca com palheta ou ponteiro

mandrião I *adj.* preguiçoso; indolente; **II** *s. m.* indivíduo que não gosta de trabalhar

mandriar *v. intr.* viver ociosamente; preguiçar

maneira *s. f.* **1** forma de ser ou de actuar; modo; **2** método; **3** disposição; **4** circunstância ❖ *(coloq.)* ***à ~*** como deve ser; ***à ~ de*** como; ***de ~ a/que*** com o objectivo de; ***de qualquer ~*** não obstante; ***de ~ nenhuma*** jamais

maneirinho *adj.* **1** *(coloq.)* que se transporta com facilidade; **2** *(coloq.)* adequado; jeitoso

maneirismo *s. m.* ART. PLÁST. movimento que se desenvolveu em Itália no fim do séc. XVI e no séc. XVII como reacção contra os valores clássicos renascentistas

maneirista I *adj. 2 gén.* **1** relativo ao maneirismo; **2** afectado; rebuscado; **II** *s. 2 gén.* **1** artista que segue o maneirismo; **2** pessoa que fala se exprime num estilo afectado ou rebuscado

manejar *v. tr.* **1** executar com as mãos; **2** manusear; manipular; **3** dirigir; controlar

manejo *s. m.* **1** manuseamento; manipulação; **2** direcção; controlo

manequim I *s. 2 gén.* pessoa que exibe modelos de costureiros; **II** *s. m.* boneco que representa uma figura humana, e que serve para estudos ou para assentar trabalhos de costura

maneta *adj. 2 gén.* pessoa privada de uma das mãos ou de um braço ❖ ***ir para o ~*** ficar sem efeito

manga *s. f.* **1** parte de uma peça de roupa que cobre total ou parcialmente o braço; **2** BOT. fruto comestível da mangueira, com polpa amarelada, carnosa e doce

manga-de-alpaca *s. m.* {*pl.* mangas-de-alpaca} *(depr.)* funcionário que cumpre as suas funções de forma rotineira

manganés *s. m.* QUÍM. vd. **manganésio**

manganésio *s. m.* QUÍM. elemento com o número atómico 25 e símbolo Mn, de características metálicas

mangar *v. intr. (coloq.)* fazer troça de; gozar

mangueira *s. f.* **1** tubo de comprimento variável, de lona, borracha ou plástico, para conduzir líquidos ou ar; **2** BOT. árvore de origem oriental que produz a manga

manguito *s. m. (pop.)* gesto ofensivo que consiste em dobrar um braço com o punho fechado e segurar na dobra interior do cotovelo desse braço com a outra mão

manha *s. f.* **1** astúcia; **2** habilidade; **3** artimanha

manhã *s. f.* **1** tempo que vai do nascer do Sol ao meio-dia; **2** aurora; madrugada

manhoso *adj.* **1** habilidoso; **2** ardiloso; **3** malicioso

mania *s. f.* **1** MED. síndrome mental caracterizada por euforia, excitação psíquica com hiperactividade, insónia, etc.; **2** hábito repetitivo ou extravagante; **3** gosto excessivo; obsessão; **4** capricho

maníaco *adj. e s. m.* **1** que ou pessoa que tem mania; **2** excêntrico; **3** que ou pessoa que tem gosto excessivo por; obcecado

manicómio *s. m.* hospital para tratamento de doentes mentais; hospício

manicura *s. f.* profissional que trata das mãos e das unhas

manicure *s. f.* vd. **manicura**

manif *s. f. (coloq.)* expressão pública e colectiva de um sentimento ou de uma opinião

manifestação *s. f.* **1** expressão pública e colectiva de um sentimento ou de uma opinião; **2** demostração de uma ideia ou de um sentimento; revelação

manifestante *s. 2 gén.* pessoa que participa numa manifestação

manifestar I *v. tr.* **1** exprimir (um ponto de vista, uma opinião); **2** revelar (uma ideia, um sentimento); **II** *v. refl.* **1** (pessoa) dar-se a conhecer; **2** (doença, sintoma) declarar-se

manifesto I *s. m.* declaração pública de uma posição, decisão ou programa por parte de um grupo artístico, político, religioso, etc.; **II** *adj.* evidente; claro ❖ ***dar o corpo ao ~*** arriscar-se

manilha *s. f.* **1** argola usada como adorno; pulseira; **2** (jogo de cartas) carta de baralho com o algarismo sete

manipulação *s. f.* **1** manuseamento; utilização; **2** interferência humana num processo natural; **3** *(pej.)* influência ou pressão exercida sobre alguém; MED. **~ *genética*** conjunto de processos que permitem alterar ou combinar tecnicamente os genes de um organismo

manipulador *adj. e s. m.* que ou aquele que manipula

manipular *v. tr.* **1** preparar com as mãos; **2** manejar; utilizar; **3** *(pej.)* influenciar alguém, levando-o a actuar de determinada forma; pressionar

manípulo *s. m.* **1** aquilo que se manobra com a mão; **2** manivela
manivela *s. f.* peça a que se imprime movimento por acção manual
manjar I *s. m.* comida; refeição; **II** *v. tr.* **1** comer; **2** *(coloq.)* ver; **3** *(coloq.)* perceber
manjedoira *s. f.* vd. **manjedoura**
manjedoura *s. f.* tabuleiro onde se colocam os alimentos dos animais nos estábulos
manjericão *s. m.* BOT. planta herbácea muito aromática, usada como condimento
manjerico *s. m.* BOT. planta mais pequena que o manjericão, de folhas miúdas e aroma intenso; basílico
manjerona *s. f.* BOT. planta muito aromática de caule avermelhado e flores esverdeadas, cujo óleo é usado em perfumaria
mano *s. m. (coloq.)* irmão
manobra *s. f.* **1** acto de colocar em funcionamento um mecanismo; accionamento; **2** conjunto de movimentos ou acções para alcançar um determinado objectivo
manobrar *v. tr.* **1** fazer funcionar (um mecanismo); **2** conduzir (um veículo); **3** manipular (alguém)
manómetro *s. m.* FÍS. instrumento que serve para medir a tensão ou força elástica dos gases e vapores, ou as pressões exercidas pelos líquidos
mansão *s. f.* residência de grandes dimensões
mansarda *s. f.* vão do telhado de um edifício; águas-furtadas
mansinho *adj.* ⟨*dim. de* **manso**⟩ ***de ~*** com muito cuidado; sem fazer barulho
manso *adj.* **1** (pessoa) tranquilo; **2** (mar) calmo; **3** (animal) domesticado; **4** (pinheiro) não silvestre
manta *s. f.* peça de lã, mais pequena que um cobertor, utilizada como agasalho ❖ ***pintar a ~*** fazer diabruras
manteiga *s. f.* **1** substância gorda e untuosa que se obtém a partir da nata do leite; **2** *(fig.)* adulação; bajulação
manteigueira *s. f.* recipiente em que se serve a manteiga
manter I *v. tr.* **1** conservar; guardar; **2** cumprir (palavra, promessa); **3** defender (princípios, recorde); **4** sustentar (alguém); **II** *v. refl.* conservar-se; permanecer
mantilha *s. f.* manto feminino de renda ou seda para cobrir a cabeça
mantimentos *s. m. pl.* géneros alimentícios; víveres
manto *s. m.* **1** espécie de capa de cauda que se usa sobre os ombros; **2** *(fig.)* aquilo que cobre; revestimento; **3** *(fig.)* motivo que oculta a verdadeira razão; pretexto
mantra *s. m.* RELIG. (budismo, hinduísmo) fórmula sagrada que é repetida durante a meditação
manual I *adj. 2 gén.* **1** relativo à(s) mão(s); **2** que se faz com as mãos; **3** fácil de manusear; **II** *s. m.* folheto com indicações úteis à utilização de um equipamento; livro de instruções
manuelino *adj.* **1** HIST. relativo a D. Manuel I; **2** ARQ. relativo ao estilo decorativo caracterizado por motivos marítimos, inspirado nos Descobrimentos
manufactura *s. f.* **1** trabalho feito à mão; **2** estabelecimento industrial; fábrica; **3** obra feita à mão; artefacto
manufacturar *v. tr.* **1** produzir manualmente; **2** fabricar
manuscrito I *s. m.* **1** obra escrita à mão; **2** versão original de um texto; **II** *adj.* escrito à mão

manuseamento *s. m.* acto ou efeito de manusear; utilização

manusear *v. tr.* **1** mover com a(s) mão(s); **2** folhear (um livro)

manutenção *s. f.* **1** conservação; **2** administração; **3** conjunto de medidas que garantem o bom funcionamento de (máquinas, equipamentos, etc.)

mão *s. f.* **1** ANAT. órgão da extremidade dos membros superiores do homem; **2** parte de um utensílio por onde este se deve segurar; pega; **3** faixa por onde os veículos devem circular em determinado sentido; **4** camada de cal ou tinta sobre uma superfície; demão; **5** DESP. cada um dos jogos de uma eliminatória; **6** (*fig.*) ajuda ❖ ***abrir ~ de*** renunciar a; (assalto, ataque) ***à ~ armada*** com arma de fogo; ***de ~ em ~*** de pessoa para pessoa; ***de ~ beijada*** gratuitamente; ***fora de ~*** desviado; ***meter os pés pelas mãos*** atrapalhar-se; ***não ter mãos a medir*** estar muito ocupado; (correspondência) ***por ~ própria*** entregue apenas ao próprio destinatário; ***pôr as mãos no fogo por (alguém)*** ter absoluta certeza da integridade de (alguém)

mão-cheia *s. f.* {*pl.* mãos-cheias} punhado

mão-de-obra *s. f.* {*pl.* mãos-de-obra} **1** trabalho manual para executar uma obra ou fabricar um produto; **2** conjunto de operários necessários para executar uma obra; **3** custo de execução de uma obra ou de um produto

maometano *adj. e s. m.* que ou pessoa que segue a doutrina de Maomé; islamita

mãos-largas *s. 2 gén. 2 núm.* pessoa generosa

mapa *s. m.* **1** representação de um território numa superfície plana e em escala reduzida; **2** representação gráfica de dados (geralmente numéricos); quadro; **3** lista; catálogo; ***~ astral*** representação das posições relativas dos planetas e dos signos do zodíaco num dado momento

mapa-múndi *s. m.* {*pl.* mapas-múndi} representação do globo terrestre, projectada em dois hemisférios sobre o mesmo meridiano

mapeamento *s. m.* INFORM. distribuição de regiões de memória ou de dados aí armazenados de modo a facilitar o acesso por diferentes utilizadores

mapear *v. tr.* INFORM. distribuir e disponibilizar regiões de memória ou dados

maple *s. m.* cadeirão estofado

maqueta *s. f.* esboço em escala reduzia de obra de arquitectura ou engenharia

maquete *s. f.* vd. **maqueta**

maquetista *s. 2 gén.* pessoa que faz maquetas

maquiagem *s. f.* vd. **maquilhagem**

maquiar *v. tr. e refl.* vd. **maquilhar**

maquiavélico *adj.* que revela má-fé; traiçoeiro

maquilhagem *s. f.* **1** aplicação de cosméticos no rosto; pintura; **2** conjunto de produtos usados para maquilhar

maquilhar *v. tr. e refl.* aplicar cosméticos no rosto de (alguém ou da própria pessoa)

máquina *s. f.* **1** aparelho ou instrumento próprio para comunicar movimento ou para transformar uma forma de energia noutra; **2** equipamento formado de peças móveis; mecanismo; **3** (*fig.*) estrutura composta por um sistema combinado de órgãos; **4** (*fig.*) conjunto dos meios que contribuem para um dado fim; **~ *de calcular*** pequeno instrumento electrónico que permite efectuar cálculos matemáticos; calculadora; **~ *de escrever*** máquina com caracteres móveis associados a teclas, que permite imprimir letras e símbolos directamente sobre um papel; **~ *de guerra*** conjunto de armas e equipamentos de defesa e ataque; **~ *fotográfica*** aparelho munido de câmara escura que serve para tirar fotografias; **~ *registadora*** aparelho que regista automaticamente os valores das vendas nos estabelecimentos comerciais, emitindo recibos; caixa registadora

maquinação *s. f.* intriga; conspiração

maquinal *adj. 2 gén.* **1** automático; **2** *(fig.)* espontâneo

maquinar *v. tr.* planear em segredo; tramar

maquinaria *s. f.* conjunto de máquinas usadas em determinada actividade

maquineta *s. f.* máquina pequena

maquinismo *s. m.* conjunto de peças que formam e fazem funcionar um aparelho

maquinista *s. 2 gén.* pessoa que conduz uma locomotiva

mar *s. m.* **1** extensão da água salgada que ocupa a maior parte da superfície terrestre; oceano; **2** extensão limitada de água salgada; **3** vasta extensão de qualquer coisa; imensidão; **4** grande quantidade de pessoas; multidão; **~ *alto*** região marítima muito afastada da costa; *(fig.)* **~ *de rosas*** tranquilidade; serenidade ❖ ***nem tanto ao ~ nem tanto à terra*** no meio-termo; ***por ~*** por via marítima

maracujá *s. m.* BOT. fruto do maracujazeiro de tamanho variável, cujo interior apresenta pequenas sementes

marado *adj. (coloq.)* maluco; tolo

marasmo *s. m.* **1** estado de apatia; prostração; **2** tristeza; melancolia

maratona *s. f.* **1** DESP. prova de corrida a pé num percurso longo (cerca de 42 km); **2** *(fig.)* qualquer actividade que exija um grande esforço

maratonista *s. 2 gén.* atleta que participa na maratona

maravilha *s. f.* **1** aquilo que provoca admiração; **2** prodígio; milagre ❖ ***às mil maravilhas*** optimamente

maravilhado *adj.* fascinado; encantado

maravilhar *v. tr. e refl.* fascinar(-se); encantar(-se)

maravilhoso **I** *adj.* **1** que provoca admiração ou fascínio; **2** excelente; perfeito; **II** *s. m.* intervenção do sobrenatural que altera o curso da acção numa epopeia, tragédia, etc.

marca *s. f.* **1** sinal; traço; **2** letra ou símbolo que identifica produtos comerciais ou industriais; logótipo; **3** limite; fronteira; **4** antiga unidade monetária da Finlândia substituída pelo euro em 1999; **~ *registada*** nome que identifica os produtos de um fabricante e que é utilizado exclusivamente por ele ❖ ***passar das marcas*** exceder os limites razoáveis

marcação *s. f.* **1** colocação de sinal ou de traço distintivo; sinalização; **2** reserva de bilhetes ou lugares (em transporte, espectáculo); **3** fixação da data para a realização de (consulta, compromisso); **4** DESP. vigilância apertada a um adversário para dificultar as suas jogadas; **5** DESP. execução de uma penalidade após uma falta

marcador *s. m.* **1** aquilo que serve para marcar; **2** caneta com ponta de feltro, geralmente de cor forte; **3** DESP. jogador que marca o adversário para dificultar as suas jogadas; **4** DESP. jogador que executa uma penalidade; **5** DESP. jogador que concretiza um golo; **6** DESP. tabela onde são registados os pontos durante um jogo; placar

marcante *adj. 2 gén.* **1** que causa uma forte impressão; **2** que se destaca

marcar *v. tr.* **1** assinalar; **2** delimitar; **3** deixar sinal visível em; **4** reservar (bilhete, lugar); **5** fixar data de (consulta, compromisso); **6** digitar (número de telefone); **7** DESP. vigiar de perto um adversário para lhe condicionar as jogadas; **8** DESP. concretizar (ponto ou golo) ❖ ~ ***passo*** não progredir; ~ ***posição*** fazer valer a sua opinião

marcenaria *s. f.* **1** trabalho feito com madeira; **2** oficina onde se fazem objectos em madeira

marceneiro *s. m.* fabricante de objectos de madeira

marcha *s. f.* **1** modo de andar; andamento; **2** passeio (a pé); caminhada; **3** MIL. movimento disciplinado e regular de tropas; **4** MÚS. música que marca o ritmo do andamento de tropas; **5** DESP. actividade cujo objectivo é chegar ao fim de um percurso preestabelecido; **6** evolução; desenvolvimento; *(fig.)* ~ ***atrás*** mudança na caixa de velocidades que permite a um veículo recuar; recuo numa decisão ou atitude ❖ ***estar em*** ~ decorrer; ***pôr em*** ~ activar

marchar *v. intr.* **1** andar a passo de marcha; **2** caminhar; **3** progredir

marcial *adj. 2 gén.* **1** relativo à guerra; **2** próprio de militar; **3** combativo; ***lei*** ~ lei aplicada em caso de emergência, quando as forças militares são chamadas a intervir

marciano **I** *adj.* relativo ao planeta Marte; **II** *s. m.* suposto habitante de Marte

marco *s. m.* **1** traço ou sinal de demarcação; **2** facto que assinala uma data ou uma época; **3** antiga unidade monetária da Alemanha substituída pelo euro em 1999

Março *s. m.* terceiro mês do ano civil, com trinta e um dias

marco do correio *s. m.* pequena construção, geralmente cilíndrica, com uma ranhura onde se deposita a correspondência

maré *s. f.* **1** movimento periódico de subida e descida das águas do mar, produzido principalmente pela atracção da Lua e do Sol; **2** *(fig.)* fluxo dos acontecimentos; **3** *(fig.)* disposição; humor; ~ ***alta/cheia*** elevação máxima do nível do mar; ~ ***baixa/vaza*** nível mínimo das águas do mar; ~ ***de azar*** época de má sorte; ~ ***de sorte*** época de prosperidade ❖ ***remar contra a*** ~ ir contra a opinião da maioria

marechal *s. m.* **1** MIL. patente mais alta do exército português, concedida como distinção honorífica; **2** MIL. militar distinguido com essa patente

maremoto *s. m.* GEOG. grande agitação das águas marítimas por vibrações sísmicas ou erupções vulcânicas submarinas

maresia *s. f.* cheiro característico do mar

marfim *s. m.* substância branca, dura, que entra na constituição dos dentes dos elefantes

margarida *s. f.* BOT. planta com flores brancas ou amarelas e capítulos grandes; malmequer; bem-me-quer

margarina *s. f.* substância que se usa em vez de manteiga, e que é preparada a partir de gorduras vegetais

margem *s. f.* **1** terreno que ladeia um curso de água; **2** parte branca nos lados de uma página manuscrita ou impressa; borda; **3** grau de diferença em relação a um padrão; **4** motivo; pretexto; ECON. ~ ***de lucro*** percentagem ou valor acrescentado ao custo de produção de um bem ou serviço que determina o seu preço de venda; ~ ***de manobra*** grau de liberdade para agir ❖ ***à ~ de*** a respeito de; ***pôr à ~*** desprezar

marginador *s. m.* dispositivo que permite regular automaticamente a margem de uma impressão (tipográfica ou fotográfica)

marginal I *adj. 2 gén.* **1** relativo a margem; **2** (pessoa) que vive à margem da lei; **II** *s. 2 gén.* pessoa que vive à margem da lei e da sociedade; **III** *s. f.* estrada situada ao longo de um curso de água

marginalidade *s. f.* **1** qualidade do que é marginal; **2** condição de quem vive à margem da lei ou da sociedade

marginalização *s. f.* acto ou efeito de marginalizar; segregação; discriminação

marginalizado *adj.* colocado à margem; segregado; discriminado

marginalizar I *v. tr.* pôr de parte; discriminar; **II** *v. refl.* tornar-se marginal

maria-rapaz *s. f.* {*pl.* marias-rapazes} rapariga ou mulher com modos e gostos considerados próprios do sexo masculino

maricas I *s. 2 gén. 2 núm.* pessoa que tem medo de tudo; **II** *s. m. 2 núm.* **1** *(depr.)* indivíduo com modos femininos; **2** *(cal.)* homossexual; **III** *adj. 2 gén.* **1** *(depr.)* efeminado; **2** *(cal.)* homossexual

marido *s. m.* homem casado (em relação à esposa)

marijuana *s. f.* estupefaciente obtido das flores e folhas secas do cânhamo

marimbar-se *v. refl. (coloq.)* não fazer caso de; não dar importância a

marina *s. f.* doca para barcos de recreio

marinada *s. f.* CUL. molho feito com vinho, alhos, sal, loureiro, pimenta e outros aromas, para temperar carne antes de ser cozinhada; vinha-d'alhos

marinar *v. tr.* CUL. colocar em marinada ou vinha-d'alhos

marinha *s. f.* **1** conjunto dos navios e marinheiros de um país; **2** actividade de marinheiro; ~ ***de guerra*** força armada encarregada da defesa naval de um país; ~ ***mercante*** sector de actividade encarregado do transporte comercial de mercadorias

marinheiro *s. m.* **1** indivíduo que trabalha a bordo de uma embarcação; **2** indivíduo entendido na arte da navegação; ~ ***de água doce*** marinheiro jovem e inexperiente

marinho *adj.* **1** relativo ao mar; **2** (animal) que vive no mar; **3** vd. **azul-marinho**

marioneta *s. f.* boneco articulado, em forma de pessoa ou animal, feito de pano e madeira, cujos movimentos são controlados por meio de fios

marionete *s. f.* vd. **marioneta**

mariposa *s. f.* **1** ZOOL. vd. **borboleta**; **2** DESP. (natação) estilo em que os braços são levantados ao mesmo tempo sobre a cabeça enquanto se movimentam os pés para e cima e para baixo

mariquice *s. f. (depr.)* mania; capricho

mariquinhas *s. 2 gén. 2 núm.* pessoa que tem medo de tudo

mariscada *s. f.* CUL. refeição preparada com diferentes tipos de marisco

marisco *s. m.* qualquer crustáceo ou molusco comestível

marisqueira *s. f.* restaurante que serve marisco

marital *adj. 2 gén.* relativo a matrimónio; conjugal

marítimo *adj.* 1 relativo ao mar; 2 relativo a marinha; 3 (lugar) situado à beira-mar; 4 (viagem) feito por mar

marketing *s. m.* conjunto de acções de estratégia comercial, desde o estudo do mercado até à venda propriamente dita

marmanjão *s. m.* 1 *(pop.)* indivíduo corpulento e grosseiro; 2 *(pop.)* patife

marmanjo *s. m.* vd. **marmanjão**

marmelada *s. f.* 1 CUL. doce de marmelo cozido com calda de açúcar; 2 *(coloq.)* troca de carícias; namoro

marmeleiro *s. m.* BOT. pequena árvore de folhas alongadas produtora de marmelos

marmelo *s. m.* BOT. fruto do marmeleiro, de casca amarela aveludada e sabor ácido

marmita *s. f.* recipiente de lata ou de outro metal, com tampa, próprio para transportar refeições

mármore *s. m.* 1 GEOL. rocha metamórfica constituída por grânulos cristalinos de calcite; 2 peça feita desse material; 3 *(fig.)* aquilo que é frio ou insensível

marmorista *s. 2 gén.* pessoa que trabalha em mármore

marmota *s. f.* 1 ZOOL. mamífero roedor de pêlo denso e patas curtas que cava galerias, onde fica em hibernação; 2 ZOOL. (peixe) pescada jovem

marosca *s. f.* *(pop.)* trapaça; tramóia

marotice *s. f.* 1 qualidade de maroto; malandrice; 2 acto ou dito próprio de maroto; travessura

maroto *adj.* 1 travesso; irrequieto; 2 malandro; manhoso

marquês *s. m.* 1 título nobiliárquico entre o de duque e o de conde; 2 pessoa que possui esse título

marquesa *s. f.* 1 cama onde se deitam os doentes para serem observados; 2 esposa do marquês

marquise *s. f.* varanda ou galeria envidraçada, anexa a um edifício principal

marranço *s. m.* *(acad.)* estudo afincado, geralmente na véspera de um exame

marrão *adj.* 1 *(acad.)* (estudante) que decora a matéria; 2 (animal) indomável; 3 (pessoa) teimoso

marrar *v. tr. e intr.* *(acad.)* estudar decorando a matéria

marreca I *s. f.* saliência nas costas; corcova; II *s. 2 gén.* pessoa corcunda

marreta *s. f.* martelo de ferro com cabeças quadradas

marretada *s. f.* pancada com marreta

marroquinaria *s. f.* 1 indústria de transformação de peles para confecções; 2 loja onde se vendem artigos de couro

marroquino I *s. m.* {*f.* marroquina} 1 pessoa natural de Marrocos; 2 língua árabe falada em Marrocos; II *adj.* relativo a Marrocos

marsupial *s. m.* ZOOL. animal mamífero cuja fêmea possui uma bolsa formada pela pele do abdómen, onde as crias são colocadas para terminarem o seu desenvolvimento

marsúpio *s. m.* bolsa abdominal formada por uma dobra de pele das fêmeas de muitos marsupiais

marta *s. f.* 1 ZOOL. mamífero carnívoro com focinho pontiagudo e pêlo longo e sedoso; 2 pele desse animal

Marte *s. m.* 1 ASTRON. planeta primário exterior do sistema solar, situado entre a Terra e Júpiter; 2 MITOL. deus da guerra

martelada *s. f.* pancada com martelo

martelar *v. tr. e intr.* 1 bater com martelo em; 2 *(coloq.)* insistir

martelo *s. m.* instrumento de ferro, com cabo de madeira, usado para bater e pregar, e com um dispositivo para arrancar pregos

mártir *s. 2 gén.* **1** RELIG. pessoa torturada ou condenada à morte por se recusar a renunciar à fé cristã; **2** *(fig.)* pessoa que sofre de determinado mal

martírio *s. m.* **1** tortura ou morte suportada por um mártir; suplício; **2** *(fig.)* grande sofrimento; aflição

martirizar I *v. tr.* **1** causar tortura a; **2** atormentar; **II** *v. refl.* **1** atormentar-se; **2** afligir-se

marujo *s. m.* marinheiro

marxismo *s. m.* POL. doutrina de Karl Marx, que sublinha a luta de classes e a relação entre o capital e o trabalho na sua análise social, política e económica

marxista I *s. 2 gén.* pessoa defensora do marxismo; **II** *adj. 2 gén.* relativo ao marxismo

mas I *conj.* **1** porém; contudo; todavia; **2** usa-se para reforçar uma ideia ⟨*atrasou-se, mas muito!*⟩; **3** estabelece relação com uma ideia anterior ⟨*mas vens ou ficas?*⟩; **4** tem valor enfático ⟨*está mas é calado!*⟩; **II** *s. m.* **1** obstáculo; **2** defeito

mascar *v. tr. e intr.* **1** mastigar sem engolir; **2** falar entre dentes; resmungar

máscara *s. f.* **1** artefacto que representa uma cara ou parte dela, destinado a cobrir o rosto de alguém; **2** traje que representa uma época ou evoca uma figura (cinematográfica, histórica, etc.) usado no Carnaval; fantasia; **3** fisionomia; semblante; **4** *(fig.)* aparência enganadora; disfarce; ***deixar cair a ~*** revelar o verdadeiro carácter ou a verdadeia intenção

mascarado *adj.* **1** com máscara; **2** fantasiado

mascarar *v. tr. e refl.* **1** colocar máscara; **2** fantasiar(-se)

mascarilha *s. f.* pequena máscara de veludo ou cetim preto que se usa em festas carnavalescas

mascote *s. f.* pessoa, animal ou objecto a que se atribui a capacidade de dar sorte

masculinidade *s. f.* qualidade ou característica de homem; virilidade

masculino I *adj.* **1** relativo a macho; **2** relativo a homem; **II** *s. m.* GRAM. categoria do género gramatical oposta à do género feminino

másculo *adj.* relativo ao homem; viril

masmorra *s. f.* prisão subterrânea

masoquismo *s. m.* perversão sexual em que uma pessoa só obtém prazer sexual por meio de sofrimentos físicos ou morais a que se submete

masoquista I *adj. 2 gén.* relativo a masoquismo; **II** *s. 2 gén.* **1** pessoa que só obtém prazer sexual por meio de sofrimento; **2** *(coloq.)* pessoa que procura a dor ou o sofrimento

massa *s. f.* **1** CUL. mistura de farinha com água ou outro líquido, que forma uma pasta; **2** CUL. alimento de sêmola de trigo, com várias formas, que se coze em água a ferver; macarrão; **3** mistura de cal ou cimento, areia e água; argamassa; **4** quantidade; volume; **5** *(coloq.)* dinheiro

massacrar *v. tr.* **1** matar cruelmente e em grande número; chacinar; **2** *(fig.)* aborrecer; importunar

massacre *s. m.* morte (de pessoas, animais) em grande número; chacina

massagem *s. f.* compressão cadenciada de partes do corpo, feita com as mãos, para fins terapêuticos ou estéticos

massagista *s. 2 gén.* pessoa que faz massagens

massajar *v. tr.* fazer massagem a; friccionar

massaroca *s. f.* *(pop.)* dinheiro

massificação *s. f.* processo de uniformização de comportamentos, valores ou de outros factores culturais

massificar *v. tr.* uniformizar (comportamentos, valores, etc.)

massivo *adj.* **1** relativo a um grande número de pessoas; **2** significativo

mass media *s. m. pl.* conjunto dos meios de comunicação social (televisão, rádio, imprensa)

massudo *adj.* **1** compacto; **2** grosso

mastigar *v. tr.* **1** triturar (alimento) com os dentes; **2** *(fig.)* pronunciar mal (palavras)

mastodonte *s. m.* **1** mamífero fóssil de grande porte, semelhante ao elefante actual; **2** *(fig.)* qualquer objecto de dimensões gigantescas

mastro *s. m.* **1** NÁUT. haste comprida e vertical, de madeira ou metálica que, nos veleiros, sustenta as velas e, nos navios a motor, suporta o radar, as antenas, etc.; **2** pau em que se içam bandeiras

masturbação *s. f.* obtenção de prazer sexual através do toque nos próprios órgãos genitais

masturbar-se *v. refl.* proporcionar a si próprio prazer sexual através do toque nos próprios órgãos genitais

mata *s. f.* bosque

mata-bicho *s. m.* {*pl.* mata-bichos} *(pop.)* bebida alcoólica tomada em jejum

mata-borrão *s. m.* {*pl.* mata-borrões} papel próprio para absorver tinta

mata-cavalos *elem. da loc. adv.* ***a ~*** a toda a pressa

matadouro *s. m.* lugar destinado à matança de animais para consumo

matagal *s. m.* **1** bosque extenso e cerrado; **2** *(fig.)* conjunto de coisas emaranhadas

mata-moscas *s. m. 2 núm.* substância tóxica própria para matar moscas; insecticida

matança *s. f.* **1** acto de matar (pessoas); massacre; **2** abate de animais para consumo

matar **I** *v. tr.* **1** causar a morte a; assassinar (alguém); **2** abater (animal); **3** destruir; **4** saciar (fome, sede); **5** passar (o tempo) de forma improdutiva; **II** *v. refl.* **1** suicidar-se; **2** entregar-se inteiramente a (um trabalho, uma actividade) ❖ (roupa, penteado) ***ficar a ~*** ficar muito bem

mata-ratos *s. m. 2 núm.* veneno próprio para matar ratos

match *s. m.* {*pl.* matches} DESP. partida entre dois ou mais jogadores; torneio

match-point *s. m.* {*pl.* match-point} DESP. (ténis) ponto decisivo para o encerramento do jogo

mate **I** *adj.* sem brilho; fosco; **II** *s. m.* **1** xeque-mate; **2** BOT. arbusto cujas folhas são usadas para fazer chá

matemática *s. f.* ciência dedutiva que tem como objecto de estudo os números, figuras geométricas e outras entidades abstractas

matemático **I** *adj.* **1** relativo a matemática; **2** preciso; rigoroso; **II** *s. m.* indivíduo versado em matemática

matéria *s. f.* **1** substância, sólida, líquida ou gasosa, que tem massa (e por isso tem peso) e ocupa lugar no espaço; **2** substância sólida de que se faz um objecto ou uma obra; **3** assunto; tema; **4** motivo; pretexto

material **I** *adj. 2 gén.* **1** relativo à matéria; **2** relativo ao aspecto exterior ou visível; **3** relativo ao corpo humano; **4** prático; utilitário; **II** *s. m.* **1** conjunto dos objectos e aparelhos usados numa actividade, indústria ou construção; **2** conjunto de notas, ideias e matérias que se reúnem para determinada actividade (de investigação, produção literária, etc.)

materialidade *s. f.* carácter do que é material

materialismo *s. m.* **1** FIL. doutrina que defende que todos os fenómenos (naturais, sociais e mentais) são explicáveis pela matéria ou pelas condições materiais; **2** atitude de procura exclusiva de bens e prazeres materiais

materialista **I** *adj. 2 gén.* **1** relativo ao materialismo; **2** (pessoa) que só procura satisfação em bens materiais; **II** *s. 2 gén.* **1** pessoa adepta do materialismo; **2** pessoa que procura apenas bens e prazeres materiais

materializar *v. tr. e refl.* **1** tornar(-se) material; **2** concretizar(-se)

matéria-prima *s. f.* {*pl.* matérias-primas} substância principal de que uma coisa é feita; essência

maternal *adj. 2 gén.* **1** próprio de mãe; **2** carinhoso

maternidade *s. f.* **1** qualidade de mãe; **2** estado de gravidez; **3** estabelecimento hospitalar destinado a acompanhar mulheres em trabalho de parto

materno *adj.* relativo a mãe; próprio de mãe

matilha *s. f.* **1** conjunto de cães de caça; **2** (*fig.*) grupo de marginais; corja

matina *s. f.* (*coloq.*) manhã

matinal *adj. 2 gén.* próprio da manhã; matutino

matiné *s. f.* sessão de espectáculo que ocorre durante a tarde

matiz *s. m.* **1** combinação de cores; **2** gradação de cor; **3** tom suave

matizar *v. tr.* **1** combinar cores; **2** (*fig.*) tornar variado

mato *s. m.* terreno inculto, coberto de plantas agrestes

matraca *s. f.* **1** instrumento de madeira formado de tábuas com argolas móveis que se agitam; **2** (*coloq., fig.*) boca; **3** (*coloq., fig.*) pessoa muito faladora

matraquilhos *s. m. pl.* jogo de futebol de mesa, em que os jogadores impulsionam uma pequena bola, usando varões a que estão presos bonecos que representam as duas equipas

matrecos *s. m. pl.* vd. **matraquilhos**

matreiro *adj.* **1** (pessoa) que usa de má-fé; manhoso; **2** (animal) esquivo; arisco

matriarca *s. f.* **1** mulher considerada chefe de família; **2** mulher que domina ou lidera um grupo

matrícula *s. f.* **1** inscrição de uma pessoa (num curso, colégio, etc.); **2** código do registo inscrito numa placa colocada na parte da frente e de trás de um veículo; **3** placa que contém esse código

matricular *v. tr. e refl.* inscrever(-se) em curso, colégio, etc.

matrimonial *adj. 2 gén.* relativo a matrimónio; conjugal

matrimónio *s. m.* união legítima, de carácter civil ou religioso, entre duas pessoas; casamento

matriz **I** *s. f.* **1** molde para fundição de peças; **2** fonte; origem; **3** ANAT. útero; **4** MAT. conjunto de números ordenados, dispostos num quadro de linhas e colunas; **5** igreja principal de uma localidade; **II** *adj.* **1** principal; **2** que dá origem

matrona *s. f.* (*depr.*) mulher de aspecto pesado

matulão *s. m.* rapaz corpulento e de modos grosseiros

maturidade *s. f.* **1** estado de maduro; **2** pleno desenvolvimento; **3** meia-idade

matutar *v. intr.* (*coloq.*) reflectir; cismar

matutino I *adj.* relativo a manhã; matinal; II *s. m.* jornal que se publica pela manhã
mau *adj.* 1 (gesto, pessoa) que revela maldade; 2 (objecto, material) que não tem qualidade; 3 (conselho, exemplo) que prejudica; 4 (momento, notícia) que não é oportuno; 5 (comportamento, interpretação) contrário às normas ou à razão
mausoléu *s. m.* monumento funerário sumptuoso
maus-tratos *s. m. pl.* delito praticado por quem põe em risco a vida ou integridade de uma pessoa sob a sua dependência, privando-a de cuidados indispensáveis, ou exercendo sobre ela qualquer forma de violência (física ou psicológica)
maxilar *s. m.* ANAT. cada um dos dois ossos em que estão implantados os dentes nos animais vertebrados; **~ *inferior*** único osso móvel da cabeça, onde estão implantados os dentes inferiores; mandíbula; **~ *superior*** osso que forma a parte óssea central da face e onde estão implantados os dentes superiores; maxila
máxima *s. f.* 1 regra de conduta; lema; 2 provérbio; aforismo
maximização *s. f.* elevação ao valor ou ponto máximo
maximizar *v. tr.* 1 dar o valor mais alto a; 2 elevar ao mais alto grau
máximo I *adj.* ⟨*superl. de* **grande**⟩ maior de todos; mais elevado; II *s. m.* 1 valor mais elevado; 2 ponto de maior intensidade; cúmulo; 3 [*pl.*] (faróis) luzes destinadas a iluminar a via para a frente do veículo numa distância não inferior a 100 m, luzes de estrada
mazela *s. f.* 1 ferida; 2 *(fig.)* mancha na reputação
MB [*símbolo de* **megabyte**]
MBA [*sigla de* Master of Business Administration] mestrado em Economia, Gestão, Finanças
Md QUÍM. [*símbolo de* **mendelévio**]
me *pron. pess.* designa a primeira pessoa do singular e indica a pessoa que fala ou escreve ⟨*encontraram-me; espantei-me*⟩
meada *s. f.* porção de fios enrolados
mealheiro *s. m.* pequeno cofre com uma fenda por onde se introduzem moedas
mecânica *s. f.* 1 ciência que estuda os movimentos dos corpos e as forças que os produzem; 2 concepção e construção de máquinas; 3 aplicação prática dos princípios de uma arte ou ciência
mecânico I *s. m.* operário especializado na reparação de máquinas e motores; II *adj.* 1 relativo à mecânica; 2 relativo às leis do equilíbrio e do movimento; 3 rigoroso; 4 *(fig.)* automático
mecanismo *s. m.* 1 disposição dos elementos que constituem uma máquina; 2 estrutura de uma máquina; 3 *(fig.)* modo de funcionamento semelhante a uma máquina
mecanizar *v. tr.* 1 tornar mecânico; 2 equipar com meios mecânicos; automatizar
mecenas *s. 2 gén. 2 núm.* pessoa rica que apoia e promove a cultura
mecenato *s. m.* protecção dada às letras e às artes por pessoas ricas
mecha *s. f.* 1 pavio de vela; 2 madeixa de cabelo
meco *s. m. (pop.)* indivíduo espertalhão
meda *s. f.* montão de feixes de cereais, palha, caruma, etc.
medalha *s. f.* 1 peça de metal circular, cunhada para celebrar um facto ou uma data; 2 distinção honorífica;

condecoração; **3** prémio; galardão ❖ *(fig.)* ***o reverso da ~*** o lado mau de qualquer coisa

média I *s. f.* **1** valor médio; **2** número de pontos ou valores necessário para ser aprovado ou admitido (em universidade, concurso, etc.); **II** *s. m. pl.* meios de comunicação de massas (imprensa, rádio, televisão, cinema, etc.)

mediação *s. f.* acto de servir de intermediário entre pessoas ou grupos, a fim de conseguir um consenso; arbitragem

mediador *s. m.* pessoa que serve de intermediário; árbitro

mediano *adj.* **1** que não é grande nem pequeno; médio; **2** nem muito bom nem muito mau; sofrível

mediante *prep.* **1** por meio de; **2** em troca de; **3** de acordo com

mediar *v. tr.* **1** agir como mediador; **2** estar entre (duas coisas)

mediático *adj.* **1** próprio dos média (meios de comunicação); **2** difundido pelos média

mediatização *s. f.* difusão através dos média

mediatizar *v. tr.* difundir através dos média

medicação *s. f.* **1** utilização de medicamentos ou de outros processos curativos; **2** conjunto desses medicamentos

medicamento *s. m.* substância ou processo que se prescreve como agente terapêutico; remédio

medição *s. f.* acto ou efeito de medir; avaliação

medicar *v. tr.* **1** prescrever medicamento(s) para; **2** tratar por meio de medicamentos(s)

medicina *s. f.* **1** conjunto de conhecimentos relacionados com prevenção e tratamento das doenças; **2** sistema de tratamento de doenças ou afecções; **3** profissão de médico; ***~ alternativa*** conjunto de técnicas terapêuticas (acupunctura, homepoatia, etc.) que utilizam remédios diferentes dos que são usados no sistema médico convencional, procurando atacar as causas das doenças, e não os seus sintomas; ***~ legal*** especialidade que aplica conhecimentos médicos na resolução de casos de processo civil e criminal

medicinal *adj. 2 gén.* **1** relativo a medicina; **2** que tem propriedades curativas

médico I *s. m.* indivíduo que exerce ou pode exercer a medicina; clínico; **II** *adj.* relativo a medicina

médico-cirurgião *s. m.* {*pl.* médicos-cirurgiões} MED. médico que se dedica à prática da cirurgia

medida *s. f.* **1** quantidade determinada que serve de padrão para avaliar grandezas da mesma espécie; **2** avaliação de grandeza ou quantidade; medição; **3** valor de referência; **4** decisão; **5** *(fig.)* extensão ❖ ***à ~ de*** conforme; ***à ~ que*** enquanto; ***encher as medidas*** satisfazer completamente; ***na ~ em que*** desde que; ***tomar medidas*** agir

medieval *adj. 2 gén.* relativo à Idade Média

médio I *adj.* **1** que está situado entre dois extremos; **2** que ocupa posição intermédia; **3** mediano; normal; **II** *s. m. pl.* (faróis) luzes destinadas a iluminar a via para a frente do veículo numa distância até 30 m; luzes de cruzamento

medíocre I *adj. 2 gén.* **1** que está abaixo da média; **2** que não é bom nem mau; **II** *s. m.* **1** aquilo que está abaixo da média; **2** *(acad.)* classificação escolar entre mau e suficiente

medir I *v. tr.* **1** avaliar ou determinar uma extensão ou quantidade, comparando-a com uma grandeza definida; **2** ter a extensão, comprimento ou altura de; **3** avaliar; **4** calcular; **5** ponderar; **II** *v. refl.* **1** bater-se com; **2** rivalizar

meditação *s. f.* **1** acto de meditar; reflexão; **2** exercício de concentração mental que procura conduzir ao desenvolvimento espiritual e à libertação dos laços com o mundo material

meditar I *v. tr.* **1** pensar sobre; ponderar; **2** projectar; combinar; **II** *v. intr.* **1** pensar; reflectir; **2** praticar meditação

Mediterrâneo *s. m.* mar continental que banha as costas da Ásia, do sul da Europa e do norte de África

mediterrânico *adj.* relativo ao mar Mediterrâneo

médium *s. 2 gén.* pessoa supostamente capaz de comunicar com os espíritos dos mortos

mediúnico *adj.* relativo a médium

medo *s. m.* **1** sentimento de inquietação perante um perigo real ou aparente; receio; temor; **2** ansiedade em relação a algo desagradável; angústia ❖ ***a* ~** timidamente

medonho *adj.* **1** que causa medo; assustador; **2** muito desagradável; terrível

medricas *s. 2 gén. 2 núm. (coloq.)* pessoa que tem medo de tudo; cagarola

medronho *s. m.* BOT. fruto do medronheiro, semelhante a um morango, usado no fabrico de uma aguardente

medroso *adj.* **1** que se assusta com facilidade; **2** tímido; acanhado

medula *s. f.* **1** ANAT. tecido que preenche as cavidades ósseas; **2** ANAT. parte do sistema nervoso central alojada na coluna vertebral; **~ *espinal*** parte do sistema nervoso central alojada na coluna vertebral, composta de células e fibras nervosas ❖ *(fig.)* ***até à* ~** profundamente

medusa *s. f.* ZOOL. animal invertebrado marinho, de corpo gelatinoso em forma de campânula, disco ou sino; alforreca

megabit *s. m.* INFORM. medida de capacidade de memória correspondente a 1024 kilobits

megabyte *s. m.* INFORM. unidade de medida de informação equivalente a um milhão de bytes

megafone *s. m.* altifalante

megahertz *s. m.* FÍS. unidade de frequência equivalente a um milhão de hertz

megalítico *adj.* constituído por megálitos

megálito *s. m.* ARQUEOL. bloco de pedra de grandes dimensões, usado em construções pré-históricas

megalomania *s. f.* **1** gosto excessivo por aquilo que é grandioso; mania das grandezas; **2** tendência para sobrevalorizar as próprias qualidades

megalómano *s. m.* pessoa que sofre de megalomania

megawatt *s. m.* unidade de potência equivalente a um milhão de watts

megera *s. f.* **1** mulher de temperamento violento; **2** mulher cruel

meia *s. f.* peça de vestuário de malha que cobre o pé e a perna

meia-calça *s. f.* {*pl.* meias-calças} peça de vestuário interior de malha elástica fina, que cobre dos pés à cintura; collant

meia de leite *s. f.* bebida preparada com leite e café e servida numa chávena almoçadeira

meia-final *s. f.* {*pl.* meias-finais} DESP. competição que antecede a final de um campeonato; semifinal

meia-idade *s. f.* {*pl.* meias-idades} época da vida de uma pessoa entre a maturidade e a velhice

meia-irmã *s. f.* {*pl.* meias-irmãs} irmã só por parte do pai ou só por parte da mãe

meia-lua *s. f.* {*pl.* meias-luas} **1** aspecto da Lua em forma de semicírculo; **2** qualquer coisa com forma semicircular

meia-luz *s. f.* {*pl.* meias-luzes} luminosidade fraca; penumbra

meia-noite *s. f.* {*pl.* meias-noites} hora ou momento que divide noite em duas partes; 24 horas

meia-pensão *s. f.* regime turístico em que as pessoas têm direito apenas ao pequeno-almoço e ao almoço ou jantar

meigo *adj.* carinhoso; terno

meiguice *s. f.* ternura

meio I *s. m.* **1** ponto equidistante das extremidades; centro; **2** cada uma das partes de um todo; metade; **3** modo de fazer qualquer coisa; método; **4** aquilo que permite alcançar um fim; instrumento; **5** habitat; ambiente; **II** *adj.* **1** que é metade de um todo; **2** que está em posição intermédia; **III** *adv.* **1** não totalmente; quase; **2** um pouco; um tanto; ~ ***ambiente*** conjunto de factores naturais que rodeiam e influenciam os seres vivos; ~ ***de comunicação*** canal ou cadeia de canais que permite a transmissão e a recepção de mensagens entre uma fonte (emissor) e um destinatário (receptor) ❖ ***no ~ de*** no centro de; ***por ~ de*** com recurso a

meio-bilhete *s. m.* {*pl.* meios-bilhetes} bilhete pelo qual se paga metade da tarifa normal

meio-campo *s. m.* {*pl.* meios-campos} DESP. (futebol) zona central do campo

meio-dia *s. m.* {*pl.* meios-dias} hora ou momento que divide o dia em duas partes; 12 horas

meio-irmão *s. m.* {*pl.* meios-irmãos} irmão só por parte do pai ou só por parte da mãe

meio-tempo *s. m.* {*pl.* meios-tempos} **1** DESP. cada uma das duas partes de uma competição; **2** intervalo

meio-termo *s. m.* {*pl.* meios-termos} **1** solução intermédia; consenso; **2** equilíbrio; moderação

meio-tom *s. m.* {*pl.* meios-tons} **1** MÚS. intervalo equivalente a metade de um tom; **2** cor intermédia

mel *s. m.* **1** substância açucarada que as abelhas e outros insectos preparam com o suco das flores; **2** (*fig.*) doçura

melado *adj.* pegajoso

melancia *s. f.* **1** BOT. planta herbácea de caule rasteiro, produtora de grandes frutos comestíveis; **2** BOT. fruto dessa planta

melancolia *s. f.* tristeza profunda; depressão

melancólico *adj.* triste; deprimido

melanina *s. f.* pigmento escuro que se encontra na pele, nos pêlos e nos olhos, responsável pelo bronzeamento da pele quando exposta ao sol

melão *s. m.* BOT. fruto de forma oval, com casca esverdeada ou amarelada e polpa doce e suculenta

melga *s. f.* ZOOL. mosquito

melhor I *adj. 2 gén.* **1** ⟨*comp. de* **bom**⟩ que é superior em qualidade, valor, etc.; **2** menos doente; **3** ⟨*superl. de* **bom**⟩ que possui o máximo de qualidades; **II** *s. m.* o que é considerado superior a tudo ou a todos; **III** *adv.* **1** ⟨*comp. de* **bem**⟩ mais bem; **2** de forma mais perfeita ou adequada

melhoramento *s. m.* mudança para melhor; melhoria; aperfeiçoamento

melhorar I *v. tr.* tornar melhor; aperfeiçoar; II *v. intr.* 1 aperfeiçoar-se; 2 (doença) sentir melhoras; 3 (tempo, situação) abrandar

melhoras *s. f. pl.* restabelecimento (de saúde); recuperação

melhoria *s. f.* 1 mudança para melhor; 2 recuperação de doença; 3 vantagem

melindrado *adj.* 1 ofendido; 2 magoado

melindrar *v. tr. e refl.* 1 ofender(-se); 2 magoar(-se)

melindroso *adj.* 1 (pessoa) que se ofende com facilidade; susceptível; 2 (situação) delicado; complicado

meloa *s. f.* BOT. fruto semelhante ao melão, mas mais pequeno e esférico

melodia *s. f.* 1 conjunto de sons que formam um todo harmonioso; 2 aquilo que é agradável ao ouvido; 3 *(fig.)* suavidade

melódico *adj.* 1 relativo a melodia; 2 harmonioso

melodioso *adj.* harmonioso

melodrama *s. m.* 1 TEAT. peça de carácter popular com enredo complexo, situações violentas e sentimentos exagerados; 2 *(pej.)* composição dramática de má qualidade; dramalhão; 3 *(coloq.)* expressão exagerada dos sentimentos

melodramático *adj.* relativo a melodrama

melro *s. m.* ZOOL. pássaro com plumagem preta e bico amarelo-alaranjado

membrana *s. f.* 1 BIOL. camada fina de tecido que cobre uma superfície ou divide órgãos ou espaços; 2 BOT. placa de tecido vegetal que reveste um órgão; 3 camada de pele muito fina; película

membro *s. m.* 1 ANAT. cada um dos quatro apêndices do tronco, ligados a ele por meio de articulações, que realizam movimentos diversos, entre os quais a locomoção; 2 pessoa que faz parte de uma associação ou colectividade; 3 (estado, país) o que faz parte de um grupo, federação ou comunidade; 4 MAT. cada uma das partes de uma equação ou inequação

memorando *s. m.* 1 anotação para lembrar qualquer coisa; apontamento; 2 aviso por escrito; participação

memorável *adj. 2 gén.* célebre; notável

memória *s. f.* 1 (de pessoa) faculdade de conservar e recordar estados de consciência e factos passados; 2 lembrança; recordação; 3 INFORM. unidade de armazenamento de dados; 4 *[pl.]* LIT. relato de acontecimentos presenciados pelo autor ou em que este participou; ~ ***de elefante*** grande capacidade de memorização; ~ ***visual*** capacidade de recordar pessoas, coisas ou factos vistos anteriormente ❖ ***de*** ~ de cabeça; ***refrescar a*** ~ relembrar um assunto ou pormenor quase esquecido; ***varrer da*** ~ esquecer completamente

memorial *s. m.* 1 relato de factos ou pessoas memoráveis; 2 monumento comemorativo

memorização *s. f.* 1 fixação na memória; 2 conjunto de operações voluntárias e metódicas que têm por fim a retenção de certos dados na memória

memorizar *v. tr.* fixar na memória; decorar

menção *s. f.* referência; alusão

mencionar *v. tr.* referir; citar

mendelévio *s. m.* QUÍM. elemento radioactivo, artificial, com o número atómico 101 e símbolo Md

mendigar *v. tr. e intr.* 1 pedir (esmola); 2 suplicar

mendigo *s. m.* pessoa que vive de esmolas; pedinte

menina *s. f.* criança ou adolescente do sexo feminino; rapariga

meninge *s. f.* ANAT. cada uma das três membranas que envolvem o encéfalo e a medula espinhal

meningite *s. f.* MED. inflamação das meninges, geralmente de origem infecciosa

meninice *s. f.* **1** período de crescimento que vai do nascimento à puberdade; infância; **2** comportamento próprio de criança; infantilidade

menino *s. m.* criança ou adolescente do sexo masculino; rapaz

menir *s. m.* ARQUEOL. monumento megalítico composto por uma pedra grande e comprida, fixa verticalmente no solo

menisco *s. m.* ANAT. cartilagem existente em certas articulações dos ossos

menopausa *s. f.* **1** MED. interrupção definitiva dos ciclos menstruais na mulher; **2** fase da vida da mulher em que se verifica essa interrupção

menor I *adj. 2 gén.* **1** ⟨*comp. de* **pequeno**⟩ que é inferior a outro em tamanho, espaço, intensidade ou número; **2** que ainda não atingiu a maioridade; **II** *s. 2 gén.* pessoa que ainda não atingiu a maioridade

menoridade *s. f.* **1** estado de quem ainda não atingiu a maioridade; **2** idade até aos 18 anos

menos I *s. m.* **1** a quantidade menor; o mínimo; **2** MAT. sinal de subtracção ou de quantidade negativa (-); **II** *adv.* **1** em menor número ou quantidade; **2** em menor grau ou intensidade; **III** *prep.* excepto; fora; **IV** *pron. indef.* em menor quantidade; em menor número ❖ ***a ~ que*** excepto se; ***ao ~*** no mínimo; ***nem mais nem ~*** precisamente

menosprezar *v. tr.* **1** diminuir o valor ou a importância de; **2** desprezar

menosprezo *s. m.* **1** desvalorização da qualidade ou da importância; **2** desprezo

mensageiro *s. m.* aquele que leva e/ou traz mensagem; portador

mensagem *s. f.* **1** comunicação verbal ou escrita; **2** comunicado oficial de uma autoridade; **3** INFORM. comunicação enviada ou recebida por meio de um serviço digital; **4** ideia central de uma obra (filosófica, artística, literária); **5** felicitação

mensal *adj. 2 gén.* **1** que se realiza uma vez por mês; **2** que dura um mês

mensalidade *s. f.* **1** quantia que se paga ou recebe por mês; **2** verba que se paga relativa a um mês

menstruação *s. f.* FISIOL. corrimento de sangue pela vagina, de origem uterina, que ocorre periodicamente na mulher entre a puberdade e a menopausa

mensurável *adj. 2 gén.* que se pode medir

menta *s. f.* BOT. planta aromática com pequenas flores brancas ou rosadas, usadas como condimento e com diversas aplicações (em chás, dentífricos, etc.)

mental *adj. 2 gén.* relativo a mente; intelectual

mentalidade *s. f.* **1** conjunto de manifestações mentais (opiniões, crenças, preconceitos) de uma pessoa ou de um grupo; **2** capacidade intelectual; entendimento

mentalizar I *v. tr.* **1** imaginar; idealizar; **2** convencer; persuadir; **II** *v. refl.* tomar consciência; convencer-se

mente *s. f.* **1** espírito; **2** intelecto; **3** memória

mentecapto *adj.* que perdeu o uso da razão; louco

mentir *v. intr.* faltar à verdade; enganar

mentira *s. f.* **1** afirmação contrária à verdade; falsidade; **2** aquilo que é enganador; ilusão

mentiroso I *adj.* **1** que diz mentiras; **2** falso; **II** *s. m.* pessoa que diz mentiras

mentol *s. m.* álcool extraído da essência da hortelã-pimenta

mentor *s. m.* orientador; guia

menu *s. m.* **1** CUL. ementa; **2** INFORM. lista que aparece no ecrã do computador, com as opções de determinado programa ou função

meramente *adv.* simplesmente; apenas

mercado *s. m.* **1** lugar público (coberto ou ao ar livre) onde se compram e vendem mercadorias; feira; **2** lugar onde há grande actividade comercial; empório; **3** ECON. relação entre a oferta e a procura de determinado bem e/ou serviço; **4** ECON. conjunto dos consumidores de bens e/ou serviços

mercado negro *s. m.* comércio ilegal ou clandestino, a preços elevados, de bens ou produtos raros ou muito procurados

mercadoria *s. f.* produto que é objecto de compra ou venda

mercantil *adj. 2 gén.* relativo ao comércio; comercial

mercantilismo *s. m.* **1** ECON., HIST. doutrina que atingiu o clímax no século XVII e tinha por objectivo impulsionar as actividades industriais e mercantis e fomentar as exportações por meio de regulamentação proteccionista; **2** tendência para subordinar tudo aos interesses económicos

mercê *s. f.* **1** favor; graça; **2** vontade; capricho ❖ ***à ~ de*** ao sabor de; ***~ de*** graças a

mercearia *s. f.* **1** loja de géneros alimentícios e produtos de uso doméstico; **2** géneros alimentícios

merceeiro *s. m.* funcionário ou dono de mercearia

mercenário *s. m.* **1** MIL. soldado que combate em exército estrangeiro a troco de dinheiro; **2** pessoa que age ou trabalha apenas por interesse financeiro

merchandising *s. m.* ECON. conjunto de técnicas de promoção da venda de um produto através da sua apresentação, disposição nos postos de venda e meios de distribuição

mercúrio *s. m.* QUÍM. elemento com o número atómico 80 e símbolo Hg, que é um metal prateado

Mercúrio *s. m.* **1** ASTRON. planeta principal interior do sistema solar, situado mais próximo do Sol; **2** MITOL. mensageiro dos deuses

mercurocromo *s. m.* FARM. solução de cor vermelho-escura, usada como antisséptico local

merda I *s. f.* **1** *(vulg.)* excremento; **2** *(vulg.)* coisa desagradável; **3** *(vulg.)* coisa sem valor; **II** *interj.* exprime descontentamento, indignação, repulsa ou desprezo

merecedor *adj.* que merece

merecer I *v. tr.* **1** ser digno de; **2** estar em condições de (obter ou receber algo); **3** ter direito a; **II** *v. intr.* ter direito a

merenda *s. f.* refeição ligeira que se leva para uma viagem, para o trabalho ou para a escola; farnel

merendar I *v. tr.* comer (algo) como merenda; **II** *v. intr.* comer a merenda

merengue *s. m.* CUL. massa leve preparada com claras de ovo batidas com açúcar, usada para cobrir bolos

meretriz *s. f.* prostituta

mergulhador *s. m.* **1** pessoa que mergulha; **2** pessoa que trabalha debaixo da água

mergulhar I *v. tr.* **1** meter dentro de um líquido; imergir; **2** descer bruscamente; **3** *(fig.)* envolver; **II** *v. intr.* **1** afundar-se; **2** dar um mergulho; **3** *(fig.)* dedicar-se inteiramente a (uma actividade)

mergulho *s. m.* **1** acto de lançar(-se) à água; **2** DESP. salto para a água de diferentes alturas e em diversas posições; **3** DESP. actividade de exploração dos fundos marinhos; **4** descida brusca e quase vertical (de aves e aviões)

meridiano *s. m.* **1** ASTRON. círculo máximo que passa pelos pólos e divide a Terra em dois hemisférios; **2** GEOM. secção obtida intersectando uma superfície de revolução por um plano que contenha o respectivo eixo de revolução; **3** (acupunctura) canal por onde circula a energia do corpo e ao longo do qual são colocadas as agulhas

meridional *adj. 2 gén.* **1** relativo a meridiano; **2** situado no Sul; austral

mérito *s. m.* **1** característica ou qualidade que tornam alguém digno de apreço; talento; **2** aquilo que há de bom ou admirável em algo ou em alguém; valor

meritório *adj.* que é digno de apreço, louvor ou recompensa; louvável

mero *adj.* **1** simples; **2** banal; ***por ~ acaso*** acidentalmente

mês *s. m.* **1** cada um dos doze períodos em que se divide o ano; **2** período de trinta dias consecutivos; **3** salário mensal; **4** pagamento mensal; **5** *(pop.)* menstruação

mesa *s. f.* **1** móvel composto por um tampo horizontal assente sobre um ou mais pés, onde se tomam as refeições, se escreve, se joga, etc.; **2** *(fig.)* alimentação; **3** conjunto de pessoas que dirigem uma assembleia ou uma associação; comité; FOT. ***~ de luz*** mesa com tampo de vidro translúcido ou acrílico, sob o qual há uma fonte de luz, usada para ver negativos e/ou slides; ***~ de mistura*** painel onde estão instalados equipamentos próprios para fazer a edição e reprodução de sons ❖ ***pôr a ~*** colocar em cima da mesa os utensílios necessários a uma refeição (pratos, talheres, copos, guardanapos, etc.)

mesada *s. f.* quantia que se dá ou se recebe por mês

mesa-de-cabeceira *s. f.* {*pl.* mesas-de-cabeceira} pequeno móvel, junto à cabeceira da cama

mesa-redonda *s. f.* {*pl.* mesas-redondas} debate entre especialistas de um determinado assunto

mescla *s. f.* coisa composta por elementos diferentes; mistura

mesclado *adj.* **1** que apresenta tonalidades diferentes; **2** misturado

meseta *s. f.* GEOG. planalto muito regular

mesma *s. f.* idêntico estado; ***na ~*** sem alteração

mesmo I *pron. dem.* **1** igual; idêntico ⟨*as mesmas pessoas*⟩; **2** parecido; semelhante ⟨*os mesmo gostos*⟩; **3** em pessoa; próprio ⟨*ele mesmo foi ter connosco*⟩; **4** referido anteriormente ⟨*na mesma ocasião*⟩; **II** *s. m.* coisa ou pessoa igual ou semelhante; **III** *adv.* **1** exactamente; precisamente; **2** inclusive; até; **3** realmente; de facto ❖ ***~ assim*** apesar disso; ***~ que*** embora; ***por isso ~*** por essa razão

Mesozóico *s. m.* GEOL. era que sucede ao Paleozóico e antecede o Cenozóico

mesquinhez *s. f.* **1** qualidade de mesquinho; **2** falta de generosidade; avareza

mesquinho *adj.* **1** que é muito apegado ao dinheiro; avarento; **2** desprezível; insignificante

mesquita *s. f.* local de culto da religião muçulmana

messianismo *s. m.* RELIG. crença na vinda do Messias

messias *s. m. 2 núm. (fig.)* indivíduo capaz de liderar uma reforma social; salvador

Messias *s. m. 2 núm.* RELIG. redentor prometido por Deus e anunciado pelos profetas; Jesus Cristo

mester *s. m.* arte ou profissão manual

mestiçagem *s. f.* cruzamento de raças ou de espécies diferentes

mestiço *adj.* **1** (pessoa) que descende de pais de raças ou etnias diferentes; **2** (animal) que provém do cruzamento de espécies diferentes

mestrado *s. m.* grau académico que se segue à licenciatura e precede o doutoramento

mestrando *s. m.* aluno de um curso de mestrado

mestre *s. m.* **1** pessoa que ensina ou orienta; **2** pessoa que sabe muito; **3** pessoa que é especialista numa ciência, arte ou profissão; **4** grau académico concedido a quem concluiu o curso e defendeu a tese de mestrado; **5** pessoa que concluiu o curso e defendeu a tese de mestrado

mestre-de-cerimónias *s. m.* {*pl.* mestres-de-cerimónias} **1** pessoa encarregada do protocolo em actos oficiais; **2** TV pessoa que apresenta um programa de variedades

mestre-de-obras *s. m.* {*pl.* mestres-de-obras} pessoa que dirige trabalhos de construção civil

mestria *s. f.* **1** conhecimento profundo de qualquer matéria; **2** perícia; habilidade

meta *s. f.* **1** marco que indica o fim de uma corrida; **2** termo; limite; **3** *(fig.)* objectivo; alvo

metabolismo *s. m.* FISIOL. conjunto dos processos químicos necessários à formação, desenvolvimento e renovação das estruturas celulares, e à produção de energia num organismo vivo

metade *s. f.* **1** cada uma das duas partes iguais em que se divide uma unidade; **2** ponto equidistante das extremidades ou do princípio e do fim; meio

metadona *s. f.* MED. substância sintetizada a partir do ópio, usada no tratamento da toxicodependência

metafísica *s. f.* **1** FIL. disciplina que se ocupa dos princípios essenciais do ser e do conhecimento; **2** qualquer sistema filosófico que se dedica à procura do sentido ou significado do real e da vida humana

metafísico *adj.* **1** relativo à metafísica; **2** transcendente; **3** *(fig.)* difícil de entender; obscuro

metáfora *s. f.* **1** LING. designação de um objecto ou de uma qualidade por meio de uma palavra que designa um objecto ou uma qualidade semelhante; comparação implícita; **2** linguagem figurada

metafórico *adj.* em que há metáfora; figurado

metal *s. m.* **1** designação genérica dos elementos, mais ou menos maleáveis, dúcteis e fusíveis, bons condutores do calor e da electricidade; **2** [*pl.*] MÚS. conjunto dos instrumentos de sopro de uma orquestra, nos quais o som é obtido por vibração do ar dentro de um tubo metálico

metálico *adj.* **1** próprio de metal; **2** que é feito de metal

metalinguagem *s. f.* LING. linguagem utilizada para descrever outras linguagens

metalurgia *s. f.* disciplina que se ocupa da produção de metais e da construção de estruturas metálicas

metalúrgico **I** *adj.* relativo a metalurgia; **II** *s. m.* pessoa que trabalha em metalurgia

metamorfose *s. f.* **1** mudança de forma ou de estrutura; transformação; **2** *(fig.)* mudança radical de aspecto (de uma pessoa)

metediço *adj.* que se mete onde não é chamado; intrometido

meteórico *adj.* **1** relativo a meteoro; **2** *(fig.)* de curta duração; fugaz

meteorito *s. m.* ASTRON. corpo mineral de pequenas dimensões proveniente da fragmentação das bólides, que cai sobre a Terra

meteoro *s. m.* **1** ASTRON. qualquer fenómeno que ocorre na atmosfera terrestre (vento, chuva, arco-íris, aurora boreal, etc.); **2** partícula de matéria sólida que, ao entrar na atmosfera terrestre, produz um raio luminoso, visível durante um curto espaço de tempo; **3** *(fig.)* aquilo que passa rapidamente

meteorologia *s. f.* ciência que estuda os fenómenos atmosféricos, com o objectivo de efectuar a previsão do tempo

meteorológico *adj.* relativo a meteorologia

meteorologista *s. 2 gén.* especialista em meteorologia

meter **I** *v. tr.* **1** pôr dentro; introduzir; **2** incluir; inserir; **3** causar; inspirar (medo, pena); **II** *v. refl.* **1** recolher-se; **2** encaminhar-se; **3** intrometer-se; **4** desafiar (alguém) ❖ *~ **água*** enganar-se; *~ **a mão*** roubar; *~ **o nariz*** intrometer-se; *~ **os pés pelas mãos*** atrapalhar-se

metical *s. m.* unidade monetária de Moçambique

meticuloso *adj.* que presta atenção aos pormenores; minucioso

metido *adj.* **1** que está envolvido; **2** intrometido

metileno *s. m.* QUÍM. designação do grupo CH2, de cujo átomo de carbono podem partir duas ligações simples ou uma ligação dupla

metódico *adj.* **1** (pessoa) que procede com método; disciplinado; **2** (sistema, trabalho) que tem método; ordenado

metodismo *s. m.* RELIG. (século XVIII) doutrina que defendia um método de vida rigorosamente dentro dos preceitos bíblicos

metodista **I** *s. 2 gén.* RELIG. pessoa seguidora do metodismo; **II** *adj. 2 gén.* relativo ao metodismo

método *s. m.* **1** programa que regula uma sequência de operações a executar, com vista a atingir determinado fim; **2** maneira ordenada de fazer algo; ordem; **3** modo de agir; estratégia; **4** sistema ou técnica de ensino

metodologia *s. f.* conjunto de regras ou processos usados no ensino de uma ciência ou arte

metonímia *s. f.* LING. figura de estilo que consiste em usar um atributo para representar o todo

metralhadora *s. f.* arma de fogo automática que dispara um grande número de projécteis num curto espaço de tempo

métrica *s. f.* **1** estrutura de um verso em relação ao número de sílabas; **2** modo de compor versos característico de um poeta

métrico *adj.* **1** relativo a métrica ou a versificação; **2** (sistema de medidas) que tem por base o metro

metro *s. m.* **1** unidade fundamental das medidas de comprimento, que é a base do sistema métrico actual; **2** objecto de madeira, metal ou fita, que representa essa medida; **3** *(coloq.)* metropolitano; **4** conjunto de sílabas que formam um verso; **5** medida de um verso; ~ ***cúbico*** unidade de medida de volume equivalente ao volume de um cubo com aresta de 1 metro; ~ ***de superfície*** metropolitano que circula num percurso não subterrâneo ou parcialmente subterrâneo; ~ ***quadrado*** unidade de superfície equivalente à superfície de um quadrado com 1 metro de lado

metrópole *s. f.* **1** cidade principal de um país; capital; **2** cidade grande ou com grande actividade comercial; **3** nação, relativamente às suas colónias ou províncias ultramarinas

metropolitano *s. m.* sistema de transporte urbano para serviço rápido, composto por carruagens movidas a electricidade que circulam num percurso parcial ou totalmente subterrâneo

meu *pron. poss.* {*f.* minha} **1** refere-se à primeira pessoa do singular e indica posse ou pertença ⟨*o meu livro*⟩; **2** *(coloq.)* usa-se para interpelar alguém ⟨*ouviste, meu?*⟩

mexer I *v. tr.* **1** imprimir movimento a; **2** revolver; misturar (massa, tinta); **3** agitar; mover (a cabeça, o braço); **4** introduzir modificações em; **II** *v. intr.* pôr-se em movimento; **III** *v. refl.* **1** deslocar-se; **2** apressar-se; **3** esforçar-se ❖ ~ ***os cordelinhos*** mover influências (para conseguir alguma coisa); ***pôr-se a*** ~ sair apressadamente

mexericar *v. intr.* falar sobre a vida alheia; bisbilhotar

mexerico *s. m.* **1** intriga; **2** bisbilhotice; **3** boato

mexicano I *s. m.* {*f.* mexicana} pessoa natural do México; **II** *adj.* relativo ao México

mexido *adj.* **1** (pessoa) dinâmico; **2** (objecto) revolvido

mexilhão *s. m.* ZOOL. molusco bivalve comestível, que se fixa nas rochas e é comum na costa portuguesa

mezinha *s. f.* *(pop.)* remédio caseiro

mg [*símbolo de* **miligrama**]

Mg QUÍM. [*símbolo de* **magnésio**]

mHz FÍS. [*símbolo de* **megahertz**]

mi[1] [mi] *s. m.* **1** MÚS. terceira nota da escala musical natural; **2** MÚS. sinal representativo dessa nota

mi[2] [mi'u] *s. m.* décima segunda letra grega correspondente ao *m*

miadela *s. f.* som que o gato produz; miado

miado *s. m.* vd. **miadela**

miar *v. intr.* (gato) dar miados

miau *s. m.* **1** voz do gato; miado; **2** *(infant.)* gato

micar *v. tr.* **1** *(coloq.)* olhar fixamente; **2** *(coloq.)* olhar com interesse para

micção *s. f.* acto ou efeito de urinar

micose *s. f.* MED. qualquer doença provocada por fungos

micro *s. m.* *(coloq.)* microfone

micróbio *s. m.* **1** BIOL. ser vivo, animal ou vegetal, de dimensões tão pequenas que só é visível ao microscópio; **2** microrganismo capaz de provocar doenças

microchip *s. m.* INFORM. vd. **microprocessador**

microclima *s. m.* variação particular de clima numa determinada região

microcomputador *s. m.* INFORM. computador de pequenas dimensões, cujo órgão central é um microprocessador

microcosmo *s. m.* ser humano considerado como uma imagem reduzida do universo
microeconomia *s. f.* ECON. ciência que estuda as características e comportamento de produtores e consumidores, e dos diversos tipos de mercados
microfilme *s. m.* filme em que estão fotografadas, em dimensões muito reduzidas, páginas de livros, documentos, etc.
microfone *s. m.* aparelho que permite a amplificação de sons
microondas *s. m.* forno accionado por microondas electromagnéticas, permitindo cozinhar, aquecer ou descongelar alimentos com muita rapidez
microprocessador *s. m.* INFORM. circuito integrado cujos componentes são montados numa pequena pastilha de silício ou outro material semicondutor; microchip
microrganismo *s. m.* BIOL. organismo animal ou vegetal de dimensões microscópicas
microscópico *adj.* **1** que só se vê ao microscópio; **2** muito pequeno; **3** *(fig.)* minucioso
microscópio *s. m.* ÓPT. instrumento que permite obter imagens ampliadas de objectos muito pequenos
microssegundo *s. m.* milionésimo do segundo
microssismo *s. m.* sismo de fraca intensidade, só detectável por meio de instrumentos
mictório *s. m.* lugar público onde as pessoas podem urinar
migalha *s. f.* **1** pequeno fragmento de pão ou de qualquer alimento farináceo; **2** [*pl.*] restos; sobras
migas *s. f. pl.* CUL. açorda grossa feita com pedaços de pão refogado em carne de porco
migração *s. f.* **1** movimentação de entrada (imigração) ou saída (emigração) de pessoas; **2** ZOOL. deslocação periódica de certas espécies de animais
migrar *v. intr.* mudar (periodicamente) de região, país, etc.
migratório *adj.* **1** relativo a migração; **2** (animal) que se desloca periodicamente para outra região
mija *s. f.* **1** *(cal.)* acto ou efeito de mijar; micção; **2** *(cal.)* urina
mijadela *s. f.* **1** *(cal.)* jacto de urina; **2** *(cal.)* mancha de urina
mijar *v. intr.* *(cal.)* urinar
mijo *s. m.* *(cal.)* urina
mil **I** *num. card.* **1** novecentos mais cem; **2** *(fig.)* muitos; **II** *s. m.* o número 1000 ou a quantidade representada por esse número
milagre *s. m.* **1** facto extraordinário ou inexplicável pelas leis da natureza, e atribuído a causa divina ou sobrenatural; **2** *(fig.)* coisa extraordinária; **3** *(fig.)* acontecimento inexplicável
milagroso *adj.* **1** que faz milagres; **2** fora do comum; extraordinário
milenar *adj. 2 gén.* que tem um milénio ou mais
milenário **I** *s. m.* período de mil anos; **II** *adj.* que tem um milénio ou mais
milénio *s. m.* período de mil anos
milésimo **I** *num. ord.* que, numa sequência, ocupa a posição imediatamente a seguir à nongentésima nonagésima nona; **II** *num. frac.* que resulta da divisão de um todo por mil; **III** *s. m.* **1** o que, numa série, ocupa o lugar correspondente ao número 1000; **2** *(fig.)* espaço de tempo muito reduzido
milha *s. f.* unidade de distância terrestre usada nos países de língua inglesa e equivalente a 1609 metros

milhão I *num. card.* mil vezes mil; a unidade seguida de seis zeros (10^6); II *s. m. (fig.)* número muito considerável, mas indeterminado
milhar *s. m.* mil unidades
milhentos *adj.* número indeterminado e muito elevado; milhares
milho *s. m.* **1** BOT. erva alta que produz espigas com grãos nutritivos, consumidos cozidos ou assados, e usados na produção de farinha; **2** *(pop.)* dinheiro
milho-rei *s. m.* {*pl.* milhos-reis} *(pop.)* milho de grão vermelho
milícia *s. f.* **1** exército de um país; **2** organização de cidadãos armados que pretendem defender pela força um grupo ou uma região
miligrama *s. m.* milésima parte do grama
mililitro *s. m.* milésima parte do litro
milímetro *s. m.* milésima parte do metro
milionário *s. m.* pessoa que tem muito dinheiro
militância *s. f.* defesa activa de uma causa
militante *s. 2 gén.* pessoa que defende activamente uma causa; partidário
militar I *adj. 2 gén.* relativo a guerra ou a exército; II *s. 2 gén.* oficial das forças armadas; III *v. tr. e intr.* **1** seguir carreira nas forças armadas; **2** lutar a favor de (causa, ideia)
militarizar *v. tr.* **1** dar carácter militar a; **2** organizar militarmente
mim *pron. pess.* designa a primeira pessoa do singular e indica a pessoa que fala ou escreve ⟨*trouxe-o para mim*⟩
mimado *adj.* tratado com muito mimo
mimalhice *s. f.* qualidade ou acto de mimalho
mimalho *adj.* que tem muito mimo
mimar *v. tr.* **1** dar mimos a; acarinhar; **2** TEAT. representar por gestos
mimetismo *s. m.* **1** ZOOL. fenómeno de imitação que se observa em certas espécies que adquirem a aparência do meio em que se encontram; **2** adaptação ao meio; **3** qualquer forma de imitação
mímica *s. f.* **1** expressão do pensamento por gestos, movimentos fisionómicos, etc., que imitam o que se quer significar; **2** TEAT. representação através de gestos e expressões corporais e fisionómicas, sem recurso à palavra
mímico *adj.* relativo a mímica
mimo *s. m.* **1** manifestação de afecto; carinho; **2** lembrança; presente; **3** pessoa ou objecto com muitas qualidades; **4** TEAT. actor que representa através de gestos e expressões fisionómicas e corporais, sem recorrer à palavra
mimosa *s. f.* BOT. flor amarela, que se agrupa em cabeças ou espigas
mimoso *adj.* **1** delicado; frágil; **2** meigo; terno
mina *s. f.* **1** depósito subterrâneo de minério; jazida; **2** escavação feita no solo para a extracção de minérios; **3** MIL. engenho de guerra camuflado que contém substâncias explosivas e que pode rebentar em terra ou no mar; ~ ***anti-pessoal*** engenho explosivo usado essencialmente contra pessoas, e não contra materiais
minar *v. tr.* **1** abrir cavidade(s) em; escavar; **2** MIL. colocar minas em; **3** *(fig.)* debilitar (a saúde); **4** *(fig.)* abalar (a confiança); **5** *(fig.)* arruinar (um projecto)
minarete *s. m.* torre alta e estreita de mesquita
mindinho *s. m.* dedo mínimo da mão
mineiro I *adj.* relativo a mina; II *s. m.* operário que trabalha em mina

mineral **I** *s. m.* MIN. material natural sólido, inorgânico, de composição química definida e estrutura interna regular; **II** *adj. 2 gén.* relativo a minerais

mineralogia *s. f.* GEOL. disciplina que estuda a estrutura, composição e propriedades dos minerais

mineralogista *s. 2 gén.* especialista em mineralogia

minério *s. m.* qualquer mineral utilizado para extracção de substâncias com interesse económico

míngua *s. f.* **1** escassez; **2** carência

minguante **I** *adj.* que diminui; decrescente; **II** *s. m.* ASTRON. fase que se segue à lua cheia e vai diminuindo até à lua nova, em que só uma parte da superfície visível da lua é iluminada

minguar *v. intr.* **1** diminuir; decrescer; **2** escassear; faltar

minhoca *s. f.* ZOOL. verme com o corpo dividido em anéis, frequente nos lugares húmidos ❖ ***ter minhocas na cabeça*** ter manias ou preconceitos

miniatura *s. f.* **1** versão reduzida de algo maior; **2** objecto delicado de pequenas dimensões

miniconcurso *s. m.* concurso para recrutamento de professores a nível regional com vista à distribuição de vagas a docentes que não foram colocados ou não concorreram nos concursos anteriores

minigolfe *s. m.* jogo semelhante ao golfe que se pratica num campo de golfe em tamanho muito reduzido

mínima *s. f.* **1** METEOR. valor mais baixo observado em determinado fenómeno, num dado período; **2** MÚS. figura que vale a metade da semibreve; **3** *(coloq.)* nenhuma importância ❖ *(coloq.)* ***não ligar a ~*** não dar importância a

minimalismo *s. m.* **1** ART., PLÁST. concepção que reduz ao mínimo os elementos de uma obra, acentuando a sua estrutura; **2** estilo caracterizado por grande concisão e simplicidade

minimalista **I** *adj.* **1** (arte) que reduz ao mínimo os elementos constitutivos de uma obra; **2** que revela grande concisão e simplicidade; **II** *s. 2 gén.* **1** artista adepto do minimalismo; **2** pessoa que defende ou adopta um estilo conciso e simples

minimizar *v. tr.* **1** reduzir; **2** desvalorizar

mínimo **I** *adj.* **1** ⟨*superl. de* **pequeno**⟩ que é o menor entre outros de um conjunto; **2** que está no grau mais baixo; **3** (salário, valor) que é o menor fixado por lei; **II** *s. m.* **1** menor valor ou menor quantidade de alguma coisa; **2** dedo mais pequeno da mão; **3** [*pl.*] (faróis) luzes destinadas a assinalar a presença e a largura do veículo, quando visto de frente e da retaguarda; luzes de presença

mini-saia *s. f.* {*pl.* mini-saias} saia muito curta, geralmente acima do joelho

mini-série *s. f.* {*pl.* mini-séries} TV série de ficção, apresentada num número reduzido de episódios

ministerial *adj. 2 gén.* relativo a ministro ou a ministério

ministério *s. m.* **1** conjunto dos ministros, secretários de Estado e subsecretários de Estado que formam um Governo; **2** cada um dos departamentos em que se divide o poder executivo; **3** função ou cargo de ministro

Ministério Público *s. m.* magistratura judicial cujos representantes simbolizam o Estado junto de cada tribunal para garantir a aplicação e o cumprimento das leis

ministrar *v. tr.* **1** dar a tomar (um medicamento); administrar; **2** transmitir (conhecimentos); leccionar
ministro *s. m.* **1** pessoa que dirige um ministério; **2** membro do poder executivo; **3** intermediário; mediador
minorar *v. tr.* **1** diminuir; **2** atenuar
minorca *s. 2 gén. (coloq.)* pessoa de baixa estatura
minoria *s. f.* **1** inferioridade numérica; **2** a menor parte; o maior número; **3** menor número de votos obtido numa votação; SOCIOL. **~ *étnica*** conjunto de pessoas com características étnicas diferentes das do grupo dominante e que, por vezes, são alvo de discriminação por parte desse grupo
minoritário *adj.* **1** relativo a minoria; **2** que está em minoria
minúcia *s. f.* **1** cuidado extremo com os pormenores; **2** detalhe
minucioso *adj.* **1** (pessoa) que dá atenção aos pormenores; meticuloso; **2** (estudo, trabalho) que inclui muitos detalhes; pormenorizado
minúscula *s. f.* uma das duas formas de representar uma letra do alfabeto, que corresponde ao tamanho menor; letra pequena
minúsculo *adj.* (letra do alfabeto) de tamanho menor; pequeno
minuta *s. f.* **1** DIR. fórmula escrita com os elementos necessários ao preenchimento de documentos oficiais; **2** primeira redacção de um texto; rascunho ❖ ***à la ~*** de imediato
minuto *s. m.* **1** unidade de medida de tempo equivalente a 60 segundos; **2** *(fig.)* instante; momento
mioleira *s. f.* **1** miolos; **2** *(fig.)* juízo
miolo *s. m.* **1** parte do pão coberta pela côdea; **2** polpa ou interior de certos frutos; **3** *(fig.)* parte central ou mais importante de algo; essência; **4** [*pl.*] *(fig.)* juízo; inteligência
míope *adj. 2 gén.* que sofre de miopia; que vê mal ao longe
miopia *s. f.* MED. anomalia da refracção ocular que impede a visão nítida à distância
miosótis *s. 2 gén. 2 núm.* BOT. planta herbácea com pequenas flores azuis
mira *s. f.* **1** (arma de fogo) peça metálica que regula a pontaria; **2** *(fig.)* intenção; objectivo
mirabolante *adj. 2 gén.* espalhafatoso; extravagante
miradouro *s. m.* lugar elevado donde se tem uma vista panorâmica; mirante
miragem *s. f.* **1** efeito óptico que ocorre especialmente no deserto, produzido pela reflexão da luz solar, que cria uma imagem semelhante a um lago, onde se reflectem imagens de vegetação ou lugares distantes, e que desaparece à medida que o observador se aproxima; **2** *(fig.)* ilusão
mirandês *s. m.* dialecto de Miranda do Douro, segunda língua oficial de Portugal
mirar *v. tr.* olhar; observar
mirone *s. m.* espectador; observador
mirra *s. f.* **1** BOT. planta tropical cuja casca liberta uma resina oleosa, aromática, usada como incenso e com aplicações medicinais; **2** BOT. resina dessa planta
mirrar *v. intr.* tornar-se seco ou murcho; definhar
misantropia *s. f.* **1** aversão à convivência social; **2** melancolia; tristeza
misantropo *s. m.* **1** indivíduo que não gosta de conviver com outras pessoas; **2** indivíduo que revela tristeza ou melancolia
miscelânea *s. f.* conjunto de coisas diferentes; mistura
miserabilista *adj. 2 gén.* **1** que tem tendência para acentuar os aspectos

negativos ou miseráveis da vida e da sociedade; **2** que é muito pessimista

miserável **I** *adj.* *2 gén.* **1** (pessoa) que está na miséria; muito pobre; **2** (verba, valor) muito pequeno; ínfimo; **3** (pessoa) mesquinho; avarento; **II** *s.* *2 gén.* **1** pessoa que vive na miséria; **2** pessoa mesquinha ou avarenta

miséria *s. f.* **1** estado de falta de meios de subsistência; pobreza; **2** estado que inspira compaixão; infelicidade; **3** avareza; sovinice; **4** pequena quantia de dinheiro; ninharia ❖ ***tirar a barriga de misérias*** aproveitar alguma coisa até então inexistente ou indisponível

misericórdia *s. f.* **1** sentimento de solidariedade em relação a quem sofre; piedade; compaixão; **2** auxílio que se presta a quem necessita; caridade; ***golpe de ~*** golpe mortal

misericordioso *adj.* **1** que revela misericórdia; bondoso; **2** que perdoa com facilidade; indulgente

mísero *adj.* **1** muito pobre; miserável; **2** sem valor ou importância; insignificante; **3** desgraçado; infeliz

missa *s. f.* (catolicismo) ritual em que o sacerdote realiza no altar a celebração da Eucaristia (sacrifício do corpo e do sangue de Jesus Cristo); ***~ campal*** missa celebrada ao ar livre; ***~ de corpo presente*** missa rezada diante do corpo de uma pessoa morta; ***~ de sétimo dia*** missa rezada por alma de uma pessoa morta, no sétimo dia após a sua morte; ***~ do galo*** missa solene celebrada à meia-noite na noite de Natal ❖ ***não saber da ~ a metade*** estar mal informado (acerca de algo)

missanga *s. f.* cada uma das pequenas contas de vidro, de cores variadas, usadas para enfeitar colares, pulseiras, etc.

missão *s. f.* **1** tarefa que uma pessoa deve realizar a pedido ou por ordem de alguém; encargo; **2** dever a cumprir; obrigação; **3** conjunto de pessoas encarregadas de uma tarefa; comissão

míssil *s. m.* MIL. projéctil equipado com dispositivo motopropulsor que pode atingir velocidades supersónicas e alcançar grandes distâncias; ***~ balístico*** míssil de longo alcance que, depois de lançado, prossegue numa trajectória que não pode ser alterada

missionário *s. m.* **1** padre encarregado de espalhar a sua fé; **2** indivíduo encarregado de divulgar uma ideia, causa, etc.

missiva *s. f.* mensagem escrita que se envia a alguém; carta

mistela *s. f.* mistura de coisas diversas; mixórdia; confusão

mister *s. m.* ofício; profissão

míster *s. m.* **1** treinador de futebol; **2** vencedor de um concurso de beleza

mistério *s. m.* **1** aquilo que tem causa oculta ou inexplicável; enigma; **2** aquilo que é secreto; segredo; **3** RELIG. cada um dos pontos da doutrina religiosa cristã considerados incontestáveis; dogma; **4** TEAT. (Idade Média) composição de carácter religioso, em que por vezes se dramatizavam passagens da Bíblia

misterioso *adj.* **1** que envolve mistério; secreto; enigmático; **2** (fenómeno) inexplicado; **3** (comportamento, pessoa) desconfiado; dissimulado

mística *s. f.* **1** tendência para a vida contemplativa; misticismo; **2** fervor religioso que conduz ao estado de êxtase; **3** adesão entusiástica ao um princípio, projecto ou a uma ideia

misticismo *s. m.* **1** crença em forças e seres sobrenaturais; **2** crença na possibilidade de comunicação directa com o divino ou a divindade; **3** tendência para a vida contemplativa

místico I *adj.* **1** relativo a crenças em coisas sobrenaturais; espiritual; **2** religioso; devoto; **II** *s. m.* pessoa que, através da contemplação espiritual, procura atingir a união directa com o divino

mistificação *s. f.* **1** acto de induzir alguém a acreditar numa mentira; **2** coisa falsa ou enganadora

mistificar *v. tr.* abusar da credulidade de; iludir; enganar

misto *adj.* **1** formado de elementos diferentes; misturado; combinado; **2** (escola, equipa) constituído por pessoas de ambos os sexos; **3** (número) constituído por parte inteira e parte decimal ou fraccionária; **4** (meio de transporte) que transporta passageiros e mercadorias

mistura *s. f.* **1** acto de misturar; junção; combinação; **2** conjunto, geralmente desordenado, de coisas diferentes; amálgama; **3** CIN., TV trabalho de combinação de sons distintos a partir de gravações separadas (da música, dos diálogos, etc.)

misturada *s. f.* conjunto de coisas misturadas; mescla

misturadora *s. f.* aparelho electrodoméstico munido de uma hélice cortante que serve para esmagar e misturar alimentos

misturar I *v. tr.* **1** juntar (coisas diferentes); **2** confundir; **3** CIN., TV combinar (sons distintos); **II** *v. refl.* **1** juntar-se; **2** confundir-se

mítico *adj.* **1** relativo aos mitos; **2** lendário; célebre; **3** fabuloso; imaginário

mitigar *v. tr.* tornar mais brando; atenuar

mito *s. m.* **1** relato fantástico protagonizado por seres que representam as forças da natureza e os aspectos gerais da condição humana, transmitido oralmente ao longo dos tempos; lenda; fábula; **2** representação de factos ou personagens reais, exagerada pela imaginação popular e pela tradição oral e escrita; **3** exposição alegórica de uma ideia, doutrina ou filosofia; alegoria; **4** ideia que é geralmente aceite mas que não corresponde à realidade; estereótipo; **5** coisa inacreditável; utopia

mitologia *s. f.* **1** conjunto dos mitos de um povo ou de uma civilização; **2** estudo da origem, evolução e significado dos mitos

mitológico *adj.* **1** relativo à mitologia; **2** lendário; imaginário

mitra *s. f.* chapéu alto e largo, fino na parte superior, com duas fitas pendentes, usado em ocasiões solenes pelo Papa, bispos, arcebispos e cardeais

mitral I *adj. 2 gén.* que tem forma de mitra; **II** *s. f.* ANAT. válvula situada entre a aurícula e o ventrículo esquerdos, que permite a passagem de sangue da aurícula esquerda para o ventrículo esquerdo

miudagem *s. f.* conjunto de crianças

miudeza *s. f.* **1** artigo de pouco valor; bugiganga; **2** coisa sem importância; ninharia

miudinho *adj.* **1** muito pequeno; **2** que dá grande atenção a pormenores; minucioso

miúdo I *adj.* **1** de tamanho reduzido; pequeno; **2** (gado) de pequeno porte; **3** (dinheiro) trocado em moedas; **II** *s. m.* **1** criança do sexo masculino; menino; **2** [*pl.*] vísceras de animal (fígado, rins, moela, etc.) usados como alimento

mixórdia *s. f.* *(coloq.)* mistura confusa de coisas; salsada

ml [*símbolo de* **mililitro**]
mm [*símbolo de* **milímetro**]
Mn QUÍM. [*símbolo de* **manganésio**]
mnemónica *s. f.* técnica para memorizar coisas, que utiliza exercícios como associação de ideias ou factos difíceis de reter a outros mais simples ou mais familiares, combinações de imagens, números, etc.
mo *contr. do pron. pess.* **me** + *pron.* **o**
Mo QUÍM. [*símbolo de* **molibdénio**]
mó *s. f.* pedra circular e rotativa dos moinhos, que tritura e mói o grão dos cereais ❖ ***estar na ~ de baixo*** estar abatido ou com dificuldades
moagem *s. f.* **1** acto de moer; **2** quantidade que se mói de cada vez
móbil *s. m.* motivo; causa
mobilar *v. tr.* guarnecer (sala, quarto, escritório) de mobília; decorar
mobília *s. f.* conjunto de móveis usados na decoração de uma casa, de um quarto, de um escritório, etc.
mobiliário I *adj.* **1** relativo a mobília; **2** relativo a bens móveis; **II** *s. m.* vd. **mobília**
mobilidade *s. f.* **1** característica daquilo que se movimenta; **2** capacidade de mudar; mutabilidade; **3** possibilidade de se deslocar de um lugar para outro rapidamente; **4** *(fig.)* tendência para mudar de estado de espírito; volubilidade
mobilização *s. f.* **1** conjunto de medidas (convocação de tropas, etc.) de preparação de um país para determinada acção militar; **2** convocação de pessoas para que participem de numa iniciativa de carácter cívico ou político
mobilizar *v. tr.* **1** pôr em acção (pessoas, recursos, etc.); **2** convocar (pessoas) uma para iniciativa de carácter cívico ou político
moca *s. f.* **1** pedaço de pau; cacete; **2** *(coloq.)* bebedeira; **3** *(coloq.)* cabeça
moça *s. f.* pessoa jovem do sexo feminino; rapariga
mocado *adj. (coloq.)* drogado
moçambicano I *s. m.* {*f.* moçambicana} pessoa natural de Moçambique; **II** *adj.* relativo a Moçambique
moção *s. f.* POL. apresentação de um assunto para ser discutido em assembleia; proposta; **~ *de censura*** proposta pela qual um ou mais grupos parlamentares criticam a política do governo, procurando levar à sua demissão, caso a moção obtenha a maioria dos votos; **~ *de confiança*** proposta apresentada pelo governo ou por um grupo parlamentar com o objectivo de levar a assembleia a adoptar um voto de confiança em relação a uma medida ou a um programa político
moçárabe *s. 2 gén.* HIST. cristão que durante o domínio muçulmano na Península Ibérica se converteu ao islamismo, reconvertendo-se depois da reconquista cristã
mocassim *s. m.* calçado de pele, confortável, sem tacão e com a sola revirada dos lados e à frente
mochila *s. f.* saco de tecido resistente que se transporta às costas, usado para transportar artigos de uso pessoal, material de trabalho ou mantimentos
mocho *s. m.* ZOOL. ave de rapina nocturna com cabeça grande e visão e audição muito apuradas
mocidade *s. f.* juventude
moço I *s. m.* pessoa jovem do sexo masculino; rapaz; **II** *adj.* jovem
moda *s. f.* **1** uso, hábito ou forma de agir característica de determinado meio ou de determinada época; **2** uso corrente; prática generalizada;

3 conjunto das principais tendências ditadas pelos profissionais de alta-costura, cabeleireiros e estilistas; 4 maneira; forma; ***estar fora de ~*** estar desactualizado; ***estar na ~*** seguir as tendências de vestuário, gostos musicais ou outros ❖ ***à ~ de*** à maneira de

modal *adj. 2 gén.* **1** relativo a modo ou a modalidade; **2** GRAM. (verbo) que exprime noções de desejo, possibilidade, probabilidade, dever, necessidade, etc. (como *querer, poder, dever, ter*)

modalidade *s. f.* **1** forma ou aspecto característico de uma coisa; tipo; **2** circunstâncias; **3** DESP. actividade desportiva; **4** LING. ideia ou noção expressa por um verbo modal

modelar I *v. tr.* **1** fazer por molde; **2** dar forma a; **II** *adj. 2 gén.* que pode servir de modelo; exemplar

modelo I *s. m.* **1** imagem ou desenho que representa o objecto que se pretende reproduzir; **2** aquilo que serve de referência; padrão; **3** pessoa que se procura imitar; exemplo; **4** protótipo de um objecto ou produto para fabrico em série; **II** *s. 2 gén.* pessoa cuja profissão consiste em desfilar com roupas perante um público interessado, geralmente numa passerelle; manequim

modem *s. m.* {*pl.* modems} INFORM. dispositivo electrónico que transforma sinais digitais de um computador em sinais sonoros, tornando possível a sua transmissão por linha telefónica

moderação *s. f.* **1** acto de evitar excessos; equilíbrio; **2** prudência

moderado *adj.* **1** que não é excessivo; equilibrado; **2** prudente

moderador *s. m.* **1** pessoa que procura conciliar posições ou opiniões divergentes; **2** pessoa que dirige um debate ou uma mesa-redonda

moderar I *v. tr.* **1** tornar menos intenso; refrear (sentimentos, opiniões); **2** dirigir (um debate) como moderador; **3** tornar menor; diminuir (custos, despesas); **II** *v. refl.* evitar excessos; controlar-se

modernice *s. f.* **1** *(depr.)* moda adoptada apenas pela novidade e não pelo seu valor real; **2** *(depr.)* preferência por tudo o que é moderno

modernidade *s. f.* **1** estado do que é moderno; **2** coisa nova ou recente; novidade; **3** tempo presente; actualidade

modernismo *s. m.* (arte, literatura) movimento de renovação estética que marcou as primeiras décadas do século XX

modernista I *adj. 2 gén.* relativo ou pertencente ao modernismo; **II** *s. 2 gén.* artista seguidor do modernismo

modernização *s. f.* **1** acto ou efeito de modernizar(-se); **2** adaptação às tendências ou aos métodos modernos; actualização

modernizar *v. tr.* **1** tornar moderno; **2** adaptar às tendências ou aos métodos modernos; actualizar

moderno *adj.* **1** relativo ao tempo presente; actual; **2** que representa o gosto dominante; que está na moda; **3** avançado do ponto de vista científico ou tecnológico; inovador

modéstia *s. f.* **1** ausência de vaidade ou de pretensão; simplicidade; **2** sobriedade; **3** moderação

modesto *adj.* **1** simples; despretensioso; **2** sóbrio; **3** moderado

módico *adj.* **1** cujo valor é baixo; **2** moderado

modificação *s. f.* alteração; mudança

modificador *s. m.* **1** aquilo que modifica ou transforma; **2** LING. palavra ou expressão que determina ou qualifica o elemento a que se refere

modificar *v. tr. e refl.* alterar(-se); mudar(-se)

modo *s. m.* **1** forma particular de ser ou de estar; maneira; **2** método; sistema; **3** condição; circunstância; **4** possibilidade; meio; **5** GRAM. cada uma das diferentes variações que os verbos tomam para exprimir as diversas maneiras por que se considera a acção ou a existência dos factos; **6** MÚS. sequência de sons de determinada escala; **7** [*pl.*] boas maneiras; educação ❖ ***de certo ~*** de certa forma; ***de ~ algum*** de forma nenhuma; ***de ~ que*** de forma que; ***de qualquer ~*** de qualquer forma; ***deste ~*** desta forma; assim

modulação *s. f.* **1** variação da intensidade de um som; **2** MÚS. passagem de um tom para outro; **3** alteração subtil de cor ou de tonalidade; **4** *(fig.)* melodia; suavidade

módulo *s. m.* **1** unidade ou peça autónoma que pode ser combinada com outras para formar um todo; **2** quantidade que se toma como unidade de qualquer medida; **3** (astronáutica) parte separável de uma nave espacial

moeda *s. f.* **1** peça geralmente metálica, cunhada com autorização legal, que serve para transacções comerciais; **2** ECON. unidade monetária em vigor num país ou numa região; **3** qualquer instrumento aceite como forma de pagamento; ***~ corrente*** notas e moedas em circulação num país, usadas como meio de pagamento; ***~ forte*** moeda cujo valor nominal é igual ou quase igual ao valor intrínseco; ***~ fraca*** moeda cujo cujo valor intrínseco é inferior ao valor nominal; ***~ única*** unidade monetária (euro) adoptada pela maioria dos estados-membros da União Europeia, em substituição das moedas nacionais ❖ ***pagar na mesma ~*** retribuir o bem com o bem e o mal com o mal

moela *s. f.* ZOOL. parte musculosa do tubo digestivo de muitos animais

moer *v. tr.* **1** reduzir a pó; triturar (café, cereais); **2** esmagar; **3** *(coloq.)* aborrecer

mofento *adj.* que tem mofo; bolorento

mofo *s. m.* **1** mau cheiro provocado por humidade; bafio; **2** aglomerado de fungos, que se desenvolve na matéria orgânica em decomposição; bolor

mogno *s. m.* **1** BOT. árvore tropical produtora de madeira muito apreciada, cujos frutos são grandes cápsulas lenhosas; **2** madeira de tom avermelhado, muito usada no fabrico de móveis

mohair *s. m.* **1** lã macia, fina e brilhante; **2** tecido ou malha dessa lã

moído *adj.* **1** (café, cereal) triturado; **2** *(fig.)* (pessoa) cansado; **3** *(fig.)* (pessoa) aborrecido

moina *s. f.* *(pop.)* pândega; vadiagem ❖ ***andar na ~*** andar a vadiar

moinar *v. intr.* *(pop.)* vadiar

moinho *s. m.* **1** engenho ou máquina de moer grãos; **2** edifício onde está instalado esse engenho ou máquina ❖ ***levar a água ao seu ~*** conseguir realizar os seus objectivos

moiro *adj. e s. m.* vd. **mouro**

moita *s. f.* mata espessa de plantas baixas

mola *s. f.* **1** peça elástica, geralmente de metal, usada para amortecer choques, repor um objecto no lugar de que foi deslocado, etc.; **2** engenho que serve para impulsionar uma peça ou um mecanismo (relógio, etc.); **3** peça que segura ou fixa uma peça de vestuário, carteira, etc.; **4** *(fig.)* aquilo que desencadeia algo; agente; **5** *(fig.)* impulso; incentivo

molar *s. m.* ANAT. cada um dos dentes situados lateralmente depois dos pré-molares, cuja função é mastigar os alimentos

moldar I *v. tr.* **1** ajustar (material, peça) a um molde; **2** fundir (metal) vazando no molde; **3** adaptar; **II** *v. refl.* pôr-se em harmonia com; adaptar-se

moldávio I *s. m.* {*f.* moldávia} **1** pessoa natural da República da Moldávia; **2** língua românica falada na Moldávia; **II** *adj.* relativo à Moldávia

molde *s. m.* **1** peça oca que serve para dar forma a obras de fundição, a esculturas de gesso, etc.; **2** modelo de papel ou cartão pelo qual se cortam tecidos para fazer vestuário; **3** *(fig.)* aquilo que serve de exemplo ou norma; referência

moldura *s. f.* caixilho, geralmente de madeira, com que se cercam fotografias, quadros, espelhos, etc.

mole *adj. 2 gén.* **1** (objecto) que cede à pressão; macio; **2** *(fig.)* (pessoa) sem energia; fraco; **3** *(fig.)* (pessoa) que se comove com facilidade; sensível

molécula *s. f.* FÍS., QUÍM. conjunto electricamente neutro de um ou mais átomos, que é a menor porção de uma substância capaz de participar em reacções químicas

molecular *adj. 2 gén.* relativo a molécula(s)

moleirinha *s. f.* **1** ANAT. porção membranosa entre alguns ossos do crânio, antes de atingir a ossificação completa; **2** *(coloq.)* cabeça

moleiro *s. m.* **1** dono de moinho; **2** indivíduo que trabalha num moinho

molenga *adj. e s. 2 gén.* vd. **molengão**

molengão *adj. e s. m.* {*f.* molengona} *(coloq.)* indolente; preguiçoso

moleque *s. m.* **1** *(Bras.)* rapaz de rua; **2** *(Bras.)* garoto

molestar *v. tr.* **1** incomodar; **2** maltratar

moléstia *s. f.* doença; mal

molete *s. m.* *(reg.)* CUL. pão de trigo, pequeno e mole

moleza *s. f.* **1** falta de consistência; elasticidade; **2** *(fig.)* falta de energia; apatia; **3** *(fig.)* preguiça

molha *s. f.* **1** acto de (se) molhar; **2** chuvada

molhado *adj.* **1** embebido em água ou noutro líquido; **2** coberto de água; encharcado ❖ ***chover no ~*** insistir numa coisa já resolvida ou esclarecida

molhar I *v. tr.* **1** embeber em água ou noutro líquido; **2** cobrir de líquido; **3** humedecer; **II** *v. refl.* **1** ficar coberto de água; **2** apanhar chuva; **3** sujar-se com urina

molhe *s. m.* paredão que protege as embarcações das ondas ou das correntes; quebra-mar

molho[1] [o] *s. m.* **1** CUL. preparado de consistência cremosa, à base de azeite, leite, farinha e ervas aromáticas, que se junta aos alimentos cozinhados para lhes realçar o sabor; **2** CUL. líquido em que se refogam alimentos; **3** CUL. preparado doce, com consistência de calda, usado para acompanhar sobremesas ❖ ***estar de ~*** estar doente; ***pôr as barbas de ~*** acautelar-se

molho[2] [ɔ] *s. m.* conjunto de coisas agrupadas; punhado

molibdénio *s. m.* QUÍM. elemento metálico com o número atómico 42 e símbolo Mo

molibdeno *s. m.* QUÍM. vd. **molibdénio**

molusco *s. m.* ZOOL. animal invertebrado marinho, terrestre ou de água doce, de corpo mole protegido por uma concha calcária

momentâneo *adj.* que só dura um momento; muito breve

momento *s. m.* **1** breve período de tempo; instante; **2** ponto determinado no tempo; altura; **3** tempo presente; **4** ocasião oportuna ❖ ***a todo o ~*** a qualquer instante; ***de ~*** agora; nesta ocasião; ***de um ~ para o outro*** de repente; ***por momentos*** durante um pequeno espaço de tempo

monacal *adj. 2 gén.* vd. **monástico**

monarca *s. 2 gén.* **1** pessoa que exerce o poder num governo monárquico; soberano; **2** *(fig.)* pessoa muito poderosa

monarquia *s. f.* **1** forma de governo em que o poder é exercido por um monarca; **2** Estado que possui essa forma de governo; **~ *absoluta*** forma de governo em que o poder se concentra sem limitações nas mãos do monarca; **~ *constitucional*** forma de governo em que o rei tem o poder limitado por uma Constituição

monárquico **I** *adj.* relativo a monarquia; **II** *s. m.* defensor da monarquia

monástico *adj.* **1** relativo a monge ou monja; **2** relativo à vida num mosteiro; conventual

monção *s. f.* METEOR. vento periódico, característico do Sudeste da Ásia, que durante meses sopra alternadamente do mar para a terra e da terra para o mar

monegasco **I** *s. m.* {*f.* monegasca} pessoa natural do Mónaco; **II** *adj.* relativo ao Mónaco

monetário *adj.* relativo a dinheiro

monge *s. m.* {*f.* monja} **1** membro de uma ordem religiosa que vive em comunidade num mosteiro; **2** *(fig.)* pessoa que leva uma vida austera, afastada da sociedade

mongolismo *s. m.* MED. deficiência congénita profunda, associada a uma alteração na estrutura ou no número de cromossomas, que se manifesta por um atraso mental mais ou menos profundo e por características fisionómicas específicas

mongolóide *adj. e s. 2 gén.* MED. que ou pessoa que sofre de mongolismo

monitor *s. m.* **1** INFORM. aparelho onde se visualiza a informação contida num computador; ecrã; **2** qualquer aparelho que fornece indicações de controlo; **3** pessoa que orienta os alunos em certas disciplinas ou actividades desportivas; instrutor

monitorização *s. f.* supervisão; controlo

monitorizar *v. tr.* supervisionar; controlar

mono *s. m. (coloq.)* pessoa sem iniciativa

monocromático *adj.* que apresenta apenas uma cor

monocultura *s. f.* AGRIC. sistema de exploração do solo com especialização num único produto

monogamia *s. f.* **1** sistema de organização familiar em que cada pessoa tem apenas um cônjuge; **2** qualidade de monógamo

monógamo *adj.* **1** (pessoa) que tem um só cônjuge; **2** (animal) que acasala apenas com uma fêmea

monografia *s. f.* trabalho escrito acerca de determinado assunto, pessoa ou região; tese

monograma *s. m.* conjunto entrelaçado das letras iniciais de um nome

monolingue *adj. 2 gen.* **1** (texto) escrito numa única língua; **2** (pessoa) que fala apenas uma língua

monólogo *s. m.* **1** TEAT. cena representada por um único actor, que fala consigo mesmo ou se dirige ao público; **2** fala de alguém consigo próprio; solilóquio

monoparental *adj. 2 gén.* diz-se da família em que só está presente um dos progenitores (a mãe ou o pai)

monopólio *s. m.* **1** ECON. situação de mercado em que um único vendedor controla toda a oferta de um serviço ou de uma mercadoria; **2** ECON. privilégio de fabricar ou vender certas mercadorias sem concorrência; exclusividade

monopolista **I** *adj. 2 gén.* **1** relativo a monopólio; **2** que monopoliza ou tem monopólio; **II** *s. 2 gén.* ECON. pessoa ou entidade que detém ou exerce um monopólio

monopolizar *v. tr.* **1** ECON. ter o monopólio de; possuir o exclusivo de; **2** *(fig.)* concentrar em si; açambarcar

monossilábico *adj.* GRAM. (palavra) que tem uma sílaba

monossílabo **I** *s. m.* GRAM. palavra de uma sílaba; **II** *adj.* que tem uma sílaba

monoteísmo *s. m.* sistema religioso ou doutrina filosófica que admite uma única divindade (por oposição a *politeísmo*)

monoteísta **I** *adj. 2 gén.* relativo a monoteísmo; **II** *s. 2 gén.* pessoa adepta do monoteísmo

monotonia *s. f.* **1** característica do que é monótono; **2** ausência de variedade ou diversidade; **3** falta de vigor; pasmaceira

monótono *adj.* **1** que se repete continuamente; invariável; **2** que não apresenta novidade; maçador

monovolume *s. m.* veículo automóvel em que os bancos podem ser removidos ou dispostos de forma diferente, permitindo um melhor aproveitamento do espaço interior

monóxido *s. m.* QUÍM. óxido com um único átomo de oxigénio por molécula; ~ ***de carbono*** gás tóxico, inodoro e incolor, resultante da oxidação incompleta do carbono (libertado pelo escape dos automóveis, no interior de minas, etc.)

monstro *s. m.* **1** criatura fantástica de configuração fora do normal e aspecto ameaçador; **2** ser vivo que apresenta deformação ou estrutura anómala; aberração; **3** ser ou objecto de dimensão descomunal; **4** *(fig.)* pessoa muito cruel; **5** *(fig.)* coisa excepcional; *(fig.)* ~ ***sagrado*** artista especialmente talentoso; pessoa célebre

monstruosidade *s. f.* **1** característica do que é monstruoso; **2** ser ou coisa que apresenta deformação; **3** *(fig.)* coisa extraordinária ou descomunal; **4** *(fig.)* atitude ou comportamento cruel ou imoral

monstruoso *adj.* **1** que é contrário às leis da natureza; **2** descomunal; **3** abominável; **4** perverso

monta-cargas *s. m. 2 núm.* elevador destinado a mercadorias

montagem *s. f.* **1** preparação e disposição de todas as peças de um sistema ou equipamento; instalação; **2** CIN. selecção e organização das cenas de uma filmagem, ligando-as em sequência; **3** TV organização da sequência de apresentação de informações, notícias ou programas; **4** TIP. preparação das páginas de um jornal ou de uma revista, incluindo os títulos, textos e ilustrações

monta-livros *s. m. 2 núm.* pequeno elevador utilizado para transporte de cargas entre diferentes andares de um edifício

montanha *s. f.* **1** GEOG. elevação natural significativa de um terreno; **2** *(fig.)* grande volume; grande quantidade

montanha-russa *s. f.* {*pl.* montanhas-russas} divertimento de feira composto por uma armação em que deslizam a grande velocidade pequenos compartimentos abertos, com bancos onde se sentam as pessoas

montanhismo *s. m.* DESP. actividade de marcha ou escalada em média montanha (até aos 2500 metros); alpinismo

montanhista *s. 2 gén.* praticante de alpinismo

montanhoso *adj.* **1** (região) composto por muitas montanhas; **2** (terreno) íngreme; acidentado

montante **I** *s. m.* soma em dinheiro; quantia; **II** *s. f.* **1** GEOG. lado nascente; **2** maré cheia

montão *s. m.* **1** grande monte; pilha; **2** grande quantidade

montar **I** *v. tr.* **1** proceder à montagem de; instalar (equipamento, máquina); **2** colocar-se em cima de (anilmal, cavalo); **3** estabelecer (loja, empresa); **4** organizar (exposição, peça de teatro); **II** *v. intr.* andar a cavalo; cavalgar

monte *s. m.* **1** GEOG. elevação de terreno acima do solo, menos alta do que uma montanha; **2** conjunto de coisas sobrepostas; pilha; **3** povoação com poucas habitações; povoado ❖ ***a ~*** fugido; ***aos montes*** em grande quantidade

montês *adj. 2 gén.* **1** próprio de monte ou de montanha; **2** selvagem; silvestre

montículo *s. m.* **1** pequeno monte; **2** pequeno amontoado de coisas

montra *s. f.* lugar, em estabelecimento comercial, onde se expõem artigos; vitrina

monumental *adj. 2 gén.* **1** relativo a monumento; **2** enorme; grandioso; **3** maravilhoso; excepcional

monumento *s. m.* **1** construção ou obra de escultura destinada a perpetuar a memória de um facto ou de uma figura notável; **2** edifício de grandes dimensões; **3** obra artística que se perpetua no tempo; **4** memória; recordação; ***~ nacional*** obra considerada relevante para a memória colectiva de uma nação

morada *s. f.* **1** endereço de residência; **2** lugar onde se mora; habitação; ***última ~*** sepultura; cemitério

moradia *s. f.* casa de habitação separada e independente; vivenda

morador *s. m.* habitante; residente

moral **I** *s. f.* **1** conjunto de normas consideradas universalmente válidas, que regem as relações sociais e a conduta das pessoas; **2** código de conduta característico de determinado grupo; **3** conjunto de princípios que orientam a acção e o pensamento de uma pessoa; **II** *adj. 2 gén.* **1** relativo às regras de conduta consideradas universais; ético; **2** que ensina ou educa; instrutivo; **III** *s. m.* disposição de espírito; ânimo

moralidade *s. f.* **1** característica do que é moral; **2** conjunto dos princípios morais dominantes em determinada época; **3** comportamento orientado por esses princípios; **4** significado moral de certos contos ou fábulas

moralismo *s. m.* **1** tendência para atribuir um carácter absoluto à moral; **2** *(pej.)* adesão rígida a determinados princípios morais e intolerância em relação a outros

moralista **I** *s. 2 gén.* **1** pessoa que defende o moralismo; **2** *(pej.)* pessoa que defende princípios morais rígidos, revelando por vezes intolerância; **II** *adj. 2 gén.* **1** relativo a moral; **2** próprio de moralismo; **3** instrutivo; educativo

moralizar **I** *v. tr.* **1** adequar aos princípios da moral; **2** corrigir os costumes de; **3** ensinar por meio de princípios morais; **II** *v. intr.* **1** reflectir publicamente sobre a moral; **2** ensinar por meio de princípios morais

morango *s. m.* BOT. fruto múltiplo do morangueiro, pequeno e vermelho quando maduro, muito usado na preparação de compotas e geleias

morangueiro *s. m.* BOT. planta herbácea, rastejante, produtora de morangos

morar *v. intr.* habitar; residir

morbidez *s. f.* **1** estado de mórbido; **2** abatimento físico ou psicológico; esgotamento

mórbido *adj.* **1** relativo a doença; patológico; **2** (corpo, estado) sem ânimo ou energia; **3** (gosto, sentimento) que revela depravação ou perversidade

morcão *s. m.* {*f.* morcona} *(pop.)* pessoa lenta ou aparvalhada; lorpa

morcego *s. m.* **1** ZOOL. animal mamífero voador, nocturno, com as asas formadas por membranas que ligam os dedos das mãos ao tronco; **2** *(coloq.)* pessoa que só gosta de sair à noite

morcela *s. f.* CUL. enchido preparado com sangue de porco, gordura e condimentos

mordaça *s. f.* **1** tira de pano ou de outro material com que se tapa a boca a uma pessoa, impedindo-a de falar ou de gritar; **2** peça de couro ou de metal que se coloca no focinho de certos animais para que não mordam; açaime; **3** *(fig.)* repressão de ideias ou de opiniões

mordaz *adj. 2 gén.* **1** (comentário, crítica) que agride ou ofende; corrosivo; **2** *(fig.)* (pessoa) que é muito crítico; cáustico

mordedela *s. f.* vd. **mordidela**

morder *v. tr.* **1** cravar os dentes em; ferrar; **2** cortar com os dentes; **3** (insecto) picar; **4** *(fig.)* causar dor física; magoar

mordidela *s. f.* **1** acto de morder; **2** dentada; ferradela

mordiscar *v. tr.* **1** morder levemente e repetidas vezes; **2** *(fig.)* espicaçar; estimular

mordomo *s. m.* administrador de uma casa ou de um estabelecimento por conta de outrem

moreia *s. f.* **1** GEOL. acumulação de detritos provenientes da acção erosiva dos glaciares; **2** ZOOL. peixe comestível de cor castanho-avermelhada, com manchas amarelas

moreno **I** *adj.* **1** que possui um tom de pele acastanhado; **2** queimado pelo sol; bronzeado; **II** *s. m.* **1** indivíduo de pele acastanhada ou bronzeada; **2** indivíduo com cabelo preto ou castanho

morfe *s. m.* LING. realização concreta de um morfema

morfema *s. m.* LING. unidade mínima que possui significado

morfes *s. m. pl. (coloq.)* comida

morfina *s. f.* QUÍM. substância extraída do ópio e usada como analgésico e narcótico

morfologia *s. f.* **1** estudo da forma ou aparência externa da matéria; **2** estudo da estrutura externa de um ser vivo ou de um órgão; **3** GRAM. estudo da estrutura e dos processos de formação das palavras; **4** GRAM. estudo das formas das palavras e dos seus paradigmas de flexão

morfológico *adj.* relativo a morfologia

morfossintáctico *adj.* GRAM. relativo à morfossintaxe

morfossintaxe *s. f.* LING. estudo de questões de morfologia e de sintaxe

morgue *s. f.* lugar onde se fazem autópsias e se identificam cadáveres

moribundo *adj.* **1** prestes a morrer; **2** sem força ou vigor; **3** decadente

mormente *adv.* acima de tudo; principalmente

morno *adj.* **1** pouco quente; tépido; **2** *(fig.)* que tem pouca energia; frouxo; **3** *(fig.)* que revela pouco entusiasmo; monótono; **4** *(fig.)* tranquilo; sereno

moroso *adj.* **1** lento; **2** demorado

morrer *v. intr.* **1** (ser vivo) deixar de viver; falecer; **2** (curso de água) chegar ao fim; terminar; **3** *(fig.)* (sensação, sentimento) extinguir-se; desaparecer; ~ ***por (algo ou alguém)*** desejar muito (algo ou alguém); ***não ~ de amores por*** não gostar de (algo); não simpatizar com (alguém)

morrinha *s. f. (reg.)* chuva miúda e persistente

morrinhar *v. intr. (reg.)* chuviscar

morro *s. m.* monte de pouca altura; colina

morsa *s. f.* ZOOL. mamífero marinho semelhante à foca, com pele grossa e dois grandes dentes superiores, próprio das regiões polares

morse *s. m.* sistema de comunicação que utiliza combinações de traços e pontos

mortadela *s. f.* CUL. espécie de salame grande, preparado com carne de porco ou de boi

mortal I *adj. 2 gén.* **1** que causa a morte; fatal; **2** que está sujeito à morte; **3** (ossada, resto) oriundo de pessoa morta; **4** (salto) capaz de provocar a morte; **5** *(fig.)* enfadonho; maçador; **II** *s. 2 gén.* **1** ser humano; homem; **2** [*pl.*] humanidade

mortalha *s. f.* **1** pedaço pequeno de papel fino, usado para enrolar tabaco e fazer cigarros; **2** pano com que se envolve o cadáver que vai ser sepultado; sudário

mortalidade *s. f.* **1** condição do que é mortal; **2** número de mortes ocorridas em determinado período de tempo numa dada região; ~ ***infantil*** número de crianças mortas até completarem um ano de idade, para cada mil nados vivos, no período de um ano; ***taxa de ~*** proporção entre o número de mortes ocorridas num determinado período (geralmente um ano) e o conjunto total de uma população

mortandade *s. f.* grande número de mortes (por causa de doença, epidemia, etc.); matança; carnificina

morte *s. f.* **1** interrupção da vida de um ser ou de um organismo; **2** paragem de todas as funções vitais no corpo humano; falecimento; **3** termo; fim; **4** desaparecimento gradual; extinção; **5** *(fig.)* sofrimento profundo; agonia; MED. ~ ***aparente/clínica*** cessação de algumas funções vitais, geralmente com paragem cardíaca e respiratória e perda de consciência, em que pode ocorrer reanimação; ~ ***natural*** morte que ocorre na sequência de um processo natural (de envelhecimento ou doença); (concurso, jogo) ~ ***súbita*** morte repentina ou inesperada; situação em que, após um empate, ganha quem primeiro marcar pontos ❖ ***caso de vida ou ~*** emergência; ***estar às portas da ~*** estar prestes a morrer; ***pensar na ~ da bezerra*** estar distraído ou absorto nos seus próprios pensamentos; ***ser a ~ do artista*** ser um fracasso; ***ser de ~*** ser difícil de suportar

morteiro *s. m.* MIL. canhão curto mas largo, através do qual são lançadas pequenas bombas

mortiço *adj.* **1** prestes a morrer; moribundo; **2** sem brilho; apagado; **3** sem intensidade; frouxo

mortífero *adj.* que conduz à morte; mortal

morto I *adj.* **1** que morreu; falecido; **2** desbotado; descorado; **3** sem movimento; inerte; **4** *(fig.)* exausto; **5** *(fig.)* ansioso; **II** *s. m.* pessoa que morreu; falecido ❖ ***estar ~ e enterrado*** estar completamente terminado ou esquecido; ***estar ~ por*** estar desejoso de; ***nem ~*** jamais

mortuário *s. f.* relativo à morte; fúnebre

mosaico *s. m.* **1** combinação de pequenas peças coloridas (de pedra, vidro, esmalte ou cerâmica) ligadas por um cimento; **2** superfície decorada desse modo; **3** *(fig.)* combinação de coisas diferentes

mosca *s. f.* **1** ZOOL. insecto com dois pares de asas e aparelho bucal adaptado para sugar; **2** *(fig.)* pessoa importuna e insistente ❖ (espaço, lugar) ***estar às moscas*** estar deserto ou vazio; ***estar com a ~*** estar irritado; ***não fazer mal a uma ~*** ser inofensivo

mosca-morta *s. 2 gén.* {*pl.* moscas--mortas} **1** *(depr.)* pessoa pouco dinâmica ou indolente; **2** *(depr.)* pessoa sonsa ou dissimulada

moscardo *s. m.* **1** ZOOL. mosca grande; **2** *(coloq.)* bofetada; safanão

moscatel *s. m.* **1** casta de uva muito saborosa e aromática; **2** vinho produzido com essa variedade de uva

mosquetão *s. m.* elo metálico, na extremidade de uma corrente, onde prende a argola de um relógio ou outro objecto pendente

mosquiteiro *s. m.* cortinado ou rede muito fina que protege dos mosquitos

mosquito *s. m.* ZOOL. insecto pequeno de pernas longas e antenas finas, que pica e é frequentemente portador de doenças

mossa *s. f.* **1** pancada ou pressão ligeira; amolgadela; **2** *(pop.)* perturbação emocional; abalo ❖ ***fazer ~*** incomodar; ***não fazer ~*** não incomodar

mostarda *s. f.* **1** BOT. planta de cujas sementes se extrai um pó usado como condimento; **2** CUL. molho cremoso preparado com pó daquelas sementes, vinagre, sal e temperado com especiarias ❖ ***chegar a ~ ao nariz*** ficar zangado ou irritado

mosteiro *s. m.* casa onde vivem, em comunidade, membros de ordens religiosas; convento

mosto *s. m.* sumo das uvas antes de se completar a fermentação

mostra *s. f.* **1** acto ou efeito de mostrar; **2** exposição; exibição de qualquer coisa; **3** primeira impressão; sinal ❖ ***à ~*** à vista; ***dar mostras de*** demonstrar

mostrador *s. m.* superfície dos relógios onde são indicadas as horas

mostrar I *v. tr.* **1** expor à vista; exibir; **2** provar; demonstrar; **3** revelar; manifestar; **II** *v. refl.* **1** exibir-se; **2** aparecer; **3** revelar-se

mostruário *s. m.* lugar onde se expõem mercadorias ao público; vitrina

mota *s. f.* *(coloq.)* motorizada; motocicleta

motard *s. 2 gén.* **1** pessoa que conduz uma motocicleta; **2** pessoa que se dedica ao motociclismo

mote *s. m.* **1** estrofe no início de uma composição poética, cuja ideia central é desenvolvida no poema; **2** tema; assunto; **3** divisa; lema

motel *s. m.* hotel situado junto a uma estrada

motherboard *s. f.* INFORM. vd. **placa--mãe**

motim *s. m.* revolta contra a autoridade estabelecida; sublevação

motivação *s. f.* **1** acto de despertar o interesse de alguém para algo; **2** conjunto de factores que determinam uma atitude ou conduta; **3** exposição de motivos; justificação

motivado *adj.* **1** que tem motivo ou fundamento; justificado; **2** que revela interesse; estimulado

motivar *v. tr.* **1** dar motivo a; provocar; **2** estimular; impulsionar

motivo *s. m.* **1** causa; razão; **2** fundamento; justificação; **3** (arte, música) tema ou ideia recorrente; mote

moto[1] [o] *s. m.* **1** movimento; **2** grande agitação ❖ ***de ~ próprio*** de forma espontânea; ***~ contínuo*** movimento incessante ou exaustivo

moto[2] [ɔ] *s. f. (coloq.)* motorizada; motocicleta

motocicleta *s. f.* veículo motorizado de duas rodas

motociclismo *s. m.* **1** sistema de transporte em motocicleta; **2** DESP. actividade que consiste em corridas de motocicletas

motociclista *s. 2 gén.* **1** pessoa que conduz uma motocicleta; **2** DESP. praticante de motociclismo

motociclo *s. m.* veículo de duas rodas com motor de combustão, que pode transportar uma ou duas pessoas

motocross *s. m.* vd. **motocrosse**

motocrosse *s. m.* DESP. prova de corta-mato em motocicleta

motoqueiro *s. m. (coloq.)* vd. **motard**

motor I *s. m.* **1** aquilo que move ou dá impulso; **2** potência ou força que imprime movimento a uma máquina; **II** *adj.* que move ou serve para mover; MEC. ***~ de arranque*** dispositivo de um veículo que põe o motor a funcionar; INFORM. ***~ de pesquisa*** programa que permite aos utilizadores localizarem a informação que procuram numa base de dados ou num grande conjunto de dados através de uma pesquisa por palavra-chave ou por tema

motoreta *s. f.* motocicleta de baixa potência e com rodas de diâmetro pequeno

motorista *s. 2 gén.* pessoa que conduz um veículo motorizado; chauffeur

motorizada *s. f.* veículo de duas rodas com motor de cilindrada inferior à de uma motocicleta

motorizado *adj.* **1** (veículo) que tem motor; **2** (força militar) que está equipado com instrumentos movidos a motor; **3** (pessoa) que possui viatura própria

motosserra *s. f.* serra eléctrica utilizada para cortar árvores

motriz *adj.* **1** que move ou serve para mover; **2** que causa ou determina (alguma coisa); ***força ~*** força que produz movimento

mouco *adj. (pop.)* que não ouve ou ouve mal; surdo

mouro I *adj.* **1** HIST. relativo ao povo árabe que conquistou a Península Ibérica; mourisco; **2** RELIG. que segue o islamismo; muçulmano; **II** *s. m.* **1** HIST. indivíduo pertencente ao povo árabe que conquistou a Península Ibérica; **2** RELIG. seguidor do islamismo; muçulmano; **3** *(fig.)* pessoa que trabalha muito; ***trabalhar como um ~*** trabalhar muito/arduamente

mousse *s. f.* **1** CUL. doce cremoso feito com claras de ovo batidas e um ingrediente aromático (chocolate, limão ou outro) que se serve frio; **2** creme com textura de espuma usado para modelar penteados; **3** substância à base de sabão que se aplica no rosto para fazer a barba; espuma de barbear

movediço *adj.* **1** que se move facilmente; **2** que é pouco firme; instável; **3** *(fig.)* inconstante; volúvel; ***areias movediças*** superfície de areia que não oferece resistência ao peso, podendo engolir pessoas, animais e veículos que se desloquem sobre ela

móvel I *s. m.* **1** peça de mobiliário destinada ao uso e à decoração de uma casa, escritório, etc.; **2** razão de ser; móbil; **II** *adj. 2 gén.* **1** que se move ou se desloca; **2** movediço; DIR. ***bens móveis*** objectos materiais que não são bens imóveis (prédios ou valores que, pela sua natureza, não podem ser deslocados)

mover I *v. tr.* **1** pôr em movimento; **2** mexer; **3** fazer funcionar; **4** transferir; **5** causar; **6** comover; **II** *v. refl.* **1** mexer-se; **2** começar a agir; **3** reagir

movida *s. f.* **1** *(coloq.)* agitação; animação; **2** *(coloq.)* conjunto de actividades ligadas ao entretenimento nocturno (bares, discotecas, restaurantes, etc.)

movimentado *adj.* **1** (filme, narrativa) em que há movimento; dinâmico; **2** (rua, lugar) em que há muita gente ou animação; comcorrido; animado

movimentar I *v. tr.* **1** mover; deslocar; **2** transferir (bens, dinheiro); **II** *v. refl.* mover-se; deslocar-se

movimento *s. m.* **1** mudança de posição ou de lugar; deslocação; **2** circulação de pessoas ou de veículos; afluência; trânsito; **3** ASTRON. deslocação regular dos astros; **4** POL. grupo que procura fazer alterações políticas ou sociais; **5** MÚS. velocidade de um trecho musical; andamento; **6** (artes) corrente de pensamento; **7** desenvolvimento de uma narrativa; ritmo (de filme, romance, etc.)

muco *s. m.* MED. secreção viscosa das mucosas

mucosa *s. f.* ANAT. membrana que reveste cavidades orgânicas que estão em contacto com o ar

muçulmano I *s. m.* seguidor religião islâmica; maometano; **II** *adj.* **1** relativo ao islamismo; **2** relativo a Maomé

mudança *s. f.* **1** modificação do estado normal de qualquer coisa; alteração; **2** troca de lugar; transferência; **3** MEC. engrenagem que permite a alteração de marcha e velocidade num veículo

mudar I *v. tr.* **1** alterar; modificar; **2** trocar; **II** *v. intr.* **1** alterar-se; transformar-se; **2** trocar de lugar ou de posição; transferir; **3** variar; **III** *v. refl.* **1** transferir-se para outro lugar; **2** trocar de roupa

mudez *s. f.* **1** estado de quem é mudo; **2** MED. perda ou diminuição significativa da fala; **3** ausência de ruído; silêncio

mudo *adj.* **1** (pessoa) que não tem ou perdeu a capacidade de falar; **2** (protesto, sentimento) que não se exprime por palavras; **3** (cinema) que não apresenta som gravado; **4** silencioso; sossegado

muesli *s. m.* CUL. mistura de flocos de cereais (geralmente trigo e aveia) e frutos secos que se toma com leite ou iogurte

mugido *s. m.* voz dos animais bovídeos

mugir *v. intr.* (animal bovídeo) soltar mugidos

muito I *adv.* **1** em grande quantidade; **2** com intensidade; **3** em excesso; **4** frequentemente; **II** *pron. indef.* em grande número ou quantidade

mula I *s. f.* **1** ZOOL. fêmea do burro; **2** *(fig.)* pessoa muito teimosa; **II** *adj. 2 gén.* que revela teimosia

mulato *s. m.* **1** pessoa descendente de mãe branca e pai negro ou de pai branco e mãe negra; **2** pessoa que tem traços das raças negra e branca; **3** pessoa que não apresenta traços raciais bem definidos

muleta *s. f.* bordão que se apoia no antebraço para facilitar a locomoção; canadiana

mulher *s. f.* **1** pessoa adulta do sexo feminino; **2** pessoa do sexo feminino depois do início dos ciclos menstruais, quando já pode conceber; **3** *(pop.)* esposa; companheira

mulher-a-dias *s. f.* {*pl.* mulheres-a--dias} empregada doméstica que recebe um salário por cada dia ou hora de trabalho

mulherengo *adj.* **1** que é muito dado a mulheres; **2** *(depr.)* que tem modos ou gostos considerados femininos; efeminado

mulherio *s. m.* *(coloq.)* grupo de mulheres

mulher-polícia *s. f.* {*pl.* mulheres--polícias} agente policial do sexo feminino

multa *s. f.* sanção pecuniária aplicada por um agente de autoridade; coima

multar *v. tr.* aplicar multa a

multidão *s. f.* **1** grande número de pessoas ou coisas; montão; **2** abundância; profusão

multidisciplinar *adj. 2 gén.* que abrange várias disciplinas

multifacetado *adj.* que apresenta várias facetas ou aspectos

multimédia **I** *s. f.* INFORM. tecnologia de comunicação que combina texto, som e imagem; **II** *adj.* que utiliza essa tecnologia num único sistema

multimilionário *adj. e s. m.* que ou indivíduo que é muitíssimo rico

multinacional **I** *s. f.* ECON. empresa cujo património e actividades se repartem por vários países; **II** *adj. 2 gén.* relativo a diversos países

multiplicação *s. f.* **1** acto de multiplicar(-se); reprodução; **2** MAT. operação aritmética que consiste em repetir um número chamado multiplicando tantas vezes quantas são as unidades de outro número chamado multiplicador, para achar um terceiro número, que representa o produto dos dois; **3** difusão; propagação

multiplicador **I** *s. m.* MAT. número que indica as vezes que outro número (multiplicando) se há-de repetir; coeficiente; **II** *adj.* que multiplica

multiplicando *s. m.* MAT. número que, na multiplicação, se repete, como parcela, tantas vezes quantas as unidades do multiplicador

multiplicar **I** *v. tr.* **1** aumentar em número ou quantidade; reproduzir; **2** MAT. fazer a operação de multiplicação; **3** difundir; espalhar; **II** *v. refl.* **1** produzir seres da mesma espécie; proliferar; **2** difundir-se; espalhar-se

multiplicativo *adj.* (numeral) que indica multiplicação

multiplicidade *s. f.* **1** número considerável; abundância; **2** variedade; diversidade

múltiplo **I** *adj.* **1** que não é simples ou único; **2** composto por elementos diversos; variado; diversificado; **3** MAT. (número) que contém outro duas ou mais vezes; **II** *s. m.* MAT. número que contém outro duas ou mais vezes exactamente

multirracial *adj. 2 gén.* **1** relativo a mais de uma raça; **2** (grupo, sociedade) composto por muitas raças

múmia *s. f.* **1** (antigo Egito) corpo de pessoa ilustre (faraó, sacerdote, etc.) conservado depois da morte por meio de um tratamento com substâncias balsâmicas; **2** *(fig.)* pessoa muito velha e magra; **3** *(fig.)* pessoa sem iniciativa

mundano *adj.* **1** próprio do mundo; **2** que valoriza o mundo material; **3** que aprecia os deveres sociais, as regras de etiqueta, etc.

mundial **I** *adj.* relativo ao mundo; universal; geral; **II** *s. m.* DESP. campeonato em que participam equipas de vários países

mundividência *s. f.* visão ou concepção do mundo

mundo *s. m.* **1** totalidade dos astros e planetas; **2** parte do Universo e os seres que nela habitam; planeta Terra; **3** tudo o que existe na Terra; vida terrestre; **4** raça humana; humanidade; **5** grande quantidade de coisas; montão; **6** área de conhecimento ou de interesse; esfera; domínio ❖ ***coisa do outro ~*** coisa incompreensível ou extraordinária; ***correr ~*** viajar muito; ***meio ~*** um grande número de pessoas; ***mundos e fundos*** grande quantidade de; ***vir ao ~*** nascer

mungir *v. tr.* **1** extrair o leite das tetas de (certos animais); ordenhar; **2** *(fig.)* espremer

munição *s. f.* **1** MIL. conjunto de balas, projécteis e cartuchos, usados em acções militares e nos armamentos de guerra; **2** conjunto de apetrechos necessários à realização de um trabalho

municipal *adj. 2 gén.* relativo a município

munícipe *s. 2 gén.* pessoa que habita na área de um município

município *s. m.* **1** divisão administrativa de um estado, governada por uma câmara de vereadores; **2** conjunto das pessoas eleitas para exercer o poder numa câmara municipal; **3** conjunto dos habitantes dessa área

munir *v. tr. e refl.* **1** prover(-se) do necessário; abastecer(-se); **2** prevenir(-se); acautelar(-se)

muralha *s. f.* **1** muro alto e com grande extensão que cerca uma fortaleza; **2** *(fig.)* aquilo que se utiliza para proteger algo ou alguém de um perigo; defesa

murar *v. tr.* construir muro(s) em volta de; fortificar

murchar *v. intr.* **1** (flor, planta) perder a vida ou o vigor; **2** (cor) perder a intensidade ou o brilho; desbotar; **3** *(fig.)* (pessoa, voz) perder o ânimo; enfraquecer

murcho *adj.* **1** (flor, planta) que murchou; sem vida; **2** (cor) que perdeu a intensidade; apagado; **3** *(fig.)* (pessoa, sorriso) sem ânimo; triste

murmurar *v. tr. e intr.* **1** dizer em voz baixa; **2** segredar; sussurrar; **3** falar entre dentes; resmungar

murmúrio *s. m.* **1** som pouco distinto; sussurro; **2** ruído incessante produzido por água corrente ou pelas ondas do mar; **3** som de muitas vozes simultâneas; murmurinho

muro *s. m.* parede espessa de altura variável, de peda ou de outro material resistente, usado para cercar ou proteger uma determinada área

murraça *s. f. (pop.)* murro forte; soco

murro *s. m.* pancada desferida com a mão fechada; soco

musa *s. f.* **1** génio ou entidade inspiradora de um poeta ou de um artista; **2** talento poético; inspiração; **3** *(fig.)* mulher amada

musculação *s. f.* DESP. conjunto de exercícios físicos destinados a fortalecer certos músculos; culturismo

musculado *adj.* **1** que tem os músculos desenvolvidos; musculoso; **2** robusto; forte

muscular *adj. 2 gén.* relativo a músculo(s)

músculo *s. m.* **1** ANAT. órgão constituído por tecido capaz de se contrair e se alongar, permitindo produzir os movimentos nas diversas partes do corpo; **2** *(fig.)* força; vigor

museu *s. m.* **1** estabelecimento onde estão reunidas e expostas ao público colecções de objectos de valor histórico, artístico ou científico; **2** *(fig.)* colecção de objectos raros ou valiosos

musgo *s. m.* BOT. planta rasteira de folhas pequenas e delicadas, frequente em lugares húmidos

música *s. f.* **1** arte de combinar harmoniosamente vários sons; **2** composição musical; **3** execução de uma peça musical

musical I *adj. 2 gén.* **1** relativo a música; **2** agradável ao ouvido; harmonioso; **II** *s. m.* CIN. filme que tem como aspecto dominante a música, o canto ou a dança

music-hall *s. m.* {*pl.* music-halls} **1** espectáculo variado com cenas musicais, danças, etc.; **2** sala de espectáculos musicais

músico *s. m.* **1** pessoa que se dedica à música; **2** pessoa que pertence a uma banda, orquestra ou filarmónica

musse *s. f.* CUL. vd. **mousse**

musselina *s. f.* tecido leve e transparente, de algodão, lã ou seda

mutabilidade *s. f.* qualidade do que muda com facilidade; instabilidade; volubilidade

mutação *s. f.* **1** alteração; transformação; **2** tendência para mudar com facilidade; **~ *genética*** alteração súbita na composição genética de um indivíduo, sem relação com os ascendentes

mutante *s. 2 gén.* **1** ser vivo que sofreu mutação, apresentando caracteres marcadamente diferentes dos dos seus ascendentes; **2** célula ou gene portador de mutação

mutável *adj. 2 gén.* **1** que pode mudar; alterável; **2** (gene) que pode sofrer mutação

mutilação *s. f.* **1** amputação de alguma parte do corpo; **2** *(fig.)* alteração para pior; deterioração

mutilado *adj.* **1** que sofreu mutilação; que foi privado de algum membro; **2** *(fig.)* estragado; deteriorado

mutilar I *v. tr.* **1** causar mutilação a; cortar (total ou parcialmente) um membro; **2** *(fig.)* estragar; deturpar; **II** *v. refl.* causar mutilação a si próprio

mutismo *s. m.* **1** qualidade ou estado de mudo; mudez; **2** MED. atitude de de imobilidade e ausência de reacção, acompanhada de silêncio, que ocorre em algumas doenças mentais

mutuamente *adv.* reciprocamente

mútuo *adj.* que se faz entre duas ou mais pessoas; recíproco

Mx FÍS. [*símbolo de* **maxwell**]

N

n *s. m.* décima quarta letra e décima primeira consoante do alfabeto

N **I** GEOG. [*símbolo de* **Norte**]; **II** QUÍM. [*símbolo de* **azoto**]; **III** MAT. [*símbolo de* **número inteiro indeterminado**]

nº [*abrev. de* **n**úmero]

Na QUÍM. [*símbolo de* **sódio**]

nabiça *s. f.* **1** BOT. planta herbácea, cujas folhas são usadas na alimentação; **2** BOT. rama de nabo que ainda não atingiu desenvolvimento completo

nabo *s. m.* **1** BOT. planta herbácea de folhas verdes rugosas e raiz carnuda, arredondada ou pontiaguda, branca ou rosada; **2** BOT. raiz comestível dessa planta; **3** *(coloq.)* pessoa estúpida; palerma ❖ *(coloq.)* ***tirar nabos da púcara*** interrogar alguém disfarçada ou indirectamente

nação *s. f.* **1** conjunto de pessoas subordinadas a uma mesma autoridade; **2** território definido onde habitam essas pessoas; país; pátria; **3** conjunto de pessoas ligadas pela mesma língua e por tradições comuns; povo

nacional **I** *adj. 2 gén.* **1** relativo ou pertencente a nação; **2** que é natural de um país; **3** que é produzido num país; **II** *s. 2 gén.* pessoa natural de um país; nativo

nacionalidade *s. f.* **1** condição de uma pessoa que pertence a uma nação, por nascimento ou naturalização; **2** série de características que definem uma nação; **3** conjunto dos grupos de pessoas que formam uma nação

nacionalismo *s. m.* **1** preferência pelo que é próprio da nação a que se pertence; patriotismo; **2** POL. doutrina em que se pretende impor a supremacia da nação a que se pertence; **3** POL. movimento que reivindica o direito de um povo de constituir uma nação

nacionalista **I** *adj. 2 gén.* relativo a nacionalismo; patriótico; **II** *s. 2 gén.* pessoa partidária do nacionalismo

nacionalização *s. f.* ECON. apropriação por um Estado de uma indústria ou outra actividade económica anteriormente explorada por uma entidade privada

nacionalizar **I** *v. tr.* **1** tornar nacional; **2** ECON. transformar em propriedade do Estado; **3** conceder (a estrangeiro) o direito de cidadania; naturalizar; **II** *v. refl.* adquirir os direitos e privilégios de cidadão nacional; naturalizar-se

naco *s. m.* pedaço; bocado

nada **I** *pron. indef.* expressa negação ou ausência de qualquer coisa; coisa nenhuma; **II** *adv.* de modo nenhum; não; **III** *s. m.* **1** o que não existe; **2** nenhuma coisa; **3** pequena porção ou quantidade; **4** coisa sem importância; bagatela ❖ ***coisa de ~*** coisa mínima ou sem importância; ***como se ~ fosse*** sem dar atenção ou importância a; ***de ~!*** exclamação em resposta a um agradecimento; ***~ de***

novo nenhuma novidade; **~ *feito*** sem resultado; **~ *mais* ~ *menos*** precisamente; ***não dar* ~ *por*** não atribuir valor a; ***não dar por* ~** não notar/reparar; ***por tudo e por* ~** por qualquer coisa

nadador *s. m.* pessoa que pratica natação

nadador-salvador *s. m.* {*pl.* nadadores-salvadores} pessoa que vigia a praia e realiza operações de salvamento; banheiro; salva-vidas

nadar **I** *v. intr.* **1** sustentar-se e mover-se na água através de movimentos coordenados de braços e pernas; **2** estar mergulhado num líquido; **3** (peça de vestuário ou calçado) estar muito largo; **II** *v. tr.* percorrer (uma dada distância) deslocando-se à superfície ou dentro de um líquido ❖ ***ficar a* ~** ficar sem perceber nada; **~ *como um prego*** não saber nadar; **~ *contra a maré*** tentar conseguir algo, apesar das contrariedades; *(fig.)* **~ *em*** ter em grande quantidade

nádega *s. f.* **1** ANAT. cada uma das partes carnudas e arredondadas, que formam a parte superior e posterior das coxas; **2** [*pl.*] traseiro; rabo

nado *s. m.* **1** acto de nadar; **2** distância que se pode percorrer nadando

nado-morto *s. m.* {*pl.* nados-mortos} feto que nasceu sem vida

nafta *s. f.* QUÍM. mistura de hidrocarbonetos resultante da destilação do petróleo natural

naftalina *s. f.* QUÍM. substância extraída do alcatrão da hulha, utilizada como repelente de insectos

naifa *s. f.* *(pop.)* navalha; faca

náilon *s. m.* vd. **nylon**

naipe *s. m.* sinal gráfico pelo qual se distinguem cada um dos quatro grupos de cartas de um baralho

naira *s. m.* unidade monetária da Nigéria

nalgum *contr. da prep.* **em** + *pron. indef.* **algum**

namoradeiro *adj.* que gosta de namorar

namorado *s. m.* pessoa com quem se mantém um relacionamento amoroso

namorar **I** *v. tr.* **1** manter uma relação amorosa com; **2** *(fig.)* desejar muito; cobiçar; **II** *v. intr.* manter uma relação amorosa com alguém

namorico *s. m.* relação amorosa passageira, à qual não se atribui grande valor

namoriscar *v. tr. e intr.* manter uma relação amorosa passageira

namoro *s. m.* **1** relação amorosa; **2** *(pop.)* pessoa com quem se mantém um relacionamento amoroso

nanar *v. intr. (infant.)* dormir

nanquim *s. m.* tinta preta utilizada em desenhos e aguarelas; tinta-da-china

não **I** *adv.* **1** exprime negação ou recusa (partícula oposta à afirmativa *sim*); de modo nenhum; **2** indica dúvida ou reforça uma pergunta; **II** *s. m.* recusa; negativa ❖ ***a* ~ *ser que*** excepto se; ***levar um* ~** sofrer uma recusa; ***pelo sim, pelo* ~** por causa das dúvidas; ***quando* ~** caso contrário

não-agressão *s. f.* {*pl.* não-agressões} POL. intenção declarada entre dois países de não iniciarem hostilidades

não-alinhado *s. m.* {*pl.* não-alinhados} POL. Estado que não adere à orientação política de um bloco de países ou de uma grande potência, mantendo a neutralidade

não-cumprimento *s. m.* {*pl.* não--cumprimentos} recusa em cumprir (uma lei, um regulamento); desobediência

não-fumador *s. m.* {*pl.* não-fumadores} pessoa que não fuma

não-sei-quê *s. m.* {*pl.* não-sei-quês} coisa indefinida, incerta ou duvidosa

não-violência *s. f.* {*pl.* não-violências} rejeição sistemática de quaisquer métodos violentos como forma de reacção

napa *s. f.* **1** pele fina e macia, usada na confecção de luvas, bolsas, etc.; **2** material sintético semelhante a essa pele

naperon *s. m.* pano bordado ou de renda que se coloca sobre um móvel para proteger ou decorar

naquele *contr. da prep.* **em** + *pron. dem.* **aquele**

naquilo *contr. da prep.* **em** + *pron. dem.* **aquilo**

narcisismo *s. m.* amor excessivo por si próprio

narcisista *adj. 2 gén.* que sente uma admiração excessiva por si próprio

narciso *s. m.* **1** BOT. planta de folhas estreitas, compridas e pontiagudas, com flores solitárias e aromáticas, amarelas ou brancas; **2** BOT. flor dessa planta

narcótico I *adj.* **1** que reduz ou elimina a sensibilidade; **2** que entorpece ou faz dormir; **II** *s. m.* **1** MED., FARM. substância que reduz ou elimina a sensibilidade; substância que faz dormir; **2** substância com efeito entorpecedor que pode causar dependência; droga

narcotraficante *s. 2 gén.* pessoa que se dedica ao tráfico de narcóticos ou drogas proibidas

narcotráfico *s. m.* tráfico de narcóticos ou drogas proibidas

narigudo *adj.* que tem um nariz grande

narina *s. f.* ANAT. cada um dos dois orifícios que fazem a comunicação entre as fossas nasais e o exterior

nariz *s. m.* **1** ANAT. parte saliente do rosto entre os olhos e a boca e que constitui o órgão do olfacto; **2** sentido do olfacto ❖ ***chegar a mostarda ao ~*** fazer zangar; zangar-se; ***dar/bater com o ~ na porta*** não encontrar o que se procurava; ***meter o ~ em*** intrometer-se em; ***não ver um palmo à frente do ~*** ser estúpido, não discorrer; ***torcer o ~*** mostrar desagrado

narração *s. f.* **1** processo de narrar; **2** exposição oral ou escrita de uma série de acontecimentos, apresentados de forma mais ou menos sequencial; história

narrador *s. m.* pessoa que narra, conta ou relata

narrar *v. tr.* contar; relatar; descrever

narratário *s. m.* LIT. destinatário de um texto narrativo

narrativa *s. f.* **1** exposição de uma série de acontecimentos reais ou imaginários, mais ou menos encadeados; história; **2** LIT. texto em que se expõe um universo constituído por personagens e eventos reais ou imaginários situados no tempo e no espaço; prosa

narratividade *s. f.* **1** qualidade do que é narrativo; **2** LIT. conjunto das características específicas da narrativa

narrativo *adj.* **1** relativo a narração; **2** LIT. (género, texto) que tem carácter de narração

narratologia *s. f.* LIT. disciplina que se dedica ao estudo da narrativa

narval *s. m.* ZOOL. mamífero cetáceo dos mares boreais, cujo macho possui um dente muito desenvolvido na maxila superior

nasal *adj. 2 gén.* **1** relativo ao nariz; **2** LING. (som) modificado pelo nariz

nasalação *s. f.* produção de um som nasal

nascença *s. f.* **1** nascimento; **2** origem; começo ❖ ***à ~*** no princípio; ***de ~*** congénito

nascente I *adj. 2 gén.* **1** que nasce; **2** que começa a aparecer; **II** *s. m.* lado do horizonte onde o Sol nasce; levante; **III** *s. f.* **1** GEOL. lugar onde brota água; fonte; **2** *(fig.)* lugar onde alguma coisa tem origem; princípio

nascer I *v. intr.* **1** (ser animado) começar a ter vida exterior; vir ao mundo; **2** (planta) rebentar; germinar; **3** (água) brotar; **4** (Sol, astro) aparecer no horizonte; **5** ter origem; principiar; **6** derivar; provir; **7** aparecer; surgir; **8** ter aptidão natural para; **II** *s. m.* **1** nascimento; **2** aparecimento ❖ ***não ter nascido ontem*** não ser ingénuo; ***~ em berço de ouro*** nascer rico

nascimento *s. m.* **1** início da vida autónoma de um ser vivo; **2** origem; procedência; **3** (de astro) aparecimento; **4** *(fig.)* começo; início

nassa *s. f.* espécie de cesto de verga para apanhar peixe

nata *s. f.* **1** camada gordurosa, branca ou amarelada, que se forma à superfície do leite; **2** *(fig.)* a melhor parte de algo; **3** *(fig.)* conjunto de pessoas com maior poder ou prestígio num dado grupo social; elite; **4** [*pl.*] CUL. alimento à base de gordura de leite concentrada

natação *s. f.* **1** DESP. actividade que consiste em nadar; **2** sistema de locomoção próprio dos animais aquáticos

natal *adj. 2 gén.* relativo ao local ou data do nascimento

Natal *s. m.* **1** RELIG. festa anual em que se comemora o nascimento de Jesus Cristo (25 de Dezembro); **2** época em que se celebra essa festa

natalício *adj.* **1** relativo ao dia do nascimento; **2** relativo ao Natal

natalidade *s. f.* número de nascimentos ocorridos em determinado período de tempo numa dada região; ***taxa de ~*** relação entre o número de nados vivos e o total da população num dado lugar, em determinado período

natividade *s. f.* **1** dia ou época do nascimento (especialmente de Cristo e dos santos); **2** festa do Natal

nativo I *adj.* **1** relativo ao lugar onde nasceu; **2** natural; originário; **3** (locutor, pessoa) que fala a sua língua materna; **II** *s. m.* **1** pessoa nascida no lugar ou país que habita; natural; **2** ASTROL. pessoa nascida sob determinado signo do zodíaco

nato *adj.* **1** que nasceu com a pessoa; natural; congénito; **2** que é próprio da natureza ou das funções do cargo; inerente

NATO [*sigla de* **N**orth **A**tlantic **T**reaty **O**rganization] Organização do Tratado do Atlântico Norte

natural I *adj. 2 gén.* **1** relativo a natureza; produzido pela natureza; **2** que nasce com a pessoa; inato; **3** segundo o uso ou a norma; normal; **4** próprio; **5** simples; **6** originário; **7** provável; **8** sem mistura; puro; **9** (bebida) que está à temperatura ambiente; **II** *s. 2 gén.* **1** pessoa que nasceu no lugar ou país que habita; nativo; **2** tendência inata; **3** maneira de ser; **4** realidade

naturalidade *s. f.* **1** estado ou condição do que é natural; **2** simplicidade; espontaneidade; **3** local de nascimento

naturalismo *s. m.* ART. PLÁST., LIT. movimento surgido na segunda metade do século XIX, que defendia a imitação directa e o mais fiel possível da natureza

naturalista I *adj. 2 gén.* relativo ao naturalismo; **II** *s. 2 gén.* **1** pessoa que se dedica ao estudo das ciências naturais; **2** ART. PLÁST., LIT. pessoa partidária do naturalismo

naturalização *s. f.* acto pelo qual uma pessoa se torna legalmente cidadão de um país estrangeiro

naturalizado *adj.* (pessoa) que se tornou cidadão de um país estrangeiro

naturalizar I *v. tr.* conceder (a pessoa estrangeira) o direito de cidadania; **II** *v. refl.* tornar-se cidadão de país estrangeiro

natureza *s. f.* **1** conjunto de todos os seres que constituem o universo; **2** sistema das leis que regem e explicam o conjunto do mundo exterior; **3** mundo exterior ao homem; **4** conjunto dos elementos ou qualidades constitutivas de um ser, que o definem; essência; **5** espécie; tipo

natureza-morta *s. f.* {*pl.* naturezas--mortas} ART. PLÁST. representação de seres inanimados

naturismo *s. m.* teoria que propõe um regime de vida próximo da natureza

naturista I *adj. 2 gén.* **1** relativo ao naturismo; **2** que defende o naturismo; **II** *s. 2 gén.* pessoa que defende o naturismo

nau *s. f.* NÁUT. embarcação antiga, de velas redondas quadrangulares

naufragar *v. intr.* **1** (embarcação) ir ao fundo; afundar; **2** (tripulante) sofrer naufrágio; **3** *(fig.)* fracassar

naufrágio *s. m.* **1** perda de um navio no mar; **2** *(fig.)* desgraça; ruína

náufrago *s. m.* pessoa que sobreviveu a um naufrágio

náusea *s. f.* **1** vontade de vomitar; enjoo; **2** nojo; repugnância

nauseabundo *adj.* **1** que produz náuseas; **2** nojento; repugnante

náutica *s. f.* arte ou ciência de navegar

náutico *adj.* relativo a navegação

naval *adj. 2 gén.* relativo a navio ou a navegação; ***batalha ~*** jogo entre duas pessoas em que cada uma dispõe peças num espaço quadriculado, tentando adivinhar a disposição do jogo do adversário

navalha *s. f.* instrumento cortante constituído por um cabo com uma fenda longitudinal em que se pode resguardar a lâmina

navalhada *s. f.* golpe de navalha

navalheira *s. f.* ZOOL. caranguejo grande, de cor relativamente escura

nave *s. f.* **1** (astronaútica) veículo, tripulado ou não, apto para explorar o espaço e para fazer viagens entre planetas; **2** ARQ. espaço longitudinal entre muros ou filas de colunas e arcadas que sustentam a abóbada de igrejas ou templos

navegação *s. f.* **1** NÁUT. viagem ou transporte sobre as águas (de mar, lago ou rio); **2** arte ou ciência de dirigir um barco; **3** comércio aéreo ou marítimo; **4** INFORM. acção de percorrer a Internet através de uma aplicação adequada (browser)

navegador I *adj.* que navega; **II** *s. m.* **1** pessoa que navega; **2** pessoa que é perita em navegação marítima ou aérea; **3** DESP. tripulante de automóvel em prova de rali que informa o piloto (motorista) das características do trajecto; **4** *(Bras.)* INFORM. browser

navegar I *v. tr.* percorrer (mar, atmosfera) em veículo próprio; **II** *v. intr.* **1** viajar sobre água, na atmosfera ou no espaço, com veículo adequado; **2** dirigir meio de transporte aquático ou aéreo; **3** INFORM. percorrer páginas da Internet através de uma aplicação adequada (browser)

navegável *adj. 2 gén.* por onde se pode navegar

navio *s. m.* embarcação de grande porte; ~ ***de guerra*** navio próprio para entrar em combate ou destinado a serviços militares; ~ ***mercante*** embarcação utilizada no transporte de mercadorias, de passageiros, ou de ambos ❖ *(coloq.)* ***ficar a ver navios*** não obter o que se desejava; sofrer uma decepção

navio-escola *s. m.* {*pl.* navios-escola} navio da marinha de guerra onde os candidatos a tripulantes fazem a sua instrução

nazi I *s. 2 gén.* pessoa partidária do nazismo; **II** *adj. 2 gén.* relativo a nazismo

nazismo *s. m.* POL. doutrina político-social, imperialista e totalitária, baseada em ideias de superioridade de raça, que foi adoptada pelo partido nacional-socialista fundado por Hitler (1889-1945); nacional-socialismo

Nb QUÍM. [*símbolo de* **nióbio**]

Nd QUÍM. [*símbolo de* **neodímio**]

Ne QUÍM. [*símbolo de* **néon**]

NE GEOG. [*símbolo de* **nordeste**]

neblina *s. f.* METEOR. névoa densa e rasteira

nebulosa *s. f.* ASTRON. mancha esbranquiçada e difusa, semelhante a uma nuvem, produzida por corpos siderais, gases, estrelas e poeiras

nebulosidade *s. f.* **1** METEOR. qualidade ou estado do que é nebuloso; **2** METEOR. porção de céu coberto por nuvens; **3** *(fig.)* falta de clareza ou de rigor

nebuloso *adj.* **1** (céu) enevoado; nublado; **2** pouco nítido; indistinto; **3** *(fig.)* enigmático; obscuro

necessário I *adj.* **1** indispensável; imprescindível; **2** importante; útil; **3** obrigatório; **II** *s. m.* **1** o que é preciso ou requerido; **2** o que é essencial ou básico

necessidade *s. f.* **1** aquilo que é absolutamente necessário; **2** carência; falta; **3** pobreza; miséria; **4** obrigação ❖ ***por*** ~ por imposição material ou moral

necessitar I *v. tr.* **1** ter necessidade de; precisar de; **2** exigir; requerer; **3** tornar necessário ou imprescindível; **II** *v. intr.* sofrer privações

necrofobia *s. f.* MED. medo patológico e obsessivo da morte ou dos mortos

necrologia *s. f.* **1** registo das pessoas falecidas numa determinada data ou durante um dado período; **2** parte de uma publicação periódica onde se noticiam falecimentos

necrópole *s. f.* ARQUEOL. escavação subterrânea onde se sepultavam os mortos nas cidades antigas

necrose *s. f.* MED. morte e decomposição de células e tecidos

néctar *s. m.* **1** BOT. suco doce e aromatizado com óleos essenciais, segregado por um órgão que se encontra nas flores ou plantas (nectário); **2** *(fig.)* bebida saborosa; **3** *(fig.)* delícia

nectarina *s. f.* BOT. fruto de casca lisa, sem pêlo, com caroço descolado da polpa; pêssego careca

neerlandês I *s. m.* {*f.* neerlandesa} **1** pessoa natural dos Países Baixos (Holanda); **2** língua falada nos Países Baixos; holandês; **II** *adj.* relativo aos Países Baixos; holandês

nefasto *adj.* **1** prejudicial; nocivo; **2** triste; trágico

nega *s. f.* **1** *(coloq.)* recusa; rejeição; **2** *(acad.)* nota negativa

negação *s. f.* **1** afirmação de que algo não é verdadeiro ou não existe; **2** recusa; rejeição; **3** falta de aptidão; incapacidade

negar I *v. tr.* **1** afirmar que algo não é verdadeiro ou não existe; **2** contradizer; **3** recusar; rejeitar; **II** *v. intr.* dizer que não; **III** *v. refl.* recusar-se

negativa *s. f.* **1** negação; recusa; **2** GRAM. partícula que indica negação; **3** *(acad.)* nota escolar abaixo do nível médio

negativo I *adj.* **1** que exprime negação; **2** nulo; sem efeito; **3** que produz efeito contrário; contraproducente; **4** (pessoa) pessimista; **5** MAT. (número) menor que zero; **6** METEOR. (temperatura) inferior a zero; **II** *s. m.* FOT. prova em que as partes claras do objecto fotografado aparecem escuras e vice-versa

negligência *s. f.* falta de cuidado ou de atenção; descuido

negligenciar *v. tr.* não cuidar de; não dar atenção a; descurar

negligente *adj. 2 gén.* **1** descuidado; desleixado; **2** desatento; desinteressado

negociação *s. f.* **1** acção de comprar, vender ou trocar; transacção; **2** [*pl.*] conversações diplomáticas entre representantes de Estados para estabelecer um acordo ou tratado

negociador *s. m.* pessoa que se ocupa de negócios de outras pessoas; intermediário

negociante *s. 2 gén.* pessoa que se dedica a uma actividade comercial; comerciante

negociar I *v. tr.* **1** comprar ou vender; transaccionar; **2** favorecer o andamento ou a conclusão de um assunto ou projecto para obter um acordo; **II** *v. intr.* fazer negócios

negociata *s. f.* transacção ou negociação, geralmente fraudulenta

negociável *adj. 2 gén.* que se pode negociar ou transaccionar

negócio *s. m.* **1** actividade de troca, venda ou compra de produtos, mercadorias ou valores destinada à obtenção de lucro; comércio; **2** local onde se realiza essa actividade; empresa; **3** actividade; ocupação; ***~ da China*** negócio que dá muito lucro; ***ter olho para o ~*** ter jeito para seleccccionar e realizar negócios lucrativos

negrito *s. m.* TIP. tipo de impressão de traço mais grosso que o normal

negro I *adj.* **1** (cor) escuro; preto; **2** (pessoa) de raça negra; **3** *(fig.)* triste; **4** *(fig.)* fúnebre; **II** *s. m.* **1** cor mais escura de todas; preto; **2** pessoa que se caracteriza por ter a pele muito pigmentada; pessoa de raça negra; **3** TIP. tipo de impressão de traço mais grosso que o normal

nele *contr. da prep.* **em** + *pron. pess.* **ele**

nem I *conj.* indica adição em sentido negativo ⟨*não viu nem ouviu nada*⟩; **II** *adv.* **1** não; **2** nenhum ❖ ***~ que*** ainda que; mesmo que; ***~ um*** ao menos; pelo menos; ***que ~*** como; do mesmo modo

nenhum *pron. indef.* **1** nem um; **2** inexistente; nulo; **3** ninguém ❖ ***de modo ~*** nunca; de forma nenhuma; ***não fazer ~*** não fazer nada; não trabalhar

nenúfar *s. m.* BOT. planta aquática de folhas arredondadas e flores solitárias, que flutuam à superfície da água

neoclassicismo *s. m.* ART. PLÁST., LIT. movimento surgido na segunda metade do século XVIII que preconizava a imitação dos modelos clássicos

neoclássico I *adj.* relativo ao neoclassicismo; **II** *s. m.* pessoa que segue os modelos do neoclassicismo

neodímio *s. m.* QUÍM. elemento metálico, com o número atómico 60 e símbolo Nd

neolatino *adj.* (língua) que deriva do latim

neolítico *adj.* relativo ao Neolítico

Neolítico *s. m.* ARQUEOL. estádio cultural do homem pré-histórico (5000-2500 a. C.), caracterizado pelo uso da pedra polida

neologia *s. f.* LING. processo de criação de palavras novas ou de novas acepções

neologismo *s. m.* **1** LING. palavra ou expressão nova formada no interior da língua ou importada de outra língua; **2** LING. emprego de palavras ou de expressões novas, derivadas ou não de outras já existentes

néon *s. m.* QUÍM. elemento com o número atómico 10 e símbolo Ne, que é um dos gases nobres

neonazi *s. 2 gén.* pessoa partidária do neonazismo

neonazismo *s. m.* POL. movimento político inspirado nas ideologias racistas do nacional-socialismo, caracterizado por atitudes xenófobas

neoplasma *s. m.* MED. tecido novo de origem patológica; tumor

neoplastia *s. f.* MED. restauração de tecidos orgânicos destruídos através de operação plástica

neozelandês I *s. m.* {*f.* neozelandesa} pessoa natural da Nova Zelândia (Oceano Pacífico); **II** *adj.* relativo à Nova Zelândia

nepalês I *s. m.* {*f.* nepalesa} **1** pessoa natural do Nepal (Ásia Central); **2** língua indo-europeia falada no Nepal; **II** *adj.* relativo ao Nepal

népia *s. f.* (*coloq.*) coisa nenhuma; nada

nepotismo *s. m.* preferência dada por favor e não por mérito; favoritismo

neptúnio *s. m.* QUÍM. elemento radioactivo, artificial, com o número atómico 93 e símbolo Np

Neptuno *s. m.* **1** ASTRON. planeta do nosso sistema solar, entre o Úrano e o Plutão; **2** MITOL. deus do mar, segundo os Romanos

nereide *s. f.* ZOOL. verme marinho com o corpo dividido em anéis

nervo *s. m.* **1** ANAT. órgão em forma de cordão, condutor e transmissor de impulsos nervosos; **2** (*fig.*) firmeza de atitude; fibra; **3** (*fig.*) parte principal de algo; essência; **4** [*pl.*] sensibilidade à excitação interna ou externa; irritabilidade ❖ ***andar com os nervos à flor da pele*** irritar-se com facilidade; ***causar/meter nervos*** irritar; ***estar uma pilha de nervos*** estar muito irritado

nervosismo *s. m.* **1** estado de inquietação, irritabilidade e tensão; **2** grande agitação; comoção

nervoso *adj.* **1** relativo aos nervos; **2** (pessoa) que se enerva com facilidade; irritável; **3** (comportamento) inquieto; agitado; **4** (órgão vegetal) que possui nervuras

nervura *s. f.* **1** BOT. cada um dos fascículos vasculares que se encontram nas folhas e nos órgãos delas derivados; **2** ZOOL. ramificação que sustenta as membranas das asas dos insectos; **3** ARQ. moldura saliente que separa os panos de uma abóbada; **4** prega muito fina costurada num tecido

néscio *adj. e s. m.* ignorante; estúpido

nêspera *s. f.* BOT. fruto arredondado, carnudo, de casca mole e cor amarelada ou alaranjada, com vários caroços; magnório

nespereira *s. f.* BOT. árvore de folhas persistentes, cujo fruto é a nêspera

nesse *contr. da prep.* **em** + *pron. dem.* **esse**

neste *contr. da prep.* **em** + *pron. dem.* **este**

net *s. f. (coloq.)* Internet

neta *s. f.* filha de filho(a), em relação ao avô ou à avó

netiqueta *s. f.* INFORM. conjunto de regras e conselhos a utilizar na Internet

neto *s. m.* filho de filho(a), em relação ao avô ou à avó

neura *s. f. (pop.)* mau humor acompanhado de irritabilidade

neurocirurgia *s. f.* MED. cirurgia do sistema nervoso

neurocirurgião *s. m.* especialista em cirurgia do sistema nervoso

neurologia *s. f.* MED. especialidade que se dedica ao estudo e tratamento de doenças do sistema nervoso central e periférico

neurologista *s. 2 gén.* especialista em doenças do sistema nervoso

neurónio *s. m.* célula nervosa com todos os seus prolongamentos

neuropatia *s. f.* MED. perturbação do sistema nervoso

neurose *s. f.* MED. distúrbio psicológico caracterizado por perturbações afectivas e emocionais

neurótico *adj.* que manifesta perturbações afectivas e emocionais incontroláveis

neurovegetativo *adj.* relativo ao sistema nervoso autónomo que regula a vida vegetativa (a circulação, as secreções, etc.)

neutral *adj. 2 gén.* **1** imparcial; neutro; **2** (país) que não participa em conflitos existentes entre outros países; não-alinhado

neutralidade *s. f.* **1** qualidade de neutral; imparcialidade; **2** situação de um país que não toma parte nas hostilidades entre outros países; não-alinhamento

neutralização *s. f.* **1** acto de colocar em posição neutra ou imparcial; **2** perda de propriedades ou de utilidade; anulação; **3** QUÍM. reacção química em que não se manifestam propriedades ácidas nem básicas; **4** MIL. redução da força inimiga, por meio de uma ofensiva

neutralizar *v. tr.* **1** colocar em posição neutra ou imparcial; **2** anular; extinguir; **3** QUÍM. tornar neutro (ácido ou base); **4** MIL. destruir ou reduzir (força inimiga) por meio de ataque

neutrão *s. m.* FÍS. partícula elementar de massa ligeiramente maior que a do protão, sem carga eléctrica, existente nos átomos

neutro I *adj.* **1** que não toma partido; imparcial; **2** (país) que não participa em conflitos existentes entre outros países; **3** indefinido; vago; **4** (cor) que não é muito forte; **5** GRAM. (género) que se opõe ao masculino e ao feminino; **6** QUÍM. que não é ácido nem alcalino; **7** FÍS. (corpo) que não apresenta carga eléctrica positiva nem negativa; **II** *s. m.* **1** GRAM. género, existente em algumas línguas, que se opõe ao feminino e ao masculino; **2** ELECTR. fio condutor que, numa instalação eléctrica, está ligado à terra

nevada *s. f.* **1** queda de neve; **2** quantidade de neve caída de uma vez

nevão *s. m.* grande queda de neve; tempestade de neve

nevar *v. intr.* cair neve

neve *s. f.* **1** METEOR. água congelada em pequenos cristais nas altas camadas da troposfera, e que, em certas condições, cai em flocos brancos e leves; **2** camada mais ou menos espessa desses flocos sobre uma superfície; **3** *(fig.)* frio intenso; **4** *(fig.)* brancura extrema

névoa *s. f.* METEOR. massa de água suspensa em pequenas gotas no ar, junto ao solo, menos densa que o nevoeiro

nevoeiro *s. m.* METEOR. suspensão de pequenas gotas de água na camada inferior da atmosfera, junto ao solo, e que reduz a visibilidade

nevralgia *s. f.* MED. dor intensa provocada pela lesão de um nervo

nevrálgico *adj.* MED. relativo a nevralgia; *(fig.)* ***ponto ~*** ponto mais delicado, importante ou perigoso

nevrite *s. f.* MED. inflamação de um nervo

nexo *s. m.* **1** ligação; conexão; **2** relação lógica; sentido

ngultrum *s. m.* unidade monetária do Butão

ni [ni'u] *s. m.* décima terceira letra do alfabeto grego, correspondente ao *n*

Ni QUÍM. [*símbolo de* **níquel**]

NIB [*sigla de* **N**úmero de **I**dentificação **B**ancária]

nica *s. f.* *(pop.)* coisa insignificante; bagatela; ninharia

nicho *s. m.* cavidade aberta numa parede para colocação de uma imagem, estátua, vela, etc.

nicles *adv.* *(pop.)* coisa nenhuma; nada

nicotina *s. f.* QUÍM. substância extraída do tabaco, incolor e de cheiro intenso

niilismo *s. m.* FIL. doutrina que nega a existência de qualquer realidade substancial

niilista I *adj. 2 gén.* relativo ao niilismo; **II** *s. 2 gén.* pessoa partidária do niilismo

nimbo *s. m.* **1** METEOR. nuvem escura, espessa, baixa, de contornos vagos, que se desfaz em chuva ou neve; **2** círculo dourado que rodeia as cabeças dos santos; auréola

ninfa *s. f.* **1** MITOL. divindade feminina grega que habitava os rios, fontes, bosques e montanhas; **2** ZOOL. insecto no estádio intermédio entre a larva e a fase adulta

ninfomaníaco *adj.* que tem um desejo sexual compulsivo e excessivo

ninguém *pron. indef.* **1** nenhuma pessoa; **2** qualquer pessoa

ninhada *s. f.* **1** conjunto dos animais nascidos do mesmo parto; **2** ovos ou aves recém-nascidas contidas num ninho; **3** *(coloq.)* grande número de filhos; **4** *(fig.)* grande quantidade

ninharia *s. f.* coisa de pouco valor; bagatela; insignificância

ninho *s. m.* **1** pequena construção feita pelas aves para pôr os ovos e criar os filhos; **2** lugar onde se recolhem e dormem certos animais; **3** *(fig.)* abrigo

nióbio *s. m.* QUÍM. elemento com o número atómico 41 e símbolo Nb, que é um metal raro

nipónico I *s. m.* {*f.* nipónica} pessoa natural do Japão; **II** *adj.* relativo ao Japão

níquel *s. m.* QUÍM. elemento com o número atómico 28 e símbolo Ni, que é um metal esbranquiçado, magnético, pouco alterável ao ar

niquento *adj.* **1** que se preocupa com ninharias; **2** esquisito

nirvana *s. m.* (budismo) extinção do desejo, da aversão e da ignorância que conduz à libertação de todo o sofrimento

nisso *contr. da prep.* **em** + *pron. dem.* **isso**

nisto *contr. da prep.* **em** + *pron. dem.* **isto**

nitidez *s. f.* **1** precisão; exactidão; **2** clareza; limpidez

nítido *adj.* **1** transparente; **2** definido; **3** evidente

nitrato *s. m.* QUÍM. sal derivado do ácido nítrico
nitrogénio *s. m.* QUÍM. vd. **azoto**
nitroglicerina *s. f.* QUÍM. substância líquida com propriedades explosivas, usada na preparação de dinamite
nível *s. m.* **1** instrumento para verificar se um plano está horizontal ou vertical; **2** valor atingido relativamente a um ponto de referência; **3** posição de alguém ou algo; **4** altura relativa numa escala de valores; **5** cada um dos graus de um grupo organizado segundo uma ordem hierárquica; ~ ***de vida*** condições de vida determinadas pelos bens e serviços a que os rendimentos de uma pessoa dão acesso ❖ ***a todos os níveis*** em todos os sentidos; ***de*** ~ de grau ou categoria superior
nivelamento *s. m.* **1** acto de tornar plano; aplainação; **2** acto de colocar ao mesmo nível; equiparação
nivelar *v. tr.* **1** pôr ao mesmo nível; aplanar; **2** colocar no mesmo plano; equiparar
NNE GEOG. [*símbolo de* **nor-nordeste**]
NNO GEOG. [*símbolo de* **nor-noroeste**]
NNW GEOG. [*símbolo de* **nor-noroeste**]
no *contr. da prep.* **em** + *art. def.* **o**
No QUÍM. [*símbolo de* **nobélio**]
NO GEOG. [*símbolo de* **noroeste**]
nó *s. m.* **1** laço apertado com fio; **2** BOT. zona do tronco de onde saem os ramos; **3** ANAT. articulação das falanges dos dedos; **4** ponto onde convergem vias de comunicação; **5** laço; vínculo; **6** embaraço; dificuldade; **7** NÁUT. unidade de velocidade constante correspondente a 1 milha marítima por hora; ~ ***de ligação*** conjunto de estradas, na vizinhança de um cruzamento a níveis diferentes, que assegura a ligação das vias que aí se cruzam; ~ ***na garganta*** sensação de pressão na garganta, por efeito de qualquer comoção ❖ ***dar o*** ~ casar(-se)
nobel I *s. m.* prémio que é atribuído anualmente às pessoas que se destacaram pelo seu contributo nos domínios da Física, Medicina, Literatura, Química, Economia e Paz; **II** *s. 2 gén.* pessoa galardoada com aquele prémio
nobélio *s. m.* QUÍM. décimo elemento radioactivo artificial, com o número atómico 102 e símbolo No
nobre I *adj. 2 gén.* **1** relativo a nobreza; **2** ilustre; digno; **3** notável; distinto; **4** majestoso; magnânime; **5** elevado; sublime; **6** TV (horário) que tem maior audiência; **II** *s. 2 gén.* pessoa que pertence à nobreza
nobreza *s. f.* **1** classe formada pelos nobres; **2** distinção; dignidade; **3** elevação de sentimentos; **4** grandeza; majestade; **5** generosidade
noção *s. f.* **1** conhecimento elementar que se tem de uma coisa; **2** ideia; conceito; **3** [*pl.*] conhecimento básico
nocaute *s. m.* DESP. vd. **knock-out**
nocivo *adj.* prejudicial; maléfico
noctívago *adj. e s. m.* **1** que ou o que anda de noite ou que tem hábitos noturnos; **2** que ou o que gosta da vida nocturna, frequentando locais de diversão que funcionam durante esse período
nocturno I *adj.* que se faz ou sucede de noite; **II** *s. m.* MÚS. composição de carácter melancólico
nódoa *s. f.* **1** sinal deixado por um corpo que suja; mancha; **2** *(fig.)* desonra; vergonha; **3** *(coloq.)* pessoa incompetente; ~ ***negra*** mancha de coloração variável, que aparece na pele ou no interior de alguns órgãos, originada por traumatismo
nódulo *s. m.* **1** pequeno nó; **2** ANAT. estrutura anatómica constituída por

uma massa de células que tem uma dada função; 3 MED. pequena saliência em forma de nó

nogado *s. m.* CUL. bolo de nozes, amêndoas ou pinhões, misturados com açúcar ou mel

nogueira *s. f.* 1 BOT. árvore de tronco robusto acinzentado, copa ampla e arredondada, cujo fruto é a noz; 2 madeira dessa árvore

noitada *s. f.* estudo ou divertimento que dura toda a noite; ***fazer uma ~*** passar uma noite sem dormir, em actividade lúdica ou profissional

noite *s. f.* 1 tempo em que o Sol está abaixo do horizonte; 2 actividades de divertimento e lazer realizadas durante esse período de tempo; 3 obscuridade que caracteriza esse espaço de tempo; escuridão; 4 actividades de divertimento e lazer realizadas durante esse período de tempo; ***altas horas da ~*** muito tarde; ***ao cair da ~*** quando anoitece; ***~ e dia*** incessantemente; ***passar a ~ em claro/branco*** passar a noite sem dormir

noitinha *s. f.* fim da tarde; anoitecer

noiva *s. f.* 1 mulher que está para casar; 2 mulher recém-casada

noivado *s. m.* 1 período entre o momento em que é marcada a data do casamento e a altura em que este é celebrado; 2 compromisso mútuo de casamento

noivo *s. m.* 1 homem que está para casar; 2 homem recém-casado; 3 [*pl.*] homem e mulher que têm compromisso de casamento; homem e mulher que casam

nojento *adj.* que causa nojo; repugnante

nojice *s. f.* 1 coisa repugnante; 2 coisa mal executada ou sem valor

nojo *s. m.* 1 repugnância; asco; repulsa; 2 luto

nómada *adj. e s. 2 gén.* que ou pessoa que se desloca permanentemente, ou que não se fixa muito tempo num lugar

nomadismo *s. m.* modo de vida de quem está sempre a mudar de habitação ou de ocupação

nome *s. m.* 1 palavra com que se designam seres, coisas, qualidades, estados ou acções; designação; denominação; 2 linhagem; família; 3 pessoa célebre numa dada época; 4 fama; reputação; 5 apelido; alcunha; 6 GRAM. designação genérica para as categorias de substantivo, adjectivo e pronome; ***~ de baptismo*** o que é atribuído a uma pessoa na altura do baptismo e que precede o nome de família; ***~ de família*** nome comum a todo um grupo familiar; ***~ de guerra*** nome pelo qual uma pessoa é mais conhecida num dado meio; ***~ feio*** palavra ofensiva ou obscena; palavrão ❖ ***chamar nomes a*** insultar; ***chamar os bois pelos nomes*** falar claramente; ***em ~ de*** por respeito a; da parte de; a favor de; ***ganhar ~*** tornar-se célebre

nomeação *s. f.* 1 eleição ou designação de uma pessoa para cargo ou função; 2 escolha de alguém para receber um prémio

nomeadamente *adv.* 1 em particular; especialmente; 2 sobretudo; principalmente

nomeado I *adj.* 1 que foi designado ou indicado; 2 escolhido; seleccionado; II *s. m.* pessoa seleccionada para prémio, cargo ou função

nomear *v. tr.* 1 designar pelo nome; 2 eleger (para cargo ou função); 3 indicar; 4 criar

nomenclatura *s. f.* **1** conjunto dos termos técnicos específicos de uma ciência ou arte; terminologia; **2** lista; catálogo

nominal *adj. 2 gén.* **1** relativo a nome; **2** que só existe em nome; que não é real; **3** ECON. (valor de moeda, de acção) que pode ser diferente do valor real; **4** GRAM. (flexão) relativo à mudança de género e número dos substantivos e adjetivos; **5** (sistema de votação) em que o nome do votante é indicado por meio de chamada; **6** (cheque) passado no nome de alguém

nominativo *s. m.* GRAM. (declinação) caso que exprime a função de sujeito ou o seu predicativo

nonagenário *s. m.* pessoa que atingiu os noventa anos de idade

nonagésimo I *num. ord.* que, numa série, ocupa a posição imediatamente a seguir à octogésima nona; **II** *num. frac.* que resulta da divisão de um todo por noventa; **III** *s. m.* o que, numa série, ocupa o lugar correspondente ao número 90

nongentésimo I *num. ord.* que, numa série, ocupa a posição imediatamente a seguir à octingentésima nonagésima nona; **II** *num. frac.* que resulta da divisão de um todo por novecentos; **III** *s. m.* o que, numa série, ocupa o lugar correspondente ao número 900

nonilião *num. card. e s. m.* um milhão de octiliões; a unidade seguida de cinquenta e quatro zeros (10^{54})

noningentésimo *num. e s. m.* vd. **nongentésimo**

nono I *num. ord.* que, numa série, ocupa a posição imediatamente a seguir à oitava; **II** *num. frac.* que resulta da divisão de um todo por nove; **III** *s. m.* o que, numa série, ocupa o lugar correspondente ao número 9

nónuplo I *num. mult.* que contém nove vezes a mesma quantidade; **II** *adj.* que é nove vezes maior; **III** *s. m.* valor ou quantidade nove vezes maior

nora *s. f.* **1** esposa do filho, relativamente aos pais deste; **2** engenho de tirar água dos poços ❖ *(coloq.)* ***andar/estar à ~*** ver-se em dificuldades

nordeste *s. m.* **1** GEOG. ponto colateral entre o norte e o leste; **2** vento que sopra desse ponto

nordestino I *s. m.* {*f.* nordestina} pessoa natural do Nordeste do Brasil; **II** *adj.* relativo à região Nordeste do Brasil

nórdico I *s. m.* {*f.* nórdica} pessoa natural dos países do Norte da Europa; **II** *adj.* relativo aos países do Norte da Europa

norma *s. f.* **1** regra de procedimento; princípio; **2** modelo; padrão; **3** GRAM. série de princípios que determinam o que deve ou não ser utilizado numa determinada língua ❖ ***por ~*** geralmente; em regra

normal I *adj. 2 gén.* **1** conforme à norma ou regra; **2** regular; habitual; **3** (pessoa) que não sofre de perturbações a nível físico e/ou psicológico; **II** *s. m.* aquilo que é habitual; **III** *s. f.* GEOM. perpendicular, no ponto de tangência, à recta tangente a uma curva, ou ao plano tangente a uma superfície

normalidade *s. f.* qualidade ou estado de normal

normalização *s. f.* **1** acto de fazer voltar ao estado normal; regularização; **2** estabelecimento de norma(s) para; uniformização

normalizado *adj.* **1** que voltou ao estado normal; regularizado; **2** que obedece às regras de normalização; uniformizado

normalizar **I** *v. tr.* **1** fazer voltar ao estado normal; regularizar; **2** estabelecer norma(s) para; uniformizar; **II** *v. refl.* voltar ao estado normal

normativo *adj.* **1** relativo a normas ou regras; **2** que serve de norma; **3** que estabelece normas ou padrões de comportamento

nor-nordeste *s. m.* {*pl.* nor-nordestes} GEOG. ponto subcolateral entre o norte e o nordeste

nor-noroeste *s. m.* {*pl.* nor-noroestes} GEOG. ponto subcolateral entre o norte e o noroeste

noroeste *s. m.* GEOG. ponto colateral entre o norte e o oeste

nortada *s. f.* vento forte e frio vindo do norte

norte *s. m.* **1** GEOG. ponto cardeal situado na direcção da Estrela Polar e considerado o ponto de orientação de referência; **2** (*fig.*) direcção; rumo ❖ ***perder o ~*** desorientar-se

norte-americano **I** *s. m.* {*pl.* norte-americanos} **1** pessoa natural da América do Norte; **2** pessoa natural dos Estados Unidos da América; **II** *adj.* **1** relativo à América do Norte; **2** relativo aos Estados Unidos da América

nortear *v. tr. e refl.* orientar(-se); guiar(-se)

nortenho **I** *s. m.* pessoa natural do Norte; **II** *adj.* relativo ao Norte

norueguês **I** *s. m.* {*f.* norueguesa} **1** pessoa natural da Noruega; **2** língua falada na Noruega; **II** *adj.* relativo à Noruega

nos *pron. pess.* **1** designa a primeira pessoa do plural e indica o conjunto de pessoas em que se inclui quem fala ou escreve ⟨*viu-nos; encontramo-nos*⟩; **2** usa-se como plural majestático ou de modéstia, substituindo a forma *me*

nós *pron. pess.* **1** designa a primeira pessoa do plural e indica o conjunto de pessoas em que se inclui quem fala ou escreve ⟨*vamos nós; referiram-se a nós*⟩; **2** usa-se como plural majestático ou de modéstia, substituindo a forma *eu*

nosso *pron. poss.* refere-se à primeira pessoa do plural e indica posse ou pertença ⟨*o nosso tempo; a nossa casa*⟩

nostalgia *s. f.* sentimento de tristeza motivado por profunda saudade

nostálgico *adj.* **1** relativo a nostalgia; **2** que sofre de nostalgia

nota *s. f.* **1** breve resumo escrito; apontamento; anotação; **2** observação; comentário; **3** (*acad.*) classificação que exprime o valor de um exame ou trabalho, de acordo com uma escala oficial; **4** atenção; reconhecimento; **5** MÚS. sinal que representa um som musical, a sua duração e altura; **6** (dinheiro) papel que representa um valor fixado por lei; papel-moeda ❖ (*coloq.*) ***estar cheio da ~*** ter muito dinheiro; ***tomar ~ de*** registar por escrito

notabilidade *s. f.* **1** qualidade daquilo que é notável; fama; **2** pessoa notável

notabilizar *v. tr. e refl.* tornar(-se) notável; distinguir(-se)

notar *v. tr.* **1** tomar nota de; anotar; **2** pôr sinal ou nota em; assinalar; **3** prestar atenção a; reparar em; **4** observar

notariado *s. m.* **1** ofício de notário; **2** conjunto dos notários

notarial *adj. 2 gén.* **1** relativo a notário; **2** atestado pelo notário

notário *s. m.* funcionário público que redige e arquiva documentos jurídicos, e que atesta a autenticidade de outros documentos ou actos

notável *adj. 2 gén.* **1** digno de nota ou atenção; **2** que pode ser percebido; apreciável; **3** ilustre; extraordinário

notícia *s. f.* **1** informação sobre facto novo ou recente; novidade; **2** conhecimento do paradeiro ou da situação presente de alguém; **3** relato sobre um acontecimento actual e de interesse público, difundido pelos meios de comunicação social; **4** recordação; lembrança; **~ *de última hora*** informação recente ❖ ***dar ~ de*** dar a conhecer; informar; ***ser ~*** ser novidade; estar em destaque

noticiar *v. tr.* dar a conhecer; informar; anunciar

noticiário *s. m.* relato sobre um conjunto de acontecimentos actuais transmitido por rádio ou televisão

notificação *s. f.* **1** acto de dar a conhecer; participação; **2** DIR. ordem judicial; intimação; **3** documento que contem um aviso; advertência

notificar *v. tr.* **1** dar conhecimento de (notícia, acontecimento); participar; **2** DIR. intimar; **3** avisar; advertir

notoriedade *s. f.* **1** fama; celebridade; **2** publicidade

notório *adj.* **1** evidente; claro; **2** conhecido de todos; público

noutro *contr. da prep.* **em** + *pron. indef.* **outro**

nova *s. f.* notícia recente; novidade

novato I *adj.* **1** que é novo; **2** principiante; inexperiente; **3** *(pej.)* incompetente; **II** *s. m.* **1** pessoa ingénua ou inexperiente; **2** estudante que frequenta pela primeira vez um curso ou uma escola; caloiro; **3** aprendiz de um ofício, sobre o qual ainda não tem muitos conhecimentos

nove I *num. card.* oito mais um; **II** *s. m.* o número 9 e a quantidade representada por esse número; ***prova dos noves*** verificação prática de contas que consiste na extracção dos noves; *(fig.)* processo para confirmar ou não a veracidade de um facto

novecentista *adj. 2 gén.* relativo ao século XX

novecentos I *num. card.* oitocentos mais cem; **II** *s. m. 2 núm.* **1** o número 900 e a quantidade representada por esse número; **2** o século XX

nove-horas *s. f. pl.* **1** requintes; cerimónias; **2** melindre; susceptibilidade; ***cheio de ~*** muito melindroso; demasiado susceptível; muito complicado ou rebuscado

novela *s. f.* **1** LIT. composição do género do romance, mas mais curta e simples do que este; **2** narrativa dramática transmitida em episódios (geralmente diários e num horário fixo) pela televisão ou pela rádio; telenovela

novelista *adj. e s. 2 gén.* que ou pessoa que compõe novelas

novelo *s. m.* **1** bola de fio enrolado; **2** aquilo que se enrola em forma de bola; **3** *(fig.)* enredo

Novembro *s. m.* décimo primeiro mês do ano civil, com trinta dias

novena *s. f.* **1** RELIG. práticas ou exercícios de devoção que se fazem durante nove dias consecutivos; **2** série de nove dias; **3** grupo de nove coisas ou pessoas

noventa I *num. card.* oitenta mais dez; **II** *s. m.* o número 90 e a quantidade representada por esse número

noviciado *s. m.* RELIG. período de preparação pelo qual passam os candidatos ao ingresso numa ordem ou congregação

noviço *s. m.* RELIG. candidato ao ingresso numa ordem ou congregação antes de pronunciar os votos definitvos

novidade *s. f.* **1** qualidade daquilo que é novo; **2** coisa nova; inovação; **3** produto que acaba de ser lançado; **4** primeira informação; notícia; **5** [*pl.*] (*coloq.*) bisbilhotice

novilho *s. m.* **1** ZOOL. animal bovino jovem; bezerro; **2** carne desse animal

novo I *adj.* **1** que tem pouca idade; jovem; **2** recente; moderno; **3** estranho; deconhecido; **4** que tem pouco uso; **5** que está a começar; **II** *s. m.* aquilo que é recente; novidade ❖ ***de ~*** outra vez; novamente; ***~ em folha*** que ainda não foi estreado ou utilizado

novo-rico *s. m.* {*pl.* novos-ricos} pessoa de classe social baixa que enriqueceu rapidamente e que exibe essa riqueza de forma ostensiva

novo-riquismo *s. m.* {*pl.* novos-riquismos} **1** qualidade de quem é novo-rico; **2** estilo de vida ou gosto próprio de novo-rico

noz *s. f.* **1** BOT. fruto da nogueira cuja parte comestível está contida numa casca dura, resistente, rugosa e de cor acastanhada; **2** BOT. miolo comestível desse fruto; **3** quantidade pequena, correspondente ao tamanho desse fruto

noz-moscada *s. f.* {*pl.* nozes-moscadas} **1** BOT. fruto da moscadeira, polposo, que contém apenas uma semente; **2** BOT. semente vermelho-acastanhada, aromática, utilizada como condimento e para fins medicinais

Np QUÍM. [*símbolo de* **neptúnio**]

N.R. (jornalismo) [*abrev. de* **N**ota da **R**edacção]

N.T. [*abrev. de* **N**ota do **T**radutor]

nu I *adj.* **1** (pessoa) que não está vestido; despido; **2** (árvore) sem folhas; **3** descoberto; **4** sem ornamentos; **5** sem disfarce; verdadeiro; **II** *s. m.* **1** estado do que não está vestido; **2** ART. PLÁST. representação da figura humana ou parte dela sem roupa; **3** ART. PLÁST. obra em que é feita essa representção ❖ ***a olho ~*** sem auxílio de qualquer instrumento óptico; ***pôr a ~*** revelar; pôr a descoberto

NU [*sigla de* **N**ações **U**nidas]

nuance *s. f.* **1** gradação de cor; tonalidade; **2** diferença ligeira; subtileza

nublado *adj.* (céu) coberto de nuvens; enevoado

nublar *v. tr. e refl.* **1** (céu) cobrir(-se) de nuvens; **2** (*fig.*) entristecer

nuca *s. f.* ANAT. parte posterior e superior do pescoço

nuclear *adj. 2 gén.* **1** relativo a núcleo; **2** essencial; principal; **3** FÍS., QUÍM. relativo ao núcleo atómico; **4** (arma, bomba) que usa a energia libertada da desintegração ou fusão dos constituintes do núcleo

núcleo *s. m.* **1** parte central; ponto principal; **2** grupo; aglomeração; **3** FÍS. parte central do átomo; **4** (*fig.*) âmago; essência

nudez *s. f.* **1** estado de quem está nu; **2** ausência de vegetação ou folhagem; **3** ausência de ornamentos; simplicidade

nudismo *s. m.* prática da nudez completa ao ar livre

nudista I *adj. 2 gén.* relativo ao nudismo; **II** *s. 2 gén.* pessoa que pratica nudismo

nulidade *s. f.* **1** qualidade do que não tem efeito ou valor; **2** falta de validade; **3** (*coloq.*) pessoa incompetente

nulo *adj.* **1** sem efeito ou valor; **2** nenhum; inexistente; **3** DIR. inválido; **4** (resultado) igual a zero

num *contr. da prep.* **em** + *art. indef.* **um**

numeração *s. f.* **1** acto de numerar; **2** ordenação numérica; **3** processo de escrever e enunciar os números; ~ ***árabe*** sistema de representação dos números através de algarismos; ~ ***romana*** sistema de representação dos números através de sete letras do alfabeto latino

numerado *adj.* colocado por ordem numérica

numerador *s. m.* MAT. termo da fracção que indica as partes que se tomaram daquelas em que se dividiu a unidade

numeral I *s. m.* GRAM. palavra que designa o número, a ordem numa série ou a proporcionalidade numérica; **II** *adj. 2 gén.* relativo a número

numerar *v. tr.* **1** pôr números em; **2** dispor por ordem numérica; **3** enumerar

numérico *adj.* relativo a número

número *s. m.* **1** MAT. expressão de quantidade; **2** grande quantidade (de coisas ou pessoas); **3** GRAM. categoria gramatical que indica a unidade ou a pluralidade; **4** exemplar de uma publicação periódica; **5** cada uma das atracções de um espectáculo (de circo, teatro, etc.); **6** (de calçado, vestuário) medida segundo o tamanho de uma pessoa ❖ ***em números redondos*** aproximadamente

numerologia *s. f.* estudo da simbologia dos números e da sua influência sobre o carácter e o destino humanos

numerólogo *s. m.* especialista em numerologia

numeroso *adj.* em grande número; abundante

numismática *s. f.* ciência que estuda as moedas e as medalhas

nunca *adv.* **1** em tempo algum; jamais; **2** em nenhuma circunstância; **3** nenhuma vez ❖ ***dia de S.*** ~ jamais; ***mais do que*** ~ mais do que em qualquer outra altura passada; ***quase*** ~ raras vezes

núncio *s. m.* **1** embaixador do papa junto de um governo estrangeiro; **2** mensageiro

nupcial *adj. 2 gén.* relativo a casamento

núpcias *s. f. pl.* cerimónias festivas por altura de um casamento

nutrição *s. f.* **1** BIOL. série de transformações bioquímicas pelas quais os alimentos passam, desde que entram na boca até serem assimilados pelas células em forma de nutrientes, assegurando a manutenção do organismo; **2** alimentação; sustento

nutricionismo *s. m.* estudo das necessidades alimentares dos seres humanos e dos problemas associados à nutrição

nutricionista *s. 2 gén.* especialista em problemas de nutrição

nutriente I *adj.* que alimenta; **II** *s. m.* substância indispensável à manutenção das funções vitais do organismo; alimento

nutrir *v. tr.* **1** alimentar; sustentar; **2** produzir alimento para; **3** *(fig.)* acalentar; conservar

nutritivo *adj.* **1** que alimenta; alimentício; **2** relativo a nutrição

nuvem *s. f.* **1** METEOR. conjunto de pequenas gotas de água que se mantêm em suspensão na atmosfera; **2** poeira flutuante no ar; **3** *(fig.)* grande quantidade ❖ ***andar nas nuvens*** andar distraído ou encantado; ***cair das nuvens*** chegar inesperadamente, ficar muito admirado

NW GEOG. [*símbolo de* **noroeste**]

nylon *s. m.* fibra sintética e resistente, utilizada na indústria têxtil; náilon

O

o[1] [ɔ] *s. m.* décima quinta letra e quarta vogal do alfabeto

o[2] [u] **I** *art. def.* antecede um substantivo, indicando referência precisa e determinada ⟨*o avião*⟩; **II** *pron. pess.* designa a terceira pessoa masculina do singular com a função de complemento directo ⟨*ontem vi-o*⟩; **III** *pron. dem.* equivale a *isto, isso, aquilo, aquele*

O I QUÍM. [*símbolo de* **oxigénio**]; **II** GEOG. [*símbolo de* **oeste**]

oásis *s. m.* **1** lugar com água e vegetação no meio de um deserto; **2** *(fig.)* coisa ou lugar agradável

obcecado *adj.* **1** que tem uma ideia fixa; **2** obstinado; teimoso

obedecer *v. intr.* **1** submeter-se à vontade de; **2** cumprir, respeitar (lei, regra, ordem); **3** executar as ordens de alguém

obediência *s. f.* **1** cumprimento (de lei, ordem); **2** submissão; sujeição; **3** dependência

obediente *adj. 2 gén.* **1** que obedece; **2** submisso

obelisco *s. m.* monumento quadrangular, em forma de pilar, que termina numa ponta piramidal

obesidade *s. f.* MED. acumulação excessiva de gordura no organismo

obeso *adj.* que tem excesso de peso; gordo

óbito *s. m.* morte de pessoa; falecimento; ***certidão de ~*** documento que comprova a morte de alguém

obituário *s. m.* registo de óbitos ocorridos num dado período

objecção *s. f.* **1** argumento com que se refuta ou impugna; contestação; **2** dificuldade; dúvida; ***~ de consciência*** recusa de cumprir o serviço militar por razões de consciência

objectar *v. tr.* **1** alegar em sentido contrário; **2** opor-se a

objectiva *s. f.* FOT. lente ou sistema de lentes de uma máquina fotográfica

objectividade *s. f.* **1** qualidade do que é objectivo; **2** característica do que é directo; **3** imparcialidade de opinião ou atitude que não se deixa influenciar por sentimentos ou preferências

objectivo I *adj.* **1** independente das preferências individuais; imparcial; **2** que existe fora do sujeito e independentemente do seu conhecimento; real; **3** (conhecimento, saber) assente no estudo dos fenómenos objectivos; **II** *s. m.* finalidade; propósito

objecto *s. m.* **1** coisa material; **2** o que é afectado ou sofre uma acção; **3** assunto; tema; **4** motivo; causa; **5** propósito; **6** alvo

objector *s. m.* pessoa que se opõe; ***~ de consciência*** indivíduo que se recusa a cumprir o serviço militar por razões de consciência (filosóficas, religiosas, etc.)

oblíqua *s. f.* MAT. recta que forma com outra ou com uma superfície um ângulo agudo e outro obtuso

oblíquo *adj.* **1** inclinado; em diagonal; **2** (olhar) vesgo; **3** GRAM. (caso) que exprime as funções do atributivo, do genitivo e do ablativo

obliteração *s. f.* **1** anulação; inutilização; **2** validação de bilhete ou selo

obliterar *v. tr.* **1** apagar; eliminar; **2** validar (bilhete ou selo)

oblongo *adj.* **1** alongado; **2** oval; elíptico

oboé *s. m.* MÚS. instrumento de sopro, formado por um tubo de madeira, com palheta dupla e chaves

obra *s. f.* **1** resultado de uma acção ou de um trabalho; produto; **2** trabalho literário, científico ou artístico; **3** edifício em construção; **4** acção; feito; **5** [*pl.*] trabalhos de construção civil; **6** [*pl.*] acções; trabalhos ❖ ***mãos à ~!*** para a frente!; ***pôr mãos à ~*** começar o trabalho; ***por ~ e graça de*** por intervenção de; ***ser ~*** ser difícil

obra de arte *s. f.* objecto ou construção executados com perfeição e sentido de estética

obra-prima *s. f.* {*pl.* obras-primas} **1** obra perfeita ou valorizada como tal; **2** o melhor trabalho de um escritor ou de um artista

obrar *v. intr.* expelir excrementos pelo ânus; defecar

obreiro *s. m.* **1** trabalhador; operário; **2** (*fig.*) autor; criador

obrigação *s. f.* **1** imposição; preceito; **2** dever; encargo; **3** ECON. título de crédito que obriga a entidade emissora a pagamento de juros e ao reembolso do capital dentro do prazo preestabelecido; ***estar/ficar em ~*** dever ou ficar a dever favores; ***~ moral*** imperativo de consciência que leva uma pessoa a actuar de acordo com o sentimento do dever, da solidariedade e do respeito para com alguém

obrigado *adj.* **1** imposto (por lei, uso ou pelas circunstâncias); **2** agradecido; **3** necessário; forçoso; **4** contrariado; forçado; ***obrigado!*** exclamação que exprime agradecimento

obrigar **I** *v. tr.* **1** impor a obrigação de; **2** forçar; constranger; **3** comprometer; **II** *v. refl.* **1** contrair obrigação; **2** sujeitar-se; **3** responsabilizar-se

obrigatório *adj.* **1** que tem o poder ou a força legal para obrigar; **2** forçoso; **3** indispensável

obs. [*abrev. de* **obs**ervação]

obscenidade *s. f.* **1** qualidade do que é obsceno; indecência; **2** acto, dito, cena ou imagem obscena

obsceno *adj.* **1** contrário à decência e ao pudor; indecente; **2** que choca pela crueldade ou vulgaridade; chocante

obscurantismo *s. m.* **1** estado de quem vive na escuridão; **2** falta de conhecimento(s); ignorância

obscurantista **I** *adj. 2 gén.* relativo a obscurantismo; **II** *s. 2 gén.* pessoa adepta do obscurantismo

obscurecer *v. tr.* **1** tornar escuro; fazer perder a claridade; **2** tornar obscuro ou confuso

obscuridade *s. f.* **1** ausência de luz; escuridão; **2** (*fig.*) falta de conhecimento(s); ignorância; **3** (*fig.*) falta de clareza ou de lucidez

obscuro *adj.* **1** em que não há luz; com pouca ou nenhuma claridade; **2** (*fig.*) difícil de compreender; **3** (*fig.*) desconhecido

obséquio *s. m.* serviço prestado por amizade ou delicadeza; favor

observação *s. f.* **1** consideração atenta de um facto; exame; **2** momento preliminar da investigação científica; **3** execução ou cumprimento (de ordem, regulamento); **4** comentário; nota; **5** advertência; reparo

observador *adj. e s. m.* que ou pessoa que observa com atenção

observância *s. f.* **1** cumprimento (de ordem, regulamento); **2** RELIG.

cumprimento rigoroso da disciplina de uma ordem religiosa

observar *v. tr.* **1** olhar com atenção para; examinar; **2** espreitar; espiar (em segredo); **3** cumprir (ordem, regulamento); **4** reparar em; notar; **5** advertir

observatório *s. m.* **1** edifício onde se fazem observações astronómicas ou meteorológicas; **2** ponto elevado de onde se observa alguma coisa

observável *adj. 2 gén.* que pode ser observado

obsessão *s. f.* **1** preocupação constante e absorvente; ideia fixa; **2** motivação irresistível para realizar um acto irracional; compulsão

obsessivo *adj.* **1** relativo a obsessão; **2** próprio de obsessão; **3** (ideia, preocupação) que está constantemente no pensamento; que não sai da cabeça; **4** (pessoa) que sofre de obsessão ou de neurose obsessiva

obsoleto *adj.* que está fora de moda; ultrapassado; antiquado

obstáculo *s. m.* **1** aquilo que impede o caminho ou a passagem; barreira; **2** DESP. barreira disposta em série que os atletas têm de transpor; **3** aquilo que impede a realização de algo; entrave

obstante *adj. 2 gén.* que obsta ou impede; ***não ~*** apesar de; contudo

obstar *v. tr. e intr.* **1** causar estorvo a; **2** opor-se; **3** servir de impedimento

obstetra *s. 2 gén.* MED. especialista em obstetrícia

obstetrícia *s. f.* MED. especialidade que se ocupa da gravidez e do parto

obstinação *s. f.* **1** persistência no erro; tenacidade; **2** teimosia; birra

obstinado *adj.* **1** persistente; teimoso; **2** que não cede; inflexível

obstipação *s. f.* MED. dificuldade em defecar; prisão de ventre

obstipar *v. tr.* MED. produzir obstipação em

obstrução *s. f.* **1** impedimento de circulação ou passagem; **2** MED. paragem na progressão normal do conteúdo dos canais de um organismo (especialmente do intestino); **3** *(fig.)* oposição intencional

obstruir *v. tr.* **1** tapar a passagem ou a circulação de; impedir; **2** dificultar; embaraçar

obtenção *s. f.* acto de obter ou conseguir; aquisição

obter *v. tr.* **1** alcançar (o que se pretende ou deseja); conseguir; **2** atingir (um resultado)

obturador *s. m.* **1** FOT. dispositivo que regula o tempo de exposição, interceptando ou deixando livre a passagem dos raios luminosos; **2** (armas de fogo) peça que impede a fuga de gases pela culatra

obturar *v. tr.* **1** tapar ou encher (a cavidade de um dente) com uma substância adequada; **2** impedir a passagem de (luz, gás); **3** fechar; obstruir

obtuso *adj.* **1** que não é agudo ou bicudo; **2** GEOM. (ângulo) que mede mais de 90°; **3** *(fig., pej.)* estúpido; tapado

óbvio *adj.* **1** que salta à vista; evidente; **2** fácil de compreender; claro

ocasião *s. f.* **1** combinação de factos ou circunstâncias num dado momento; **2** oportunidade; ensejo; **3** momento; altura; **4** circunstância; **5** tempo livre; (preço, negócio) ***de ~*** muito vantajoso ❖ ***a ~ faz o ladrão*** as circunstâncias influenciam o comportamento; ***dar ~ a*** originar, causar; ***perder a ~*** não aproveitar uma oportunidade; ***por ~ de*** no tempo de

ocasional *adj. 2 gén.* que acontece por acaso; casual; eventual

ocasionar *v. tr.* **1** dar ocasião a; proporcionar; **2** provocar; originar

ocaso *s. m.* **1** desaparecimento do Sol ou de outro astro no horizonte; **2** lado do horizonte onde o Sol desaparece; poente; **3** *(fig.)* declínio; **4** *(fig.)* fim

occipício *s. m.* ANAT. região posterior ou ínfero-posterior do crânio, em que se verifica a articulação com a coluna vertebral

occipital *adj. 2 gén.* (osso) que se situa na parte posterior e inferior do crânio

oceanário *s. m.* construção semelhante a um aquário de grandes dimensões para albergar e recriar as condições de vida necessárias aos animais marinhos

oceânico *adj.* **1** relativo a oceano; **2** relativo à Oceânia

oceano *s. m.* **1** GEOG. grande massa de água salgada que rodeia os continentes e cobre grande parte da superfície terrestre; mar; **2** GEOG. cada parte dessa extensão de água que cobre uma dada superfície; **3** *(fig.)* grande quantidade de alguma coisa; **4** *(fig.)* vastidão; imensidade

oceanografia *s. f.* ciência que estuda os oceanos

oceanógrafo *s. m.* pessoa que se dedica à oceanografia

ocelo *s. m.* **1** ZOOL. órgão rudimentar da visão de certos animais; **2** BIOL. mancha pigmentar nos órgãos de certos animais (asas de insectos, penas das aves, pele de répteis, etc.)

ocidental **I** *adj. 2 gén.* relativo a ocidente; **II** *s. 2 gén.* pessoa natural do Ocidente

ocidentalizar **I** *v. tr.* dar carácter ocidental a; **II** *v. refl.* adaptar-se à civilização e cultura ocidentais

ocidente *s. m.* zona do horizonte onde o Sol se põe; oeste; poente

Ocidente *s. m.* **1** região de um país ou continente situada a oeste; **2** conjunto de países da Europa ocidental e da América

ócio *s. m.* **1** lazer; desocupação; **2** folga; descanso; **3** preguiça

ociosidade *s. f.* **1** estado de de quem não trabalha nem faz nada de útil; **2** preguiça; mandriice

ocioso *adj.* **1** que não tem que fazer; desocupado; **2** preguiçoso; mandrião; **3** inactivo

oclusão *s. f.* **1** acto ou efeito de fechar; **2** impedimento de passagem ou de circulação

oclusivo *adj.* LING. (som) em cuja produção intervém oclusão ou fechamento momentâneo da cavidade bucal

oco *adj.* **1** que não tem nada dentro; vazio; **2** *(fig.)* que não tem sentido; vão; **3** *(fig.)* fútil; insignificante

ocorrência *s. f.* **1** acontecimento; situação; **2** ocasião; circunstância

ocorrer *v. intr.* **1** acontecer; suceder; **2** vir à memória; lembrar

OCR INFORM. [*sigla de* **O**ptical **C**haracter **R**ecognition] reconhecimento óptico de caracteres

ocre *s. m.* MIN. mineral de cor amarelada, avermelhada ou acastanhada, que se utiliza no fabrico de tintas

octano *s. f.* QUÍM. hidrocarboneto saturado, existente na gasolina

octante *s. m.* vd. **oitante**

octilião *num. card. e s. m.* um milhão de septiliões; a unidade seguida de quarenta e oito zeros (10^{48})

octingentésimo **I** *num. ord.* que, numa série, ocupa a posição imediatamente a seguir à septingentésima nonagésima nona; **II** *num. frac.* que resulta da divisão de um todo por oitocentos; **III** *s. m.* o que, numa série, ocupa o lugar correspondente ao número 800

octogenário *s. m.* pessoa que está na casa dos 80 anos de idade

octogésimo I *num. ord.* que, numa série, ocupa a posição imediatamente a seguir à septuagésima nona; **II** *num. frac.* que resulta da divisão de um todo por oitenta; **III** *s. m.* o que, numa série, ocupa o lugar correspondente ao número oitenta

octogonal *adj. 2 gén.* **1** GEOM. que tem oito ângulos; **2** GEOM. que tem por base um octógono

octógono *s. m.* GEOM. polígono de oito lados e oito ângulos

octossílabo I *s. m.* GRAM. palavra de oito sílabas; **II** *adj.* que tem oito sílabas

óctuplo I *num. mult.* que contém oito vezes a mesma quantidade; **II** *adj.* que é oito vezes maior; **III** *s. m.* valor ou quantidade oito vezes maior

ocular *adj. 2 gén.* **1** relativo à vista; **2** (testemunha) que viu ou assistiu a (facto, crime)

oculista I *s. 2 gén.* pessoa que fabrica ou vende óculos; **II** *s. m.* estabelecimento comercial onde se vendem óculos, lentes de contacto e outros produtos relacionados

óculos *s. m. pl.* sistema de duas lentes fixas numa armação, destinado a auxiliar, corrigir ou proteger a visão

ocultar I *v. tr.* **1** esconder; **2** disfarçar; **3** encobrir de forma fraudulenta (bens, rendimentos); **II** *v. refl.* esconder-se

ocultismo *s. m.* **1** crença na existência de realidades ocultas e supra-sensíveis; **2** conjunto das artes ou ciências ocultas (magia, adivinhação, astrologia, espiritismo, etc.)

ocultista I *adj. 2 gén.* relativo a ocultismo; **II** *s. 2 gén.* pessoa que estuda e/ou pratica o ocultismo

oculto *adj.* **1** escondido; encoberto; **2** desconhecido; **3** sobrenatural

ocupação *s. f.* **1** actividade profissional remunerada; trabalho; profissão; **2** tomada de posse de algo que pertence a outrem; invasão de propriedade alheia; **3** MIL. invasão e controlo de uma área ou região por uma força inimiga

ocupacional *adj. 2 gén.* **1** relativo a ocupação, actividade ou trabalho; **2** (terapia) que recomenda uma ocupação regular específica como meio de recuperação

ocupado *adj.* **1** (pessoa) que tem que fazer; **2** (dia) em que há muito que fazer; **3** (casa) habitado; **4** (lugar, espaço) que não está livre; preenchido; **5** (telefone) interrompido; **6** (território) obtido por conquista ou concessão

ocupante *s. 2 gén.* **1** (de veículo) pessoa que ocupa determinado lugar; **2** (de habitação) inquilino; residente; **3** (de território) pessoa ou força militar que se apodera de determinado espaço ou lugar; invasor

ocupar I *v. tr.* **1** preencher (espaço, lugar); **2** desempenhar (cargo, função); **3** conquistar; invadir (território); **4** dar ocupação a (alguém); entreter; **II** *v. refl.* **1** dedicar-se a; **2** empregar-se

ode *s. f.* LIT. composição poética lírica de assunto elevado, própria para ser cantada

odiar *v. tr.* **1** ter ódio a; detestar; **2** sentir repugnância por; ter aversão a

ódio *s. m.* **1** sentimento de rancor e antipatia por alguém; raiva; **2** aversão que se sente por algo; repugnância

odioso *adj.* **1** que merece ou inspira ódio; **2** detestável

odisseia *s. f.* **1** viagem longa, marcada por aventuras e dificuldades; **2** narração de viagem cheia de aventuras e acontecimentos inesperados; **3** *(fig.)* série de peripécias ou de situações complicadas

odontologia *s. f.* MED. especialidade que se ocupa das doenças e da higiene dos dentes

odontologista *s. 2 gén.* MED. profissional que trata das doenças dos dentes

odontólogo *s. m.* vd. **odontologista**

odor *s. m.* cheiro; aroma

oés-noroeste *s. m.* GEOG. ponto subcolateral equidistante do oeste e do noroeste

oés-sudoeste *s. m.* GEOG. ponto subcolateral equidistante do oeste e do sudoeste

oeste *s. m.* GEOG. ponto cardeal situado à esquerda do observador voltado para o norte; poente

ofegante *adj. 2 gén.* **1** que está a ofegar; sem fôlego; **2** *(fig.)* cansado; exausto

ofegar *v. intr.* **1** respirar com dificuldade; arquejar; **2** *(fig.)* estar muito ansioso ou cansado

ofender **I** *v. tr.* **1** insultar; injuriar; **2** magoar; desgostar; **II** *v. refl.* sentir-se indignado; escandalizar-se

ofendido *adj. e s. m.* que ou pessoa que recebeu ofensa; queixoso

ofensa *s. f.* **1** insulto; agravo; **2** afronta; atentado; **3** desconsideração; desrespeito

ofensiva *s. f.* **1** iniciativa em atacar; **2** ataque; investida

ofensivo *adj.* **1** que ofende ou magoa; **2** que ataca; agressivo

ofensor *s. m.* pessoa que ofende; agressor

oferecer **I** *v. tr.* **1** propor para que seja aceite; **2** dar como presente ou oferta; **3** proporcionar; **II** *v. refl.* **1** propor-se; voluntariar-se; **2** apresentar-se

oferenda *s. f.* oferta; dádiva

oferta *s. f.* **1** acto ou efeito de oferecer; **2** dádiva; presente; **3** donativo; **4** preço oferecido; **5** ECON. quantidade de bens ou serviços postos à disposição dos consumidores a certo preço; ***lei da ~ e da procura*** lei que regula os preços dos bens ou serviços, os quais sobem se a procura for maior do que a oferta e descem se a oferta for superior

ofertório *s. m.* **1** RELIG. parte da missa em que o sacerdote oferece a hóstia e o cálice; **2** oferta; dádiva

offline **I** *adj.* INFORM. desligado da rede; não ligado à Internet; **II** *adv.* INFORM. sem ligação à rede

offset *s. m.* TIP. processo de impressão em que os caracteres são gravados numa folha de zinco ou alumínio e depois transferidos para o papel

oficial **I** *adj. 2 gén.* **1** proposto pela autoridade ou dela emanado; **2** conforme com as formalidades legais; **3** relativo ao funcionalismo; próprio das repartições públicas; **4** solene; formal; **5** público; **II** *s. 2 gén.* MIL. militar de graduação superior à de sargento

oficialização *s. f.* **1** acto de tornar oficial ou público; **2** submissão à orientação do Estado

oficializar *v. tr.* **1** tornar oficial ou público; **2** submeter à orientação do Estado

oficina *s. f.* **1** lugar onde se exerce um ofício; **2** estabelecimento onde se reparam veículos automóveis

ofício *s. m.* **1** qualquer actividade manual ou mecânica; **2** cargo; emprego; profissão; **3** função; **4** obrigação natural; dever; **5** carta oficial, enviada por uma autoridade, sobre assuntos de interesse público; **6** RELIG. oração religiosa ❖ ***homem dos sete ofícios***

indivíduo que se dedica a diversas actividades; ***ossos do ~*** dificuldades inerentes a um dado trabalho

oficioso *adj.* (informação) que provém de departamento governamental ou de um órgão de informação, embora sem carácter oficial

oftalmologia *s. f.* MED. especialidade que estuda os olhos sob todos os aspectos

oftalmologista *s. 2 gén.* especialista das doenças dos olhos

ofuscante *adj. 2 gén.* **1** que ofusca; **2** deslumbrante

ofuscar *v. tr.* **1** tornar fusco; escurecer; **2** perturbar a visão de (por meio de luz intensa ou excessiva); **3** *(fig.)* deslumbrar; **4** *(fig.)* perturbar o entendimento de

ogiva *s. f.* **1** ARQ. figura formada por dois arcos que se cruzam na parte superior; **2** MIL. peça terminal dos foguetões e das granadas de artilharia de secção ogival

ogival *adj. 2 gén.* **1** relativo a ogiva; **2** em forma de ogiva

oh *interj.* exprime admiração, espanto, alegria ou repugnância

oiro *s. m.* vd. **ouro**

oitante *s. m.* **1** GEOM. oitava parte de um círculo; **2** GEOM. ângulo de 45°; **3** instrumento óptico que permite medir ângulos, a altura dos astros e as distâncias angulares dos astros

oitava *s. f.* **1** LIT. estrofe de oito versos; **2** MÚS. intervalo entre duas notas musicais do mesmo nome, distanciadas oito graus; **3** RELIG. espaço de oito dias em que se celebra uma festa religiosa

oitavo **I** *num. ord.* que, numa série, ocupa a posição imediatamente a seguir à sétima; **II** *num. frac.* que resulta da divisão de um todo por oito; **III** *s. m.* o que, numa série, ocupa o lugar correspondente ao número 8

oitavos-de-final *s. m. pl.* DESP. provas eliminatórias que envolvem dezasseis jogadores ou equipas, em que se realizam oito partidas

oitenta **I** *num. card.* setenta mais dez; **II** *s. m.* o número 80 e a quantidade representada por esse número

oito **I** *num. card.* sete mais um; **II** *s. m.* o número 8 e a quantidade representada por esse número ❖ ***estar feito num ~*** ficar em mau estado; ficar cansado; ***ou ~ ou oitenta*** ou tudo ou nada

oitocentista **I** *adj. 2 gén.* relativo ao século XIX; **II** *s. 2 gén.* artista ou escritor desse século

oitocentos **I** *num. card.* setecentos mais cem; **II** *s. m. 2 núm.* **1** o número 800 e a quantidade representada por este número; **2** o século XIX

OK [*sigla de* **o**ll **k**orrect] sim, entendido

olá *interj.* exprime saudação, chamamento, espanto ou afirmação

olaré *interj. (pop.)* exprime satisfação ou admiração

olaria *s. f.* **1** fabrico de objectos em barro; **2** oficina de fabrico desses objectos

olé *interj.* exprime saudação, chamamento, espanto ou afirmação

oleado **I** *s. m.* tecido impermeável; **II** *adj.* que tem óleo

oleandro *s. m.* BOT. arbusto ornamental, de folhas persistentes e flores brancas, rosas ou avermelhadas

olear *v. tr.* untar com óleo ou com substância oleosa

oleiro *s. m.* pessoa que trabalha em louça de barro

óleo *s. m.* **1** substância gordurosa, inflamável, de origem vegetal, animal ou mineral; **2** MEC. líquido usado para lubrificar máquinas e motores; **3** tinta obtida da mistura daquela substância gordurosa com uma matéria corante; **4** pintura feita com essa tinta; ~ ***de amêndoas doces*** óleo obtido da maceração de amêndoas doces, usado em farmácia e perfumaria; ~ ***de amendoim*** óleo amarelado extraído de amendoim, utilizado na alimentação como substituto do azeite; ~ ***de soja*** substância extraída de sementes de soja, utilizada na alimentação e na indústria; ~ ***essencial*** qualquer óleo de origem vegetal usado em perfumaria; RELIG. ***santos óleos*** óleos sagrados usados pela Igreja na administração de alguns sacramentos e em outros actos litúrgicos

oleoduto *s. m.* canalização que transporta petróleo ou derivados a grandes distâncias

oleosidade *s. m.* qualidade de oleoso

oleoso *adj.* **1** que tem óleo; **2** que tem alto teor de gordura; gorduroso

olfactivo *adj.* relativo ao olfacto

olfacto *s. m.* **1** sentido que permite a percepção dos cheiros; **2** faro dos animais

olhadela *s. f.* relance de olhos; vista de olhos rápida

olhar I *v. tr.* **1** fixar os olhos em; mirar; **2** prestar atenção a; reparar em; **3** contemplar; **4** velar; vigiar; **II** *v. intr.* **1** dirigir os olhos para; **2** tomar conta de; **III** *s. m.* expressão dos olhos ❖ ***não ~ para trás*** não hesitar; ~ ***como boi para palácio*** não perceber nada; ~ ***por*** cuidar de

olheiras *s. f. pl.* manchas escuras nas pálpebras inferiores dos olhos

olho *s. m.* **1** ANAT. órgão da visão constituído pelo globo ocular; **2** abertura com a forma deste órgão; **3** furo ou buraco redondo; **4** parte central de certas plantas hortícolas; **5** *(fig.)* cuidado; atenção; **6** *(fig.)* perspicácia; finura ❖ ***a ~*** sem medida; ***a ~ nu*** sem auxílio de óculos ou qualquer instrumento óptico; ***a olhos vistos*** claramente; ***custar os olhos da cara*** ser muito caro; exigir um grande esforço; ***dar uma vista de olhos a*** observar superficialmente; ***de olhos fechados*** sem necessidade de reflexão; sem hesitar; ***não pregar ~*** não dormir; ***num abrir e fechar de olhos*** num instante; ***ter ~*** ser esperto

oligarca *s. 2 gén.* membro de uma oligarquia

oligarquia *s. f.* **1** POL. governo em que o poder está concentrado nas mãos de um pequeno número de pessoas; **2** *(fig.)* predomínio de um grupo ou de um pequeno número de pessoas

oligárquico *adj.* relativo a oligarquia

olimpíada *s. f.* **1** HIST. (Grécia Antiga) período de quatro anos decorridos entre duas celebrações consecutivas dos Jogos Olímpicos; **2** competição em determinada área de conhecimento, em que podem participar pessoas de diversas nacionalidades; **3** [*pl.*] DESP. competição desportiva internacional, em que estão representadas todas as modalidades aprovadas pelo Comité Olímpico Internacional, e que se realiza de quatro em quatro anos, em país decidido previamente

olímpico *adj.* relativo a olimpíada; DESP. ***jogos olímpicos*** competição desportiva internacional, em que estão representadas todas as modalidades aprovadas pelo Comité Olímpico Internacional, que se realiza de quatro em quatro anos, em país decidido previamente

olival *s. m.* terreno plantado de oliveiras

oliveira *s. f.* BOT. árvore de folhas persistentes e acinzentadas, cujo fruto é a azeitona, da qual se extrai o azeite

olmo *s. m.* BOT. árvore de grande porte, com folhas caducas e frutos sem pedúnculo

ombrear *v. intr.* pôr-se em paralelo; equiparar-se

ombreira *s. f.* **1** elemento colocado lateralmente nas aberturas de janelas ou portas; **2** parte do vestuário correspondente ao ombro

ombro *s. m.* ANAT. parte superior do braço, onde o úmero se articula com a omoplata ❖ ***encolher os ombros*** mostrar-se indiferente

ómega *s. m.* vigésima quarta e última letra do alfabeto grego, correspondente ao *o* fechado

omeleta *s. f.* CUL. ovos batidos que se fritam em qualquer gordura e se enrolam em forma de travesseiro

omissão *s. f.* **1** acto ou efeito de omitir; **2** falta; lacuna

omisso *adj.* **1** em que há omissão; **2** que ficou por fazer ou dizer; **3** (lei, regulamento) que não previu todos os casos possíveis

omitir *v. tr.* deixar de dizer ou fazer alguma coisa; não mencionar

omnipotência *s. f.* poder absoluto e supremo

omnipotente *adj. 2 gén.* que tem poder ilimitado; todo-poderoso

omnipresença *s. f.* capacidade de estar presente em toda a parte

omnipresente *adj. 2 gén.* que está presente em toda a parte

omnisciência *s. f.* **1** qualidade de omnisciente; **2** conhecimento infinito e universal; saber absoluto

omnisciente *adj. 2 gén.* que sabe tudo

omnívoro *adj.* (ser vivo) que se alimenta quer de substâncias animais quer de vegetais

omoplata *s. f.* ANAT. osso do esqueleto que constitui a parte posterior do ombro

OMS [*sigla de* **O**rganização **M**undial de **S**aúde]

onça *s. f.* ZOOL. mamífero carnívoro, semelhante ao leopardo, de pêlo acinzentado ou acastanhado, com manchas escuras; ❖ *(coloq.)* ***amigo da ~*** pessoa considerada amiga que toma uma atitude traiçoeira ou desleal

oncologia *s. f.* MED. especialidade que se dedica ao estudo dos tumores

oncologista *s. 2 gén.* MED. especialista em oncologia

onda *s. f.* **1** massa de água que se eleva e desloca por acção do vento e das marés; vaga; **2** FÍS. perturbação periódica que se propaga com transporte de energia através de um meio; **3** caracol (de cabelo); **4** *(fig.)* forma ou figura ondeada; **5** *(fig.)* grande abundância; grande afluência; **6** *(fig.)* grande agitação ❖ ***fazer ondas*** levantar problemas ou complicações; ***ir na ~*** deixar-se levar ou enganar; seguir alguém

onde I *adv.* **1** no lugar em que ⟨*o livro estava onde o tinha deixado*⟩; **2** em que lugar ⟨*onde trabalhas?*⟩; **II** *pron. rel.* no qual; em que ⟨*a sala onde trabalho é grande*⟩ ❖ ***~ quer que*** em qualquer lugar que

ondulação *s. f.* **1** elevação e depressão do nível das águas (de mar, rio, etc.); **2** movimento semelhante ao das ondas; **3** conjunto das elevações e depressões de uma superfície; **4** processo ou técnica de frisar o cabelo

ondulado *adj.* **1** (mar, rio) que tem ondas; **2** (superfície) que apresenta ondulações; **3** (cabelo) frisado

ondulante *adj. 2 gén.* que faz ondas

ondular I *v. tr.* **1** tornar ondulado; **2** frisar (o cabelo); **II** *v. intr.* formar ondas; ondear

ondulatório *adj.* **1** relativo a onda; **2** que se propaga em forma de onda

ONG [*sigla de* Organização Não-Governamental]

onírico *adj.* relativo a sonho

online I *adj.* **1** INFORM. (programa, função, serviço) que está disponível em rede; **2** INFORM. (utilizador) que está a usar a Internet; conectado; **II** *adv.* INFORM. através de rede

ONO GEOG. [*símbolo de* **oés-noroeste**]

onomasiologia *s. f.* LING. estudo do sentido que parte de um conceito para procurar o signo linguístico que o exprime

onomástica *s. f.* LING. estudo da etimologia, das transformações e da classificação dos nomes próprios

onomatopaico *adj.* **1** relativo a onomatopeia; **2** que imita o som daquilo que significa

onomatopeia *s. f.* LING. palavra cuja pronúncia imita o som próprio da coisa significada

ontem *adv.* **1** no dia anterior ao de hoje; **2** num tempo passado

ontologia *s. f.* FIL. disciplina que estuda o ser e as suas propriedades

ontologista *s. 2 gén.* especialista em ontologia

ONU [*sigla de* Organização das Nações Unidas]

ónus *s. m. 2 núm.* **1** peso; carga; **2** *(fig.)* obrigação; encargo; DIR. **~ *da prova*** dever de provar uma afirmação ou um facto

onze I *num. card.* dez mais um; **II** *s. m.* o número 11 e a quantidade representada por esse número

oó *s. m. (infant.)* sono; ***fazer* ~** dormir

opacidade *s. f.* **1** qualidade de opaco; falta de transparência; **2** sombra espessa; lugar sombrio

opaco *adj.* **1** que não é transparente; que não deixa passar a luz; **2** espesso; denso; **3** difícil de compreender; obscuro

opção *s. f.* **1** acto ou direito de optar; livre escolha; **2** aquilo que se escolhe; escolha; **3** INFORM. (num menu ou sistema) elemento que pode ser seleccionado pelo utilizador

opcional *adj. 2 gén.* que se pode escolher; facultativo

open *s. m.* {*pl.* opens} DESP. competição em que podem participar amadores e profissionais

ópera *s. f.* **1** MÚS. poema dramático ou lírico, cantado com acompanhamento de orquestra; **2** TEAT. espectáculo em que se representam esses poemas; **3** edifício onde se realizam esses espectáculos

operação *s. f.* **1** conjunto dos meios combinados para a consecução de um resultado; **2** MED. intervenção cirúrgica; **3** ECON. transacção comercial; **4** MAT. cálculo aritmético; **5** MIL. acção de carácter militar que visa o cumprimento de uma missão; **~ *stop*** conjunto de acções de vigilância realizadas pela polícia, em certos pontos da estrada, obrigando à paragem das viaturas para controlar e detectar possíveis infracções

operacional *adj. 2 gén.* **1** relativo a operação; **2** que contribui para a consecução de um resultado que se pretende; **3** pronto a funcionar; **4** MIL. relativo a operações militares

operado *adj. e s. m.* que ou pessoa que sofreu intervenção cirúrgica

operador I *adj.* que opera; **II** *s. m.* **1** responsável pelo funcionamento de algo; **2** MED. profissional que realiza intervenções cirúrgicas; cirurgião; **3** INFORM. técnico responsável pelo funcionamento de um sistema de computadores; **4** MAT. símbolo matemático que indica uma operação a realizar; CIN., TV **~ *de câmara*** profissional que se ocupa da captação e registo de imagens através de uma câmara

operadora *s. f.* empresa que explora certas áreas de prestação de serviços

operar I *v. tr.* **1** MED. fazer uma operação a; **2** executar; realizar; **II** *v. intr.* **1** MED. realizar uma intervenção cirúrgica; **2** produzir um efeito; actuar; **3** trabalhar

operariado *s. m.* conjunto dos operários

operário I *s. m.* trabalhador manual; **II** *adj.* relativo a operariado

operatório *adj.* relativo a operação cirúrgica

operável *adj. 2 gén.* que se pode operar

opereta *s. f.* MÚS. ópera ligeira, de texto simples e carácter popular

opilação *s. f.* MED. obstrução; oclusão

opinar *v. tr. e intr.* **1** emitir opinião; **2** julgar; entender

opinião *s. f.* **1** modo de ver pessoal; ideia; **2** parecer; **3** ideia; concepção; ~ ***pública*** pensamento comum da maioria dos membros de uma sociedade

ópio *s. m.* **1** substância obtida de algumas espécies de papoilas, utilizada como narcótico; **2** droga que se obtém a partir dessa substância; **3** *(fig.)* aquilo que causa adormecimento; entorpecimento

opíparo *adj.* **1** sumptuoso; magnificente; **2** rico; abundante

oponente *adj. e s. 2 gén.* que ou pessoa que se opõe; adversário

opor I *v. tr.* **1** pôr em paralelo ou em contraste; confrontar; **2** objectar (argumento); **II** *v. refl.* **1** ser contrário a; **2** resistir; recusar; **3** impedir; contrariar

oportunidade *s. f.* **1** ocasião favorável; ensejo; **2** possibilidade de fazer algo

oportunismo *s. m.* atitude da pessoa que age de modo a salvaguardar sempre os seus próprios interesses

oportunista *adj. e s. 2 gén.* que ou pessoa que age apenas em proveito próprio

oportuno *adj.* **1** que vem a tempo ou a propósito; conveniente; **2** favorável; vantajoso

oposição *s. f.* **1** obstáculo; resistência; **2** POL. acção política dos que se opõem aos métodos do governo ou ao próprio governo

oposicionismo *s. m.* POL. oposição sistemática a um regime ou governo

oposicionista *adj. e s. 2 gén.* que ou a pessoa que se opõe a algo

opositor *s. m.* **1** adversário; rival; **2** concorrente; candidato

oposto I *adj.* **1** que está em frente; **2** contrário; inverso; **3** contraditório; **II** *s. m.* o que é contrário ou inverso

opressão *s. f.* **1** domínio exercido por meio de força ou de autoridade; tirania; **2** condição de quem se encontra oprimido

opressivo *adj.* **1** que oprime; **2** repressivo; **3** que aflige; angustiante

opressor *s. m.* pessoa que oprime; déspota; tirano

oprimido *adj. e s. m.* que ou pessoa que sofre opressão

oprimir *v. tr.* **1** causar opressão a; **2** exercer um domínio excessivo e injusto sobre; tiranizar; **3** afligir; atormentar; **4** apertar; **5** humilhar

optar *v. intr.* fazer uma escolha; decidir-se por; preferir

óptica *s. f.* **1** FÍS. ciência que se ocupa da luz e dos fenómenos da visão; **2** perspectiva; ponto de vista; **3** estabelecimento comercial onde se fabricam e/ou vendem instrumentos ópticos (óculos, lentes de contacto, etc.)

óptico *adj.* **1** relativo a óptica; **2** visual; ANAT. ***nervo ~*** nervo sensorial que liga o olho ao cérebro e que transmite as impressões causadas pela luz na retina

optimismo *s. m.* tendência para encarar as coisas de um forma positiva e confiante

optimista *adj. e s. 2 gén.* que ou pessoa que encara tudo de uma forma positiva e confiante

optimizar *v. tr.* reestruturar com o objectivo de obter o maior rendimento possível

óptimo *adj.* **1** ⟨*superl. de* **bom**⟩ magnífico; excelente; **2** que representa o melhor resultado possível

optometria *s. f.* MED. técnica de determinação da capacidade e amplitude da visão por meio de exame do olho

optometrista *s. 2 gén.* especialista em optometria

opulência *s. f.* **1** abundância de riqueza; fartura; **2** sumptuosidade; magnificência

opulento *adj.* **1** abundante; abastado; **2** magnífico; luxuoso

ora I *conj.* **1** mas; contudo; porém ⟨*concordou com tudo; ora, depois, discordou*⟩; **2** além disso; pois bem; portanto ⟨*convidei-os; ora, se não vieram, é com eles*⟩; **II** *adv.* no momento presente; agora; **III** *interj.* exprime impaciência, menosprezo ou dúvida ❖ ***de ~ em diante*** daqui para a frente; no futuro; ***por ~*** para já; neste momento

oração *s. f.* **1** RELIG. invocação a Deus ou aos santos; prece; **2** GRAM. palavra ou grupo de palavras dispostas segundo as regras gramaticais, que formam sentido completo

oracional *adj. 2 gén.* relativo a oração

oráculo *s. m.* **1** MITOL., RELIG. resposta dada por uma divindade a quem a consulta; **2** MITOL., RELIG. lugar onde se consultam as divindades; **3** *(fig.)* profecia; revelação; **4** *(fig.)* pessoa cujo conselho tem grande autoridade

orador *s. m.* **1** pessoa que discursa em público; **2** pessoa que fala com eloquência

oral I *adj. 2 gén.* **1** relativo a boca; **2** que se faz através da fala; verbal; **3** LING. (som) produzido pela boca, sem ressonância nasal; **II** *s. f. (acad.)* exame realizado com base em perguntas e respostas de viva voz

oralidade *s. f.* **1** exposição oral; **2** uso de processos orais

orangotango *s. m.* ZOOL. macaco antropóide de braços longos, pernas curtas, pêlo comprido avermelhado e sem cauda

orar *v. intr.* **1** RELIG. fazer uma oração; rezar; **2** falar em público; discursar

oratória *s. f.* **1** arte de discursar em público; **2** TEAT. composição dramática ou poema vocal-instrumental com coros e solistas, de assunto religioso, bíblico ou hagiográfico

oratório *s. m.* **1** compartimento consagrado à oração; **2** móvel que contém imagens de santos

órbita *s. f.* **1** ASTRON. trajectória do movimento de um astro (planeta ou cometa) sob a acção atractiva do Sol (centro do sistema solar) e dos outros astros; **2** ANAT. cavidade da face onde se aloja o globo ocular e alguns anexos; **3** *(fig.)* âmbito; área ❖ ***entrar em ~*** alhear-se da realidade

orçamental *adj. 2 gén.* relativo a orçamento

orçamento *s. m.* **1** (de obra, material) cálculo prévio das despesas ou custos; **2** previsão das receitas e despesas respeitantes a um ano

orçar I *v. tr.* fazer o orçamento de; estimar; **II** *v. intr.* (valor, número) andar por; rondar

ordeiro *adj.* pacato; pacífico

ordem *s. f.* **1** categoria; classe; **2** sequência; seriação cronológica; **3** organização; **4** arranjo; arrumação; **5** disciplina (militar, cívica); **6** mandado; autorização; **7** regra; lei; **8** ARQ. cada um dos vários tipos de arquitectura clássica; **9** RELIG. comunidade religiosa; **10** RELIG. sacramento; **11** BIOL. grupo taxionómico imediatamente inferior à classe; ~ ***de serviço*** comunicação escrita dirigida aos funcionários de uma empresa/instituição para informação e futura execução de determinadas normas; ~ ***numérica*** ordem dos números naturais a partir da unidade ❖ (cheque) ***à*** ~ que pode ser levantado em qualquer altura; ***da/na*** ~ ***de*** cerca de; que ronda; ***estar na*** ~ ***do dia*** estar na moda; ser frequente; ***meter na*** ~ obrigar ao cumprimento do dever

Ordem *s. f.* associação de pessoas que exercem a mesma profissão

ordenação *s. f.* **1** regulamento; lei; **2** RELIG. cerimónia religiosa para a imposição de ordens sacras

ordenações *s. f. pl.* HIST. compilação de leis

ordenada *s. f.* GEOM. uma das coordenadas que determinam a posição de um ponto em relação a um sistema de eixos

ordenado **I** *adj.* **1** colocado por ordem; **2** disposto segundo determinado critério; classificado; **3** que tem ordem ou método; disciplinado; **II** *s. m.* pagamento regular a um empregado pelo seu trabalho; salário; vencimento

ordenar **I** *v. tr.* **1** pôr por ordem; dispor; **2** dar uma ordem; mandar; **3** RELIG. conferir o sacramento da ordem a; **II** *v. refl.* RELIG. receber o sacramento da ordem

ordenha *s. f.* extracção do leite das tetas de alguns animais

ordenhar *v. tr.* espremer as tetas de alguns animais para extrair o leite

ordinal *adj. 2 gén.* (numeral) que indica ordem ou posição numa série

ordinário *adj.* **1** habitual; vulgar; **2** regular; periódico; **3** *(pej.)* mal-educado; grosseiro

orégão *s. m.* **1** BOT. planta herbácea, aromática, cujos ramos e folhas depois de serem reduzidos a finos fragmentos são utilizados como condimento; **2** CUL. erva aromática, utilizada como condimento

orelha *s. f.* ANAT. parte externa do ouvido dos mamíferos ❖ ***arrebitar a*** ~ pôr-se à escuta; ***até às orelhas*** completamente; ***torcer a*** ~ arrepender-se

orelheira *s. f.* **1** orelha de porco; **2** CUL. prato feito com orelha de porco

orelhudo *adj.* que tem orelhas grandes

orfanato *s. m.* estabelecimento onde se recolhem e educam crianças órfãs

órfão *adj. e s. m.* que ou pessoa que perdeu um dos pais ou ambos

orfeão *s. m.* MÚS. agrupamento cujos membros se dedicam ao canto coral

organdi *s. m.* tecido leve e transparente, com um tratamento especial que lhe dá consistência

orgânico *adj.* **1** relativo a órgão; **2** relativo a organização ou a ser organizado; **3** (alimento) produzido sem recurso a fertilizantes ou pesticidas sintéticos

organismo *s. m.* **1** BIOL. ser vivo; **2** BIOL. conjunto de órgãos que constituem um ser vivo; **3** entidade organizada; instituição

organista *s. 2 gén.* pessoa que toca órgão

organização *s. f.* **1** preparação; planeamento; **2** ordenação; estrutura; **3** constituição; composição; **4** instituição; corporação; **5** relação de coordenação e coerência entre os diversos elementos que formam um todo

organizado *adj.* **1** ordenado; **2** estruturado; **3** metódico

organizador *s. m.* pessoa que organiza

organizar *v. tr.* **1** dispor de modo que concorra para determinado fim; estruturar; **2** dispor para funcionar; coordenar; **3** preparar

organograma *s. m.* representação gráfica da estrutura de uma organização ou instituição

órgão *s. m.* **1** ANAT., BIOL. parte do corpo de um ser vivo que cumpre uma função específica; **2** MEC. parte de um mecanismo que contribui para o seu funcionamento; **3** organização ou estabelecimento de utilidade pública ou privada; entidade; **4** MÚS. instrumento musical com teclas; ***órgãos dos sentidos*** a visão, a audição, o olfacto, o gosto e o tacto; ***órgãos sexuais*** órgãos que servem para a reprodução

orgasmo *s. m.* FISIOL. ponto mais intenso de excitação de um órgão (particularmente dos órgãos sexuais); clímax

orgia *s. f.* **1** festa indisciplinada, em que se come e bebe em excesso e/ou onde há promiscuidade sexual; bacanal; **2** *(fig.)* devassidão; licenciosidade; **3** *(fig.)* excesso

orgulhar *v. tr. e refl.* encher(-se) de orgulho ou vaidade

orgulho *s. m.* **1** brio; dignidade; **2** vaidade; **3** altivez; arrogância

orgulhoso *adj.* **1** que tem orgulho; **2** altivo; arrogante

orientação *s. f.* **1** acto ou efeito de orientar(-se); **2** determinação dos pontos cardeais, a partir do lugar em que nos encontramos; **3** direcção; rumo; **4** tendência; inclinação; **~ *educacional*** conjunto de processos pedagógicos que consistem em guiar os estudantes na escolha dos ramos de ensino em função das suas aptidões e dos seus gostos; **~ *profissional*** conjunto de processos pelos quais os indivíduos são aconselhados na escolha da profissão

orientador *s. m.* pessoa que orienta; guia

oriental I *adj. 2 gén.* relativo ao Oriente; **II** *s. 2 gén.* pessoa natural do Oriente

orientar I *v. tr.* **1** determinar qualquer ponto ou rumo da rosa-dos-ventos; **2** indicar a direcção a alguém; **3** dirigir; encaminhar; **II** *v. refl.* **1** reconhecer o lugar em que se está; **2** inteirar-se; informar-se

oriente *s. m.* GEOG. zona do horizonte onde o Sol nasce; este

Oriente *s. m.* **1** região de um país ou continente situada a leste; **2** conjunto dos países da Ásia

orifício *s. m.* **1** abertura estreita; **2** buraco pequeno; furo

origem *s. f.* **1** princípio; começo; **2** causa; motivo; **3** nascimento; **4** (de palavra) etimologia

original I *adj. 2 gén.* **1** relativo a origem; **2** novo; inédito; **3** que não é copiado nem reproduzido; único; **4** fora do vulgar; excêntrico; **5** criativo; inovador; **II** *s. m.* **1** obra do próprio punho do autor; **2** escrito primitivo do qual se tiram cópias; **3** modelo

originalidade *s. f.* **1** qualidade do que é original; **2** excentricidade; extravagância

originar I *v. tr.* dar origem a; causar; provocar; **II** *v. refl.* ter origem; proceder

originário *adj.* **1** proveniente; oriundo; **2** conservado desde a sua origem; primitivo

Órion *s. m.* ASTRON. constelação equatorial, localizada a norte da Lebre, com sete estrelas visíveis a olho nu

oriundo *adj.* **1** originário; natural; **2** descendente

orla *s. f.* **1** (de tecido, papel) tira; faixa; **2** (de rio, mar) margem; beira; **~ *marítima*** litoral; costa

ornamental *adj. 2 gén.* **1** relativo a ornamento; **2** decorativo

ornamentar *v. tr.* **1** adornar; enfeitar; **2** embelezar

ornamento *s. m.* adorno; enfeite

ornar *v. tr.* **1** adornar; enfeitar; **2** embelezar

ornitologia *s. f.* ZOOL. disciplina que se ocupa do estudo das aves

ornitólogo *s. m.* pessoa que se dedica ao estudo das aves

orquestra *s. f.* **1** MÚS. conjunto de músicos com os respectivos instrumentos, que executam uma peça, geralmente dirigidos por um maestro; **2** TEAT. lugar reservado aos músicos, entre o palco e os espectadores

orquestração *s. f.* **1** MÚS. arte ou modo de combinar as partes de uma composição musical; **2** *(fig.)* coordenação harmoniosa de diversos elementos

orquestral *adj. 2 gén.* relativo a orquestra

orquestrar *v. tr.* **1** MÚS. compor ou adaptar uma peça musical para poder ser executada pelos diversos instrumentos de uma orquestra; **2** *(fig.)* organizar

orquídea *s. f.* **1** BOT. planta herbácea, apreciada pela beleza e perfume das suas flores que se agrupam em cachos; **2** BOT. flor dessa planta

ortocromático *adj.* FOT. que é insensível à luz vermelha

ortodoxia *s. f.* conformidade de uma opinião com uma doutrina declarada verdadeira

ortodoxo **I** *adj.* relativo a ortodoxia; **II** *s. m.* **1** pessoa que professa a ortodoxia; **2** RELIG. cristão membro da Igreja Ortodoxa; ***Igreja Ortodoxa*** conjunto dos cristãos do Oriente que se desligou da obediência ao Papa em 1054

ortogonal *adj. 2 gén.* GEOM. que forma um ângulo recto

ortografia *s. f.* **1** forma correcta de escrever as palavras; **2** GRAM. conjunto de regras estabelecidas pela gramática que ensinam a escrever correctamente

ortográfico *adj.* **1** relativo à ortografia; **2** de acordo com a ortografia

ortónimo *s. m.* nome verdadeiro ou real de uma pessoa

ortopedia *s. f.* MED. especialidade que se ocupa das deformações dos ossos, das articulações, dos músculos e dos tendões

ortopédico *adj.* relativo a ortopedia

ortopedista *s. 2 gén.* MED. especialista em ortopedia

orvalhada *s. f.* **1** formação de orvalho; **2** orvalho da manhã

orvalhar **I** *v. tr.* cobrir de orvalho; **II** *v. intr.* formar-se orvalho

orvalho *s. m.* pequenas gotas de água provenientes da condensação do vapor de água da atmosfera e que se depositam sobre a superfície terrestre

Os QUÍM. [*símbolo de* **ósmio**]

óscar *s. m.* **1** CIN. prémio atribuído anualmente pela Academia de Hollywood, a pessoas da indústria do cinema; **2** CIN. estatueta dourada que representa esse prémio

oscilação *s. f.* **1** movimento alternativo (como o do pêndulo); balanço; **2** variação; alternância; **3** *(fig.)* hesitação

oscilador *s. m.* FÍS. circuito eléctrico que produz oscilações electromagnéticas

oscilante *adj. 2 gén.* **1** que oscila; **2** *(fig.)* hesitante

oscilar *v. intr.* **1** mover-se em sentidos opostos; **2** variar (entre dois limites); **3** *(fig.)* hesitar; vacilar

ósculo *s. m.* beijo

osga *s. f.* ZOOL. pequeno sáurio, com as extremidades dos dedos alargadas, que lhe permite trepar paredes, muros e tectos

ósmio *s. m.* QUÍM. elemento com o número atómico 76 e símbolo Os, que é um metal raro

osmose *s. f.* **1** QUÍM. passagem do solvente de uma solução através de uma membrana porosa que dificulta a passagem do soluto; **2** *(fig.)* influência recíproca

OSO GEOG. [*símbolo de* **oés-sudoeste**]

ossada *s. f.* **1** ossos de um cadáver; **2** *(fig.)* armação de um edifício; **3** *(fig.)* destroços; restos

ossário *s. f.* lugar onde se guardam ossos nos cemitérios

ossatura *s. f.* esqueleto ou ossada de um animal

ósseo *adj.* **1** relativo a osso; **2** que é duro como osso

ossificação *s. f.* formação ou desenvolvimento das partes ósseas

ossificar *v. tr. e refl.* **1** converter(-se) em tecido ósseo; **2** endurecer

osso *s. m.* **1** ANAT. cada uma das peças rígidas que constituem o esqueleto dos vertebrados; **2** [*pl.*] restos mortais ❖ ***em carne e ~*** em pessoa; ***~ duro de roer*** grande dificuldade; ***ossos do ofício*** dificuldades e encargos inerentes a um ofício, cargo ou emprego; ***trinta cães a um ~*** muitos pretendentes a uma única coisa

ossudo *adj.* que tem ossos desenvolvidos e salientes

ostensivo *adj.* **1** próprio para ser visto ou notado; visível; **2** que se pode mostrar; **3** *(fig.)* propositado; **4** *(fig.)* provocatório

ostentação *s. f.* **1** exibição; **2** aparato; pompa; **3** luxo; magnificência

ostentar *v. tr.* exibir com aparato; mostrar

osteologia *s. f.* ANAT. ciência que se dedica ao estudo dos ossos

osteopata *s. 2 gén.* MED. especialista em tratamentos de ossos

osteopatia *s. f.* MED. qualquer doença de ossos

osteoporose *s. f.* MED. doença que resulta da perda gradual da substância óssea, provocando o seu enfraquecimento

ostra *s. f.* ZOOL. molusco marinho de concha rugosa, que produz pérolas

ostracismo *s. m.* **1** HIST. (Grécia Antiga) exílio político decretado a cidadãos cuja conduta era considerada perigosa; **2** exclusão de alguém (de um cargo ou de um lugar); afastamento; expulsão

ostracista *s. 2 gén.* pessoa partidária do ostracismo

OTAN [*sigla de* **O**rganização do **T**ratado do **A**tlântico **N**orte]

otário *s. m.* *(pop.)* pessoa fácil de enganar; lorpa

otite *s. f.* MED. inflamação do ouvido

otologia *s. f.* MED. especialidade que estuda a anatomia e doenças do ouvido

otologista *s. 2 gén.* MED. especialista dos ouvidos

otorrino *s. m.* *(coloq.)* otorrinolaringologista

otorrinolaringologia *s. f.* MED. especialidade que trata das doenças dos ouvidos, nariz e laringe

otorrinolaringologista *s. 2 gén.* MED. especialista em otorrinolaringologia
otoscópio *s. m.* MED. instrumento para examinar o ouvido
ou *conj.* liga duas ou mais palavras, orações ou frases, com a ideia de: alternativa ⟨*peixe ou carne?; vamos ou não?*⟩; equivalência ⟨*uma hora ou sessenta minutos*⟩
ougado *adj.* (*pop.*) desejoso; ansioso
ougar *v. tr. e intr.* **1** (*pop.*) ficar com água na boca; **2** (*pop.*) desejar
ouguiya *s. m.* unidade monetária da Mauritânia
oura *s. f.* tontura; vertigem
ourado *adj.* que tem tonturas ou vertigens; tonto
ouriço *s. m.* BOT. casca dura ou espinhosa de certos frutos
ouriço-cacheiro *s. m.* {*pl.* ouriços-cacheiros} ZOOL. mamífero insectívoro terrestre, cujo corpo está coberto de espinhos
ouriço-do-mar *s. m.* {*pl.* ouriços-do-mar} ZOOL. animal marinho com carapaça dura, cujo corpo está coberto de espinhos
ourives *s. m. 2 núm.* fabricante ou vendedor de objectos de ourivesaria
ourivesaria *s. f.* estabelecimento comercial onde se vendem objectos de ouro e prata
ouro *s. m.* **1** QUÍM. elemento com o número atómico 79 e símbolo Au, que é um metal amarelo-brilhante, maleável e dúctil, inoxidável e inatacável pelos ácidos; **2** (*fig.*) coisa ou pessoa de grande valor; **3** (*fig.*) riqueza; fortuna; **4** [*pl.*] um dos naipes das cartas de jogar, vermelho e em forma de losango; (*fig.*) ***~ negro*** petróleo ❖ ***~ sobre azul*** coisa óptima
ousadia *s. f.* **1** coragem; audácia; **2** imprudência; **3** atrevimento

ousado *adj.* **1** audaz; corajoso; **2** arriscado; **3** atrevido
ousar *v. tr.* **1** ter a ousadia; atrever-se a; **2** decidir
outeiro *s. m.* pequena elevação de terreno; colina
outonal *adj. 2 gén.* relativo a Outono
outono *s. m.* **1** (*fig.*) período de decadência; **2** (*fig.*) velhice
Outono *s. m.* estação do ano entre o Verão e o Inverno (de 22 de Setembro a 20 de Dezembro)
outorga *s. f.* concessão; doação
outorgante *adj. e s. 2 gén.* que ou pessoa que outorga ou concede algo
outorgar *v. tr.* **1** conceder; dar; **2** DIR. declarar em escritura pública
outrem *pron. indef.* outra pessoa; outras pessoas
outro **I** *pron. indef.* **1** diverso; diferente ⟨*são outros tempos*⟩; **2** semelhante; igual ⟨*não conheci outro como ele*⟩; **3** mais um ⟨*escreveu outro livro*⟩; **II** *pron. dem.* designa pessoa ou coisa diferente das restantes mencionadas no contexto ⟨*ela convidou uma amiga mas não convidou a outra; traz esse livro e deixa ficar o outro*⟩ ❖ ***~ tanto*** a mesma coisa; a mesma quantidade
outrora *adv.* antigamente
Outubro *s. m.* décimo mês do ano civil, com trinta e um dias
ouvido *s. m.* **1** ANAT. órgão da audição; **2** sentido da audição; **3** (*fig.*) facilidade em captar e distinguir sons (especialmente musicais) ❖ ***ao ~*** em voz baixa; ***chegar aos ouvidos*** passar a ter conhecimento; ***dar ouvidos a*** acreditar em; ***de ~*** sem conhecimentos teóricos; ***entrar por um ~ e sair por outro*** não levar em conta; ***ser todo ouvidos*** prestar muita atenção; ***ter bom ~*** facilidade em distinguir e captar sons (musicais)

ouvinte *s. 2 gén.* pessoa que assiste a uma conferência, discurso ou programa

ouvir I *v. tr.* **1** perceber pelo sentido do ouvido; escutar; **2** *(fig.)* tomar em consideração; **3** *(fig.)* prestar atenção; **II** *v. intr.* **1** ter o sentido da audição; **2** *(fig., coloq.)* ser repreendido; levar descompostura

ova *s. f.* ZOOL. (peixe) ovário; conjunto dos óvulos; *(pop.)* ***uma ~!*** era o que tu querias!; não querias mais nada!

ovação *s. f.* aclamação pública; aplauso

oval I *adj. 2 gén.* que tem o feitio de um ovo; **II** *s. f.* GEOM. curva plana fechada, alongada e simétrica

ovar *v. intr.* (peixe) pôr ou criar ovos ou ovas

ovário *s. m.* **1** ANAT. cada uma das duas glândulas genitais femininas que produzem os óvulos e segregam hormonas; **2** BOT. (flor) parte do carpelo que contém os óvulos; **3** ZOOL. (ovíparo) órgão genital feminino, onde se formam os óvulos

ovelha *s. f.* ZOOL. mamífero ruminante apreciado pela carne, pêlo (lã) e leite que fornece; **~ *negra*** elemento de um grupo que sobressai por más qualidades

overbooking *s. m.* AERON. reserva ou venda de bilhetes ou lugares em número superior aos bilhetes ou lugares disponíveis para um dado voo

overdose *s. f.* ingestão de dose excessiva de droga ou medicamento

ovino *adj.* relativo a ovelha ou a carneiro

ovíparo *s. m.* ZOOL. animal que produz por ovos que se desenvolvem fora do corpo materno

ovívoro *adj.* (animal) que se alimenta de ovos

óvni *s. m.* objecto voador não identificado e de origem desconhecida

ovo *s. m.* **1** BIOL. célula resultante da fecundação dos gâmetas; **2** BIOL. corpo arredondado produzido pelas fêmeas ovíparas constituído por uma membrana e casca exterior que contém o embrião; **3** alimento constituído pela clara e gema desse corpo

ovos-moles *s. m. pl.* CUL. doce feito com gemas de ovo e calda de açúcar

ovovivíparo *s. m.* ZOOL. animal que se desenvolve à custa das reservas do ovo e no interior do corpo materno

ovulação *s. f.* BIOL. libertação do óvulo maduro do ovário

óvulo *s. m.* **1** ANAT. célula sexual feminina que se forma no ovário; **2** BOT. corpúsculo que contém a célula sexual feminina e que origina a semente

oxalá *interj.* exprime o desejo de que algo aconteça

oxidação *s. f.* **1** fixação de oxigénio num corpo; **2** criação de ferrugem

oxidante *adj. 2 gén.* que tem a propriedade de oxidar

oxidar *v. tr. e intr.* **1** QUÍM. converter(-se) em óxido; **2** (metal) enferrujar; **3** (fruta) alterar(-se) pela acção do oxigénio

oxidável *adj. 2 gén.* que pode oxidar

óxido *s. m.* QUÍM. composto binário formado pela combinação de oxigénio com outro elemento

oxigenação *s. f.* **1** acto de fornecer oxigénio a; **2** aplicação de água oxigenada (no cabelo, etc.)

oxigenante *adj. 2 gén.* que oxigena

oxigenar *v. tr.* **1** QUÍM. fixar oxigénio em; **2** introduzir ou aumentar o oxigénio em; **3** MED. administrar oxigénio através de equipamento apropriado; **4** aplicar água oxigenada (no cabelo); **5** (*fig.*) estimular; fortalecer

oxigénio *s. m.* QUÍM. elemento gasoso, com o número atómico 8 e símbolo O, que ocupa cerca de um quinto da atmosfera

oximoro *s. m.* RET. figura que consiste em reunir palavras de sentido oposto ou contraditório

oxítono *adj.* GRAM. (palavra) que tem o acento tónico na última sílaba; agudo

ozono *s. m.* QUÍM. gás cuja molécula é formada por três átomos de oxigénio, muito oxidante e de odor desagradável, de fórmula O_3; METEOR. ***buraco de ~*** região específica da alta atmosfera onde a camada de azono é (ou se tornou) extremamente fina; ***camada de ~*** zona da atmosfera onde existe uma elevada concentração de ozono que impede a passagem da radiação solar ultravioleta

P

p *s. m.* décima sexta letra e décima segunda consoante do alfabeto

P **I** *s. m.* (numeração romana) número 400; **II** QUÍM. [*símbolo de* **fósforo**]; **III** FÍS. [*símbolo de* **potência**]

p. [*abrev. de* página]

Pa QUÍM. [*símbolo de* **protactínio**]

pá **I** *s. f.* **1** utensílio de ferro ou madeira para escavar ou remover terra, apanhar lixo, etc.; **2** braço de uma hélice ou de outro mecanismo rotativo (remo, etc.); **3** parte mais larga e carnuda da perna dos animais; **II** *interj.* *(coloq.)* usada para chamar alguém

pã *s. m.* MITOL. (tradição greco-latina) deus dos pastores

pacatez *s. f.* **1** (de lugar) qualidade do que é pacato; tranquilidade; **2** (de pessoa) inércia; passividade

pacato *adj.* **1** (lugar) calmo; tranquilo; **2** (pessoa) que revela passividade; apático

pacemaker *s. m.* {*pl.* peacemakers} MED. aparelho que estimula o músculo do coração, regulariza as contracções cardíacas e normaliza o pulsar do coração

pachola *adj. 2 gén.* *(coloq.)* que revela paciência e bom-humor; bonacheirão

pachorra *s. f.* **1** *(coloq.)* paciência; calma; **2** *(coloq.)* lentidão; vagar

pachorrento *adj.* **1** *(coloq.)* paciente; calmo; **2** *(coloq.)* lento; vagaroso

paciência **I** *s. f.* **1** qualidade de quem é paciente; **2** capacidade para suportar dificuldades e tristezas; resignação; **3** persistência; perseverança; **4** passatempo que consiste em formar as diferentes combinações possíveis com as cartas de um ou mais baralhos; **5** CUL. biscoito redondo, achatado e de pequenas dimensões, geralmente com sabor a limão; **II** *interj.* designativa de resignação ou conformação ❖ ***perder a ~*** irritar-se; ***ter uma ~ de Job*** ser extremamente paciente; ***torrar a ~ a*** irritar

paciente **I** *adj. 2 gén.* **1** que tem paciência; **2** que é capaz de suportar dificuldades e tristezas; resignado; **3** persistente; perseverante; **II** *s. 2 gén.* **1** pessoa que espera tranquilamente; **2** pessoa que se encontra sob cuidados médicos; doente

pacificação *s. f.* **1** restabelecimento da paz; **2** tranquilização; apaziguamento

pacificar *v. tr.* **1** restabelecer a paz; **2** tranquilizar; acalmar

pacífico *adj.* **1** que é aceite ou admitido sem discussão; **2** tranquilo; sossegado

Pacífico *s. m.* oceano que que banha a Ásia e a Oceânia a oeste e as costas ocidentais do continente americano a leste

pacifismo *s. m.* POL. posição de defesa da paz mundial pelo desarmamento das nações e pelo recurso a tribunais internacionais, como solução dos conflitos

pacifista **I** *adj. 2 gén.* **1** relativo a pacifismo; **2** que é defensor do pacifismo;

II *s. 2 gén.* pessoa partidária do pacifismo

paço *s. m.* **1** residência de um bispo ou de um monarca; palácio; **2** residência sumptuosa; palacete; ***paços do concelho*** edifício onde se reúnem os membros de uma câmara municipal

pacote *s. m.* **1** invólucro de papel, plástico ou outro material, para conter, proteger e/ou transportar mercadorias; embrulho; **2** conjunto de unidades contidas num embrulho; **3** modelo de deslocação turística disponível em agências de viagem, que geralmente inclui as passagens de ida e volta, estadia e refeições, por um preço mais baixo do que o normal; **4** INFORM. sequência de dígitos binários, que inclui dados e sinais de controlo, transmitidos e comutados como um todo; **5** TV conjunto de programas vendido por uma emissora ou pelos seus produtores a outra emissora, geralmente a preço reduzido; ECON. **~ *laboral*** conjunto articulado de medidas ou leis que regulamentam as condições de trabalho e os direitos de trabalhadores e empregadores (duração de contratos, horários de trabalho, política salarial, etc.)

pacóvio *adj.* **1** pouco inteligente; idiota; **2** que se deixa facilmente enganar; ingénuo

pacto *s. m.* **1** combinação informal entre duas ou mais pessoas (sem carácter legal); ajuste; trato; **2** contrato entre duas ou mais pessoas ou entidades em que se estabelecem geralmente direitos e deveres para as partes envolvidas; **3** POL. tratado entre dois ou mais países; **~ *de não--agressão*** convenção acordada entre Estados que se comprometem a não usar a força (militar) para resolver as suas divergências; **~ *de sangue*** promessa solene entre pessoas que praticam um pequeno corte em si mesmas para misturar os seus sangues, simbolizando assim a garantia de cumprimento do pacto; **~ *social*** acordo celebrado entre o governo e representantes da sociedade civil (associações profisionais, sindicatos, etc.) com vista à resolução de determinados problemas

pactuar *v. intr.* fazer pacto com

padaria *s. f.* estabelecimento comercial onde se fabrica e/ou vende pão

padecer *v. intr.* **1** sofrer (dor física ou moral); **2** ser ou estar doente

padecimento *s. m.* **1** sofrimento; **2** doença; **3** dor

padeiro *s. m.* homem que fabrica e/ou vende pão

padrão *s. m.* **1** modelo oficial de pesos e medidas; **2** modelo de referência; norma; **3** protótipo; exemplo; **4** desenho decorativo em tecido ou noutro material; motivo; **5** LING. variante de uma língua adoptada numa determinada comunidade e consagrada como norma (usada no ensino, nos meios de comunicação, etc.); **6** HIST. monumento de pedra erguido nos lugares descobertos pelos navegadores portugueses

padrasto *s. m.* **1** homem casado, em relação aos filhos que a mulher tem do casamento anterior; **2** (*fig.*, *pej.*) pai pouco carinhoso

padre *s. m.* RELIG. indivíduo que recebeu ordenação sacerdotal; sacerdote

padre-nosso *s. m.* vd. **pai-nosso**

padrinho *s. m.* **1** homem que serve de testemunha em baptizado, crisma ou casamento; **2** protector; patrono; **3** [*pl.*] casal formado pelo padrinho e pela madrinha

padroeiro *s. m.* RELIG. santo escolhido como protector

padronizar *v. tr.* estabelecer o padrão de; uniformizar

paelha *s. f.* CUL. prato típico espanhol preparado com arroz, carnes e marisco

pág. [*abrev. de* **pág**ina]

paga *s. f.* **1** pagamento; remuneração; **2** *(coloq.)* (de vingança) represália; **3** *(fig.)* agradecimento; gratidão

pagador *s. m.* pessoa que paga; ***desculpa de mau ~*** desculpa inaceitável

pagamento *s. m.* **1** acto ou efeito de pagar; **2** salário por serviços prestados; remuneração; **3** parcela paga periodicamente para cumprir um contrato ou extinguir uma dívida; prestação

paganismo *s. m.* **1** (para os primeiros Cristãos) religião caracterizada pela crença em diversos deuses e pelo culto prestado a imagens; politeísmo; **2** conjunto das pessoas consideradas pagãs ou gentias; **3** RELIG. estado de quem não é/foi baptizado

pagão I *adj.* **1** relativo a paganismo; **2** RELIG. que não foi baptizado; **II** *s. m.* {*f.* pagã} **1** pessoa adepta do politeísmo; **2** RELIG. pessoa que não foi baptizada

pagar I *v. tr.* **1** remunerar (alguém) por serviços prestados; **2** satisfazer (uma dívida ou um encargo); **3** compensar de forma equivalente; retribuir; **II** *v. intr.* **1** satisfazer uma dívida ou um encargo; **2** sofrer castigo

página *s. f.* **1** (de livro) cada uma das faces de uma folha de papel; **2** texto registado em cada uma dessas faces; **3** (na Internet) conjunto de informações (texto, gráficos, imagens e hiperligações) que podem ser visualizadas no ecrã do computador, de uma vez, e a que se pode aceder utilizando um browser; **4** *(fig.)* época ou acontecimento notável na vida de uma pessoa ou de um país; ***~ de rosto*** página ímpar de abertura de um livro, onde se regista o nome do autor, o título da obra, o nome da editora e, por vezes, o ano de publicação; ***~ ímpar*** página que fica do lado direito da publicação impressa, quando aberta, e que tem numeração ímpar; ***~ par*** página que fica do lado esquerdo da publicação impressa, quando aberta, e que tem numeração par; (na Internet) ***~ pessoal*** sítio (ou conjunto de páginas) com informações sobre uma pessoa, que frequentemente é responsável pela própria produção e edição dessas informações; ***pé de ~*** margem inferior da página, muitas vezes usada para colocação de notas; rodapé ❖ ***a páginas tantas*** a certa altura; em determinado momento; ***virar a ~*** ultrapassar uma difiduldade; avançar

paginação *s. f.* **1** TIP. disposição gráfica dos elementos que constituem as páginas de livros ou outras publicações; **2** TIP. numeração das páginas de uma publicação; **3** sequência ordenada de páginas de qualquer publicação; **4** conjunto de páginas de uma publicação

paginar *v. tr.* **1** TIP. dispor graficamente os elementos nas páginas de livros ou outras publicações; **2** TIP. colocar o número da página em livro ou publicação

pago *adj.* **1** ⟨*p. p. de* **pagar**⟩ entregue para pagamento; **2** que recebeu pagamento; remunerado; **3** (débito, dívida) liquidado; saldado; **4** *(coloq.)* desforrado; vingado

pagode *s. m.* **1** templo de certas religiões orientais, em forma de torre, com telhados em cada andar terminados em pontas curvadas para cima; **2** divertimento ruidoso; pândega; borga

pai *s. m.* **1** homem que deu origem a um ou mais filhos; progenitor; **2** homem que dispensa cuidados paternais; **3** ZOOL. macho que deu origem a uma ou mais crias; **4** *(fig.)* iniciador; fundador; **5** *(fig.)* causador; autor; **~ *espiritual*** guia ou mestre que serve de modelo a uma pessoa em questões de consciência

Pai *s. m.* RELIG. primeira pessoa da Santíssima Trindade; Deus

pai-de-santo *s. m.* {*pl.* pais-de-santo} *(Bras.)* chefe espiritual responsável por certas práticas de origem popular (como o candomblé)

Pai Natal *s. m.* personagem representada por um velho de barbas brancas e roupas vermelhas, que, na noite de Natal, supostamente distribui presentes pelas crianças

painço *s. m.* **1** BOT. planta herbácea anual, cujo fruto se usa na alimentação de pequenas aves e na produção de farinha; **2** BOT. grão dessa planta; milho-miúdo; **3** *(pop.)* dinheiro

painel *s. m.* **1** trabalho de pintura executado sobre tela ou madeira; quadro; **2** pintura ou obra decorativa que cobre parcial ou totalmente uma parede; **3** ELECTR. quadro onde estão instalados os instrumentos de controlo de uma instalação ou de um mecanismo; **4** grupo de pessoas que participam num debate público; **5** (estatística) pesquisa de mercado que tem por base as informações, comentários ou reacções de um grupo de pessoas seleccionadas para avaliar um produto

pai-nosso *s. m.* {*pl.* pais-nossos} RELIG. oração que começa com essas palavras

paintball *s. m.* DESP. actividade em que as equipas participantes tentam acertar umas nas outras com bolas de tinta disparadas por uma pistola

paio *s. m.* CUL. enchido grosso de lombo de porco preparado com alho, pimento doce e vinho branco

paiol *s. m.* armazém ou depósito de explosivos e munições

pairar *v. intr.* **1** estar suspenso no ar; flutuar; **2** estar iminente; ameaçar

pais *s. m. pl.* **1** casal formado pelo pai e pela mãe; progenitores; **2** *(fig.)* antepassados; ascendentes

país *s. m.* **1** território demarcado por fronteiras geográficas e dotado de soberania própria; nação; **2** conjunto de habitantes desse território; **3** comunidade social e política a que se pertence; pátria; **4** *(fig.)* espaço utópico ou indefinido

paisagem *s. f.* **1** porção de território que se abrange com o olhar; panorama; vista; **2** espaço geográfico com determinadas características; **3** pintura, desenho ou fotografia em que o tema principal é a representação de cenas ou ambientes campestres

paisagismo *s. m.* ARQ. conjunto das questões relativas ao ambiente e ao ordenamento da paisagem com vista ao aproveitamento dos espaços públicos pelo homem

paisagista *s. 2 gén.* **1** artista que representa paisagens nas suas obras; **2** ARQ. arquitecto que projecta e organiza os espaços públicos de forma a integrá-los no meio físico circundante

paisagístico *adj.* **1** relativo a paisagem; **2** relativo a paisagismo

paisana *elem. da loc. adv.* ***à ~*** à civil; sem traje militar

paixão *s. f.* **1** sentimento intenso e geralmente violento (de afecto, ódio, alegria, etc.); **2** objecto desse sentimento; **3** amor profundo; **4** grande entusiasmo por alguma coisa; predilecção; **5** expressão de sensibilidade de uma pessoa; emoção; **6** exaltação; impetuosidade; **7** fanatismo; cegueira

Paixão *s. f.* **1** RELIG. sofrimento de Jesus Cristo na cruz; **2** RELIG. parte do Evangelho que descreve o sofrimento de Cristo; **3** MÚS. composição musical cujo motivo é o martírio de Cristo; **4** *(fig.)* grande sofrimento; martírio; RELIG. ***Semana da ~*** semana imediatamente anterior ao Domingo de Páscoa

paixoneta *s. f.* inclinação amorosa passageira e pouco intensa

pajem *s. m.* HIST. (Idade Média) rapaz que acompanhava um príncipe ou um senhor na guerra

pala *s. f.* **1** parte do boné que protege os olhos; viseira; **2** (no automóvel) peça retangular, móvel, situada na parte superior interna do pára-brisas, que pode ser abaixada para evitar a incidência directa de luz solar; **3** parte do sapato que cobre o peito do pé; **4** *(pop.)* mentira; peta ❖ *(coloq.)* ***à ~*** à custa de

palacete *s. m.* ⟨*dim. de* **palácio**⟩ palácio pequeno

palácio *s. m.* **1** residência de um chefe de Estado ou de um soberano; **2** sede de um governo ou do poder executivo, legislativo ou judicial; **3** edifício grandioso

paladar *s. m.* **1** sentido do gosto; **2** sabor

paládio *s. m.* QUÍM. elemento metálico com o número atómico 46 e símbolo Pd

palanque *s. m.* estrado de madeira, com degraus, para instalar espectadores em festas ao ar livre; tribuna

palatal **I** *adj. 2 gén.* relativo ao palato; **II** *s. f.* LING. consoante produzida encostando a língua ao céu-da-boca

palato *s. m.* ANAT. região côncava na parte superior da cavidade bucal que a separa das cavidades nasais

palavra *s. f.* **1** LING. unidade de sentido constituída por fonemas organizados numa determinada ordem; vocábulo; **2** GRAM. unidade pertencente a uma das grandes classes gramaticais, como substantivo, adjectivo, verbo, advérbio, numeral, etc.; **3** faculdade de falar; fala; **4** discurso breve proferido numa ocasião solene; **5** compromisso verbal; promessa; **6** conjunto coerente de ideias que se transmitem ou ensinam; doutrina ❖ ***cumprir a sua ~*** não faltar àquilo que se prometeu; ***dar a ~ a alguém*** deixar falar alguém; ***dar a sua ~ de honra*** prometer solenemente e pela própria honra; ***faltar à ~*** não cumprir aquilo que se tinha prometido; ***numa ~*** em suma; em resumo; ***pedir a ~*** pedir permissão para falar/intervir; ***pesar as palavras*** ponderar nas consequências daquilo que se vai dizer; ***ser de poucas palavras*** não ser muito falador(a); ***ser uma pessoa de ~*** cumprir todos os seus compromissos ou as suas promessas; ***ter o dom da ~*** falar com grande eloquência e facilidade

palavra-chave *s. f.* {*pl.* palavras-chave} **1** palavra que resume o significado global de uma obra, de uma política, de um texto, etc.; **2** INFORM. palavra ou expressão que desencadeia uma operação no computador

palavrão *s. m.* **1** palavra obscena, grosseira ou ofensiva; vulgarismo; **2** palavra comprida e de pronúncia difícil

palavras cruzadas *s. f. pl.* jogo de palavras que se entrecruzam na horizontal e na vertical e que o jogador tem de adivinhar a partir de definições ou sinónimos fornecidos

palavreado *s. m.* conjunto de palavras sem importância; lábia

palavrinha *s. f.* **1** ⟨*dim. de* **palavra**⟩ palavra curta; **2** conversa breve

palco *s. m.* **1** TEAT. plataforma ou estrado onde os actores representam; **2** arte dramática; teatro; **3** (*fig.*) lugar onde se desenrola um acontecimento trágico ou notável

paleio *s. m.* **1** (*pop.*) conjunto de palavras sem importância; palavreado; **2** (*pop.*) conversa; ***estar no ~ com alguém*** estar a conversar com alguém

paleografia *s. f.* estudo das origens, formas e desenvolvimento da escrita

paleolítico *adj.* relativo ao Paleolítico

Paleolítico *s. m.* ARQUEOL. período mais antigo da época pré-histórica (até 10 000 a. C.), em que os utensílios usados pelo homem eram feitos de pedra toscamente trabalhada

paleontologia *s. f.* ciência que estuda os fósseis animais e vegetais

Paleozóico *s. m.* GEOL. era anterior ao Mesozóico

palerma I *adj. 2 gén.* **1** que se deixa facilmente enganar; ingénuo; **2** que é insensato ou pouco inteligente; imbecil; **II** *s. 2 gén.* **1** pessoa que se deixa enganar com facilidade; **2** pessoa insensata ou pouco inteligente

palermice *s. f.* **1** característica de quem é palerma; **2** acto ou dito de palerma; idiotice; disparate

palestiniano I *s. m.* {*f.* palestiniana} pessoa natural da Palestina (região do Próximo Oriente); **II** *adj.* relativo ao Estado da Palestina

palestino *adj. e s. m.* vd. **palestiniano**

palestra *s. f.* **1** exposição verbal acerca de determinado tema; conferência; **2** troca de palavras entre duas ou mais pessoas; conversa

paleta [e] *s. f.* **1** peça de madeira, oval e com um orifício para o dedo polegar, sobre a qual os pintores colocam e misturam as tintas; **2** gama de cores preferida por determinado artista ou escola artística

palete [ɛ] *s. f.* plataforma de madeira sobre a qual se empilha carga a fim de ser transportada em grandes blocos

palha *s. f.* **1** haste seca de certos cereais, usado como forragem para animais; colmo; **2** tubo de plástico muito fino para sorver líquidos; **3** (*coloq.*) insignificância ❖ ***não mexer uma ~*** não fazer nada; não trabalhar; ***por dá cá aquela ~*** por tudo e por nada; por um motivo fútil

palhaçada *s. f.* **1** dito ou acto próprio de palhaço; **2** brincadeira que faz rir; **3** conjunto de palhaços

palhaço *s. m.* **1** personagem cómica de circo que diverte o público com brincadeiras, anedotas, etc.; **2** pessoa que faz rir ou que não pode ser levada a sério ❖ ***fazer alguém de ~*** enganar alguém; troçar de alguém

palha-d'aço *s. f.* {*pl.* palhas-d'aço} emaranhado de fios de aço geralmente usado como esfregão de cozinha

palheiro *s. m.* **1** lugar onde se guarda palha; **2** (*fig.*) habitação rústica muito pobre ❖ ***procurar agulha em ~*** procurar uma coisa muito difícil de encontrar

palheta *s. f.* **1** lâmina de marfim, de osso ou de tartaruga, para percutir as cordas de certos instrumentos musicais; **2** lâmina metálica ou de bambu cujas vibrações produzem som em certos instrumentos de sopro; **3** *(coloq.)* rasteira

palhinha *s. f.* **1** tubo de plástico muito fino para sorver líquidos; **2** junco seco com que se fabricam assentos de cadeira

palhota *s. f.* cabana coberta de colmo ou palha

paliativo *s. m.* **1** FARM. remédio ou tratamento que alivia mas não cura a doença; **2** *(fig.)* medida ou iniciativa que serve para atenuar um problema ou protelar uma crise

palidez *s. f.* **1** estado de quem é pálido; **2** perda de cor nas faces

pálido *adj.* **1** (pele) sem cor; descorado; **2** (cor, luz) pouco intenso; claro; **3** *(fig.)* sem entusiasmo; fraco; inexpressivo

palimpsesto *s. m.* pergaminho que os copistas medievais raspavam para sobre ele escreverem de novo

palitar *v. tr.* limpar (dentes) com palito

paliteiro *s. m.* utensílio de mesa onde se guardam os palitos

palito *s. m.* **1** estilete, geralmente de madeira macia, para limpar os dentes dos restos de alimentos; **2** CUL. biscoito comprido e fofo; **3** *(coloq.)* pessoa muito magra

palma *s. f.* **1** BOT. folha de palmeira; **2** ANAT. face interna e côncava da mão; **3** [*pl.*] aplausos ❖ ***bater palmas*** aplaudir; ***conhecer (algo/alguém) como a ~ da sua mão*** conhecer muito bem (algo/alguém); ***levar a ~ a alguém*** alcançar a vitória sobre alguém

palmada *s. f.* pancada com a palma da mão; bofetada

palmarés *s. m. 2 núm.* **1** lista de vitórias ou títulos alcançados por um desportista ou por um clube; **2** lista de prémios obtidos num concurso ou numa competição

palmatoada *s. f.* vd. **palmada**

palmatória *s. f.* *(ant.)* instrumento de madeira, composto de um disco com cabo, usado para castigar as crianças na palma da mão ❖ ***dar a mão à ~*** dar-se por vencido; ceder; ***erro de ~*** falha imperdoável

palmeira *s. f.* BOT. árvore, arbusto ou planta com uma copa sem ramos mas com folhas grandes, flexíveis e pontiagudas

palmier *s. m.* CUL. bolo fino que se confecciona enrolando sobre si mesmas, várias vezes, duas extremidades de uma massa folhada, cortada depois em fatias

palmilha *s. f.* peça que reveste interiormente a sola do calçado

palminho *s. m.* ⟨*dim. de* **palmo**⟩ palmo pequeno; ❖ ***ter um ~ de cara*** ter um rosto bonito

palmípede *s. m.* ZOOL. ave que possui os dedos dos pés unidos até às extremidades, ou orlados por uma membrana natatória

palmo *s. m.* **1** medida que vai da extremidade do dedo polegar à ponta do dedo mínimo, com a mão aberta; **2** pequena porção de algo; bocado ❖ ***gente de ~ e meio*** crianças; ***não ver um ~ à frente do nariz*** não ver nada à sua frente (por causa da escuridão, nevoeiro, etc.); ***~ a ~*** gradualmente; progressivamente; ***sete palmos de terra*** sepultura; ***um ~ de terra*** pequena extensão de terreno

palmtop *s. m.* {*pl.* palmtops} INFORM. computador portátil de tamanho reduzido, que se pode usar sobre a palma da mão

PALOP [*sigla de* **P**aíses **A**fricanos de **L**íngua **O**ficial **P**ortuguesa]

palpação *s. f.* **1** MED. exame a uma parte do corpo pela aplicação externa de uma ou ambas as mãos; **2** toque com a(s) mão(s)

palpar *v. tr.* tocar ou examinar com as mãos

palpável *adj. 2 gén.* **1** que pode ser tocado; **2** que pode ser visto; perceptível; **3** que não admite discussão; evidente

pálpebra *s. f.* ANAT. cada uma das duas membranas móveis que protegem os olhos, e que, fechando-se, cobrem o globo ocular

palpitação *s. f.* **1** batimento cardíaco de que se tem percepção, por ser ou mais forte ou mais rápido do que o habitual; **2** *(fig.)* grande emoção; agitação

palpitante *adj. 2 gén.* **1** que palpita; **2** que revela sinais de vida; **3** *(fig.)* que desperta muito interesse; emocionante

palpitar *v. intr.* **1** sentir palpitações; **2** ansiar por; desejar ardentemente; **3** ter um pressentimento; suspeitar; **4** *(fig.)* sentir uma emoção forte; impressionar-se

palpite *s. m.* **1** intuição; pressentimento; suspeita; **2** (num jogo) intuição de vitória; **3** *(coloq.)* opinião que não foi pedida; intromissão

palrar *v. intr.* **1** (bebé) articular sons incompreensíveis; **2** *(fig.)* falar muito; tagarelar

paludismo *s. m.* MED. doença crónica provocada por parasitas nos glóbulos vermelhos do sangue, e transmitida ao homem por um mosquito; malária

pamonha *s. 2 gén. (Bras.)* pessoa estúpida ou indolente

pampa *s. f.* grande planície coberta de vegetação rasteira, sobretudo de gramíneas, característica da parte meridional da América do Sul, especialmente da Argentina

panaca *adj. (Bras.) (coloq.)* imbecil; idiota

panaceia *s. f.* **1** planta ou substância que supostamente cura todas as doenças; **2** *(fig.)* remédio ou solução para todos os males

panaché *s. m.* bebida composta por uma mistura de cerveja com um refrigerante com sabor a lima

panado *s. m.* CUL. filete frito de peixe ou carne, previamente passado por ovo e pão ralado; escalope

panamense I *s. 2 gén.* pessoa natural do Panamá (América Central); **II** *adj. 2 gén.* relativo ao Panamá

panar *v. tr.* CUL. envolver (alimento) em pão ralado, antes de fritar, saltear ou grelhar

panca *s. f. (coloq.)* mania irracional

pança *s. f.* **1** *(coloq.)* (de pessoa) barriga; **2** (de animal) bandulho

pancada *s. f.* **1** golpe com pau, bastão ou cajado; paulada; **2** castigo físico; tareia; **3** *(coloq.)* mania; panca ❖ ***às três pancadas*** de forma atabalhoada e sem cuidado

pancadaria *s. f.* **1** desordem em que há violência física e agressões; **2** tareia; sova

pancrácio *adj. (depr.)* idiota; palerma

pâncreas *s. m. 2 núm.* ANAT. glândula abdominal, anexa ao tubo digestivo, que segrega o suco pancreático (que é lançado no duodeno) e uma hormona, a insulina

pancreático *adj.* **1** relativo ao pâncreas; **2** (suco) que é segregado pelo pâncreas

pançudo *adj.* que tem a barriga grande; barrigudo

panda *s. m.* ZOOL. mamífero carnívoro actualmente em vias de extinção, com o corpo coberto de manchas brancas e pretas, que habita as florestas situadas a grande altitude (sobretudo nos Himalaias) e se alimenta quase exclusivamente de bambus

pândega *s. f.* **1** festa animada; borga; **2** divertimento; brincadeira

pândego *adj.* **1** que gosta muito de festas; borguista; **2** divertido; brincalhão

pandeireta *s. f.* MÚS. instrumento de percussão com discos metálicos em torno de uma estrutura circular, que se segura com uma mão, batendo-lhe com a outra

pandeiro *s. m.* MÚS. instrumento formado de um aro de madeira com uma pele distendida, guarnecido de guizos, que se toca batendo-se com a mão ou com os cotovelos

pandemónio *s. m.* grande confusão; balbúrdia

pandilha *s. f.* conjunto de pessoas que se reúnem, em geral, com fins pouco honestos; bando; corja

panegírico *s. m.* **1** LIT. composição em prosa ou em verso em que se louvam e celebram virtudes de determinadas personalidades, acções, etc.; **2** elogio solene

panela *s. f.* **1** recipiente geralmente redondo, largo e de altura variável, com pegas ou cabo, usado para cozinhar alimentos; **2** câmara ligada ao tubo de escape nos veículos motorizados cuja função é reduzir a energia dos gases libertados pelo motor antes de atingirem a atmosfera, atenuando o ruído produzido na expulsão

paneleiro *adj. e s. m. (vulg.)* homossexual

panelinha *s. f.* **1** ⟨*dim. de* **panela**⟩ panela pequena; **2** *(coloq.)* combinação, em geral com fins pouco honestos; tramóia

panfletário *adj.* **1** relativo a panfleto; **2** irónico; satírico; **3** violento; agressivo

panfleto *s. m.* **1** folheto informativo ou publicitário; **2** texto político, escrito em estilo satírico ou violento

pânico *s. m.* susto ou medo súbito e incontrolável que pode desencadear comportamentos irracionais ou mesmo perigosos numa pessoa ou num grupo; ***entrar em ~*** descontrolar-se perante uma ameaça de perigo

panificação *s. f.* empresa que se dedica ao fabrico e venda de pão

paninho *s. m.* ⟨*dim. de* **pano**⟩ pano pequeno ou fino ❖ ***não estar com paninhos quentes*** não ser complacente; não condescender; ***paninhos quentes*** medidas pouco eficazes para resolverem um problema; paliativos

pano *s. m.* **1** peça de tecido; fazenda; **2** pedaço de tecido sem acabamento; trapo; **3** TEAT. cortina que separa o palco do espaço reservado ao público; **4** NÁUT. conjunto de velas de uma embarcação; ***~ cru*** tecido de algodão que não foi corado; ***~ de fundo*** tela situada no fundo do palco num teatro; paisagem; conjunto de circunstâncias que rodeiam um acontecimento; contexto; ***~ turco*** tecido felpudo, usado no fabrico de toalhas ❖ ***por baixo do ~*** na calada; às escondidas; ***ter ~ para mangas*** dar muito que falar; ter assunto/material para muito tempo ou muito trabalho

panóplia *s. f.* **1** conjunto de objectos ou acessórios necessários ao desempenho de um trabalho ou de uma actividade; **2** conjunto de elementos da mesma espécie ou usados para o mesmo fim

panorama *s. m.* **1** grande extensão de paisagem que se avista de um ponto elevado; vista; **2** observação de um assunto, de uma época ou de um problema em toda a sua amplitude; visão geral; perspectiva

panorâmica *s. f.* **1** vista que abrange um vasto horizonte; **2** exposição geral da obra de um artista ou de uma corrente artística; **3** CIN., TV movimento circular da câmara, de modo a permitir uma visão geral; **4** CIN., TV plano filmado dessa forma

panorâmico *adj.* **1** relativo a panorama; **2** que proporciona uma visão ampla

panqueca *s. f.* CUL. massa fina preparada com farinha, leite e ovos, que se coze ligeiramente numa frigideira e se serve com recheio salgado ou doce; crepe

pantanal *s. m.* grande extensão de pântanos

pantanas *elem. da loc. adv.* ***em ~*** em desordem; em desalinho total

pântano *s. m.* terreno coberto de água estagnada; paul

pantanoso *adj.* alagado; lamacento

panteão *s. m.* edifício nacional onde se depositam os restos mortais das pessoas consideradas heróis da pátria

panteísmo *s. m.* FIL. doutrina que defende a identificação total entre Deus e o universo

panteísta I *adj. 2 gén.* relativo a panteísmo; **II** *s. 2 gén.* pessoa adepta do panteísmo

pantera *s. f.* ZOOL. mamífero carnívoro muito ágil, com cabeça arredondada, nariz curto, cauda longa, dentes muito afiados e pele negra ou manchada

pantufa *s. f.* chinelo ou sapato confortável que se usa em casa, geralmente feito de tecido quente ou forrado a pêlo

pão *s. m.* **1** alimento feito com farinha de trigo ou de outros cereais amassada, fermentada e cozida no forno; **2** aquilo que alimenta; sustento; comida; **3** RELIG. (liturgia católica) hóstia consagrada; **4** *(fig.)* pessoa muito atraente; ***~ de forma*** pão assado numa forma semelhante a um paralelepípedo, que se corta às fatias e que é usado especialmente para preparar torradas e sanduíches; ***~ de leite*** pequeno pão muito fino e leve, amassado com leite; ***~ integral*** pão preparado com farinha integral; ***~ ralado*** pão torrado reduzido a farinha, usado para panar alimentos ❖ ***comer o ~ que Diabo amassou*** passar muitos trabalhos ou muitas dificuldades; ***estar a ~ e água*** estar na miséria

pão-de-ló *s. m.* {*pl.* pães-de-ló} CUL. bolo muito fofo, típico da Páscoa, preparado com ovos, açúcar e farinha

pão-duro *adj. e s. 2 gén.* {*pl.* pães-duros} *(Bras.)* *(coloq.)* avarento

pãozinho *s. m.* **1** ⟨*dim. de* **pão**⟩ pão pequeno; **2** *(fig.)* pessoa piegas

papa *s. f.* **1** alimento mais ou menos espesso, preparado com farinha, leite e outros ingredientes, usado especialmente na alimentação de bebés; **2** *(infant.)* comida; CUL. ***papas de sarrabulho*** alimento preparado com sangue e carnes de porco desfeitas e cozinhadas com farinha de milho, louro e outras especiaria ❖ ***não ter papas na língua*** dizer tudo o que se pensa; ser totalmente franco

Papa *s. m.* RELIG. chefe da Igreja Católica

papá *s. m.* *(coloq.)* pai

papado *s. m.* **1** cargo ou dignidade de Papa; **2** tempo que dura esse cargo

papagaio *s. m.* **1** ZOOL. ave tropical com plumagem de coloração verde, com tons variados na cabeça, capaz de imitar a voz humana; **2** brinquedo de papel, de forma poligonal, que se lança ao vento, preso por um fio; **3** *(fig.)* pessoa que decora e repete o que ouve ou lê, sem compreender o sentido do que diz; **4** *(fig.)* pessoa que fala muito; tagarela

papaguear *v. tr. e intr.* **1** falar como o papagaio; **2** falar muito; tagarelar

papaia *s. f.* BOT. fruto comestível da papaieira, amarelo ou avermelhado quando maduro, com polpa cor de laranja com pevides escuras

papaieira *s. f.* BOT. planta tropical produtora de papaias

papal *adj. 2 gén.* relativo ao Papa

papamóvel *s. m.* veículo blindado descapotável, usado pelo Papa nas suas aparições públicas

papanicolau *s. m.* MED. exame citológico vaginal que consiste num esfregaço feito no colo do útero para rastrear a existência de cancro ou outras doenças

papão *s. m.* **1** *(coloq.)* ser imaginário que assusta as crianças; **2** *(fig.)* coisa considerada perigosa e ameaçadora

papar *v. tr. e intr.* **1** *(coloq.)* comer; **2** *(fig., pop.)* vencer; **3** *(fig., pop.)* acreditar

paparazzi *s. m. pl.* profissionais que se dedicam a tirar fotografias (não autorizadas) de figuras públicas

paparicar *v. tr.* tratar com carinho; amimar

paparico *s. m.* **1** mimo; afago; **2** iguaria; gulodice

paparoca *s. f. (coloq.)* comida

papeira *s. f.* MED. doença contagiosa provocada por um vírus que surge geralmente nas crianças, provocando inflamação das glândulas salivares

papel *s. m.* **1** substância formada de matérias vegetais ou fibrosas reduzidas a uma pasta que é disposta em folhas, e se usa para escrever, embrulhar, etc.; **2** documento escrito; folha; **3** CIN., TEAT. parte da representação que cabe a cada actor num filme ou numa peça; **4** dever; obrigação; **5** atribuição; função; **~ *de alumínio*** papel com uma superfície coberta por uma camada fina de estanho, usado para revestir e embalar alimentos, chocolates, etc.; **~ *de embrulho*** papel mais ou menos grosso destinado a proteger ou envolver qualquer tipo de produto ou mercadoria; **~ *higiénico*** papel muito fino, solúvel na água, apresentado em rolos e usado para limpeza individual, nos quartos de banho; **~ *fotográfico*** papel com uma das faces coberta de uma substância fotossensível, usado para fazer reproduções fotográficas; **~ *químico*** papel fino, com um dos lados cobertos por uma camada de cera com pigmento, de modo a permitir decalques; **~ *reciclado*** papel resultante de um processo de reciclagem que permite a sua reutilização; **~ *vegetal*** papel fino e transparente,usado para fazer decalques ou cópias; ***desempenhar um ~*** representar uma personagem numa peça ou num filme ❖ ***confiar ao ~*** colocar por escrito (o que não se quer dizer de outra forma); *(Bras.)* ***de ~ passado*** de acordo com a lei; ***ficar no ~*** não se concretizar/realizar; ***pôr no ~*** formalizar (um compromisso, contrato, negócio)

papelada *s. f.* **1** grande quantidade de papéis; **2** conjunto de papéis em desordem

papelão *s. m.* **1** papel encorpado e espesso, mais ou menos rígido, com aplicações diversas (embalagens, caixas, capas de livros); cartão; **2** depósito público que se destina à recolha de papel para reciclar; **3** *(fig.)* comportamento ridículo

papelaria *s. f.* estabelecimento onde se vendem artigos de escritório

papeleira *s. f.* móvel onde se guardam papéis; secretária

papel-moeda *s. m.* {*pl.* papéis-moeda} papel representativo de determinado valor, emitido por um banco e com a mesma função da moeda metálica

papiro *s. m.* **1** BOT. planta própria de terrenos inundados, de que os antigos Egípcios faziam folhas finas para escrever; **2** manuscrito antigo feito sobre folhas desta natureza

papista *s. 2 gén.* **1** pessoa que defende a supremacia do Papa; **2** (para os Protestantes) pessoa católica ❖ ***ser mais ~ que o Papa*** interessar-se por um assunto mais que o próprio interessado

papo *s. m.* **1** ZOOL. dilatação existente no esófago das aves, onde se armazenam os alimentos antes de passarem ao estômago; **2** *(coloq.)* (de pessoa) estômago; **3** saliência; **4** *(Bras.)* conversa ❖ *(Bras.)* ***bater/levar um ~ com alguém*** ter uma conversa com alguém; *(coloq.)* ***estar/ficar de ~ para o ar*** estar/ficar sem trabalho; não fazer nada; *(coloq.)* ***estar no ~*** estar seguro ou garantido

papo-de-anjo *s. m.* {*pl.* papos-de--anjo} CUL. doce tradicional preparado com ovos-moles e amêndoa moída, revestido de hóstia, em forma de meia-lua

papo-furado *s. m.* {*pl.* papos-furados} *(Bras.)* *(coloq.)* conversa fiada; treta

papoila *s. f.* BOT. planta herbácea com grandes flores vermelhas com manchas pretas na base das pétalas, da qual se obtém o ópio

papo-seco *s. m.* {*pl.* papos-secos} *(reg.)* pequeno pão de farinha de trigo fina

papoula *s. f.* BOT. vd. **papoila**

paprica *s. f.* CUL. condimento em pó, preparado com pimentão-doce

papudo *adj.* **1** (pessoa) que tem papo grande; anafado; **2** (olhos) que tem dobras ou pregas; inchado

paquete *s. m.* **1** NÁUT. navio de transporte de passageiros, carga e correspondência; **2** empregado que faz pequenos serviços; moço de recados

paquímetro *s. m.* aparelho de precisão com que se medem espessuras e pequenas distâncias

paquistanês I *s. 2 gén.* {*f.* paquistanesa} pessoa natural do Paquistão (Ásia); **II** *adj. 2 gén.* relativo ao Paquistão

par I *s. m.* **1** conjunto formado por duas coisas ou duas pessoas; **2** conjunto de duas pessoas, geralmente homem e mulher, que dançam juntas; **3** peça de vestuário formada por dois elementos; **II** *adj.* MAT. (número) que é divisível em dois números inteiros iguais; que é múltiplo de dois ❖ ***aberto de ~ em ~*** totalmente aberto; escancarado; ***aos pares*** em grupos de dois; ***a ~ de*** ao lado de; junto; ***estar a ~ de alguma coisa*** ter conhecimento de; estar ao corrente de; ***sem ~*** único; singular

para *prep.* **1** introduz expressões que designam: direcção ⟨*voltado para norte*⟩; lugar de destino ⟨*viajou para Marrocos*⟩; intenção ou objectivo ⟨*saiu para passear*⟩; tempo ⟨*para o ano que vem*⟩; destinatário ⟨*trouxe-o para ti*⟩; fim ⟨*texto para rever*⟩; perspectiva ⟨*para mim, isso é fundamental*⟩; **2** estabelece uma relação entre quantidades ⟨*dois rebuçados para cada um*⟩ ❖ ***~ com*** relativamente a; no que respeita a; ***~ já*** imediatamente; neste momento; ***~ que*** a fim de que; com o objectivo de

parabéns *s. m. pl.* palavras ou gestos de cumprimento; felicitações; congratulações; ***dar os ~ a alguém*** cumprimentar alguém por aniversário, vitória ou acontecimento feliz

parábola *s. f.* **1** LIT. narrativa alegórica que transmite uma mensagem por meio de comparação ou analogia; **2** LIT. narrativa alegórica que encerra um preceito moral ou religioso; **3** GEOM. curva plana, cujos pontos distam igualmente de um ponto fixo, chamado foco, e de uma recta chamada directriz, ambos situados no plano da curva; **4** GEOM. curva de intersecção de uma superfície cónica de revolução com um plano paralelo a uma geratriz da superfície

parabólica *s. f.* antena em forma de parábola que capta programas de televisão via satélite

pára-brisas *s. m. 2 núm.* chapa de vidro ou substância plástica colocada na frente do condutor do veículo ou do piloto do avião, para o proteger da acção do ar provocada pela deslocação do veículo

paracetamol *s. m.* FARM. medicamento que suprime ou atenua a dor e combate a subida de temperatura do corpo

pára-choques *s. m. 2 núm.* dispositivo na frente ou na retaguarda de um veículo, para atenuar qualquer choque

parada *s. f.* **1** MIL. formatura militar para revista; **2** MIL. espaço no interior de um quartel onde se realizam formaturas, instruções, revistas, etc.; **3** dinheiro que se aposta, de cada vez, ao jogo

paradeiro *s. m.* sítio onde se encontra alguém ou algo

paradigma *s. m.* **1** exemplo que serve como modelo; padrão; **2** GRAM. modelo de declinação ou conjugação

paradigmático *adj.* **1** relativo a paradigma; **2** que serve de paradigma; exemplar

paradisíaco *adj.* **1** relativo ao Paraíso; divino; **2** muito agradável; maravilhoso

parado *adj.* **1** (pessoa, veículo) que não está em movimento; imóvel; **2** (actividade, negócio) que não progride; estagnado; **3** (olhar) sem vivacidade; inexpressivo ❖ *(coloq.)* ***ver o caso mal ~*** ver a situação complicar-se

paradoxal *adj. 2 gén.* **1** em que há paradoxo; **2** que não é lógico; contraditório

paradoxo *s. m.* **1** afirmação que desafia a lógica e o senso comum; **2** falta de coerência ou de lógica; contradição; **3** coisa incrível; absurdo

parafernália *s. f.* **1** equipamento necessário a uma profissão ou actividade; **2** conjunto de objectos de uso pessoal; pertences; **3** conjunto de objectos de pouco valor; tralha

parafina *s. f.* QUÍM. substância sólida e branca, semelhante à cera, que é uma mistura de hidrocarbonetos, de elevada massa molecular

paráfrase *s. f.* **1** LING. explicação ou nova apresentação de um texto que procura tornar mais compreensível a informação nele contida; **2** tradução livre e desenvolvida; interpretação

parafrasear *v. tr.* explicar por meio de paráfrase; interpretar

parafuso *s. m.* **1** peça cilíndrica ou cónica, roscada, destinada especialmente a segurar ou fixar duas peças; **2** acrobacia aérea em que o avião descreve uma espiral fechada em torno do seu eixo vertical de descida; **3** MED. (ortopedia) peça metálica cilíndrica, com sulco em forma de hélice, usada para fixar partes de ossos fraturados ❖ *(coloq.)* ***ter um ~ a menos*** ser mentalmente desequilibrado

paragem *s. f.* **1** cessação de movimento; imobilização; **2** interrupção; pausa; **3** lugar onde param autocarros para receber e deixar passageiros; **4** [*pl.*] região; MED. ~ ***cardíaca*** interrupção do batimento do coração de pessoa em que se observa perda de consciência

parágrafo *s. m.* **1** divisão de um texto escrito, indicada pela mudança de linha; **2** pequena divisão de um discurso; **3** (de lei, regulamento) artigo; alínea; ***abrir ~*** deixar a linha em que se escrevia e começar na linha seguinte, um pouco dentro

paraguaio I *s. m.* {*f.* paraguaia} pessoa natural do Paraguai (América do Sul); **II** *adj.* relativo ao Paraguai

paraíso *s. m.* **1** lugar muito agradável; **2** céu; ~ ***fiscal*** país ou lugar onde se fazem grandes depósitos bancários e onde empresas multinacionais estabelecem filiais, tirando proveito dos baixos impostos ou da isenção fiscal

Paraíso *s. m.* RELIG. (Bíblia) jardim onde Deus colocou Adão e Eva, depois da sua criação; Éden

pára-lamas *s. m. 2 núm.* dispositivo que cobre a roda dos veículos para proteger o condutor e o próprio veículo dos salpicos da lama; guarda-lamas

paralela *s. f.* **1** MAT. linha ou superfície que tem todos os seus pontos equidistantes de outra linha ou superfície; **2** [*pl.*] DESP. aparelho de apoio e suspensão de ginástica, constituído por duas barras paralelas e respectivo suporte

paralelepípedo *s. m.* **1** GEOM. poliedro cuja superfície é constituída por seis faces que são paralelogramos, cada duas geometricamente iguais e contidas em planos paralelos; **2** bloco de granito usado para calcetar ruas

paralelismo *s. m.* **1** posição de duas linhas paralelas; **2** MAT. relação binária que associa a cada recta (ou plano) outra recta (ou outro plano) que lhe é paralela/o; **3** LIT. repetição de ideias ou de construções sintácticas em determinadas frases ou no início de estrofes; **4** semelhança; analogia; correspondência

paralelo I *adj.* **1** (linha, rua) que nunca se intersecta ou corta; **2** (actividade) que se realiza ao mesmo tempo que outra coisa; simultâneo; **3** (evolução, projecto) que se desenvolve na mesma direcção; **4** semelhante; correspondente; **II** *s. m.* **1** GEOG. círculo menor da esfera terrestre cujo plano é perpendicular ao eixo da Terra; **2** GEOM. circunferência obtida pela intersecção de uma superfície de revolução com um plano perpendicular ao seu eixo; **3** comparação entre duas coisas; confronto

paralelogramo *s. m.* GEOM. quadrilátero plano que tem os lados opostos paralelos e geometricamente iguais

paralímpico *adj.* vd. **paraolímpico**

paralisação *s. f.* **1** interrupção de um processo ou de uma actividade; paragem; **2** perda do movimento ou da sensibilidade nos músculos; entorpecimento

paralisado *adj.* **1** (processo) interrompido; parado; **2** (pessoa) atacado de paralisia; **3** (músculo) entorpecido

paralisar I *v. tr.* **1** tornar paralítico; **2** entorpecer (músculos); **3** interromper (um processo, uma actividade); **4** suspender o funcionamento de (serviços, transportes); **II** *v. intr.* **1** (pessoa) sofrer de paralisia; **2** (músculo) entorpecer-se; **3** (actividade, processo) não progredir; sofrer interrupção

paralisia *s. f.* **1** MED. perda ligeira ou definitiva da função motora de um músculo, de vários músculos ou de uma parte do corpo, por causa de uma lesão nervosa; entorpecimento muscular; **2** *(fig.)* estagnação; inércia

paralítico I *adj.* que sofre de paralisia; **II** *s. m.* pessoa que sofre de paralisia

paralogismo *s. m.* FIL. erro de raciocínio involuntário

paramédico *s. m.* **1** profissional treinado para executar cuidados médicos de emergência; **2** pessoa que exerce a sua profissão realizando actividades auxiliares ou complementares às de um médico

paramento *s. m.* RELIG. veste com que o sacerdote celebra a missa

parâmetro *s. m.* **1** elemento de avaliação necessário para julgar determinados factos ou situações; critério; **2** norma; padrão; **3** MAT. variável que, funcionando como constante arbitrária, faz depender dos seus valores o conjunto das soluções; **4** INFORM. variável ou constante cujo valor é atribuído pelo próprio programa ou pelo utilizador, e que é capaz de alterar ou ajustar o comportamento do programa ou do sistema

paramilitar *adj. 2 gén.* (corpo, organização) organizado como um exército, mas que não pertence às forças militares regulares

paranóia *s. f.* **1** MED. perturbação mental que toma a forma de um delírio sistematizado, caracterizado por uma interpretação falsa da realidade, uma desconfiança extrema e mania de perseguição; **2** *(fig.)* desconfiança extrema; **3** *(fig.)* mania de grandeza(s) ❖ *(coloq.)* ***entrar em ~*** perder o controlo da situação; descontrolar-se; desatinar

paranóico I *adj.* **1** relativo a paranóia; **2** *(coloq.)* que sofre de paranóia; delirante; **3** *(coloq.)* que revela desconfiança excessiva ou injustificada; tresloucado; **II** *s. m.* **1** *(coloq.)* pessoa que sofre de paranóia; **2** *(coloq.)* pessoa que se comporta de forma estranha e desconfiada, sem razão para tal

paranormal I *adj. 2 gén.* **1** que está fora do normal; **2** que não é explicável cientificamente; **II** *s. m.* conjunto de fenómenos que não é possível explicar cientificamente; sobrenatural; **III** *s. 2 gén.* pessoa que tem qualidades ou poderes considerados fora do normal

paraolimpíadas *s. f. pl.* DESP. competição desportiva internacional, de estrutura e objectivo idênticos aos das olimpíadas, destinada a atletas com deficiência(s); Jogos Paraolímpicos

paraolímpico *adj.* relativo às paraolimpíadas

parapeito *s. m.* rebordo de madeira que compõe a parte interior de uma janela e é usado como apoio pelas pessoas que nele se debruçam

parapente *s. m.* **1** DESP. planador constituído por uma cadeira de pilotagem suspensa de uma asa não rígida, inflável ao vento e manobrável; **2** DESP. actividade de voo livre, que consiste em saltar com esse planador a partir do solo e não de um avião

parapentista *s. 2 gén.* DESP. praticante de parapente

paraplegia *s. f.* MED. paralisia total ou parcial das pernas e da parte inferior do tronco

paraplégico I *adj.* **1** relativo a paraplegia; **2** que sofre de paraplegia; paralisado; **II** *s. m.* pessoa que sofre de paraplegia

parapsicologia *s. f.* estudo dos fenómenos que transcendem as leis da natureza e para os quais não existe ainda explicação científica

parapsicólogo *s. m.* pessoa que se dedica à parapsicologia

pára-quedas *s. m. 2 núm.* aparelho em forma de guarda-chuva destinado a diminuir a velocidade de queda de um objecto ou de uma pessoa que se lança de grande altura ❖ ***cair de ~*** aparecer ou acontecer de forma inesperada

pára-quedismo *s. m.* {*pl.* pára-quedismos} DESP., MIL. actividade que consiste em saltar de pára-quedas de um avião ou de um helicóptero

pára-quedista *s. 2 gén.* {*pl.* pára--quedistas} praticante de pára-quedismo

parar I *v. tr.* **1** interromper o movimento de; deter; **2** suspender (um processo, uma actividade); **II** *v. intr.* **1** não continuar; interromper-se; **2** chegar ao fim; terminar; **3** chegar (a determinado lugar, ponto ou situação) ❖ ***sem ~*** de forma ininterrupta; continuamente

pára-raios *s. m. 2 núm.* **1** haste metálica que se instala no alto dos edifícios, para os proteger dos efeitos da electricidade atmosférica; **2** (*fig.*) protecção

parasita *s. m.* **1** BIOL. organismo que vive na superfície ou no interior de outro (hospedeiro), alimentando-se dele e, geralmente, prejudicando-o; **2** (*fig., pej.*) pessoa que vive à custa de alguém por preguiça; pessoa que explora outra

parasitar *v. tr. e intr.* **1** BIOL. alimentar-se à custa de outro organismo; **2** tirar proveito de; explorar

parassimpático *s. m.* ANAT. parte do sistema nervoso vegetativo que é responsável pelo repouso do organismo

pára-vento *s. m.* {*pl.* pára-ventos} estrutura desdobrável formada por um pano ou plástico protector assente em estacas, usada nas praias para proteger do vento

parca *s. f.* vd. **parka**

parceiro *s. m.* **1** pessoa com quem se joga, dança, actua ou pratica alguma actividade; companheiro; cúmplice; **2** (*pop.*) tratamento familiar entre os sogros de um casal

parcela *s. f.* **1** MAT. cada um dos números que se adicionam, para formar um único chamado soma; **2** pequena parte de um todo; fragmento

parcelado *adj.* **1** (terreno) dividido em parcelas; **2** (pagamento) faseado

parcelamento *s. m.* **1** divisão (de terras, verbas); **2** fragmentação (de objectos)

parceria *s. f.* **1** reunião de pessoas que têm um objetivo comum; companhia; **2** ECON. associação cujos sócios só são responsáveis pela parte com que entraram e só lucram na proporção dessa mesma parte; sociedade

parcial *adj. 2 gén.* **1** que é parte de um todo; **2** (pagamento, resultado) que não é total; **3** (pessoa) que toma partido a favor de ou contra alguém; faccioso; **4** (pessoa) que não julga ou avalia com isenção; injusto

parcialidade *s. f.* **1** qualidade de parcial; **2** preferência que se dá a pessoa ou grupo favorito; favoritismo; **3** falta de isenção ou de objectividade; injustiça

parcialmente *adv.* **1** de modo parcial; **2** em partes

parcimónia *s. f.* **1** moderação; sobriedade; **2** hábito de poupar; economia

parco *adj.* **1** moderado; sóbrio; **2** escasso; **3** (refeição) frugal

parcómetro *s. m.* aparelho que serve para medir o tempo de estacionamento de um veículo automóvel em parque público ou em certas ruas; parquímetro

pardacento *adj.* **1** acinzentado; **2** (cabelo, pêlo) grisalho

pardal *s. m.* ZOOL. ave de porte médio, com plumagem acinzentada, que habita nas cidades, alimentando-se de grãos e sementes de gramíneas e fazendo os ninhos nos beirais e telhados dos edifícios

pardieiro *s. m.* edifício velho ou em ruínas

pardo *adj.* de cor intermédia entre o cinzento-claro e o cinzento-escuro; acinzentado

parecença *s. f.* **1** semelhança fisionómica; **2** analogia

parecer I *s. m.* **1** opinião; julgamento; **2** decisão de um especialista sobre questão duvidosa ou polémica; **3** (escrito) voto; **4** aparência física; aspecto geral; **II** *v. tr.* ter semelhança fisionómica com; **III** *v. intr.* **1** ter o aspecto de; aparentar; **2** ser provável ou verosímil; afigurar-se; **IV** *v. refl.* ter a aparência de; assemelhar-se

parecido *adj.* **1** que tem semelhança com; semelhante; **2** análogo

paredão *s. m.* muro elevado e forte, construído geralmente para reter as águas (de mar, rio, etc.)

parede *s. f.* **1** obra de alvenaria que delimita as partes externas de um edifício e divide os compartimentos internos; **2** vedação de qualquer espaço ou terreno; sebe; **3** ANAT. qualquer formação do organismo que limita um órgão ou uma cavidade; ARQ. ~ ***mestra*** parede que sustenta o maior peso de um edifício ou de uma construção ❖ ***conversar/falar com as paredes*** falar consigo próprio; reflectir; ***encostar (alguém) à ~*** forçar (alguém) a tomar uma decisão; ***levar (alguém) à ~*** vencer ou derrotar (alguém); ***paredes meias*** paredes comuns a edifícios contíguos; ***subir pelas paredes*** irritar-se; enfurecer-se

parelha *s. f.* **1** conjunto de dois animais, especialmente cavalos; **2** conjunto formado por duas coisas ou duas pessoas; par; **3** *(coloq.)* conjunto de pessoas com interesses ou gostos comuns

parente I *s. 2 gén.* pessoa que, em relação a outra(s), pertence à mesma família; familiar; **II** *adj. 2 gén.* **1** que tem parentesco com; **2** análogo; semelhante

parentesco *s. m.* **1** relação de pessoas por vínculo de sangue; consanguinidade; **2** relação de pessoas por vínculo de casamento; afinidade; **3** *(fig.)* semelhança; proximidade

parêntese *s. m.* **1** GRAM. frase ou período que se intercala num texto para dar informação adicional, mas não essencial para a compreensão do sentido desse texto; **2** GRAM. sinal gráfico ( ) que identifica e delimita essa frase; **3** MAT. sinal que indica que as operações colocadas dentro dele se devem considerar efectuadas; **4** *(fig.)* desvio momentâneo do tema de conversa ou do assunto em discussão; digressão

parêntesis *s. m. 2 núm.* vd. **parêntese**

pargo *s. m.* ZOOL. peixe teleósteo de coloração vermelha com reflexos dourados, característico das águas temperadas do Atlântico e Mediterrâneo

paridade *s. f.* **1** analogia; semelhança; **2** igualdade; equivalência

parietal *adj. 2 gén.* **1** relativo a parede; **2** ANAT. próprio da parede de uma cavidade; **3** ANAT. relativo a cada um dos dois ossos curvos e achatados que se situam em ambos os lados do crânio

parir **I** *v. tr.* **1** expulsar (feto) do útero; dar à luz; **2** *(fig.)* gerar; produzir; **II** *v. intr.* dar à luz

parka *s. f.* casaco com capuz, de material impermeável, para proteger do vento e da chuva

parlamentar **I** *adj. 2 gén.* **1** relativo ao parlamento; **2** próprio do parlamento; **II** *s. 2 gén.* membro de um parlamento

parlamentarismo *s. m.* POL. sistema de governo de carácter representativo, no qual os ministros de Estado têm de responder perante um parlamento, do qual depende a acção e estabilidade do poder executivo

parlamentarista **I** *adj. 2 gén.* relativo ao parlamentarismo; **II** *s. 2 gén.* pessoa partidária do parlamentarismo

parlamento *s. m.* câmara legislativa de um país regido por uma constituição; assembleia eleita pelo povo, onde se discutem os assuntos de Estado

parmesão *s. m.* CUL. queijo fabricado com leite desnatado e açafrão, à maneira de Parma (Itália)

pároco *s. m.* sacerdote responsável por uma paróquia; padre

paródia *s. f.* **1** obra (literária, teatral ou musical) que imita outra, com propósitos irónicos ou cómicos; **2** *(coloq.)* pândega; divertimento

parodiar *v. tr.* imitar com propósitos irónicos ou cómicos

parolice *s. f.* **1** *(depr.)* qualidade de parolo; **2** *(depr.)* acto ou dito próprio de parolo

parolo *adj.* **1** *(depr.)* rude; grosseiro; **2** *(depr.)* ingénuo; simplório; **3** *(depr.)* que revela mau gosto; kitsch

paronímia *s. f.* GRAM. relação entre palavras com pronúncias e grafias parecidas mas significados diferentes

parónimo *s. m.* GRAM. palavra com pronúncia e grafia semelhante a outra, mas com significado diferente

paróquia *s. f.* **1** parte do território de uma diocese sob a direcção espiritual de um pároco; **2** comunidade sob orientação espiritual de um pároco

paroquial *adj. 2 gén.* relativo a paróquia

paroquiano *s. m.* pessoa que reside numa paróquia

parótida *s. f.* ANAT. cada uma das glândulas salivares situadas atrás das orelhas ou nas regiões póstero-laterais da cabeça

parque *s. m.* **1** terreno arborizado, frequentado para a prática de desporto, piqueniques e outras formas de lazer; **2** grande extensão de terreno arborizada e murada que circunda uma propriedade; **3** região natural de um país colocada sob protecção do governo, por forma a garantir a preservação da sua flora e/ou fauna; reserva; **4** recinto fechado, cercado por uma rede ou malha protectora, onde os bebés podem brincar e equilibrar-se quando começam a dar os primeiros passos

parqué *s. m.* vd. **parquê**

parquê *s. m.* **1** revestimento do chão formado por pequenos tacos de madeira que formam desenhos e figuras geométricas; **2** pavimento revestido com esses tacos

parque de campismo *s. m.* espaço de lazer devidamente equipado e organizado para permitir ao alojamento das pessoa em tendas e caravanas

parque de diversões *s. m.* espaço de lazer, geralmente ao ar livre, equipado com diversas estruturas (montanha-russa, carrosséis, carrinhos de choque, etc.)
parque de estacionamento *s. m.* área de um edifício ou zona delimitada ao ar livre, própria para guardar temporariamente automóveis, mediante pagamento
parque infantil *s. m.* espaço geralmente delimitado, equipado com instalações próprias para as crianças brincarem
parquímetro *s. m.* aparelho que serve para medir o tempo de estacionamento de um veículo automóvel em parque público ou em certas ruas; parcómetro
parra *s. f.* **1** folha de videira; **2** *(fig.)* palavreado ❖ ***muita ~ e pouca uva*** muitas palavras e poucas obras
parricídio *s. m.* assassinato de pai, mãe, ou ascendente próximo
parte *s. f.* **1** porção de um todo; fracção; quinhão; **2** divisão de uma obra; **3** lugar; sítio; local; **4** função ou papel a desempenhar; responsabilidade; **5** comunicação verbal ou escrita; aviso; **6** DIR. cada uma das pessoas ou entidades que firmam um contrato mútuo; contraente; **7** DIR. pessoa que intervém num processo judicial; litigante; **8** [*pl.*] *(coloq.)* órgãos genitais ❖ ***à ~*** excepto; em particular; ***da ~ de*** em nome de; ***dar ~ de*** comunicar; ***de ~ a ~*** mutuamente; reciprocamente; ***em ~*** por um lado; ***em toda a ~*** em qualquer lugar; ***fazer ~ de*** estar incluído em; integrar; ***mandar àquela ~*** mandar embora; insultar; ***pôr de ~*** excluir; desprezar; ***tomar ~*** participar
parteira *s. f.* **1** enfermeira diplomada que assiste a partos ou que é especialista em obstetrícia; **2** mulher que assiste a partos, ajudando ou socorrendo as parturientes
partição *s. f.* divisão; distribuição
participação *s. f.* **1** comunicação verbal ou escrita; aviso; **2** queixa formal às autoridades policiais de um crime, delito ou irregularidade; **3** envolvimento num acontecimento ou numa actividade; **4** ECON. (financeira) situação em que uma empresa possui quotas ou acções de outra ou outras, participando assim do seu capital
participante *s. 2 gén.* pessoa que participa ou colabora; interveniente
participar I *v. tr.* **1** informar; comunicar; **2** apresentar queixa; **II** *v. intr.* **1** associar-se a; tomar parte em; **2** ter ou receber uma parte de um todo; partilhar; **3** ser parte de; integrar-se em
participativo *adj.* **1** que participa; **2** que favorece a participação; **3** *(fig.)* expansivo; comunicativo
particípio *s. m.* GRAM. forma nominal do verbo que exprime o resultado do processo verbal e funciona como adjectivo
partícula *s. f.* **1** corpo de dimensões muito pequenas; corpúsculo; **2** parte muito pequena; fragmento; **3** GRAM., LING. pequena palavra invariável; **4** RELIG. (liturgia católica) hóstia
particular I *adj.* **1** que se destina ao uso exclusivo de uma pessoa; privado; **2** próprio de determinada coisa ou pessoa; peculiar; **3** reservado a pessoa(s) interessada(s); pessoal; **4** que não se aplica a todos os casos ou a todos os seres de uma espécie; restrito; **5** que não é comum ou vulgar; especial; **II** *s. 2 gén.* **1** qualquer pessoa; indivíduo; **2** entidade privada; ***em ~*** especialmente; concretamente

particularidade *s. f.* **1** característica do que é particular; **2** qualidade distintiva; especificidade; **3** pormenor; detalhe

particularizar I *v. tr.* **1** descrever em pormenor; **2** distinguir; destacar; **II** *v. refl.* distinguir-se; destacar-se

particularmente *adv.* **1** em particular; em especial; **2** intimamente; em segredo

partida *s. f.* **1** acto de sair; saída; **2** origem ou início de um percurso; **3** DESP. prova entre duas ou mais pessoas ou equipas; competição; **4** jogo de xadrez; **5** brincadeira; travessura

partidário I *adj.* **1** relativo a partido; **2** que segue uma ideia, um grupo ou uma corrente de pensamento; **II** *s. m.* **1** membro ou simpatizante de um partido; **2** pessoa que segue uma ideia, um grupo ou uma corrente de pensamento; adepto

partidarismo *s. m.* defesa cega e exagerada de um partido político; sectarismo

partido I *adj.* **1** que se partiu; quebrado; **2** dividido em partes; fragmentado; **3** *(coloq.)* muito cansado; exausto; **II** *s. m.* **1** POL. associação de cidadãos que partilham uma concepção política ou interesses políticos e sociais e que se propõe alcançar o poder; facção; **2** resolução; decisão; **3** vantagem; proveito ❖ ***ser um bom ~*** ter uma situação económica e/ou social vantajosa; ***tirar ~*** aproveitar; desfrutar; ***tomar ~ de*** estar do lado de; defender

partilha *s. f.* **1** divisão em partes e distribuição de (bens, herança, lucros); repartição; **2** parte individual resultante dessa operação; quinhão; **3** sentimento de identificação com a maneira de pensar e/ou sentir de outra pessoa

partilhar I *v. tr.* fazer a divisão e distribuição de (bens, herança, lucros); **II** *v. intr.* **1** participar de (gostos, sentimentos, opiniões); **2** tomar parte em; **3** estar de acordo com

partir I *v. tr.* **1** separar em duas ou mais partes; quebrar; **2** dividir em partes; **3** distribuir; **4** causar fractura; **5** danificar; **II** *v. intr.* **1** quebrar-se; **2** deixar um local; sair; **III** *v. refl.* **1** sofrer fractura; **2** danificar-se; **3** deixar um local; retirar-se ❖ ***a ~ de*** a principiar em; de... em diante

partitivo I *adj.* **1** que reparte; **2** que designa uma parte de um todo; **II** *s. m.* LING. palavra que designa uma parte de um todo

partitura *s. f.* **1** MÚS. conjunto de indicações impressas ou manuscritas com a totalidade das partes de uma composição musical, escritas umas por baixo das outras; **2** qualquer folha de papel com indicações para execução de uma composição musical

parto *s. m.* **1** acto de dar à luz; **2** expulsão do feto do útero da mãe; **3** MED. assistência profissional à parturiente ao dar à luz; **4** *(fig.)* processo de criação e produção; **5** *(fig.)* tarefa difícil ou trabalhosa; ***~ induzido/provocado*** parto acelerado por meios artificiais, especialmente por substâncias químicas; ***~ natural/normal*** parto que ocorre pelas vias normais, pela vagina, sem necessidade de meios artificiais; ***~ prematuro*** parto que ocorre antes do fim do período de gestação (normalmente antes da 37.ª semana de gravidez); ***~ sem dor*** método de preparação do parto através de uma ginástica própria acompanhada de técnicas de controlo da respiração que auxiliam a parturiente durante as contracções e no momento da expulsão do feto

part-time I *adj.* (actividade, trabalho) que não abrange o horário completo; II *adv.* a meio tempo; III *s. m.* trabalho com horário reduzido

parturiente *s. f.* mulher que se encontra em trabalho de parto ou que acaba de dar à luz

parvo I *adj.* pouco inteligente; idiota; II *s. m.* indivíduo que revela falta de inteligência e de bom senso

parvoíce *s. f.* 1 característica de quem é parvo; imbecilidade; 2 acto ou dito próprio de parvo; idiotice

parvónia *s. f. (coloq., depr.)* pequena localidade pouco desenvolvida

pascácio *adj. (coloq.)* lorpa; idiota

pascal *adj. 2 gén.* relativo à Páscoa; próprio da Páscoa

Páscoa *s. f.* 1 RELIG. festa anual dos Cristãos para comemorar a ressurreição de Jesus Cristo; 2 RELIG. festa anual dos Judeus, em memória da sua fuga do Egipto

pascoal *adj. 2 gén.* vd. **pascal**

pasmaceira *s. f.* 1 admiração idiota; pasmo; 2 estado ou situação sem interesse; monotonia

pasmado *adj.* 1 admirado; espantado; 2 sem expressão; apalermado; 3 apático; indolente

pasmar I *v. tr.* causar pasmo ou admiração a; espantar; II *v. intr.* ficar pasmado; admirar-se

pasmo *s. m.* sentimento de espanto ou surpresa perante algo inesperado; admiração

paspalhão *adj. e s. m.* 1 *(depr.)* tolo; parvo; 2 *(depr.)* que ou aquele que não serve para nada; inútil

paspalho *adj. e s. m.* vd. **paspalhão**

pasquim *s. m.* 1 jornal ou folheto difamatório; 2 *(pej.)* jornal sem qualidade

passa *s. f.* 1 bago de uva seco; 2 *(coloq.)* inalação de tabaco ou droga que se está a fumar

passada *s. f.* 1 movimento com os pés para andar; passo; 2 *(fig.)* oportunidade; ocasião; 3 *(fig.)* medida; diligência

passadeira *s. f.* 1 tapete estreito e comprido que se estende nos pavimentos interiores; 2 faixa transversal, marcada a branco ou amarelo, numa rua, que se destina à passagem de peões

passado I *adj.* 1 que passou; decorrido; 2 imediatamente anterior; 3 que não é actual; antiquado; 4 CUL. seco; 5 *(coloq.)* tolo; 6 *(coloq.)* espantado; 7 *(coloq.)* drogado; II *s. m.* 1 tempo que passou; conjunto de factos anteriores ao presente; 2 história (de um país, de uma pessoa, instituição, etc.)

passador *s. m.* 1 indivíduo que troca objectos falsos por verdadeiros; 2 *(pop.)* traficante de droga; 3 utensílio de cozinha com pequenos orifícios, usado para escorrer alimentos; escorredor

passageiro I *s. m.* pessoa transportado em veículo público ou particular; viajante; II *adj.* 1 que dura ou demora pouco tempo; breve; transitório; 2 (erro, falha) que não tem muita importância; ligeiro

passagem *s. f.* 1 acção de passar; travessia; 2 lugar por onde se passa; 3 ponto de ligação; comunicação; 4 valor que se paga pelo transporte num veículo; bilhete; 5 trecho de um livro ou de uma obra; 6 acontecimento da vida de alguém; episódio; **~ *de ano*** mudança de um ano para outro, à meia-noite do dia 31 de Dezembro; festa de comemoração dessa mudança, na noite de 31 de Dezembro; **~ *de modelos*** mostra de peças de vestuário e acessórios, apresentados ao público por manequins que desfilam num estrado; ~ ***de nível*** cruzamento de uma rua ou estrada com uma linha de caminho-de-ferro situada ao mesmo nível ❖ ***de*** ~ rapidamente; superficialmente; ***estar de*** ~ permanecer pouco tempo

passaporte *s. m.* **1** documento oficial, pessoal e intransmissível, que identifica uma pessoa que permite a saída e/ou a entrada do/no país; **2** *(fig.)* acesso livre

passar I *v. tr.* **1** atravessar; **2** sofrer; suportar; **3** exceder; **4** entregar; **5** decorrer (tempo); **6** *(coloq.)* fazer tráfico de (droga); vender (droga); **7** engomar (roupa); **8** CUL. moer legumes em sopa; **9** CUL. fritar ou grelhar (alimento); **10** transmitir (mensagem, informação); **11** transferir (chamada telefónica); **12** trespassar (negócio); **13** escrever de novo; **II** *v. intr.* **1** ir de um lugar para outro; **2** atravessar; **3** (tempo) decorrer; **4** *(acad.)* ser aprovado; **5** desaparecer; acabar; **6** exceder; **7** tornar-se; **III** *v. refl.* **1** realizar-se; acontecer; **2** *(coloq.)* enfurecer-se; **3** *(coloq.)* espantar-se ❖ ***deixar*** ~ não impedir a passagem/o acessoa a; tolerar; ~ ***ao largo*** passar à distância; não ter em conta; ~ ***de mão em mão*** fazer circular; transmitir; ~ ***pelas brasas*** dormitar; ~ ***por cima de*** não ter em conta; não considerar; ~ ***sem*** conseguir sobreviver na falta de; ~ ***uma esponja sobre*** esquecer

passarela *s. f.* estrado colocado em plano superior por onde desfilam manequins exibindo vestuário, candidatos em concursos de beleza, etc.

passarinho *s. m.* ⟨*dim. de* **pássaro**⟩ pássaro pequeno (especialmente de gaiola)

pássaro *s. m.* **1** ZOOL. ave de tamanho pequeno ou médio; **2** *(pop.)* indivíduo finório ou astuto

passatempo *s. m.* actividade agradável com que se ocupa o tempo livre; diversão; hobby

passe *s. m.* **1** licença; permissão; **2** bilhete emitido por empresa de transportes públicos e válido durante determinado período; **3** DESP. passagem da bola por um jogador a outro da sua equipa; **4** DESP. contrato que vincula um jogador profissional a um clube

passear I *v. tr.* **1** levar (pessoa ou animal) em passeio; **2** *(fig.)* percorrer devagar; deslizar (olhar, pensamento, etc.); **3** *(fig.)* exibir; ostentar; **II** *v. intr.* caminhar a pé para se entreter ou exercitar ❖ ***mandar*** ~ mandar embora de forma indelicada

passeata *s. f.* pequeno passeio

passeio *s. m.* **1** caminhada mais ou menos longa, como forma de exercício ou lazer; **2** viagem de recreio realizada em grupo; excursão; **3** parte lateral das ruas, destinada aos peões

passe-partout *s. m.* {*pl.* passe-partouts} moldura para retratos

passerelle *s. f.* vd. **passarela**

passe-vite *s. m.* {*pl.* passe-vites} CUL. utensílio culinário usado para esmagar batata ou legumes cozinhados

passional *adj. 2 gén.* **1** relativo a paixão; **2** (crime) provocado por paixão

passiva *s. f.* GRAM. conjugação dos verbos transitivos que indica que a acção é sofrida pelo sujeito da frase; voz passiva

passível *adj. 2 gén.* **1** que é susceptível de; **2** que pode ser objecto de

passividade *s. f.* qualidade do que é passivo; inactividade; indiferença

passivo I *adj.* **1** que não tem iniciativa; inactivo; indiferente; **2** que sofre ou recebe uma acção ou impressão; **3** GRAM. (sujeito) que não pratica a acção do verbo, mas a sofre; **4** (fumador) que inala involuntariamente o fumo dos fumadores próximos; **II** *s. m.* ECON. conjunto de dívidas e obrigações de uma empresa

passo *s. m.* **1** movimento feito com o pé para andar; **2** espaço percorrido de cada vez que se desloca e pousa um pé no chão; **3** forma de andar; andamento; **4** marcha de um animal; **5** marca deixada pelo(s) pé(s) no chão; pegada; **6** MIL. cada uma das diversas modalidades de marcha; **7** fase de um processo; etapa ❖ ***a dois passos*** muito perto; ***a ~*** lentamente; ***ao ~ que*** enquanto que; à medida que; ***dar um ~ em falso*** cometer um erro; ***marcar ~*** estagnar; não progredir; ***~ a ~*** gradualmente

pasta *s. f.* **1** massa de consistência semi-sólida ou mole resultante da mistura de substâncias sólidas e líquidas; **2** saco, geralmente rectangular, de cabedal, plástico, etc., onde se guardam papéis ou documentos; **3** bolsa ou mala portátil para documentos ou livros; **4** POL. cargo de ministro de Estado; **5** INFORM. arquivo de documentos representado numa interface gráfica pelo ícone de uma mala ou bolsa; **6** *(coloq.)* dinheiro; ***~ de dentes*** substância ligeiramente abrasiva que se coloca numa escova para limpar os dentes; dentífrico ❖ ***passar a ~*** transferir a responsabilidade de um trabalho para alguém

pastagem *s. f.* **1** terreno coberto de erva onde o gado procura alimento; **2** erva que serve de alimento ao gado; pasto

pastar **I** *v. tr.* **1** comer erva ou vegetação rasteira; **2** dar pasto a; levar ao pasto; **II** *v. intr.* **1** comer erva ou vegetação rasteira; **2** *(coloq.)* não se esforçar; preguiçar

pastel **I** *s. m.* **1** CUL. massa de farinha cozida no forno com recheio de picado de carne ou de peixe, doce, etc.; **2** lápis feito com giz e pigmentos de várias cores que permite um efeito muito suave; **3** ART. PLÁST. técnica de pintura a seco sobre tela, papel, etc., de cores suave e luminosas com efeitos esbatidos; **4** ART. PLÁST. obra realizada com essa técnica; **5** *(coloq., pej.)* pessoa preguiçosa ou indolente; **II** *adj. 2 gén.* (cor) suave; ténue

pastelão *s. m.* **1** CUL. empadão de massa folhada com recheio; **2** *(coloq., pej.)* pessoa preguiçosa ou indolente

pastelaria *s. f.* estabelecimento comercial onde se confeccionam e/ou vendem bolos, salgados, etc.

pasteleiro *s. m.* indivíduo que confecciona e/ou vende pastéis

pasteurização *s. f.* processo de conservação dos alimentos em que estes são aquecidos a uma temperatura não superior a 100 °C e arrefecidos depois rapidamente, de forma a eliminar os germes

pasteurizado *adj.* que foi submetido ao processo de pasteurização

pastiche *s. m.* imitação ou decalque de uma obra literária ou artística, frequentemente com objectivos satíricos ou humorísticos

pastilha *s. f.* **1** guloseima de açúcar, geralmente de forma circular e achatada, com sabor a frutos, licores ou chocolate; **2** FARM. drageia obtida por compressão de substâncias medicamentosas secas, própria para ser engolida ou mastigada; comprimido; **3** *(coloq.)* coisa enfadonha; **4** *(coloq.)* bofetada ❖ ***engolir a ~*** suportar algo desagradável

pastilha elástica *s. f.* guloseima fabricada com goma de certas plantas, com consistência elástica e pegajosa, que não se dissolve com a mastigação

pasto *s. m.* **1** terreno coberto de erva onde o gado procura alimento; **2** erva que serve de alimento ao gado; **3** alimento; comida

pastor *s. m.* **1** pessoa que leva os animais ao pasto e os guarda; **2** *(fig.)* guia espiritual; **3** RELIG. sacerdote protestante

pastoral **I** *adj. 2 gén.* **1** relativo a pastor; **2** rústico; campestre; **II** *s. f.* RELIG. carta dirigida aos padres ou aos fiéis pelo Papa ou por um bispo

pastor-alemão *s. m.* ZOOL. cão com cerca de sessenta centímetros de altura, robusto e de corpo comprido, com pêlo grosso e curto, focinho longo e pontiagudo, e orelhas espetadas

pastorícia *s. f.* conjunto das actividades do pastor; criação de gado

pastoril *adj. 2 gén.* **1** próprio de pastor; **2** rústico; campestre

pastoso *adj.* que tem consistência ou textura de pasta; pegajoso

pata *s. f.* **1** ZOOL. fêmea do pato; **2** parte terminal dos membros dos animais vertebrados terrestres; **3** *(pej.)* (de pessoa) pé muito grande; **4** *(coloq.)* (de pessoa) mão ❖ *(coloq.)* ***à ~*** à mão; ***meter a ~*** ser inconveniente; estragar uma situação

pataca *s. f.* **1** moeda usada em Macau; **2** *(fig.)* moeda corrente; **3** *(fig.)* qualquer soma em dinheiro; ***árvore das patacas*** símbolo daquilo que se pode obter sem esforço ou sem trabalhar

pataco *s. m.* **1** *(pop.)* dinheiro; **2** *(pej.)* homem estúpido ❖ ***estar sem ~*** não ter dinheiro; ***não valer um ~*** não ter valor nenhum

patada *s. f.* **1** pancada com a pata; **2** pancada com a sola do pé

patamar *s. m.* **1** espaço mais ou menos largo, no topo de cada lanço de escada; **2** *(fig.)* fase de um percurso ou de uma evolução

patanisca *s. f.* CUL. isca de bacalhau frita, envolta em farinha

patarata *adj. 2 gén.* pedante; afectado

patavina *s. f.* coisa nenhuma; nada; *(coloq.)* ***não perceber ~*** não compreender absolutamente nada

patchwork *s. m.* {*pl.* patchworks} trabalho de costura feito com pequenos retalhos de tecido de vários tamanhos e cores, cosidos ou unidos uns aos outros

patê *s. m.* CUL. preparação de consistência pastosa e sabor forte e condimentado, confeccionada a partir de carne, peixe ou legumes

patego *s. m.* **1** *(coloq.)* ingénuo; simplório; **2** *(coloq.)* grosseiro; rude

patela *s. f.* **1** disco de ferro usado no jogo da malha; **2** jogo que consiste em lançar rente ao chão uns discos de ferro a fim de derrubar pequenas estacas colocadas na vertical; jogo da malha; **3** ANAT. pequeno osso situado na parte anterior do joelho; rótula

patente **I** *adj. 2 gén.* **1** que não deixa dúvida; claro; evidente; **2** que está aberto a todos; acessível; **II** *s. f.* **1** DIR. título que assegura ao autor de uma invenção ou ao criador de um modelo ou desenho industrial, a propriedade e uso exclusivos do seu invento ou da sua criação; **2** MIL. posto militar; **3** MIL. título correspondente ao posto de um militar

patentear *v. tr.* **1** tornar patente; mostrar; **2** registar (invenção, criação) com patente; **3** conceder patente

paternal *adj. 2 gén.* **1** relativo a pai; **2** próprio de pai; **3** *(fig.)* protector; compreensivo

paternalismo *s. m. (pej.)* atitude excessivamente protectora

paternidade *s. f.* **1** qualidade ou condição de pai; **2** vínculo sanguíneo entre pai(s) e filho(s); **3** autoria intelectual de uma obra

paterno *adj.* **1** relativo a pai; **2** próprio de pai; **3** que provém do pai

pateta *adj. 2 gén.* **1** que demonstra falta de bom senso; tolo; **2** que revela ingenuidade; simplório

patetice *s. f.* acto ou dito de pateta; parvoíce

patético *adj.* **1** que desperta piedade; comovente; tocante; **2** *(pej.)* que explora o sentimento de piedade, tornando-se ridículo

patifaria *s. f.* comportamento próprio de patife

patife *s. m.* que revela mau carácter; que tem comportamento desprezível; canalha

patim *s. m.* peça adaptável à sola do calçado do patinador, com uma lâmina vertical de aço, para deslizar sobre o gelo, ou com pequenas rodas, para rolar sobre um pavimento liso; ***patins em linha*** patins com quatro rodas dispostas numa só linha, de forma a permitir movimentos mais flexíveis

patinador *s. m.* pessoa que faz patinagem

patinagem *s. f.* **1** acto de se deslocar sobre patins; **2** DESP. actividade que consiste em deslizar sobre o gelo ou sobre rodas em patins; ***~ artística*** modalidade que consiste em dançar ou fazer coreografias deslizando sobre uma superfície gelada, individualmente ou em pares

patinar *v. intr.* **1** deslizar sobre patins; **2** DESP. fazer patinagem; **3** (veículo) derrapar; **4** *(fig.)* (pessoa) hesitar

patinho *s. m.* **1** ⟨*dim. de* **pato**⟩ ZOOL. pato pequeno ou jovem; **2** *(coloq.)* pessoa que se deixa enganar com facilidade; pessoa ingénua ❖ ***cair que nem um ~*** deixar-se enganar com muita facilidade

pátio *s. m.* **1** recinto descoberto no interior de um edifício; **2** terreno murado anexo a um edifício

pato *s. m.* **1** ZOOL. ave aquática palmípede com bico largo, pernas curtas e pés com membranas natatórias; **2** *(coloq.)* indivíduo tolo ou ingénuo

patogénico *adj.* que provoca ou pode provocar doença

patologia *s. f.* **1** MED. especialidade que estuda as origens, os sintomas e a natureza das doenças; **2** MED. qualquer desvio anatómico ou fisiológico que constitua uma doença

patológico *adj.* **1** relativo a uma doença; **2** *(fig.)* excessivo; doentio

patologista *s. 2 gén.* especialista em patologia

patranha *s. f. (coloq.)* mentira; peta

patrão *s. m.* chefe ou proprietário de estabelecimento comercial ou industrial, em relação aos seus empregados

pátria *s. f.* terra natal

patriarca *s. m.* chefe de família

patriarcado *s. m.* **1** dignidade de patriarca; **2** diocese subordinada a um patriarca

patriarcal *adj. 2 gén.* **1** relativo a patriarca; **2** *(fig.)* respeitável

patrimonial *adj. 2 gén.* relativo a património

património *s. m.* **1** conjunto de bens de uma família; **2** herança de família; **3** zonas, edifícios e outros bens naturais ou materiais de um país que são protegidos e valorizados pela sua importância cultural; 4 *(fig.)* grande abundância; riqueza

patriota *s. 2 gén.* pessoa que manifesta amor e orgulho pela pátria

patriótico *adj.* **1** relativo a pátria ou a patriotismo; **2** que revela amor à pátria

patriotismo *s. m.* sentimento de amor e orgulho pela pátria

patroa *s. f.* **1** chefe ou proprietária de estabelecimento comercial ou industrial, em relação aos seus empregados; **2** *(pop.)* esposa; mulher

patrocinador *s. m.* pessoa que patrocina; promotor

patrocinar *v. tr.* dar apoio ou protecção a; promover

patrocínio *s. m.* apoio; protecção

patronal *adj. 2 gén.* relativo a patrão; ***entidade ~*** classe formada pelos patrões ou empregadores

patronato *s. m.* **1** autoridade ou qualidade de patrão; **2** conjunto dos patrões

patrono *s. m.* **1** defensor; protector; **2** santo padroeiro

patrulha *s. f.* **1** acção de patrulhar; patrulhamento; **2** ronda de vigilância; **3** grupo de pessoas que presta serviços de vigilância; **4** MIL. destacamento de soldados encarregado de fazer rondas

patrulhamento *s. m.* vigilância feita por patrulhas

patrulhar *v. tr. e intr.* **1** vigiar com patrulha; **2** *(fig.)* controlar; fiscalizar

patuscada *s. f.* encontro festivo de pessoas para comer e beber; comezaina

patusco *adj.* **1** que gosta de patuscadas; pândego; **2** que gosta de se divertir e de divertir os outros; brincalhão

pau *s. m.* **1** pedaço de madeira; **2** bordão; cajado; **3** *(ant.)* escudo ❖ ***ser ~ para toda a colher/obra*** estar pronto para tudo; servir para tudo; ***pôr-se a ~*** precaver-se

pau-brasil *s. m.* {*pl.* paus-brasil} **1** BOT. árvore tropical (actualmente muito rara) que fornece madeira avermelhada e tinta da mesma cor; **2** madeira dessa árvore

pau-de-cabeleira *s. m.* {*pl.* paus-de--cabeleira} pessoa que acompanha um par de namorados

paul *s. m.* {*pl.* pauis} terreno alagadiço; pântano

paulada *s. f.* pancada com pau ou bastão; bastonada

paulatino *adj.* **1** que se faz aos poucos; devagar; **2** realizado em etapas; progressivo

pau-mandado *s. m.* {*pl.* paus-mandados} *(depr.)* pessoa subserviente que aceita fazer tudo o que se lhe mande; joguete

paupérrimo *adj.* ⟨*superl. de* **pobre**⟩ muito pobre

pau-preto *s. m.* {*pl.* paus-pretos} **1** BOT. árvore tropical que fornece madeira muito resistente e escura, quase preta; **2** madeira dessa árvore

paus *s. m. pl.* um dos naipes do baralho das cartas de jogar, representado pela imagem de um trevo preto com três folhas

pausa *s. f.* **1** suspensão de acção ou movimento; **2** interrupção; intervalo; **3** vagar; calma

pausado *adj.* **1** feito com lentidão; vagaroso; **2** que tem um ritmo compassado; cadenciado

pau-santo *s. m.* {*pl.* paus-santos} **1** BOT. árvore tropical de folhas grandes, que fornece madeira de boa qualidade e resina; guaiaco; **2** madeira dessa árvore

pauta *s. f.* **1** MÚS. conjunto de cinco linhas paralelas horizontais em que se escrevem as notas de música; **2** lista; rol; **3** tarifa

pautado *adj.* **1** (papel) traçado com linhas paralelas; **2** metódico; regrado; **3** regulado; orientado

pautar **I** *v. tr. e refl.* **1** moderar; controlar; **2** regular; orientar; **II** *v. refl.* guiar-se; orientar-se

pavão *s. m.* {*f.* pavoa} ZOOL. ave galinácea cujo macho tem uma bela plumagem em tons brilhantes de azul, no pescoço e na cabeça, com reflexos verdes, violeta e dourados, especialmente na cauda, que se levanta em leque

pavilhão *s. m.* **1** recinto coberto, de grandes dimensões, usado para a prática desportiva, feiras, exposições, etc.; **2** construção desmontável e portátil; tenda; **3** ANAT. parte externa do ouvido; orelha

pavimentar *v. tr.* revestir (caminho, rua) com pavimento

pavimento *s. m.* **1** cobertura do solo sobre a qual se anda; **2** revestimento constituído por materiais resistentes, capazes de suportar o trânsito automóvel

pavio *s. m.* cordão fino, revestido de cera, que serve para acender velas; torcida ❖ ***de fio a ~*** do princípio ao fim

pavonear **I** *v. tr.* mostrar com vaidade; ostentar; **II** *v. refl.* mostrar-se com vaidade; exibir-se

pavor *s. m.* grande medo; terror

pavoroso *adj.* que inspira ou provoca pavor

paxá *s. m.* **1** chefe militar turco; **2** (*fig.*) indivíduo rico e ocioso; **3** (*fig.*) pessoa lenta ou preguiçosa

paz *s. f.* **1** ausência de conflito; acordo; **2** POL. situação de um país ou de um Estado que não está em guerra; **3** assinatura de tratado que marca a cessação de hostilidades entre dois ou mais Estados; armistício; **4** (de pessoa) tranquilidade; serenidade; **5** (de lugar) calma; sossego ❖ ***fazer as pazes com*** reconciliar-se com

Pb QUÍM. [*símbolo de* **chumbo**]

PC INFORM. [*abrev. de* **p**ersonal **c**omputer] computador pessoal

Pd QUÍM. [*símbolo de* **paládio**]

PDA INFORM. [*sigla de* **P**ersonal **D**igital **A**ssistant] agenda electrónica sem teclado, em que o registo de informação é efectuado através de um instrumento semelhante a uma caneta

Pe [*abrev. de* **p**adr**e**]

PE [*sigla de* **P**arlamento **E**uropeu]

pé *s. m.* **1** ANAT. segmento do membro inferior do homem que se articula com a extremidade inferior da perna e que permite a postura vertical e o andar; **2** ZOOL. parte terminal dos membros posteriores de um vertebrado terrestre; pata; **3** BOT. segmento da folha que a prende ao ramo ou ao tronco; **4** suporte de móvel, coluna ou de um um objecto decorativo; MED. ***~ chato*** pé que cuja planta toca inteiramente o solo, devido à inexistência do arco plantar ❖ ***ao ~ de*** junto de; ***do ~ para a mão*** de um momento para o outro; de repente; ***dos pés à cabeça*** inteiramente; completamente; ***em ~ de igualdade*** em situação equivalente; ***entrar com o ~ direito*** começar bem; ***estar com os pés para a cova*** estar prestes a morrer; ***estar de ~ atrás com*** desconfiar de; ***meter os pés pelas mãos*** confundir-se; baralhar-se; ***não ter pés nem cabeça*** não fazer sentido; ser absurdo; ***negar a pés juntos*** negar com firmeza; ***~ ante ~*** com muito cuidado; silenciosamente; ***pôr-se a ~*** levantar-se (da cama); erguer-se; ***ter***

pés de barro ser frágil ou vurlenrável, apesar da aparência segura

peão *s. m.* {*f.* peã ou peona} **1** pessoa que anda a pé; **2** (xadrês) peça que só pode ser movida para a frente, podendo eliminar peças que se lhe apresentem pela diagonal; **3** MIL. soldado de infantaria

peça *s. f.* **1** cada uma das partes de um todo; **2** elemento ou unidade de um conjunto; acessório; **3** cada uma das pedras ou figuras, nos jogos de tabuleiro; **4** TEAT. obra ou representação dramática; **5** MÚS. composição musical; **6** animal morto na caça; ***~ de museu*** objecto raro ou valioso; ***ser má ~*** ter mau carácter; não ser de confiança; economias

pecadilho *s. m.* **1** ⟨*dim. de* **pecado**⟩ pequeno pecado; culpa leve; **2** defeito insignificante

pecado *s. m.* **1** violação de um princípio religioso; culpa; **2** transgressão de qualquer norma ética ou moral; falta; **3** *(coloq.)* acto cruel; maldade; RELIG. ***~ mortal*** pecado que faz perder a graça divina e leva à condenação da alma se não for objecto de confissão, arrependimento e penitência; ***~ original*** pecado cometido por Adão e Eva no Paraíso, que, segundo a Igreja Católica, só é expiado no baptismo

pecador *s. m.* pessoa que comete pecado(s)

pecaminoso *adj.* **1** relativo a pecado; **2** em que existe pecado

pecar *v. intr.* **1** violar um princípio religioso; cometer um pecado; **2** transgredir um princípio ético ou moral; cometer uma falta

pechincha *s. f.* *(coloq.)* produto ou artigo cujo preço é muito baixo

pechisbeque *s. m.* **1** liga de cobre e zinco que imita ouro; ouro falso; **2** objecto de pouco valor

pecíolo *s. m.* BOT. parte da folha que liga o limbo ao caule, ou à bainha; pé

peçonhento *adj.* **1** que tem peçonha; venenoso; **2** que revela maldade; pérfido

pé-coxinho *s. m.* **1** acto de caminhar ou saltar com um pé só, suspendendo o outro; **2** jogo de crianças feito desta maneira

pecuária *s. f.* actividade ou indústria de criação de gado

peculiar *adj. 2 gén.* que é próprio de algo ou de alguém; particular; específico

peculiaridade *s. f.* característica particular ou especial; especificidade

pecuniário *adj.* relativo a dinheiro

pedaço *s. m.* **1** parte de um todo; bocado; **2** breve espaço de tempo

pedagogia *s. f.* **1** ciência que se dedica às questões e problemas relacionados com a educação e o desenvolvimento dos jovens; **2** conjunto de métodos que visam a adequação dos conteúdos informativos às pessoas a quem se dirigem

pedagógico *adj.* **1** relativo a pedagogia; **2** que está de acordo com a pedagogia

pedagogo *s. m.* **1** pessoa que se dedica à pedagogia; **2** pessoa que ensina; professor; mestre

pedal *s. m.* alavanca anexa a certos instrumentos e máquinas que se move com o pé para gerar movimento

pedalada *s. f.* **1** impulso dado ao pedal; **2** *(fig.)* força; energia

pedalar *v. intr.* **1** mover o pedal (de máquina, instrumento, etc.); **2** andar de bicicleta

pedante *adj. 2 gén.* **1** que gosta de se exibir com conhecimentos que não tem; **2** que é vaidoso na forma de se exprimir e/ou de se apresentar

pé-de-atleta *s. m.* {*pl.* pés-de-atleta} MED. afecção cutânea causada por fungos, que se localiza sobretudo entre os dedos dos pés, provocando fissuras e pequenas vesículas
pé-de-cabra *s. m.* {*pl.* pés-de-cabra} alavanca de ferro com uma extremidade fendida, que serve para arrancar pregos
pé-de-galo *s. m.* {*pl.* pés-de-galo} BOT. planta trepadeira, aromática, produtora de frutos simples; lúpulo
pé-de-meia *s. m.* {*pl.* pés-de-meia} dinheiro poupado e posto de reserva; poupanças; economias
pederasta *s. m.* homossexual
pederastia *s. f.* **1** prática sexual entre um homem e um rapaz mais jovem; **2** homossexualidade
pedestal *s. m.* **1** ARQ. peça, geralmente quadrada, com base e cornija, em que se assenta uma estátua ou outro elemento decorativo; **2** *(fig.)* aquilo que serve para destacar
pedestre *adj. 2 gén.* **1** (ser) que anda a pé; **2** (percurso) percorrido a pé; **3** (estátua) que representa uma pessoa de pé
pé-de-vento *s. m.* {*pl.* pés-de-vento} **1** lufada de ar; **2** *(fig.)* tumulto; escândalo ❖ ***fazer um ~*** provocar escândalo ou confusão
pediatra *s. 2 gén.* especialista em pediatria
pediatria *s. f.* MED. especialidade que estuda as doenças das crianças
pediátrico *adj.* relativo a pediatria
pedicelo *s. m.* BOT. haste que sustenta a flor de uma planta ou cada flor de uma inflorescência
pedicure *s. 2 gén.* profissional que trata dos pés e das unhas; calista
pedido *s. m.* **1** acto de pedir; **2** súplica; rogo; **3** ordem de compra; encomenda
pedigree *s. m.* {*pl.* pedigrees} **1** genealogia de um animal de raça pura; **2** certificado que atesta a pureza de linhagem de um animal
pedinchão *s. m.* {*f.* pedinchona} *(depr.)* pessoa que pede muito ou está sempre a pedir alguma coisa
pedinchar *v. tr. e intr. (depr.)* pedir insistentemente e com lamúria
pedinte *s. 2 gén.* pessoa que pede ou mendiga; pessoa que vive de esmolas
pedir I *v. tr.* **1** fazer um pedido; solicitar; **2** suplicar; rogar; **3** encomendar; **II** *v. intr.* **1** mendigar; **2** encomendar
pé-direito *s. m.* {*pl.* pés-direitos} ARQ. distância entre o nível superior do pavimento e o nível inferior do tecto de um compartimento ou de um andar
peditório *s. m.* **1** recolha de dinheiro para fins de beneficência ou acções de solidariedade; **2** *(fig.)* pedido insistente
pedofilia *s. f.* **1** perversão que leva um adulto a sentir atracção sexual por crianças; **2** prática de actos sexuais com crianças (considerada crime)
pedófilo *s. m.* **1** pessoa que sente atracção sexual por crianças; **2** pessoa que pratica pedofilia
pedra *s. f.* **1** matéria mineral sólida, dura e compacta que forma as rochas; **2** fragmento de rocha dura; calhau; **3** peça de diversos jogos de tabuleiro; **4** pedaço de qualquer substância sólida e dura; **5** lápide de sepultura; **6** *(pop.)* pedra preciosa; ***~ preciosa*** mineral com brilho e coloração especiais, valioso por sua raridade e dureza, que é usado em joalheria; gema ❖ ***atirar a primeira ~*** ser o primeiro a acusar (embora estando comprometido); ***dormir como uma ~*** dormir profundamente; ***reagir com duas pedras na mão***

reagir de forma agressiva e/ou violenta; ***ter uma ~ no sapato*** ter um obstáculo para resolver; estar desconfiado

pedra angular *s. f.* **1** ARQ. pedra que forma o ângulo de um edifício; fundação; **2** base sólida; fundamento

pedrada *s. f.* **1** pancada ou ferimento provocado pelo lançamento de uma pedra; **2** *(coloq.)* estado de entorpecimento ou euforia provocado por álcool ou droga

pedra-de-toque *s. f.* {*pl.* pedras-de-toque} **1** rocha usada para avaliar a pureza de uma liga metálica; **2** critério ou teste usado para determinar a qualidade de algo; padrão

pedrado *adj. (coloq.)* entorpecido por efeito de álcool ou de droga

pedra filosofal *s. f.* **1** fórmula imaginária para converter qualquer metal em ouro; **2** *(fig.)* coisa muito rara e valiosa mas difícil de atingir

pedra-pomes *s. f.* {*pl.* pedras-pomes} rocha vulcânica, de textura vítrea, acinzentada, que se utiliza para polir ou limpar

pedregoso *adj.* que tem muitas pedras

pedregulho *s. m.* pedra grande

pedreira *s. f.* lugar donde se extrai pedra

pedreiro *s. m.* operário que trabalha em obras de pedra, cal ou cimento

pedúnculo *s. m.* BOT. haste ou suporte de flor ou do fruto; pé

pega[1] [ɛ] *s. f.* **1** parte por onde se segura um objecto (uma mala, um tacho, etc.); asa; **2** pequeno pano ou tecido para tirar os tachos e panelas do lume; **3** (tauromaquia) acto de agarrar o touro com as mãos; **4** *(fig.)* discussão; briga

pega[2] [e] *s. f.* **1** ZOOL. pássaro de cabeça e bico negro, barriga branca e cauda comprida; **2** *(cal.)* prostituta

pegada *s. f.* **1** marca que o pé deixa no solo; **2** *(fig.)* vestígio; pista

pegado *adj.* **1** próximo; **2** colado; **3** *(fig.)* zangado

pegajoso *adj.* **1** que se cola facilmente; viscoso; **2** *(fig.)* maçador

pegar **I** *v. tr.* **1** fixar; unir; colar; **2** transmitir (doença) por contacto ou contágio; **3** atear fogo; **4** segurar o touro pelos chifres; **II** *v. intr.* **1** fixar-se; aderir; colar; **2** (doença) transmitir-se por contacto ou contágio; **3** (carro) começar a funcionar; **4** (hábito, moda) ter continuidade; generalizar-se; **5** (planta) criar raízes; **III** *v. refl.* **1** (doença) transmitir-se por contacto ou contágio; **2** (pessoas) desentender-se; brigar

peido *s. m. (cal.)* porção de gases expelida pelo ânus; traque

peito *s. m.* **1** ANAT. região do tronco entre o pescoço e o abdómen, que contém os pulmões e o coração; **2** cada um dos seios femininos; **3** seios femininos; **4** órgãos respiratórios; **5** ZOOL. parte inferior do tórax dos animais; **6** *(fig.)* ânimo; coragem ❖ ***dar o ~*** amamentar; ***tomar a ~*** dedicar-se a; empenhar-se em

peitoral *adj. 2 gén.* relativo ao peito

peitoril *s. m.* rebordo da janela que serve de apoio às pessoas

peixaria *s. f.* estabelecimento onde se vende peixe

peixe *s. m.* ZOOL. animal vertebrado, aquático, com o corpo coberto de escamas, respiração branquial, e os membros em forma de barbatanas ❖ ***estar como ~ na água*** sentir-se completamente à vontade (em determinado assunto, lugar, etc.); ***fazer render o ~*** prolongar uma conversa ou uma situação em proveito próprio; ***não ser carne nem ~*** não ser coisa bem definida; ***vender o seu ~***

argumentar, defendendo habilmente o seu ponto de vista

peixe-aranha *s. m.* {*pl.* peixes-aranha} ZOOL. peixe teleósteo de corpo alongado e espinhos venenosos na primeira barbatana dorsal

peixe-espada *s. m.* {*pl.* peixes-espada} ZOOL. peixe teleósteo de corpo muito alongado, prateado e brilhante

peixeira *s. f.* **1** mulher que vende peixe; **2** *(pop., pej.)* mulher que fala alto e de forma grosseira

peixeiro *s. m.* homem que vende peixe

Peixes *s. m. pl.* **1** ASTRON. décima segunda constelação do zodíaco situada no hemisfério norte; **2** ASTROL. décimo segundo signo do zodíaco (19 de Fevereiro a 20 de Março)

pejo *s. m.* vergonha; pudor

pejorativo *adj.* **1** que tem conotação desfavorável para aquilo que designa; **2** que expressa menosprezo; que rebaixa

pelada *s. f.* MED. afecção que ataca o couro cabeludo, fazendo cair o cabelo em pequenas zonas arredondadas

pelagem *s. f.* revestimento de pêlos dos animais

pelar I *v. tr.* **1** tirar o pêlo a (animal); **2** tirar a casca a (fruta, legume); **II** *v. refl.* **1** perder a pele, o pêlo ou a casca; **2** gostar muito

pele *s. f.* **1** ANAT. revestimento externo do corpo humano constituído pela epiderme e pela derme e unido ao tecido celular subcutâneo; **2** casca (de frutos, legumes); **3** tecido espesso e resistente de certos animais que, depois de curtido é usado como matéria-prima; couro; **4** *(fig.)* corpo; *(coloq.)* ***~ de galinha*** enrugamento da pele causado por frio, susto, etc.; arrepio ❖ ***arriscar a ~*** correr risco(s); ***salvar a ~*** fugir às próprias responsabilidades; ***sentir na ~*** passar por experiência (geralmente dolorosa); ***ser só ~ e osso*** ser/estar muito magro; ***ter os nervos à flor da ~*** irritar-se com facilidade

peleja *s. f.* **1** batalha; combate; **2** discussão; briga

pele-vermelha *s. 2 gén.* {*pl.* peles-vermelhas} pessoa pertencente a uma das tribos aborígenes da América do Norte

pelicano *s. m.* ZOOL. ave aquática de bico comprido com uma bolsa membranosa onde armazena o peixe que apanha

película *s. f.* **1** camada fina de pele; **2** membrana que envolve alguns órgãos animais ou vegetais; **3** CIN., FOT. camada de gelatina sensível à luz que recobre filmes fotográficos e cinematográficos

pelintra *adj. 2 gén.* **1** pobre e mal vestido; maltrapilho; **2** presunçoso nos modos e na apresentação

pelo *contr. da prep.* **por** + *art. def.* **o**

pêlo *s. m.* **1** ANAT., ZOOL. cada um dos órgãos filiformes, de origem epidérmica, que reveste quase toda a superfície do corpo dos mamíferos; **2** penugem; **3** cabelo ❖ ***em ~*** sem roupa; nu; ***chegar a roupa ao ~*** agredir; espancar

pelotão *s. m.* **1** MIL. grupo de soldados designados para determinada tarefa; **2** grande número de pessoas; multidão

pelote *s. m.* estado de quem está despido; nudez ❖ ***em ~*** sem roupa; nu

pelourinho *s. m.* coluna erguida em lugar público, onde eram exibidos e castigados os criminosos

pelouro *s. m.* **1** área administrativa de uma cidade vinculada à câmara municipal ou à junta de freguesia; **2** área de actuação; competência

peluche *s. m.* **1** tecido felpudo, feito de algodão, lã ou seda, com fios menos densos e mais compridos que o veludo; **2** boneco revestido com esse material

pelúcia *s. f.* vd. **peluche**

peludo *adj.* **1** que tem muitos pêlos; **2** revestido de tecido aveludado; felpudo

pelve *s. f.* vd. **pélvis**

pélvico *adj.* relativo à pélvis

pélvis *s. f. 2 núm.* ANAT. cavidade na parte inferior (ou posterior) do tronco onde se aloja o recto e uma grande parte dos aparelhos urinário e genital; bacia

pena *s. f.* **1** DIR. sanção aplicada como forma de punição por um acto considerado repreensível; condenação; **2** tristeza; pesar; **3** piedade; compaixão; **4** ZOOL. cada um dos órgãos que revestem o corpo de uma ave; pluma; DIR. ***~ capital*** pena de morte; ***~ de prisão*** sanção punitiva de um crime, proferida por um juíz após realização de julgamento, que priva alguém da liberdade, e que é cumprida em estabelecimento prisional do Estado; ***~ suspensa*** suspensão da execução da pena de prisão decretada por um juíz durante determinado período de tempo, no qual a sentença não produz efeito ❖ ***ao correr da ~*** de improviso; sem preocupações de estilo; ***sob ~ de*** expondo-se às consequências de; correndo o risco de; ***valer a ~*** merecer o esforço ou a dedicação

penado *adj.* **1** que tem penas; **2** que sofre um castigo; condenado; ***alma penada*** alma de pessoa morta que, segundo a crença popular, vagueia pelo mundo; pessoa que sofre muito

penal *adj. 2 gén.* **1** relativo a penas judiciais; **2** que aplica penas judiciais

penalidade *s. f.* **1** DIR. sistema de penas impostas pela lei; **2** castigo; punição; DESP. (futebol) ***grande ~*** castigo máximo por falta cometida por um jogador dentro da sua grande área e que se traduz num pontapé da equipa contrária a 11 metros da baliza, que só pode ser defendido pelo guarda-redes; penalty

penalizar *v. tr.* **1** aplicar pena ou castigo a; **2** pôr em desvantagem; **3** causar pena; afligir

penalty *s. m.* DESP. (futebol) castigo máximo por falta cometida por um jogador dentro da sua grande área e que se traduz num pontapé da equipa contrária a 11 metros da baliza, que só pode ser defendido pelo guarda-redes

penar *v. intr.* sentir aflição ou dor; sofrer

penca *s. f.* **1** BOT. variedade de couve, de folhas grossas, com caule curto e talos carnudos, muito apreciada em culinária; **2** *(coloq.)* nariz grande

pendente *adj. 2 gén.* **1** que pende; pendurado; **2** (assunto, problema) que não está ainda resolvido; **3** (processo) que ainda não foi julgado ou decidido; **4** (decisão, facto) que está prestes a acontecer; iminente

pender *v. intr.* **1** estar pendurado ou suspenso; **2** inclinar-se; descair

pendular **I** *s. m.* comboio que tem suspensão oscilante como a de um pêndulo, para maior segurança, e que atinge grande velocidade; **II** *adj. 2 gén.* **1** relativo a pêndulo; **2** que oscila

pêndulo *s. m.* **1** peça metálica que regula o movimento do maquinismo do relógio; **2** qualquer corpo que oscila sob a acção da gravidade, em torno de um eixo horizontal

pendura *s. 2 gén. (coloq.)* pessoa que se diverte à custa dos outros; borlista

pendurado *adj.* **1** suspenso; pendente; **2** *(coloq.)* endividado

pendurar I *v. tr.* prender (objecto) a certa altura do chão; fixar; suspender; **II** *v. refl.* **1** estar suspenso; pender; **2** estar dependente de; **3** agarrar-se a

penduricalho *s. m.* objecto que se pendura para adorno ou enfeite; berloque

penedo *s. m.* **1** rochedo; penhasco; **2** *(fig.)* pessoa teimosa e difícil de demover

peneira *s. f.* **1** (objecto) instrumento circular com rebordo de madeira e o fundo em malha ou rede, por onde passam substâncias finas, retendo fragmentos mais grossos (farinha, areia, etc.); **2** *(coloq.)* afectação; vaidade ❖ ***tapar o sol com a ~*** ocultar ou negar aquilo que é óbvio; ***ter peneiras*** mostrar-se presumido ou vaidoso; armar-se

peneirento *adj.* *(coloq.)* que se acha melhor que os outros; vaidoso; convencido

penetração *s. f.* **1** acção de penetrar; entrada; **2** introdução do pénis na vagina ou no ânus; **3** *(fig.)* facilidade de compreensão; perspicácia; **4** *(fig.)* grau de aceitação (de ideia, produto, etc.) num dado grupo

penetrante *adj. 2 gén.* **1** que penetra; **2** (frio, sensação) muito forte; intenso; **3** *(fig.)* agudo; perspicaz

penetrar I *v. tr.* **1** passar para o lado de dentro; entrar; **2** FISIOL. introduzir o pénis na vagina; **3** *(fig.)* entender; perceber; **II** *v. intr.* **1** introduzir-se; entrar; **2** ter acesso a

penha *s. f.* rocha saliente e isolada na encosta de uma serra

penhasco *s. m.* grande rochedo escarpado

penhor *s. m.* objecto, móvel ou imóvel, que garante o pagamento de uma dívida; sinal; ***casa de penhores*** estabelecimento onde é possível obter um empréstimo em troca de objectos, geralmente valiosos, que funcionam como garantia da devolução do dinheiro

penhora *s. f.* DIR. apreensão judicial dos bens do devedor para, à custa deles, serem pagos os credores

penhorado *adj.* que foi apreendido em penhora

penhorar *v. tr.* **1** DIR. apreender, por meio de execução judicial, os bens de (um devedor); **2** entregar como garantia

penicilina *s. f.* FARM. antibiótico extraído de um fungo, com aplicação eficaz no tratamento de várias doenças infecciosas

penico *s. m.* *(pop.)* vaso para urina e fezes; bacio; pote

península *s. f.* GEOG. terra emersa que sobressai de um continente ou de uma ilha, formando uma saliência individualizada, ligada apenas ao conjunto de que faz parte por uma faixa (istmo), e circundada quase totalmente por mar

peninsular I *adj. 2 gén.* relativo a península; **II** *s. 2 gén.* pessoa que é natural ou habitante de uma península

pénis *s. m. 2 núm.* ANAT. órgão genital masculino constituído por um tubo central, por onde passa a uretra, que intervém na cópula como órgão penetrador

penitência *s. f.* **1** sentimento de remorso por erro cometido; arrependimento; **2** RELIG. confissão dos próprios pecados a um confessor; **3** RELIG. pena imposta pelo confessor ao penitente para remissão dos seus pecados

penitenciária *s. f.* estabelecimento onde se recolhem pessoas condenadas a penas de prisão

penitenciário *adj.* **1** relativo ao sistema de prisão em células separadas; **2** relativo a penitência

penitente *s. 2 gén.* **1** pessoa que faz penitência; **2** RELIG. pessoa que confessa os seus pecados

penoso *adj.* **1** que provoca dor ou sofrimento; aflitivo; **2** que custa a fazer ou a suportar; árduo

pensador *s. m.* **1** aquele que pensa ou reflecte; **2** que faz estudos e reflexões sobre a realidade circundante; filósofo

pensamento *s. m.* **1** acto de pensar; reflexão; meditação; **2** modo de pensar; ponto de vista; **3** representação mental de algo concreto; ideia; **4** capacidade intelectual; inteligência; **5** capacidade imaginativa; fantasia; **6** conjunto de ideias características de um autor, de um movimento ou de uma época

pensão *s. f.* **1** estabelecimento que recebe hóspedes; hospedaria; **2** renda temporária ou vitalícia; DIR. *~ de alimentos* quantia em dinheiro paga mensalmente e destinada a garantir tudo o que é indispensável à vida de uma pessoa que não pode, por si, garantir a sua subsistência

pensão-completa *s. f.* regime turístico em que as pessoas têm direito a todas as refeições diárias incluídas no valor do pacote de férias que adquiriram

pensar I *v. tr.* **1** reflectir sobre; ponderar; **2** ser de opinião; considerar; **3** ter intenção de; pretender; **II** *v. intr.* **1** formar imagem mental de; **2** raciocinar; ponderar; **3** ter intenção de; pretender

pensativo *adj.* que está absorto em pensamentos

pênsil *adj. 2 gén.* **1** suspenso; pendurado; **2** construído sobre abóbadas ou colunas; *ponte ~* ponte cujo tabuleiro é sustentado por cabos ancorados

pensionista *s. 2 gén.* **1** pessoa que recebe uma pensão, sobretudo do Estado; **2** pessoa que está reformada; **3** estudante que recebe uma bolsa de estudo

penso *s. m.* **1** aplicação local de produto anti-séptico em ferida, úlcera, incisão, etc. como forma de tratamento e protecção contra agentes infecciosos; curativo; **2** conjunto de produtos farmacêuticos (como gaze e adesivo) usados para aplicar ou fixar as substâncias anti-sépticas numa ferida; *~ higiénico* faixa com fibras absorventes usada para conter o fluxo de sangue durante o período menstrual; *~ rápido* pequeno adesivo que se aplica sobre um ferimento ligeiro

pentágono *s. m.* GEOM. polígono de cinco lados

pentâmetro *s. m.* LIT. verso grego ou latino composto de cinco pés

pentassílabo I *s. m.* GRAM. palavra de cinco sílabas; **II** *adj.* que tem cinco sílabas

pentatlo *s. m.* DESP. competição de atletismo que compreende cinco modalidades (salto, corrida, lançamento do disco, lançamento de dardo e luta), sendo classificado pelo melhor conjunto de resultados; *~ moderno* competição que engloba cinco modalidades: tiro, natação, esgrima, corrida e hipismo

pente *s. m.* **1** utensílio formado por dentes mais ou menos próximos entre si, próprio para pentear o cabelo; **2** instrumento de ferro usado para cardar a lã ❖ *passar a ~ fino* verificar com o máximo cuidado; analisar de uma ponta a outra

penteado I *adj.* (cabelo) arranjado ou alisado com pente; II *s. m.* **1** arranjo e disposição dos cabelos; **2** arte de pentear os cabelos

pentear I *v. tr.* **1** compor ou alisar (os cabelos) com pente; **2** arranjar (o cabelo) de forma especial; II *v. refl.* compor os próprios cabelos

Pentecostes *s. m.* **1** RELIG. festa dos Judeus em memória do dia em que Moisés recebeu de Deus as tábuas da Lei; **2** RELIG. festa dos Cristãos em memória da descida do Espírito Santo sobre os Apóstolos, celebrada no quinquagésimo dia depois da Páscoa

penugem *s. f.* **1** conjunto de pequenas penas que revestem o corpo das aves; **2** revestimento macio de certos frutos e folhas

penúltimo *adj.* que precede imediatamente o último

penumbra *s. f.* transição da luz para a sombra; meia-luz

penúria *s. f.* pobreza extrema; miséria

pepineiro *s. m.* BOT. planta herbácea produtora de frutos alongados (pepinos)

pepino *s. m.* BOT. fruto do pepineiro, cilíndrico e alongado, de casca verde e polpa clara com pequenas sementes, usado em saladas

pepita *s. f.* **1** grão ou palheta de metal, principalmente ouro; **2** pequena lasca de cereal ou chocolate

pequenada *s. f.* conjunto de crianças de pouca idade

pequenez *s. f.* **1** qualidade de pequeno; **2** altura ou tamanho reduzido; **3** *(fig.)* mesquinhez; **4** *(fig.)* insignificância

pequenino I *adj.* ⟨*dim. de* **pequeno**⟩ muito pequeno; reduzido; II *s. m.* rapaz de pouca idade; menino

pequeno I *adj.* **1** que tem tamanho reduzido; **2** que está na infância; **3** de pequena estatura; baixo; **4** de pouco valor; insignificante; II *s. m.* criança do sexo masculino; menino

pequeno-almoço *s. m.* {*pl.* pequenos-almoços} primeira refeição do dia

pequeno-burguês I *adj.* **1** relativo à pequena burguesia; **2** *(pej.)* (mentalidade, visão) tacanho; limitado; apegado a preconceitos; II *s. m.* {*pl.* pequeno-burgueses} **1** pessoa que pertence à camada mais baixa da classe burguesa; **2** *(pej.)* pessoa com espírito tacanho e preconceituoso

pequerrucho I *adj.* muito jovem ou pequeno; II *s. m.* criança; menino

pêra *s. f.* {*pl.* peras} **1** BOT. fruto da pereira, arredondado na base e mais estreito na ponta, com polpa branca e sumarenta; **2** porção de barba que se deixa crescer na parte inferior do queixo; **3** interruptor eléctrico com a forma daquele fruto

perante *prep.* **1** na presença de; diante; **2** em vista de; ante

perca *s. f.* **1** ZOOL. peixe teleósteo de água doce, muito apreciado na alimentação humana; **2** *(pop.)* perda

percalço *s. m.* situação imprevista e desagradável; transtorno

per capita *loc. adj.* por pessoa; para cada pessoa

perceba *s. f.* ZOOL. crustáceo marinho comestível que vive agarrado às rochas e corpos submersos; percebe; perceve

perceber *v. tr. e intr.* **1** entender; compreender; **2** tomar consciência; aperceber-se

percentagem *s. f.* **1** parte proporcional calculada sobre uma grandeza ou quantidade de cem unidades; **2** proporção em relação a cem; **3** comissão ou taxa de juro sobre um capital de cem unidades

percentil *s. m.* **1** medida da posição relativa de uma unidade observada em relação a todas as outras do mesmo conjunto; **2** (estatística) cada uma das cem partes iguais de um conjunto ordenado de dados

percepção *s. f.* **1** faculdade de apreender por meio dos sentidos; intuição; **2** entendimento; compreensão; **3** representação mental; noção; ideia

perceptível *adj. 2 gén.* **1** que pode ser percebido; **2** que pode ser compreendido; **3** observável; visível

percevejo *s. m.* ZOOL. insecto com corpo achatado de cor castanha e aparelho bucal sugador, que se propaga com grande facilidade

percorrer *v. tr.* **1** passar através de; passar ao longo de; **2** analisar; explorar; **3** perfazer; completar

percurso *s. m.* **1** acto de percorrer ou atravessar; **2** distância ou espaço percorrido; trajecto; **3** deslocação no espaço; movimento; trajectória; **4** caminho previamente determinado; roteiro

percussão *s. f.* **1** choque entre dois corpos; embate; **2** MÚS. técnica de bater em instrumentos musicais para produzirem sons; **3** MÚS. conjunto de instrumentos em que o som é produzido através de batimentos (ferrinhos, bateria, pratos, timbale, etc.); **4** MED. processo de examinar órgãos internos através de pequenas pancadas com instrumento próprio ou com os dedos sobre a região em análise

percussionista *s. 2 gén.* MÚS. pessoa que toca instrumentos de percussão

perda *s. f.* **1** privação de algo que se possuía; **2** ausência; falta; **3** extravio; sumiço; **4** prejuízo; dano; **5** *(fig.)* desaparecimento; morte

perdão *s. m.* remissão de pena ou de dívida; indulto; desobrigação

perdedor *adj. e s. m.* que ou aquele que perde

perder **I** *v. tr.* **1** ficar privado de (algo) que se possuía; ficar sem; **2** ser separado de (alguém); **3** não chegar a tempo a (compromisso, meio de transporte); **4** deixar escapar (oportunidade); **5** desperdiçar (tempo); **II** *v. intr.* **1** ser suplantado por um concorrente; sofrer derrota; **2** (acção, dinheiro) baixar de valor ou de cotação; **III** *v. refl.* **1** (no caminho) perder a orientação; **2** (nos pensamentos) tornar-se absorto; **3** *(fig.)* perverter-se ❖ ***a ~ de vista*** muito longe; ***deitar a ~*** fazer fracassar; arruinar; ***~ o fio à meada*** esquecer-se daquilo que se ia dizer; ***~ os sentidos*** desmaiar; ***~ terreno*** ficar para trás; ser suplantado por

perdição *s. f.* **1** fracasso total; desgraça; **2** desonra; imoralidade; **3** *(coloq.)* coisa fascinante ou irresistível; tentação; **4** RELIG. desvio ou recusa das crenças ou da fé

perdidamente *adv.* **1** loucamente; **2** excessivamente

perdido *adj.* **1** (objecto) que desapareceu; **2** (correspondência) que se extraviou; **3** (recordação) que foi esquecido; **4** (estado de saúde) que não tem salvação ou esperança; **5** (pessoa) que se comporta de forma imoral

perdigão *s. m.* ZOOL. macho de perdiz

perdigoto *s. m.* **1** *(coloq.)* salpico de saliva; **2** ZOOL. perdiz não adulta

perdigueiro *s. m.* ZOOL. cão com focinho curto, orelhas grandes e pendentes, que é usado na caça, sobretudo de perdizes

perdiz *s. f.* ZOOL. ave com bico forte, plumagem de cor avermelhada com manchas escuras e garganta esbranquiçada

perdoar *v. tr.* **1** conceder perdão; **2** desculpar; **3** libertar de (dívida, castigo)

perdoável *adj. 2 gén.* **1** que se pode perdoar; **2** que merece perdão

perdurar *v. intr.* **1** ser lembrado; **2** durar

perecer *v. intr.* **1** morrer (especialmente de forma prematura ou violenta); **2** (costume, cultura) deixar de existir; desaparecer

peregrinação *s. f.* **1** viagem a lugar santo, por promessa ou devoção; romagem; **2** *(fig., coloq.)* viagem longa e cansativa

peregrino I *s. m.* pessoa que faz peregrinação; romeiro; **II** *adj.* raro; excepcional; extraordinário

pereira *s. f.* BOT. árvore silvestre ou cultivada, característica da Europa e do oeste da Ásia, produtora de frutos comestíveis (peras)

peremptório *adj.* que tem a palavra final; determinante; decisivo

perene *adj. 2 gén.* **1** que permanece por muito tempo; duradouro; **2** que não tem fim; perpétuo

perestroika *s. f.* POL. conjunto de reformas sociais, económicas e institucionais conduzida pelo presidente soviético Gorbachov na década de 1980

perfazer *v. tr.* **1** tornar completo (número ou valor de); completar; **2** acabar de fazer; concluir

perfeccionismo *s. m.* vontade obsessiva de atingir a perfeição

perfeccionista *adj. e s. 2 gén.* que ou pessoa procura obsessivamente a perfeição

perfeição *s. f.* **1** qualidade daquilo que é perfeito; ausência de defeitos ou falhas; **2** nível mais elevado numa escala de valores; grau máximo a que uma coisa pode chegar; **3** cuidado extremo na execução de uma tarefa; requinte; **4** RELIG. condição de quem está livre de pecados

perfeito I *adj.* **1** que não tem defeito ou falha; exemplar; **2** completo; acabado; **3** notável; magistral; **4** belo; elegante; **II** *s. m.* GRAM. tempo verbal que que exprime uma acção terminada no passado (em relação a um momento de referência)

perfídia *s. f.* qualidade de pérfido; deslealdade

pérfido *adj.* que falta à palavra dada; desleal

perfil *s. m.* **1** contorno do rosto de uma pessoa, visto de lado; **2** representação gráfica de um objecto ou de um edifício, visto apenas por um dos lados; **3** linha de contorno de qualquer coisa; silhueta; **4** descrição de uma pessoa nos seus traços gerais; retrato ❖ ***de ~*** de lado

perfilhar *v. tr.* **1** DIR. reconhecer legalmente como filho; **2** adoptar (uma doutrina, uma ideia)

performance *s. f.* {*pl.* performances} desempenho (de função ou cargo); actuação

perfumado *adj.* que exala perfume; aromático; cheiroso

perfumar I *v. tr.* **1** deitar perfume em; **2** dar cheiro perfumado a; aromatizar; **II** *v. refl.* deitar perfume em si próprio

perfumaria *s. f.* estabelecimento comercial onde se vendem perfumes

perfume *s. m.* **1** cheiro agradável; aroma; fragrância; **2** produto líquido preparado com essências aromáticas e álcool, usado para perfumar a pele

perfurar *v. tr.* **1** abrir furo(s) em; furar; **2** produzir perfurações em; escavar

pergaminho *s. m.* **1** pele de carneiro, cabra, ovelha ou cordeiro preparada para nela se escrever; **2** documento feito com essa pele

pergunta *s. f.* **1** palavra ou frase com que se faz uma interrogação; **2** pedido de informação; **3** dúvida; questão ❖ ~ ***de algibeira*** pergunta feita a uma pessoa com o objectivo de a confundir ou embaraçar

perguntar I *v. tr.* **1** fazer pergunta(s) a; interrogar; questionar; **2** investigar; indagar; **II** *v. intr.* pedir esclarecimento(s); **III** *v. refl.* interrogar-se a si próprio; questionar-se

pericarpo *s. m.* BOT. parte externa do fruto, excluindo as sementes

perícia *s. f.* **1** habilidade; destreza; **2** conhecimento; competência

periclitante *adj. 2 gén.* que se encontra em risco; que corre perigo

periculosidade *s. f.* **1** qualidade de perigoso; **2** potencial tóxico

periferia *s. f.* **1** linha que delimita externamente um corpo; contorno; **2** GEOM. superfície externa de um sólido; **3** região afastada do centro de uma cidade

periférico I *adj.* **1** relativo a periferia; **2** situado na periferia; **II** *s. m.* INFORM. dispositivo que não integra a unidade central de processamento (leitor de discos, impressora, teclado, etc.)

perífrase *s. f.* **1** GRAM., LING. recurso estilístico que consiste em substituir uma palavra ou expressão por outras; **2** frase que exprime aquilo que poderia ser dito de forma mais concisa

perifrástico *adj.* GRAM., LING. expresso por perífrase; ***conjugação perifrástica*** tipo de conjugação, vulgar na língua portuguesa, em que um verbo auxiliar indica o tempo, e o verbo principal, no gerúndio ou no infinito, exprime a acção que se realiza

perigo *s. m.* situação que ameaça a existência ou integridade de uma pessoa ou de uma coisa; risco; ***correr*** ~ estar numa situação de risco; ~ ***de vida*** risco de morrer

perigosidade *s. f.* **1** qualidade de perigoso; **2** probabilidade da existência de um perigo

perigoso *adj.* em que há perigo; arriscado

perímetro *s. m.* **1** linha que forma o contorno de uma figura traçada num plano; contorno; **2** medida dessa linha; **3** linha que delimita uma região

periodicidade *s. f.* **1** característica do que é periódico; **2** frequência

periódico I *adj.* **1** relativo a período; **2** que acontece em intervalos regulares; frequente; cíclico; **II** *s. m.* publicação (jornal, revista, etc.) que sai em dias fixos ou regulares

período *s. m.* **1** intervalo de tempo que medeia entre dois acontecimentos ou duas datas; **2** cada uma das divisões do ano escolar; **3** GRAM., LING. frase que contém uma ou mais orações; **4** ciclo menstrual; menstruação; **5** ASTRON. tempo que um planeta leva a descrever a sua órbita; ciclo

peripécia *s. f.* **1** momento de uma narrativa, filme, etc. que altera o rumo dos acontecimentos e a situação das personagens; **2** acontecimento inesperado ou imprevisto; incidente

periquito *s. m.* ZOOL. ave mais pequena que o papagaio, com bico grosso e recurvo, penugem de cor verde e cauda curta

periscópio *s. m.* aparelho óptico usado nos submarinos e carros de combate, constituído por um tubo munido de espelhos ou de prismas de reflexão, que permite ver objectos situados sobre obstáculos que impedem a visão directa

peritagem *s. f.* exame feito por perito(s)

perito *s. m.* **1** profissional que se especializou em determinada área; especialista; **2** pessoa nomeada judicialmente para fazer uma vistoria ou uma avaliação

permanecer *v. intr.* **1** demorar-se em determinado lugar; ficar; **2** conservar-se; manter-se

permanência *s. f.* **1** qualidade de permanente; continuidade; **2** acção de permanecer; estada

permanente **I** *adj. 2 gén.* **1** que permanece no tempo; duradouro; **2** que ocorre com frequência; constante; **3** (dentição) definitivo; **II** *s. f.* ondulação artificial do cabelo

permeabilidade *s. f.* qualidade de permeável

permear *v. intr.* passar através de; atravessar

permeável *adj. 2 gén.* **1** que se deixa atravessar por ar, água, etc.; **2** *(fig.)* susceptível de ser influenciado

permilagem *s. f.* proporção em relação a mil; número de partes em cada mil

permissão *s. f.* **1** acto de permitir; autorização; consentimento; **2** faculdade; liberdade

permissível *adj. 2 gén.* que se pode permitir; tolerável

permissivo *adj.* que perdoa (faltas ou erros) com facilidade; tolerante; indulgente

permitir **I** *v. tr.* **1** dar permissão ou licença; autorizar; consentir; **2** tolerar; suportar; **II** *v. refl.* tomar a liberdade; atrever-se

permuta *s. f.* troca recíproca; mudança

permutar *v. tr.* trocar reciprocamente; mudar

perna *s. f.* **1** ANAT. segmento de cada um dos membros inferiores do corpo humano compreendido entre o joelho e o tornozelo, que suporta o corpo e serve para locomoção; **2** ZOOL. cada um dos órgãos de locomoção de vários animais (mamíferos, aves, insectos); **3** suporte de vários objectos (mesas, cadeiras, etc.); **4** parte das calças onde se mete cada um dos membros inferiores; **5** haste inferior de certas letras ❖ ***com uma ~ às costas*** com grande facilidade; ***estar de pernas para o ar*** estar invertido; estar confuso ou desarrumado; ***passar a ~ a alguém*** suplantar alguém; prejudicar alguém; ***ter alguém à ~*** ser incomodado ou perseguido por alguém

pernalta *adj.* (ave) que tem pernas longas sem penas

perneta *adj. 2 gén.* **1** que tem uma perna mais curta que a outra; **2** que tem falta de uma perna

pernicioso *adj.* que faz mal; nocivo; prejudicial

pernil *s. m.* **1** parte mais fina da perna do porco e de outros animais; **2** *(fig.)* perna magra ❖ ***esticar o ~*** morrer

pernoitar *v. intr.* passar a noite

pêro *s. m.* **1** BOT. variedade de maçã alongada e doce; **2** *(coloq.)* murro ❖ ***são como um ~*** de boa saúde; forte e saudável

pérola *s. f.* **1** glóbulo calcário, duro, brilhante, de cor branca ou creme, que se forma nas conchas de alguns moluscos bivalves; **2** conta feita desse glóbulo, usada em objectos de adorno (anéis, brincos, etc.); **3** *(fig.)* aquilo que tem grande valor; jóia; **4** *(fig.)* pessoa com grandes qualidades ❖ ***deitar pérolas a porcos*** dar uma coisa valiosa a quem não sabe apreciá-la ou não a merece

perónio *s. m.* ANAT. osso longo situado na face externa da perna

perpendicular I *adj. 2 gén.* que forma um ângulo recto em relação a uma recta ou a um plano; **II** *s. f.* GEOM. linha ou configuração que forma um ângulo recto em relação a uma recta ou a um plano

perpetuar *v. tr.* **1** tornar perpétuo; eternizar; **2** propagar (espécie, raça) por sucessão; **3** transmitir de forma duradoura

perpétuo *adj.* **1** que dura sempre; eterno; **2** contínuo; constante; **3** (cargo, função) vitalício; ***prisão perpétua*** detenção até ao final da vida

perplexidade *s. f.* **1** estado de perplexo; **2** admiração; espanto

perplexo *adj.* **1** admirado; espantado; **2** hesitante; indeciso

perro *adj.* (fechadura, porta) difícil de abrir ou de fechar; emperrado

persa I *s. 2 gén.* pessoa natural da Pérsia; **II** *s. m.* **1** língua oficial do Irão; **2** ZOOL. gato doméstico de pêlo longo, originário do Médio Oriente; **III** *adj. 2 gén.* relativo à Pérsia

perscrutar *v. tr.* **1** investigar com rigor; **2** tentar conhecer

perseguição *s. f.* **1** acto ou efeito de perseguir; busca insistente; **2** SOCIOL. tratamento injusto ou violento exercido de forma sistemática contra um grupo ou organismo por razões políticas, étnicas, religiosas, etc.; intolerância

perseguir *v. tr.* **1** seguir ou correr atrás de; **2** incomodar; importunar; **3** punir; castigar; **4** tratar de forma injusta ou violenta; **5** *(coloq.)* procurar encontrar

perseverança *s. f.* qualidade de quem não desiste; tenacidade; persistência

perseverante *adj. 2 gén.* que revela firmeza; persistente

persiana *s. f.* peça constituída por lâminas de metal ou plástico, que se coloca do lado de fora das janelas e se enrola ou desenrola com um mecanismo próprio, para resguardar do sol e da visão para o interior

pérsico *adj.* relativo à Pérsia

persistência *s. f.* qualidade de persistente; firmeza; perseverança

persistente *adj. 2 gén.* que não desiste facilmente; obstinado; firme

persistir *v. intr.* **1** continuar a existir; perdurar; **2** insistir; teimar

personagem *s. m. ou f.* **1** figura humana fictícia de uma obra (literária, teatral, etc.); **2** papel representado por actor ou actriz para personificar uma figura criada por um autor de ficção; **3** pessoa célebre ou importante; personalidade

personagem-tipo *s. m. ou f.* {*pl.* personagens-tipo} LIT., CIN., TEAT. figura que representa um determinado tipo de comportamento

personalidade *s. f.* **1** conjunto de características que definem a individualidade de uma pessoa; temperamento; carácter; **2** qualidade específica de uma pessoa, que a distingue dos outros; identidade; **3** pessoa que goza de certo prestígio moral ou social; autoridade; celebridade; **4** PSIC. conjunto dos aspectos psíquicos que distinguem uma pessoa e determinam o seu comportamento

personalizado *adj.* **1** (serviço, atendimento) feito ou concebido a pensar no gosto do cliente; **2** (cartão, documento) que tem inscrito o nome do dono ou utilizador

personalizar *v. tr.* **1** tornar pessoal; **2** adaptar à personalidade de; **3** atribuir qualidades humanas a; personificar

personificação *s. f.* **1** pessoa que representa a concretização de determinado modelo ou princípio; protótipo; **2** atribuição de características humanas a outros seres animados ou inanimados

personificar *v. tr.* **1** ser a personificação de; representar; simbolizar; **2** atribuir qualidades de pessoa a

perspectiva *s. f.* **1** técnica de representação de objectos tal como se apresentam à vista, conforme a sua posição e distância; **2** aspecto de um objecto em função do lugar de onde é observado; ponto de vista; **3** *(fig.)* expectativa; esperança; ***em ~*** a três dimensões; em profundidade

perspicácia *s. f.* qualidade de perspicaz; agudeza de espírito; sagacidade

perspicaz *adj. 2 gén.* **1** que revela rapidez de compreensão; sagaz; **2** que observa com cuidado e subtileza; atento

persuadir *v. tr.* convencer; induzir

persuasão *s. f.* **1** capacidade de convencer ou influenciar; **2** certeza firme; convicção

persuasivo *adj.* que tem força ou habilidade para persuadir; convincente

pertença *s. f.* **1** posse de alguma coisa; propriedade; **2** atribuição específica; privilégio

pertencente *adj. 2 gén.* **1** que pertence a; que faz parte de; **2** próprio de; relativo a

pertencer *v. intr.* **1** ser propriedade de; **2** ser membro de; **3** dizer respeito a; **4** ser das atribuições ou da competência de

pertences *s. m. pl.* **1** bens que pertencem a alguém; **2** objectos de uso pessoal

pertinência *s. f.* característica do que vem a propósito e é adequado; oportunidade; relevância

pertinente *adj. 2 gén.* **1** apropriado; oportuno; **2** relevante; importante

perto I *adv.* a pouca distância; próximo; junto; **II** *adj. 2 gén.* próximo; vizinho ❖ ***ao ~*** a pouca distância; próximo; ***~ de*** próximo de; cerca de; aproximadamente

perturbação *s. f.* **1** alteração da ordem; agitação; **2** distúrbio (físico, mental ou emocional); **3** perda de controlo ou de equilíbrio; tontura; **4** desordem; confusão

perturbado *adj.* **1** transtornado; confuso; **2** comovido; sensibilizado

perturbador *adj.* **1** que causa perturbação; **2** que afecta o estado de espírito

perturbar I *v. tr.* **1** causar agitação ou desordem; desarranjar; **2** afectar o estado de espírito de; transtornar; **3** causar impedimento a; estorvar; **II** *v. refl.* **1** perder a calma ou o controlo; **2** sentir vergonha ou embaraço

peru *s. m.* ZOOL. ave galinácea com plumagem castanho-escura com reflexos brilhantes esverdeados e cauda grande (que, no macho, abre em leque)

peruca *s. f.* cabeleira postiça

perversão *s. f.* **1** alteração do estado normal; **2** depravação; corrupção; **3** PSIC. desvio patológico das tendências e dos comportamentos afectivos e éticos considerados normais

perversidade *s. f.* **1** crueldade; maldade; **2** depravação; corrupção; **3** PSIC. acto ou comportamento contrário às leis e à moral, com intenção de causar sofrimento a alguém

perverso *adj.* **1** cruel; malvado; **2** depravado; devasso; **3** PSIC. que tem ou desenvolve perversões (sobretudo sexuais)

perverter *v. tr.* **1** tornar perverso; corromper; **2** alterar o sentido de; desvirtuar

pesadelo *s. m.* **1** sonho aflitivo que produz sensação de angústia e opressão; **2** *(fig.)* situação aflitiva; **3** *(fig.)* grande preocupação

pesado *adj.* **1** (objecto, pessoa) que tem muito peso; **2** (trabalho) que exige grande esforço (sobretudo físico); árduo; **3** (sono) profundo; **4** (ambiente) opressivo; carregado; **5** (ar, expressão) grave; sisudo; **6** (filme, livro) cansativo; maçador; **7** (veículo) que tem peso bruto superior a 3500 kg ou lotação superior a 9 lugares, incluindo o do condutor

pêsames *s. m. pl.* expressão de pesar pela morte de alguém; condolências

pesar **I** *s. m.* **1** mágoa; **2** arrependimento; **II** *v. tr.* **1** determinar o peso de (objecto, pessoa); **2** analisar com atenção; avaliar; **3** procurar prever; calcular; **III** *v. intr.* **1** ser pesado; **2** influenciar; **3** recair

pesaroso *adj.* **1** triste; **2** arrependido

pesca *s. f.* **1** acto de pescar; pescaria; **2** arte ou indústria de pescar; **3** aquilo que se pescou

pescada *s. f.* ZOOL. peixe teleósteo de coloração prateada, muito apreciado em culinária ❖ ***arrotar postas de ~*** gabar-se sem motivo para tal; vangloriar-se

pescado *s. m.* **1** aquilo que se pescou; **2** qualquer peixe usado na alimentação humana

pescador *s. m.* aquele que pesca

pescar **I** *v. tr.* **1** apanhar (peixe); **2** *(coloq.)* perceber; entender; **II** *v. intr.* praticar pesca

pescaria *s. f.* **1** arte ou indústria de pescar; **2** grande quantidade de peixe

pescoço *s. m.* **1** ANAT. parte delgada do corpo entre a cabeça e o tronco; colo; **2** ANAT. zona posterior dessa parte do corpo; cachaço ❖ ***até ao ~*** até onde se pode suportar; ***estar com a corda no ~*** estar numa situação difícil

peseta *s. f.* antiga unidade monetária de Espanha, substituída pelo euro em 1999

peso *s. m.* **1** pressão exercida pela força da gravidade sobre um corpo; **2** importância; relevância; **3** sobrecarga; fardo; **4** DESP. esfera metálica utilizada para arremesso (na modalidade de lançamento do peso); **5** objecto metálico utilizado como medida nas pesagens feitas com certos tipos de balança; **6** unidade monetária de Argentina, Chile, Colômbia, Cuba, Filipinas, Guiné-Bissau, México, República Dominicana e Uruguai; **7** *(fig.)* opressão; incómodo; ***~ bruto*** soma do peso de um produto com a embalagem que o contém; ***~ líquido*** peso do produto, sem considerar o peso da embalagem que o contém; *(fig.)* ***~ morto*** aquilo que não tem movimento ou utilidade ❖ ***em ~*** em grande quantidade; na totalidade; ***ter dois pesos e duas medidas*** ter critérios diferentes em circunstâncias iguais ou semelhantes; ***tirar um ~ de cima de*** livrar de um problema ou de uma responsabilidade; ***valer o seu ~ em ouro*** ter grande valor

pesponto *s. m.* técnica de costura em que se fazem pontos sobrepostos

pesqueiro **I** *adj.* **1** relativo a pesca; **2** próprio para pescar; **II** *s. m.* barco de pesca

pesquisa *s. f.* **1** acto de pesquisar; procura de informação; **2** estudo científico em determinada área de conhecimento; investigação; (marketing) ***~ de mercado*** recolha e análise de dados relativos aos hábitos e às preferências dos consumidores

pesquisar *v. tr.* **1** procurar informação sobre; inquirir; **2** estudar; investigar

pêssego *s. m.* BOT. fruto do pessegueiro de pele aveludada, com caroço grande e duro; ~ ***careca*** variedade de nectarina que se caracteriza pela pele lisa, sem pêlos

pessegueiro *s. m.* BOT. pequena árvore de folhas recortadas e flores roxas ou rosadas, produtora de frutos comestíveis (pêssegos)

pessimismo *s. m.* **1** tendência para esperar sempre o pior; **2** tendência para sublinhar o lado negativo das coisas e das pessoas

pessimista I *adj. 2 gén.* **1** relativo a pessimismo; **2** que é partidário do pessimismo; **II** *s. 2 gén.* pessoa que vê sempre as coisas pelo lado pior

péssimo *adj.* ⟨*superl. de* **mau**⟩ muito mau; terrível

pessoa *s. f.* **1** ser humano considerado na sua individualidade física e espiritual; **2** GRAM., LING. categoria que indica a relação de quem fala com o(s) participante(s) do facto narrado (locutor ou 1.ª pessoa, interlocutor ou 2.ª pessoa, ou aquele que é referido ou 3.ª pessoa); **3** DIR. ser ao qual se atribuem direitos e obrigações ❖ ***em*** ~ fisicamente; pessoalmente; ***por interposta*** ~ por intermédio de alguém

pessoal I *adj. 2 gén.* **1** relativo a pessoa; **2** que é próprio de cada pessoa; particular; **3** exclusivo de uma pessoa; individual; **II** *s. m.* **1** conjunto de funcionários de um serviço ou estabelecimento; **2** *(coloq.)* conjunto de pessoas com gostos ou interesses comuns; amigos

pestana *s. f.* cada um dos pêlos que guarnecem o bordo das pálpebras; cílio; celha ❖ *(coloq.)* ***queimar as pestanas*** estudar muito; ler muito

pestanejar *v. intr.* agitar as pestanas, abrindo e fechando os olhos rapidamente ❖ ***sem*** ~ sem fazer o menor movimento; sem hesitar

peste *s. f.* **1** MED. doença infecciosa epidémica, produzida por uma bactéria bacilar e transmitida pela pulga do rato; **2** qualquer doença contagiosa que provoca grande número de mortes; epidemia; **3** *(fig.)* coisa perniciosa ou funesta; **4** *(fig.)* mau cheiro; MED. ~ ***bubónica*** doença que se manifesta pelo aparecimento de gânglios linfáticos entumecidos (bubões), especialmente na virilha; ~ ***negra*** forma pulmonar de peste, caracterizada por hemorragias subcutâneas, que assolou a Europa durante a Idade Média; VET. ~ ***suína*** doença contagiosa e geralmente mortal, que ataca especialmente os leitões

pesticida *s. m.* insecticida usado para proteger as plantas dos parasitas

pestilência *s. f.* **1** epidemia; peste; **2** mau cheiro; fedor

pestilento *adj.* **1** que cheira mal; fedorento; **2** que transmite peste; contagioso; **3** *(fig.)* que corrompe; degradante

peta [e] *s. f.* *(coloq.)* mentira

pétala *s. f.* BOT. cada uma das folhas florais que compõem a corola

petardo *s. m.* **1** peça de fogo de artifício que produz um estalo ao rebentar; **2** *(coloq.)* (futebol) chuto com muita força

petição *s. f.* **1** acto de pedir; solicitação; **2** pedido por escrito, segundo fórmulas legais

petiscar *v. tr. e intr.* **1** comer um pouco (de); **2** comer com pouco apetite

petisco *s. m.* alimento muito saboroso; pitéu; gulodice

petiz I *adj. 2 gén. (coloq.)* que tem pouca idade; criança; **II** *s. m.* menino; rapaz; garoto

petroleiro *s. m.* NÁUT. navio próprio para transportar petróleo

petróleo *s. m.* **1** óleo mineral de cor negra, constituído por uma mistura de hidrocarbonetos, que tem grande importância industrial; **2** líquido obtido por destilação daquele óleo, usado como combustível em fogareiros e em candeeiros

petrolífero *adj.* **1** relativo a petróleo; **2** que contém ou produz petróleo

petrologia *s. f.* GEOL. disciplina que se dedica ao estudo da origem, estrutura e evolução das rochas

petulância *s. f.* atrevimento; descaramento

petulante *adj. 2 gén.* atrevido; descarado

peúga *s. f.* meia curta

peugada *s. f.* **1** marca que o pé deixa no solo; pegada; **2** *(fig.)* vestígio; sinal

pevide *s. f.* semente achatada de alguns frutos

pezinho *s. m.* ⟨*dim. de* **pé**⟩ pé pequeno ❖ ***com pezinhos de lã*** sem barulho; sorrateiramente

p. f. [*abrev. de* **p**or **f**avor]

pH *s. m.* **1** QUÍM. medida da acidez ou da alcalinidade de uma solução; **2** QUÍM. escala na qual uma solução neutra tem valor sete, uma solução ácida tem valor menor que sete e uma solução básica ou alcalina tem valor maior que sete

pi *s. m.* décima sexta letra do alfabeto grego, correspondente ao *p*

pia *s. f.* **1** bacia de cozinha, feita de pedra, louça ou metal, com torneiras e ralo, para lavar louça, alimentos, etc.; **2** pequeno reservatório de cimento ou plástico, com água corrente e escoamento, próprio para lavar a roupa; tanque; ~ ***baptismal*** vaso de pedra onde se deita água para o baptismo

piada *s. f.* **1** dito engraçado; chalaça; **2** anedota ❖ ~ ***de mau gosto*** história grosseira ou inconveniente; ***ter*** ~ ser divertido; ter interesse

piamente *adv.* sinceramente

pianista *s. 2 gén.* pessoa que toca piano

piano I *s. m.* MÚS. instrumento de cordas, cuja percussão se faz por meio de martelos accionados por teclas; **II** *adv.* MÚS. com pouca intensidade; baixo; ~ ***de cauda*** piano cujas cordas se dispõem na horizontal, sob uma tampa que pode ser levantada para ampliar o som; ~ ***vertical*** piano cujas cordas e caixa de ressonância se dispõem na vertical

pianola *s. f.* MÚS. piano mecânico que tem no interior um rolo de papel perfurado com a notação da peça a executar, e que funciona accionado por pedais

pião *s. m.* **1** brinquedo de madeira em forma de pêra, que se lança com força com auxílio de um fio, fazendo-o girar sobre uma ponta metálica; **2** *(coloq.)* (de automóvel) movimento brusco de inversão do sentido de marcha, geralmente acidental; **3** movimento giratório do corpo, apoiado no chão apenas com a cabeça

piar *v. intr.* **1** (pássaro) dar pios; **2** *(coloq.)* falar; **3** *(coloq.)* queixar-se

PIB ECON. [*sigla de* **P**roduto **I**nterno **B**ruto]

pica *s. f.* **1** *(coloq.)* injecção; **2** *(gír.)* cigarro de droga; charro
piça *s. f. (vulg.)* pénis
picada *s. f.* **1** mordedura de insecto ou cobra; **2** marca ou ferida feita com objecto pontiagudo; **3** *(pop.)* dor aguda e latente
picadeiro *s. m.* **1** lugar onde se treinam cavalos; **2** local onde se fazem exercícios de equitação
picadela *s. f.* vd. **picada**
picado I *adj.* **1** mordido por insecto ou cobra; **2** (alimento, papel) reduzido a pedaços miúdos; triturado; **3** (mar) com muita ondulação; agitado; **4** *(fig.)* melindrado; ofendido; **II** *s. m.* CUL. mistura de carne ou peixe cortado aos pedaços ou triturado, guisada com temperos variados e por vezes usada como recheio; ***voo ~*** voo em que a aeronave tem a ponta totalmente inclinada para baixo
picadora *s. f.* utensílio próprio para picar carne, peixe, legumes e outros alimentos; trituradora
picante *adj. 2 gén.* **1** (comida) temperado com pimenta ou substância com sabor acre e forte; **2** *(fig.)* (anedota, conversa) malicioso; mordaz
pica-pau *s. m.* {*pl.* pica-paus} ZOOL. ave trepadora, de bico forte, usado para perfurar a madeira em busca de insectos que se encontram na casca das árvores
picar I *v. tr.* **1** furar com objecto pontiagudo; **2** ferir com ferrão; **3** dar picada(s) com o bico; **4** cortar (alimento) em pedaços pequenos; **5** ferir (animal) com farpa; **6** validar (bilhete, senha); **7** provocar comichão; **8** *(fig.)* dar estímulo a; espicaçar; **II** *v. intr.* **1** causar comichão; **2** ter sabor picante; **3** (mar) tornar-se agitado; encrespar-se; **III** *v. refl.* **1** ferir-se com objecto pontiagudo; **2** (mar) tornar-se agitado; encrespar-se
picareta *s. f.* utensílio de ferro com duas hastes aguçadas e levemente encurvadas, próprio para escavação em terrenos duros
pichar *v. tr.* escrever ou rabiscar em (muros, paredes, etc.)
piche *s. m.* substância de cor negra, muito pegajosa, que se obtém a partir da destilação do alcatrão
picheleiro *s. m.* indivíduo que faz trabalhos de instalação e reparação de canalizações, aparelhos sanitários, cilindros, etc.; canalizador
pickles *s. m.* CUL. legumes conservados em vinagre e usados como aperitivo ou acompanhamento
pico *s. m.* **1** cimo de um monte ou de uma montanha; cume; **2** ponta aguda; bico; **3** órgão duro e pontiagudo de uma planta; espinho; **4** ponto mais elevado; clímax
picotado *s. m.* conjunto de furos feitos em sequência num papel para facilitar o seu corte à mão
picotar *v. tr.* **1** fazer furos seguidos em; **2** perfurar
picuinhas *adj. 2 gén. 2 núm.* que é muito exigente em relação a todos os pormenores; minucioso
piedade *s. f.* **1** devoção; **2** compaixão
piedoso *adj.* **1** devoto; **2** bondoso
piegas *adj. 2 gén. 2 núm.* **1** (pessoa) demasiado sensível ou sentimental; lamecha; **2** (filme) excessivamente romântico
pieguice *s. f.* sentimentalismo exagerado; lamechice
piela *s. f. (coloq.)* estado de quem está embriagado; bebedeira; ***apanhar uma ~*** embriagar-se; embebedar-se
piercing *s. m.* {*pl.* piercings} perfuração da pele para uso de brincos em diferentes partes do corpo
pifar I *v. tr. (pop.)* roubar; **II** *v. intr.* (mecanismo, veículo) sofrer avaria

pífaro s. *m.* MÚS. instrumento de sopro semelhante à flauta, com timbre agudo
pigmentação s. *f.* coloração obtida de pigmentos
pigmento s. *m.* **1** substância que dá cor aos tecidos e células do organismo; **2** substância natural ou artificial usada como corante
pijama s. *m.* vestuário de duas peças (casaco e calças ou calções) para dormir
pila s. *f.* *(coloq.)* pénis
pilantra s. *2 gén.* *(coloq.)* pessoa desonesta ou com mau carácter
pilar s. *m.* ARQ. peça prismática simples, sem ornamentos, que serve de apoio a uma construção ou a uma estrutura
pileque s. *m.* *(Bras.)* *(coloq.)* bebedeira
pilha s. *f.* **1** conjunto de coisas sobrepostas; monte; **2** FÍS. aparelho que transforma em energia eléctrica a energia desenvolvida numa reacção química; **3** *(coloq.)* lâmpada eléctrica portátil; lanterna
pilhagem s. *f.* roubo; saque
pilhar v. *tr.* roubar; saquear
piloro s. *m.* ANAT. orifício que dá passagem do estômago para o intestino delgado
piloso *adj.* que tem pêlos
pilotar **I** v. *tr.* **1** dirigir como piloto; conduzir (aeronave, navio ou automóvel de corrida); **2** *(fig.)* orientar; guiar; **II** v. *intr.* exercer as funções de piloto
piloto **I** s. *2 gén.* **1** pessoa que dirige uma aeronave, um navio ou um automóvel de corrida; **2** *(fig.)* pessoa que orienta; guia; **3** TV pequena luz vermelha na câmara de filmar, que se acende para indicar o início da transmissão da imagem; **II** *adj. 2 gén.* que utiliza métodos experimentais; que serve de modelo; **~ *automático*** dispositivo que mantém a rota de um avião ou navio sem necessitar de intervenção humana
pílula s. *f.* **1** FARM. medicamento que evita a concepção; contraceptivo oral; **2** FARM. medicamento em forma de pequena bola destinado a ser engolido inteiro; comprimido; **3** *(fig.)* coisa desagradável ou difícil de suportar ❖ ***dourar a ~*** procurar tornar agradável uma coisa penosa, usando palavras lisonjeiras; ***engolir a ~*** decidir-se a fazer uma coisa penosa; deixar-se convencer
pimba **I** *adj. 2 gén.* *(depr.)* considerado vulgar ou de mau gosto; **II** *interj.* indicativa de acontecimento imprevisto ou de desfecho de acção
pimenta s. *f.* **1** BOT. planta de origem oriental cujos frutos têm sabor picante e são usados como condimento; **2** BOT. fruto dessa planta; **3** CUL. condimento picante, preparado com esse fruto
pimentão s. *m.* **1** BOT. planta herbácea produtora de frutos verdes ou vermelhos com sabor por vezes picante; **2** BOT. fruto dessa planta, usado em culinária e na preparação de colorau
pimento s. *m.* BOT. fruto geralmente cónico e de sabor picante, com a superfície polida, inicialmente verde, mas tornando-se vermelho ou amarelo à medida que amadurece
pin s. *m.* alfinete de lapela
PIN [*sigla de* **P**ersonal **I**dentification **N**umber] número de identificação pessoal que permite o acesso a um terminal de multibanco ou a um sistema telefónico
pináculo s. *m.* **1** cimo de um monte; **2** ponto mais alto de uma torre ou de um edifício
pinça s. *f.* **1** instrumento constituído por dois ramos articulados ou ligados

entre si, utilizado para prender, segurar ou apertar; **2** tenaz pequena

píncaro *s. m.* **1** ponto mais alto de uma construção; **2** ponto mais elevado de um monte; **3** *(fig.)* ponto máximo; auge ❖ ***pôr nos píncaros da Lua*** elogiar muito; enaltecer

pincel *s. m.* **1** instrumento formado por um tufo de pêlos fixado a um cabo, que serve para pintar, etc.; **2** instrumento de cabo curto com pêlos macios próprio para ensaboar o rosto ao barbear; **3** *(coloq.)* situação ou tarefa enfadonha; chatice

pincelada *s. f.* **1** traço feito com pincel; **2** retoque; acabamento ❖ ***dar a última ~*** dar os últimos retoques

pincelar *v. tr.* pintar com pincel

pinchar *v. intr.* dar pulos; saltar

pincho *s. m.* pulo; salto

pindérico *adj.* *(pej.)* de mau gosto; piroso; parolo

pinga *s. f.* **1** pequena porção de líquido que cai em forma de pêra; gota; **2** *(coloq.)* bocadinho; **3** *(coloq.)* bebida alcoólica; vinho ❖ ***ficar sem ~ de sangue*** ficar pálido ou paralisado de susto ou de medo

pingar **I** *v. tr.* deitar pingos em; **II** *v. intr.* **1** cair em gotas; gotejar; **2** verter pequenas gotas; **3** cair chuva miudinha; chuviscar

pingo *s. m.* **1** gota; pinga; **2** *(reg.)* bebida de café com um pouco de leite; *(coloq.)* mucosidade nasal

pingue-pongue *s. m.* DESP. jogo semelhante ao ténis que se joga com raquetes e uma bola, sobre uma mesa dividida ao meio por uma rede; ténis-de-mesa

pinguim *s. m.* ZOOL. ave palmípede de asas curtas e plumagem muito densa, com os pés munidos de barbatanas, que habita as regiões antárcticas

pinha *s. f.* **1** BOT. fruto cónico do pinheiro; **2** *(coloq.)* aglomerado de coisas ou pessoas; magote

pinhal *s. m.* terreno onde crescem pinheiros

pinhão *s. m.* BOT. semente branca e comestível do pinheiro, que se encontra dentro da pinha

pinheiro *s. m.* BOT. planta produtora de pinhas, com folhas em forma de agulhas, muito útil pela madeira e pela resina que fornece

pinho *s. m.* madeira de pinheiro

pino *s. m.* **1** ponto culminante; auge; **2** (ginástica) posição em que a cabeça se apoia no chão e os pés se erguem na vertical; **3** pequena haste de madeira usada em certos jogos

pinote *s. m.* **1** salto; **2** coice

pinta *s. f.* **1** pequena mancha; **2** salpico; pingo; **3** (jogos de cartas) cada um dos sinais gráficos que representam o naipe e definem o valor de uma carta; **4** *(coloq.)* estilo; classe ❖ ***ter (muita) ~*** ter (muita) classe

pintadela *s. f.* pintura rápida ou ligeira

pintado *adj.* **1** que levou camada(s) de tinta; **2** representado por meio de pintura; **3** colorido; **4** em que se aplicou maquilhagem

pintainho *s. m.* ZOOL. cria de galinha, recém-nascida ou ainda sem penas

pintar **I** *v. tr.* **1** representar por meio de pintura; **2** aplicar tinta em (móvel, parede); colorir; **3** aplicar verniz em (unhas); **4** maquilhar (o rosto); **5** tingir (o cabelo); **6** descrever em pormenor; **II** *v. intr.* *(Bras.)* surgir; aparecer; **III** *v. refl.* maquilhar-se

pintarroxo *s. m.* ZOOL. pequeno pássaro sedentário de bico resistente, grosso e cónico, que se alimenta de grãos e sementes

pintassilgo *s. m.* ZOOL. pássaro canoro sedentário, de bico resistente, grosso e cónico, com plumagem preta, branca, amarela e vermelha

pinto *s. m.* ZOOL. filhote de galinha

pintor *s. m.* **1** pessoa que se dedica à pintura artística; **2** pessoa cuja profissão é pintar (casas, móveis, etc.); **3** *(fig.)* pessoa que faz descrições com grande pormenor

pintura *s. f.* **1** arte e técnica de aplicar tintas sobre uma superfície com o objectivo de representar esteticamente figuras, paisagens, etc.; **2** profissão ou actividade de pintor; **3** obra executada por um pintor; quadro; **4** (de objecto, casa, carro) aplicação de substância corante numa superfície; **5** aplicação de cosméticos no rosto; maquilhagem

pio **I** *adj.* **1** devoto; **2** caridoso; **II** *s. m.* **1** voz da cria de qualquer ave; **2** *(coloq.)* fala ❖ ***perder o ~*** não falar; ***não dar um ~*** não dizer uma palavra

piolhento *adj.* **1** que tem piolhos; **2** *(pej.)* sujo; imundo

piolho *s. m.* ZOOL. insecto parasita do homem e de outros animais

pionés *s. m.* espécie de prego de cabeça larga e chata, usado para fixar papéis

pior **I** *adj. 2 gén.* **1** ⟨*comp. de* **mau**⟩ que possui determinada qualidade em grau infeiror a outro(s); **2** ⟨*superl. de* **mau**⟩ que, em relação a determinada qualidade, é inferior a todos os outros; **II** *s. m.* **1** o que é considerado inferior a tudo ou a todos; **2** o que é mais inconveniente que outras coisas; **III** *s. f.* **1** situação desfavorável; **2** fracasso; derrota; **IV** *adv.* ⟨*comp. de* **mal**⟩ mais mal ❖ ***estar na ~*** encontrar-se numa situação muito difícil; ***ir de mal a ~*** estar cada vez pior; agravar-se; ***o ~ possível*** pessimamente; muito mal

piorar *v. tr. e intr.* tornar(-se) pior; agravar(-se)

piorio *s. m.* *(coloq.)* o que há de pior; ***ser do ~*** ser terrível; portar-se muito mal

pipa *s. f.* **1** vasilha bojuda de madeira, para guardar vinho; **2** *(coloq.)* grande quantidade; **3** *(fig., pej.)* pessoa gorda e baixa

piparote *s. m.* *(coloq.)* empurrão; safanão

pipi *s. m.* *(infant.)* pássaro

pipo *s. m.* pipa pequena; barril

pipoca *s. f.* CUL. grão de milho estalado no lume, que se come simples ou com açúcar, sal ou manteiga

pique *s. m.* **1** lança antiga; **2** NÁUT. posição vertical da amarra da âncora ❖ ***a ~*** na vertical; perpendicularmente; ***ir a ~*** ir ao fundo; afundar

piquenique *s. m.* refeição informal ao ar livre, no campo, num parque, ou num jardim

piquete *s. m.* grupo de pessoas nomeadas por turnos para determinado serviço, de modo a assegurar qualquer emergência

pira *s. f.* fogueira onde se queimam cadáveres

pirado *adj.* *(Bras.)* *(coloq.)* que endoideceu; maluco

pirâmide *s. f.* **1** GEOM. poliedro cuja base é um polígono e cujas faces laterais são triângulos com um vértice comum; **2** qualquer objecto com a forma desse poliedro; **3** HIST. (Antigo Egipto) construção funerária feita de pedra ou tijolos, de base quadrangular, com superfícies lisas ou em degraus

piranha *s. f.* ZOOL. peixe de água doce, carnivoro e muito voraz, com dentes cortantes semelhantes a navalhas

pirar **I** *v. intr.* *(coloq.)* perder o juízo; enlouquecer; **II** *v. refl.* *(coloq.)* ir-se embora furtivamente; desaparecer

pirata I *s. 2 gén.* **1** pessoa que enriquece à custa de outrem por meios violentos e/ou ilícitos; **2** pessoa que não respeita os direitos de autor, utilizando ou produzindo cópias de material protegido sem a devida autorização dos titulares; **II** *adj. 2 gén.* **1** (texto, videocassete) que é realizado com apropriação ou cópia da forma anterior; **2** (estação de rádio ou de televisão) que funciona sem as licenças necessárias; ~ ***do ar*** pessoa que se apodera do controlo de um avião, geralmente de forma violenta, e o obriga a desviar-se da rota, como meio de pressão para fazer determinadas exigências; ~ ***informático*** pessoa que invade sistemas informáticos para obter ou alterar informações de forma ilícita

pirataria *s. f.* **1** apropriação, geralmente violenta, dos bens de outrem; roubo; **2** reprodução de livros ou textos, gravações de som e/ou imagens, marcas ou patentes, sem autorização dos titulares

piratear *v. tr.* **1** apropriar-se ilegalmente de; roubar; **2** produzir cópias de material protegido por direitos de autor ou utilizá-lo sem a devida autorização

pires *s. m. 2 núm.* pequeno prato sobre o qual se coloca uma chávena

pirex *s. m.* **1** tipo de vidro com grande resistência às variações bruscas de temperatura e aos ataques químicos; **2** recipiente feito desse vidro

pirilampo *s. m.* ZOOL. insecto de corpo alongado e mole que tem a propriedade de emitir luz na escuridão

piripiri *s. m.* **1** BOT. espécie de malagueta muito picante; **2** CUL. molho muito picante preparado com pimentão vermelho

piroga *s. f.* embarcação estreita e achatada, feita de um tronco de árvore escavado

pirólise *s. f.* QUÍM. decomposição de uma substância por aquecimento a temperatura elevada, sem reacção com o oxigénio

pirómano *s. m.* pessoa que tem a mania de pegar fogo; incendiário

piropo *s. m.* cumprimento lisonjeiro; elogio; galanteio

piroso *adj. (coloq.)* que tem mau gosto; parolo

pirotecnia *s. f.* técnica de utilização de fogo ou de explosivos

pirotécnico I *adj.* relativo a pirotecnia; **II** *s. m.* especialista em pirotecnia

pirueta *s. f.* **1** movimento circular sobre um pé; rodopio; **2** *(fig.)* mudança súbita de opinião; reviravolta

pisada *s. f.* **1** pegada; **2** rasto; ***seguir as pisadas de alguém*** seguir o exemplo de alguém

pisadela *s. f.* **1** acto de pisar; calcadela; **2** nódoa negra

pisadura *s. f.* marca de lesão produzida por impacto ou golpe; nódoa negra

pisa-papéis *s. m. 2 núm.* objecto que se coloca sobre papéis para que não se espalhem

pisar *v. tr.* **1** andar por cima de; calcar; **2** pôr os pés em; percorrer; **3** esmagar com os pés (azeitonas, uvas); **4** *(fig.)* tratar com desprezo; subjugar

pisca *s. m.* dispositivo de sinalização provido de uma luz intermitente, usado para indicar a mudança de direcção do veículo

pisca-pisca *s. m.* vd. **pisca**

piscar I *v. tr.* fechar e abrir rápida e repetidamente (os olhos); **II** *v. intr.* **1** fechar e abrir rapidamente os olhos; **2** emitir brilho; cintilar ❖ ***num ~ de olhos*** num curto espaço de tempo; com grande rapidez

piscatório *adj.* relativo a pesca

pisciano *s. m.* ASTROL. pessoa que nasceu sob o signo de Peixes

piscina *s. f.* grande reservatório de água, usado para a prática de natação ou de mergulho; ~ ***olímpica*** piscina com 50 m de comprimento e pelo menos 21 m de largura, utilizada em competições de natação

piso *s. m.* **1** terreno onde se anda; chão; **2** revestimento do solo que se pisa; pavimento; **3** andar de um edifício

pista *s. f.* **1** parte de um aeroporto ou de um campo de aviação onde aterram e donde descolam as aeronaves; **2** parte da estrada ou rua especialmente destinada ao trânsito de veículos; faixa de rodagem; **3** parte do hipódromo onde correm os cavalos; **4** circuito onde se realizam corridas de automóveis; **5** parte de um salão reservada a danças; **6** espaço próprio para a prática de diversos desportos ou exercícios; **7** *(fig.)* rasto; vestígio; **8** *(fig.)* indício; sinal; **9** *(fig.)* orientação; dica

pistácio *s. m.* BOT. grão comestível, semelhante a uma pequena amêndoa de tom esverdeado, utilizado em culinária e pastelaria

pistão *s. m.* **1** MEC. peça que se move num corpo cilíndrico por pressão de um fluido; êmbolo; **2** MÚS. válvula que, ao ser accionada, distingue as notas num instrumento de sopro de metal

pistola *s. f.* **1** arma de fogo, curta, de pequeno alcance e que se dispara com uma só mão; **2** instrumento com a forma dessa arma, munido de gatilho, que permite pintar, pulverizando a tinta por pressão através de um disparador

pitada *s. f.* pequena porção de qualquer coisa ❖ ***não perder*** ~ não perder um pormenor; aproveitar todas as oportunidades

pitéu *s. m.* *(coloq.)* petisco; gulodice

pito *s. m.* **1** *(pop.)* pinto; **2** *(vulg.)* vagina

pitoresco *adj.* **1** digno de ser pintado; **2** divertido; **3** original

pitosga *adj. e s. 2 gén.* *(coloq.)* que ou pessoa que vê mal

pivete *s. m.* **1** *(coloq.)* criança; **2** *(coloq.)* mau cheiro

pivô *s. m.* **1** TV apresentador de noticiário que estabelece a ligação com os repórteres; **2** DESP. jogador cuja função é coordenar certas jogadas da sua equipa; **3** dente artificial fixado com haste metálica; **4** *(fig.)* principal agente; **5** *(fig.)* princípio fundamental

pixel *s. m.* INFORM. menor unidade gráfica de uma imagem

piza *s. f.* CUL. prato italiano feito de massa de pão, geralmente de forma arredondada, guarnecida com molho de tomate, queijo, orégãos e outros ingredientes (anchovas, fiambre, cogumelos, presunto, azeitonas, etc.) e cozida no forno

pizaria *s. f.* **1** estabelecimento onde se fazem e/ou vendem pizas; **2** restaurante onde se servem pizas

pizza *s. f.* vd. **piza**

pizzaria *s. f.* vd. **pizaria**

PJ [*abrev. de* Polícia Judiciária]

placa *s. f.* **1** elemento de construção em betão armado em forma de lâmina, mais ou menois espessa; **2** tabuleta de sinalização; **3** dentadura postiça; **4** INFORM. suporte plano, rectangular onde se encontra instalado o circuito impresso e os componentes electrónicos do computador

placa-mãe *s. f.* {*pl.* placas-mãe} INFORM. placa de circuitos electrónicos que contém a unidade central de processamento de um computador, suportes para circuitos integrados e fichas de expansão; motherboard

placard *s. m.* **1** quadro onde se registam os pontos marcados numa competição desportiva; **2** quadro onde se afixam cartezes publicitários

placebo *s. m.* MED. preparado neutro, ministrado em substituição de um medicamento, com o objectivo de provocar as reacções psicológicas normalmente associadas a essa terapia

placenta *s. f.* ANAT. órgão esponjoso que se forma no útero, e através do qual se realizam trocas nutritivas entre o embrião e a mãe

plácido *adj.* **1** sereno; tranquilo; **2** brando; suave

plafom *s. m.* vd. **plafond**

plafond *s. m.* {*pl.* plafonds} **1** ECON. limite de despesas autorizadas pelo orçamento de Estado; **2** ECON. limite de crédito autorizado por um banco a um cliente

plagiador *s. m.* pessoa que apresenta como sua uma obra de outrem; imitador

plagiar *v. tr.* apresentar como sua uma obra de outrem; imitar

plágio *s. m.* **1** acto de plagiar; **2** apresentação feita por uma pessoa da obra ou do trabalho de outrem como se fosse seu

plaina *s. f.* ferramenta manual de carpintaria própria para aplainar, desbastar e alisar madeira

planador *s. m.* AERON. aparelho que permite a sustentação no ar, sem recurso a energia motriz

planalto *s. m.* GEOG. terreno extenso, quase plano, situado a certa altitude

planar *v. intr.* **1** (ave) voar sem mover as asas; pairar; **2** (aeronave) voar apenas com o auxílio das asas, sem usar o motor

plâncton *s. m.* BIOL. conjunto de seres marinhos microscópicos

planeamento *s. m.* **1** acto ou efeito de planear; **2** determinação dos objectivos de um trabalho ou de uma tarefa e dos meios para os atingir; planificação; **3** elaboração de programas e actividades nas áreas social, económica e cultural; programação; ~ ***familiar*** conjunto de cuidados de saúde que visam a planificação dos nascimentos e do número de filhos, de acordo com as necessidades ou desejos de um casal

planear *v. tr.* **1** elaborar o plano ou a planta de; projectar; **2** determinar os objectivos e meios para; planificar; **3** elaborar programa ou plano para; programar

planeta *s. m.* ASTRON. astro sem luz própria que gira directamente à volta do Sol (planeta primário ou principal) ou à volta de outro planeta (planeta secundário ou satélite)

planetário I *adj.* relativo a planeta; **II** *s. m.* edifício coberto por uma cúpula concebido para a projecção dos movimentos dos corpos do sistema solar com objectivos educativos e lúdicos

planície *s. f.* extensa área da superfície plana

planificação *s. f.* **1** acto ou efeito de planificar; **2** determinação dos objectivos de um trabalho ou de uma tarefa e dos meios para os atingir

planificar *v. tr.* **1** desenhar ou traçar num plano; **2** organizar de acordo com um plano; **3** estabelecer e preparar um plano de actividades para

plano I *s. m.* **1** superfície sem desigualdades de nível; **2** estrutura de uma obra ou trabalho a realizar; projecto; planta; **3** conjunto de medidas necessárias ao desenvolvimento de um trabalho ou de uma actividade; programa; **4** MAT. superfície que contém integralmente a recta que passa por dois dos seus pontos; **5** *(fig.)* nível; tom; **6** *(fig.)* situação; posição; **II** *adj.* **1** sem desigualdades de nível; liso; **2** sem ornamentos; simples; ARQ. **~ *de pormenor*** projecto minucioso de uma área restrita; **~ *inclinado*** superfície que traça um declive mais ou menos acentuado

planta *s. f.* **1** BOT. organismo do reino vegetal; **2** ARQ. desenho em projecção horizontal de uma construção, jardim, etc.; plano; **3** carta topográfica; mapa; *(fig.)* **~ *de estufa*** pessoa frágil ou delicada, que exige assistência; pessoa susceptível, que se ofende com muita facilidade; ANAT. **~ *do pé*** parte inferior do pé, que assenta no chão; (cartografia) **~ *topográfica*** representação gráfica de uma área restrita da superfície terrestre

plantação *s. f.* **1** acto ou efeito de plantar; cultivo; **2** terreno cultivado; **3** propriedade agrícola

plantão *s. m.* **1** MIL. serviço de vigia distribuído diariamente a um soldado dentro do aquartelamento; **2** MIL. soldado que faz esse serviço; **3** serviço nocturno ou em horas normalmente sem serviço realizado em hospital, farmácia, esquadra, etc.; ***estar de ~*** estar de vigia; estar à espera

plantar *v. tr.* **1** fazer o cultivo de; semear; **2** preparar a terra para o cultivo; amanhar; **3** fincar verticalmente na terra; **4** *(fig.)* construir; erguer; **5** *(fig.)* fundar; estabelecer; **6** *(fig.)* incutir; promover

plantel *s. m.* DESP. grupo de atletas ou de técnicos seleccionados entre os melhores

plantio *s. m.* cultivo; plantação

plaqueta *s. f.* MED. célula sanguínea sem núcleo, em forma de disco circular ou oval, que intervém no processo de coagulação

plasma *s. m.* **1** ANAT. parte líquida do sangue e da linfa; **2** FÍS. conjunto electricamente neutro de electrões e iões positivos, átomos normais e átomos excitados, numa descarga gasosa

plástica *s. f.* operação cirúrgica destinada a alterar por razões estéticas ou a reconstruir devido a traumatismo qualquer parte do corpo

plasticina *s. f.* espécie de massa plástica, facilmente moldável, que serve para modelar

plástico I *adj.* **1** que pode ser modelado; **2** que revela beleza na forma; **3** (artista) que se dedica às artes plásticas (desenho, pintura, escultura e arquitectura); **4** relativo a cirurgia estética ou reconstrutiva; **II** *s. m.* material sintético que se caracteriza por ser facilmente moldado, por efeito do calor ou da pressão

plastificado *adj.* que foi revestido de película plástica

plastificar *v. tr.* revestir (cartão, capa de livro) de película plástica transparente

plataforma *s. f.* **1** superfície plana e horizontal, ligeiramente mais alta que a área circundante; **2** (estação de caminho-de-ferro) área elevada à altura da entrada das carruagens, a fim de facilitar o acesso de pessoas e cargas; **3** espaço descoberto no alto de um edifício ou ao nível de um andar; terraço; **4** rampa de lançamento de projécteis; **5** INFORM. estrutura e organização lógica de um sistema operacional ou de um computador

plátano *s. m.* BOT. planta de grande porte, com folhas largas, recortadas, e pequenos frutos globulares, nativa do hemisfério norte

plateia *s. f.* **1** parte de uma sala de espectáculos onde o público se senta;

2 conjunto dos espectadores que ocupam esse local; público

platina *s. f.* QUÍM. elemento com o número atómico 78 e símbolo Pt, que é um metal branco, brilhante, muito denso

platinado *adj.* revestido de platina

platónico *adj.* relativo a Platão, filósofo grego (428-348 a. C.); ***amor ~*** amor à distância, muitas vezes não confessado

plausível *adj. 2 gén.* que se pode admitir ou aceitar; razoável

playback *s. m.* {*pl.* playbacks} interpretação em que o cantor sincroniza os seus movimentos com sons pré-gravados

playboy *s. m.* {*pl.* playboys} indivíduo com fama de conquistador, geralmente elegante e com uma vida social intensa

PLE (ensino) [**P**ortuguês **L**íngua **E**strangeira]

plebe *s. f.* HIST. (entre os Romanos) classe mais baixa da sociedade; povo

plebeu **I** *adj.* **1** relativo à plebe; **2** que não pertence à nobreza; **II** *s. m.* {*f.* plebeia} HIST. membro da classe inferior da Roma antiga

plenamente *adv.* totalmente; inteiramente

plenário **I** *s. m.* **1** conjunto de membros de uma associação, reunidos em assembleia; **2** totalidade dos membros ou sócios de um grupo; **II** *adj.* **1** pleno; **2** inteiro; ***sessão plenária*** reunião de uma assembleia na qual estão presentes todos ou quase todos os seus membros

plenitude *s. f.* **1** estado do que se encontra inteiro ou completo; totalidade; **2** estado do que está cheio ou repleto; abundância; **3** estado do que se encontra no ponto máximo de desenvolvimento ou de intensidade

pleno *adj.* **1** inteiro; completo; **2** cheio; repleto

pleonasmo *s. m.* LING. redundância de termos para expressar uma ideia (como em *a mim parece-me*, *sai para fora*)

pleura *s. f.* ANAT. membrana que reveste os pulmões

pleurisia *s. f.* MED. inflamação da pleura, geralmente de origem bacteriana

plinto *s. m.* **1** ARQ. peça chata e quadrangular sobre que assenta uma coluna ou pedestal; **2** DESP. aparelho de ginástica para saltos

plissado **I** *adj.* (tecido) que tem pregas muito juntas; **II** *s. m.* série de pregas muito próximas feitas numa peça de vestuário ou num tecido

plissar *v. tr.* fazer dobras ou pregas em

pluma *s. f.* **1** ZOOL. cada uma das penas que revestem o corpo das aves; **2** pena usada como adorno

plumagem *s. f.* conjunto de penas de uma ave

plural **I** *adj. 2 gén.* **1** que se refere a mais de um; **2** (forma gramatical) que indica mais de um; **II** *s. m.* **1** GRAM. flexão nominal ou verbal referente a mais do que uma pessoa, coisa ou animal; **2** GRAM. palavra com essa flexão

pluralidade *s. f.* **1** grande número; multiplicidade; diversidade; **2** o maior número; generalidade; maioria; **3** GRAM. qualidade de uma palavra que está no plural

pluralismo *s. m.* **1** aceitação da diversidade no seio de uma sociedade ou de um grupo organizado; **2** doutrina que defende a livre participação de grupos organizados no processo económico e político para evitar a concentração do poder;

3 POL. sistema que prevê a existência de diversos partidos políticos, com idênticos direitos ao exercício do poder público

pluridisciplinar *adj. 2 gén.* relativo a várias disciplinas ou ramos de conhecimento

Plutão *s. m.* ASTRON. planeta do sistema solar que se encontra mais afastado do Sol

plutónio *s. m.* QUÍM. elemento com o número atómico 94 e símbolo Pu, que se obtém de certas reacções nucleares

pluvial *adj. 2 gén.* relativo a chuva

pluviosidade *s. f.* METEOR. quantidade de chuva caída em determinada região durante um certo período

pluvioso *adj.* que traz ou anuncia chuva; chuvoso

p. m. [*abrev. de* **p**ost **m**eridiem] pós-meridiano (posterior ao meio-dia)

Pm QUÍM. [*símbolo de* **promécio**]

PME ECON. [*sigla de* **p**equenas e **m**édias **e**mpresas]

pneu *s. m.* **1** aro de borracha, com ou sem câmara-de-ar, aplicado às rodas dos veículos; **2** *(coloq.)* excesso de gordura à volta da cintura

pneumático *adj.* que funciona com ar comprimido

pneumologia *s. f.* MED. estudo dos pulmões

pneumonia *s. f.* MED. inflamação dos pulmões, provocada por bactéria ou vírus

Po QUÍM. [*símbolo de* **polónio**]

pó *s. m.* **1** partículas muito finas e leves de terra e outras substâncias, que se encontram suspensas no ar e se depositam sobre os corpos; poeira; **2** qualquer substância sólida reduzida a partículas muito finas; **3** (cosmético) pó muito fino que se coloca no rosto para absorver a gordura e uniformizar o tom da pele; pó-de-arroz; **~ *de talco*** produto em pó muito fino feito de silicato de magnésio, muito usado para pulverizar a pele, conservar objectos de borracha, etc.

pobre I *adj. 2 gén.* **1** que não tem os recursos neccessários à vida; **2** que revela pobreza; **3** que inspira compaixão; **4** (terra) que é pouco produtivo; estéril; **5** (país) que tem poucas condições de desenvolvimento; subdesenvolvido; **II** *s. 2 gén.* **1** pessoa que não tem os recursos neccessários à vida; **2** pessoa que vive de esmolas; pedinte; mendigo

pobreza *s. f.* **1** falta de meios necessários à subsistência; miséria; **2** ausência de recursos financeiros; carência; **3** *(fig.)* falta de inteligência ou de qualidade; mediocridade

poça I *s. f.* cova pouco profunda com água; **II** *interj.* exprime espanto, surpresa, desapontamento ou contrariedade

poção *s. f.* **1** FARM. medicamento líquido, para ser administrado por via oral; **2** qualquer bebida; *(fig.)* **~ *mágica*** remédio milagroso

pocilga *s. f.* **1** curral de porcos; **2** *(coloq.)* casa ou lugar muito sujo

poço *s. m.* **1** cavidade profunda, aberta no solo de forma a atingir um lençol de água; **2** perfuração do solo a grande profundidade para detecção e extracção de petróleo; **3** passagem por onde se desce a uma mina subterrânea; **4** cavidade muito funda; furna; **~ *de ar*** fenómeno atmosférico que altera a estabilidade dos aviões, fazendo-os perder altitude por instantes ❖ ***ser um ~ de sabedoria*** ter muitos conhecimentos; ***um ~ sem fundo*** ser muito discreto; ser impenetrável

poda *s. f.* **1** corte de ramos de árvores, arbustos ou outras plantas;

2 época própria para se podar; *(coloq.)* ***saber/não saber da ~*** entender/não entender de um assunto

podar *v. tr.* cortar ramos de (plantas)

pó-de-arroz *s. m.* {*pl.* pós-de-arroz} produto cosmético em pó muito fino que se coloca no rosto para absorver a gordura e uniformizar o tom da pele

poder **I** *v. tr.* **1** ter a faculdade ou a possibilidade de; **2** ter autorização para; **3** ter direito de; **4** ter ocasião ou oportunidade de; **II** *v. intr.* **1** ter possibilidade, influência ou força; **2** ter permissão; **3** ser possível; **4** *(coloq.)* suportar; **III** *s. m.* **1** direito ou capacidade de decidir e/ou agir; **2** capacidade natural ou adquirida para fazer algo; faculdade; **3** supremacia sobre algo ou alguém; domínio; **4** capacidade de agir sobre algo; influência; **5** POL. conjunto dos órgãos que asseguram a administração de um Estado; **6** meio para resolver algo; recurso; ECON. ***~ de compra*** capacidade financeira de um grupo social ou de uma pessoa para adquirir produtos e serviços; ***~ executivo*** órgão de soberania do Estado, encarregado de fazer executar as leis; governo; ***~ judicial*** órgão de soberania do Estado ao qual compete aplicar as sanções por transgressão das leis; ***~ legislativo*** órgão de soberania do Estado encarregado de elaborar e discutir as leis; DIR. ***plenos poderes*** concessão de poderes a alguém para a execução de um acto expressamente indicado

poderoso *adj.* **1** que tem poder; forte; **2** que exerce autoridade; dominador; **3** que dispõe de grandes recursos; rico; **4** influente; marcante

pódio *s. m.* DESP. plataforma com três lugares, em que o lugar do centro fica mais elevado, para apresentação dos atletas mais bem classificados numa competição

podre *adj.* **1** (alimento) que está em decomposição; deteriorado; **2** *(fig.)* (moralmente) que se perverteu; corrompido ❖ *(coloq.)* ***~ de rico*** muito rico

podridão *s. f.* **1** estado de podre; **2** decomposição; putrefacção; **3** *(fig.)* perda de sentido moral; corrupção

poeira *s. f.* **1** terra reduzida a partículas muito finas; pó; **2** qualquer substância reduzida a pó muito fino ❖ ***deitar ~ aos olhos de alguém*** tentar enganar ou ludibriar alguém

poeirento *adj.* **1** coberto de poeira; **2** *(fig.)* antigo; antiquado

poema *s. m.* **1** LIT. obra poética em verso; **2** LIT. composição poética com enredo e certa extensão; epopeia

poente **I** *s. m.* **1** região do horizonte onde o sol se põe; ocidente; **2** pôr-do-sol; ocaso; **II** *adj. 2 gén.* **1** que se põe; **2** (sol) que desaparece no horizonte

poesia *s. f.* **1** arte de compor ou escrever versos; **2** LIT. composição em verso em que se exprimem emoções ou sentimentos segundo uma organização rítmica das palavras, aliada a recursos estilísticos e imagéticos; **3** LIT. conjunto das obras em verso, escritas numa língua ou próprias de uma época, de uma escola literária, de um autor, etc.; **4** *(fig.)* qualidade do que desperta um sentimento estético; beleza; **5** *(fig.)* poder criativo; inspiração

poeta *s. m.* {*f.* poetisa} **1** pessoa que compõe poesia; **2** autor cuja obra tem características poéticas; **3** *(fig.)* pessoa sonhadora ou idealista

poética *s. f.* **1** LIT. conjunto dos princípios estéticos que orientam a actividade de um escritor, de um artista ou de um movimento literário ou artístico; **2** LIT. disciplina que se dedica ao estudo dos processos relativos às normas versificatórias dos textos; **3** arte de compor versos

poético *adj.* **1** relativo a poesia; **2** que tem qualidades características da poesia; **3** que provoca inspiração

poio *s. m. (coloq.)* montão de excrementos

pois I *conj.* **1** portanto; por conseguinte; logo; **2** nesse caso; então; **3** porque; visto que; **4** no entanto; contudo; **II** *adv.* **1** indica concordância ou assentimento, equivalendo a *sim, claro, sem dúvida* ⟨*pois é, tens razão!; pois foi*⟩; **2** exprime uma oposição ou restrição ao que já foi dito, equivalendo a *mas, todavia, contudo* ⟨*pois eu não acreditei no que ouvi*⟩

poisar *v. tr.* vd. **pousar**

poiso *s. m.* vd. **pouso**

polaco I *s. m.* {*f.* polaca} **1** pessoa natural da Polónia; **2** língua indo--europeia, do ramo eslavo, falada na Polónia; **II** *adj.* relativo à Polònia

polar *adj. 2 gén.* **1** relativo aos pólos; **2** situado no Pólo Norte ou do Pólo Sul; **3** ELECTR., FÍS. relativo aos terminais de um gerador eléctrico; **4** (opinião, posição) que é diametralmente oposto

polaridade *s. f.* **1** FÍS. propriedade de um íman ou de uma agulha magnética de tomar a direcção dos pólos; **2** ELECTR. propriedade que os geradores eléctricos têm de fornecer a corrente sempre no mesmo sentido

polarização *s. f.* **1** FÍS. modificação de uma radiação luminosa que faz com que as ondas reflectidas ou refractadas deixem de apresentar propriedades idênticas em todas as direcções em torno da direcção da sua propagação; **2** concentração de forças, esforços ou influências num único ponto ou questão (por oposição a outro); **3** posicionamento em extremos opostos; contraposição

polca *s. f.* MÚS. dança de ritmo vivo a dois tempos

poldro *s. m.* ZOOL. cavalo com menos de quatro anos; potro

polegada *s. f.* medida aproximadamente igual ao comprimento da segunda falange do dedo polegar

polegar *s. m.* ANAT. dedo da mão, o mais grosso, formado por duas falanges, que se opõe aos restantes

poleiro *s. m.* **1** vara, no interior das gaiolas ou capoeiras, onde as aves pousam; **2** capoeira; galinheiro; **3** *(fig.)* posição ou cargo de autoridade

polémica *s. f.* **1** discussão em torno de questão ou assunto que desperta diferenças profundas de opinião; controvérsia; **2** debate entre pessoas com pontos de vista diferentes

polémico *adj.* **1** relativo a polémica; **2** que desperta diferenças profundas; controverso

pólen *s. m.* BOT. poeira, greralmente de cor amarela, formada por grânulos microscópicos, que esvoaça das anteras e que é o agente da fecundação nas plantas com flor

polícia I *s. f.* **1** instituição encarregada de garantir o cumprimento das leis que asseguram a ordem pública e de reprimir as infracções a essas leis; **2** conjunto de pessoas que pertencem a um órgão encarregado de garantir a segurança e ordem públicas; **II** *s. 2 gén.* pessoa que pertence a essa força pública; agente policial

policial I *adj. 2 gén.* **1** relativo à polícia; **2** (filme, romance) que envolve crime(s); **II** *s. m.* CIN., LIT. filme ou romance que envolve situações de crime e mistério; **III** *s. 2 gén. (Bras.)* agente da polícia

policiamento *s. m.* **1** vigilância feita pela polícia; fiscalização; **2** controlo; repressão

polido *adj.* **1** (superfície) liso; envernizado; **2** *(fig.)* (pessoa) educado; atencioso

poliedro *s. m.* GEOM. sólido geométrico limitado por faces que são polígonos planos

poliéster *s. m.* QUÍM. plástico sintético usado em tintas e vernizes, e como fibra têxtil

polifonia *s. f.* **1** MÚS. multiplicidade de sons ou de melodias; **2** MÚS. efeito resultante da combinação harmoniosa de sons diferentes e simultâneos

poligamia *s. f.* **1** regime familiar ou união legítima em que uma pessoa tem vários cônjuges ao mesmo tempo; **2** estado da pessoa que é polígama

poligâmico *adj.* relativo à poligamia

polígamo **I** *adj.* **1** relativo a poligamia; **2** (pessoa) que tem mais de um cônjuge ao mesmo tempo; **II** *s. m.* pessoa que tem mais de um cônjuge ao mesmo tempo

poliglota **I** *adj. 2 gén.* **1** que conhece ou fala muitas línguas; **2** (texto) escrito em muitas línguas; **II** *s. 2 gén.* pessoa que conhece ou fala muitas línguas

polígono *s. m.* GEOM. figura plana formada pelo mesmo número de ângulos e lados

polimento *s. m.* **1** acto ou efeito de polir (uma superfície); **2** brilho; lustro (de superfície polida); **3** *(fig.)* educação; cortesia

polinizar *v. tr.* BOT. provocar a fecundação de (flor), utilizando o pólen

poliomielite *s. f.* MED. doença infecciosa que ataca as células da medula espinal, e leva, por vezes, à paralisia

poliptoto *s. m.* RET. emprego de uma palavra sob diversas formas gramaticais, no mesmo período

polir *v. tr.* **1** dar lustre ou brilho a; envernizar; **2** tornar liso por fricção; alisar

polissilábico *adj.* que tem mais de duas sílabas

polissílabo **I** *s. m.* GRAM. palavra com mais de duas sílabas; **II** *adj.* que tem mais de duas sílabas

politécnico *adj.* **1** que abrange várias artes ou ciências; **2** (curso, ensino) vocacionado para a formação de profissionais especializados em áreas essencialmente técnicas

politeísmo *s. m.* doutrina ou religião que admite uma pluralidade de deuses (por oposição a monoteísmo)

politeísta **I** *adj. 2 gén.* relativo a politeísmo; **II** *s. 2 gén.* pessoa adepta do politeísmo

política *s. f.* **1** ciência ou arte de governar; **2** organização, direcção e administração de questões internas ou externas de um Estado; **3** conjunto dos princípios e dos objectivos que orientam as decisões em determinadas áreas; **4** meio para atingir um fim; estratégia; táctica

politicamente *adv.* **1** do ponto de vista político; **2** no que diz respeito ao poder político; **3** com diplomacia; delicadamente; **~ *correcto*** que está de acordo com as convenções dominantes no seio de uma comunidade

político **I** *adj.* **1** relativo a política; **2** que diz respeito aos assuntos públicos; **3** relativo ao Estado e às relações entre Estados; **4** prudente; diplomático; **II** *s. m.* **1** pessoa que se dedica à política; **2** pessoa que exerce um cargo público; **3** pessoa que actua com prudência na condução de problemas ou negócios

politiquice s. *f.* *(pej.)* actividade política pouco escrupulosa

politraumatizado *adj.* (pessoa) que apresenta diversos trumatismos

polivalente *adj. 2 gén.* **1** relativo a vários domínios ou actividades; **2** (pessoa) que exerce diversas funções; **3** (construção, edifício) que pode ter vários usos

pólo s. *m.* **1** ASTRON. cada uma das extremidades do eixo imaginário à volta do qual a Terra executa o seu movimento de rotação; **2** GEOG. cada uma das regiões próximas dessas extremidades (Pólo Norte e Pólo Sul); **3** DESP. espécie de hóquei que se joga a cavalo, com um taco de cabo muito comprido; **4** camisa desportiva de algodão, com gola e manga curta

pólo-aquático s. *m.* DESP. jogo praticado em piscina, entre duas equipas compostas por seis jogadores e um guarda-redes, e em que cada equipa procura introduzir a bola na baliza contrária

polónio s. *m.* QUÍM. elemento metálico, radioactivo, com o número atómico 84 e símbolo Po

polpa s. *f.* **1** parte carnuda dos frutos; **2** ANAT. extremidade carnuda dos dedos; **3** carne sem osso nem gordura

poltrona s. *f.* cadeira de braços, geralmente estofada

poluente *adj. 2 gén. e* s. *m.* que ou substância que polui ou contamina

poluição s. *f.* **1** alteração das condições de equilíbiro de um ecossistema; **2** degradação das características do meio ambiente por acção de substâncias poluentes; contaminação; **3** *(fig.)* perversão; adulteração; **~ *acústica/sonora*** produção de sons, ruídos ou vibrações que violam as disposições legais e podem causar problemas auditivos ou desencadear outros efeitos negativos na saúde; **~ *atmosférica*** modificação da composição química do ar causada por detritos industriais, pesticidas ou elementos radioactivos

poluir *v. tr.* **1** tornar sujo ou impuro; **2** contaminar (água, ambiente); **3** *(fig.)* manchar; corromper

polvilhar *v. tr.* **1** salpicar ou cobrir de substância em pó; **2** cobrir com farinha; enfarinhar

polvo s. *m.* ZOOL. molusco de corpo mole, munido de oito tentáculos e ventosas, cuja tinta serve para turvar a água e facilitar a fuga, e que é muito apreciado na alimentação

pólvora s. *f.* mistura explosiva de nitrato de potássio, carvão e enxofre, inflamável por acção do calor ❖ ***descobrir a ~*** descobrir algo que já se sabia; descobrir o óbvio

polvorosa s. *f.* agitação ❖ ***estar em ~*** estar muito agitado; ter muita pressa

pomada s. *f.* **1** FARM. preparado para uso externo, de consistência untuosa, formado por um ou vários princípios activos a que se adiciona uma matéria gordurosa; **2** *(pop.)* vinho de boa qualidade

pomar s. *m.* **1** terreno plantado de árvores de fruto; **2** loja onde se vende fruta; frutaria

pomba s. *f.* **1** ZOOL. fêmea do pombo; **2** *(fig.)* pessoa bondosa

pombal s. *m.* abrigo para pombos

pombo s. *m.* ZOOL. ave de bico curto com cera na base, e de cor variável, que se alimenta de grãos e sementes

pombo-correio s. *m.* {*pl.* pombos--correio} ZOOL. variedade de pombo com sentido de orientação notável, usado no transporte de mensagens escritas

pompa *s. f.* **1** aparato; ostentação; **2** luxo; esplendor ❖ ***com ~ e circunstância*** de forma solene; de acordo com a etiqueta

pompom *s. m.* **1** pequena bola de fios de lã, usada como enfeite (em gorro, xaile, etc.); **2** pequena bola de algodão ou material absorvente usada para aplicar pó-de-arroz no rosto

pomposo *adj.* **1** que tem pompa; magnificente; **2** ostensivo; exuberante; **3** (estilo) que tem muitos ornamentos; afectado

ponche *s. m.* bebida preparada com chá, rum, açúcar, limão e passas, geralmente servida quente

ponderação *s. f.* **1** acto ou efeito de ponderar; avaliação; **2** reflexão; meditação; **3** bom senso; prudência; **4** importância; relevância

ponderado *adj.* **1** que foi objecto de avaliação; apreciado; **2** prudente; reflectido; **3** calmo; sereno

ponderar **I** *v. tr.* **1** examinar com atenção; avaliar; **2** levar em consideração; considerar; **3** alegar; mencionar; **II** *v. intr.* reflectir; meditar

pónei *s. m.* ZOOL. cavalo pequeno

ponta *s. f.* **1** extremidade aguçada; bico; **2** ponto em que um objecto se estreita; **3** princípio ou o fim de uma série de coisas; **4** ponto onde duas ou mais rectas se interceptam; canto; **5** GEOG. porção de terra que se estreita à medida que avança para o mar; cabo; **6** chifre; corno; **7** resto de cigarro ou charuto; **8** *(coloq.)* pequena quantidade; pouco; ***hora de ~*** período em que se verifica o máximo de movimento ou de tráfego no acesso a uma cidade (geralmente ao início da manhã e ao fim do dia) ❖ ***até à ~ dos cabelos*** até ao limite da paciência; ***de ~ a ~*** do princípio ao fim; ***saber na ~ da língua*** conhecer muito bem (um assunto, uma matéria); ***segurar as pontas*** manter ou suportar uma situação difícil; ***ter na ~ da língua*** estar prestes a dizer; saber muito bem; ***tomar alguém de ~*** embirrar com alguém

pontada *s. f.* dor aguda de pouca duração; fisgada

ponta-de-lança *s. 2 gén.* {*pl.* pontas-de-lança} DESP. (futebol) jogador mais avançado de uma equipa; goleador

ponta-direita *s. 2 gén.* {*pl.* pontas-direitas} DESP. (futebol) jogador que ocupa o extremo direito da linha de avançados

ponta-esquerda *s. 2 gén.* {*pl.* pontas-esquerdas} DESP. (futebol) jogador que ocupa o extremo esquerdo da linha de avançados

pontal *s. m.* GEOG. ponta de terra que entra pelo mar ou pelo rio

pontão *s. m.* pequena ponte

pontapé *s. m.* **1** pancada com a ponta do pé; chuto; **2** *(fig.)* ofensa; ingratidão; (futebol) ***~ de baliza*** reposição da bola em jogo pelo guarda-redes quando um jogador atacante a faz sair pela linha de fundo do meio-campo adversário; (futebol) ***~ de canto*** pontapé dado com a bola colocada no ângulo formado pela linha lateral e pela linha de fundo; (futebol) ***~ de saída*** pontapé inicial na bola que marca o início a um jogo de futebol; (futebol) ***~ livre*** pontapé dado com a bola colocada no lugar onde o jogador da equipa contrária cometeu a falta ❖ ***aos pontapés*** em grande quantidade; aos montes; ***correr a ~*** mandar embora de forma violenta

pontaria *s. f.* **1** acto de apontar uma arma de fogo na direcção do alvo; **2** facilidade de acertar no alvo; ***fazer ~*** apontar cuidadosamente para o alvo

ponte *s. f.* **1** ARQ. construção sólida em betão, aço ou madeira, destinada a estabelecer comunicação entre dois pontos separados por um curso de água ou por uma depressão de terreno; **2** NÁUT. espaço coberto, situado abaixo do convés principal; coberta; **3** dia útil em que não se trabalha, intercalado entre um feriado e um fim-de-semana; **4** estabelecimento de contacto entre pessoas ou entidades separadas no espaço ou no tempo; ligação; **5** *(fig.)* qualquer elemento que estabelece ligação entre coisas ou pessoas; intermediário; ~ ***aérea*** ligação contínua por avião entre dois pontos, estabelecida em situações de emergência (sobretudo guerra ou desastre natural); ~ ***móvel*** ponte cujo tabuleiro pode ser deslocado para dar passagem a embarcações; ~ ***pênsil/suspensa*** ponte cujo tabuleiro é sustentado por cabos ancorados ❖ ***fazer a ~ entre*** estabelecer ligação ou contacto entre; ***fazer ~*** não trabalhar num dia útil entre um feriado e um fim de semana

pontear *v. tr.* coser ou marcar com pontos pequenos; alinhavar

ponteiro *s. m.* **1** haste usada para apontar (num quadro, mapa, etc.); **2** (de relógio) espécie de agulha que indica as horas e as suas fracções; **3** utensílio próprio para ferir as cordas dos instrumentos musicais

pontiagudo *adj.* que tem ponta aguçada; afiado

pontífice *s. m.* **1** RELIG. dignitário eclesiástico; bispo; **2** RELIG. chefe supremo da Igreja Católica; Papa

pontinha *s. f.* ⟨*dim. de* **ponta**⟩ *(coloq.)* pequena quantidade; bocadinho

ponto *s. m.* **1** pequena mancha arredondada numa superfície; **2** furo que se faz com uma agulha num tecido; **3** conjunto de linhas ou fios trabalhados com agulhas que formam determinado feitio ou desenho; **4** GEOM. lugar de intersecção de duas linhas; **5** assunto; questão; **6** sinal de pontuação; **7** *(acad.)* teste; **8** classificação atribuída a pergunta, prova, etc.; **9** TEAT. pessoa que, oculta do público em determinado lugar do palco, auxilia os actores a recordar os seus diálogos, quando necessário; **10** CUL. grau de consistência da calda de açúcar; **11** MED. cada um dos segmentos de linha que formam uma sutura; **12** grau de uma escala; **13** *(coloq.)* (pessoa) pessoa alegre ou divertida; GEOG. ~ ***cardeal*** cada um dos quatro pontos principais (norte, sul, este e oeste) usados como referência para orientação e a partir dos quais se determinam os outros pontos do horizonte; ~ ***colateral*** cada um dos quatro pontos da rosa-dos-ventos situados entre os pontos cardeais (nordeste, sudeste, sudoeste e noroeste); ~ ***de apoio*** ponto que sustenta uma alavanca; aquilo que representa auxílio; ~ ***de honra*** questão que envolve a dignidade ou honra de alguém; ~ ***de exclamação*** sinal gráfico (!) usado no fim de frases que exprimem admiração, alegria, dor, etc.; ~ ***de interrogação*** sinal gráfico (?) para indicar que a frase se deve ler com entoação de pergunta; ~ ***de partida*** origem; pressuposto; ~ ***de referência*** aquilo que representa um elemento de orientação ou um exemplo a seguir; ~ ***de vista*** modo particular de encarar um assunto ou problema; perspectiva; ~ ***e vírgula*** sinal de pontuação (;) que indica uma pausa mais longa que a da vírgula e mais breve que a do ponto; ~ ***final*** sinal gráfico (.) indicativo de fim de período;

~ ***forte*** qualidade; ~ ***fraco*** defeito; MEC. ~ ***morto*** posição da alavanca de mudanças em que o motor se encontra desligado da transmissão; ~ ***nevrálgico*** parte do corpo onde uma dor é mais forte; ponto mais delicado ou sensível; GEOG. ~ ***subcolateral*** cada um dos oito pontos da rosa-dos-ventos intermédios entre um ponto cardeal e um ponto colateral (nor-nordeste, és-nordeste, és-sudeste, su-sudeste, su-sudoeste, oés-sudoeste, oés-noroeste, nor-noroeste) ❖ ***ao ~ de*** de modo a; quase; ***em ~*** à hora exacta; ~ ***por*** ~ em pormenor; detalhadamente; ***pôr os pontos nos ii*** pôr tudo em pratos limpos; esclarecer todas as dúvidas; ***ser ~ assente*** estar decidido/resolvido

pontuação *s. f.* **1** GRAM. sistema de sinais gráficos usados para indicar as pausas, as divisões de um texto, determinadas relações sintácticas e a entoação de certas passagens; **2** GRAM. colocação desses sinais num texto escrito; **3** DESP. atribuição de pontos em prova ou competição; **4** *(acad.)* classificação de exame ou exercício; nota

pontual *adj. 2 gén.* **1** relativo a um ponto de um programa ou de um assunto; **2** (pessoa, transporte) que cumpre o horário estabelecido; rigoroso (em relação ao tempo); **3** (entrega, serviço) realizado na data marcada ou dentro do prazo combinado; **4** (caso, situação) que dura pouco tempo; momentâneo; passageiro

pontualidade *s. f.* **1** qualidade de quem é pontual; **2** cumprimento de horário ou de compromisso; **3** realização de tarefa dentro do prazo estabelecido ou previsto

pontuar I *v. tr.* **1** assinalar com pontuação; colocar sinais gráficos em (frase, texto); **2** *(fig.)* acompanhar; **II** *v. intr.* acumular ou marcar pontos

pop I *adj. 2 gén. 2 núm.* **1** relativo ao gosto popular (urbano); **2** (produção cultural) concebido para consumo em massa; comercial; **3** diz-se do tipo de música caracterizado por batidas fortes e pela utilização de instrumentos eléctricos; **4** relativo a formas de representação artística em o tema central é a sociedade de consumo; **II** *s. m.* **1** MÚS. música de origem anglo-saxónica caracterizada por melodia simples, ritmo repetitivo e batidas fortes e pela utilização de instrumentos eléctricos, que se dirige ao público em geral; **2** ART. PLÁST. corrente artística surgida na segunda metade do século XX, que partiu da cultura popular urbana, recorrendo a imagens e objectos dos meios de comunicação em massa, para propor uma estética representativa da sociedade de consumo ocidental

popa *s. f.* NÁUT. parte posterior do navio oposta à proa ❖ ***ir de vento em ~*** correr tudo muito bem; avançar sem problemas

popó *s. m. (infant.)* automóvel

população *s. f.* **1** totalidade das pessoas que habitam um país, uma localidade ou uma região; **2** número desses habitantes; **3** conjunto de pessoas representativas de um determinado grupo ou categoria; **4** BIOL. conjunto de seres da mesma espécie que habitam num dado local; ~ ***activa*** percentagem de pessoas disponíveis para exercerem actividades produtivas numa dada população

populacional *adj. 2 gén.* relativo a população; demográfico

popular I *adj.* **1** relativo ao povo; **2** próprio do povo; **3** (artigo, produto) adaptado ao gosto das massas; comercial; **4** (iniciativa, medida) que agrada à maioria da população; **5** (pessoa) estimado pelo público em geral; famoso; **6** (governo, política) que está em contacto directo com o povo; democrático; **II** *s. m.* pessoa que faz parte do povo; anónimo

popularidade *s. f.* **1** qualidade de quem é popular; **2** situação de quem é estimado por um grande número de pessoas; fama

populoso *adj.* que tem uma população numerosa; que é densamente povoado

póquer *s. m.* jogo de cartas de origem norte-americana para dois ou mais jogadores, em que se fazem apostas, ganhando a pessoa que conseguir a combinação de naipes vencedora

por *prep.* introduz expressões que designam: lugar ⟨*caminhar pela beira-mar*⟩; causa ⟨*sofrer por amor*⟩; período de tempo ⟨*viajar por uns dias*⟩; modo ou meio ⟨*enviar por email*⟩; tempo aproximado ⟨*pelas quatro da manhã*⟩; distribuição ⟨*um bilhete por pessoa*⟩; fim ⟨*esforçou-se por vencer*⟩ ❖ ***cá ~ mim*** pela minha parte; na minha opinião; ***~ entre*** através de; pelo meio de; ***um ~ um*** um de cada vez; à vez

pôr I *v. tr.* **1** colocar (algo em determinado lugar ou posição); **2** instalar; estabelecer; **3** aproximar; chegar; **4** vestir (roupa); **5** calçar (sapatos); **6** levantar (um problema, uma questão); **7** fazer (uma pergunta); **II** *v. refl.* **1** colocar-se (em determinado lugar ou posição); **2** imaginar-se; supor-se; **3** (sol) desaparecer no horizonte; **4** tornar-se; ficar ❖ ***~ a nu*** revelar; esclarecer; ***~ a salvo*** tirar do perigo; salvar; ***~ ao corrente*** informar; ***~ as barbas de molho*** precaver-se contra um risco próximo ou previsível; ***~ em causa*** colocar em questão; questionar; ***pôr-se ao fresco*** ir-se embora; afastar-se

porão *s. m.* NÁUT. parte interior e mais baixa do navio ou do avião, destinada à carga

porca *s. f.* **1** ZOOL. fêmea do porco; **2** peça de metal ou madeira com um orifício cilíndrico e rosca, própria para receber um parafuso

porcalhão *adj.* que é muito sujo; imundo

porção *s. f.* **1** parte de um todo; fracção; **2** quantidade; dose

porcaria *s. f.* **1** acumulação de sujidade; imundície; **2** *(coloq.)* coisa sem importância ou sem valor; insignificância; **3** *(coloq.)* coisa desagradável (ao ouvido, ao paladar, etc.); **4** *(fig.)* palavra grosseira ou obscena

porcelana *s. f.* **1** material cerâmico vitrificado, translúcido e impermeável, preparado com argilas muito finas; **2** louça feita desse material

porco I *s. m.* **1** ZOOL. mamífero doméstico, não ruminante, de patas curtas com quatro dedos revestidos por cascos, muito apreciado pela carne que fornece; **2** carne desse animal, usada como alimento; **3** *(depr.)* indivíduo sujo e desleixado; **II** *adj.* **1** sujo; imundo; **2** *(fig.)* grosseiro; obsceno

porco-espinho *s. m.* {*pl.* porcos-espinhos} ZOOL. pequeno mamífero roedor, com corpo revestido de picos que se eriçam

pôr-do-sol *s. m.* {*pl.* pores-do-sol} momento em que o sol desaparece no horizonte; ocaso

porém *conj.* mas; contudo; todavia

pormenor *s. m.* **1** circunstância particular; particularidade; **2** minúcia; detalhe ❖ ***em ~*** minuciosamente;

detalhadamente; ***entrar em pormenores*** descrever com todos os detalhes

pormenorizado *adj.* descrito com pormenores; detalhado

porno *adj. 2 gén.* *(coloq.)* pornográfico

pornografia *s. f.* **1** representação de elementos sexuais explícitos ou de situações obscenas em fotografias, revistas, filmes, ou outros suportes, com o objectivo de despertar o desejo sexual; **2** indústria de produção de revistas, fotografias, filmes e outros materiais que exploram elementos sexuais explícitos

pornográfico *adj.* **1** relativo a pornografia; **2** (filme) que apresenta sexo explícito ou situações obscenas com o objectivo de despertar o desejo sexual; **3** indecente; imoral

poro *s. m.* **1** pequeno orifício na superfície da pele, que actua como canal de saída das secreções das glândulas produtoras de suor; **2** pequeno orifício numa superfície sólida (sobretudo madeira)

porosidade *s. f.* **1** característica do que é poroso; **2** quantidade de poros existentes numa dada superfície

poroso *adj.* **1** que tem muitos poros; **2** que não é compacto; perfurado; **3** que deixa passar fluidos; absorvente

porquanto *conj.* porque; visto que; uma vez que

porque I *conj.* uma vez que; por causa de; já que; como; **II** *adv.* **1** qual a razão; por que motivo; **2** com que fim; para que

porquê I *s. m.* explicação de (facto, gesto, comportamento); motivo; razão; causa; **II** *adv.* por que razão

porquinho-da-índia *s. m.* {*pl.* porquinhos-da-índia} ZOOL. pequeno mamífero roedor de corpo robusto e pernas curtas, usado em experiências de leboratório; cobaia

porra *interj.* *(vulg.)* designativa de irritação, impaciência ou descontentamento

porrada *s. f.* **1** *(vulg.)* tareia; sova; **2** *(vulg.)* grande quantidade

porreiro *adj.* *(coloq.)* óptimo; excelente

porta *s. f.* **1** abertura rectangular feita numa parede ao nível do pavimento, para permitir a entrada ou saída; **2** zona de acesso a um lugar; entrada; **3** meio de conseguir algo; recurso; expediente; **4** INFORM. componente electrónico que permite a ligação de sistemas informáticos a outros aparelhos por meio de cabos; INFORM. ***~ de série*** interface que apresenta uma única linha para a comunicação de dados, permitindo a transmissão de apenas um bit de cada vez; INFORM. ***~ paralela*** interface que apresenta mais de uma linha para a comunicação de dados, permitindo a transmissão simultânea de vários bits ❖ ***à ~ fechada*** em privado; ***de ~ em ~*** de casa em casa; ao domicílio; ***estar às portas da morte*** estar prestes a morrer; ***levar com a ~ na cara*** receber uma resposta negativa; ***por portas travessas*** de modo indirecto; por meios ilícitos; ***ser surdo como uma ~*** ser completamente surdo; não ouvir nada

porta-aviões *s. m. 2 núm.* navio de guerra que dispõe de uma pista de descolagem e aterragem de aviões no convés superior

porta-bagagens *s. m. 2 núm.* prateleira ou rede, em qualquer meio de transporte, onde os passageiros podem colocar a sua bagagem

portabilidade *s. f.* **1** qualidade do que é portável; **2** INFORM. característica de um componente informático que permite utilizá-lo em diferentes tipos de computadores

porta-chaves *s. m. 2 núm.* estojo ou pequeno objecto munido de um anel, próprio para guardar as chaves

portada *s. f.* peça de madeira ou outro material, desdobrável, colocada do lado de fora ou de dentro de uma janela para atenuar a intensidade da luz

portador *s. m.* **1** pessoa que leva alguma coisa a pedido de alguém; **2** pessoa que transmite notícias; mensageiro; **3** pessoa a quem foi passado um cheque ou título

portagem *s. f.* **1** taxa que se paga pela utilização de certas vias de comunicação (auto-estradas, pontes, etc.); **2** instalação onde essa taxa é cobrada

portal *s. m.* **1** porta principal de um edifício; **2** fachada principal de um edifício onde se situa a entrada; **3** (na Internet) sítio que permite o acesso a uma grande variedade de serviços (correio electrónico, notícias, informações meteorológicas, compras, etc.)

porta-luvas *s. m. 2 núm.* pequeno compartimento, geralmente fechado, ao lado do volante de um automóvel, para guardar pequenos objectos ou documentos

porta-moedas *s. m. 2 núm.* pequena bolsa própria para trazer dinheiro

portanto *conj.* por isso; logo; por conseguinte

portão *s. m.* **1** ⟨*aum. de* **porta**⟩ porta grande; **2** porta larga, de materiais e tamanhos diversos, que impede o acesso a uma propriedade privada

porta-retratos *s. m. 2 núm.* moldura para colocar fotografias, com suporte para ficar em pé sobre um móvel

porta-revistas *s. m. 2 núm.* pequeno móvel ou suporte para revistas e jornais

portaria *s. f.* **1** porta principal de um convento ou de um edifício; **2** recinto a seguir à entrada de um edifício onde fica instalado o porteiro ou a recepção (de uma empresa, repartição, etc.); **3** documento emitido por uma autoridade administrativa com instruções sobre a aplicação de leis, recomendações, nomeações, demissões, etc.

portar-se *v. refl.* ter determinado comportamento; comportar-se

portátil **I** *adj. 2 gén.* que pode ser transportado; que não é fixo; **II** *s. m.* INFORM. computador de volume e peso reduzidos, que pode ser transportado facilmente de um sítio para outro

portável *adj. 2 gén.* **1** que se pode levar; **2** que se transporta com facilidade

porta-voz *s. 2 gén.* {*pl.* porta-vozes} pessoa que fala publicamente em nome de outra ou de um grupo

porte *s. m.* **1** aquilo que é transportado; mercadoria; **2** preço do transporte dessa carga; taxa; **3** modo de proceder; comportamento; **4** atitude; postura; *~ de arma* licença concedida a alguém por uma autoridade competente para possuir e transportar consigo uma arma de fogo; *~ pago* isenção do pagamento de franquia pelo envio de correspondência concedida, a certas entidades

porteiro *s. m.* indivíduo que vigia a portaria de um edifício, controlando a entrada e saída de pessoas, dando informações, etc.

porteiro electrónico *s. m.* mecanismo electrónico que estabelece a comunicação entre o exterior e o interior de um edifício, permitindo controlar a entrada e saída de pessoas estranhas

portfólio *s. m.* **1** pasta utilizada para guardar papéis, desenhos, mapas, etc.; **2** dossier de projectos e trabalhos para apresentação profissional

pórtico *s. m.* **1** ARQ. átrio cuja abóbada é sustentada por colunas ou pilares na frente de um edifício; **2** ARQ. porta principal de um edifício; portal

porto *s. m.* **1** lugar na costa ou na margem de um rio onde os navios podem fundear e abrigar-se; **2** área abrigada, junto ao litoral ou à margem de rio ou lago, que dispõe de instalações para embarque e desembarque de passageiros e mercadorias

Porto *s. m. (coloq.)* vinho do Porto

porto-riquenho I *s. m.* {*f.* porto-riquenha} pessoa natural de Porto Rico (nas Antilhas); **II** *adj.* relativo a Porto Rico

porto-riquense *adj. e s. 2 gén.* vd. **porto-riquenho**

portuário *adj.* relativo a porto

portuense I *s. 2 gén.* pessoa natural do Porto; **II** *adj. 2 gén.* relativo ao Porto

português I *s. m.* {*f.* portuguesa} **1** pessoa natural de Portugal; **2** língua oficial de Portugal, Brasil, de Timor Loro Sae e dos PALOP; **II** *adj.* relativo a Portugal

porventura *adv.* **1** por acaso; **2** talvez; possivelmente

pós *prep.* vd. **após**

posar *v. intr.* servir de modelo (para pintura, escultura ou fotografia)

pose *s. f.* **1** postura do corpo; atitude; posição; **2** acto de servir de modelo para um pintor, escultor ou fotógrafo; **3** falta de naturalidade; afectação

posfácio *s. m.* esclarecimento no final de um livro

pós-graduação *s. f.* {*pl.* pós-graduações} grau de ensino que se destina a pessoas que já concluíram um curso superior e que pretendem especializar-se numa dada área científica ou aperfeiçoar técnicas de investigação

pós-guerra *s. m.* {*pl.* pós-guerras} período imediatamente a seguir a uma guerra; após-guerra

posição *s. f.* **1** forma como uma pessoa ou uma coisa está colocada; situação; **2** lugar onde uma pessoa ou coisa está situada; sítio; **3** postura do corpo; pose; **4** opinião; ponto de vista

posicionamento *s. m.* **1** acto de colocar em determinada posição; **2** adopção de um ponto de vista; tomada de posição

posicionar I *v. tr.* colocar em determinada posição; **II** *v. refl.* tomar determinada posição

positivismo *s. m.* FIL. sistema que defende o conhecimento baseado em factos e dados da experiência sobre as especulações metafísicas ou teológicas

positivista I *adj. 2 gén.* relativo ao positivismo; **II** *s. 2 gén.* pessoa defensora do positivismo

positivo I *adj.* **1** que afirma ou concorda; **2** que não admite dúvida(s); indiscutível; **3** que se fundamenta em factos ou na experiência; seguro; **4** MAT. (grandeza, número) que é maior que zero; **5** (pessoa) que revela optimismo; confiante; **II** *s. m.* **1** FOT. prova de uma fotografia obtida a partir do negativo, cujos efeitos de luz e sombra estão de acordo com a realidade das condições do objecto; **2** aquilo que é certo ou real

pós-laboral *adj. 2 gén.* que ocorre depois do horário de trabalho

pós-meridiano *adj.* **1** relativo ao período após o meio-dia; **2** que ocorre depois do meio-dia

pós-modernismo *s. m.* corrente estética surgida na segunda metade do séc. XX, nos Estados Unidos da América, como forma de reacção contra o racionalismo e o esgotamento dos modelos vanguardistas

pós-moderno *adj.* relativo ao pós-modernismo

pós-nupcial *adj. 2 gén.* que se realiza ou tem efeito legal após o casamento

posologia *s. f.* FARM. indicação das doses em que se devem tomar os medicamentos

pós-operatório I *adj.* relativo ao período posterior a uma cirurgia; **II** *s. m.* {*pl.* pós-operatórios} conjunto de exames e procedimentos posteriores a uma intervenção cirúrgica

posponto *s. m.* vd. **pesponto**

possante *adj. 2 gén.* **1** robusto; **2** poderoso

posse *s. f.* **1** acto de possuir alguma coisa; propriedade; **2** fruição de um direito; gozo; **3** investidura de uma pessoa num cargo; **4** sessão em que uma pessoa toma posse de um cargo; **5** [*pl.*] bens materiais; **6** [*pl.*] recursos financeiros

possessivo I *adj.* **1** (pessoa) que quer tudo para si; que não reparte; **2** (pessoa) que é muito ciumento; **3** GRAM. que indica posse; **II** *s. m.* GRAM. caso que exprime a relação de posse entre um nome e o seu complemento

possesso *adj.* **1** que está possuído por uma força oculta; endemoninhado; **2** que está furioso; irado

possibilidade *s. f.* **1** qualidade daquilo que se pode realizar; eventualidade; **2** capacidade de fazer ou realizar algo; faculdade; **3** ocasião favorável; oportunidade; **4** [*pl.*] recursos financeiros; meios

possibilitar *v. tr.* **1** tornar possível; **2** concretizar

possível I *adj. 2 gén.* **1** que pode existir ou acontecer; provável; **2** que pode ser realizado; concretizável; **3** que não implica contradição; aceitável; **II** *s. m.* **1** aquilo que pode existir ou acontecer; **2** aquilo que pode ser realizado ❖ ***fazer os possíveis*** esforçar-se ao máximo; ***na medida do ~*** dentro daquilo que as circunstâncias permitem

possivelmente *adv.* provavelmente; talvez

possuído *adj.* dominado por força oculta; endemoninhado

possuidor *s. m.* pessoa que possui algo; proprietário

possuir I *v. tr.* **1** ter a posse de; ser proprietário de; **2** ter em si; encerrar; **3** dominar; **4** ter relação sexual com; **II** *v. refl.* deixar-se dominar

posta *s. f.* pedaço de peixe ou carne de espessura variável; fatia ❖ ***arrotar postas de pescada*** gabar-se de uma coisa que não se tem; ***pôr em postas*** fazer em pedaços; despedaçar

postal I *s. m.* cartão franquiado, para correspondência escrita, geralmente ilustrado num dos lados; **II** *adj. 2 gén.* relativo ao correio ou aos Correios

poste *s. m.* **1** pau fixado verticalmente no solo; pilar; **2** haste de madeira, ferro ou cimento, presa verticalmente no solo para segurar cabos eléctricos ou lâmpadas de iluminação da via pública; **3** DESP. cada uma das duas traves verticais da baliza

poster *s. m.* **1** cartaz impresso, geralmente decorativo; **2** ampliação fotográfica do tamanho de um cartaz

posteridade *s. f.* **1** tempo futuro; **2** conjunto dos descendentes de alguém; gerações futuras; **3** celebridade eterna; imortalidade

posterior *adj.* **1** que acontece depois; subsequente; ulterior; **2** situado atrás ou na parte de trás; traseiro

posteriormente *adv.* **1** a seguir; depois; **2** futuramente

postiço *adj.* **1** (cabeleira, dentadura) que não é natural; artificial; **2** fingido; falso

postigo *s. m.* pequena abertura; fresta

post meridiem *loc.* depois do meio-dia

post mortem *loc.* após a morte

posto I *s. m.* **1** lugar ocupado por uma pessoa no exercício da sua profissão; emprego; cargo; **2** lugar guardado por forças policiais; **3** secção destinada ao atendimento do público; **4** MIL. alojamento de tropas; **II** *adj.* **1** ⟨*p. p. de* **pôr**⟩ colocado em determinado lugar ou posição; **2** (sol) desaparecido no ocaso; **3** dito ❖ ***estar a postos*** estar pronto

post scriptum *loc.* aquilo que se escreve no fim de uma carta, depois da assinatura (usado com a abreviatura P.S.)

postulado *s. m.* **1** princípio que é tido como verdadeiro, sem necessidade de demonstração; **2** ponto de partida de um raciocínio ou de uma argumentação; premissa

postumamente *adv.* depois da morte

póstumo *adj.* que acontece após a morte de alguém

postura *s. f.* **1** posição do corpo; **2** comportamento; atitude; **3** opinião; ponto de vista

pós-venda I *adj. 2 gén. 2 núm.* relativo ao período que se segue à compra de um bem ou serviço; **II** *s. m. 2 núm.* período que se segue à compra de um bem ou serviço, durante o qual é garantida assistência técnica pelo fornecedor ou pelo vendedor

potássio *s. m.* QUÍM. elemento com o número atómico 19 e símbolo K, que é um metal alcalino

potável *adj. 2 gén.* (água) que pode ser bebido

pote *s. m.* **1** vaso de barro destinado a conter líquidos; **2** (*pop.*) bacio; penico; **3** (*fig.*) pessoa baixa e gorda ❖ ***a potes*** em abundância; torrencialmente

potência *s. f.* **1** qualidade do que tem poder; força; **2** capacidade de algo para fornecer energia; **3** capacidade de uma fonte sonora (voz, instrumento, etc.); **4** Estado ou nação com grande poder económico e militar; **5** MAT. produto de factores iguais; **6** MAT. expressão gráfica desse produto; **7** FIL. carácter do que se pode produzir, mas que não existe na realidade; virtualidade; **8** capacidade sexual (especialmente masculina) ❖ ***em ~*** em abstracto, mas não na prática; virtualmente

potencial I *adj.* **1** relativo a potência; **2** que é possível, mas não existe na realidade; virtual; **II** *s. m.* **1** conjunto de qualidades inatas de uma pessoa; **2** capacidade de realização de alguma coisa; **3** ELECTR. energia eléctrica por unidade de carga acumulada num condutor

potencialidade *s. f.* **1** capacidade de realização de alguma coisa; **2** capacidade que ainda não foi concterizada; virtualidade; **3** [*pl.*] qualidades inatas de uma pessoa

potenciar *v. tr.* **1** MAT. elevar um número a um expoente; **2** transmitir potência a; **3** intensificar; fomentar

potente *adj. 2 gén.* **1** que tem muita força; sólido; robusto; **2** (motor) que desenvolve muita energia; **3** (nação) que tem elevado nível de desenvolvimento económico ou militar

potro *s. m.* ZOOL. cavalo com menos de quatro anos

pouca-vergonha *s. f.* {*pl.* poucas--vergonhas} *(coloq.)* acto indecente; descaramento

pouco I *pron. indef.* em pequeno número; em pequena quantidade; **II** *adv.* não muito; insuficientemente; **III** *adj.* escasso; reduzido; **IV** *s. m.* **1** pequena quantidade de; **2** coisa de pouco valor ou de pouca importância; ninharia ❖ ***aos poucos*** gradualmente; ***fazer ~ de*** fazer troça de; gozar; ***daqui a ~*** dentro de pouco tempo; brevemente; ***dentro em ~*** daqui/daí a pouco; ***por ~*** por um triz; quase; ***poucas vezes*** raramente; ***~ a ~*** gradualmente

poupa *s. f.* **1** ZOOL. tufo de penas existente na cabeça de algumas aves; **2** saliência do penteado, que lembra um tufo de penas

poupado *adj.* que poupa; que gasta dinheiro com moderação

poupança *s. f.* **1** acto ou efeito de poupar dinheiro; **2** dinheiro poupado; pé-de-meia; economias

poupar I *v. tr.* **1** gastar (dinheiro) com moderação; economizar; **2** evitar; reduzir (energia, esforço); **3** deixar escapar; desperdiçar (ocasião, oportunidade); **II** *v. intr.* juntar dinheiro; economizar; **III** *v. refl.* **1** proteger-se de (esforço, incómodo); **2** esquivar-se a (coisa desagradável)

pouquíssimo *adj.* ⟨*superl. de* **pouco**⟩ muito pouco; quase nada

pousada *s. f.* estabelecimento hoteleiro; estalagem; ***~ da juventude*** centro de acolhimento com camaratas e quartos individuais, que alberga membros a preços reduzidos

pousar I *v. tr.* **1** colocar (algo) em determinado lugar; **2** fixar (o olhar); **II** *v. intr.* **1** (avião) aterrar; **2** (ave) interromper o voo e descer

pousio *s. m.* **1** AGRIC. período de descanso que se dá a um terreno de cultivo (geralmente um ano); **2** AGRIC. terreno deixado em repouso

pouso *s. m.* **1** lugar onde se pousa alguma coisa; **2** lugar onde alguém se acolhe temporariamente; refúgio; **3** estadia em algum lugar; permanência

povinho *s. m. (pop.)* povo

povo *s. m.* **1** conjunto de pessoas naturais do mesmo país, que partilham a mesma língua, instituições, tradições, costumes e um passado histórico; **2** conjunto de pessoas que ocupam um território determinado e formam uma unidade política, com leis próprias e sob a direcção do mesmo poder; **3** conjunto dos cidadãos de um país em relação aos seus governantes; **4** conjunto de pessoas que pertencem à classe mais pobre da sociedade

povoação *s. f.* **1** lugar povoado; lugarejo; **2** conjunto de pessoas que habitam uma localidade; população

povoado I *adj.* **1** habitado; **2** cheio de gente; concorrido; **II** *s. m.* pequena aglomeração de casas habitadas; povoação; aldeia

povoar *v. tr.* **1** ocupar com habitantes; povoar; **2** espalhar espécies animais ou vegetais para se reproduzirem; **3** encher de

Pr QUÍM. [*símbolo de* **praseodímio**]

praça *s. f.* **1** largo cercado de edifícios dentro de uma cidade; **2** local onde se compra e vende; mercado; **3** leilão; hasta pública; **4** povoação fortificada; fortaleza

praça-forte *s. f.* {*pl.* praças-fortes} cidade ou povoação fortificada, construída num ponto estratégico

praceta *s. f.* praça pequena

pradaria *s. f.* grande extensão de terreno plano; planície
prado *s. m.* campo coberto de plantas herbáceas que servem para pastagem
praga *s. f.* **1** conjunto de insectos ou doenças que atacam plantas ou animais; peste; **2** grande calamidade; desgraça; **3** expressão da vontade de que algo de mau aconteça a alguém; maldição
pragmático *adj.* **1** relativo a questões de ordem prática; **2** realista; objectivo
praguejar *v. intr.* rogar praga(s) a; amaldiçoar
praia *s. f.* **1** faixa de terra plana coberta de areia ou de pequenos seixos, que confina com o mar, com um rio ou uma lagoa; areal; **2** zona da costa frequentada por banhistas; **3** região banhada pelo mar; beira-mar
praia-mar *s. f.* vd. **preia-mar**
pralinê *s. m.* CUL. preparação à base de amêndoas e açúcar em caramelo que depois de endurecida é reduzida a pó
prancha *s. f.* **1** peça de madeira longa e estreita; tábua; **2** peça feita de um bloco permeável revestido de fibra de vidro, para a prática de desportos aquáticos; **3** plataforma de onde se efectuam saltos para uma piscina; **4** conjunto das várias tiras, geralmente horizontais, que compõem uma página de banda desenhada
prancheta *s. f.* **1** ⟨*dim. de* **prancha**⟩ prancha pequena ou estreita; **2** mesa própria para desenhar
pranto *s. m.* **1** choro; **2** queixume
praseodímio *s. m.* QUÍM. elemento com o número atómico 59 e símbolo Pr
prata *s. f.* QUÍM. elemento com o número atómico 47 e símbolo Ag, que é um metal branco, maleável e dúctil, bom condutor da corrente eléctrica
pratada *s. f.* **1** quantidade que um prato pode conter; **2** prato completamente cheio
prateado *adj.* **1** coberto com uma camada de prata; **2** da cor da prata
prateleira *s. f.* tábua horizontal na parede ou numa estante onde se colocam objectos ❖ ***estar/ficar na ~*** estar esquecido; ser ignorado; ***pôr na ~*** pôr de lado; desprezar
prática *s. f.* **1** actividade que visa a obtenção de resultados concretos; **2** aplicação das regras e dos princípios de uma arte ou ciência; **3** exercício de uma actividade ou de uma profissão; experiência; **4** forma habitual de agir; procedimento ❖ ***na ~*** na realidade; de facto; ***pôr em ~*** realizar; executar; ***ter ~*** ter experiência; ser experiente
praticamente *adv.* **1** de modo prático; **2** para todos os efeitos; **3** quase
praticante *adj. e s. 2 gén.* **1** que ou pessoa que pratica (uma actividade, um desporto); **2** que ou pessoa que segue a disciplina e as práticas da sua religião
praticar I *v. tr.* **1** realizar; executar; **2** exercer (uma profissão); **3** exercer com regularidade (uma actividade, um desporto); exercitar; **II** *v. intr.* **1** adquirir experiência; **2** exercitar-se; treinar
praticável *adj. 2 gén.* que se pode pôr em prática; realizável
prático *adj.* **1** relativo a prática; **2** relativo à obtenção de resultados concretos; pragmático; **3** que possui prática; experiente; **4** de aplicação ou uso fácil; funcional; **5** que tem sentido da realidade; realista
prato *s. m.* **1** recipiente individual, geralmente circular e de louça, em

que se come; **2** conteúdo desse recipiente, que constitui uma refeição; **3** conjunto de ingredientes preparados de determinada forma; comida; **4** recipiente de balança onde são colocados os pesos e o que se quer pesar ❖ ***limpar o ~*** comer tudo; ***pôr em pratos limpos*** esclarecer sem deixar nenhuma dúvida

pratos *s. m. pl.* MÚS. instrumento musical de percussão formado por duas peças circulares de metal sonante

praxar *v. tr. (acad.)* (curso superior) integrar (estudantes do primeiro ano) através de actividades que lhes permitem conhecer o meio académico e novos colegas

praxe *s. f.* **1** aquilo que se faz habitualmente; prática; **2** uso estabelecido; costume; **3** conjunto de regras de convivência em sociedade; etiqueta; ~ ***académica*** costumes e convenções usadas por estudantes mais velhos de uma instituição de ensino superior, com vista a integrar os mais novos no meio académico

prazenteiro *adj.* **1** alegre; **2** simpático

prazer *s. m.* **1** sensação ou emoção agradável; satisfação; deleite; **2** divertimento; distracção; **3** satisfação sexual; **4** boa vontade

prazo *s. m.* **1** tempo determinado para a realização de alguma coisa; período; **2** termo de certo período; limite; ***a curto ~*** num tempo próximo; dentro de pouco tempo; ***a longo ~*** num tempo distante; dentro de muito tempo; ***a médio ~*** num tempo relativamente próximo; dentro de algum tempo

preâmbulo *s. m.* texto de apresentação de um livro, escrito pelo autor ou por outra pessoa, com explicações sobre o seu conteúdo, estrutura, objectivos, etc.; prefácio

pré-aviso *s. m.* {*pl.* pré-avisos} **1** aviso que se faz com alguma antecedência; aviso prévio; **2** comunicação antecipada da realização de uma greve

precário *adj.* **1** que não é estável ou seguro; incerto; **2** com pouca resistência; frágil; **3** insuficiente; escasso

preçário *s. m.* lista de preços cobrados por determinado serviço; tarifário

precaução *s. f.* **1** medida de prevenção; **2** cautela; cuidado; ***por ~*** à cautela

precaver *v. tr. e refl.* prevenir(-se); acautelar(-se)

precavido *adj.* prevenido; prudente

prece *s. f.* **1** pedido dirigido a uma divindade ou a um santo; oração; **2** rogo; súplica

precedência *s. f.* **1** estado do que precede ou vem antes; **2** situação do que deve estar em primeiro lugar; preferência; primazia

precedente I *adj. 2 gén.* que precede; que é anterior; **II** *s. m.* **1** procedimento que permite explicar ou autorizar acontecimentos ou circunstâncias análogas e posteriores; **2** facto que justifica um outro facto, análogo e posterior; modelo ❖ ***sem precedentes*** único; inédito; nunca visto

preceder *v. tr.* **1** (no espaço) estar colocado antes de; ir na frente de; **2** (no tempo) acontecer antes de; anteceder

preceito *s. m.* **1** regra considerada como norma de conduta; princípio; **2** RELIG. mandamento; **3** prescrição; ordem ❖ ***a ~*** como deve ser; correctamente

preciosidade *s. f.* **1** qualidade do que é precioso; **2** objecto de grande valor; jóia; **3** virtude; qualidade

preciosismo *s. m. (pej.)* falta de naturalidade; afectação

precioso *adj.* **1** que tem grande valor; **2** que tem preço alto; caro; **3** que é muito útil; **4** sumptuoso

precipício *s. m.* **1** depressão profunda entre paredes escarpadas; despenhadeiro; abismo; **2** *(fig.)* perigo; desgraça

precipitação *s. f.* **1** queda; **2** grande pressa; **3** acto impensado; imprudência; **4** METEOR. quantidade de água, neve, granizo, etc., depositado no solo em determinado período

precipitado *adj.* **1** feito com precipitação, à pressa; **2** imprudente; irreflectido

precipitar I *v. tr.* **1** apressar (decisão); **2** antecipar (acontecimentos); **II** *v. refl.* **1** atirar-se; cair; **2** (acontecimento) ocorrer antes do tempo; **3** andar ou actuar com grande rapidez; **4** agir irreflectidamente

precisamente *adv.* **1** rigorosamente; **2** exactamente

precisão *s. f.* **1** qualidade daquilo que é preciso ou exacto; exactidão; **2** cumprimento rigoroso de prazos e horários; pontualidade; **3** rigor na execução de algo; perfeição

precisar I *v. tr.* indicar de modo preciso; particularizar; **II** *v. intr.* **1** passar necessidades; ser pobre; **2** ter necessidade de; carecer de

preciso *adj.* **1** necessário; indispensável; **2** rigoroso; exacto

preço *s. m.* **1** valor em dinheiro de um objecto, bem ou serviço; custo; **2** *(fig.)* valor afectivo que se dá a qualquer coisa; estima; **3** *(fig.)* aquilo que é necessário dar ou sacrificar para obter algo; contrapartida; **~ *de custo*** valor resultante da soma das despesas com materiais, mão-de--obra e impostos envolvidos no fabrico de um produto ou na execução de um serviço; **~ *de fábrica*** valor cobrado pelas unidades fabris aos vendedores e, ocasionalmente, ao público, pela aquisição directa dos seus produtos; **~ *fixo*** valor predeterminado, que não está sujeito a variação ❖ ***a qualquer ~*** custe o que custar; de qualquer forma; ***ao ~ da chuva*** muito barato; ***não ter ~*** ter um valor afectivo ou moral incalculável

precoce *adj. 2 gén.* **1** (criança) que demonstra capacidades próprias de pessoas mais velhas; **2** (evolução, processo) que acontece mais cedo que o normal; **3** (decisão, medida) que se realiza antes da ocasião própria

preconceber *v. tr.* **1** conceber de antemão; planear; **2** imaginar com antecipação; supor

preconcebido *adj.* **1** planeado antes; **2** elaborado sem fundamento

preconceito *s. m.* **1** opinião (favável ou desfavorável) formada antecipadamente, sem fundamento sério ou análise crítica; **2** julgamento desfavorável formado sem razão objectiva; **3** sentimento hostil motivado por hábitos de julgamento ou generalizações apressadas; intolerância

preconceituoso *adj.* **1** que manifesta preconceito em relação a algo ou alguém; **2** que não é não isento; parcial; **3** hostil; intolerante

preconizar *v. tr.* **1** louvar; elogiar; **2** recomendar; aconselhar

precursor I *adj.* **1** que vai à frente; **2** que abre caminho; **II** *s. m.* **1** pessoa que vai à frente; batedor; **2** pessoa que prepara o caminho para o aparecimento de algo ou alguém; pioneiro

predador *s. m.* ZOOL. animal que caça outros animais para obter alimento

pré-datado *adj.* (cheque) emitido para ser pago numa data futura

predecessor *s. m.* aquele que precede (no tempo); antecessor

predestinação *s. f.* **1** determinação antecipada do que há-de suceder;

prognóstico; **2** RELIG. desígnio de Deus de conduzir os justos à salvação

predestinar *v. tr.* **1** destinar com antecipação; **2** RELIG. destinar à salvação ou à condenação

predial *adj. 2 gén.* relativo a prédios

predicado *s. m.* **1** característica inerente a um ser; atributo; qualidade; **2** qualidade positiva; virtude; mérito; **3** GRAM. elemento da oração que declara algo sobre outro (o sujeito)

predicativo *adj.* GRAM. (nome, pronome) que qualifica ou determina o sujeito ou o complemento directo de uma proposição, definindo ou completando a significação do predicado

predilecção *s. f.* preferência por algo ou por alguém; propensão; inclinação

predilecto *adj. e s. m.* preferido; favorito

prédio *s. m.* **1** propriedade imóvel; edifício; construção; **2** edifício com vários andares

predispor *v. tr. e refl.* **1** dispor(-se) com antecedência; **2** preparar(-se)

predisposição *s. f.* **1** disposição ou tendência natural; inclinação; **2** MED. propensão do organismo para contrair determinada doença

predisposto *adj.* **1** que revela predisposição para; propenso; **2** pronto; preparado

predizer *v. tr.* dizer com antecedência o que vai acontecer; profetizar

predominante *adj. 2 gén.* que predomina; preponderante

predominar *v. intr.* **1** ser superior em influência ou importância; prevalecer; **2** ser em maior quantidade ou intensidade; sobressair

predomínio *s. m.* **1** domínio sobre; supremacia; **2** influência

preencher *v. tr.* **1** encher completamente (um espaço); **2** escrever o que falta nos espaços em branco de (uma ficha, um impresso); **3** exercer (um cargo, uma função); **4** cumprir plenamente (um objectivo, um requisito); **5** ocupar (o tempo)

preenchimento *s. m.* **1** ocupação de um espaço; **2** acto de completar os espaços em branco de uma ficha, de um impresso; **3** exercício de um cargo ou função

pré-escolar *adj. 2 gén.* (ensino) anterior à idade ou ao período escolar

preestabelecer *v. tr.* estabelecer previamente; predeterminar

preexistente *adj. 2 gén.* que existe (ou existiu) antes de outra coisa; anterior

pré-fabricado *adj.* montado com peças ou partes previamente construídas

prefácio *s. m.* texto de apresentação de um livro, escrito pelo autor ou por outra pessoa, com explicações sobre o seu conteúdo, estrutura, objectivos, etc.; preâmbulo; prólogo

preferência *s. f.* **1** escolha de uma coisa entre muitas; **2** predilecção por algo ou por alguém; **3** possibilidade de passar à frente dos outros; prioridade ❖ ***de ~*** antes de tudo; se possível

preferencialmente *adv.* por escolha; de preferência

preferir *v. tr.* **1** ter preferência por; gostar mais de; **2** optar por; escolher

preferível *adj. 2 gén.* **1** que se pode escolher; **2** que deve ser preferido; melhor

prefixo *s. m.* GRAM. partícula que se antepõe a uma palavra para formar uma palavra nova

prega *s. f.* parte franzida de tecido ou de outro material flexível; dobra

pregão *s. m.* anúncio público feito em voz alta

pregar [e] *v. tr.* **1** fixar ou segurar com prego; **2** coser (um botão);

3 fixar (os olhos); 4 *(coloq.)* aplicar com violência (uma bofetada, um soco)

pregar[2] [ɛ] *v. tr. e intr.* fazer um sermão; discursar

prego *s. m.* 1 pequena peça de metal, aguçada numa extremidade e com uma cabeça achatada na outra, que se crava num objecto para o fixar a outro, ou numa superfície para se pendurar algo; 2 CUL. (no pão) sanduíche feita com pão de leite e um bife, geralmente temperado com molho de mostarda; 3 CUL. (no prato) bife grelhado acompanhado de um ovo estrelado, batatas fritas e, por vezes, queijo e fiambre; 4 *(coloq.)* casa de penhores ❖ ***pôr no ~*** empenhar; ***virar o bico ao ~*** mudar o assunto da conversa propositadamente

preguiça *s. f.* 1 moleza; inactividade; 2 falta de pressa; lentidão; 3 ZOOL. mamífero desdentado com pêlo longo e denso e garras longas e fortes, que se desloca muito devagar

preguiçar *v. intr.* não fazer nada; mandriar

preguiçoso *adj.* que tem preguiça; mole; indolente

pré-história *s. f.* HIST. período anterior à invenção da escrita e ao uso de utensílios de metal

pré-histórico *adj.* 1 relativo à pré-história; 2 *(coloq.)* muito antigo; antiquado

preia-mar *s. f.* {*pl.* preia-mares} nível mais alto a que sobe a maré; maré cheia

prejudicado *adj.* 1 (pessoa) que sofreu prejuízo; lesado; 2 (saúde) que sofreu dano; afectado

prejudicar I *v. tr.* causar prejuízo a; lesar; II *v. refl.* sofrer prejuízo ou dano; lesar-se

prejudicial *adj. 2 gén.* que causa prejuízo ou dano; nocivo

prejuízo *s. m.* 1 perda de algo; dano; 2 situação de redução ou perda de lucro

preliminar I *adj. 2 gén.* que antecede o principal; prévio; II *s. m.* 1 aquilo que antecede o assunto principal ou a parte mais importante; 2 prólogo; prefácio; III *s. f.* DESP. prova que se realiza antes da competição principal

prelúdio *s. m.* 1 aquilo que precede ou anuncia alguma coisa; introdução; 2 MÚS. peça musical que serve de introdução a outras; 3 MÚS. peça tocada antes da execução de uma obra

prematuro *adj.* 1 (parto) feito ou sucedido antes do tempo normal; 2 (bebé) que nasceu antes das 37 semanas de gestação; 3 (decisão) feito antes da ocasião própria; precipitado

premeditado *adj.* planeado com antecedência; deliberado

premeditar *v. tr.* planear com antecedência; arquitectar

premente *adj. 2 gén.* urgente

premiado I *adj.* 1 que recebeu um prémio; 2 (bilhete de lotaria) que foi sorteado; II *s. m.* pessoa que recebeu prémio

premiar *v. tr.* dar prémio a (pessoa ou obra); galardoar

prémio *s. m.* 1 distinção conferida por mérito, feito ou trabalho; galardão; 2 recompensa em dinheiro por um serviço prestado; gratificação; 3 quantia em dinheiro paga ao bilhete sorteado em lotaria, ao vencedor de concurso, etc.; 4 valor que o segurado paga à seguradora, determinado por um contrato de seguro; ***~ de consolação*** prémio de valor simbólico, ou inferior ao principal, atribuído a quem se aproximou dos lugares premiados, mas não os atingiu; ***~ Nobel*** prémio que é atribuído anualmente às pessoas que se destacaram pelo seu contributo nos domínios da Física, Medicina, Literatura, Química, Economia e Paz ❖ ***ter a cabeça a ~*** andar fugido à justiça; ser procurado pela polícia

premir *v. tr.* comprimir; pressionar

premissa *s. f.* **1** proposição que antecede um raciocínio e em que se baseia a conclusão; **2** ponto de partida para um estudo ou raciocínio; princípio

premonição *s. f.* **1** sensação que anuncia um facto; pressentimento; **2** aviso prévio; advertência

premonitório *adj.* **1** relativo a premonição; **2** que serve de advertência; **3** que revela algo; sintomático

pré-natal *adj. 2 gén.* relativo ao período que antecede o nascimento

prenda *s. f.* aquilo que se dá ou recebe como oferta; presente

prender I *v. tr.* **1** fixar; **2** atar; **3** deter (um ladrão); **4** *(fig.)* unir; ligar; **5** *(fig.)* despertar interesse; cativar; **II** *v. intr.* ficar preso; **III** *v. refl.* ficar retido por (compromisso, etc.)

prensa *s. f.* **1** máquina para comprimir certos corpos e para espremer frutos, sementes, etc.; **2** máquina impressora, manual ou mecânica

prensado *adj.* que se prensou; comprimido

prensar *v. tr.* apertar na prensa; comprimir

prenúncio *s. m.* anúncio de uma coisa futura; prognóstico

pré-nupcial *adj. 2 gén.* anterior ao casamento

preocupação *s. f.* **1** inquietação do espírito; angústia; apreensão; **2** pensamento dominante; ideia fixa; cisma

preocupado *adj.* **1** angustiado; apreensivo; **2** pensativo

preocupante *adj. 2 gén.* que causa preocupação; inquietante

preocupar I *v. tr.* causar preocupação a; inquietar; **II** *v. refl.* **1** inquietar-se; **2** atribuir importância a

pré-operatório I *adj.* relativo ao período anterior a uma cirurgia; **II** *s. m.* {*pl.* pré-operatórios} conjunto de exames e procedimentos anteriores a uma intervenção cirúrgica

pré-pagamento *s. m.* {*pl.* pré-pagamentos} pagamento efectuado antes de fazer o pedido de um produto ou serviço

preparação *s. f.* **1** acto ou efeito de preparar algo para ser utilizado; **2** processo ou meio de se preparar para algo; formação; treino; **3** QUÍM. material colocado em lâminas próprias para ser observado ao microscópio; **4** CUL. operação de preparar alimentos para os servir segundo determinada receita; confecção

preparar I *v. tr.* **1** arranjar algo de forma a poder ser utilizado; **2** organizar algo com antecedência; **3** pôr em condições adequadas para; **4** ensinar ou estudar para (aula, exame); **5** informar alguém sobre (facto grave); **6** confeccionar (prato, refeição); **II** *v. refl.* **1** arranjar-se; **2** dispor-se a

preparativos *s. m. pl.* disposições preliminares tomadas com o objectivo de tornar algo realizável ou possível; preparação

preparatório *adj.* que serve para preparar; preliminar

preponderância *s. f.* qualidade do que é preponderante; supremacia

preponderante *adj.* **1** que é dominante; prevalecente; **2** que tem mais peso ou importância; influente

preposição *s. f.* GRAM. palavra invariável que estabelece a relação com a palavra ou expressão que a segue

preposicional *adj. 2 gén.* GRAM. relativo a preposição; em que há preposição
prepotência *s. f.* abuso de autoridade ou de poder; tirania; despotismo
prepotente *adj.* despótico; tirano
pré-primária *s. f.* {*pl.* pré-primárias} **1** ensino que antecede o básico; **2** jardim-escola
prepúcio *s. m.* ANAT. prega cutânea que cobre a extremidade do pénis
pré-reforma *s. f.* {*pl.* pré-reformas} reforma antes da data normal ou prevista; reforma antecipada
pré-requisito *s. m.* {*pl.* pré-requisitos} **1** condição prévia; condição primordial; **2** exigência
prerrogativa *s. f.* **1** direito inerente a um cargo ou a uma profissão; **2** privilégio; apanágio
presa *s. f.* **1** acto de tomar posse de algo; apreensão; **2** aquilo que um animal caça para comer; **3** dente canino de mamíferos; **4** garra de ave de rapina; **5** (*fig.*) pessoa subjugada por algo ou por alguém
presbitério *s. m.* **1** residência do pároco; **2** igreja paroquial
presbítero *s. m.* sacerdote; padre
prescindir *v. intr.* **1** renunciar a; **2** passar sem; **3** abstrair de
prescrever I *v. tr.* **1** estabelecer (uma regra, um princípio); **2** receitar (um medicamento); **II** *v. intr.* DIR. ficar sem efeito por ter decorrido o prazo legal
prescrição *s. f.* **1** disposição; regra; **2** receita médica; **3** DIR. extinção da possibilidade de punição do autor de um crime ou contravenção, porque o Estado não exerceu no tempo legal o seu direito de acção, ou por não ter efectivado a condenação imposta
prescrito *adj.* ⟨*p. p. de* **prescrever**⟩ **1** que prescreveu; **2** que perdeu a validade; caducado
presença *s. f.* **1** facto de alguém estar num lugar determinado; **2** facto de alguém comparecer num lugar determinado; **3** assiduidade; frequência; **4** aparência de uma pessoa; porte; **5** personalidade; carácter ❖ ***na ~ de*** em face de; diante de; ***~ de espírito*** serenidade perante situações delicadas ou difíceis; sangue-frio; ***ter ~*** ter boa apresentação
presenciar *v. tr.* assistir a; observar
presente I *adj. 2 gén.* **1** relativo ao tempo em que se fala; actual; **2** que está no lugar em que se fala; **3** que está à vista; **II** *s. m.* **1** tempo actual; **2** GRAM. tempo de verbo que exprime a actualidade da acção; **3** prenda; oferta
presentear *v. tr.* dar presente a; oferecer
presépio *s. m.* representação do nascimento de Cristo num estábulo
preservação *s. f.* **1** acto ou efeito de preservar; conservação; **2** acção que visa garantir a continuidade ou sobrevivência de algo; protecção
preservar *v. tr.* **1** conservar; **2** proteger
preservativo *s. m.* invólucro de borracha flexível e extensível que envolve o pénis durante o acto sexual, usado como contraceptivo e como meio de protecção contra doenças sexualmente transmissíveis
presidência *s. f.* **1** cargo ou funções de presidente; **2** palácio onde vive o presidente; **3** conjunto de administradores (de associação, empresa, etc.)
presidencial *adj. 2 gén.* **1** relativo a presidente; **2** que provém do/a presidente
presidente *s. 2 gén.* **1** chefe de Estado em algumas repúblicas; **2** pessoa que dirige os trabalhos numa assembleia,

congresso, etc.; **3** pessoa que administra uma associação, empresa, etc.

presidiário *s. m.* indivíduo condenado a cumprir pena num presídio; detido

presídio *s. m.* instituição penal onde as pessoas condenadas pela justiça cumprem a pena; prisão

presidir *v. intr.* **1** dirigir como presidente; governar; **2** orientar; guiar

presilha *s. f.* tira de pano que tem, numa extremidade, uma casa onde entra um botão para prender; fivela

preso I *adj.* **1** detido em prisão; **2** encerrado num local fechado; enclausurado; **3** impedido de se deslocar (no trânsito); bloqueado; **4** fixado a outra coisa; unido; ligado; **5** *(fig.)* muito impressionado; cativado; **6** *(fig.)* comprometido; **II** *s. m.* indivíduo condenado a cumprir pena na prisão; detido

pressa *s. f.* **1** necessidade de chegar a um sítio ou atingir um objectivo rapidamente; urgência; **2** característica do que é rápido; velocidade; **3** grande actividade; azáfama ❖ ***a toda a ~*** sem demora; ***feito à ~*** feito atabalhoadamente

presságio *s. m.* sinal que anuncia algum acontecimento futuro; prenúncio

pressão *s. f.* **1** força exercida sobre um ponto ou um elemento de uma superfície; **2** FÍS. grandeza definida pelo quociente entre a força exercida sobre um elemento de superfície de um corpo e a área da superfície sobre a qual se exerce; **3** *(fig.)* tentativa de obrigar ou persuadir alguém; coacção; FISIOL. ***~ arterial*** tensão exercida pelo sangue nas paredes das artérias, tensão arterial; ***~ atmosférica*** pressão exercida pela atmosfera terrestre num determinado ponto ❖ ***estar sob ~*** estar sobrecarregado de (problemas, trabalho, etc.); ***fazer ~*** procurar convencer alguém; coagir

pressentimento *s. m.* sentimento instintivo do que vai acontecer; palpite

pressentir *v. tr.* ter o pressentimento de; prever

pressionar *v. tr.* **1** fazer pressão sobre (algo); comprimir; **2** exercer pressão sobre (alguém); coagir

pressupor *v. tr.* **1** partir do princípio; presumir; **2** supor; imaginar

pressuposição *s. f.* **1** acto ou efeito de pressupor; **2** conjectura

pressuposto *s. m.* **1** circunstância ou ponto de partida; princípio; **2** aquilo que se supõe antecipadamente; suposição; **3** objectivo; desígnio

prestação *s. f.* **1** acto ou efeito de prestar ou dispensar algo; fornecimento; **2** quantia paga periodicamente para cumprir um contrato ou extinguir uma dívida; **3** contribuição a que alguém está obrigado; cota

prestar I *v. tr.* dispensar; fornecer (colaboração, serviço); **II** *v. intr.* (objecto) ter valor ou utilidade; **III** *v. refl.* **1** estar disposto a; **2** ser adequado a

prestável *adj. 2 gén.* **1** (objecto) que pode ter utilidade; **2** (pessoa) que gosta de ajudar

prestes *adj. 2 gén. 2 núm.* **1** que está a ponto de; próximo; **2** preparado; pronto ❖ ***estar ~ a*** estar na iminência de; estar quase a

prestígio *s. m.* **1** influência exercida por uma pessoa sobre outra(s); ascendente; **2** reconhecimento das qualidade de alguém; amiração; **3** *(fig.)* poder de atracção; fascínio; encanto

préstimo *s. m.* **1** utilidade; **2** valor

presumido *adj.* vaidoso; presunçoso

presumir *v. tr.* supor; conjecturar

presumível *adj. 2 gén.* que é possível, embora não certo; provável

presunção *s. f.* **1** julgamento baseado em suspeitas ou aparências; **2** suposição que se acredita ser verdadeira; **3** vaidade; afectação
presunçoso *adj.* vaidoso; presumido
presunto *s. m.* CUL. membro posterior do porco, depois de salgado, curado e seco
pretendente *s. 2 gén.* **1** pessoa candidata a um cargo, trono ou lugar; **2** pessoa que aspira a ter uma relação amorosa ou a casar com alguém
pretender *v. tr.* **1** tencionar; planear; **2** desejar; querer
pretensão *s. f.* **1** exigência; **2** intenção
pretensioso *adj.* presumido; vaidoso
pretenso *adj.* **1** que se pretende ou supõe; imaginado; **2** alegado; fictício
pretérito *s. m.* GRAM. tempo de um verbo que indica uma acção decorrida em tempo passado; passado
pretexto *s. m.* razão que se apresenta para omitir o verdadeiro motivo; desculpa; subterfúgio
preto I *adj.* **1** que é da cor do carvão; negro; escuro; **2** *(pej.)* que pertence à raça negra; **3** muito sujo; encardido; **II** *s. m.* **1** cor do carvão; **2** *(pej.)* pessoa que pertence à raça negra ❖ ***~ no branco*** às claras, sem subterfúgios; ***pôr o ~ no branco*** registar por escrito
preto-e-branco *adj. 2 gén.* **1** que tem partes pretas e partes brancas; **2** (filme) que não é colorido; **3** (fotografia) impressa apenas com a cor preta e os seus meios-tons
prevalecer *v. intr.* **1** exceder em importância ou valor; predominar; **2** continuar a existir; conservar-se
prevaricação *s. f.* **1** falha no cumprimento de um dever por interesse pessoal ou má-fé; abuso de poder; **2** transgressão (de norma ou princípio)
prevaricador *adj. e s. m.* que ou aquele que prevarica
prevaricar *v. intr.* **1** faltar, por interesse ou má-fé, aos seus deveres profissionais; **2** abusar do exercício das suas funções, cometendo injustiças ou lesando os interesses alheios; **3** trangredir uma norma ou um princípio
prevenção *s. f.* **1** precaução; cautela; **2** conjunto de meios destinados a evitar um mal; **3** MED. conjunto de medidas para prevenir uma doença ❖ ***estar de ~*** estar alerta
prevenido *adj.* **1** que foi avisado; informado; advertido; **2** que se preveniu; precavido
prevenir I *v. tr.* **1** informar com antecedência; advertir; **2** tomar medidas que evitem (um mal, uma doença); **3** impedir que se realize; **II** *v. refl.* preparar-se; acautelar-se
preventivo *adj.* **1** próprio para prevenir; **2** MED. que serve para evitar doenças; profiláctico
prever *v. tr.* **1** ver antecipadamente; antever; **2** supor; conjecturar; **3** predizer; profetizar
prévio *adj.* **1** dito ou feito antecipadamente; anterior; **2** que antecede o principal; preliminar
previsão *s. f.* **1** acto ou efeito de prever; antevisão; **2** estudo ou análise de algo que ainda está para acontecer; conjectura
previsível *adj. 2 gén.* que se pode prever; presumível
previsto *adj.* **1** deduzido com antecipação; calculado; **2** profetizado; pressentido
prezado *adj.* estimado; caro
prima *s. f.* pessoa em relação aos filhos de tias e tios; filha de tio ou de tia
prima-dona *s. f.* {*pl.* prima-donas} MÚS. cantora principal de uma ópera

primário *adj.* **1** primitivo; original; **2** fácil; elementar; **3** principal; fundamental; **4** relativo ao primeiro ciclo do ensino básico; **5** ECON. (sector de acrividades) relativo à produção de matérias não transformadas

primata *s. m.* ZOOL. mamífero com dentição completa e membros desenvolvidos, com cinco dedos, o primeiro dos quais é oponível aos restantes

primavera *s. f.* **1** *(fig.)* juventude; **2** *(fig.)* princípio; **3** [*pl.*] *(fig.)* anos de idade

Primavera *s. f.* estação do ano entre o Inverno e o Verão (de 21 de Março a 20 de Junho)

primaveril *adj. 2 gén.* **1** relativo à Primavera; próprio da Primavera; **2** *(fig.)* juvenil

primazia *s. f.* **1** superioridade; excelência; **2** primeiro lugar; **3** prioridade

primeira *s. f.* (automóvel) mudança mais potente, utilizada sobretudo no arranque

primeira-dama *s. f.* {*pl.* primeiras-damas} esposa de um Chefe de Estado

primeiranista *s. 2 gén.* estudante que frequenta o primeiro ano de um curso

primeiro I *num. ord.* que, numa série, ocupa a posição inicial; **II** *s. m.* o que, numa série, ocupa o lugar correspondente ao número 1; **III** *adj.* **1** que revela supremacia relativamente a outros; **2** principal; fundamental; **3** primitivo; inicial; **IV** *adv.* **1** antes de tudo ou de todos; **2** antecipadamente; ***primeira infância*** período da vida de alguém entre o nascimento e os três anos; CIN., FOT. ~ ***plano*** plano que está mais próximo do observador; ***primeiros socorros*** tratamento elementar prestado em situação de emergência enquanto se aguarda a chegada de pessoal médico ❖ ***em primeira mão*** que ainda não foi usado; que é uma novidade absoluta; ~ ***que*** antes que; ~ ***que tudo*** antes de mais nada

primeiro-ministro *s. m.* {*pl.* primeiros-ministros} chefe de governo (num sistema parlamentar)

primitivo *adj.* **1** que é o primeiro a existir; original; **2** relativo aos primeiros tempos (de uma civilização, cultura, etc.); remoto; **3** *(pej.)* que não evoluiu ou não se aperfeiçoou; antiquado; atrasado; **4** (conceito, palavra) que não é derivado de outro da mesma língua; básico; primário; **5** *(fig.)* que não tem refinamento; simples; rudimentar

primo I *s. m.* pessoa em relação aos filhos de tias e tios; filho de tio ou de tia; **II** *adj.* **1** primeiro; **2** MAT. (número) que só é divisível por si próprio e pela unidade

primogénito I *s. m.* primeiro filho; **II** *adj.* que foi gerado em primeiro lugar

primor *s. m.* **1** beleza; **2** perfeição

primordial *adj. 2 gén.* **1** relativo ao princípio; originário; primitivo; **2** que é muito importante; principal; essencial

primórdio *s. m.* origem; princípio

primoroso *adj.* **1** muito belo; **2** perfeito

princesa *s. f.* **1** filha de um rei; **2** soberana de um principado; **3** esposa de um príncipe

principado *s. m.* **1** título de príncipe ou princesa; **2** nação independente cujo soberano tem o título de príncipe ou princesa; **3** período de tempo em que um príncipe exerce as suas funções

principal I *adj.* **1** que é o mais importante; essencial; fundamental; **2** que é o maior ou mais notável; **3** GRAM.

(oração) que possui orações subordinadas; **II** *s. m.* **1** aquilo que é mais importante; **2** superior de uma comunidade religiosa; **3** chefe, líder

príncipe *s. m.* **1** filho de um rei; **2** soberano de um principado; **3** marido de uma rainha

principesco *adj.* **1** próprio de príncipe; relativo a príncipe; **2** (*fig.*) sumptuoso; opulento

principiante **I** *s. 2 gén.* pessoa que inicia uma actividade, um trabalho, etc.; novato; aprendiz; **II** *adj. 2 gén.* que está no princípio de alguma coisa

principiar *v. tr. e intr.* começar; iniciar

princípio *s. m.* **1** primeiro momento da existência de alguma coisa; início; **2** causa primária; origem; **3** preceito moral; norma ❖ ***em ~*** antes de mais nada; antes de tudo; ***por ~*** em regra; por norma

prior *s. m.* {*f.* priora ou prioresa} pároco (em certas freguesias)

prioridade *s. f.* **1** qualidade do que está em primeiro lugar (em importância ou urgência); **2** direito de passar à frente dos outros; preferência

prioritário *adj.* **1** que tem prioridade; **2** que é mais importante

prisão *s. f.* **1** acto ou efeito de prender; captura; **2** privação da liberdade; clausura; **3** cadeia; presídio; **4** (*fig.*) vínculo que limita a liberdade de alguém; laço; MED. ***~ de ventre*** dificuldade em defecar, causada por retenção das fezes; DIR. ***~ perpétua*** detenção até ao final da vida; DIR. ***~ preventiva*** prisão efectuada em caso de suspeita de um delito, quando há fortes indícios da autoria, para evitar a fuga do alegado autor, a destruição de provas ou a continuação da prática do crime

prisional *adj. 2 gén.* referente a prisão

prisioneiro **I** *s. m.* pessoa que foi privada da sua liberdade; detido; **II** *adj.* **1** preso; detido; **2** (*fig.*) dominado; seduzido

prisma *s. m.* **1** GEOM. sólido que se obtém intersectando uma superfície prismática fechada por dois planos paralelos entre si e não paralelos às arestas da superfície; **2** (*fig.*) perspectiva; ponto de vista

privação *s. f.* **1** falta de um bem ou de uma faculdade; perda; **2** supressão de algo a que se está habituado; **3** [*pl.*] carência daquilo que é necessário à vida; miséria

privacidade *s. f.* vida privada ou particular; intimidade

privado *adj.* **1** que é pessoal; particular; **2** que é reservado a certas pessoas; privativo; **3** que tem falta de qualquer coisa; carenciado

privativo *adj.* **1** que é reservado a certas pessoas; exclusivo; **2** que é próprio de uma pessoa ou de um grupo; específico

privatização *s. f.* ECON. transferência de um bem que pertence ao Estado para o sector privado

privatizar *v. tr.* ECON. transferir um bem que pertence ao Estado para o sector privado

privilegiado *adj.* **1** que goza de privilégio; beneficiado; **2** que tem dons excepcionais; talentoso; **3** que é muito rico; abastado

privilegiar *v. tr.* **1** conceder privilégio a; favorecer; beneficiar; **2** tratar com consideração especial; distinguir

privilégio *s. m.* **1** direito excepcional concedido apenas a uma pessoa ou a um grupo; prerrogativa; **2** qualidade exclusiva de um ser; apanágio; dom; **3** aquilo a que só uma minoria tem acesso

pró I *prep.* em defesa de; a favor de; II *s. m.* aspecto positivo de alguma coisa; vantagem; conveniência; ***os prós e os contras*** as vantagens e as desvantagens

proa *s. f.* NÁUT. parte dianteira do navio

probabilidade *s. f.* **1** característica do que é provável; **2** possibilidade de algo vir a acontecer; **3** circunstância que permite esperar, com alguma margem de segurança, que um facto ocorra, com base na frequência com que ocorrem factos do mesmo tipo

problema *s. m.* **1** questão não resolvida que pode ser objecto de discussão ou de análise; **2** MAT. cálculo de uma ou várias quantidades desconhecidas; **3** MED. disfunção orgânica ou psíquica; distúrbio; **4** situação complexa e de resolução difícil

problemático *adj.* **1** relativo a problema; **2** que é difícil de resolver; complicado

procedência *s. f.* **1** lugar de onde provém (algo ou alguém); origem; **2** fundamento; razão

procedente *adj. 2 gén.* proveniente; oriundo

proceder *v. intr.* agir; actuar

procedimento *s. m.* **1** maneira de agir; actuação; **2** comportamento; conduta

processador *s. m.* INFORM. circuito integrado que constitui o órgão central do computador

processamento *s. m.* **1** DIR. instauração de processo ou acção judicial contra; **2** organização de documentos ou papéis relativos a assunto administrativo ou judicial; INFORM. ***~ de dados*** tratamento sistemático de dados, por meio de computadores ou de outros dispositivos electrónicos; ***~ de texto*** processo de redacção, edição, formatação e impressão de textos com recurso a computador

processar *v. tr.* **1** DIR. instaurar um processo a; **2** reunir documentos num processo; **3** INFORM. tratar de forma sistematizada dados ou informações

processo *s. m.* **1** modo de fazer alguma coisa; método; **2** realização contínua de uma actividade; decurso; **3** sucessão de etapas ou de estados; desenvolvimento; **4** conjunto de documentos relativos a determinado assunto; **5** DIR. meio de fazer reconhecer um direito em tribunal; acção judicial; DIR. ***instaurar/mover um ~*** dar início a uma acção judicial

procissão *s. f.* marcha solene de carácter religioso pelas ruas de uma aldeia ou cidade, em que são transportadas imagens e crucifixos

proclamação *s. f.* **1** declaração pública e solene; **2** eleição; aclamação

proclamar *v. tr.* **1** declarar de forma pública e solene; **2** eleger; aclamar

procriação *s. f.* função pela qual se perpetua uma espécie; reprodução

procriar *v. intr.* (espécie) perpetuar-se; reproduzir-se

procura *s. f.* **1** pesquisa; busca; **2** pergunta; indagação; **3** ECON. disposição dos consumidores para adquirir determinada quantidade de bens ou serviços a um dado preço; aceitação; **4** ECON. quantidades de um bem ou serviço que os consumidores estão dispostos a adquirir por um dado preço; ECON. ***lei da oferta e da ~*** lei que regula os preços dos bens ou serviços, os quais sobem se a procura for maior do que a oferta e descem se a oferta for superior

procuração *s. f.* **1** autorização que uma pessoa dá a outra para agir em seu nome; **2** documento legal que confere esse poder

procurador *s. m.* **1** DIR. pessoa incumbida de tratar dos assuntos de outrem; **2** pessoa que serve de intermediário; mediador; **3** membro de uma assembleia legislativa ou deliberativa

procurador-geral *s. m.* {*pl.* procuradores-gerais} magistrado proposto pelo Governo e nomeado pelo Presidente da República, que ocupa o topo da hierarquia do Ministério Público

procuradoria *s. f.* **1** cargo de procurador; **2** local onde trabalha o procurador

procuradoria-geral *s. f.* instituição dirigida pelo procurador-geral, onde funcionam os serviços centrais do Ministério Público

procurar *v. tr.* **1** andar à procura; buscar; **2** pesquisar; analisar; **3** tentar; pretender

prodígio *s. m.* coisa surpreendente; maravilha

produção *s. f.* **1** acção ou processo de produzir; fabrico; **2** coisa produzida; produto; **3** volume do que se produz; rendimento; **4** resultado de um esforço criativo; obra; **5** CIN., TV conjunto de todas as fases da elaboração de um filme ou de um programa

produtividade *s. f.* **1** capacidade para produzir; **2** eficiência na produção de alguma coisa; rendimento; **3** ECON. relação entre determinada quantidade de um produto e os custos de produção desse produto

produtivo *adj.* **1** (negócio) rentável; lucrativo; **2** (solo) fértil; rico; **3** (experiência) proveitoso; enriquecedor

produto *s. m.* **1** resultado de uma transformação ou de uma operação humana; **2** ECON. bem obtido a partir da transformação de uma matéria-prima; **3** proveito que se tira de uma actividade; rendimento; **4** MAT. resultado da multiplicação; **5** substância química; preparado; ECON. ***~ interno bruto*** valor do conjunto da produção total de um país e das compras feitas ao exterior durante determinado período; ECON. ***~ nacional bruto*** soma do valor de bens e serviços produzidos num ano por determinado país

produtor *s. m.* **1** pessoa que produz; fabricante; **2** autor; criador; **3** CIN., TV responsável financeiro pela realização de um filme ou de um programa

produzir I *v. tr.* **1** criar; **2** fabricar; **3** fazer trabalho intelectual ou artístico; **4** ter como resultado; **5** CIN., TV elaborar (um filme, um programa); **6** exibir (argumento, prova); **II** *v. refl.* **1** acontecer; ocorrer; **2** vestir-se, pentear-se e maquilhar-se para sair

proeminência *s. f.* **1** estado de proeminente; **2** saliência; relevo; **3** elevação de terreno; **4** *(fig.)* destaque; relevo

proeminente *adj. 2 gén.* **1** saliente; elevado; **2** (pessoa) notável; distinto

proeza *s. f.* acto que revela coragem; façanha; feito

profanação *s. f.* **1** desrespeito ou violação daquilo que é santo; sacrilégio; **2** irreverência contra pessoa ou coisa que merece respeito; afronta

profanar *v. tr.* **1** violar a santidade de; **2** desrespeitar; afrontar

profano *adj.* **1** que não pertence ao sagrado ou à religião; **2** que não é religioso; leigo; secular

profecia *s. f.* predição do futuro feita por inspiração divina; oráculo

proferir *v. tr.* pronunciar em voz alta; dizer

professor *s. m.* pessoa que ensina (uma ciência, uma arte, uma língua, etc.)

profeta *s. m.* {*f.* profetisa} pessoa que prediz o futuro por inspiração divina

profético *adj.* **1** relativo a profeta ou a profecia; **2** que antevê o futuro

profetizar *v. tr.* **1** predizer o futuro; **2** anunciar antecipadamente; prever

profiláctico *adj.* MED. que serve para prevenir doenças; preventivo

profilaxia *s. f.* MED. área que se dedica ao estabelecimento e aplicação de medidas preventivas contra o aparecimento de certas doenças

profissão *s. f.* **1** actividade remunerada que se exerce regularmente e para a qual é necessária uma certa formação; emprego; trabalho; **2** RELIG. declaração pública de uma crença; ~ ***liberal*** qualquer actividade lucrativa, que não seja de natureza comercial ou industrial, exercida por conta própria

profissional **I** *adj. 2 gén.* **1** relativo a profissão; **2** que exerce uma actividade como profissão (por oposição a *amador*); **3** que é necessário ao exercício de uma profissão; **4** *(fig.)* competente; **II** *s. 2 gén.* pessoa que exerce uma dada profissão

profissionalizar *v. tr. e refl.* **1** tornar(-se) profissional; **2** integrar(-se) numa profissão

profundidade *s. f.* **1** qualidade do que é profundo; **2** distância da superfície ou da entrada até ao fundo; fundura; **3** dimensão de um corpo da base até o topo; altura; **4** (desenho, quadro) ilusão de um espaço em três dimensões numa representação em perspectiva; **5** *(fig.)* característica do que é sólido; **6** *(fig.)* característica do que é difícil de entender

profundo *adj.* **1** cujo fundo está a grande distância da entrada ou da superfície; **2** que não é superficial; complexo; **3** (sono) pesado; **4** (cor) carregado; **5** (voz) grave; **6** (dor, sentimento) intenso; **7** (mistério) difícil de compreender

profusão *s. f.* grande quantidade; abundância

progenitor *s. m.* **1** aquele que gera; pai; **2** pessoa de quem se descende; antepassado; ascendente

prognóstico *s. m.* **1** conjectura sobre o que vai suceder; previsão; **2** sinal de acontecimento futuro; indício; **3** MED. parecer do médico, baseado no diagnóstico do paciente, acerca da evolução e das consequências prováveis de uma doença ou de uma lesão

programa *s. m.* **1** descrição por escrito das diversas partes de um espectáculo, concerto, etc.; programação; **2** *(acad.)* lista das disciplinas que compõem um curso; **3** *(acad.)* discriminação dos temas abordados nessas disciplinas; **4** projecto a realizar; plano; **5** INFORM. conjunto de instruções codificadas que o computador interpreta e executa

programação *s. f.* **1** estabelecimento de um plano de actividades; planeamento; **2** (cultural, de rádio, de televisão) conjunto dos programas ou espectáculos apresentados num dado período; **3** INFORM. elaboração de um programa para computador

programador *s. m.* **1** aquele que programa; **2** INFORM. especialista que desenvolve e aperfeiçoa programas de computador

programar *v. tr.* **1** fazer a programação de; dar instruções para; **2** fazer o planeamento de; planificar

progredir *v. intr.* **1** (veículo) andar para a frente; avançar; **2** (conhecimento, pessoa) desenvolver-se; evoluir; **3** (doença, problema) tornar-se mais intenso; agravar-se

progressão *s. f.* **1** evolução; progresso; **2** desenvolvimento gradual

progressista *adj. 2 gén.* **1** que é favorável ao progresso; **2** que contribui para o progresso; **3** que defende reformas políticas e sociais profundas

progressivo *adj.* **1** que progride; **2** que avança gradualmente

progresso *s. m.* **1** movimento para a frente; avanço; **2** evolução gradual; progressão; **3** aperfeiçoamento; melhoramento; **4** desenvolvimento da humanidade; modernização

proibição *s. f.* acção de não permitir; impedimento; interdição

proibido *adj.* que não é permitido; interdito

proibir *v. tr.* não permitir; impedir

proibitivo *adj.* **1** que proíbe; impeditivo; **2** *(coloq.)* (preço) muito elevado; excessivo

projecção *s. f.* **1** apresentação de imagens numa tela ou ecrã com auxílio do projector; **2** lançamento; arremesso; **3** PSIC. acto pelo qual uma pessoa atribui aos outros os seus próprios sentimentos, ou manifesta nas suas obras a sua própria natureza

projectar I *v. tr.* **1** fazer a apresentação de imagens numa tela com auxílio do projector; **2** lançar; arremessar; **3** organizar um plano ou programa para; planear; **4** ARQ. fazer um projecto ou uma planta de (um espaço público, uma construção); **II** *v. refl.* **1** tornar-se conhecido ou famoso (geralmente pelo seu trabalho); **2** atirar-se; lançar-se

projéctil *s. m.* bala ou granada lançada por arma de fogo

projecto *s. m.* **1** esboço de trabalho a realizar; **2** intenção de fazer algo; desígnio; plano; **3** ARQ. plano geral para a construção de uma obra; **~ *de lei*** proposta apresentada à assembleia legislativa para ser discutida e convertida em lei

projector *s. m.* **1** aparelho que envia à distância, e com grande intensidade, um foco de luz; holofote; **2** aparelho de projecção de imagens sobre uma tela, utilizando diapositivos, filmes, etc.

prole *s. f.* conjunto de pessoas que descendem de uma pessoa ou de um casal; descendência

proletariado *s. m.* classe dos trabalhadores; operariado

proletário I *s. m.* **1** membro da classe proletária; operário; **2** indivíduo pobre que vive do seu trabalho mal remunerado; **II** *adj.* relativo ao proletaridado

proliferação *s. f.* **1** reprodução; multiplicação; **2** aumento; crescimento

proliferar *v. intr.* **1** reproduzir-se; multiplicar-se; **2** aumentar; crescer

prólogo *s. m.* **1** texto de apresentação de um livro, escrito pelo autor ou por outra pessoa, com explicações sobre o seu conteúdo, estrutura, objectivos, etc.; prefácio; **2** TEAT. cena inicial, em que são apresentados factos anteriores ou elucidativos da peça que se vai desenrolar

prolongamento *s. m.* **1** acto de prolongar; extensão; continuação; **2** aumento; acréscimo; **3** tempo acrescentado à duração normal de alguma coisa; **4** DESP. (futebol) extensão de um jogo para além dos 90 minutos regulamentares em caso de empate das equipas, quando é necessário apurar um único vencedor

prolongar I *v. tr.* 1 tornar mais longo; aumentar a extensão de (prazo, visita); 2 aumentar a duração de (conversa, discurso); II *v. refl.* 1 estender-se; 2 durar mais tempo

promécio *s. m.* QUÍM. elemento radioactivo, com o número atómico 61 e símbolo Pm

promessa *s. f.* 1 compromisso, oral ou escrito, de fazer algo; 2 aquilo que se prometeu; 3 RELIG. voto feito a Deus ou aos santos com o objectivo de receber uma graça

prometedor *adj.* 1 que promete; 2 (*fig.*) que dá esperança; promissor

prometer I *v. tr.* 1 obrigar-se a fazer algo; comprometer-se; 2 declarar antecipadamente; anunciar; II *v. intr.* revelar sinais da concretização de algo positivo

prometido *adj.* 1 que se prometeu; 2 reservado para alguém

promiscuidade *s. f.* 1 mistura confusa ou desordenada; 2 relacionamento sexual com muitos parceiros diferentes

promíscuo *adj.* 1 misturado; desordenado; 2 (relação) que ocorre por acaso; ocasional; 3 (pessoa) que tem relações sexuais com inúmeros parceiros

promissor *adj.* que dá esperança; prometedor

promissória *s. f.* ECON. título que representa uma quantia em depósito a prazo

promoção *s. f.* 1 (profissional) passagem a cargo ou categoria superior; 2 (marketing) conjunto das técnicas publicitárias utilizadas para influenciar as decisões de compra dos consumidores; 3 venda de artigos a preços inferiores aos normais; saldo

promocional *adj. 2 gén.* 1 relativo a promoção; 2 que tem carácter de promoção

promotor *s. m.* 1 pessoa que promove; impulsionador; 2 DIR. funcionário judicial que promove o andamento das causas

promover *v. tr.* 1 fazer avançar; impulsionar; 2 desenvolver; fomentar

promulgação *s. f.* publicação de lei ou decreto

promulgar *v. tr.* publicar oficialmente (lei ou decreto)

pronome *s. m.* GRAM. palavra que se utiliza em vez de um nome

pronominal *adj. 2 gén.* 1 relativo a pronome; 2 equivalente a pronome

prontamente *adv.* sem demora; rapidamente

prontidão *s. f.* 1 desembaraço; 2 rapidez

prontificar I *v. tr.* aprontar; preparar; II *v. refl.* 1 dispor-se a; 2 oferecer-se para

pronto I *adj.* 1 acabado; terminado; 2 preparado; despachado; 3 (resposta) rápido; imediato; II *interj.* 1 indica que não há mais nada a acrescentar; 2 exprime emoção, alívio ou intenção de consolar alguém

prontuário *s. m.* manual de informações úteis, organizadas de modo a permitir uma pesquisa rápida

pronúncia *s. f.* 1 articulação dos sons ou sílabas; 2 modo de pronunciar característico de determinada região; sotaque; 3 DIR. despacho judicial que remete o réu para julgamento, após ter sido admitida a existência de indícios suficientes para o considerar autor do crime em causa

pronunciar I *v. tr.* 1 articular (um som, uma palavra); proferir; dizer; 2 DIR. dar despacho de pronúncia contra alguém; **II** *v. refl.* emitir a sua opinião; manifestar-se

propagação *s. f.* **1** reprodução de um ser vivo; proliferação; **2** comunicação por contágio; transmissão; **3** divulgação junto de um grande número de pessoas; difusão

propaganda *s. f.* **1** divulgação de uma doutrina ou de um programa (político, religioso, etc.); **2** difusão de mensagem publicitária em meios de comunicação, espaços públicos, etc.; publicidade

propagar *v. tr. e refl.* **1** espalhar(-se); disseminar(-se); **2** multiplicar(-se); reproduzir(-se)

propensão *s. f.* tendência inata; vocação; inclinação

propenso *adj.* **1** com tendência para; inclinado; **2** favorável; propício

propiciar *v. tr.* favorecer; proporcionar

propício *adj.* favorável; adequado

propina *s. f.* quantia que se paga ao Estado em determinadas instituições de ensino (geralmente superior)

propor I *v. tr.* **1** fazer uma proposta; sugerir; **2** submeter a apreciação; apresentar; **II** *v. refl.* **1** pretender; **2** tomar a decisão de

proporção *s. f.* **1** relação entre as diversas partes de um todo; **2** equilíbrio entre elementos diversos; harmonia; **3** dimensão; tamanho; **4** consequência; efeito

proporcionado *adj.* que tem as proporções correctas; equilibrado

proporcional *adj. 2 gén.* **1** relativo a proporção; **2** que está em relação ao todo de que faz parte; simétrico; **3** equilibrado; harmonioso

proporcionalidade *s. f.* **1** característica do que é proporcional; **2** simetria; **3** equilíbrio

proporcionar *v. tr.* pôr à disposição de; oferecer; disponibilizar

proposição *s. f.* **1** aquilo que se propõe; sugestão; **2** FIL. enunciado verbal susceptível de ser declarado verdadeiro ou falso; **3** frase; discurso; **4** LIT. parte inicial de um discurso ou de um poema, onde se expõe o assunto a tratar

proposicional *adj. 2 gén.* relativo a proposição

propositado *adj.* feito com propósito ou intenção; intencional; premeditado

propósito *s. m.* **1** vontade de fazer algo; intenção; **2** finalidade; objectivo ❖ ***a ~*** oportunamente; por falar nisso; ***a ~ de*** sobre; a respeito de; ***de ~*** intencionalmente; deliberadamente; ***fora de ~*** despropositado; inoportuno

proposta *s. f.* **1** acto de propor; sugestão; **2** condição que se propõe para chegar a um acordo; oferta

propriamente *adv.* **1** no sentido próprio; **2** exactamente

propriedade *s. f.* **1** aquilo que se possui legalmente; posse; **2** vasta extensão de terra; herdade; **3** qualidade inerente; característica; **4** adequação entre o significado de uma palavra e o contexto em que é usada

proprietário *s. m.* aquele que possui alguma coisa; dono

próprio *adj.* **1** apropriado; **2** mesmo; **3** oportuno; **4** característico; **5** GRAM. (nome, substantivo) que designa um ser, um objecto, etc., individualizado (por oposição a *comum*)

propulsão *s. f.* **1** impulso para a frente; **2** *(fig.)* estímulo

prorrogação *s. f.* adiamento

prorrogar *v. tr.* adiar

prosa *s. f.* **1** LIT. forma do discurso oral ou escrito que não obedece às normas da métrica e da rima; **2** *(pop.)* palavreado; **3** *(Bras.)* conversa; diálogo

prosaico *adj.* comum; vulgar

prosódia *s. f.* GRAM. disciplina que estuda a pronúncia correcta das palavras; ortoépia

prospecção *s. f.* **1** observação minuciosa; pesquisa; **2** método de investigação realizado junto de membros de uma população; sondagem; **3** conjunto de técnicas para determinar o valor económico de um jazigo ou de uma região mineira

prospecto *s. m.* **1** pequeno impresso informativo ou publicitário; folheto; **2** resumo do conteúdo de uma obra; programa

prosperar *v. intr.* **1** desenvolver-se; progredir; **2** tornar-se próspero; enriquecer

prosperidade *s. f.* **1** sucesso; florescimento; **2** riqueza; fortuna

próspero *adj.* **1** que tem êxito; bem-sucedido; florescente; **2** favorável; propício

prosseguimento *s. m.* acto de dar seguimento ou continuidade a; continuação

prosseguir I *v. tr.* dar seguimento ou continuidade a; **II** *v. intr.* **1** continuar a andar; **2** avançar; **3** insistir em

próstata *s. f.* ANAT. glândula sexual masculina, situada em volta da parte inicial da uretra

prostituição *s. f.* **1** actividade que consiste em cobrar dinheiro por actos sexuais; **2** exploração de pessoas a nível sexual, com vista a ganhar dinheiro

prostituir I *v. tr.* **1** levar à prática de actividades sexuais a troco de dinheiro; **2** *(fig.)* corromper; degradar; **II** *v. refl.* **1** praticar actividades sexuais a troco de dinheiro; **2** *(fig.)* corromper-se em troca de favores; vender-se

prostituta *s. f.* mulher que pratica actividades sexuais a troco de dinheiros

prostituto *s. m.* homem que pratica actividades sexuais a troco de dinheiro

prostrar-se *v. refl.* lançar-se

protactínio *s. m.* QUÍM. elemento metálico radioactivo com o número atómico 91 e símbolo Pa

protagonismo *s. m.* **1** posição de destaque ocupada por alguém num processo ou num acontecimento; **2** papel principal

protagonista *s. 2 gén.* **1** pessoa que se destaca num processo ou num acontecimento; **2** pessoa que desempenha o papel principal

protão *s. m.* FÍS. partícula elementar, constituinte dos núcleos atómicos

protecção *s. f.* **1** acção de proteger de um mal ou de um perigo; **2** auxílio; apoio; **3** resguardo contra um perigo; abrigo; ECOL. ~ ***ambiental/da natureza*** conjunto de medidas destinadas a garantir a preservação das características próprias de um ambiente e a promover a utilização sustentada dos recursos naturais; ~ ***civil*** conjunto de meios e medidas destinados a socorrer uma população, em caso de desastres naturais ou situações de conflito armado

proteccionismo *s. m.* ECON. conjunto de medidas de protecção da indústria ou comércio de um país, baseado em legislação que proíbe ou dificulta a importação de determinados produtos e no lançamento de impostos sobre produtos estrangeiros

protector *adj. e s. m.* **1** que ou aquele que protege; **2** ECON. que ou aquele que aplica medidas proteccionistas

proteger *v. tr.* **1** dar protecção a; defender; **2** colocar ao abrigo de; resguardar

protegido *adj.* **1** que recebe protecção especial de alguém; **2** resguardado; defendido; **3** que não está exposto; tapado

proteína *s. f.* QUÍM. composto orgânico constituído por carbono, oxigénio, hidrogénio, azoto e, por vezes, enxofre e fósforo, que representa uma parte essencial da massa dos seres vivos

protelação *s. f.* adiamento

protelar *v. tr.* adiar

prótese *s. f.* **1** MED. substituição de um órgão do corpo ou parte dele, por uma peça artificial; **2** LING. adição de um som no princípio de uma palavra, sem lhe alterar o significado

protestante *s. 2 gén.* RELIG. pessoa pertencente a uma das Igrejas que se separaram da Igreja Católica, ou a um dos grupos que se constituíram em resultado da Reforma

protestantismo *s. m.* RELIG. conjunto de doutrinas e de igrejas dissidentes da Igreja Católica romana ou oriundas da Reforma religiosa do séc. XVI

protestar *v. intr.* **1** manifestar-se contra; insurgir-se; **2** demonstrar discordância com; opor-se a

protesto *s. m.* **1** expressão de discordância; oposição; recusa; **2** queixa; reclamação

protocolar *adj. 2 gén.* **1** relativo a protocolo; **2** de acordo com o protocolo; formal

protocolo *s. m.* **1** conjunto de normas que regem actos públicos ou solenes; cerimonial; etiqueta; **2** INFORM. conjunto de regras que torna possível a execução de um programa de modo eficiente e sem erros

protótipo *s. m.* **1** primeiro modelo; original; padrão; **2** exemplar de um modelo (de automóvel, avião, etc.) para servir de teste antes do fabrico em série; **3** INFORM. versão preliminar de um sistema ou programa de computador, para ser testada e aperfeiçoada

protuberância *s. f.* **1** parte que se destaca numa superfície; elevação; **2** ANAT. saliência; bossa

protuberante *adj. 2 gén.* saliente; elevado

prova *s. f.* **1** acto de provar; demonstração; **2** comprovação; testemunho; **3** exame; teste; **4** DESP. competição, geralmente individual; **5** DIR. facto, circunstância ou testemunho que demonstram a culpa ou a inocência de uma pessoa; **6** FOT. exemplar obtido por reprodução do negativo; **7** TIP. folha de impressão onde se fazem as emendas; **8** avaliação da qualidade de alimento ou vinho através do paladar; degustação; **9** acção de experimentar uma peça de vestuário (em loja, na costureira)

provação *s. f.* **1** acto ou efeito de provar; prova; **2** situação aflitiva; grande sofrimento

provador *s. m.* **1** pessoa cuja profissão consiste em provar vinhos para lhes determinar a qualidade; escanção; **2** pessoa cuja profissão consiste em provar alimentos para garantir a sua qualidade

provar *v. tr.* **1** demonstrar; comprovar; **2** avaliar a qualidade (de alimento ou vinho) através do paladar; **3** vestir (roupa) para ver como assenta; **4** conhecer por experiência própria; experimentar

provável *adj. 2 gén.* **1** que pode ocorrer; possível; **2** que pode ser verdade; plausível

provedor *s. m.* director administrativo de instituição de caridade; *~ da Justiça* pessoa que preside ao órgão do Estado (provedoria) ao qual os cidadãos se podem dirigir para defender os seus direitos, liberdades, garantias e interesses legítimos

provedoria *s. f.* **1** cargo de provedor; **2** gabinete do provedor; *~ da Justiça* órgão do Estado de carácter independente que visa servir de mediador entre os cidadãos e o sistema administrativo, assegurando a defesa e a promoção dos direitos, liberdades, garantias e interesses legítimos dos cidadãos

proveito *s. m.* vantagem; lucro ❖ *bom ~!* expressão que se dirige a alguém que inicia uma refeição ou uma actividade; *em ~ de* em benefício de; *sem ~* sem utilidade

proveitoso *adj.* **1** útil; **2** vantajoso

proveniência *s. f.* lugar de onde algo provém; origem

proveniente *adj.* que provém; originário; oriundo

prover *v. tr.* abastecer; fornecer

proverbial *adj. 2 gén.* **1** relativo a provérbio; **2** conhecido; famoso

provérbio *s. m.* expressão de origem popular, geralmente rimada, que resume um conselho ou uma regra moral ou social; máxima; ditado

proveta *s. f.* vaso de vidro estreito e cilíndrico, graduado ou não, destinado a recolher gases ou a medir quantidades determinadas de líquidos; tubo de ensaio

providência *s. f.* disposição que se toma para promover um bem ou evitar um mal; prevenção

Providência *s. f.* **1** RELIG. acção pela qual Deus dirige o curso dos acontecimentos, de maneira que as criaturas realizem o seu fim; **2** RELIG. Deus

providenciar *v. tr.* **1** tomar medidas para; **2** fornecer

providente *adj.* **1** que toma providências; **2** cuidadoso

provido *adj.* ⟨*p. p. de* **provir**⟩ munido; dotado

província *s. f.* **1** subdivisão administrativa de um país; **2** região mais afastada a capital ou do centro do poder

provinciano *adj.* **1** relativo à província; **2** *(pej.)* pouco desenvolvido; atrasado; **3** *(pej.)* sem sofisticação; simples; **4** *(pej.)* ingénuo; simplório

provir *v. intr.* **1** derivar; resultar; **2** ter origem; proceder

provisão *s. f.* **1** fornecimento; abastecimento; **2** acumulação de coisas; abundância; **3** verba depositada pelo emissor de um cheque ou letra de câmbio que garante o pagamento desse cheque ou dessa letra; cobertura; **4** [*pl.*] géneros alimentícios; mantimentos

provisório *adj.* que não é permanente; temporário

provitamina *s. f.* substância natural que o organismo transforma numa vitamina

provocação *s. f.* **1** desafio; **2** insulto; **3** irreverência; **4** incitamento

provocante *adj. 2 gén.* **1** que provoca; provocador; **2** que desperta interesse ou curiosidade; estimulante; **3** que seduz; atraente

provocar *v. tr.* **1** causar; **2** desafiar; **3** seduzir

provocatório *adj.* **1** que contém provocação; **2** que provoca; desafiador; **3** que irrita; enervante

proxeneta *s. 2 gén.* pessoa que recebe rendimentos da prostituição de outrem

proximidade *s. f.* **1** condição daquilo que está próximo; vizinhança; **2** [*pl.*]

lugares situados próximos de (algo); arredores

próximo I *adj.* **1** a pequena distância (no espaço e no tempo); **2** que está prestes a acontecer; iminente; **3** que se segue imediatamente; seguinte; **4** que aconteceu há pouco tempo; recente; **5** (parente) de primeiro grau; **6** (amigo) íntimo; **II** *s. m.* **1** qualquer ser humano, em relação aos outros; semelhante; **2** pessoa que vem a seguir; seguinte; **III** *adv.* em lugar pouco distante; perto

prudência *s. f.* **1** qualidade de quem procura evitar perigos ou consequências desagradáveis; cautela; precaução; **2** ponderação; sensatez

prudente *adj. 2 gén.* **1** cauteloso; cuidadoso; **2** ponderado; sensato

prumo *s. m.* **1** peso de chumbo, amarrado a um fio ou cabo, usado para medir a profundidade da água do mar ou de uma corrente ou para retirar amostras do fundo do mar ou do rio; sonda; **2** utensílio de metal pesado, suspenso por um fio, usado para a verificar a verticalidade de um objecto; fio-de-prumo; **3** *(fig.)* prudência; juízo ❖ ***a ~*** na vertical; a pique

prurido *s. m.* MED. sensação de irritação na pele; comichão

P.S. [*abrev. de* **p**ost **s**criptum] aquilo que se escreve no fim de uma carta, depois da assinatura

pseudónimo *s. m.* nome fictício que um escritor adopta para publicar as suas obras

psi *s. m.* vigésima terceira do alfabeto grego, correspondente ao grupo consonantal *ps*

psicanálise *s. f.* MED. método terapêutico que assenta na interpretação dos fenómenos inconscientes

psicanalista *s. 2 gén.* MED. especialista em psicanálise

psicanalítico *adj.* relativo a psicanálise

psicologia *s. f.* MED. ciência que se dedica ao estudo dos factos psíquicos

psicológico *adj.* relativo a psicologia

psicólogo *s. m.* MED. especialista em psicologia

psicopata *s. 2 gén.* **1** pessoa que sofre de psicopatia; **2** *(coloq.)* doente mental

psicopatia *s. f.* MED. perturbação mental que se manifesta através de comportamentos anti-sociais, egocentrismo extremo, instabilidade e impulsividade

psicose *s. f.* MED. doença mental em que a personalidade se desintegra de forma profunda, com perturbações da percepção, do raciocínio e do comportamento

psicossomático *adj.* MED. reativo aos distúrbios orgânicos e funcionais favorecidos ou agravados por factores psíquicos

psicoterapeuta *s. 2 gén.* MED. especialista em psicoterapia

psicoterapia *s. f.* MED. técnica de tratamento de doenças e problemas psíquicos por meio de métodos de sugestão, persuasão, relaxamento, etc.

psicotrópico *s. m.* FARM. medicamento que actua sobre o sistema nervoso central, com efeito estimulante, calmante, sedativo, etc.

psique *s. f.* **1** mente humana; **2** PSIC. conjunto dos processos mentais ou fenómenos psíquicos de uma pessoa

psiquiatra *s. 2 gén.* MED. especialista em pediatria

psiquiatria *s. f.* MED. ramo que se ocupa do estudo e terapêutica de perturbações mentais

psiquiátrico *adj.* relativo à psiquiatria

psíquico *adj.* **1** relativo à mente; mental; **2** relativo ao comportamento de uma pessoa; psicológico

psiu *interj.* usada para chamar alguém ou para impor silêncio

PSP [*abrev. de* Polícia de Segurança Pública]

Pt QUÍM. [*símbolo de* **platina**]

Pu QUÍM. [*símbolo de* **plutónio**]

pub *s. m.* {*pl.* pubs} **1** bar de estilo inglês onde se servem bebidas alcoólicas; **2** estabelecimento nocturno onde se servem bebidas e se ouve música

puberdade *s. f.* **1** fase entre a infância e a adolescência, na qual se verifica o desenvolvimento dos caracteres sexuais secundários e a aceleração do crescimento; **2** idade em que uma pessoa se torna apta para a procriação

púbis *s. m. 2 núm.* **1** ANAT. parte ínfero-anterior do osso ilíaco; **2** ANAT. parte inferior e mediana do baixo abdómen, coberta de pêlos

publicação *s. f.* **1** acto ou efeito de publicar (um livro, um texto); **2** divulgação (de um facto, de uma notícia); **3** obra publicada

publicar *v. tr.* **1** reproduzir (obra escrita) por meio de impressão; editar; **2** tornar público (facto ou notícia); divulgar

publicidade *s. f.* **1** característica do que é público; **2** conhecimento público; **3** difusão de mensagem publicitária em meios de comunicação, espaços públicos, etc.; propaganda; **4** mensagem publicitária; anúncio

publicitar *v. tr.* **1** tornar público; divulgar; **2** fazer propaganda a

publicitário I *adj.* relativo a publicidade; **II** *s. m.* pessoa que trabalha em publicidade

público I *adj.* **1** que pertence a todos; comum; **2** que não é secreto; aberto; **3** que é do conhecimento geral; notório; **II** *s. m.* **1** conjunto de pessoas com interesses ou características comuns; **2** conjunto de pessoas que assistem a um espectáculo, prova desportiva, programa de televisão, etc.; audiência

público-alvo *s. m.* {*pl.* públicos-alvo} segmento de um grupo com determinadas características comuns (sexo, idade, profissão, etc.) a quem se dirige uma mensagem ou campanha publicitária

púcaro *s. m.* pequeno vaso com asa, geralmente de barro, para líquidos

pudera *interj.* usada para confirmar ou acentuar o que alguém disse e antes

pudico *adj.* **1** tímido; envergonhado; **2** recatado; reservado

pudim *s. m.* CUL. doce de colher, de consistência cremosa, preparado com leite, ovos, açúcar e outros ingredientes, que se coze em banho-maria e se serve quente ou frio

pudor *s. m.* **1** mal-estar causado pela nudez ou por questões relacionadas com a sexualidade; constrangimento; **2** atitude de quem esconde sentimentos ou emoções por delicadeza, modéstia ou reserva; recato

puericultura *s. f.* MED. especialidade que se dedica ao estudo do desenvolvimento físico e psíquico das crianças, desde a gestação até à puberdade

pueril *adj. 2 gén.* **1** próprio de criança(s); infantil; **2** fútil; frívolo

puerilidade *s. f.* **1** infantilidade; criancice; **2** futilidade; frivolidade

pufe *s. m.* assento baixo, sem apoio para as costas e os braços, com enchimento leve e fofo

pugilismo *s. m.* DESP. combate em que dois adversários se confrontam com socos, usando luvas apropriadas; boxe

pugilista *s. 2 gén.* praticante de pugilismo; boxeur

pujança *s. f.* vigor; força

pujante *adj.* vigoroso; forte

pular I *v. tr.* transpor, saltando por cima; **II** *v. intr.* dar pulos; saltar

pulga *s. f.* ZOOL. insecto saltador, parasita do homem e de outros animais, que se alimenta de sangue através de uma picada e que pode transmitir algumas doenças graves ❖ ***estar com a ~ atrás da orelha*** estar desconfiado

pulgão *s. m.* ZOOL. insecto parasita que se alimenta do suco de várias plantas

pulha I *adj. 2 gén.* **1** *(pop.)* desprezível; **2** *(pop.)* indecente; **II** *s. 2 gén.* *(pop.)* pessoa sem carácter ou sem dignidade; patife

pulmão *s. m.* **1** ANAT. cada um dos dois órgãos situados na cavidade torácica, nos quais se realiza a transformação do sangue venoso em sangue arterial; **2** *(fig.)* aquilo que purifica o ar, libertando oxigénio (como as florestas, as algas marinhas, etc.)

pulmonar *adj. 2 gén.* **1** relativo a pulmão; **2** que ataca os pulmões

pulo *s. m.* **1** salto; **2** sobressalto; ***dar um ~*** ir rapidamente a (algum lugar); crescer muito em pouco tempo

pulôver *s. m.* {*pl.* pulôveres} camisola exterior de malha, com ou sem mangas e com abertura superior para se vestir pela cabeça

púlpito *s. m.* tribuna elevada, numa igreja, de onde o padre se dirige aos fiéis

pulsação *s. f.* MED. batimento cadenciado do coração ou das artérias

pulsar I *v. intr.* (coração) ter batimentos regulares; palpitar; **II** *s. m.* movimento de contracção e dilatação do coração e das artérias

pulseira *s. f.* objecto de adorno que se usa geralmente em volta do pulso; bracelete

pulso *s. m.* **1** ANAT. zona em que o antebraço se articula com a mão; punho; **2** MED. pulsação arterial medida nesta região; **3** *(fig.)* energia; força; **4** *(fig.)* capacidade de impor disciplina; autoridade

pulular *v. intr.* **1** abundar; **2** germinar

pulverizador *s. m.* dispositivo que espalha um pó ou um líquido em gotas minúsculas; vaporizador

pulverizar *v. tr.* **1** espalhar pó ou líquido em gotas minúsculas; vaporizar; **2** reduzir a pó

pum *interj.* imitativa de ruído produzido pela queda de um objecto ou por explosão

puma *s. m.* ZOOL. mamífero carnívoro de grande porte, com pêlo amarelo-escuro ou cinzento, originário da América

pumba *interj.* imitativa de ruído produzido pela queda de uma pessoa ou de um objecto

punção *s. f.* MED. operação que consiste em fazer penetrar um instrumento pontiagudo (agulha, bisturi, etc.) numa cavidade, a fim de retirar líquidos para diagnóstico ou introduzir medicamentos

pungente *adj. 2 gén.* **1** (dor, sensação) agudo; penetrante; **2** (sabor) picante; azedo

punhado *s. m.* **1** quantidade que se pode conter numa mão; mão-cheia; **2** pequena quantidade; pequeno número

punhal *s. m.* **1** arma branca de lâmina curta e perfurante; **2** *(fig.)* aquilo que ofende ou magoa profundamente

punhalada *s. f.* **1** golpe ou ferimento com punhal; **2** *(fig.)* ofensa; traição

punho *s. m.* **1** ANAT. ponto de articulação do antebraço com a mão; pulso; **2** parte da manga de camisa que cerca o pulso; **3** cabo de certos instrumentos

punição *s. f.* pena; castigo

punir *v. tr.* aplicar pena a; castigar

punível *adj. 2 gén.* **1** que pode ser punido; **2** que merece castigo

punk I *s. m.* movimento juvenil de contestação dos valores e da ordem social vigente que teve início na Grã-Bretanha na década de 1970 e se caracterizou por sinais exteriores de provocação (no vestuário, cortes de cabelo, piercings, etc.); **II** *adj. 2 gén.* relativo àquele movimento; **III** *s. 2 gén.* pessoa, geralmente jovem, adepta desse movimento

pupila *s. f.* ANAT. abertura, ao centro da íris, por onde passam os raios luminosos;

puré *s. m.* **1** CUL. preparado mais ou menos espesso obtido pela trituração de alimentos cozidos; **2** CUL. sopa com textura de creme aveludado, cujos ingredientes são cozidos e moídos ou ralados

pureza *s. f.* **1** qualidade ou estado de puro; **2** inocência; **3** virgindade

purgante *s. m.* FARM. medicamento que se utiliza para facilitar a evacuação das fezes; laxante

Purgatório *s. m.* RELIG. (Catolicismo) lugar onde se purificam as almas dos justos, antes de entrarem no Céu, cumprindo pena por pecados mortais perdoados ou pecados veniais

purificação *s. f.* eliminação de todas as impurezas; limpeza

purificador *adj. e s. m.* que ou aquilo que purifica

purificante *adj. 2 gén.* que purifica; que serve para purificar

purificar *v. tr.* **1** livrar de impurezas; limpar; **2** RELIG. tornar moralmente puro; santificar

purismo *s. m.* **1** preocupação excessiva com a pureza ou o rigor da linguagem ou com a correcção gramatical; **2** defesa rigorosa e intransigente da pureza de uma tradição; ortodoxia

purista *s. 2 gén.* **1** pessoa demasiado escrupulosa com a pureza da linguagem ou da expressão (verbal ou escrita); **2** pessoa que defende de modo rigoroso e intransigente uma tradição; ortodoxo

puritanismo *s. m.* **1** RELIG. conjunto de princípios defendidos por um movimento protestante que pretende praticar um cristianismo puro e fazer uma interpretação literal das Escrituras; **2** severidade excessiva em relação a questões de ordem moral; moralismo

puritano I *adj.* **1** relativo ao puritanismo; **2** que é membro de um movimento que defende uma interpretação literal das Escrituras; **3** que revela grande severidade em relação à moral; moralista; **II** *s. m.* pessoa adepta do puritanismo

puro *adj.* **1** que não tem mistura ou impurezas; **2** absoluto; **3** genuíno

puro-sangue *s. m.* {*pl.* puros-sangues} ZOOL. animal (especialmente cavalo) de raça pura, cuja reprodução é feita a partir de exemplares com qualidades idênticas

púrpura *s. f.* **1** substância corante vermelho-escura; **2** cor vermelho-escura

pus *s. m.* MED. líquido espesso, amarelado e opaco, que se forma no local de uma ferida infectada

puta *s. f.* *(vulg.)* prostituta

puto *s. m.* *(coloq.)* miúdo; garoto

putrefacção *s. f.* **1** processo de decomposição (de matéria orgânica, de cadáver); **2** deterioração das qualidades (de alimentos); apodrecimento

putrefacto *adj.* **1** (matéria orgânica, cadáver) que se encontra em decomposição; **2** (alimento) que apodreceu; podre

puxado *adj.* **1** (trabalho) difícil; **2** (preço) caro; **3** (alimento) salgado; picante

puxador *s. m.* peça de madeira, metal, ou porcelana, por onde se puxa para abrir gavetas ou portas

puxão *s. m.* acto de puxar com força; esticão

puxar I *v. tr.* **1** atrair para si; aproximar; **2** arrancar; tirar; **3** provocar; estimular; **II** *v. intr.* **1** ter vocação para; inclinar-se para; **2** esforçar-se por dejectar ❖ ~ ***a brasa para a sua sardinha*** defender os seus interesses pessoais

puzzle *s. m.* {*pl.* puzzles} **1** jogo de paciência que consta de pequenas peças de formatos desiguais, que têm de ser ajustadas umas às outras para com elas se formar uma imagem única; **2** (*fig.*) problema difícil de resolver; quebra-cabeças

P.V.P. [*abrev. de* **p**reço de **v**enda ao **p**úblico]

Q

q *s. m.* décima sétima letra e décima terceira consoante do alfabeto
q.b. CUL., FARM. [*abrev. de* **q**uanto **b**aste]
QI [*sigla de* **Q**uociente de **I**nteligência]
quadra *s. f.* **1** LIT. estrofe composta de quatro versos; **2** (*fig.*) época; ocasião
quadradinho *s. m.* ‹*dim. de* **quadrado**› quadrado pequeno; ***história aos quadradinhos*** história contada através de desenhos sequenciais; banda desenhada
quadrado **I** *s. m.* **1** GEOM. polígono com quatro lados iguais e ângulos rectos; **2** MAT. potência de expoente 2; **II** *adj.* **1** (polígono) que tem os lados e os ângulos iguais; **2** (objecto) que tem a forma desse polígono; **3** (*fig.*) (pessoa) baixo e gordo; atarracado; **4** (*fig., coloq.*) pouco receptivo a inovações; retrógado
quadragésimo **I** *num. ord.* que, numa série, ocupa a posição imediatamente a seguir à trigésima nona; **II** *num. frac.* que resulta da divisão de um todo por quarenta; **III** *s. m.* o que, numa série, ocupa o lugar correspondente ao número 40
quadrangular *adj. 2 gén.* que tem quatro ângulos; que tem quatro cantos
quadrângulo *s. m.* GEOM. polígono com quatro lados
quadrante *s. m.* **1** GEOM. quarta parte de um círculo; **2** GEOM. arco de 90°; **3** instrumento óptico que permite medir ângulos, a altura dos astros e as distâncias angulares dos astros
quadratura *s. f.* **1** GEOM. processo de transformação de uma dada superfície num quadrado de área igual à dessa superfície; **2** ASTRON. posição de dois astros que distam entre si 90°, quando vistos da Terra; **3** ASTRON. quarto crescente ou quarto minguante da Lua
quadrícula *s. f.* quadrado pequeno; quadradinho
quadriculado *adj.* (papel) pautado ou dividido em quadrados pequenos
quadrienal *adj. 2 gén.* que sucede de quatro em quatro anos
quadriénio *s. m.* período de quatro anos
quadril *s. m.* ANAT. zona lateral do corpo humano entre a cintura e a coxa; anca
quadrilátero *s. m.* GEOM. polígono com quatro lados
quadrilha *s. f.* grupo de ladrões ou bandidos; bando
quadringentésimo **I** *num. ord.* que, numa série, ocupa a posição imediatamente a seguir à tricentésima nonagésima nona; **II** *num. frac.* que resulta da divisão de um todo por quatrocentos; **III** *s. m.* o que, numa série, ocupa o lugar correspondente ao número 400
quadrissílabo **I** *s. m.* GRAM. palavra de quatro sílabas; **II** *adj.* que tem quatro sílabas
quadro *s. m.* **1** objecto com quatro lados; **2** obra (de pintura, desenho ou fotografia); **3** caixilho; moldura;

4 superfície móvel ou fixa na parede, utilizada para se escrever; **5** tabela; lista; **6** panorama; aspecto; **7** conjunto hierarquizado dos funcionários permanentes de um serviço

quadrúpede **I** *s. m.* ZOOL. mamífero que assenta os quatro membros no solo para a locomoção normal; **II** *s. 2 gén.* (*fig., coloq.*) pessoa bruta

quadruplicar *v. tr.* **1** multiplicar por quatro; **2** tornar quatro vezes maior

quádruplo **I** *num. mult.* que contém quatro vezes a mesma quantidade; **II** *adj.* que é quatro vezes maior; **III** *s. m.* valor ou quantidade quatro vezes maior

qual **I** *pron. rel.* refere-se ao nome ou pronome antecedentes, sendo sempre precedido pelo artigo definido ⟨*falaram da casa, na qual tinham vivido*⟩; **II** *pron. interr.* **1** que pessoa ⟨*qual das raparigas?*⟩; que coisa ⟨*qual dos livros?*⟩; **2** de que natureza ⟨*qual a cor do cabelo dela?*⟩; de que qualidade ⟨*qual foi a reacção dele?*⟩; **III** *conj.* como; que nem ⟨*amuou, qual criança mimada*⟩; ***qual!*** exclamação designativa de espanto ou de oposição; ***tal e ~*** exactamente

qualidade *s. f.* **1** característica; atributo; **2** aptidão; capacidade; **3** virtude; talento; ***na ~ de*** a título de, na função de

qualificação *s. f.* **1** (em prova, certificado) classificação; **2** (em actividade, cargo) habilitação específica

qualificado *adj.* **1** DESP. apurado; seleccionado; **2** que cumpriu os pré-requisitos para; habilitado; apto

qualificar **I** *v. tr.* **1** caracterizar; classificar; **2** avaliar; apreciar; **II** *v. refl.* (competição, exame) classificar-se

qualificável *adj. 2 gén.* que se pode qualificar

qualitativo *adj.* relativo a qualidade; que qualifica

qualquer *pron. indef.* {*pl.* quaisquer} pessoa ou coisa indeterminada ⟨*qualquer criança; qualquer dia*⟩

quando **I** *adv.* em que tempo ou época; **II** *conj.* **1** no tempo ou no momento em que ⟨*quando chegares, avisa*⟩; **2** sempre que ⟨*quando chove, não saio*⟩; **3** ainda que; apesar de ⟨*foi embora, quando lhe pedi que ficasse*⟩ ❖ ***de vez em ~*** às vezes; de tempos a tempos; ***~ muito*** se tanto; no máximo; ***~ não*** caso contrário

quantia *s. f.* porção de dinheiro; soma

quântico *adj.* FÍS. relativo à teoria dos quanta, segundo a qual a emissão ou absorção de energia se faz de maneira descontínua e por múltiplos inteiros de uma mesma quantidade

quantidade *s. f.* **1** grandeza expressa em números; **2** propriedade do que pode ser medido ou contado; **3** parte de um todo; porção; **4** (*coloq.*) multidão; ***em grande ~*** em abundância

quantificação *s. f.* determinação da quantidade de algo

quantificador **I** *adj.* que quantifica; **II** *s. m.* LING. palavra que exprime uma quantidade

quantificar *v. tr.* determinar a quantidade ou o valor de; calcular

quantitativo *adj.* **1** relativo a quantidade; **2** que indica a quantidade

quanto **I** *adj. e pron. interr.* que número ou quantidade de pessoas ou coisas ⟨*quantos convidados virão?; quantos carros tens?*⟩; **II** *pron. rel.* substitui os pronomes indefinidos *tudo* e *todo*, expressos ou omitidos ⟨*tudo quanto imaginava*⟩; **III** *adv.* até que ponto; como ⟨*quanto mais trabalhares, melhor!*⟩ ❖ ***~ a*** relativamente a; ***~ antes*** o mais depressa possível

quantum *s. m.* {*pl.* quanta} FÍS. menor quantidade possível pela qual pode mudar de valor uma grandeza física observável na passagem de um valor discreto para outro

quão *adv.* **1** quanto; **2** como

quarenta I *num. card.* trinta mais dez; **II** *s. m.* o número 40 e a quantidade representada por esse número

quarentão *s. m.* {*f.* quarentona} que ou pessoa cuja idade se situa entre os 40 e os 50 anos

quarentena *s. f.* MED. período de isolamento imposto a portadores ou supostos portadores de doenças contagiosas; ***de ~*** de reserva; de lado

Quaresma *s. f.* RELIG. período de 40 dias que decorre entre a Quarta-Feira de Cinzas e o Domingo de Páscoa

quarta *s. f.* **1** (automóvel) mudança de velocidade a seguir à terceira; **2** *(coloq.)* quarta-feira

quarta-feira *s. f.* {*pl.* quartas-feiras} dia da semana imediatamente a seguir à terça-feira; ***~ de Cinzas*** dia seguinte à Terça-Feira de Carnaval

quartanista *s. 2 gén.* estudante que frequenta o quarto ano de um curso superior

quarteirão *s. m.* **1** conjunto de casas situadas próximas umas das outras; **2** quarta parte de um cento; conjunto de vinte e cinco unidades

quartel *s. m.* **1** MIL. instalações onde se alojam tropas; **2** quarta parte de um todo; **3** período de vinte e cinco anos

quartel-general *s. m.* {*pl.* quartéis-generais} MIL. instalações do comando de uma região militar

quarteto *s. m.* **1** MÚS. conjunto de quatro instrumentos ou quatro vozes; **2** MÚS. composição para esse conjunto; **3** *(coloq.)* grupo de quatro pessoas

quartilho *s. m.* medida de capacidade para líquidos, correspondente a aproximadamente meio litro

quarto I *num. ord.* que, numa série, ocupa a posição imediatamente a seguir à terceira; **II** *num. frac.* que resulta da divisão de um todo por quatro; **III** *s. m.* **1** o que, numa série, ocupa o lugar correspondente ao número 4; **2** quinze minutos; **3** divisão de habitação onde geralmente se dorme; **4** cada uma das duas fases da Lua, durante as quais apenas se vê uma quarta parte deste planeta; ***~ crescente*** fase da lua nos sete dias que precedem a lua cheia; ***~ de banho*** divisão de uma habitação destinada aos cuidados de higiene; ***~ minguante*** fase da lua nos sete dias seguintes à lua cheia

quartos-de-final *s. m. pl.* DESP. provas eliminatórias que envolvem oito jogadores ou equipas, dos quais apenas quatro são apurados para a meia-final

quartzo *s. m.* MIN. mineral com diversas variedades, utilizado em vidros, cerâmica, óptica e electrónica, como abrasivo e como gema

quase *adv.* **1** muito próximo; perto; **2** com pouca diferença; por um triz

quaternário *adj.* MÚS. (compasso) que tem quatro tempos

quatrilião *num. card. e s. m.* um milhão de triliões; a unidade seguida de vinte e quatro zeros (10^{24})

quatro I *num. card.* três mais um; **II** *s. m.* o número 4 e a quantidade representada por esse número ❖ ***o diabo a ~*** trapalhada; ***ficar de ~*** apaixonar-se

quatrocentista I *adj. 2 gén.* relativo ao século XV; **II** *s. 2 gén.* artista ou escritor desse século

quatrocentos I *num. card.* trezentos mais cem; **II** *s. m.* **1** o número 400 e a quantidade representada por esse número; **2** o século XV

que I *pron. rel.* refere-se ao nome, ao pronome ou à oração anterior ⟨*o texto que li; venceu, o que é natural*⟩; II *pron. interr.* introduz uma pergunta sobre algo ⟨*que vais fazer?*⟩; III *adv.* quão; como; IV *conj.* 1 introduz uma oração que completa o sentido de outra ⟨*disse que não sabia*⟩; 2 introduz o segundo termo de uma comparação ⟨*ela é mais velha (do) que a irmã*⟩; 3 introduz uma causa ⟨*não corras que podes cair*⟩; 4 usa-se com valor enfático ⟨*que engraçados que eles são!*⟩

quê I *pron. interr.* usa-se para pedir um esclarecimento ⟨*quê? não percebi*⟩; II *s. m.* 1 alguma coisa; 2 dificuldade; 3 nome da letra *q* ou *Q* ❖ ***não tem de ~*** não há razão para agradecer; ***sem ~ nem p'ra ~*** sem motivo aparente; sem razão; ***um não sei ~*** algo incerto ou indefinido

quebra *s. f.* 1 separação dos elementos de um todo; desagregação; 2 diminuição parcial; redução; 3 interrupção; falha

quebra-cabeças *s. m. 2 núm.* 1 problema; dificuldade; 2 jogo que requer inteligência ou habilidade

quebradiço *adj.* que se quebra com facilidade; frágil

quebrado *adj.* 1 partido; fracturado; 2 interrompido; 3 (regra, lei) desrespeitado; transgredido; 4 (promessa) que não se cumpriu; 5 *(fig.)* (pessoa) cansado; exausto

quebra-luz *s. m.* {*pl.* quebra-luzes} peça de candeeiro que serve para atenuar a intensidade da luz; abajur

quebra-mar *s. m.* {*pl.* quebra-mares} paredão que protege as embarcações das ondas ou das correntes; molhe

quebra-nozes *s. m. 2 núm.* instrumento utilizado para partir a casca de frutos secos (nozes, avelãs, etc.)

quebrar I *v. tr.* 1 partir; fragmentar; 2 fracturar (osso); 3 interromper; 4 desfazer; dissipar; 5 infringir; violar (regra, lei); II *v. intr.* 1 partir-se; 2 enfraquecer; ***~ a cabeça*** pensar muito; ***~ a palavra*** faltar ao prometido

queca *s. f. (vulg.)* acto sexual; cópula

queda *s. f.* 1 trambolhão; tombo; 2 descida; diminuição; 3 inclinação; vocação; 4 (de regime, partido) fim; cessação; 5 (de prestígio, poder) decadência; declínio

quedo [e] *adj.* quieto; imóvel; parado

queijada *s. f.* CUL. pastel feito de leite, ovos, queijo e açúcar, com recheios diversos

queijaria *s. f.* lugar onde se fabricam ou vendem queijos

queijeira *s. f.* prato coberto com uma tampa, próprio para guardar queijo

queijo *s. m.* CUL. alimento que se obtém a partir da coagulação e fermentação do leite ❖ ***pão, pão, ~, ~*** com franqueza; ***ter a faca e o ~ na mão*** ter o poder ou a facilidade de decidir alguma coisa

queima *s. f.* 1 destruição pelo fogo; 2 incineração (de resíduos, lixo, etc.)

queimada *s. f.* AGRIC. queima de vegetação seca ou verde, com o objectivo de limpar ou preparar um terreno para cultivo

Queima das Fitas *s. f.* festa académica em que os estudantes universitários queimam simbolicamente as fitas dos respectivos cursos

queimadela *s. f.* queimadura leve ou superficial

queimado *adj.* 1 que se queimou; 2 destruído pelo fogo; 3 (alimento) torrado; tostado; 4 *(coloq.)* bronzeado; 5 *(coloq.)* tramado

queimadura *s. f.* lesão produzida na pele por fogo, calor excessivo ou por agente químico

queimar I *v. tr.* 1 consumir pelo fogo; incinerar; 2 pôr fogo a; incendiar; 3 causar dor pelo contacto com fogo ou objecto ardente; 4 tostar; 5 *(coloq.)* dar um tom bronzeado a; II *v. intr.* 1 produzir queimadura; 2 causar ardência; 3 escaldar; III *v. refl.* 1 incendiar-se; 2 sofrer queimadura; 3 *(coloq.)* arruinar-se ❖ ~ ***as pestanas*** estudar muito; *(fig.)* ~ ***os miolos*** fazer um grande esforço intelectual; *(fig.)* ~ ***os últimos cartuchos*** fazer os últimos esforços

queima-roupa *elem. da loc. adv.* ***à*** ~ muito de perto; repentinamente; violentamente

queixa *s. f.* 1 expressão de dor ou de sofrimento; lamentação; 2 reclamação; protesto

queixa-crime *s. f.* {*pl.* queixas-crimes ou queixas-crime} DIR. participação de uma ocorrência a uma autoridade policial ou judicial, que dá origem a um processo criminal

queixar-se *v. refl.* 1 fazer queixa; reclamar; protestar; 2 lamentar-se; lamuriar-se

queixo *s. m.* ANAT. região saliente da maxila inferior ❖ ***de*** ~ ***caído*** ficar admirado; boquiaberto; ***tremer/bater o*** ~ tremer de frio, febre, etc

queixoso *s. m.* DIR. pessoa que apresenta queixa a uma autoridade

queixume *s. m.* lamúria; gemido

quelha *s. f.* rua estreita; viela

quem I *pron. rel.* 1 o qual; a qual; os quais; as quais ⟨*o funcionário com quem falei esclareceu-me*⟩; 2 a pessoa que ⟨*foi ela quem contou tudo*⟩; II *pron. indef.* 1 qualquer pessoa que; toda a gente que ⟨*quem apareceu, entrou*⟩; 2 alguém que ⟨*há sempre quem discorde*⟩; III *pron. interr.* que pessoa(s) ⟨*quem estava lá?*⟩ ❖ ~ ***dera!*** oxalá!; ~ ***quer que seja*** qualquer pessoa/um

queniano I *s. m.* {*f.* queniana} pessoa natural do Quénia (África); II *adj.* relativo ao Quénia

quente *adj. 2 gén.* 1 com temperatura elevada; 2 que tem ou irradia calor; 3 ardente; 4 aquecido; 5 (cor) que tem como tons predominantes o amarelo ou o vermelho; 6 *(fig.)* caloroso; 7 *(fig.)* animado ❖ ***ter as costas quentes*** estar bem protegido

queque *s. m.* 1 CUL. bolo pequeno e fofo feito de farinha, manteiga, açúcar e ovos; 2 *(coloq.)* pessoa snobe, pretensiosa ou afectada

quer *conj.* liga termos indicando alternativa ⟨*quer queira, quer não; quer chova, quer faça sol*⟩

querela *s. f.* 1 DIR. acusação ou denúncia feita em juízo; 2 discussão; conflito

querer I *v. tr.* 1 ter vontade; desejar; 2 ter intenção de; pretender; 3 ambicionar; aspirar a; 4 ter afecto a; ter dedicação a; 5 exigir; ordenar; II *s. m.* 1 vontade; 2 afecto ❖ ~ ***dizer*** ter intenção de dizer; significar; ***por*** ~ de propósito; voluntariamente; ***sem*** ~ involuntariamente

querido I *s. m.* pessoa amada; II *adj.* 1 amado; 2 estimado; 3 muito apreciado

quermesse *s. f.* festa popular com leilão e venda de prendas, para fins de beneficência

querosene *s. m.* QUÍM. mistura de hidrocarbonetos que resulta da destilação do petróleo natural e se usa como combustível

quesito *s. m.* questão ou pergunta sobre a qual se pede a opinião ou resposta de alguém

questão *s. f.* 1 pergunta; 2 assunto; tema; 3 discussão; contenda ❖ ***fazer*** ~ manifestar grande interesse ou vontade

questionar I *v. tr.* **1** levantar questão sobre; discutir; **2** contestar; **II** *v. refl.* interrogar-se
questionário *s. m.* **1** série de questões ou perguntas ordenadas sobre determinado assunto; **2** interrogatório
questionável *adj. 2 gén.* que se pode (ou deve) questionar; discutível; duvidoso
questiúncula *s. f.* questão ou discussão sem importância
quetzal *s. m.* **1** unidade monetária da Guatemala; **2** ZOOL. ave trepadora de cauda longa e plumagem brilhante, verde e vermelha, considerada sagrada pelos maias e pelos azetecas
qui *s. m.* vigésima segunda letra do alfabeto grego (χ, X)
quiasmo *s. m.* RET. figura de estilo que consiste na inversão da ordem das palavras, em duas frases que formam um paralelo (*falou calmamente, calmamente lhe respondi*)
quiçá *adv.* talvez; porventura
quieto *adj.* **1** imóvel; parado; **2** sossegado; pacífico
quietude *s. f.* **1** paz; sossego; **2** bem-estar de espírito; tranquilidade
quilate *s. m.* unidade de medida para avaliação do teor de ouro puro no ouro comercial, atribuindo-se ao ouro puro o valor de 24 quilates
quilha *s. f.* NÁUT. peça de um navio que vai da proa à popa e a que se fixa o cavername
quilo *s. m.* *(coloq.)* vd. **quilograma**
quilocaloria *s. f.* FÍS. unidade de quantidade de calor que equivale a 1000 calorias
quilograma *s. m.* FÍS. unidade de medida de massa, de símbolo kg, equivalente a 1000 gramas
quilohertz *s. m.* FÍS. unidade de medida da frequência de ondas radioeléctricas igual a 1000 hertz
quilolitro *s. m.* unidade de medida de capacidade, de símbolo kl, que equivale a 1000 litros
quilometragem *s. f.* medida em quilómetros
quilómetro *s. m.* medida de comprimento, de síbolo km, que equivale a 1000 metros
quilowatt *s. m.* FÍS. unidade de medida de potência, de símbolo kW, que equivale a 1000 watts
quimbundo *s. m.* língua falada em Angola
quimera *s. f.* **1** MITOL. monstro lendário, com cabeça de leão, corpo de cabra e cauda de dragão; **2** *(fig.)* fantasia; ilusão
quimérico *adj.* fantástico; imaginário
química *s. f.* **1** ciência que estuda a composição das substâncias e as suas transformações; **2** *(acad.)* disciplina que ministra esses conhecimentos
químico I *adj.* relativo a química; **II** *s. m.* pessoa que se dedica ao estudo da química
quimioterapia *s. f.* MED. tratamento de doenças por meio de substâncias químicas
quimo *s. m.* FISIOL. massa ácida constituída normalmente pelos alimentos que se encontram no estômago, depois de sofrerem a digestão gástrica
quimono *s. m.* túnica comprida, de trespasse e mangas largas, que se aperta com um cinto e faz parte do vestuário japonês, sendo também usada na prática de artes marciais
quina *s. f.* **1** (de mobília) canto; aresta; **2** (em jogo) carta, peça de dominó ou face de dado com cinco pintas
quingentésimo I *num. ord.* que, numa série, ocupa a posição imediatamente a seguir à quadringentésima nonagésima nona; **II** *num. frac.* que resulta da divisão de um todo por

quinhentos; **III** *s. m.* o que, numa série, ocupa o lugar correspondente ao número 500

quinhão *s. m.* parte que cada um recebe, na divisão de um todo; quota-parte; parcela

quinhentista **I** *adj. 2 gén.* relativo ao século XVI; **II** *s. 2 gén.* artista ou escritor desse século

quinhentos **I** *num. card.* quatrocentos mais cem; **II** *s. m.* **1** o número 500 e a quantidade representada por esse número; **2** o século XVI

quinina *s. f.* FARM. alcalóide extraído da casca da quina, empregado principalmente como antipirético e anti-malárico

quinquagenário *s. m.* pessoa que tem cerca de 50 anos de idade

quinquagésimo **I** *num. ord.* que, numa série, ocupa a posição imediatamente a seguir à quadragésima nona; **II** *num. frac.* que resulta da divisão de um todo por cinquenta; **III** *s. m.* o que, numa série, ocupa o lugar correspondente ao número 50

quinquenal *adj. 2 gén.* **1** que dura cinco anos; **2** que se celebra de cinco em cinco anos

quinquilharia *s. f.* **1** objecto com pouco valor ou utilidade; bugiganga; **2** coisa sem importância; ninharia

quinta *s. f.* **1** propriedade rural; herdade; **2** (automóvel) mudança de velocidade a seguir à quarta; **3** *(coloq.)* quinta-feira ❖ ***estar nas suas sete quintas*** sentir-se muito feliz; estar encantado

quinta-essência *s. f.* {*pl.* quintas-essências} **1** o que há de melhor e mais subtil em qualquer coisa; essencial; **2** o mais alto grau; auge

quinta-feira *s. f.* {*pl.* quintas-feiras} dia da semana imediatamente a seguir à quarta-feira

quintal *s. m.* **1** terreno com horta, junto de uma casa; **2** FÍS. medida de massa equivalente a quatro arrobas

quintanista *s. 2 gén.* estudante que frequenta o quinto ano de um curso superior

quinteto *s. m.* **1** MÚS. conjunto de cinco instrumentos musicais ou de cinco vozes; **2** MÚS. composição para esse conjunto; **3** *(coloq.)* grupo de cinco pessoas

quintilha *s. f.* LIT. estrofe de cinco versos

quintilião *num. card. e s. m.* um milhão de quatriliões; a unidade seguida de trinta zeros (10^{30})

quinto **I** *num. ord.* que, numa série, ocupa a posição imediatamente a seguir à quarta; **II** *num. frac.* que resulta da divisão de um todo por cinco; **III** *s. m.* o que, numa série, ocupa o lugar correspondente ao número 5 ❖ ***ir para os quintos do Inferno*** ir para muito longe; desaparecer

quíntuplo **I** *num. mult.* que contém cinco vezes a mesma quantidade; **II** *adj.* que é cinco vezes maior

quinze **I** *num. card.* dez mais cinco; **II** *s. m.* o número 15 e a quantidade representada por esse número

quinzena *s. f.* período de quinze dias

quinzenal *adj. 2 gén.* que se faz de quinze em quinze dias

quiosque *s. m.* pequena loja em rua ou jardim público onde se vendem jornais, revistas, tabaco e outros pequenos artigos; tabacaria

quiproquó *s. m.* engano; equívoco

quiquerequi *s. m.* **1** som imitativo do canto do frango; **2** *(fig.)* pessoa insignificante

quisto *s. m.* MED. tumor em órgão ou tecido que contém líquido e outras substâncias; ~ ***sebáceo/adiposo*** quisto

resultante da dilatação de uma glândula sebácea e da acumulção de sebo
quitar *v. tr.* **1** desobrigar de uma dívida ou obrigação; **2** evitar; poupar
quite *adj. 2 gén.* **1** livre de dívida; desobrigado; **2** pago
quitina *s. f.* ZOOL. substância orgânica, azotada, que forma o revestimento de muitos invertebrados
quivi *s. m.* **1** BOT. fruto de casca castanha e polpa esverdeada e doce; **2** ZOOL. ave de plumagem castanha e asas muito curtas, que a impedem de voar
quociente *s. m.* MAT. resultado de uma divisão; PSIC. ~ ***de inteligência*** medida média da inteligência, traduzida num valor numérico que é o resultado da divisão da idade mental de uma pessoa, determinada por meio de testes, pela sua idade real ou cronológica
quórum *s. m.* número de pessoas presentes, necessário para que possa funcionar legalmente uma assembleia deliberativa
quota *s. f.* **1** contribuição de cada pessoa para determinado fim; cota; **2** parte na divisão de um todo; porção
quota-parte *s. f.* {*pl.* quotas-partes} **1** parte proporcional com que cada pessoa tem de contribuir para certo fim; **2** parte que cada um deve receber na partição de uma quantia
quotidiano **I** *s. m.* o que se faz ou ocorre todos os dias; dia-a-dia; **II** *adj.* **1** de todos os dias; diário; **2** comum; habitual

R

r s. *m.* décima oitava letra e décima quarta consoante do alfabeto

Ra QUÍM. [*símbolo de* **rádio**]

rã s. *f.* ZOOL. batráquio de cor verde, manchado de escuro, que geralmente se encontra na água ou perto dela

rabanada s. *f.* **1** CUL. fatia de pão embebida em leite e passada por ovo, que se serve frita e se polvilha com açúcar e canela ou se rega com calda de açúcar; **2** *(coloq.)* rajada de vento

rabanete s. *m.* BOT. planta herbácea, cuja raiz é um pequeno tubérculo comestível, de cor vermelha e sabor picante

rábano s. *m.* BOT. planta herbácea anual, com raízes carnudas e comestíveis, que apresenta diversas cores e tem sabor picante

rabear v. *intr.* agitar o rabo ou a cauda

rabecada s. *f.* *(coloq.)* repreensão; descompostura

rabelo s. *m.* *(reg.)* embarcação à vela com um remo muito comprido a servir de leme, típica do rio Douro, utilizada para transportar pipas de vinho

rabi s. *m.* vd. **rabino**

rabicho s. *m.* pequena quantidade de cabelos apanhados na nuca

rabino s. *m.* **1** RELIG. mestre da lei judaica; **2** RELIG. sacerdote da comunidade judaica

rabiscar **I** v. *tr.* fazer rabiscos em; **II** v. *intr.* **1** fazer traços mal feitos ou ao acaso; **2** escrever de forma incompreensível

rabisco s. *m.* risco mal feito ou ao acaso; gatafunho

rabo s. *m.* **1** extremidade posterior, mais ou menos longa, do corpo de muitos animais; cauda; **2** conjunto das duas nádegas; **3** parte posterior ou prolongamento de algo ❖ ***com fogo no ~*** muito apressado; ***fugir com o ~ à seringa*** fugir das responsabilidades; ***meter o ~ entre as pernas*** dar-se por vencido; não responder

rabo-de-cavalo s. *m.* {*pl.* rabos-de--cavalo} penteado em que o cabelo é puxado atrás e preso de forma a cair como a cauda de um cavalo

rabugento *adj.* mal-humorado; resmungão

rabugice s. *f.* **1** qualidade de rabugento; resmunguice; **2** mau-humor; irritação

rabujar v. *intr.* manifestar mau-humor; resmungar

rábula s. *f.* TEAT. papel de pequena importância

raça s. *f.* **1** agrupamento de indivíduos que apresentam um conjunto comum de caracteres hereditários, como a cor da pele ou do cabelo; **2** subdivisão de uma espécie animal, baseada em características hereditárias comuns; **3** grupo de ascendentes e descendentes de uma família, de uma tribo ou de um povo

ração s. *f.* **1** porção de alimento que se calcula necessária para consumo diário ou para cada refeição de um ser humano ou de um animal;

2 porção de alimento que se dá aos animais de cada vez

racha *s. f.* **1** abertura estreita; fenda; **2** abertura perpendicular à bainha em peças de vestuário

rachadela *s. f.* pequena fenda ou racha

rachar I *v. tr.* **1** abrir racha ou fenda em; **2** abrir ao meio; partir (lenha); **3** partir em estilhaços; **II** *v. intr.* e *refl.* abrir racha ou fenda ❖ ***frio de ~*** frio muito intenso

racial *adj. 2 gén.* relativo a raça

raciocinar *v. intr.* utilizar a razão para compreender, calcular ou julgar (algo); reflectir

raciocínio *s. m.* **1** actividade da razão através da qual se formulam ideias e se obtêm conclusões; **2** encadeamento lógico de pensamentos

racional *adj. 2 gén.* **1** que possui uso da razão; **2** que provém da razão; **3** que é conforme à razão; **4** sensato; ponderado

racionalidade *s. f.* **1** qualidade de racional; lógico; **2** faculdade de raciocinar; **3** tendência para encarar tudo de uma perspectiva apenas racional

racionalismo *s. f.* FIL. doutrina que afirma a superioridade da razão para compreender a realidade e alcançar o conhecimento

racionalista I *adj. 2 gén.* **1** relativo a racionalismo; **2** seguidor do racionalismo; **II** *s. 2 gén.* pessoa que segue o racionalismo

racionalização *s. f.* acto de racionalizar

racionalizar *v. tr.* **1** procurar compreender ou justificar de modo racional e lógico; tornar racional; **2** organizar (uma actividade) de modo racional, tornando-a mais eficaz e produtiva

racionamento *s. m.* **1** acto de racionar; **2** limitação da quantidade de determinados bens, especialmente alimentos, que cada pessoa pode adquirir

racionar *v. tr.* **1** distribuir em rações; **2** distribuir ou vender de forma controlada

racismo *s. m.* **1** teoria que afirma a superioridade de certas raças; **2** atitude preconceituosa e discriminatória contra indivíduos de determinada(s) raça(s) ou etnia(s)

racista I *adj. 2 gén.* **1** relativo a racismo; **2** defensor do racismo; **II** *s. 2 gén.* pessoa que defende o racismo

radar *s. m.* técnica ou equipamento que serve para localizar objectos distantes, móveis ou estacionários (aviões, submarinos, etc.), pela reflexão de ondas radioeléctricas

radiação *s. f.* **1** emissão de raios luminosos ou de calor; **2** FÍS. energia emitida sob a forma de partículas ou de ondas

radiador I *adj.* que emite radiações; **II** *s. m.* **1** dispositivo utilizado para arrefecer a água de motores ou máquinas; **2** aparelho no qual circula água ou vapor de água, utilizado para aquecer espaços fechados

radiante *adj. 2 gén.* **1** que emite raios; **2** que brilha; fulgurante; **3** (*fig.*) extremamente contente

radicado *adj.* **1** que se radicou; enraizado; **2** (pessoa) residente

radical I *adj. 2 gén.* **1** relativo a raiz; **2** fundamental; básico; **3** drástico; profundo; **4** inflexível; intransigente; **5** (desporto) que requer coragem e perícia; **6** POL. partidário do radicalismo; **II** *s. 2 gén.* POL. pessoa partidária do radicalismo; radicalista; **III** *s. m.* GRAM. parte invariável de uma palavra

radicalismo *s. m.* **1** POL. sistema político que defende reformas profundas na organização social; **2** doutrina ou comportamento extremista e inflexível

radicalista I *adj. 2 gén.* **1** relativo a radicalismo; **2** POL. partidário do radicalismo; **II** *s. 2 gén.* POL. pessoa partidária do radicalismo; radical

radicar I *v. tr.* enraizar; fixar de modo profundo; **II** *v. intr.* **1** criar raízes; enraizar; **2** basear-se; assentar; **III** *v. refl.* **1** criar raízes; **2** fixar residência

rádio I *s. m.* **1** aparelho receptor de sinais radiofónicos; **2** ANAT. osso mais curto e externo dos dois que formam o endosqueleto do antebraço; **3** QUÍM. elemento metálico, radioactivo, com o número atómico 88 e símbolo Ra; **II** *s. f.* estação ou posto emissor de sons por meio de ondas hertzianas; radiofonia

radioactividade *s. f.* FÍS., QUÍM. desintegração espontânea de certos núcleos atómicos instáveis, acompanhados de emissão de radiação eletromagnética

radioactivo *adj.* que contém radioactividade

radioamador *s. m.* pessoa que opera, sem fins lucrativos, em posto radiofónico particular e permuta os seus programas com outras pessoas

radiodifusão *s. f.* difusão ou transmissão de sons e/ou imagens através de ondas hertzianas

radiofonia *s. f.* emissão e transmissão do som por meio de ondas hertzianas

radiofónico *adj.* **1** relativo a radiofonia; **2** que se divulga por meio de rádio

radiografar *v. tr.* fazer a radiografia de

radiografia *s. f.* **1** MED. registo fotográfico de uma parte interna do corpo, por meio de radiações como os raios X; **2** cópia de chapa com esse registo

radiograma *s. m.* **1** comunicação através de telegrafia sem fios; **2** vd. **radiografia**

radiogravador *s. m.* aparelho que recebe sinais radiofónicos, permitindo efectuar gravações desse sinal num suporte apropriado (geralmente fita magnética) e ouvir o que se encontra gravado

radiologia *s. f.* MED. disciplina que aplica radiações electromagnéticas (raios X, ultravioleta, etc.) ao diagnóstico e à terapêutica

radiologista *adj. e s. 2 gén.* especialista em radiologia

rádio-pirata *s. f.* {*pl.* rádios-pirata} estação radiofónica que opera sem as devidas licenças

radioscopia *s. f.* MED. exame de um corpo, pela sua projecção num ecrã fluorescente, através de raios X

radioso *adj.* **1** que emite raios de luz ou calor; **2** brilhante; luminoso; **3** que revela alegria e vitalidade

radiotáxi *s. m.* táxi munido de um receptor de rádio, através do qual comunica com a central do serviço a que pertence

radioterapia *s. f.* MED. método terapêutico através de radiações (infravermelhas, ultravioleta, raios X, etc.)

rádon *s. m.* QUÍM. gás nobre, radioactivo, com o número atómico 86 e símbolo Rn

rafeiro *s. m.* **1** cão que pertence a uma raça própria para guarda; **2** cão que resulta do cruzamento de diversas raças, não tendo raça definida

ráfia *s. f.* **1** BOT. palmeira de sítios húmidos (em especial africana e americana) que fornece fibras resistentes e flexíveis; **2** fio obtido a partir dessas fibras

rafting *s. m.* DESP. modalidade aquática praticada por várias pessoas num barco insuflável, que consiste em descer rios com correntes rápidas e percursos acidentados

râguebi *s. m.* DESP. modalidade praticada em campo relvado, em que participam duas equipas de quinze jogadores, cujo objectivo é levar uma bola oval para além da linha de fundo do adversário ou fazê-la passar entre os dois postes da baliza

raia *s. f.* **1** ZOOL. peixe de corpo achatado e largo e barbatanas peitorais muito desenvolvidas, semelhantes a asas; **2** traço; risca; **3** limite; fronteira; **4** *(fig.)* limiar; limite ❖ ***passar/tocar as raias*** ultrapassar/atingir certos limites

raiado *adj.* com raias ou riscos

raiar *v. intr.* **1** emitir raios de luz; **2** surgir no horizonte

rail *s. m.* barra horizontal, geralmente feita de metal, destinada a separar fluxos de tráfego ou a proteger uma via

rainha *s. f.* **1** soberana de um estado; **2** mulher de rei; **3** *(fig.)* mulher mais importante; **4** (jogo de cartas) carta que se situa entre o valete e o rei; dama; **5** (xadrez) peça mais poderosa, que pode ser movida em todas as direcções; **6** ZOOL. abelha-mestra

raio *s. m.* **1** traço de luz emitido por uma fonte luminosa; **2** descarga eléctrica acompanhada de relâmpago e trovão; **3** GEOM. segmento de recta que une o centro de uma circunferência a qualquer ponto dessa superfície ❖ ***como um ~*** abruptamente; repentinamente

raiva *s. f.* **1** MED. doença infecciosa e contagiosa causada por um vírus e transmitida ao homem pela mordedura de animais; **2** cólera; rancor; **3** grande aversão

raivoso *adj.* **1** que sofre de raiva; **2** cheio de raiva; furioso; **3** rancoroso

raiz *s. f.* **1** BOT. órgão de planta, geralmente subterrâneo, que se ramifica e tem a função de fixar a planta no solo e realizar a absorção de alimentos; **2** parte inferior de algo; base; **3** ANAT. parte de um órgão implantada num tecido ou noutro órgão (raiz de um dente, do cabelo, etc.); **4** GRAM. parte invariável e comum às palavras da mesma família; radical; **5** MAT. cada um dos factores iguais em que é possível decompor um número, sendo o índice dado pelo número de factores; **6** *(fig.)* origem; **7** *(fig.)* ligação moral ou afectiva; vínculo ❖ ***cortar o mal pela ~*** eliminar a origem de um problema; ***criar/lançar raízes*** criar laços (afectivos); ligar-se

rajá *s. m.* rei ou príncipe de um estado indiano

rajada *s. f.* ventania súbita e violenta; rabanada de vento

ralado *adj.* **1** triturado; moído; **2** *(coloq.)* aflito; preocupado

ralador **I** *adj.* que rala; **II** *s. m.* **1** instrumento para ralar; **2** utensílio de cozinha que consiste numa lâmina com pequenos orifícios para reduzir alimentos a fragmentos muito pequenos

ralar **I** *v. tr.* **1** reduzir a fragmentos pequenos com ralador; **2** moer; triturar; **3** *(coloq.)* afligir; **II** *v. refl.* *(coloq.)* afligir-se; preocupar-se

ralé *s. f.* *(depr.)* camada mais baixa da sociedade

ralhar *v. intr.* repreender com severidade; censurar

rali *s. m.* DESP. modalidade automobilística, em que se põe à prova a habilidade dos condutores e a resistência dos veículos

ralo **I** *s. m.* pequena peça com orifícios, geralmente circular e de metal, para coar a água ou outros líquidos; **II** *adj.* **1** que existe em pequena quantidade; **2** (cabelo) pouco denso; raro

RAM INFORM. [*sigla de* **R**andom **A**ccess **M**emory] memória de acesso aleatório
rama *s. f.* conjunto de ramos e folhas de uma planta; ramagem; ***em ~*** no estado natural; em bruto
ramada *s. f.* **1** ramos cortados e dispostos para dar sombra a um lugar; **2** *(coloq.)* bebedeira
Ramadão *s. m.* RELIG. nono mês do ano maometano, consagrado ao jejum entre o nascer e o pôr-do-sol
ramal *s. m.* **1** ramificação de uma estrada ou de um caminho-de-ferro; **2** ramificação interna de uma rede telefónica
ramalhar *v. intr.* (ramos de árvore) sussurrar com o vento
ramalhete *s. m.* pequeno ramo de flores
rameira *s. f.* *(depr.)* mulher que pratica actividades sexuais por dinheiro; prostituta
ramificação *s. f.* **1** acto de ramificar; **2** BOT. divisão e subdivisão do eixo de uma planta; **3** subdivisão de algo que se separa em partes
ramificar *v. tr. e refl.* **1** dividir(-se) em ramos; **2** dividir(-se) em partes; subdividir(-se)
ramo *s. m.* **1** BOT. divisão ou subdivisão de um caule; galho; **2** conjunto de flores e/ou folhas unidas pelo pé; **3** parte de um todo; divisão; **4** área de actividade do comércio ou da indústria; **5** cada uma das famílias que descendem do um tronco comum
rampa *s. f.* plano inclinado
rancho *s. m.* **1** grupo de pessoas reunidas; **2** grupo folclórico; **3** *(pop.)* grande número; **4** refeição para muita gente; **5** CUL. prato preparado com grão de bico, massa, e variedades de carne (vaca, enchidos, etc.); **6** grande propriedade com campos para criação de gado, especialmente na América
ranço *s. m.* alteração das substâncias gordas que, em contacto com o ar, adquirem um sabor acre e um cheiro forte e desagradável; mofo
rancor *s. m.* **1** ressentimento em relação a ofensa recebida; **2** ódio; raiva
rancoroso *adj.* **1** que guarda rancor; **2** cheio de rancor
rançoso *adj.* com ranço; com sabor acre
rand *s. m.* {*pl.* rands} unidade monetária da África do Sul
ranger I *v. tr.* roçar (os dentes) uns contra os outros; **II** *v. intr.* produzir um som áspero, por atrito; chiar
rangido *s. m.* som áspero causado por atrito
ranheta *s. f.* *(pop.)* vd. **ranho**
ranho *s. m.* substância segregada pelas mucosas nasais; muco nasal
ranhoso *adj.* **1** que tem ranho no nariz; **2** *(fig., pej.)* de mau carácter
ranhura *s. f.* abertura pequena e estreita; fenda
ranking *s. m.* {*pl.* rankings} DESP. lista oficial dos melhores classificados numa modalidade
rap *s. m.* MÚS. estilo musical em que a letra é dita rápida e ritmadamente
rapadela *s. f.* acto de rapar
rapado *adj.* **1** que se rapou; **2** (cabelo, barba) cortado rente; **3** (campo) sem vegetação
rapagão *s. m.* ⟨*aum. de* **rapaz**⟩ rapaz corpulento e robusto
rapar I *v. tr.* **1** tirar ou desgastar, raspando; **2** cortar rente; **II** *v. refl.* fazer a barba; barbear-se
rapariga *s. f.* **1** jovem do sexo feminino; adolescente; moça; **2** criança do sexo feminino; menina
rapaz *s. m.* **1** jovem do sexo masculino; adolescente; moço; **2** criança do sexo masculino; menino

rapaziada *s. f.* bando de rapazes ou de rapazes e raparigas

rapazola *s. m.* **1** rapaz já crescido; **2** *(fig., pej.)* adulto sem maturidade

rapé *s. m.* tabaco moído para cheirar

rapidez *s. f.* qualidade de rápido; velocidade; ligeireza

rápido I *adj.* **1** que se move com rapidez; veloz; **2** que dura pouco; breve; **3** ligeiro; desembaraçado; **II** *s. m.* **1** comboio de passageiros, com poucas paragens, que se desloca a grande velocidade; **2** GEOG. zona de um curso de água em que a corrente é mais forte e agitada por causa de um declive mais acentuado do leito; **III** *adv.* com rapidez; depressa

rapinar *v. tr.* roubar; furtar

raposa *s. f.* **1** ZOOL. mamífero carnívoro, muito ágil, de pêlo forte e longo, focinho pontiagudo e cauda comprida; **2** *(fig.)* pessoa astuta e/ou manhosa

rappel *s. m.* DESP. técnica de descida de uma rocha em escalada vertical, através de uma corda dupla presa no topo da mesma

rapsódia *s. f.* MÚS. peça musical geralmente formada a partir de trechos ou temas das canções populares de uma região ou de um país

raptar *v. tr.* capturar e manter (alguém) aprisionado

rapto *s. m.* acto ou efeito de capturar uma pessoa e de a manter aprisionada, geralmente exigindo algo em troca da sua liberdade

raptor *adj. e s. m.* que ou o que faz um rapto

raqueta *s. f.* **1** utensílio usado no ténis para atirar e receber a bola, constituído por um aro, onde se fixa uma rede de cordas esticadas, e por um cabo; **2** utensílio semelhante, com uma superfície plana e sólida, utilizado em jogos como o pingue-pongue e o badminton

raquete *s. f.* vd. **raqueta**

raquítico *adj.* **1** que sofre de raquitismo; **2** pouco desenvolvido; enfezado

raquitismo *s. m.* **1** MED. doença caracterizada por atrofia geral do organismo e deformações ósseas; **2** BOT. desenvolvimento incompleto de uma planta

rarear *v. tr. e intr.* **1** tornar(-se) raro ou menos denso; **2** tornar(-se) pouco frequente; reduzir(-se)

rarefazer I *v. tr.* **1** tornar mais raro; **2** diminuir a densidade de; **3** tornar menos frequente; **II** *v. refl.* tornar-se menos denso

rarefeito *adj.* ⟨*p. p. de* **rarefazer**⟩ que se rarefez; menos denso

raridade *s. f.* **1** qualidade de raro; **2** objecto raro ou pouco vulgar; **3** pouca densidade

raro *adj.* **1** que aparece ou existe em pequena quantidade; **2** não frequente; invulgar; **3** pouco denso

rasante *adj.* **1** que rasa; **2** (tiro, voo) rente ao chão

rasar *v. tr.* **1** nivelar; **2** tocar de leve; roçar; **3** correr paralelamente a

rasca *adj. 2 gén.* **1** de má qualidade; **2** ordinário; reles ❖ *(pop.)* ***à ~*** em dificuldades; em apuros

rascunho *s. m.* esboço prévio de um texto ou de um desenho, que serve para preparar a forma definitiva

rasgado *adj.* **1** com rasgão ou ragões; **2** em pedaços; **3** esfarrapado; **4** golpeado; ferido; **5** caloroso; veemente

rasgão *s. m.* **1** abertura em algo que se rompeu; **2** golpe; ferida

rasgar I *v. tr.* **1** fazer uma abertura em (superfície), puxando até romper; **2** desfazer em pedaços; **3** ferir; golpear; **4** abrir (porta, janela) numa parede; **5** sulcar; cavar; **II** *v. intr.* romper; **III** *v. refl.* **1** romper-se; **2** desfazer-se em pedaços

raso *adj.* **1** plano; liso; **2** rente; **3** (soldado) sem graduação; **4** (ângulo) que mede 180°; **5** (sapato) sem tacão

raspa *s. f.* **1** pequena lasca que resulta de uma superfície que se raspa; **2** utensílio que serve para raspar

raspadinha *s. f.* jogo de azar em que se raspa o revestimento de um cartão para descobrir se dá direito a algum prémio

raspador *s. m.* utensílio que serve para raspar

raspagem *s. f.* **1** acto ou efeito de raspar; **2** MED. extracção de parte ou partes de tecido com um utensílio próprio

raspanço *s. m.* vd. *(coloq.)* **raspanete**

raspanete *s. m.* descompostura; repreensão

raspão *s. m.* ferimento que se faz, raspando; arranhão ❖ ***de ~*** ao de leve

raspar I *v. tr.* **1** desbastar ou alisar (superfície) com instrumento próprio; **2** produzir pequenas lascas de; **3** reduzir a pedaços pequenos; ralar; **4** tocar de raspão; **5** arranhar; **II** *v. intr.* tocar de raspão; roçar; **III** *v. refl.* *(coloq.)* fugir; escapulir-se

rasteira *s. f.* **1** acto de meter uma perna entre as pernas de outra pessoa para a fazer cair; **2** *(fig.)* armadilha

rasteiro *adj.* **1** rastejante; **2** que se ergue pouco acima do solo; **3** *(fig., pej.)* sem valor

rastejante *adj. 2 gén.* **1** que se estende ou arrasta pelo chão; **2** *(fig., pej.)* sem valor; desprezível

rastejar *v. intr.* **1** andar, arrastando-se; **2** (planta) crescer, estendendo-se pelo chão; **3** *(fig.)* humilhar-se; rebaixar-se

rastilho *s. m.* fio, tubo ou sulco cheio de pólvora ou outra substância combustível para comunicar o fogo a qualquer coisa

rasto *s. m.* vestígio ou sinal que algo ou alguém deixa ao passar ❖ ***de rastos*** em má situação; muito abatido ou cansado

rastrear *v. tr.* **1** seguir o rasto de; **2** investigar; **3** MED. submeter alguém a testes para detectar (uma doença)

rastreio *s. m.* **1** acto de rastrear; **2** MED. realização de testes para detectar sinais de doença; despistagem

rastro *s. m.* vd. **rasto**

rasura *s. f.* letras ou palavras que se riscaram ou rasparam num texto escrito, de modo a tornarem-se inválidas ou a serem substituídas

rasurar *v. tr.* raspar ou riscar letras ou palavras num texto, para as tornar inválidas ou substituir por outras

rata *s. f.* **1** fêmea do rato; ratazana; **2** *(vulg.)* órgão sexual feminino

ratar *v. tr.* morder como um rato; roer

ratazana *s. f.* **1** ZOOL. mamífero roedor, de cor cinzenta e de grandes dimensões; **2** ZOOL. fêmea do rato; rata

rateio *s. m.* distribuição proporcional de uma quantidade ou de uma quantia entre várias pessoas

ratificação *s. f.* acto de ratificar

ratificar *v. tr.* **1** validar; confirmar (promessa, acto, declaração, etc.); **2** comprovar

ratinho *s. m.* **1** ⟨*dim. de* **rato**⟩ rato pequeno; **2** *(coloq.)* vontade de comer

rato *s. m.* **1** ZOOL. pequeno mamífero roedor, de focinho pontiagudo, orelhas grandes e cauda comprida; **2** *(fig.)* indivíduo esperto, manhoso; **3** INFORM. dispositivo operado manualmente que permite executar funções no computador sem o recurso ao teclado ❖ ***fino como um ~*** muito esperto

ratoeira *s. f.* **1** armadilha para caçar ratos; **2** *(fig.)* armadilha ❖ ***cair na ~*** deixar-se apanhar ou enganar

rave *s. f.* {*pl.* raves} festa realizada em grandes espaços, que geralmente dura a noite inteira, em que se juntam pessoas apreciadoras de música e de dança

ravina *s. f.* **1** torrente de água que cai de lugar elevado; **2** leito cavado por essa torrente

ravióli *s. m.* CUL. pequeno quadrado de massa recheado de legumes, carne, queijo, etc.

razão *s. f.* **1** faculdade de raciocinar, de compreender, de estabelecer relações lógicas; **2** juízo; bom senso; **3** motivo; justificação

razia *s. f.* **1** invasão violenta, com saque e destruição; **2** destruição total

razoável *adj. 2 gén.* **1** conforme à razão; **2** ponderado; sensato; **3** aceitável; **4** suficiente

Rb QUÍM. [*símbolo de* **rubídio**]

r/c [*abrev. de* **r**és-do-**c**hão]

rd FÍS. [*símbolo de* **rad**]

RDIS INFORM. [*sigla de* **R**ede **D**igital **I**ntegrada de **S**erviços]

ré I *s. f.* DIR. mulher acusada de crime; **II** *s. m.* MÚS. segunda nota da escala natural

reabastecer *v. tr. e refl.* abastecer(-se) novamente de

reabastecimento *s. m.* acto de reabastecer

reabertura *s. f.* acto de rabrir ou de abrir novamente

reabilitação *s. f.* **1** acto ou efeito de reabilitar; **2** recuperação da estima ou da reputação; **3** MED. recuperação da saúde física ou mental

reabilitar I *v. tr.* **1** fazer recuperar a estima ou a reputação; **2** fazer mudar de vida; regenerar; **3** curar ou fazer voltar à actividade normal; **II** *v. refl.* **1** recuperar a estima ou a reputação; **2** regenerar-se; **3** curar-se ou voltar à actividade normal

reabrir *v. tr. e intr.* tornar a abrir(-se)

reabsorver *v. tr.* tornar a absorver

reacção *s. f.* **1** acto de reagir; **2** resposta de um ser vivo a um estímulo; **3** atitude ou comportamento de uma pessoa perante um acontecimento ou uma situação; **4** QUÍM. interacção entre duas ou mais substâncias, pela qual estas se transformam num ou em vários compostos diferentes dos iniciais; transformação química

reaccionário *adj. e s. m.* POL. que ou o que defende uma posição contrária à evolução social ou política

reacender *v. tr.* **1** tornar a acender; **2** estimular; renovar

reactivar *v. tr.* activar de novo

reactor *s. m.* **1** AERON. motor dos aviões a jacto, que utiliza apenas a força de reacção propulsiva; **2** FÍS. dispositivo que produz energia utilizável por meio de reacção nuclear em cadeia controlada

readaptação *s. f.* **1** acto de readaptar; **2** adaptação de um ser vivo a novas condições ou a um novo ambiente

readaptar *v. tr. e refl.* tornar a adaptar(-se)

readmitir *v. tr.* tornar a admitir

readquirir *v. tr.* tornar a adquirir

reafirmar *v. tr.* afirmar de novo

reagente I *adj. 2 gén.* **1** que reage; **2** QUÍM. que provoca uma reacção química; **II** *s. 2 gén.* QUÍM. substância que provoca uma reacção química

reagir *v. intr.* **1** exercer reacção; resistir; **2** manifestar reacção; responder

reajustar *v. tr.* ajustar de novo

reajuste *s. m.* acto ou efeito de reajustar

real I *adj. e gén.* **1** que existe na realidade; verdadeiro; **2** relativo ao rei ou à realeza; **3** próprio de rei; **II** *s. m.* unidade monetária do Brasil

realçar I *v. tr.* **1** fazer sobressair; **2** dar mais vida ou força a; salientar; **II** *v. refl.* destacar-se; sobressair

realce *s. m.* **1** acto ou efeito de realçar; **2** relevo; destaque

realejo *s. m.* MÚS. órgão portátil accionado por uma manivela

realeza *s. f.* **1** dignidade de rei ou de rainha; **2** família real; **3** *(fig.)* grandeza; magnificência

realidade *s. f.* **1** qualidade de real; **2** o que existe realmente; verdade; ***na ~*** de facto; INFORM. ***~ virtual*** realidade artificial que introduz o utilizador num espaço de três dimensões criado pelo computador

realismo *s. m.* **1** qualidade de real; **2** atitude de compreensão e aceitação prática e objectiva da realidade; **3** FIL. doutrina que defende a existência de uma realidade independente do conhecimento que se tem dela; **4** ART. PLÁST., LIT. movimento do final do séc. XIX que defende a representação do real de forma exacta e objectiva

realista I *adj. 2 gén.* **1** relativo a realismo; **2** que defende o realismo; **3** que tem espírito prático e objectivo; **II** *s. 2 gén.* **1** pessoa que defende o realismo; **2** pessoa que tem espírito prático e objectivo

realização *s. f.* **1** acto de realizar; execução; **2** CIN., TV supervisão e coordenação da execução de filme, peça ou programa televisivo; **3** sensação de satisfação pessoal, geralmente motivada pelo sucesso alcançado numa actividade, profissão, etc.

realizador I *adj.* que realiza; **II** *s. m.* **1** o que realiza ou concretiza algo; **2** CIN., TEAT., TV responsável pela direcção técnica e artística de filme, peça ou programa

realizar I *v. tr.* **1** tornar real; dar existência concreta a; **2** pôr em prática; executar; **3** CIN., TEAT., TV supervisionar e coordenar (execução de filme, peça, programa); **4** perceber; compreender; **II** *v. refl.* **1** acontecer; efectuar-se; **2** concretizar as ambições ou os desejos

reanimação *s. f.* **1** acto de reanimar; **2** MED. conjunto de meios utilizados para fazer alguém recuperar as funções vitais (circulação, respiração, etc.)

reanimar *v. tr.* **1** restituir à vida; **2** restituir as forças a; **3** dar mais ânimo a; estimular

reaparecer *v. intr.* tornar a aparecer

reaparecimento *s. m.* acto de voltar a aparecer

reaprender *v. tr.* aprender novamente

reaproveitamento *s. m.* acto ou efeito de reaproveitar; reutilização

reaproveitar *v. tr.* voltar a aproveitar; reutilizar

reaproximar *v. tr. e refl.* aproximar(-se) novamente; reconciliar(-se)

reatar *v. tr.* **1** tornar a atar; **2** recomeçar ou prosseguir (algo interrompido); **3** restabelecer (uma relação)

reaver *v. tr.* recuperar; recobrar

reavivar I *v. tr.* **1** fazer relembrar; **2** dar novo ânimo a; reacender; **II** *v. refl.* fazer-se sentir com maior intensidade

rebaixa *s. f.* baixa de preços

rebaixar I *v. tr.* **1** tornar mais baixo; **2** diminuir o preço ou o valor de; **3** humilhar; **II** *v. refl.* humilhar-se

rebanho *s. m.* **1** grupo numeroso de animais domésticos herbívoros (ovelhas, cabras, etc.), geralmente guardado por um pastor; **2** *(fig.)* conjunto de pessoas sem vontade própria; **3** *(fig.)* conjunto de fiéis de uma religião

rebarba *s. f.* saliência; aresta

rebarbadora *s. f.* máquina utilizada para retirar saliências ou asperezas de superfícies

rebate *s. m.* **1** ataque imprevisto; assalto; **2** sinal de alarme; **3** suspeita; pressentimento; **4** desconto; abatimento ❖ *~ falso* notíca sem fundamento

rebater *v. tr.* **1** repelir; afastar; **2** contestar; refutar; **3** deitar sobre uma superfície horizontal (banco, etc.)

rebatível *adj. 2 gén.* que pode ser rebatido ou deitado

rebelar I *v. tr.* incitar à revolta; insurgir; **II** *v. refl.* revoltar-se; insurgir-se

rebelde I *adj. 2 gén.* **1** que se rebela; revoltoso; **2** desobediente; indisciplinado; **3** (cabelo) difícil de pentear; **II** *s. 2 gén.* **1** pessoa que se revolta; **2** pessoa desobediente, que não se submete

rebeldia *s. f.* **1** acto de rebelar-se; revolta; **2** qualidade de rebelde; **3** desobediência; teimosia

rebelião *s. f.* revolta; insurreição

rebentar I *v. intr.* **1** explodir; estourar; **2** quebrar-se; **3** nascer; desabrochar; **4** surgir; manifestar-se; **II** *v. tr.* **1** quebrar de modo violento; **2** fazer explodir; **3** destruir; **4** desgastar; tornar exausto

rebento *s. m.* **1** BOT. botão que dá origem a uma folha, uma flor, ou um ramo; **2** *(fig.)* filho

rebite *s. m.* espécie de cravo que serve para ligar peças metálicas

rebobinar *v. tr.* enrolar de novo (filme ou fita)

rebocador *s. m.* NÁUT. navio de grande potência, mas de pequena velocidade, destinado a rebocar outros navios

rebocar *v. tr.* **1** deslocar (veículo, embarcação), puxando-o; levar a reboque; **2** cobrir (parede) com reboco

reboco *s. m.* camada de argamassa que se aplica na construção para alisar e regularizar superfícies (como paredes e tectos)

rebolar I *v. tr.* fazer mover como uma bola; rolar; **II** *v. refl.* rolar sobre si próprio ❖ ***rebolar-se a rir*** rir muito

rebolo *s. m.* pedra que serve para afiar objectos cortantes

reboque *s. m.* **1** acto de rebocar; **2** veículo equipado com um guindaste para rebocar outros veículos que estejam mal estacionados ou avariados; **3** veículo sem motor que se move rebocado por outro; atrelado ❖ ***andar a ~*** andar sempre atrelado de alguém; ***levar alguém a ~*** levar alguém contra a sua vontade

rebordo *s. m.* borda voltada para fora; orla

rebotalho *s. m.* o que sobra, depois de escolhido o melhor; refugo

rebuçado *s. m.* guloseima feita de açúcar em ponto e solidificado com outras substâncias, que lhe dão cores e sabores variados

rebuliço *s. m.* grande movimentação; agitação

rebuscado *adj.* **1** que foi procurado novamente; **2** *(fig.)* apurado; **3** *(fig., pej.)* com falta de simplicidade; artificial; afectado

recado *s. m.* **1** mensagem verbal ou escrita; **2** tarefa de que se incumbe alguém ❖ ***dar conta do ~*** ser capaz de realizar algo convenientemente

recaída *s. f.* **1** MED. reaparecimento dos sintomas de uma doença que se considerava curada; **2** reincidência em erro ou falta

recair *v. intr.* **1** MED. tornar a sofrer de uma doença que se considerava curada; **2** voltar a cometer determinado erro ou falta; **3** incidir sobre; ser atribuído a

recalcado *adj.* **1** muito calcado; **2** muito repetido; repisado; **3** PSIC. reprimido; inibido

recalcamento *s. m.* PSIC. defesa automática e inconsciente, pela qual se rejeita algo (atitude, sentimento, etc.), que se reprime

recalcar *v. tr.* **1** calcar muitas vezes; **2** *(fig.)* insistir em; repisar; **3** reprimir; refrear

recambiar *v. tr.* **1** devolver à origem; **2** reenviar

recanto *s. m.* **1** canto afastado, pouco visível; **2** esconderijo

recapitulação *s. f.* **1** repetição dos pontos fundamentais; **2** sumário; resumo

recapitular *v. tr.* **1** relembrar os pontos fundamentais de; **2** resumir

recarga *s. f.* **1** acto de tornar a carregar; **2** pequeno depósito de tinta com que se recarrega uma caneta; **3** substituto de um produto que se gastou, que se insere na embalagem original

recarregar *v. tr.* carregar novamente

recarregável *adj. 2 gén.* que pode ser recarregado

recatado *adj.* **1** discreto; reservado; **2** recolhido; **3** modesto; pudico

recauchutagem *s. f.* aplicação de nova camada de borracha a pneus desgastados pelo uso

recauchutar *v. tr.* aplicar nova camada de borracha (a pneus desgastados)

recear I *v. tr.* ter receio de; temer; **II** *v. intr.* sentir receio ou medo

receber I *v. tr.* **1** tomar ou aceitar (algo oferecido, dado ou enviado); **2** obter (notícia, informação); **3** cobrar (o que é devido); **4** aceitar; admitir; **5** acolher; hospedar; **II** *v. intr.* **1** ter visitas; **2** atender o público

receio *s. m.* sentimento de apreensão ou temor

receita *s. f.* **1** valor ou quantia recebida; **2** conjunto dos rendimentos de uma pessoa, empresa, etc.; **3** MED., FARM. indicação escrita, geralmente por médico, que prescreve um medicamento e o modo de o aplicar; **4** CUL. fórmula em que são indicados os ingredientes e o modo de preparar determinado prato

receitar *v. tr.* passar a receita de; prescrever (medicamento)

recém-casado *adj. e s. m.* que ou aquele que é casado há pouco tempo

recém-chegado *adj. e s. m.* que ou aquele que chegou há pouco tempo

recém-nascido *s. m.* que ou o que nasceu há pouco tempo

recenseamento *s. m.* **1** acto de recensear; **2** enumeração estatística dos indivíduos, das empresas, das habitações ou de outras características de interesse de um país ou região; censo

recensear *v. tr.* efetuar o recenseamento de

recente *adj. 2 gén.* **1** que aconteceu há pouco; **2** que existe há pouco; novo

receoso *adj.* **1** com receio ou temor; **2** acanhado

recepção *s. f.* **1** acto ou efeito de receber; **2** local de um estabelecimento onde se recebem visitantes e clientes, se dão informações, etc.; **3** cerimónia realizada em honra de determinadas pessoas convidadas ou de alguma ocasião especial

recepcionista *s. 2 gén.* pessoa cuja função é receber e orientar visitantes e clientes, num hotel, numa empresa, etc.

receptáculo *s. m.* **1** recipiente para guardar ou conservar algo; **2** BOT. extremidade alargada da haste de uma planta que sustenta as flores, e onde estas se inserem

receptar *v. tr.* **1** comprar ou encobrir (produto de um crime); **2** dar abrigo a (criminoso)

receptividade *s. f.* disposição para receber ou aceitar impressões, opiniões, sugestões, etc.

receptivo *adj.* **1** compreensivo; acolhedor; **2** aberto a sugestões, opiniões, conselhos, etc.

receptor *s. m.* **1** aparelho que capta sinais acústicos, eléctricos, luminosos, etc.; **2** LING. agente que recebe e interpreta uma mensagem; **3** FISIOL. formação nervosa que recebe estímulos e os transmite aos centros nervosos

recessão *s. f.* **1** ECON. declínio da actividade económica, com queda da produção, da procura, etc; **2** recuo; retrocesso

recessivo *adj.* **1** relativo a recessão; **2** BIOL. (carácter) que permanece oculto perante aquele que é dominante

recheado *adj.* **1** que contém recheio; **2** *(fig.)* repleto; cheio

rechear *v. tr.* **1** colocar recheio em; **2** encher com preparado culinário; **3** *(fig.)* encher muito; atulhar

recheio *s. m.* **1** o que se utiliza para rechear ou encher algo; conteúdo; **2** CUL. preparado culinário com que se enchem carnes, legumes, massas, etc.; **3** conjunto do mobiliário e restantes objectos de uma casa ou de um edifício

rechonchudo *adj.* com formas arredondadas; gorducho

recibo *s. m.* documento que comprova que foi efectuado determinado pagamento, em dinheiro, valores, etc.

recibo verde *s. m.* impresso que os profissionais liberais preenchem como comprovativo do pagamento de um serviço

reciclagem *s. f.* **1** ECOL. tratamento de resíduos ou matérias usadas, de maneira a poderem ser reutilizados; **2** formação complementar que permite uma actualização dos conhecimentos em determinada área

reciclar *v. tr.* **1** tratar (resíduos ou matérias usadas) para os reaproveitar; **2** actualizar (conhecimentos) por meio de formação complementar

reciclável *adj. 2 gén.* que se pode reciclar

recidiva *s. f.* MED. reaparecimento dos sintomas de uma doença que já tinha sido curada no mesmo indivíduo; recaída

recidivar *v. intr.* (doença) reaparecer; manifestar-se novamente

recidivo *adj.* **1** MED. que torna a aparecer após ter sido curado; **2** que reincide

recife *s. m.* GEOL. rochedo ou conjunto de rochedos à flor da água do mar, próximo da costa

recinto *s. m.* área compreendida dentro de certos limites, como muros ou paredes

recipiente *s. m.* objecto para guardar ou conter algo; vasilha

reciprocidade *s. f.* qualidade do que é recíproco; relação ou correspondência mútua

recíproco *adj.* que existe ou se corresponde de parte a parte; mútuo

recital *s. m.* **1** sessão em que são recitadas várias composições literárias; **2** MÚS. concerto vocal ou instrumental, geralmente de um só artista

recitar *v. tr.* dizer em voz alta; declamar

reclamação *s. f.* **1** queixa; protesto; **2** reivindicação; exigência

reclamar I *v. tr.* **1** exigir; reivindicar; **2** implorar; **II** *v. intr.* fazer reclamação; queixar-se

reclame *s. m.* qualquer tipo de publicidade; anúncio

reclamo *s. m.* vd. **reclame**

reclinar *v. tr. e refl.* inclinar(-se); recostar(-se)

reclinável *adj. 2 gén.* que se pode reclinar

recluso *adj. e s. m.* **1** que ou aquele que está preso; **2** que ou o que vive recolhido em convento

recobrar I *v. tr.* adquirir novamente; recuperar; **II** *v. refl.* recuperar o ânimo ou a saúde

recolha *s. f.* **1** local onde se guardam automóveis mediante pagamento; **2** pesquisa de informação

recolher I *v. tr.* **1** guardar; **2** apanhar; colher; **3** juntar; reunir; **4** acolher; abrigar; **5** tirar de circulação; **II** *v. refl.* **1** retirar-se; **2** abrigar-se; refugiar-se; **3** isolar-se

recolhido *adj.* **1** que se recolheu; **2** que se juntou ou reuniu; **3** abrigado; **4** retirado; isolado

recolhimento *s. m.* **1** local retirado; isolamento; **2** meditação; reflexão

recomeçar *v. tr. e intr.* começar novamente; retomar

recomeço *s. m.* acto de recomeçar

recomendação *s. f.* **1** conselho; sugestão; **2** indicação favorável a respeito de algo ou alguém; **3** [*pl.*] cumprimentos

recomendado *adj.* **1** que se recomendou; **2** aconselhado; indicado

recomendar I *v. tr.* **1** aconselhar; indicar; **2** advertir; **3** pedir com empenho; **4** confiar à protecção ou aos cuidados de; **II** *v. refl.* **1** confiar-se à protecção de alguém; **2** enviar cumprimentos

recomendável *adj. 2 gén.* digno de recomendação

recompensa *s. f.* **1** retribuição por favor ou boa acção; **2** indemnização ou compensação por prejuízo ou perda

recompensar *v. tr.* **1** dar recompensa a; premiar; **2** retribuir; corresponder; **3** compensar; indemnizar

recompor I *v. tr.* **1** compor novamente; **2** reconstituir; reorganizar; **3** restabelecer; recuperar; **II** *v. refl.* **1** voltar ao normal; restabelecer-se; **2** reconciliar-se

reconciliação *s. f.* **1** acto de reconciliar(-se); **2** restabelecimento de relações entre as pessoas; **3** RELIG. confissão dos pecados, perante o sacerdote

reconciliar I *v. tr.* **1** restabelecer as boas relações entre; conciliar; **2** RELIG. absolver; **II** *v. refl.* **1** fazer as pazes; **2** ficar bem consigo próprio

recôndito *adj.* **1** escondido; retirado; **2** desconhecido; oculto

reconduzir *v. tr.* **1** conduzir novamente a determinado lugar; **2** devolver

reconfortante *adj. 2 gén.* **1** que restitui as forças; **2** que dá consolo

reconfortar *v. tr.* **1** restituir as forças a; **2** confortar; consolar

reconforto *s. m.* **1** restituição das forças ou da energia; **2** consolação

reconhecer I *v. tr.* **1** identificar (algo ou alguém que já se conhece); **2** distinguir por certas particularidades; **3** admitir; aceitar; **4** aceitar legalmente como filho; perfilhar; **5** explorar (terreno); **6** declarar autêntico ou legal; **II** *v. refl.* **1** identificar-se; **2** declarar-se; confessar-se

reconhecido *adj.* **1** identificado; **2** agradecido; grato; **3** confessado; declarado; **4** conhecido; reputado; **5** autenticado

reconhecimento *s. m.* **1** identificação de algo ou alguém já conhecido; **2** confissão (de erro, culpa, etc.); **3** gratidão; agradecimento

reconhecível *adj. 2 gén.* que se pode reconhecer
reconquista *s. f.* **1** acto de reconquistar; **2** o que se reconquistou
reconquistar *v. tr.* **1** conquistar novamente; **2** recuperar
reconsiderar **I** *v. tr.* considerar de novo; **II** *v. intr.* alterar uma decisão já tomada
reconstituição *s. f.* acto ou efeito de reconstituir
reconstituir *v. tr. e refl.* **1** constituir(-se) de novo; recompor(-se); **2** restabelecer(-se)
reconstrução *s. f.* **1** reedificação de prédio, casa, cidade, etc.; **2** edifício ou parte de edifício que se construiu novamente
reconstruir *v. tr.* **1** construir de novo; reedificar; **2** reorganizar
reconstrutivo *adj.* **1** que reconstrói; **2** MED. (cirurgia) que procura reconstituir partes do corpo que sofreram lesão
recontagem *s. f.* acto de voltar a contar; repetição de uma contagem
reconversão *s. f.* nova conversão (de valor, moeda, etc.)
reconverter *v. tr.* efectuar nova conversão
recordação *s. f.* **1** aquilo que retém na memória; lembrança; **2** objecto que recorda um lugar, uma pessoa, etc.; **3** pequeno presente
recordar **I** *v. tr.* **1** trazer à memória; relembrar; **2** fazer lembrar; **II** *v. refl.* lembrar-se
recorde **I** *s. m.* **1** DESP. o melhor resultado oficialmente registado pelos concorrentes numa prova; **2** aquilo que ultrapassa o que foi feito anteriormente; **II** *adj. 2 gén.* que excede o que foi feito anteriormente
recordista *s. 2 gén.* **1** DESP. pessoa que consegue o melhor resultado numa prova; **2** pessoa que atinge um resultado que excede tudo o que foi feito anteriormente dentro do mesmo género
recorrer *v. intr.* **1** pedir auxílio a; **2** servir-se de; empregar; **3** DIR. interpor recurso; apelar
recortado *adj.* **1** cortado em pedaços; **2** com recortes
recortar *v. tr.* **1** cortar pelos contornos de uma figura; **2** separar, cortando
recorte *s. m.* **1** aquilo que se obtém recortando; **2** artigo cortado de jornal ou revista; **3** forma de certos objectos que parecem recortados; **4** contorno
recostar-se *v. tr. e refl.* encostar(-se); reclinar(-se)
recreativo *adj.* que diverte ou entretém; lúdico
recreio *s. m.* **1** divertimento; brincadeira; **2** tempo e lugar destinado às crianças para brincarem, no intervalo das aulas
recriar *v. tr.* **1** criar de novo; **2** reconstituir
recriminar *v. tr.* **1** censurar; criticar; **2** acusar
recruta **I** *s. f.* MIL. instrução militar básica, feita antes da especialidade; **II** *s. 2 gén.* MIL. soldado durante o período de instrução básica
recrutamento *s. m.* **1** MIL. conjunto de operações pelas quais são escolhidas as pessoas que vão prestar serviço militar; **2** processo de selecção de funcionários para preenchimento de vagas
recrutar *v. tr.* **1** MIL. alistar para o serviço militar; **2** angariar (pessoas, trabalhadores)
recta *s. f.* **1** linha que segue sempre a mesma direcção; **2** lanço rectilíneo de uma estrada ❖ ***à ~*** na medida exacta; nem mais nem menos

rectangular *adj. 2 gén.* que tem a forma de um rectângulo
rectângulo I *s. m.* **1** GEOM. figura que tem os ângulos rectos e os lados paralelos dois a dois; **2** objecto com essa forma; **II** *adj.* que tem ângulo(s) recto(s)
rectidão *s. f.* **1** qualidade do que é recto, a direito; **2** integridade de carácter; honestidade
rectificação *s. f.* **1** acto de rectificar; **2** correcção; emenda
rectificar *v. tr.* **1** tornar recto; alinhar; **2** corrigir; emendar
rectilíneo *adj.* que tem a forma de uma linha recta
recto I *adj.* **1** sem curvas; direito; linear; **2** GEOM. formado por duas linhas perpendiculares; **3** íntegro; honesto; **II** *s. m.* ANAT. parte terminal, posterior, do tubo intestinal
recuar I *v. tr.* fazer retroceder; **II** *v. intr.* **1** andar para trás; retroceder; **2** referir-se a algo passado; **3** desistir ou mudar de ideias
recuo *s. m.* acto de recuar ou retroceder
recuperação *s. f.* **1** acto ou efeito de recuperar; **2** melhoria em relação à situação anterior
recuperador I *adj.* que recupera; **II** *s. m.* aparelho utilizado para aproveitar materiais ou energias
recuperar I *v. tr.* **1** reaver (o que se perdeu); **2** readquirir; recobrar (forças, energia); **3** restaurar; consertar; **4** regenerar; reabilitar; **II** *v. intr.* voltar ao estado de saúde normal; **III** *v. refl.* **1** restabelecer-se; **2** regenerar-se
recurso *s. m.* **1** pedido de auxílio; **2** meio para atingir um fim ou para resolver um problema; **3** DIR. pedido de revisão de uma decisão judicial; **4** [*pl.*] meios materiais; riquezas; **5** [*pl.*] meios humanos; capacidades
recusa *s. f.* rejeição; negativa
recusar I *v. tr.* **1** não aceitar; rejeitar; **2** negar; **3** não admitir; **II** *v. refl.* negar-se
redacção *s. f.* **1** acto ou efeito de redigir; **2** modo de escrever; **3** exercício escolar que consiste em desenvolver um tema por escrito; composição; **4** conjunto dos redactores de um jornal, de uma revista, etc.
redactor *s. m.* **1** aquele que redige; **2** profissional que escreve para um jornal, uma revista, etc.
redactorial *adj. 2 gén.* relativo a redacção ou a redactor
rede *s. f.* **1** espécie de malha formada por um entrelaçado de fios, cordas, arames, ou outro material; **2** qualquer utensílio feito com essa malha, para apanhar peixes, insectos, pássaros, etc.; **3** espécie de malha metálica utilizada em vedações; **4** espécie de malha resistente, que se prende geralmente em duas árvores para se descansar; **5** malha semelhante, sustentada por armações, que se utiliza em vários desportos (ténis, futebol, etc.), geralmente para dividir dois campos adversários ou para formar balizas; **6** conjunto de pessoas, estabelecimentos ou organizações que trabalham comunicando entre si, sob uma direcção central; **7** conjunto de vias ou de meios de transporte (ferroviário, rodoviário ou aéreo); **8** sistema interligado de meios de comunicação; **9** INFORM. sistema interligado de computadores e seus periféricos; **10** INFORM. vd. **Internet**
rédea *s. f.* **1** correia que se liga ao freio ou ao bridão das cavalgaduras e que serve para as guiar; **2** (*fig.*) controlo; direcção ❖ ***com ~ curta*** sem liberdade; ***soltar as rédeas*** deixar à vontade; ***tomar as rédeas*** assumir a direcção

redemoinho *s. m.* vd. **remoinho**
redenção *s. f.* **1** resgate; libertação; **2** RELIG. salvação
redentor *adj. e s. m.* que ou aquele que redime ou liberta
Redentor *s. m.* RELIG. Jesus Cristo
redigir *v. tr.* **1** exprimir por escrito; escrever; **2** escrever para publicação
redimensionamento *s. m.* acto ou efeito de redimensionar
redimensionar *v. tr.* **1** calcular novamente as dimensões de; **2** atribuir importância diferente a
redimir **I** *v. tr.* libertar; resgatar; **II** *v. refl.* **1** libertar-se; **2** reparar um erro ou uma falta
redistribuir *v. tr.* tornar a distribuir
redobrado *adj.* **1** multiplicado por quatro; **2** *(fig.)* aumentado; intensificado
redobrar *v. tr.* **1** dobrar novamente; **2** repetir; fazer de novo; **3** *(fig.)* aumentar; intensificar
redoma *s. f.* **1** campânula de vidro para resguardar objectos delicados; **2** *(fig.)* aquilo que protege ou isola; ***pôr numa ~*** proteger demasiado; ***viver numa ~*** viver isolado ou excessivamente protegido
redondezas *s. f. pl.* lugares próximos
redondilha *s. f.* LIT. verso de cinco sílabas métricas (redondilha menor) ou de sete sílabas métricas (redondilha maior)
redondo *adj.* **1** com forma de roda; circular; **2** esférico; **3** *(fig.)* muito gordo
redor *s. m.* roda; volta; ***ao ~*** em volta; à roda
redução *s. f.* **1** acto ou efeito de reduzir; diminuição; **2** cópia de tamanho mais pequeno do que o original; **3** GRAM. fenómeno em que uma palavra se transforma noutra mais curta por abreviatura, sigla, etc.
redundância *s. f.* **1** qualidade de redundante; **2** excesso de palavras desnecessárias
redundante *adj. 2 gén.* excessivo; supérfluo
redutível *adj. 2 gén.* susceptível de redução ou conversão
redutor **I** *adj.* que reduz; **II** *s. m.* **1** peça que se coloca no interior de dois tubos de diâmetro diferente, estabelecendo uma ligação; **2** QUÍM. substância que se oxida, cedendo electrões a outras substâncias
reduzir **I** *v. tr.* **1** tornar menor; diminuir; **2** resumir; abreviar; **3** converter; transformar; **4** MAT. transformar (fracção) em termos mais simples; **II** *v. intr.* mudar para uma velocidade de maior tracção, diminuindo a velocidade do veículo; **III** *v. refl.* **1** diminuir; **2** limitar-se; restringir-se
reedição *s. f.* nova edição de uma obra, com alterações em relação às edições anteriores
reedificar *v. tr.* **1** edificar de novo; reconstruir; **2** restaurar
reeditar *v. tr.* fazer nova edição de
reeducação *s. f.* **1** nova educação; **2** MED. processo de recuperação de faculdades físicas ou psíquicas afectadas
reeducar *v. tr.* **1** educar novamente; **2** MED. fazer readquirir faculdades físicas ou psíquicas
reeleger *v. tr.* eleger novamente
reeleição *s. f.* nova eleição
reembolsar *v. tr.* **1** receber, reaver (dinheiro desembolsado); **2** restituir dinheiro desembolsado a
reembolso *s. m.* recuperação ou pagamento de quantia devida; (encomenda) ***contra ~*** à cobrança; a pagar pelo destinatário no momento da recepção
reencarnação *s. f.* RELIG. crença de que a alma humana, após a morte do corpo, passa para outro corpo

reencarnar *v. intr.* RELIG. (alma) entrar num corpo diferente do que ocupava anteriormente
reencontrar *v. tr.* encontrar novamente
reencontro *s. m.* **1** acto de encontrar novamente; **2** reconciliação
reentrância *s. f.* curva ou ângulo para dentro
reenviar *v. tr.* tornar a enviar; devolver
reenvio *s. m.* acto de enviar novamente; devolução
reescrever *v. tr.* tornar a escrever
reescrito *adj.* ⟨*p.p. de* **reescrever**⟩ que foi escrito novamente
reestruturação *s. f.* reorganização; reforma
reestruturar *v. tr.* reorganizar; reformular
refastelar-se *v. refl.* vd. **refestelar-se**
refazer I *v. tr.* **1** fazer de novo; **2** reorganizar; reestruturar; **3** corrigir; **4** reparar; restaurar; **II** *v. refl.* **1** reconstituir-se; **2** recuperar as forças; restabelecer-se
refeição *s. f.* conjunto de alimentos que se tomam a certas horas do dia
refeitório *s. m.* lugar onde se servem refeições em estabelecimentos como escolas, empresas, etc.; cantina
refém *s. 2 gén.* pessoa que é aprisionada como garantia do cumprimento das exigências do raptor
referência *s. f.* **1** acto de referir ou contar; **2** menção; alusão; **3** o que serve de modelo ou de exemplo a seguir; **4** elemento de localização; **5** [*pl.*] informações sobre a honestidade e as capacidades de uma pessoa, empresa, etc.
referenciar *v. tr.* **1** fazer referência a; mencionar; **2** localizar; situar
referendar *v. tr.* **1** assinar (documento) como responsável; **2** submeter (um assunto de interesse nacional) a um referendo
referendo *s. m.* DIR., POL. consulta à população por meio de votação sobre matéria constitucional ou legislativa de interesse nacional
referente I *adj. 2 gén.* que se refere; relativo; **II** *s. m.* LING. objecto extra-linguístico, real ou imaginário, para o qual a palavra (signo) remete
referido *adj.* dito; mencionado
referir I *v. tr.* **1** mencionar; citar; **2** contar; narrar; **II** *v. refl.* **1** mencionar; **2** dizer respeito a
refestelar-se *v. refl.* recostar-se comodamente
refilão *adj. e s. m.* que ou aquele que refila; repontão
refilar *v. intr.* resmungar; repontar
refinação *s. f.* **1** acto de refinar; **2** QUÍM. operação pela qual se separa, de uma substância, as matérias que lhe alteram a pureza; **3** requinte
refinado *adj.* **1** que se refinou; **2** apurado; requintado
refinar *v. tr.* **1** tornar mais fino; **2** QUÍM. separar de uma substância as matérias que lhe alteram a pureza; **3** apurar; aperfeiçoar
refinaria *s. f.* **1** local onde se faz a separação de matérias que alteram a pureza de determinadas substâncias; **2** estabelecimento industrial onde se faz a clarificação de açúcar de cana para consumo; **3** complexo industrial onde transforma o petróleo bruto em produtos refinados (gasolina, gasóleo, etc.)
reflectir I *v. tr.* **1** produzir reflexão; **2** reproduzir a imagem de; espelhar; **3** deixar transparecer; revelar; **II** *v. intr.* ponderar; meditar; **III** *v. refl.* **1** reproduzir-se; **2** ter influência; repercutir-se

reflector I *adj.* que reflecte; II *s. m.* aparelho ou espelho destinado a reflectir a luz

reflexão *s. f.* 1 ponderação; meditação; 2 observação cuidadosa a propósito de algo; comentário atento; 3 FÍS. alteração da direcção de propagação de uma onda (luminosa, acústica, etc.) que, incidindo sobre uma superfície, regressa para o meio de origem; 4 desvio de direcção sofrido por um corpo após chocar com outro; ricochete

reflexivo *adj.* 1 que reflecte; 2 que procede com reflexão

reflexo I *s. m.* 1 efeito da luz reflectida; 2 imagem reflectida; 3 FISIOL. resposta involuntária e imediata de um órgão a um estímulo; 4 manifestação de uma circunstância; consequência; II *adj.* 1 que sofreu reflexão; reflectido; 2 involuntário; inconsciente; 3 GRAM. (verbo, pronome) que indica que a acção se exerce sobre o sujeito que a pratica

reflorescer *v. intr.* 1 tornar a florescer; 2 rejuvenescer

reflorestação *s. f.* plantação de novas árvores numa floresta, em substituição das que morreram ou foram abatidas

refluxo *s. m.* movimento das águas do mar quando a maré baixa

refogado I *adj.* CUL. preparado com cebola frita em gordura; II *s. m.* 1 CUL. molho feito com cebola e outros ingredientes fritos em gordura; estrugido; 2 CUL. prato feito com esse molho; guisado

refogar *v. tr.* CUL. cozinhar em refogado; guisar

reforçar I *v. tr.* 1 tornar mais forte; fortalecer; 2 intensificar; II *v. refl.* fortalecer-se

reforço *s. m.* 1 acto de reforçar; 2 aquilo que serve para reforçar ou fortalecer algo; 3 MIL. conjunto de tropas auxiliares

reforma *s. f.* 1 acto de reformar; 2 modificação que se introduz de modo a obter melhores resultados; renovação; 3 afastamento de um funcionário do serviço activo (por atingir o limite de idade, por invalidez ou por dispensa forçada); aposentação; 4 remuneração mensal vitalícia recebida por funcionário nessa situação; pensão

Reforma *s. f.* HIST., RELIG. movimento que, no início do século XVI, levou à cisão da Igreja Católica Romana, originando várias igrejas e doutrinas dissidentes, nomeadamente o protestantismo

reformado I *s. m.* pessoa afastada do serviço activo por ter atingido o limite de idade, por invalidez, ou por dispensa forçada; aposentado; II *adj.* 1 que sofreu reforma; renovado; 2 reorganizado; reestruturado; 3 que se reformou; aposentado

reformar I *v. tr.* 1 fazer reforma em; 2 conceder a reforma a; aposentar; II *v. refl.* obter a reforma; aposentar-se

reformular *v. tr.* 1 formular de novo; 2 reorganizar; reestruturar

refractário I *adj.* 1 que resiste a influências físicas ou químicas; 2 insubmisso; rebelde; II *s. m.* MIL. jovem apurado para o serviço militar mas que não se apresenta na sua unidade

refrão *s. m.* 1 MÚS. frase ou conjunto de frases que se repetem regularmente numa canção; 2 LIT. verso ou versos que se repetem no fim da cada estância de uma poesia; estribilho

refreado *adj.* contido; reprimido

refrear I *v. tr.* **1** conter (o cavalo) com o freio; **2** reprimir; conter; **II** *v. refl.* dominar-se; conter-se

refrescante *adj. 2 gén.* que refresca; refrigerante

refrescar I *v. tr.* **1** tornar mais fresco; **2** *(fig.)* aliviar; **3** restabelecer; revigorar; **4** *(fig.)* avivar (memória); **II** *v. intr.* tornar-se mais fresco; **III** *v. refl.* **1** diminuir o calor do corpo; **2** restabelecer-se

refresco *s. m.* **1** bebida fresca, frequentemente de fruta; refrigerante; **2** *(fig.)* alívio

refrigeração *s. f.* acto de refrigerar ou tornar mais fresco; refrescamento

refrigerador I *adj.* que torna fresco; que refrigera; **II** *s. m.* utensílio ou aparelho que produz frio

refrigerante I *adj. 2 gén.* **1** que refresca; **2** que diminui a temperatura; **II** *s. m.* bebida fresca; refresco

refrigerar *v. tr.* **1** fazer baixar a temperatura de; arrefecer; **2** dar sensação de frescura a; refrescar

refugiado *s. m.* **1** pessoa que se refugiou; **2** pessoa que abandona o seu país e procura abrigo noutro, para escapar a perseguição, guerra, etc.

refugiar-se *v. refl.* **1** procurar refúgio ou protecção; **2** abrigar-se

refúgio *s. m.* **1** lugar para onde alguém se retira para evitar um mal ou um perigo; **2** amparo; auxílio

refugo *s. m.* aquilo que sobra, depois de escolhido o melhor

refulgente *adj. 2 gén.* brilhante; resplandecente

refutar *v. tr.* contradizer com argumentos; contestar

rega *s. f.* **1** acto ou efeito de regar; **2** acto de regar por meios artificiais; irrigação

regaço *s. m.* cavidade formada pelo abdómen e pelas coxas quando se está sentado; colo

regador *s. m.* recipiente, muitas vezes cilíndrico, provido de um bico prolongado por onde sai a água, utilizado para regar plantas

regalado *adj.* **1** completamente satisfeito; **2** (vida) agradável

regalar-se *v. refl.* sentir grande prazer; regozijar-se

regalia *s. f.* vantagem; privilégio

regalo *s. m.* **1** grande prazer; satisfação; **2** vida tranquila

regar *v. tr.* **1** humedecer ou molhar com água (terra, plantas); **2** CUL. deitar um líquido, por cima de (alimento); **3** *(pop.)* acompanhar (refeição) com bebida

regata *s. f.* DESP. competição em velocidade entre várias embarcações à vela

regatear I *v. tr.* discutir o preço de; **II** *v. intr.* discutir com modos grosseiros; refilar

regateiro *adj. e s. m.* **1** que ou o que discute o preço; **2** *(coloq.)* que ou aquele que discute de modo indelicado e barulhento

regato *s. m.* curso de água pouco volumoso e não permanente; ribeiro

regelado *adj.* **1** muito frio; gélido; **2** congelado

regelar I *v. tr.* **1** gelar novamente; **2** transformar em gelo; congelar; **II** *v. intr.* congelar-se

regência *s. f.* **1** governo; direcção; **2** governo de um país, durante um período em que existe um impedimento do soberano ou do chefe de Estado; **3** (universidade) funções de professor responsável por uma disciplina (programa, funcionamento, etc.); **4** MÚS. direcção de banda ou orquestra; **5** GRAM. relação sintáctica de dependência entre palavras ou entre orações, em que uma exige a presença de outra

regeneração *s. f.* **1** acto ou efeito de regenerar(-se); **2** correcção de vida; reabilitação; **3** BIOL. reconstituição de um tecido ou órgão destruído

regenerar I *v. tr.* **1** gerar de novo; **2** dar nova vida a; **3** corrigir (moralmente); reabilitar; **II** *v. refl.* **1** formar-se de novo; reconstituir-se; **2** reabilitar-se

regente I *adj. 2 gén.* que rege ou dirige; **II** *s. 2 gén.* **1** pessoa que rege ou dirige; **2** pessoa que governa durante a ausência ou impossibilidade do soberano ou do chefe de Estado; **3** MÚS. director de banda ou orquestra; **4** (universidade) professor responsável por uma disciplina (programa, funcionamento, etc.)

reger I *v. tr.* **1** governar; dirigir; **2** governar durante a ausência ou impedimento do soberano ou do chefe de Estado; **3** orientar; regular; **4** (universidade) exercer a função de responsável pelo programa e pelo funcionamento de (uma disciplina); **5** MÚS. dirigir (orquestra, banda, etc.); **6** GRAM. ter como dependente (caso ou preposição); **II** *v. refl.* orientar-se por; regular-se

reggae *s. m.* MÚS. estilo musical que uniu os ritmos populares da Jamaica com a música negra americana na década de 1960

região *s. f.* **1** grande área de terreno; zona; **2** ANAT. área do corpo humano; **3** GEOG. área limitada por dois planos paralelos perpendiculares ao eixo de rotação

regicídio *s. m.* assassínio de um rei ou de uma rainha

regime *s. m.* **1** sistema político de um país; **2** conjunto de normas; regulamento; **3** conjunto de regras alimentares; dieta

regimento *s. m.* **1** MIL. unidade composta por dois ou mais batalhões ou grupos, normalmente comandada por um coronel; **2** *(fig.)* multidão

régio *adj.* **1** relativo a rei; real; **2** *(fig.)* magnífico

regional *adj. 2 gén.* relativo a região; local

regionalismo *s. m.* **1** POL. doutrina que defende a atribuição de competências (administrativas, políticas) a órgãos de soberania regionais; **2** vocábulo ou expressão regional; provincianismo

regionalista I *adj. 2 gén.* **1** relativo a regionalismo; **2** que defende o regionalismo; **II** *s. m.* partidário do regionalismo

regionalização *s. f.* POL. divisão de um território em áreas políticas ou administrativas regionais

regionalizar *v. tr.* dividir um país ou território em áreas político-administrativas regionais

registar I *v. tr.* **1** inscrever em registo; **2** tomar nota de; **3** guardar na memória; **4** enviar (carta, encomenda) por correio, pagando uma taxa adicional, de forma a garantir a sua recepção pelo destinatário; **II** *v. refl.* increver-se

registo *s. m.* **1** acto de registar(-se); inscrição; **2** garantia de que uma carta ou encomenda é recebida pelo seu destinatário, mediante pagamento de uma taxa adicional; **3** arquivo em que se inscrevem dados ou acontecimentos que devem ficar anotados; **4** repartição pública encarregada de registar; conservatória; **~ *civil*** instituição que tem por função registar e autenticar os actos e factos da vida das pessoas (nascimento, casamento, etc.); **~ *predial***

repartição pública em que se inscrevem os prédios para efeitos fiscais
rego *s. m.* **1** AGRIC. vala por onde passa água para regar; **2** sulco no terreno; **3** ruga entre as dobras da pele
regozijar I *v. tr.* causar regozijo ou alegria a; **II** *v. refl.* encher-se de alegria
regozijo *s. m.* grande satisfação; prazer
regra *s. f.* princípio; norma; preceito; ***em ~*** geralmente; em princípio
regrado *adj.* que tem disciplina; moderado
regressão *s. f.* **1** acto de voltar; regresso; **2** acto de regredir; retrocesso
regressar *v. intr.* retornar; voltar ao ponto de partida
regressivo *adj.* **1** que tem tendência para regressar; **2** que tem efeitos sobre factos passados; retroactivo
regresso *s. m.* acto de regressar; retorno
régua *s. f.* instrumento estreito e chato, de forma rectangular, dividido em unidades de medida linear, com a ajuda do qual se traçam linhas rectas e se efectuam medições
regueifa *s. f.* pão de trigo, retorcido em forma de argola
reguila *adj.* **1** *(coloq.)* malandro; **2** *(coloq.)* refilão
regulação *s. f.* acto ou efeito de regular
regulador I *adj.* que regula ou regulariza; **II** *s. m.* **1** aquilo que regula ou regulariza; **2** peça que se aplica a uma máquina, regularizando-lhe o funcionamento
regulamentação *s. f.* **1** acto de regulamentar, de estabelecer regras; **2** conjunto de normas; regulamentos
regulamentar I *v. tr.* estabelecer regulamento para; **II** *adj. 2 gén.* relativo a regulamento
regulamento *s. m.* **1** acto de regular ou de estabelecer regras; **2** conjunto de regras ou normas; **3** DIR. disposição oficial que explica e regula a aplicação de uma lei
regular I *v. tr.* **1** submeter a regras; **2** dirigir de acordo com as regras; **3** acertar; ajustar; **II** *v. intr.* **1** funcionar bem; **2** ter sanidade mental; **III** *v. refl.* orientar-se; guiar-se; **IV** *adj. 2 gén.* **1** conforme às regras ou leis; **2** que ocupa o meio termo; mediano; **3** razoável; **4** bem proporcionado; **5** que ocorre em intervalos regulares; **6** uniforme; **7** GRAM. (verbo) que mantém o radical em toda a sua flexão; ***clero ~*** clero que pertence a uma comunidade religiosa (por oposição a *secular*)
regularidade *s. f.* qualidade de regular
regularização *s. f.* acto ou efeito de regularizar(-se); normalização
regularizar I *v. tr.* **1** tornar regular ou razoável; normalizar; **2** pôr em ordem; rectificar; **II** *v. refl.* normalizar-se
rei *s. m.* **1** soberano de um reino; monarca; **2** *(fig.)* figura mais importante; o que se destaca; **3** (jogo de cartas) carta que se situa acima da dama; **4** (xadrez) peça principal, de cuja captura está dependente a vitória do jogo; *(fig.)* ***~ morto, ~ posto*** quando um lugar vaga, é logo preenchido; ***Dia de Reis*** Epifania, festa dos Reis Magos (6 de Janeiro) ❖ ***sem ~ nem roque*** à toa; ***ter o ~ na barriga*** ser arrogante
reimportar *v. tr.* tornar a importar
reimpressão *s. f.* **1** acto ou efeito de reimprimir; **2** nova tiragem de algo impresso, sem modificações na apresentação ou no conteúdo, excepto eventuais correcções tipográficas
reimprimir *v. tr.* tornar a imprimir
reinado *s. m.* **1** governo de um rei; **2** duração desse governo; **3** *(fig.)* supremacia; predomínio

reinante *adj. 2 gén.* **1** que reina; **2** que predomina; dominante

reinar *v. intr.* **1** governar como rei ou rainha; **2** dominar; imperar; **3** estar em vigor, em uso; **4** *(coloq.)* fazer troça; gracejar

reincidência *s. f.* **1** acto ou efeito de reincidir; **2** acto de cometer novamente um delito ou crime

reincidente *adj. 2 gén.* que ou o que reincide

reincidir *v. intr.* **1** repetir um acto; **2** cometer novamente um delito ou um crime

reineta *s. f.* BOT. variedade de maçã de sabor ligeiramente ácido e cor acinzentada

reiniciar *v. tr.* iniciar de novo; recomeçar

reino *s. m.* **1** Estado governado por um rei; monarquia; **2** conjunto dos súbitos de uma monarquia; **3** *(fig.)* domínio; âmbito; **4** BIOL. cada um dos grandes grupos em que se dividem os seres vivos

reinserção *s. f.* acto ou efeito de reinserir

reinserir *v. tr.* inserir novamente

reinstalar *v. tr. e refl.* tornar a instalar(-se)

reintegração *s. f.* acto ou efeito de reintegrar(-se)

reintegrar *v. tr. e refl.* integrar(-se) de novo (em grupo ou sociedade)

reiteração *s. f.* acto de reiterar; repetição

reiterar *v. tr.* fazer ou dizer novamente; repetir

reitor *s. m.* **1** aquele que rege ou dirige; **2** autoridade máxima de universidade ou estabelecimento do ensino superior; **3** RELIG. padre católico que dirige um seminário eclesiástico

reitoria *s. f.* **1** cargo de reitor; **2** gabinete do reitor; **3** sede da administração de uma universidade

reivindicação *s. f.* acto ou efeito de reivindicar

reivindicar *v. tr.* **1** reclamar, exigir (aquilo a que se considera ter direito); **2** assumir a responsabilidade por (determinado acto)

reivindicativo *adj.* que encerra reivindicação

rejeição *s. f.* **1** acto ou efeito de rejeitar; **2** MED. reacção imunológica de um organismo, que não aceita um enxerto ou um transplante

rejeitar *v. tr.* **1** não aceitar; recusar; **2** desaprovar; **3** deitar fora; **4** expelir; vomitar

rejuvenescedor *adj.* que faz rejuvenescer

rejuvenescer I *v. tr.* **1** restituir a juventude a; **2** fazer parecer mais jovem; **II** *v. intr.* **1** parecer mais jovem; **2** adquirir novas forças

rejuvenescimento *s. m.* acto ou efeito de rejuvenescer

rela *s. f.* **1** ZOOL. pequeno batráquio anuro de cor verde, com a extremidade de cada dedo em forma de disco; **2** *(reg.)* pessoa que fala demais, maçadora

relação *s. f.* **1** ligação entre pessoas (afectiva, profissional, etc.); **2** ligação entre factos ou acontecimentos; conexão; **3** lista; rol; **4** [*pl.*] pessoas com quem se mantém uma ligação de amizade, social, etc.; conhecimentos; **5** [*pl.*] acto sexual

relacionamento *s. m.* **1** acto de relacionar(-se); **2** capacidade de conviver harmoniosamente com outras pessoas; **3** ligação entre pessoas (afectiva, profissional, etc.); relação

relacionar I *v. tr.* **1** fazer a relação de; listar; **2** estabelecer ligação ou conexão entre; **3** fazer adquirir relações ou amizades; **II** *v. refl.* **1** ter relação com; ligar-se; **2** manter relação (afectiva, profissional, etc.)

relações-públicas *s. 2 gén. 2 núm.* profissional cuja função consiste em dar a conhecer ao público uma empresa, uma sociedade ou um grupo, transmitindo destes uma boa imagem

relações públicas *s. f. pl.* conjunto de actividades informativas sobre uma empresa, uma sociedade ou um grupo, de modo a promover uma boa relação com o público

relâmpago *s. m.* **1** clarão provocado por uma descarga eléctrica entre duas nuvens, ou entre uma nuvem e a Terra; **2** *(fig.)* aquilo que é muito rápido ❖ ***num ~*** num instante; rapidamente

relampejar *v. impess.* produzirem-se relâmpagos

relance *s. m.* acto de relancear; movimento rápido dos olhos

relancear *v. tr.* dirigir rapidamente (os olhos); olhar de relance

relatar *v. tr.* **1** fazer o relato de; narrar; **2** descrever (encontro desportivo) por rádio ou televisão

relatividade *s. f.* qualidade de relativo; FÍS. ***teoria da ~*** teoria formulada por Einstein (1879-1955), que alargou os conceitos de espaço, tempo e movimento, tendo provocado profundas alterações na física clássica

relativismo *s. m.* **1** qualidade de relativo; **2** FIL. doutrina que afirma a relatividade do conhecimento humano e a impossibilidade de conhecer a verdade absoluta

relativo *adj.* **1** que inica relação; **2** que se refere a; que diz respeito a; **3** que depende de algo; não absoluto; **4** GRAM. (pronome) que introduz uma oração em que substitui um nome antecedente com o qual se relaciona

relato *s. m.* **1** narração pormenorizada; **2** (rádio, televisão) reportagem que consiste na transmissão directa de um acontecimento desportivo, que é narrado detalhadamente

relatório *s. m.* exposição objectiva e minuciosa de uma actividade, das conclusões de uma pesquisa, do desenvolvimento de um projecto, etc.

relaxado *adj.* **1** não contraído; distendido; **2** sereno; descontraído

relaxamento *s. m.* **1** acto ou efeito de relaxar(-se); **2** falta de interesse e/ou cuidado; negligência; desleixo; **3** descontracção; serenidade

relaxante **I** *adj. 2 gén.* que relaxa; **II** *s. m.* FARM. medicamento que relaxa; calmante

relaxar **I** *v. tr.* **1** diminuir a tensão de; afrouxar; **2** dispensar do cumprimento de; **3** atenuar o rigor de; abrandar; **II** *v. intr.* **1** afrouxar; **2** descontrair; **III** *v. refl.* **1** perder a tensão; **2** descontrair-se

relegar *v. tr.* **1** afastar de um lugar para outro; banir; **2** pôr em segundo plano; deprezar; **3** passar (responsabilidade, decisão, etc.) a outra pessoa

relembrar *v. tr.* lembrar novamente; recordar

relento *s. m.* humidade da noite; orvalho ❖ ***ao ~*** ao ar livre; no exterior

reler *v. tr.* ler novamente

reles *adj. 2 núm.* **1** ordinário; desprezível; **2** de má qualidade

relevância *s. f.* **1** qualidade de relevante; **2** parte saliente; protuberância

relevante **I** *adj. 2 gén.* **1** que interessa; importante; **2** que se salienta; **II** *s. m.* aquilo que é importante ou necessário

relevar **I** *v. tr.* pôr em relevo; fazer sobressair; **II** *v. intr.* importar; ser conveniente; **III** *v. refl.* salientar-se; sobressair

relevo *s. m.* **1** conjunto de saliências numa superfície; **2** GEOG. conjunto de saliências e depressões da superfície terrestre (vales, montanhas, etc.); **3** *(fig.)* realce; destaque ❖ ***dar ~ a/pôr em ~*** salientar; fazer sobressair

religião *s. f.* **1** crença na existência de um poder sobre-humano e superior; **2** conjunto de preceitos, práticas e rituais pelos quais se manifesta essa crença

religiosidade *s. f.* **1** qualidade de religioso; **2** disposição para os sentimentos religiosos, para a devoção; **3** *(fig.)* escrúpulo; zelo

religioso I *adj.* **1** relativo a religião; **2** que cumpre os preceitos da sua religião; **3** pertencente a uma ordem religiosa; **4** *(fig.)* escrupuloso; zeloso; **II** *s. m.* **1** pessoa que professa uma religião; **2** pessoa que pertence a uma ordem religiosa

relinchar *v. intr.* (cavalo, burro) emitir relinchos

relincho *s. m.* grito emitido pelos cavalos, burros, etc.

relíquia *s. f.* **1** RELIG. objecto que pertenceu a um santo; **2** *(fig.)* coisa preciosa, rara ou antiga

relógio *s. m.* aparelho mecânico que mede intervalos de tempo, indicando as horas; ***~ de sol*** aquele que tem um ponteiro vertical cuja sombra, projectada pelo Sol, indica as horas do dia

relógio de ponto *s. m.* aparelho em se introduz um cartão adequado, permitindo o registo das horas de entrada e saída dos funcionários do local de trabalho

relojoaria *s. f.* **1** arte de construir e consertar relógios; **2** estabelecimento onde se fabricam, consertam ou vendem relógios

relojoeiro *s. m.* aquele que faz, vende ou conserta relógios

relutância *s. f.* **1** oposição; resistência; **2** hesitação; vacilação

relutante *adj. 2 gén.* **1** que tem relutância; que resiste; **2** hesitante

reluzente *adj. 2 gén.* **1** que reluz; cintilante; **2** com brilho; luzidio

reluzir *v. intr.* brilhar muito; cintilar

relva *s. f.* camada de erva rasteira, espontânea ou tratada

relvado *s. m.* **1** terreno coberto de relva; **2** campo de futebol

remador *adj. e s. m.* que ou aquele que rema

remar *v. intr.* mover o(s) remo(s) para trás e para a frente coordenadamente, fazendo andar a embarcação; *(fig.)* ***~ contra a maré*** fazer esforços inúteis

rematar I *v. tr.* **1** acabar; concluir; **2** fazer pontos de acabamento em (trabalho de costura ou malha); **3** completar; **II** *v. intr.* **1** ter fim; concluir-se; **2** DESP. chutar para a baliza para marcar um golo

remate *s. m.* **1** fim; conclusão; **2** peça ou material que remata uma obra; acabamento; **3** ponto de acabamento em trabalho de costura ou malha; **4** DESP. pontapé na bola para a baliza do adversário

remedeio *s. m.* aquilo que resolve provisoriamente um problema ou a falta de qualquer coisa

remediado *adj. (pop.)* que tem meios de subsistência suficientes, que não é rico nem pobre

remediar I *v. tr.* **1** dar remédio a; **2** resolver (problema, carência) de forma provisória e insuficiente; **3** reparar; corrigir; **II** *v. refl.* **1** prover-se do necessário para atenuar um problema ou a falta de algo; **2** arranjar-se

remédio *s. m.* **1** tratamento ou medicamento utilizado para atenuar uma dor ou curar uma doença; **2** aquilo que soluciona um mal ou um problema; **3** emenda; correcção; ***sem ~*** sem solução; ***ser ~ santo*** resultar na perfeição; (provérbio) ***para grandes males, grandes remédios*** para vencer grandes problemas é necessário tomar providências extremas

remela *s. f.* substância amarelada que se acumula na união das pálpebras

remeloso *adj.* cheio de remelas

remendão *adj. e s. m.* **1** que ou pessoa que faz remendos; **2** *(fig., pej.)* trapalhão

remendar *v. tr.* fazer remendos em; emendar

remendo *s. m.* **1** pedaço de tecido que se cose noutro tecido, para emendar um buraco ou rasgão; **2** qualquer material que se aplica noutro (cosendo ou colando) para o emendar; **3** *(fig.)* solução provisória

remessa *s. f.* **1** acto de remeter; **2** objecto ou mercadoria remetida

remetente **I** *adj. 2 gén.* que remete ou envia; **II** *s. 2 gén.* **1** aquele que remete ou envia; **2** endereço daquele que envia

remeter **I** *v. tr.* **1** enviar; mandar; **2** adiar (para); **3** entregar (a); confiar (a); **II** *v. intr.* fazer referência (a); **III** *v. refl.* **1** entregar-se; **2** referir-se

remexer **I** *v. tr.* **1** tornar a mexer; **2** mexer muito em; revolver; **3** agitar; **II** *v. intr. e refl.* mexer-se muito

remexido *adj.* muito mexido; revolvido

reminiscência *s. f.* **1** recordação de algo passado; **2** lembrança vaga

remissão *s. f.* **1** acto de remeter ou de chamar a atenção para determinado ponto de uma obra, de um texto, etc.; **2** indulgência; compaixão; **3** RELIG. perdão dos pecados

remo *s. m.* **1** vara comprida com uma extremidade achatada, para impelir pequenas embarcações na água; **2** DESP. modalidade em que se disputam regatas individuais ou por equipas, com embarcações movidas por essas varas

remoção *s. f.* acto ou efeito de remover

remodelação *s. f.* acto de remodelar; renovação

remodelar *v. tr.* **1** refazer com modificações; renovar; **2** dar nova decoração a; **3** organizar de novo; reestruturar

remoer *v. tr.* **1** moer de novo; **2** tornar a mastigar; ruminar; **3** *(fig.)* pensar muitas vezes em; cismar

remoinho *s. m.* **1** movimento em espiral; **2** massa de água ou de ar que descreve esse movimento; **3** disposição do cabelo que cresce naturalmente em espiral

remontar *v. intr.* **1** ter origem remota; **2** datar de

remorso *s. m.* sentimento de auto-censura e de arrependimento provocado pela consciência de ter agido mal

remoto *adj.* **1** que sucedeu há muito; **2** afastado; longínquo

remover *v. tr.* **1** tornar a mover; **2** mudar de um lugar para outro; **3** fazer desaparecer; eliminar; **4** extrair

removível *adj. 2 gén.* que se pode remover

remuneração *s. f.* **1** salário; ordenado; **2** recompensa; gratificação

remunerar *v. tr.* **1** pagar salário a; **2** recompensar; gratificar

rena *s. f.* ZOOL. mamífero ruminante de constituição robusta e cornos desenvolvidos, com cascos adaptados para a locomoção na neve, que vive nas regiões frias do Norte

renal *adj. 2 gén.* relativo a rim

renano I *adj.* **1** relativo ao rio Reno; **2** relativo à Renânia (Alemanha); **II** *s. m.* pessoa natural da Renânia

Renascença *s. f.* vd. **Renascimento**

renascentista *adj. 2 gén.* relativo ao Renascimento

renascer *v. intr.* **1** nascer de novo; **2** adquirir novas forças; renovar-se

renascimento *s. m.* **1** acto de renascer; **2** vida nova

Renascimento *s. m.* HIST. movimento cultural de renovação científica, literária e artística dos séculos XIV, XV e XVI, que se baseou na imitação dos modelos da Antiguidade clássica greco-romana

renda *s. f.* **1** obra de malha feita com fios entrelaçados, de maneira a formar desenhos; **2** quantia recebida pelo aluguer de bens móveis ou imóveis ou pela aplicação de capital; **3** rendimento; receita

rendado *adj.* **1** enfeitado com renda; **2** semelhante a renda

render I *v. tr.* **1** impor a capitulação a; submeter; **2** substituir; ocupar o lugar de; **3** dar como lucro; **4** dedicar; prestar (homenagem); **II** *v. intr.* **1** dar lucro; **2** ser produtivo; **III** *v. refl.* dar-se por vencido; entregar-se

rendez-vous *s. m.* **1** encontro combinado; **2** ponto de encontro

rendição *s. f.* **1** MIL. acto de se entregar ao inimigo; capitulação; **2** MIL. substituição de uma unidade em combate; **3** MIL. substituição de guarda ou sentinela

rendimento *s. m.* **1** lucro; proveito; **2** salário; ordenado; **3** eficiência; produtividade

renegado *adj. e s. m.* **1** que ou o que renega a sua religião, as suas crenças, ou os seus ideais; **2** que ou o que é deprezado ou rejeitado

renegar *v. tr.* **1** renunciar a; abandonar (ideias, crenças, religião); **2** rejeitar; recusar; **3** trair; **4** contradizer; negar

renhido *adj.* muito disputado

renitente *adj. 2 gén.* que resiste ou se opõe a algo

renome *s. m.* **1** fama; celebridade; **2** boa reputação

renovação *s. f.* acto ou efeito de renovar

renovar I *v. tr.* **1** tornar novo; modificar, melhorando; **2** substituir por novo; **3** recomeçar; **4** fazer reformas em; melhorar; **II** *v. refl.* **1** tornar-se novo; **2** recomeçar; reaparecer

renovável *adj. 2 gén.* que se pode renovar

rentabilidade *s. f.* qualidade de rentável, do que rende ou dá lucro

rentabilização *s. f.* acto ou efeito de rentabilizar ou tornar lucrativo

rentabilizar *v. tr.* tornar rentável ou lucrativo

rentável *adj. 2 gén.* **1** que traz vantagem ou proveito; **2** que produz lucro

rente I *adj. 2 gén.* **1** muito curto; **2** muito chegado; contíguo; **II** *adv.* muito perto

renúncia *s. f.* acto ou efeito de renunciar

renunciar I *v. tr.* **1** desistir (de); abdicar; **2** rejeitar; recusar; **II** *v. intr.* desistir; abdicar

reocupação *s. f.* acto ou efeito de reocupar

reocupar *v. tr.* ocupar novamente

reorganização *s. f.* acto ou efeito de reorganizar

reorganizar *v. tr.* organizar de novo, com alterações e inovações; reestruturar

reóstato *s. m.* ELECTR. resistência que se utiliza para fazer variar a corrente de um circuito

repa *s. f.* **1** cabelo isolado; **2** tira de cabelo que cai sobre a testa; franja

reparação *s. f.* **1** acto de consertar ou restaurar algo; **2** tentativa de emendar uma ofensa ou um mal cometido; **3** indemnização de um prejuízo

reparar I *v. tr.* **1** consertar; restaurar; **2** emendar; corrigir (um erro, um mal); **3** indemnizar; compensar; **II** *v. intr.* fixar a vista ou a atenção; notar

reparo *s. m.* **1** conserto; reparação; **2** comentário; observação

repartição *s. f.* **1** divisão de algo em partes; distribuição; **2** secção de uma secretaria de Estado

repartir *v. tr.* **1** dividir em partes; distribuir; **2** dividir com; partilhar

repatriar I *v. tr.* fazer voltar à pátria; **II** *v. refl.* regressar à pátria

repelente I *adj. 2 gén.* **1** que repele; **2** repugnante; **II** *s. m.* substância que se aplica para afastar insectos

repelir I *v. tr.* **1** afastar de si; **2** impedir de se aproximar; manter longe; **II** *v. refl.* **1** ser incompatível com; **2** opor-se

repenicado *adj.* que produz sons agudos

repensar *v. tr. e intr.* pensar outra vez; reconsiderar

repente *s. m.* movimento espontâneo; ímpeto; ***de ~*** subitamente; ***num ~*** num instante

repentino *adj.* que acontece de repente; súbito

repercussão *s. f.* **1** acto de repercutir(-se); **2** efeito; reflexo; **3** impacto; consequência

repercutir I *v. tr.* reflectir (som, luz); **II** *v. intr. e refl.* **1** (som, luz) reflectir(-se); **2** ter impacto sobre; influenciar

repertório *s. m.* **1** índice de assuntos por ordem; **2** colecção de obras musicais ou dramáticas de um autor, uma associação, uma época, etc.; **3** conjunto de anedotas ou temas de conversa

repescagem *s. f.* **1** acto de repescar; **2** fase de um exame ou de uma competição desportiva, em que aqueles que tinham sido eliminados anteriormente disputam o direito de competir com os restantes participantes

repescar *v. tr.* **1** pescar de novo; **2** fazer a repescagem de (candidatos anteriormente eliminados)

repetente I *adj. 2 gén.* que repete; **II** *s. 2 gén.* estudante que repete uma ou mais disciplinas em que tinha ficado reprovado

repetição *s. f.* **1** acto de fazer ou dizer algo novamente; **2** RET. figura que consiste em repetir diversas vezes a mesma palavra ou frase, conferindo maior energia ao discurso

repetir I *v. tr.* **1** tornar a dizer ou fazer (algo) novamente; **2** frequentar outra vez (disciplina, ano lectivo); **II** *v. refl.* **1** acontecer de novo; **2** tornar a dizer ou a fazer as mesmas coisas

repetitivo *adj.* **1** que repete; **2** com muitas repetições

repicar *v. intr.* (sinos) tocar repetidamente

repique *s. m.* toque repetido dos sinos, em sinal de festa

repisar *v. tr.* **1** pisar de novo; calcar; **2** *(fig.)* insistir

repleto *adj.* **1** muito cheio; abarrotado; **2** farto de comida; empanturrado

réplica *s. f.* **1** resposta a algo; **2** contestação; objecção; **3** cópia do original; imitação

replicar *v. tr. e intr.* **1** responder; retorquir; **2** contestar com argumentos

repolho *s. m.* BOT. variedade de couve cujas folhas crescem formando um conjunto apertado, com forma arredondada

repor I *v. tr.* **1** tornar a pôr; **2** restituir; devolver; **II** *v. refl.* reconstituir-se

reportagem *s. f.* (imprensa, rádio, televisão) notícia desenvolvida sobre um determinado assunto, em que se cobrem os acontecimentos com pormenor

reportar-se *v. refl.* fazer referência; aludir

repórter *s. 2 gén.* **1** pessoa que recolhe e prepara informação sobre um dado tema a ser transmitido num órgão de comunicação social; **2** jornalista que apresenta reportagens

reposição *s. f.* **1** acto de recolocar ou voltar a pôr no mesmo lugar; **2** restituição ao estado anterior; **3** restituição; devolução

reposteiro *s. m.* espécie de cortinado grosso utilizado para adorno e/ou resguardo de janelas ou portas

repousar I *v. tr.* proporcionar descanso a; **II** *v. intr.* **1** estar em repouso; descansar; **2** assentar

repouso *s. m.* **1** descanso; sossego; **2** AGRIC. estado do terreno que não é cultivado para voltar a ficar fértil; pousio

repovoar *v. tr.* povoar novamente de pessoas (uma região), de peixes (um rio), de animais ou árvores (uma floresta)

repreender *v. tr.* admoestar; censurar

repreensão *s. f.* **1** acto de repreender; **2** censura; admoestação

repreensível *adj. 2 gén.* que merece repreensão

repreensivo *adj.* que envolve repreensão

represa *s. f.* construção feita para deter um curso de água; açude

represália *s. f.* dano ou prejuízo causado a outrem por motivo de vingança; retaliação

representação *s. f.* **1** acto de representar; **2** imagem, desenho ou pintura que representa algo ou alguém; **3** pessoa ou conjunto de pessoas que substituem outra(s) no desempenho de uma actividade ou de um serviço; **4** espectáculo teatral; exibição; **5** CIN., TEAT., TV interpretação de um papel; actuação

representante I *adj. 2 gén.* que representa; **II** *s. 2 gén.* **1** pessoa incumbida de representar ou substituir outra(s); **2** exemplar; modelo

representar I *v. tr.* **1** reproduzir a imagem de; **2** significar; simbolizar; **3** fazer as vezes de; substituir; **4** CIN., TEAT., TV desempenhar o papel de; **II** *v. intr.* CIN., TEAT., TV desempenhar funções de actor; actuar

representativo *adj.* que representa

repressão *s. f.* acto de reprimir ou conter (sentimento, movimento, etc.)

repressivo *adj.* que serve para reprimir

reprimenda *s. f.* repreensão; censura

reprimir I *v. tr.* **1** conter (sentimento, movimento, etc.); refrear; **2** não manifestar; ocultar; **3** proibir; **II** *v. refl.* conter-se

reprodução *s. f.* **1** acto de reproduzir; **2** BIOL. função que permite aos seres vivos produzirem outros semelhantes, mantendo-se a espécie; **3** propagação; multiplicação; **4** imitação; cópia

reprodutivo *adj.* **1** que reproduz; **2** que se reproduz

reprodutor *adj.* **1** que reproduz; **2** que serve para a reprodução

reproduzir I *v. tr.* **1** produzir novamente; **2** fazer cópias de; **3** fazer de novo; repetir; **4** gerar; procriar; **II** *v. refl.* procriar-se; multiplicar-se

reprografia *s. f.* reprodução de documentos que recorre a diversos processos, como fotocópia e microfilme
reprovação *s. f.* **1** acto de reprovar ou censurar; **2** não aprovação (em exame); chumbo
reprovado *adj.* **1** não aprovado; rejeitado; **2** censurado
reprovador *adj.* que manifesta reprovação
reprovar I *v. tr.* **1** não aprovar; rejeitar; **2** manifestar desaprovação; censurar; **3** chumbar (em exame, disciplina); **II** *v. intr.* ser reprovado; chumbar
reprovável *adj. 2 gén.* que merece reprovação; condenável
réptil *s. m.* ZOOL. animal vertebrado de sangue frio, que respira por pulmões, tem o corpo revestido de escamas, e desloca-se rastejando
república *s. f.* **1** POL. forma de governo em que o chefe do Estado é eleito pelos cidadãos ou pelos seus representantes; **2** residência universitária ❖ *(depr.)* ~ ***das bananas*** situação caótica ou de ilegalidade
republicano I *adj.* **1** relativo a república; **2** partidário do regime republicano; **II** *s. m.* aquele que é partidário do regime republicano
repudiar *v. tr.* **1** divorciar-se de; **2** pôr de lado; pôr de parte
repúdio *s. m.* acto de repudiar ou rejeitar
repugnância *s. f.* **1** qualidade de repugnante; **2** sensação de repulsa ou aversão
repugnante *adj. 2 gén.* **1** que repugna; **2** nojento; repelente
repugnar *v. intr.* **1** causar aversão ou repulsa; **2** causar nojo
repulsa *s. f.* sentimento de aversão ou repugnância
repulsivo *adj.* que repele; repelente
reputação *s. f.* **1** opinião geral sobre algo ou alguém; conceito; **2** fama; celebridade
reputado *adj.* que tem boa fama; considerado
repuxar *v. tr.* **1** puxar para trás; **2** esticar muito
repuxo *s. m.* jacto de água que sai com força e se eleva alto
requalificação *s. f.* **1** acto de requalificar; **2** atribuição de nova qualificação
requalificar *v. tr.* **1** qualificar novamente; **2** atribuir nova classificação a
requeijão *s. m.* queijo fresco fabricado a partir da nata do leite
requentado *adj.* **1** que se aqueceu novamente; **2** (alimento) que sofreu muito tempo a acção do calor
requentar *v. tr.* **1** aquecer novamente; **2** sujeitar (alimento) à acção do calor por muito tempo
requerente *adj. e s. 2 gén.* que ou pessoa que faz um pedido por meio de requerimento
requerer *v. tr.* **1** pedir por requerimento; **2** exigir; **3** precisar; necessitar
requerimento *s. m.* petição por escrito, segundo certas fórmulas legais
réquiem *s. m.* **1** RELIG. conjunto de orações pelos defuntos, na liturgia católica; **2** MÚS. composição sobre essas orações
requintado *adj.* com requinte; apurado
requinte *s. m.* **1** grande perfeição; primor; **2** apuro extremo
requisição *s. f.* acto ou efeito de requisitar
requisitar *v. tr.* **1** solicitar ou pedir legalmente; requerer; **2** chamar; convocar
requisito *s. m.* **1** condição necessária para determinado objectivo; exigência; **2** exigência legal; formalidade

rês *s. f.* quadrúpede cuja carne serve para alimento do homem
rescaldo *s. m.* **1** cinzas ainda com brasas após um incêndio; **2** *(fig.)* parte final de qualquer acontecimento
rescindir *v. tr.* anular; invalidar (contrato)
rescisão *s. f.* anulação de (contrato)
rés-do-chão *s. m.* habitação ao nível da rua
resenha *s. f.* descrição pormenorizada
reserva *s. f.* **1** aquilo que se guarda à parte, para uso futuro; **2** acto de encomendar antecipadamente um bilhete ou uma passagem (para espectáculo, viagem, etc.); **3** MIL. classe dos militares ou funcionários fora do serviço activo, mas que podem ser chamados; **4** DESP. classe de desportistas que podem ser chamados a actuar na primeira categoria; **5** região florestal onde se procura assegurar a conservação de espécies animais e vegetais; **6** *(fig.)* restrição; ressalva; **7** *(fig.)* discrição; circunspecção; ***sem ~*** sem condições; sem restrições; ***ter de ~*** guardar para uma necessidade ou emergência
reservado *adj.* **1** posto de reserva; guardado; **2** discreto; calado; **3** particular
reservar I *v. tr.* **1** pôr de reserva; guardar; **2** limitar; restringir; **3** comprar antecipadamente (bilhete, passagem); **4** guardar segredo de; ocultar; **II** *v. refl.* guardar-se
reservatório *s. m.* **1** lugar ou recipiente onde se acumula algo; depósito; **2** depósito de água
resfriado I *adj.* **1** que resfriou; **2** constipado; **II** *s. m.* estado inflamatório das vias respiratórias; constipação
resgatar I *v. tr.* **1** livrar de sequestro ou prisão a troco de dinheiro; **2** libertar de (dívida, castigo); **II** *v. refl.* libertar-se
resgate *s. m.* **1** acto de libertar de sequestro, prisão, etc., a troco de dinheiro; **2** quantia paga para essa libertação; **3** pagamento de uma dívida
resguardar *v. tr. e refl.* abrigar(-se); proteger(-se)
resguardo *s. m.* **1** abrigo; **2** defesa; protecção; **3** agasalho
residência *s. f.* lugar onde se vive habitualmente; morada
residencial I *adj. 2 gén.* relativo a residência; **II** *s. f.* pensão ou pequeno hotel que aceita hóspedes
residente *adj. 2 gén.* **1** que habita (em determinado local); **2** que reside no local de trabalho
residir *v. intr.* **1** morar; habitar; **2** consistir (em)
residual *adj. 2 gén.* relativo a resíduo
resíduo *s. m.* **1** o que sobra ou resta; **2** matérias que restam de determinadas preparações ou combinações químicas
resignação *s. f.* **1** abdicação de uma coisa ou de um cargo a favor de outrem; renúncia; **2** aceitação (de problema, sofrimento) sem revolta
resignado *adj.* que suporta (problema, dificuldade) com resignação; conformado
resignar I *v. intr.* renunciar; abdicar; **II** *v. refl.* conformar-se; submeter-se
resina *s. f.* produto natural e viscoso que se extrai de algumas plantas, com alto valor industrial
resinoso *adj.* que contém ou produz resina
resistência *s. f.* **1** capacidade de um corpo ou de uma matéria de reagir à acção de agentes exteriores; **2** capacidade de um ser vivo suportar e reagir a esforços e efeitos nocivos exteriores;

3 ELECTR. condutor disposto sobre uma substância isoladora e destinado à passagem de uma corrente eléctrica, para aquecimento; **4** reacção a algo; oposição; **5** obstáculo; dificuldade

resistente *adj. 2 gén.* **1** que resiste; **2** sólido; duradouro

resistir *v. intr.* **1** opor resistência; não ceder; **2** fazer face (a); lutar contra; **3** conservar-se; durar

resma *s. f.* **1** conjunto de quinhentas folhas; **2** pilha; amontoado

resmungão *adj. e s. m.* que ou aquele que resmunga muito; rezingão

resmungar *v. intr.* falar em voz baixa e com mau humor; rezingar

resmunguice *s. f. (pop.)* hábito de resmungar

resolução *s. f.* **1** decisão firme; deliberação; **2** solução de um caso ou de um problema; **3** INFORM., TV quantidade de pontos que constituem uma imagem, que se traduz na qualidade da sua definição

resoluto *adj.* firmemente decidido

resolver **I** *v. tr.* **1** decidir; determinar; **2** dar solução a; **II** *v. intr. e refl.* decidir(-se)

respectivo *adj.* **1** relativo a cada pessoa ou coisa em particular; **2** próprio; devido

respeitado *adj.* tratado com respeito; considerado

respeitante *adj. 2 gén.* que diz respeito; relativo

respeitar **I** *v. tr.* **1** sentir respeito por; considerar; **2** tratar com respeito, deferência; **3** cumprir; aceitar (normas, regras); **II** *v. intr.* dizer respeito a; **III** *v. refl.* impor respeito

respeitável *adj. 2 gén.* digno de respeito

respeito *s. m.* **1** consideração por alguém; deferência; **2** obediência; submissão; **3** receio; medo

respeitoso *adj.* que demonstra respeito; atencioso

respiração *s. f.* FISIOL. conjunto de funções do organismo (inspiração e expiração) pelas quais os seres vivos absorvem oxigénio e eliminam dióxido de carbono

respirar *v. tr. e intr.* executar a função da respiração, fazendo entrar o ar nas vias respiratórias e expelindo o dióxido de carbono

respiratório *adj.* **1** relativo a respiração; **2** que serve para respirar

respiro *s. m.* orifício que permite a circulação do ar

resplandecência *s. f.* **1** qualidade de resplandecente; **2** brilho; luminosidade

resplandecente *adj. 2 gén.* que resplandece; brilhante

resplendor *s. m.* **1** claridade intensa; brilho; **2** *(fig.)* glória

respondão *adj. e s. m.* que ou o que responde de modo grosseiro

responder **I** *v. tr.* **1** dizer ou escrever em resposta; **2** replicar; retorquir; **II** *v. intr.* **1** dar resposta; **2** responsabilizar-se (por); **~ *por si*** defender-se; **~ *torto*** dar uma resposta grosseira

responsabilidade *s. f.* **1** obrigação de responder por actos próprio ou alheios; **2** qualidade de responsável; ***chamar (alguém) à ~*** chamar (alguém) para prestar contas dos seus actos

responsabilização *s. f.* acto ou efeito de responsabilizar(-se)

responsabilizar **I** *v. tr.* atribuir responsabilidade a; **II** *v. refl.* assumir a responsabilidade

responsável *adj. e s. 2 gén.* **1** que ou pessoa que possui responsabilidade; **2** que ou pessoa que assume as suas responsabilidades e os seus compromissos

resposta *s. f.* **1** acto ou efeito de responder; **2** o que se diz ou escreve para responder a uma pergunta; **3** solução; explicação; **4** qualquer acto provocado por um estímulo exterior; reacção

ressabiado *adj.* **1** desconfiado; **2** melindrado; ofendido

ressaca *s. f.* **1** movimento das ondas que se quebram contra um obstáculo; **2** *(coloq.)* mal-estar provocado por uma bebedeira

ressaibo *s. m.* **1** mau sabor; **2** *(fig.)* sinal; **3** *(fig.)* ressentimento

ressaltar I *v. tr.* **1** tornar saliente; dar relevo a; **2** fazer sobressair; **II** *v. intr.* sobressair

ressalva *s. f.* **1** nota ou observação que emenda algo num texto ou documento; **2** certidão de isenção do serviço militar; **3** condição; restrição

ressarcimento *s. m.* compensação por um dano causado; indemnização

ressarcir I *v. tr.* compensar um mal ou prejuízo causado; indemnizar; **II** *v. refl.* compensar-se

ressecar *v. intr.* tornar-se muito seco

ressentido *adj.* ofendido; melindrado

ressentimento *s. m.* lembrança que se guarda de uma ofensa recebida; rancor

ressentir-se *v. refl.* **1** ficar ressentido ou melindrado; **2** sentir o efeito de

ressequido *adj.* muito seco

ressequir *v. tr.* retirar toda a humidade; tornar muito seco

ressoar *v. intr.* soar com força; ecoar

ressonância *s. f.* **1** propriedade de aumentar a intensidade de um som; **2** repercussão de sons; eco

ressonar *v. intr.* respirar com ruído durante o sono

ressurgimento *s. m.* acto de ressurgir; reaparição

ressurgir *v. intr.* surgir novamente; reaparecer

ressurreição *s. f.* acto ou efeito de ressuscitar

Ressurreição *s. f.* RELIG. festa católica que comemora o retorno à vida de Cristo, ao terceiro dia após a morte

ressuscitar I *v. tr.* **1** fazer voltar à vida; **2** *(fig.)* renovar; tornar mais intenso; **II** *v. intr.* **1** voltar a viver, depois de ter morrido; **2** *(fig.)* escapar a um perigo ou doença

restabelecer I *v. tr.* estabelecer de novo; repor no antigo estado; **II** *v. refl.* **1** voltar ao estado primitivo; **2** recuperar a saúde

restabelecimento *s. m.* acto ou efeito de restabelecer

restante I *adj. 2 gén.* que resta ou sobra; **II** *s. m.* aquilo que sobra; resto; ***posta ~*** correspondência postal que, por falta de endereço, o remetente envia para a secção respectiva da estação dos correios, para ser procurada pelo destinatário

restar *v. intr.* ficar como resto; sobrar

restauração *s. f.* **1** conserto ou reparação de algo desgastado; **2** sector de actividade que se dedica á exploração de restaurantes e estabelecimentos semelhantes; hotelaria

restaurante *s. m.* casa onde se preparam e servem refeições ao público

restaurar *v. tr.* **1** pôr novamente em vigor; restabelecer; **2** recuperar algo (obra de arte, edifício) desgastado pelo uso; **3** consertar; reparar; **4** renovar (força, energia)

restauro *s. m.* **1** acto ou efeito de restaurar; **2** trabalho de recuperação de obras de arte, construções, etc. danificadas ou desgastadas; **3** conserto; reparação

réstia *s. f.* feixe de luz

restituição *s. f.* **1** entrega de algo a quem pertence; devolução; **2** restabelecimento do estado anterior

restituir *v. tr.* **1** fazer a restituição de; devolver; **2** repor no estado anterior

resto *s. m.* **1** aquilo que sobra; **2** MAT. na divisão de números inteiros, diferença entre o dividendo e o produto do divisor pelo quociente; **3** [*pl.*] sobras; ***restos mortais*** cadáver ❖ ***de ~*** finalmente

restolho *s. m.* **1** cana dos cereais que fica no terrenos de cultura depois da ceifa; **2** (*fig.*) barulho

restrição *s. f.* **1** acto de restringir; **2** condição que restringe; limitação

restringir I *v. tr.* **1** tornar mais estreito; **2** impor restrição ou limitação a; condicionar; **II** *v. refl.* limitar-se

restritivo *adj.* que restringe ou limita

restrito *adj.* **1** de pequenas dimensões; reduzido; **2** limitado

resultado *s. m.* **1** consequência; efeito; **2** MAT. produto de uma operação; **3** DESP. situação final de uma competição, expressa em números

resultante *adj. 2 gén.* que resulta; consequente

resultar *v. intr.* **1** ser a consequência ou o efeito de; **2** nascer ou provir de; **3** dar origem a

resumido *adj.* **1** abreviado; sintetizado; **2** breve; conciso

resumir I *v. tr.* **1** abreviar; sintetizar; **2** limitar; restringir; **II** *v. refl.* limitar-se

resumo *s. m.* **1** exposição abreviada, que transmite o essencial; síntese; **2** sumário; apanhado; ***em ~*** em síntese

resvalar *v. intr.* cair ou escorregar por um declive

resvés I *adj. 2 gén.* rente; **II** *adv.* à justa

retaguarda *s. f.* parte de trás ou posterior; ***à ~*** atrás; na parte posterior

retalhar *v. tr.* **1** cortar em retalhos ou pedaços; **2** dividir em várias partes

retalhista *adj. e s. 2 gén.* que ou o que vende a retalho

retalho *s. m.* pedaço que se corta de alguma coisa; tira; ***aos retalhos*** aos pedaços

retaliação *s. f.* acto de retaliar; represália

retaliar *v. intr.* exercer represália sobre; vingar-se

retardar I *v. tr.* fazer atrasar; demorar; **II** *v. refl.* atrasar-se

retardatário *adj. e s. m.* que ou aquele que chega tarde

retenção *s. f.* acto ou efeito de reter

reter I *v. tr.* **1** conservar em seu poder; ficar com; **2** segurar com firmeza; **3** não deixar sair ou fugir; **4** deter; impedir; **5** conter; reprimir; **6** conservar na memória; **II** *v. refl.* demorar-se

retesado *adj.* teso; esticado

reticências *s. f. pl.* sinal gráfico (...) que serve para exprimir suspensão do sentido ou omissão de palavras

reticente *adj. 2 gén.* **1** prudente; reservado; **2** hesitante; indeciso

retículo *s. m.* **1** pequena rede; **2** BIOL., MEDIC. estrutura fina de células ou fibras

retido *adj.* **1** que ficou detido; **2** contido; preso

retina *s. f.* ANAT. membrana interna do globo ocular, onde se formam as imagens

retiniano *adj.* relativo a retina

retinopatia *s. f.* MEDIC. qualquer afecção da retina

retintim *s. m.* voz imitativa do som que os metais emitem quando se tocam

retirada *s. f.* **1** acto ou efeito de retirar(-se); **2** MIL. movimento pelo qual um corpo de tropas evita o combate decisivo com o inimigo, afastando--se pela retaguarda

retirado *adj.* **1** isolado; recolhido; **2** afastado; distante

retirar I *v. tr.* **1** fazer sair; **2** remover; extrair; **3** afastar; desviar; **4** desdizer (o que foi dito); **II** *v. refl.* **1** ir-se embora; **2** afastar-se

retiro *s. m.* **1** lugar retirado, isolado e tranquilo; **2** isolamento temporário, para oração e/ou meditação

retocar *v. tr.* dar retoques em; aperfeiçoar

retomar *v. tr.* **1** tomar de novo; reaver; **2** continuar (tarefa, actividade interrompida); **3** assumir novamente (cargo, função); **4** voltar ao estado ou ritmo anterior

retoque *s. m.* **1** aperfeiçoamento de algo ligeiramente danificado; **2** última demão; aperfeiçoamento final

retorcer I *v. tr.* **1** torcer novamente; **2** torcer várias vezes; **II** *v. refl.* contorcer-se

retórica *s. f.* **1** arte de falar bem, com eloquência; **2** conjunto de regras relativas à eloquência; **3** *(fig., pej.)* conversa pretensiosa mas oca

retórico I *adj.* relativo a retórica; **II** *s. m.* **1** mestre de retórica; **2** *(fig., pej.)* o que fala de modo pretensioso e superficial

retornado *s. m.* **1** que ou aquele que regressa para um lugar de onde partiu; **2** que ou aquele que regressou a Portugal após a proclamação da independência dos territórios ultramarinos portugueses de África

retornar *v. intr.* **1** voltar ao ponto de partida; regressar; **2** voltar a aparecer

retorno *s. m.* **1** volta; regresso; **2** aquilo que se oferece em retribuição de algo; **3** devolução; restituição

retorquir *v. tr. e intr.* responder; replicar

retorta *s. f.* vaso de gargalo estreito, curvo e voltado para baixo, próprio para experiências químicas

retractar I *v. tr.* retirar ou desdizer (algo dito anteriormente); **II** *v. refl.* **1** desdizer-se; **2** pedir desculpa

retractável *adj. 2 gén.* susceptível de se retractar

retraído *adj.* **1** puxado para trás; encolhido; **2** *(fig.)* introvertido; acanhado

retrair I *v. tr.* **1** puxar para si; **2** encolher; contrair; **II** *v. refl.* **1** encolher-se; **2** *(fig.)* não se manifestar; conter-se

retranca *s. f.* NÁUT. pau preso ao mastro do navio para manobra da vela latina

retransmissão *s. f.* **1** acto de transmitir algo novamente; **2** emissão simultânea do mesmo programa por dois organismos de radiodifusão diferentes

retratar I *v. tr.* **1** fazer o retrato de, em pintura ou desenho; **2** fotografar; **3** descrever com exactidão; **4** deixar transparecer; revelar; **II** *v. refl.* **1** fazer o próprio retrato; **2** revelar-se

retrato *s. m.* **1** imagem de alguém em pintura, desenho ou fotografia; **2** *(fig.)* representação; descrição

retrete *s. f.* peça de louça sanitária utilizada para evacuar; sanita

retribuição *s. f.* **1** acto de retribuir; **2** remuneração por um trabalho; gratificação; **3** recompensa por um favor ou uma atenção

retribuir *v. tr.* **1** dar como retribuição ou recompensa; **2** corresponder (gesto, sentimento)

retroactivo *adj.* que tem efeito sobre factos passados

retroceder *v. intr.* **1** andar para trás; recuar; **2** *(fig.)* desistir

retrocesso *s. m.* **1** deslocamento para trás; recuo; **2** retorno a uma situação anterior; regressão

retrógrado *adj.* 1 que anda para trás; 2 contrário ao progresso

retroprojector *s. m.* projector que reproduz imagens de um acetato, ampliando-os numa tela ou parede

retrosaria *s. f.* loja onde se vendem retroses e outros objectos para costura (linhas, botões, etc.)

retrospectiva *s. f.* 1 apresentação de algo passado; recapitulação; 2 exibição de produtos (livros, obras de arte, filmes, etc.) de um artista, grupo ou movimento de determinada época, sublinhando a sua evolução

retrospectivo *adj.* relativo a factos passados

retroversão *s. f.* tradução para a língua original de um texto traduzido

retrovisor *s. m.* espelho cuja posição permite ao condutor ver o que está na retaguarda, sem se virar para trás

retumbante *adj. 2 gén.* 1 que provoca grande estrondo; 2 (*fig.*) (sucesso) extraordinário

retumbar *v. intr.* ressoar; ecoar

réu *s. m.* indivíduo contra quem se instaura um processo judicial

reumático I *adj.* relativo a reumatismo; II *s. m.* aquele que sofre de reumatismo

reumatismo *s. m.* MED. doença caracterizada por inflamação e degenerescência de tecidos nas articulações, nos músculos e em outros órgãos

reumatologia *s. f.* MED. disciplina que estuda as doenças reumáticas e os seus tratamentos

reumatologista *s. 2 gén.* especialista em doenças reumáticas

reunião *s. f.* 1 acto de reunir; 2 junção; confluência; 3 acumulação ou agrupamento de objectos; 4 encontro de pessoas para tratar de assuntos profissionais ou outros

reunificação *s. f.* acto ou efeito de reunificar

reunificar *v. tr.* unificar o que estava separado ou dividido

reunir I *v. tr.* 1 juntar; agrupar; 2 recolher (algo disperso); 3 convocar; congregar (um grupo de pessoas); II *v. intr. e refl.* encontrar-se; juntar-se

reutilizar *v. tr.* 1 utilizar novamente; 2 aproveitar (vidro, papel, etc.) para nova utilização, após reciclagem

reutilizável *adj. 2 gén.* 1 que permite nova utilização; 2 que se pode utilizar novamente depois de reciclado

réveillon *s. m.* {*pl.* réveillons} festa de fim de ano

revelação *s. f.* 1 divulgação de algo secreto ou desconhecido; 2 FOT. acto de submeter o material fotográfico registado pela luz a um tratamento químico para fazer aparecer a imagem

revelar I *v. tr.* 1 dar a conhecer (algo secreto ou ignorado); 2 manifestar; exprimir; 3 FOT. fazer aparecer (a imagem fotográfica) na emulsão do negativo ou do positivo; II *v. refl.* 1 dar-se a conhecer; 2 contar algo surpreendente; 3 manifestar-se

revelia *s. f.* rebeldia; desobediência; *à ~* sem ser notado

revenda *s. f.* acto de vender aquilo que se comprou

revendedor *s. m.* aquele que compra algo para depois vender

rever I *v. tr.* 1 tornar a ver; 2 examinar minuciosamente para melhorar ou corrigir; 3 recordar; relembrar; II *v. refl.* 1 tornar a ver-se; 2 regozijar-se

reverberar I *v. tr.* reflectir (luz, calor); II *v. intr.* brilhar; resplandecer

reverência *s. f.* 1 respeito pelo que se considera sagrado; veneração; 2 cumprimento em sinal de respeito;

vénia; **3** tratamento honorífico dado aos sacerdotes

reverenciar *v. tr.* **1** tratar com reverência; respeitar; **2** prestar culto a; venerar

reverendo *s. m.* **1** tratamento dado aos sacerdotes, em geral; **2** padre; sacerdote

reversibilidade *adj. 2 gén.* qualidade de reversível

reversível *adj. 2 gén.* **1** que pode retroceder; **2** que pode regressar ao estado original; **3** (roupa, tecido) susceptível de ser utilizado pelos dois lados

reverso I *adj.* situado no lado oposto; **II** *s. m.* lado oposto ou contrário ❖ ***o ~ da medalha*** o aspecto mau ou desfavorável de alguma coisa

reverter *v. intr.* **1** voltar ao ponto de partida; retroceder; **2** voltar para a posse de; **3** (lucro, ganho) ser destinado a

revés *s. m.* **1** contrariedade; contratempo; **2** avesso; reverso

revestimento *s. m.* material que se utiliza para revestir, para proteger, reforçar ou ornamentar

revestir *v. tr.* **1** cobrir; tapar; **2** aplicar determinado revestimento em

revezar *v. tr. e refl.* substituir(-se) alternadamente

revigorante *adj. 2 gén.* que dá novas forças; fortificante

revirado *adj.* **1** que se revirou; **2** virado para cima ou do avesso; **3** em desordem

revirar *v. tr.* **1** tornar a virar; **2** virar do avesso; **3** remexer; revolver

reviravolta *s. f.* **1** acto de revirar; **2** rotação sobre si mesmo; volta; **3** *(fig.)* transformação brusca

revisão *s. f.* **1** acto de rever; **2** exame atento e pormenorizado, para detectar eventuais falhas ou problemas; **3** TIP. correcção de provas

revisor I *adj.* que revê; **II** *s. m.* **1** aquele que revê; **2** encarregado de conferir os bilhetes de passagem em transportes públicos; **3** TIP. aquele que corrige provas

revista *s. f.* **1** acto de revistar ou examinar minuciosamente; **2** busca; inspecção; **3** (jornalismo) publicação periódica que inclui artigos, entrevistas e reportagens sobre temas variados e de interesse geral ou específico (científico, desportivo, etc.); **4** TEAT. espectáculo de variedades, que inclui música e dança, e em que se satirizam acontecimentos ou figuras públicas da época; teatro de revista

revistar *v. tr.* **1** passar revista ou busca a; **2** inspeccionar; vistoriar

revitalizar *v. tr.* dar nova vida a; revigorar

revivalismo *s. m.* tendência para recordar com admiração coisas passadas e querer realizá-las de novo no presente

revivalista *adj. e s. 2 gén.* que ou pessoa que recupera ou pretende recuperar certos elementos do passado

reviver I *v. tr.* **1** viver algo novamente; **2** recordar; relembrar; **II** *v. intr.* **1** tornar a viver; renascer; **2** adquirir forças novas

revogação *s. f.* acto ou efeito de revogar; anulação

revogar *v. tr.* declarar sem efeito; anular

revogável *adj. 2 gén.* que pode ser revogado; anulável

revolta *s. f.* **1** levantamento colectivo contra uma autoridade estabelecida; sublevação; **2** sentimento de forte indignação

revoltado *adj.* **1** insubmisso; revoltoso; **2** indignado

revoltante *adj. 2 gén.* **1** que revolta; **2** que provoca forte indignação
revoltar I *v. tr.* **1** incitar à revolta; sublevar; **2** causar forte indignação; **II** *v. refl.* **1** sublevar-se; **2** indignar-se
revolto *adj.* **1** remexido; revolvido; **2** agitado; tumultuoso
revoltoso *adj. e s. m.* que ou o que se revoltou; rebelde
revolução *s. f.* **1** transformação profunda, que se realiza de modo repentino ou contínuo; **2** POL. movimento de revolta destinado a modificar a política ou as instituições de um Estado; **3** *(fig.)* agitação; perturbação
revolucionar *v. tr.* causar mudança profunda em; transformar
revolucionário I *adj.* **1** relativo a revolução; **2** que participa em revoluções; **3** POL. adepto de ideias e transformações radicais; **4** ousado; inovador; **II** *s. m.* **1** indivíduo que participa em revoluções; **2** POL. partidário de ideias e transformações radicais; **3** adepto de ideias profundamente inovadoras
revolver I *v. tr.* **1** mexer muito; remexer; **2** pôr em desordem; desarrumar; **3** cavar, misturando (terra); **4** agitar; perturbar; **II** *v. refl.* **1** mexer-se muito; **2** agitar-se
revólver *s. m.* arma de fogo portátil, manual, para defesa individual, provida de um carregador cilíndrico rotativo
reza *s. f.* prece; oração
rezar I *v. tr.* **1** dizer em oração; **2** celebrar (missa); **II** *v. intr.* dizer orações; orar
rezingar *v. intr.* resmungar; refilar
Rf QUÍM. [*símbolo de* **rutherfórdio**]
Rh QUÍM. [*símbolo de* **ródio**]
ria *s. f.* GEOG. enseada comprida e estreita na costa marítima
riacho *s. m.* ⟨*dim. de* **rio**⟩ rio pequeno; ribeiro
rial *s. m.* {*pl.* riais} unidade monetária de Arábia Saudita, Cambodja, Iémen, Irão, Omã e Qatar
ribaldaria *s. f.* *(pop.)* patifaria; velhacaria
ribalta *s. f.* **1** TEAT. série de luzes à frente do palco, entre este e a orquestra; **2** *(fig.)* arte do espectáculo; teatro
ribanceira *s. f.* **1** margem elevada de um rio; **2** precipício; despenhadeiro
ribeira *s. f.* **1** rio pequeno; ribeiro; **2** terreno banhado por um rio
ribeirinho *adj.* que vive nos rios, nas ribeiras ou nas suas proximidades
ribeiro *s. m.* rio pequeno; regato
ricaço *adj. e s. m.* ⟨*aum. de* **rico**⟩ *(coloq.)* que ou aquele que é muito rico
rícino *s. m.* BOT. arbusto de cujas sementes se extrai um óleo purgativo (óleo de rícino)
rico I *adj.* **1** que possui muitos bens; **2** valioso; **3** fértil; produtivo; **4** *(fig.)* bom; excelente; **II** *s. m.* aquele que possui muitos bens
ricochete *s. m.* movimento de um objecto que, depois de embater em qualquer ponto, volta para trás
ridicularizar I *v. tr.* escarnecer ou troçar de; **II** *v. refl.* expôr-se ao ridículo
ridículo I *adj.* **1** que provoca riso; caricato; **2** de pouco valor; insignificante; **II** *s. m.* aspecto caricato de uma pessoa, circunstância ou situação
rifa *s. f.* **1** sorteio realizado por meio de bilhetes numerados; **2** bilhete numerado para esse sorteio
rifão *s. m.* dito popular; provérbio
rifar *v. tr.* **1** sortear por meio de bilhetes numerados; **2** *(pop.)* desfazer-se de
rigidez *s. f.* **1** estado do que se encontra rígido; **2** qualidade de um objecto ou material que oferece resistência a uma tentativa de o torcer ou

dobrar; **3** *(fig.)* inflexibilidade; intransigência

rígido *adj.* **1** não flexível; teso; hirto; **2** *(fig.)* inflexível; intransigente

rigor *s. m.* **1** falta de maleabilidade; rigidez; **2** *(fig.)* inflexibilidade; intransigência; **3** exactidão; precisão ❖ ***a ~*** de acordo com as exigências; ***em (bom) ~*** com precisão; exactamente

rigoroso *adj.* **1** (material, pessoa) inflexível; rigido; **2** exigente; severo; **3** preciso; exacto; **4** minucioso; **5** (tempo) difícil de suportar

rijo *adj.* **1** que tem resistência; duro; **2** *(fig.)* vigoroso; robusto

rim *s. m.* ANAT. cada um dos dois órgãos que se situam de cada lado da região lombar, responsáveis pela produção de urina

rima *s. f.* **1** repetição de sons, iguais ou semelhantes, em palavras ou sílabas no final de dois ou mais versos; **2** [*pl.*] versos; poemas

rimar *v. intr.* **1** formar rima; **2** estar em harmonia; condizer

rímel *s. m.* cosmético para colorir e/ou fazer sobressair as pestanas; máscara

ringgit *s. m.* {*pl.* ringgits} unidade monetária da Malásia

ringue *s. m.* DESP. estrado quadrado, cercado por cordas, para a prática de boxe e outros desportos

rinite *s. f.* MED. inflamação da mucosa do nariz

rinoceronte *s. m.* ZOOL. mamífero robusto, de cabeça grande, com um ou dois cornos e pele grossa e resistente, que habita as regiões quentes da África e da Ásia

rio *s. m.* **1** curso natural de água, que geralmente nasce nas montanhas e desagua no mar, num lago ou noutro rio; **2** *(fig.)* grande quantidade de líquido; **3** [*pl.*] grande quantidade de algo (dinheiro, etc.)

ripa *s. f.* pedaço de madeira comprido e estreito

ripar *v. tr.* pentear (o cabelo) em direcção à raiz, para dar volume

ripostar *v. intr.* **1** argumentar; replicar; **2** (esgrima) responder ao golpe do adversário

riquexó *s. m.* pequeno veículo japonês de duas rodas, geralmente para um único passageiro, puxado por um homem a pé

riqueza *s. f.* **1** qualidade de rico; **2** abundância de bens; fortuna; **3** qualidade de produtivo; fertilidade; **4** *(fig.)* abundância

rir *v. intr. e refl.* **1** contrair os músculos da face como resultado de algo engraçado ou cómico; **2** manifestar alegria ou satisfação

risada *s. f.* manifestação sonora de riso; gargalhada

risca *s. f.* **1** traço; linha; **2** abertura, geralmente feita com pente, por entre os cabelos da cabeça ❖ ***à ~*** exactamente; literalmente

riscado *adj.* **1** com riscos ou traços; **2** às riscas; **3** eliminado

riscar *v. tr.* **1** fazer riscos ou traços em; **2** fazer traço mais ou menos profundo em (superfície polida); **3** eliminar; excluir

risco *s. m.* **1** traço; linha; **2** traço mais ou menos profundo feito numa superfície com objecto pontiagudo; **3** possibilidade de perigo

riso *s. m.* acto ou efeito de rir

risonho *adj.* **1** que tem ar de riso; **2** alegre; contente; **3** agradável; prazenteiro; **4** (futuro) promissor

risota *s. f.* **1** motivo de riso; **2** *(pop.)* galhofa

rispidez *s. f.* severidade; aspereza

ríspido *adj.* áspero; severo

rissol *s. m.* CUL. pastel, geralmente em forma de meia lua, recheado de carne, peixe ou legumes, e cuja massa é passada por ovo e pão ralado antes de se fritar

ritmado *adj.* que tem ritmo; cadenciado

rítmico *adj.* relativo a ritmo

ritmo *s. m.* sequência de tempos fortes e fracos em intervalos regulares; cadência

rito *s. m.* **1** conjunto de cerimónias que fazem parte da celebração de um culto; **2** cerimónia de carácter simbólico

ritual I *s. m.* conjunto de práticas estabelecidas, e que devem ser observadas em determinadas ocasiões; cerimonial; **II** *adj. 2 gén.* relativo a rito

ritualismo *s. m.* conjunto dos ritos de uma religião ou seita

rival *adj. e s. 2 gén.* que ou pessoa que disputa algo com outra pessoa; adversário

rivalidade *s. f.* disputa; competição

rivalizar *v. intr.* disputar; competir

rixa *s. f.* disputa; briga

Rn QUÍM. [*símbolo de* **rádon**]

ró *s. m.* décima sétima letra do alfabeto grego, que corresponde ao *r*

robalo *s. m.* ZOOL. peixe que apresenta o dorso cheio de manchas escuras e cuja carne tem grande valor comercial

robe *s. m.* peça de vestuário que se usa por cima da roupa de dormir; roupão

robô *s. m.* mecanismo automático, por vezes com aspecto humano, capaz de fazer movimentos e executar certos trabalhos em substituição do homem

robustez *s. f.* **1** qualidade de robusto; força; **2** resistência; solidez

robusto *adj.* **1** que tem força; vigoroso; **2** sólido; resistente

roca *s. f.* vara com uma saliência arredondada numa das extremidades, onde se enrola o algodão, o linho ou a lã para fiar

roça *s. f.* **1** terreno com plantações extensas; **2** terreno cheio de mato

roçado *adj.* **1** que se roçou ou cortou rente; **2** (tecido) desgastado pelo uso

roçar I *v. tr.* **1** cortar mato (de um terreno) com foice; **2** desgastar (tecido) pelo uso; **3** tocar levemente; **II** *v. refl.* esfregar-se

rocha *s. f.* GEOL. agregado natural formado por um ou mais minerais, que constitui parte essencial da crosta terrestre

rochedo *s. m.* **1** grande rocha; **2** rocha escarpada; penhasco

rochoso *adj.* **1** constituído por rochas; **2** coberto de rochas

rocinante *s. m.* cavalo pequeno e fraco

rock *s. m.* MÚS. estilo musical surgido na década de 1950 nos Estados Unidos, que utiliza guitarras eléctricas, baixo, bateria, diversos instrumentos de sopro e percussão, etc.

rococó *s. m.* ART. PLÁST. estilo artístico que se desenvolveu no século XVIII, caracterizado pela utilização excessiva de ornamentos e cores

rocódromo *s. m.* DESP. estrutura composta por uma parede artificial utilizada na prática de escalada

roda *s. f.* **1** objecto circular que gira em torno do seu eixo, utilizado para diversos fins; **2** qualquer objecto ou figura com forma circular; **3** grupo de pessoas dispostas em círculo; **4** volta inteira; giro; **5** extensão da parte inferior da saia

rodada *s. f.* **1** movimento completo de uma roda; **2** distribuição de bebidas por um grupo de pessoas

rodado *adj.* **1** que tem roda(s); **2** (saia, vestido) com roda; **3** (automóvel) que fez a rodagem; **4** que tem experiência

rodagem *s. f.* fase inicial do funcionamento de um motor ou maquinismo

rodapé *s. m.* **1** faixa de madeira ou outro material que protege e remata a parte inferior de uma parede; **2** faixa de tecido que pende das beiras da cama até ao pavimento; **3** texto geralmente curto e com letra reduzida que se introduz no fundo da página de um livro, jornal, revista, etc., ou que passa na zona inferior de uma sequência de imagens de televisão

rodar I *v. tr.* **1** fazer girar ou andar à roda; **2** fazer a rodagem de; **3** CIN., TV filmar; **II** *v. intr.* mover-se em torno de um eixo; girar

roda-viva *s. f.* {*pl.* rodas-vivas} movimento sem descanso; azáfama ❖ ***andar numa roda viva*** andar em grande actividade

rodear I *v. tr.* **1** andar à roda de; circundar; **2** dispor em volta de; envolver; **II** *v. refl.* fazer-se acompanhar de; conviver com

rodeio *s. m.* **1** volta em redor de algo; giro; **2** modo subtil de falar sem referir o assunto principal; evasiva ❖ ***estar com rodeios*** usar de subterfúgios; fugir com o rabo à seringa; ***sem rodeios*** sem subterfúgios; directamente

rodela *s. f.* **1** ⟨*dim. de* **roda**⟩ pequena roda em disco; **2** pedaço de fruta ou outro alimento cortado em forma circular

rodilha *s. f.* **1** pano para limpezas; esfregão; **2** tecido encorrilhado

ródio *s. m.* QUÍM. elemento metálico com o número atómico 45 e símbolo Rh

rodízio *s. m.* **1** pequena roda que se adapta a certos móveis (mesas, camas, etc.) para facilitar a sua deslocação; **2** sistema de serviço frequente em churrascarias, que permite ao cliente consumir diversas especialidades culinárias

rododendro *s. m.* BOT. pequena árvore ou arbusto com folhagem geralmente persistente e flores grandes e vistosas

rodopiar *v. intr.* dar muitas voltas; girar várias vezes seguidas

rodopio *s. m.* rotação do corpo em torno de si mesmo

rodovalho *s. m.* ZOOL. peixe teleósteo afim das solhas e dos linguados

rodovia *s. f.* estrada destinada à circulação de veículos que se movem sobre rodas

rodoviário *adj.* relativo a rodovia

roedor I *adj.* **1** que rói; **2** ZOOL. que pertence aos roedores; **II** *s. m.* ZOOL. mamífero que possui dentes incisivos longos e dedos munidos de unhas

roer I *v. tr.* **1** triturar com os dentes; **2** corroer; desgastar; **II** *v. refl.* sentir inquietação ou sofrimento (causado por medo, ciúme, inveja, etc.)

rogado *adj.* pedido; suplicado

rogar I *v. tr.* pedir por favor e com insistência; suplicar; **II** *v. intr.* pedir; interceder por

roído *adj.* **1** cortado com os dentes; **2** desgastado; corroído; **3** atormentado (com medo, ciúme, inveja, etc.)

rojões *s. m. pl.* CUL. prato tradicional do Minho que consiste em bocados pequenos de carne de porco frita, acompanhados de batatas, sangue de porco e tripa enfarinhada

rol *s. m.* relação; lista

rola *s. f.* ZOOL. ave migratória de pequeno porte, frequente nos meios urbanos

rolamento *s. m.* mecanismo que permite a certos aparelhos rodar com menor atrito, diminuindo as perdas de energia

rolante *adj. 2 gén.* que rola ou gira sobre si mesmo

rolar I *v. tr.* fazer girar; rebolar; **II** *v. intr.* **1** girar sobre si mesmo;

2 cair, rodando; **III** *v. refl.* girar sobre si mesmo; rebolar-se

roldana *s. f.* mecanismo constituído por um disco que gira em torno de um eixo, à volta do qual passa uma corda ou um cabo, destinado a elevar objectos pesados

roleta *s. f.* jogo de azar em que o número sorteado é aquele em que parar a bola de marfim que gira no prato giratório

roleta russa *s. f.* duelo ou jogo suicida em que um indivíduo, depois de meter uma única bala num revólver, faz girar o tambor e puxa o gatilho com a arma virada para si próprio

rolha *s. f.* **1** peça de cortiça, borracha, ou outro material, geralmente cilíndrica, utilizada para tapar o gargalo das garrafas; **2** *(fig.)* aquilo que obriga a calar ❖ ***Cascos de Rolha*** lugar muito distante; ***meter uma ~ na boca a*** reduzir ao silêncio

roliço *adj.* **1** com forma de rolo; cilíndrico; **2** rechonchudo; gordo

rolo *s. m.* **1** objecto cilíndrico e alongado; **2** peça enrolada de modo a formar uma espécie de cilindro; **3** pequeno cilindro revestido de lã e munido de um cabo, utilizado para pintar superfícies planas; **4** FOT. película fotográfica; **5** CUL. prato doce ou salgado preparado com uma massa enrolada com recheio; ***~ da massa*** cilindro de madeira que se utiliza para estender a massa

romã *s. f.* BOT. fruto de forma arredondada e casca avermelhada, que possui bagos vermelhos e sumarentos no interior

romance *s. m.* **1** LIT. narrativa ficcional em prosa, mais desenvolvida que a novela e o conto, e em que as personagens são apresentadas com maior densidade psicológica; **2** relação amorosa; caso; **3** *(fig.)* fantasia

romanceiro *s. m.* colecção dos romances, poesias e canções populares de um país ou de uma região

romancista *s. 2 gén.* pessoa que escreve romances

românico I *s. m.* **1** ART. PLÁST. (séc. XI e XII) estilo arquitectónico desenvolvido na Europa ocidental, caracterizado pelo predomínio das contruções religiosas e pelo uso de arcos de volta perfeita; **2** LING. família de línguas indo-europeias derivadas do latim; **II** *adj.* relativo a esse estilo

romano I *s. m.* **1** pessoa natural de Roma; **2** língua falada na Roma antiga; latim; **II** *adj.* relativo a Roma

romântico I *adj.* **1** relativo a romantismo; **2** relativo a romance; **3** apaixonado; sentimental; **II** *s. m.* **1** seguidor do romantismo; **2** pessoa sentimental e apaixonada

romantismo *s. m.* (arte e literatura) movimento do início do século XIX que valorizou a imaginação, a subjectividade e o sonho, opondo-se às regras do classicismo

romaria *s. f.* **1** peregrinação a um santuário; **2** *(fig.)* multidão de pessoas em passeio ou visita a determinado sítio; **3** festa popular; arraial

rombo I *s. m.* **1** abertura grande; buraco; **2** *(fig.)* prejuízo financeiro; desfalque; **II** *adj.* que tem a ponta gasta ou pouco aguçada

romeiro *s. m.* aquele que participa numa romaria; peregrino

romeno I *s. m.* {*f.* romena} **1** pessoa natural da Roménia; **2** língua falada na Roménia; **II** *adj.* relativo à Roménia

romeu-e-julieta *s. m.* queijo com marmelada

rompante *s. m.* impulso; ímpeto ❖ ***de ~*** impetuosamente; repentinamente

romper I *v. tr.* **1** separar em pedaços; fragmentar; **2** abrir rasgão em; rasgar; **3** abrir caminho através de; **4** não cumprir (promessa, acordo); **II** *v. intr.* **1** (dente) nascer; **2** cortar relações; **III** *v. refl.* abrir-se; rasgar-se

rompimento *s. m.* acto de romper; ruptura

ronca *s. f.* maquinismo que emite sons fortes para avisar os navios da proximidade de terra; sereia

roncar *v. intr.* **1** respirar com ruído; ressonar; **2** emitir roncos

ronco *s. m.* **1** ruído grave, de quem ressona; **2** som áspero e grave

ronda *s. f.* inspecção a um determinado local ou edifício para verificar se está tudo em ordem

rondar I *v. tr.* **1** vigiar; inspeccionar; **2** andar em redor de; **II** *v. refl.* passear sem destino; vaguear

ronha *s. f.* **1** espécie de sarna que ataca alguns animais; **2** *(pop.)* manha

ronrom *s. m.* ruído produzido pela traqueia do gato, geralmente quando está contente ou descansado

ronronar *v. intr.* fazer ronrom

roque *s. m.* peça do jogo do xadrez também chamada torre ❖ ***sem rei nem ~*** sem governo; à toa

roqueiro *s. m.* **1** instrumentista, cantor e/ou compositor de rock; **2** pessoa que gosta muito de rock

rosa I *s. f.* BOT. flor da roseira, existente em várias cores, com perfume agradável e caule coberto de espinhos; **II** *s. m. 2 núm.* tonalidade muito clara de vermelho; cor-de-rosa; **III** *adj.* que tem essa cor; cor-de-rosa ❖ ***mar de rosas*** ocasião em que tudo corre bem

rosácea *s. f.* ARQ. abertura circular em parede fechada por um vitral, que lembra uma rosa

rosado *adj.* **1** de cor semelhante a cor-de-rosa; **2** corado; avermelhado

rosa-dos-ventos *s. f.* **1** conjunto de todos os rumos determinados no horizonte pelos pontos cardeais, colaterais e subcolaterais; **2** gráfico circular que representa esses rumos

rosário *s. m.* **1** RELIG. oração em honra de Nossa Senhora constituída por quatro terços (vinte séries de um pai-nosso e dez ave-marias), com meditação dos respectivos mistérios; **2** RELIG. objecto formado por uma sucessão de contas enfiadas pelo qual se segue essa oração; **3** *(fig.)* série; enfiada

rosbife *s. m.* CUL. pedaço de carne de vaca que se serve tostado por fora e mal passado no interior

rosca *s. f.* **1** ranhura em espiral num objecto, como a de um parafuso; **2** bolo ou pão com forma retorcida; **3** *(pop.)* bebedeira

roseira *s. f.* BOT. arbusto ou trepadeira com espinhos, cultivado pela beleza das suas flores

rosmaninho *s. m.* BOT. planta aromática, semelhante a um arbusto mas de menores dimensões, que produz flores brancas ou violáceas

rosnadela *s. f.* acto ou efeito de rosnar

rosnar *v. intr.* **1** (cão) emitir um ruído surdo e ameaçador; **2** *(fig.)* resmungar

rossio *s. m.* praça grande e espaçosa

rosto *s. m.* **1** cara; face; **2** expressão da face; fisionomia; **3** lado da medalha oposto ao reverso

rota *s. f.* caminho; rumo; trajecto

rotação *s. f.* **1** volta inteira de um corpo em torno de si mesmo; giro; **2** ASTRON. movimento giratório de um astro em torno do seu próprio eixo; **3** sucessão alternada de pessoas ou factos; alternância

rotativo *adj.* **1** que faz rodar ou girar; **2** que roda; giratório; **3** (cargo, função, etc.) que se transmite em alternância

roteiro *s. m.* guia que contém indicações pormenorizadas sobre a localização de ruas, avenidas, praças, etc. de uma localidade, frequentemente completado com sugestões de interesse turístico; guia

rotina *s. f.* **1** caminho que se percorre habitualmente; **2** repetição monótona das mesmas coisas, das mesmas actividades ou dos mesmos hábitos; **3** INFORM. segmento de código constituído por instruções, que pode ser integrado num programa para executar uma tarefa

rotineiro *adj.* **1** relativo a rotina; **2** que segue a rotina; habitual

roto *adj.* que tem buraco(s); esburacado

rotor *s. m.* ELECTR. parte móvel e giratória de motores eléctricos e geradores

rottweiler *s. m.* ZOOL. cão de estatura média, corpo curto e robusto e pêlo macio predominantemente preto, muito utilizado como cão de guarda

rótula *s. f.* ANAT. pequeno osso situado na parte anterior do joelho, que realiza a articulação da tíbia com o fémur

rotular *v. tr.* **1** pôr rótulo ou etiqueta em; **2** *(fig.)* atribuir uma característica ou uma alcunha a alguém

rótulo *s. m.* **1** etiqueta que se coloca em recipientes como frascos e garrafas, para indicar o seu conteúdo, a sua composição, etc.; **2** *(fig.)* qualificação simplista que se atribui a alguém

rotunda *s. f.* praça circular onde desembocam ruas

roubalheira *s. f.* *(coloq.)* preço exagerado; roubo

roubar *v. tr. e intr.* apropriar-se de algo alheio, de modo furtivo ou violento

roubo *s. m.* **1** acto de se apropriar indevidamente de algo alheio; **2** *(fig.)* cobrança de preço demasiado alto por objecto ou serviço; exploração

rouco *adj.* **1** que tem som áspero e grave; **2** que tem rouquidão

roufenho *adj.* que parece falar pelo nariz; fanhoso

roulotte *s. f.* veículo sem motor, que se move atrelado a um automóvel, concebido e apetrechado para servir de habitação em passeios turísticos ou campismo; caravana

round *s. m.* cada um dos tempos em que se divide um combate de boxe; assalto

roupa *s. f.* designação genérica de todas as peças de vestuário ou de cama; **~ *de cama*** peças utilizadas para fazer uma cama, como o lençol e a fronha; **~ *interior*** peças de vestuário usadas junto ao corpo, por baixo de outras peças ❖ ***chegar a ~ ao pêlo*** dar uma sova; ***lavar ~ suja*** revelar em público segredos ou factos pessoais

roupão *s. m.* peça de vestuário, geralmente comprida e larga, que se usa por cima do pijama ou da camisa-de-noite

roupa-velha *s. f.* {*pl.* roupas-velhas} CUL. refeição preparada com restos de uma refeição anterior; farrapo-velho

roupeiro *s. m.* armário próprio para guardar roupa

rouquidão *s. f.* alteração da voz para um tom áspero e cavo, frequentemente devido a inflamação da laringe

rouxinol *s. m.* ZOOL. pequena ave migratória, de cor geralmente parda, que emite um canto melodioso

roxo I *adj.* da cor da violeta; violáceo; **II** *s. m.* cor da violeta; violeta

RSU [*sigla de* **r**esíduos **s**ólidos **u**rbanos]

Ru QUÍM. [*símbolo de* **ruténio**]

rua *s. f.* via pública, geralmente ladeada de casas ou edifícios, dentro de uma povoação; ***rua!*** exclamação usada, de modo severo, para mandar alguém embora; ***pôr no olho da ~*** despedir; expulsar

rubéola *s. f.* MED. doença eruptiva muito contagiosa, parecida com o sarampo, perigosa para o feto de uma mulher grávida

rubi *s. m.* **1** MIN. mineral cristalizado de cor vermelha forte, utilizado em joalharia; **2** cor muito vermelha, como a dessa pedra

rubídio *s. m.* QUÍM. elemento com o número atómico 37 e símbolo Rb, pertencente ao grupo dos metais alcalinos

rublo *s. m.* unidade monetária da Bielorrússia, Rússia, do Tajiquistão e Usbequistão

rubor *s. m.* qualidade de rubro; cor vermelha

ruborescer *v. intr.* tornar-se vermelho; corar

rubrica *s. f.* **1** assinatura abreviada; **2** título que constitui a indicação da categoria ou do assunto de algo (artigo, termo, livro, etc.); tópico

rubricar *v. tr.* assinar de forma abreviada

rubro *adj.* **1** vermelho-vivo; cor de fogo; **2** corado; afogueado; ***pôr ao ~*** aquecer até ficar da cor do fogo; fazer atingir o ponto máximo do entusiasmo, da paixão, da fúria, etc.

ruço *adj.* **1** que tem o pêlo acinzentado; **2** que tem os cabelos ou a barba grisalhos; **3** desbotado; **4** que tem o cabelo loiro

rude *adj.* **1** não polido; áspero; **2** grosseiro; malcriado

rudeza *s. f.* **1** aspereza e irregularidade de uma superfície; **2** grosseria e falta de educação de uma pessoa

rudimentar *adj. 2 gén.* **1** relativo a rudimento; **2** pouco desenvolvido; **3** básico; simples

rudimento *s. m.* **1** elemento inicial; origem; **2** órgão mal desenvolvido; **3** [*pl.*] primeiras noções; conhecimentos gerais e superficiais

ruela *s. f.* ⟨*dim. de* **rua**⟩ rua pequena e estreita; viela

rufar I *v. tr.* **1** fazer rufos ou pregas em; **2** produzir rufos batendo com as baquetas no tambor; **II** *v. intr.* (tambor) produzir rufos

rufia I *s. 2 gén.* pessoa que provoca desordem; **II** *s. m.* indivíduo que vive à custa de prostitutas; chulo

rufião *s. m.* vd. **rufia**

ruga *s. f.* **1** sulco ou prega na pele; **2** pequena dobra numa superfície

rugby *s. m.* DESP. vd. **râguebi**

rugido *s. m.* voz ou urro do leão

rugir *v. intr.* (leão) soltar rugidos

rugoso *adj.* que tem rugas; engelhado

ruibarbo *s. m.* BOT. planta com rizomas e raízes com propriedades medicinais

ruído *s. m.* **1** barulho; rumor; **2** (*fig.*) notícia com pouco ou nenhum fundamento; boato

ruidoso *adj.* que faz ruído; barulhento

ruim *adj.* **1** que prejudica; nocivo; **2** perverso; malvado

ruína *s. f.* **1** acto ou efeito de ruir; desmoronamento; **2** restos ou destroços de uma construção danificada; **3** (*fig.*) decadência; **4** (*fig.*) falência

ruindade *s. f.* **1** qualidade de ruim; **2** acção má; maldade

ruir *v. intr.* **1** cair rapidamente e com estrondo; desmoronar-se; **2** (*fig.*) frustrar-se

ruivo I *adj.* amarelo-avermelhado; **II** *s. m.* indivíduo de cabelo amarelo--avermelhado

rum *s. m.* aguardente obtida da destilação do melaço depois de fermentado

rumar *v. intr.* ir em direcção a

ruminação *s. f.* processo fisiológico que ocorre nos animais ruminantes, que mastigam os alimentos ligeiramente e os engolem, para mais tarde os mastigar de novo, engolindo-os no final

ruminante **I** *s. m.* ZOOL. mamífero herbívoro, com estômago complexo, em que ocorre a ruminação durante a digestão; **II** *adj. 2 gén.* que rumina

ruminar *v. intr.* **1** (animal) mastigar os alimentos que voltaram à boca; **2** *(fig.)* pensar muito; matutar

rumo *s. m.* **1** qualquer das direcções da rosa-dos-ventos; **2** AERON., NÁUT. ângulo que faz o sentido da rota do navio ou do avião com uma direcção de referência, normalmente o norte; **3** *(fig.)* orientação

rumor *s. m.* **1** barulho; ruído; **2** *(fig.)* notícia que corre de boca em boca; boato

rumorejar *v. intr.* **1** produzir rumor; sussurrar brandamente; **2** dizer segredos; falar baixinho

rupestre *adj. 2 gén.* **1** que cresce sobre os rochedos; **2** (inscrição, pintura) que se encontra em rochedos

rupia *s. f.* unidade monetária da Índia, Indonésia, Maldivas, Maurícia, Nepal, Paquistão, Seychelles e Sri Lanka

ruptura *s. f.* **1** acto ou efeito de romper(-se); **2** quebra numa sequência ou continuidade; corte; **3** corte de relações (sociais, profissionais, etc.); **4** separação da parte de um todo; fractura

rural *adj. 2 gén.* **1** relativo a campo; campestre; **2** relativo à vida agrícola

rusga *s. f.* operação policial efectuada para deter suspeitos de actos criminosos

russo **I** *s. m.* {*f.* russa} **1** pessoa natural da Rússia; **2** língua falada na Rússia; **II** *adj.* relativo à Rússia

rústico *adj.* **1** relativo ao campo, às zonas rurais; **2** simples; tosco; **3** *(pej.)* grosseiro

ruténio *s. m.* QUÍM. elemento metálico com o número atómico 44 e símbolo Ru

rutherfórdio *s. m.* QUÍM. elemento radioactivo, com o número atómico 104 e símbolo Rf

S

s *s. m.* décima nona letra e décima quinta consoante do alfabeto

S I GEOG. [*símbolo de* **sul**]; **II** QUÍM. [*símbolo de* **enxofre**]

S.A. [*abrev. de* Sociedade Anónima]

sábado *s. m.* dia da semana imediatamente a seguir à sexta-feira; ~ ***de Aleluia/Santo*** dia da Semana Santa, véspera de Domingo de Páscoa, em que se comemora a Ressurreição de Cristo

sabão *s. m.* mistura de sais de ácidos gordos e de bases geralmente alcalinas utilizada para lavar e desengordurar

sabedoria *s. f.* **1** qualidade de sábio; **2** grande conjunto de conhecimentos; instrução; saber; **3** conhecimento da verdade; **4** reflexão; sensatez

saber I *v. tr.* **1** ter conhecimento ou informação de alguma coisa; **2** ter conhecimentos técnicos de; **3** ter a certeza de; **4** ter jeito ou capacidade para *v. intr.* **1** ter conhecimento; **2** ter sabor ou gosto a; **II** *s. m.* conjunto de conhecimentos que se possui; sabedoria; cultura ❖ ***dar a ~ a*** informar; ***não ~ a quantas anda*** andar atrapalhado, desnorteado; ~ ***bem/mal*** ter bom/mau gosto; ~ ***da poda*** ser perito

sabichão *adj. e s. m.* **1** que ou aquele que sabe muito; **2** que ou aquele que se julga sábio

sabido *adj.* **1** conhecido por todos; público; **2** sabedor; perito; **3** *(fig.)* manhoso; finório

sábio *adj. e s. m.* que ou aquele que sabe muito; erudito

sabonete *s. m.* sabão fino e perfumado

saboneteira *s. f.* pequeno recipiente utilizado para pousar o sabonete

sabor *s. m.* **1** impressão que certas substâncias produzem na língua; sensação gustativa; **2** sentido do gosto; paladar; **3** *(fig.)* vontade; capricho ❖ ***ao ~ da maré*** ao acaso; à sorte; ***ao ~ de*** ao gosto de; de acordo com

saborear *v. tr.* **1** comer ou beber lentamente, apreciando o sabor de; **2** *(fig.)* gozar demoradamente

saboroso *adj.* **1** agradável ao paladar; gostoso; **2** *(fig.)* que causa prazer

sabotagem *s. f.* **1** acto de sabotar; **2** danificação intencional de objecto, mecanismo, meio de transporte, etc., para impedir o seu funcionamento

sabotar *v. tr.* danificar intencionalmente um objecto, mecanismo, meio de transporte, etc., com a intenção de impedir o seu funcionamento

sabre *s. m.* espada curta

sabugueiro *s. m.* BOT. árvore ou arbusto que produz flores brancas e tem propriedades medicinais

saca *s. f.* saco; bolsa

sacada *s. f.* **1** qualquer parte de uma construção que avança em relação ao nível das paredes de um edifício; **2** varanda; balcão

sacado *s. m.* ECON. pessoa ou instituição sobre a qual se sacou uma letra de câmbio

sacador *adj. e s. m.* que ou aquele que emite letras de câmbio
sacana *adj. e s. m.* patife; canalha
sacar I *v. tr.* **1** tirar à força e repentinamente; arrancar; **2** extrair; obter (informação, etc.); **3** emitir (cheque, letra de câmbio) para ser pago por alguém; **II** *v. intr.* tirar para fora a arma, dirigindo-a para o alvo
sacarina *s. f.* QUÍM. substância natural ou sintética que é utilizada para adoçar, e que substitui o açúcar comum em algumas dietas
saca-rolhas *s. m. 2 núm.* utensílio com que se tiram as rolhas das garrafas
sacarose *s. f.* QUÍM. nome científico de uma substância extraída da cana-de-açúcar e da beterraba, muito usada na alimentação humana como adoçante
sacerdócio *s. m.* dignidade ou funções do sacerdote
sacerdote *s. m.* ministro de uma religião; padre
sachar *v. tr.* escavar ou remover a terra com uma pequena enxada
sachola *s. f.* enxada pequena
saciar I *v. tr.* **1** extinguir (a fome ou a sede), comendo ou bebendo; **2** satisfazer plenamente; **II** *v. refl.* **1** comer e/ou beber até ficar satisfeito; **2** satisfazer-se plenamente
saciedade *s. f.* estado de quem está saciado ou completamente satisfeito
saco *s. m.* **1** espécie de bolsa de pano, couro, plástico ou outro material, aberto em cima, geralmente com asas para facilitar o transporte; **2** mala pequena; maleta ❖ ***despejar o ~*** desabafar; ***encher o ~*** perder a paciência; ***meter a viola no ~*** calar-se; ***meter tudo no mesmo ~*** misturar coisas diferentes; ***~ de batatas*** pessoa vestida com roupas largas
saco-cama *s. m.* {*pl.* sacos-camas} saco de tecido acolchoado e com fecho-ecler, onde uma pessoa se enfia para dormir (em parque de campismo, etc.)
sacralizar *v. tr.* atribuir carácter sagrado a
sacramento *s. m.* RELIG. sinal sensível instituído por Jesus Cristo para dar ou aumentar a graça; ***Santíssimo Sacramento*** Eucaristia
sacrificar I *v. tr.* **1** oferecer em sacrifício a uma divindade; **2** renunciar voluntariamente a; **3** prejudicar (algo ou alguém) em favor de; **II** *v. refl.* **1** renunciar a algo, em benefício de; **2** dedicar-se totalmente a
sacrifício *s. m.* **1** oferta de algo a uma divindade; oferenda; **2** privação voluntária; renúncia
sacrilégio *s. m.* **1** desrespeito por algo sagrado; **2** (*fig.*) mau uso de algo que possui valor
sacrílego I *adj.* **1** que comete sacrilégio; **2** em que há sacrilégio; **II** *s. m.* aquele que comete sacrilégio
sacristão *s. m.* indivíduo encarregado do arranjo e guarda de uma igreja
sacristia *s. f.* casa ou dependência contígua à igreja onde se guardam os paramentos sacerdotais e outros objectos necessários às cerimónias religiosas
sacro I *adj.* **1** sagrado; **2** (*fig.*) respeitável; **II** *s. m.* ANAT. osso ímpar constituído por um conjunto de vértebras fundidas
sacudidela *s. f.* acto de sacudir levemente; abanão
sacudir I *v. tr.* **1** agitar; abanar várias vezes; **2** limpar, batendo ou agitando; **II** *v. refl.* abanar-se
sádico I *adj.* **1** relativo a sadismo; **2** que pratica o sadismo; **II** *s. m.* aquele que pratica o sadismo

sadio *adj.* **1** bom ou próprio para a saúde; saudável; **2** que tem saúde

sadismo *s. m.* **1** MED. perturbação em que a satisfação sexual é alcançada por meio do sofrimento infligido ao parceiro; **2** perversão caracterizada pela obtenção de prazer com o sofrimento alheio; crueldade

sadomasoquismo *s. m.* MED. perversão sexual em que o sadismo e o masoquismo estão associados

sadomasoquista *adj. e s. 2 gén.* que ou pessoa que pratica sadomasoquismo

safa *s. f. (coloq.)* borracha utilizada para apagar o que se escreveu ou desenhou; ***safa!*** exclamação que exprime admiração, aborrecimento, alívio, etc.

safadeza *s. f. (coloq.)* acto ou comportamento de safado; vileza

safado *adj.* **1** apagado com borracha; **2** *(pop.)* desavergonhado; descarado

safanão *s. m.* grande abanão; empurrão

safar **I** *v. tr.* **1** apagar com borracha; **2** salvar; livrar; **II** *v. refl.* **1** escapar; livrar-se; **2** fugir

safari *s. m.* expedição realizada na selva africana para caçar ou observar animais selvagens

safira **I** *s. f.* MIN. pedra preciosa de cor azul; **II** *s. m.* cor azul dessa pedra

safo *adj.* livre de perigo ou de algo desagradável; desembaraçado

safra *s. f.* **1** colheita de um ano; **2** *(fig.)* azáfama

saga *s. f.* **1** história ou narrativa repleta de incidentes; **2** história de uma família, abrangendo várias gerações

sagacidade *s. f.* **1** qualidade de sagaz; **2** agudeza de espírito; perspicácia

sagaz *adj. 2 gén.* de espírito penetrante; perspicaz

sagitariano *s. m.* ASTROL. indivíduo que nasceu sob o signo de Sagitário

Sagitário *s. m.* **1** ASTRON. nona constelação do zodíaco situada no hemisfério sul; **2** ASTROL. nono signo do zodíaco (22 de Novembro a 21 de Dezembro)

sagrado *adj.* **1** relativo à religião, a Deus, a uma divindade, ou aos ritos; santo; **2** que se sagrou; consagrado; **3** respeitável; venerável

sagui *s. m.* ZOOL. pequeno macaco, de cauda longa e fina, com o dedo polegar da mão muito curto e não oponível, e unhas em forma de garras

saia *s. f.* **1** peça de vestuário feminino que se aperta na cintura e desce sobre as pernas até uma altura variável; **2** parte de pano ou toalha que pende dos lados da mesa até ao chão

saia-calça *s. f.* {*pl.* saias-calças} calças largas femininas, cortadas de uma forma que lhes dá aparência de saia

saia-casaco *s. m.* {*pl.* saias-casacos} conjunto constituído por uma saia e um casaco, geralmente feitos na mesma cor ou padrão e no mesmo tecido; tailleur

saibro *s. m.* mistura de argila e areia, usada para preparar argamassa; areia argilosa

saída *s. f.* **1** acto ou efeito de sair; **2** lugar, porta ou passagem por onde se sai; **3** momento em que se sai; **4** meio de resolver um problema ou uma dificuldade; solução; **5** procura ou venda (de bem de consumo); **6** dito espontâneo e repentino; **~ *de emergência*** acesso destinado a evacuar pessoas em situações de perigo ❖ ***estar de ~*** estar prestes a ir-se embora; ***ter ~*** vender-se bem; ter muita procura

saído *adj.* **1** que está fora; **2** saliente; proeminente; **3** aparecido; surgido; **4** *(pop.)* espevitado; atrevido

sair I *v. intr.* 1 passar de dentro para fora; 2 ir à rua; aparecer em público; 3 afastar-se; desviar-se; 4 abandonar um local; ausentar-se; 5 deixar; abandonar; 6 soltar-se; 7 publicar--se; II *v. refl.* dizer de modo espontâneo e repentino ❖ ~ ***a*** parecer-se com; ~ ***à francesa*** sair sem se despedir; ~ ***caro*** ter custos elevados; ter consequências graves; ~ ***dos eixos*** desviar-se do bom caminho; ***sair-se bem/mal*** ter/não ter êxito

sais de banho *s. m. pl.* substância que se dissolve na água do banho para perfumar e tonificar a pele

sais de fruto *s. m. pl.* substância em pó, efervescente, que se toma dissolvida em água em caso de problemas digestivos

sal *s. m.* 1 substância branca, cristalina, solúvel em água, muito utilizada para temperar alimentos; cloreto de sódio; 2 *(fig.)* interesse; graça; 3 [*pl.*] substâncias voláteis que se dão a cheirar às pessoas desmaiadas para recuperar os sentidos; *(fig.)* ***pãozinho sem*** ~ pessoa sem interesse ou maçadora; ~ ***grosso*** sal não refinado; ***sais minerais*** sais inorgânicos, fundamentais para a alimentação dos seres vivos

sala *s. f.* divisão principal de uma casa ou de um apartamento, onde geralmente se recebem visitas e se tomam as refeições; ~ ***de espera*** compartimento onde se aguarda o momento de ser atendido ou a chegada de alguém; ~ ***de estar*** sala onde se permanece habitualmente, para repouso, convívio, etc.; ~ ***de jantar*** compartimento da casa onde se tomam as refeições ❖ ***fazer*** ~ entreter as visitas

salada *s. f.* 1 CUL. prato que se serve geralmente frio, preparado à base de verduras e legumes, frequentemente temperados com molho de azeite e vinagre ou maionese; 2 *(fig.)* confusão; salgalhada

salada de frutas *s. f.* CUL. sobremesa preparada com frutas variadas cortadas em pedaços pequenos e servidas numa calda

salada russa *s. f.* 1 CUL. refeição preparada com legumes cozidos misturados com peixe ou carne e temperados com maionese; 2 *(fig.)* situação confusa; trapalhada

saladeira *s. f.* recipiente em que se prepara ou serve salada

salamaleque *s. m. (pop.)* cumprimento cerimonioso exagerado

salamandra *s. f.* 1 ZOOL. batráquio semelhante ao lagarto, de pele brilhante e por vezes manchada de amarelo; 2 fogão móvel provido de tubagem para aquecimento

salame *s. m.* 1 CUL. espécie de paio feito de lombo de boi entremeado de presunto e conservado em tripa, que geralmente se come frio; 2 CUL. doce em forma de rolo preparado com chocolate e bolacha partida

salão *s. m.* 1 sala grande; 2 recinto próprio para exposição de obras de arte, para espectáculos, bailes, etc.

salariado *s. m.* trabalhador que recebe um salário; assalariado

salário *s. m.* remuneração do trabalho de um funcionário, geralmente regulada pelos contratos colectivos de trabalho; ~ ***mínimo (nacional)*** preço mínimo do trabalho fixado por lei

saldar *v. tr.* 1 pagar o saldo de; liquidar (conta); 2 ECON. vender por preços baixos artigos fora de moda ou de pouca procura

saldo *s. m.* 1 ECON. diferença entre o débito e o crédito; 2 [*pl.*] período de tempo em que os comerciantes vendem os artigos com desconto, geralmente para esgotar o stock; promoções

saleiro *s. m.* recipiente para guardar ou servir sal

salgadinho *s. m.* alimento salgado (biscoito, amêndoa, pedacinhos de queijo, etc.) que se serve geralmente como aperitivo; entrada

salgado I *adj.* **1** que contém sal; **2** temperado com sal; **3** que tem sal em excesso; **4** *(fig.)* malicioso; picante; **II** *s. m.* alimento com sal

salgalhada *s. f. (pop.)* confusão; trapalhada

salgar *v. tr.* **1** conservar em sal; **2** temperar com sal

sal-gema *s. m.* {*pl.* sais-gemas} sal comum extraído de mina

salgueiro *s. m.* BOT. árvore de ramos longos, finos e pendentes, cultivada para ornamentar margens de lagos, jardins e parques; chorão

salicultor *s. m.* aquele que possui ou explora salinas

salicultura *s. f.* cultura do sal em salinas

saliência *s. f.* **1** qualidade de saliente; **2** relevo numa superfície; proeminência

salientar *v. tr. e refl.* destacar(-se); tornar(-se) evidente

saliente *adj. 2 gén.* **1** que sobressai; proeminente; **2** *(fig.)* notável

salina *s. f.* represa de água do mar para a extracção do sal

salino *adj.* **1** que contém sal; **2** da natureza do sal

salitre *s. m.* QUÍM. *(pop.)* nitrato de potássio

saliva *s. f.* líquido segregado pelas glândulas salivares que facilita a digestão; cuspo; *(fig.)* ***gastar muita ~*** falar muito e dizer pouco

salivar I *v. intr.* segregar ou expelir saliva; **II** *adj. 2 gén.* relativo a saliva

salmão I *s. m.* **1** ZOOL. peixe de corpo alongado e carne rosada ou avermelhada; **2** cor avermelhada deste peixe; **II** *adj.* que tem essa cor

salmo *s. m.* **1** RELIG. cada um dos poemas líricos do Antigo Testamento; **2** RELIG. hino em que se enaltece ou agradece a Deus

salmonela *s. f.* MED. bactéria que afecta o intestino do homem e de vários animais, provocando infecções

salmonete *s. m.* ZOOL. peixe de cabeça grande, corpo alongado e cor rosada, abundante no Mediterrâneo

saloio *adj. e s. m.* **1** que ou indivíduo que vive no campo; rústico; **2** *(pej.)* que ou indivíduo que revela modos grosseiros

salpicado *adj.* com salpicos ou pingos

salpicão *s. m.* CUL. chouriço grosso, feito principalmente de carne do lombo do porco

salpicar I *v. tr.* **1** espalhar pingos ou salpicos em; **2** sujar com salpicos; **II** *v. refl.* **1** cobrir-se de salpicos; **2** sujar-se com salpicos

salpico *s. m.* pequena gota; pinga

salsa *s. f.* **1** BOT. planta herbácea e aromática, muito utilizada na alimentação como condimento; **2** MÚS. música sul-americana que combina elementos do jazz e do rock com melodias de origem africana; **3** dança executada ao som dessa música

salsada *s. f.* confusão; trapalhada

salsaparrilha *s. f.* BOT. planta que possui raízes aromáticas, de aplicação culinária e medicinal

salsicha *s. f.* **1** CUL. enchido de de forma delgada, geralmente preparado à base de carne de porco envolvida em tripa ou invólucro sintético; **2** *(coloq.)* cão de corpo alongado, com patas muito curtas e orelhas pendentes

salsichão *s. m.* ⟨*aum. de* **salsicha**⟩ CUL. salsicha grande; salpicão
salsicharia *s. f.* estabelecimento onde se fabricam ou vendem salsichas e outros produtos do mesmo tipo
saltada *s. f.* **1** acto de saltar; salto; **2** visita breve; ida rápida
saltão *s. m.* vd. **gafanhoto**
salta-pocinhas *s. m. 2 núm.* **1** indivíduo que parece andar aos saltinhos; **2** pessoa que não pára quieta
saltar I *v. tr.* **1** transpor com um salto; **2** *(fig.)* omitir (palavra, frase); **II** *v. intr.* **1** dar saltos; pular; **2** atirar-se; lançar-se ❖ **~ *à vista/aos olhos*** ser muito evidente
salteado *adj.* **1** alternado; entremeado; **2** CUL. (alimento) passado por gordura, depois de cozinhado
saltear *v. tr.* CUL. cozinhar (alimento) em gordura bem quente, mexendo-o para que não agarre ao fundo
saltimbanco *s. 2 gén.* acrobata ou ginasta que se exibe em feiras, festas, etc.
saltitar *v. intr.* **1** caminhar dando pequenos saltos; **2** *(fig.)* passar constantemente de um lugar ou de um assunto para outro
salto *s. m.* **1** movimento de elevação do corpo para vencer um espaço ou um obstáculo; pulo; **2** parte do calçado que torna o calcanhar mais alto; **3** DESP. (atletismo) prova em que o atleta transpõe uma distância ou um obstáculo; **4** DESP. prova realizada em piscina, na qual o atleta se lança de uma prancha; **~ *mortal*** volta completa do corpo no ar, sem apoio das mãos
salubre *adj. 2 gén.* bom para a saúde; saudável
salutar *adj. 2 gén.* **1** próprio para conservar ou recuperar a saúde; **2** *(fig.)* construtivo; benéfico
salva *s. f.* **1** bandeja de prata; **2** saudação; **~ *de palmas*** aplauso entusiástico colectivo; ovação
salvação *s. f.* **1** acto de salvar(-se) ou libertar(-se); **2** aquilo que liberta de uma aflição, de um perigo, etc.; **3** RELIG. felicidade eterna; redenção
salvador *adj. e s. m.* que ou aquele que salva ou liberta
Salvador *s. m.* RELIG. Jesus Cristo
salvaguarda *s. f.* **1** garantia e protecção concedidas por uma instituição ou autoridade; **2** garantia; segurança
salvaguardar *v. tr.* **1** pôr a salvo; proteger; **2** garantir; assegurar
salvamento *s. m.* acto de ou efeito de salvar(-se); salvação
salvar I *v. tr.* **1** pôr a salvo; libertar (de perigo, dificuldade); **2** livrar (de cativeiro, prisão); resgatar; **3** livrar da morte; curar; **4** RELIG. dar a salvação eterna; **II** *v. refl.* **1** libertar-se; livrar-se; **2** RELIG. conseguir a salvação eterna
salva-vidas *s. m. 2 núm.* **1** barco insubmersível próprio para salvar náufragos; **2** indivíduo que faz a vigilância das praias; nadador-salvador
salvo I *adj.* **1** livre de perigo, doença, dificuldade, etc.; **2** não atingido; intacto; **3** RELIG. que alcançou a vida eterna; **II** *prep.* excepto; fora; a não ser ❖ ***a ~*** fora de perigo; ***~ seja!*** exprime que se deseja que o mal referido não aconteça; ***são e ~*** fora de perigo; ileso
salvo-conduto *s. m.* {*pl.* salvos-condutos} licença escrita para percorrer livremente determinada zona
samário *s. m.* QUÍM. elemento metálico com o número atómico 62 e símbolo Sm
samaritano I *s. m.* pessoa natural da Samaria (Palestina); **II** *adj.* **1** relativo à Samaria; **2** *(fig.)* caridoso

samarra *s. f.* vestimenta feita de peles de ovelha ou de carneiro com lã

samba *s. m.* dança brasileira cantada, com compasso binário, mais dinâmica que a rumba

sambar *v. intr.* dançar o samba

samurai *s. m.* antigo guerreiro japonês, especialista na arte do sabre, que seguia um estrito código de honra e servia um senhor feudal

sanatório *s. m.* estabelecimento hospitalar para tratamento de doentes ou convalescentes, principalmente tuberculosos

sanção *s. f.* **1** aprovação e confirmação de uma lei pelo chefe de Estado; **2** assentimento; aprovação; **3** pena prevista para a violação de uma lei; **4** medida de coacção tomada por uma autoridade

sancionar *v. tr.* confirmar; aprovar

sandália *s. f.* calçado composto apenas por sola e tiras mais ou menos largas, que a ligam ao pé

sande *s. f. (coloq.)* vd. **sanduíche**

sandes *s. f. 2 núm. (coloq.)* vd. **sanduíche**

sanduíche *s. f.* conjunto de duas fatias finas de pão e uma de carne, queijo, etc., metida de permeio; sande

saneamento *s. m.* **1** acto ou efeito de sanear; **2** conjunto de condições sanitárias necessárias à vida de uma população, sobretudo a canalização e o tratamento dos esgotos

sanear *v. tr.* **1** tornar habitável e higiénico; **2** curar; **3** remediar; reparar

sanefa *s. f.* tira larga de tecido colocada horizontalmente na parte superior de uma janela ou porta, formando conjunto com a cortina ou reposteiro

sangrar I *v. intr.* deitar sangue; **II** *v. tr.* tirar sangue a (picando ou abrindo uma veia)

sangrento *adj.* **1** que verte sangue; **2** cheio de sangue; ensanguentado; **3** que envolve violência e derramamento de sangue

sangria *s. f.* **1** acto de sangrar; **2** sangue extraído ou derramado; **3** bebida preparada com vinho tinto, água, açúcar, sumo de limão e pedaços de frutas

sangue *s. m.* **1** BIOL., MED. líquido vermelho constituído por plasma, glóbulos e plaquetas, que circula nos vasos sanguíneos e transporta elementos nutritivos, substâncias gasosas e produtos de excreção; **2** *(fig.)* origem; família; *(fig.)* ~ ***azul*** nobreza; fidalguia; ❖ ***ficar sem pinga de ~*** apanhar um grande susto; ***laços de ~*** parentesco; ***subir o ~ à cabeça*** enfurecer-se

sangue-frio *s. m.* {*pl.* sangues-frios} serenidade; autodomínio

sanguessuga I *s. f.* ZOOL. verme que vive em águas doces e tem com o corpo achatado, com uma ventosa em cada extremidade, através das quais suga o sangue de vertebrados; **II** *s. 2 gén. (fig., pej.)* pessoa exploradora

sanguinário *adj.* **1** que gosta de ver derramar sangue; **2** *(fig.)* feroz; cruel

sanguíneo *adj.* **1** relativo a sangue; **2** que contém sangue; **3** da cor do sangue

sanidade *s. f.* **1** qualidade de são; **2** conjunto de condições propícias à saúde; higiene

sanita *s. f.* peça de louça sanitária utilizada para evacuar; retrete

sanitário I *adj.* **1** relativo à saúde e higiene; **2** relativo a quarto de banho; **II** *s. m. pl.* instalações próprias para higiene e necessidades pessoais situadas em local público

sânscrito *s. m.* língua indo-europeia da antiga Índia

santidade *s. f.* qualidade ou estado de santo; RELIG. ***Sua Santidade*** título dado ao Papa

santificação *s. f.* **1** acto ou efeito de santificar(-se); **2** processo de canonização

santificar I *v. tr.* **1** tornar santo; **2** declarar santo; canonizar; **II** *v. refl.* tornar-se santo

santo *adj. e s. m.* **1** que ou aquele que vive de acordo com a Lei de Deus; **2** que ou indivíduo que foi declarado santo ou canonizado; **3** *(fig.)* que ou pessoa que é bondosa e virtuosa

santola *s. f.* ZOOL. crustáceo semelhante a um caranguejo grande, com carapaça áspera e pernas geralmente longas e finas

santuário *s. m.* templo consagrado ao culto de uma religião; lugar santo

são *adj.* **1** que tem saúde; saudável; **2** que recuperou a saúde; curado; **3** bom para a saúde; salutar; **4** recto; justo ❖ ***~ como um pêro*** forte e saudável; ***~ e salvo*** fora de perigo; ileso

são-bernardo *s. m.* {*pl.* são-bernardos} ZOOL. cão de raça de grande porte, oriundo dos Alpes, de pêlo farto, geralmente ruivo e branco, treinado para descobrir viajantes enterrados na neve

sapador *s. m.* **1** MIL. soldado de engenharia que trabalha com materiais explosivos, abrindo galerias subterrâneas, etc.; **2** bombeiro que pertence a um grupo de sapadores-bombeiros

sapador-bombeiro *s. m.* {*pl.* sapadores-bombeiros} indivíduo que pertence a uma unidade de assistência pública encarregada de combater incêndios, fazer salvamentos e socorrer pessoas acidentadas

sapatada *s. f.* **1** pancada com o sapato; **2** pancada com a mão aberta

sapataria *s. f.* loja onde se vende calçado

sapateado *s. m.* **1** dança popular em que o ritmo é fortemente marcado com o ruído dos sapatos; **2** dança de origem norte-americana, executada com sapatos que possuem uma chapa metálica na sola, produzindo um som característico

sapatear *v. intr.* dançar sapateado

sapateira *s. f.* **1** ZOOL. caranguejo grande, com carapaça de exterior liso, de aspecto semelhante ao da santola; **2** mulher que fabrica e/ou vende calçado

sapateiro *s. m.* indivíduo que fabrica e/ou vende calçado

sapatilha *s. f.* calçado leve de material maleável, usado na prática de alguns desportos e com vestuário informal; ténis

sapato *s. m.* peça de calçado destinada a cobrir o pé ou parte dele

sapiência *s. f.* **1** qualidade de sapiente; **2** conhecimento vasto; sabedoria; erudição

sapiente *adj. 2 gén.* sabedor; erudito

sapo *s. m.* ZOOL. pequeno batráquio de forma atarracada e pele rugosa, semelhante à rã; ***engolir sapos*** suportar coisas desagradáveis sem reagir

saque *s. m.* **1** pilhagem; roubo; **2** emissão de título de crédito ou de ordem de pagamento contra alguém

saqué *s. m.* bebida alcoólica japonesa, obtida pela fermentação do arroz, e geralmente servida quente

saquear *v. tr.* roubar; pilhar

saraiva *s. f.* precipitação atmosférica de grânulos de gelo, que se formam na passagem das gotas de água por uma camada de ar muito fria; granizo

saraivada *s. f.* queda abundante de saraiva ou granizo

saraivar *v. intr.* cair saraiva

sarampo *s. m.* MED. doença infecciosa e muito contagiosa, caracterizada por febre, inflamação das mucosas da boca e do nariz, e pintas vermelhas na pele
sarapintar *v. tr.* **1** fazer várias pintas em; salpicar; **2** pintar com várias cores
sarar I *v. tr.* tornar são; curar; **II** *v. intr.* **1** curar-se; **2** (ferida) cicatrizar
sarau *s. m.* festa nocturna, onde se dança, executa música e recita
sarcasmo *s. m.* ironia azeda; escárnio
sarcástico *adj.* que encerra sarcasmo; irónico
sarcófago *s. m.* **1** caixão em que os Egípcios encerravam as múmias; **2** túmulo
sarda *s. f.* pequena mancha na pele, geralmente castanha-escura
sardanisca *s. f.* ZOOL. pequeno lagarto insectívoro e trepador, frequente em muros e locais pedregosos; lagartixa
sardão *s. m.* ZOOL. espécie de lagarto de cor verde
sardento *adj.* que apresenta sardas
sardinha *s. f.* ZOOL. peixe de pequeno porte, de corpo achatado, que vive em cardumes, muito utilizado na alimentação humana ❖ ***como ~ em lata*** tão apertado que não se pode mexer
sardinhada *s. f.* **1** refeição em que o prato principal é sardinha assada; **2** refeição ao ar livre, em que se assam e comem sardinhas
sardinheira *s. f.* BOT. planta com flores grandes e muito vistosas, cultivada como ornamental
sargaço *s. m.* BOT. espécie de algas ramificadas que flutuam nas águas ou se fixam às rochas
sargento *s. 2 gén.* MIL. militar de graduação inferior à de aspirante a oficial e superior à de cabo
sari *s. m.* traje feminino indiano, constituído por uma peça de tecido comprida que é enrolada à volta do corpo
sarilho *s. m.* **1** *(pop.)* confusão; trapalhada; **2** *(pop.)* situação difícil; complicação
sarja *s. f.* tecido resistente de algodão, linho ou lã
sarjeta *s. f.* canal ou vala para escoamento das águas; valeta
sarna *s. f.* MED., VET. doença de pele, contagiosa, provocada por um ácaro e caracterizada por causar grande comichão
sarrabiscar *v. tr.* fazer sarrabiscos em
sarrabisco *s. m.* risco ao acaso; gatafunho
sarrabulho *s. m.* **1** sangue de porco coagulado; **2** CUL. refeição preparada com esse sangue, fígado, rim e banha derretida
sarro *s. m.* **1** borra de um líquido que se deposita no fundo de um recipiente; **2** crosta que se forma sobre os dentes que não são limpos
satanás *s. m.* espírito do mal; diabo
satânico *adj.* **1** relativo a satanás; **2** *(fig.)* diabólico
satélite *s. m.* **1** ASTRON. corpo celeste que gravita em torno de um planeta principal; planeta secundário; **2** (astronáutica) veículo ou engenho colocado em órbita à volta da Terra, para recolha de dados (meteorológicos ou científicos), captação de imagens, etc.; **3** nação ou país que depende política ou economicamente de outra/o
sátira *s. f.* **1** LIT. composição poética que ridiculariza os vícios ou defeitos de uma época, de uma instituição ou de uma pessoa; **2** discurso ou escrita que critica ou ironiza algo

satírico *adj.* **1** relativo a sátira; **2** que satiriza; **3** mordaz; sarcástico

satirizar I *v. tr.* criticar com sarcasmo; ridicularizar; **II** *v. intr.* escrever sátiras

satisfação *s. f.* **1** acto de satisfazer(-se); prazer; contentamento; **2** explicação; justificação

satisfatório *adj.* **1** que satisfaz; **2** suficiente; aceitável

satisfazer I *v. tr.* **1** realizar; cumprir (desejo, exigência, etc.); **2** contentar; agradar a; **3** saciar (fome, sede); **II** *v. intr.* **1** ser suficiente; bastar; **2** proporcionar satisfação; **III** *v. refl.* **1** contentar-se; **2** saciar-se

satisfeito *adj.* **1** contente; **2** saciado; farto; **3** realizado; cumprido

saturação *s. f.* **1** estado de saturado; **2** FÍS., QUÍM. estado de uma solução que contém o máximo de uma substância dissolvida a determinada pressão

saturado *adj.* **1** impregnado no mais alto grau; **2** cheio; repleto; **3** saciado; **4** cansado; farto

saturar *v. tr.* **1** levar ao ponto de saturação; **2** tornar repleto; **3** saciar; **4** cansar; fartar

Saturno *s. m.* **1** ASTRON. planeta primário exterior do sistema solar, situado entre Júpiter e Urano; **2** MITOL. deus das sementeiras

saudação *s. f.* **1** gesto ou expressão com que se cumprimenta alguém; **2** expressão de felicitação

saudade *s. f.* **1** sentimento de melancolia e nostalgia causado pela falta de pessoas ou coisas, ou pelo afastamento de um lugar ou de uma época; **2** [*pl.*] cumprimentos

saudar *v. tr.* cumprimentar; felicitar

saudável *adj. 2 gén.* **1** bom para a saúde; salutar; **2** higiénico; salubre; **3** que tem saúde; forte; **4** favorável; benéfico

saúde *s. f.* **1** estado de equilíbrio e bom funcionamento de um organismo; **2** saudação que se faz bebendo, a algo ou alguém; brinde; ~ ***de ferro*** resistência acima do normal

saudosismo *s. m.* (início do séc. XX) movimento nacionalista português, poético e filosófico, de carácter simbolista

saudoso *adj.* **1** que tem saudade; **2** que causa saudade; **3** que exprime saudade

sauna *s. f.* **1** banho de vapor, geralmente a temperaturas elevadas; **2** (*fig.*) lugar extremamente quente

sáurio *s. m.* ZOOL. réptil com escamas, como o lagarto

savana *s. f.* GEOG. tipo de vegetação própria dos climas tropicais húmidos, em que predominam as plantas herbáceas, com algumas árvores dispersas ou juntas em pequenos aglomerados

sável *s. m.* ZOOL. peixe marinho que se reproduz em água doce, tem o corpo em forma de lança e é coberto de escamas

savoir-faire *s. m.* habilidade; jeito

saxofone *s. m.* MÚS. instrumento de sopro, de metal, com tubo cónico e curvo e embocadura de palheta

saxofonista *s. 2 gén.* pessoa que toca saxofonista

saxónio I *s. m.* **1** pessoa natural da Saxónia (antigo povo da Germânia, actual Alemanha); **2** dialecto da Saxónia; **II** *adj.* relativo à Saxónia

sazonal *adj. 2 gén.* **1** relativo a estação; **2** próprio de uma estação do ano

Sb QUÍM. [*símbolo de* **antimónio**]

Sc QUÍM. [*símbolo de* **escândio**]

scanear *v. tr.* INFORM. converter (texto ou imagem impressos) em dados digitais utilizando um aparelho de leitura óptica (scanner); digitalizar

scanner *s. m.* {*pl.* scanners} INFORM. aparelho de leitura óptica que transforma imagens e textos em dados digitais reconhecíveis pelo computador; digitalizador

scone *s. m.* {*pl.* scones} CUL. bolo pequeno, feito à base de farinha, ovos e leite, que geralmente se serve com manteiga ou compota

screensaver *s. m.* INFORM. protector de ecrã do computador

se **I** *pron. pess.* designa a terceira pessoa do singular ou do plural e usa-se: para exprimir reflexividade ⟨*ela vestiu-se*⟩; para exprimir reciprocidade ⟨*eles encontraram-se*⟩; para indicar indeterminação do sujeito ⟨*fala-se nisso*⟩; como partícula apassivante, para indicar a voz passiva ⟨*vendem-se apartamentos*⟩; **II** *conj.* **1** no caso de; desde que ⟨*se puder, vou lá ter*⟩; **2** dado que; visto que ⟨*se sabes, diz*⟩; **3** quando; sempre que ⟨*se não durmo, fico irritado*⟩; **4** introduz uma frase interrogativa indirecta ⟨*diz-me se concordas*⟩

Se QUÍM. [*símbolo de* **selénio**]

SE GEOG. [*símbolo de* **sueste**]

sé *s. f.* igreja episcopal ou patriarcal; catedral

seara *s. f.* campo semeado de cereais

sebáceo *adj.* **1** da natureza do sebo; seboso; **2** que contém ou produz sebo; **3** gorduroso

sebe *s. f.* cerca feita de varas entrelaçadas ou constituída por arbustos, para vedar um terreno

sebenta *s. f.* **1** apontamentos tirados na aula, e depois reproduzidos para uso de estudantes universitários; **2** caderno para apontamentos

sebento *adj.* **1** da natureza do sebo; sebáceo; **2** muito sujo; imundo

sebo *s. m.* **1** BIOL., MED. substância segregada pelas glândulas sebáceas, composta por gordura, restos celulares, etc., que tem a função de proteger a pele; **2** substância gordurosa ❖ ***limpar o ~ a alguém*** dar uma sova a alguém

seca *s. f.* **1** período mais ou menos longo de ausência de chuva; **2** (*pop.*) maçada; estopada

secador *s. m.* **1** aparelho eléctrico utilizado para secar o cabelo; **2** pequeno aparelho que se usa para secar as mãos

secagem *s. f.* acto de secar(-se) ou tornar(-se) seco

secante **I** *adj. 2 gén.* **1** que seca; **2** GEOM. relativo a uma linha ou superfície que intersecta outra; **II** *s. f.* GEOM. linha ou superfície que intersecta outra; **III** *s. m.* substância que, adicionada às tintas, acelera a sua secagem

secar **I** *v. tr.* **1** fazer perder a humidade; tornar seco; **2** tornar murcho; **II** *v. intr. e refl.* **1** perder a humidade; **2** murchar; **3** (rio) deixar de correr

secção *s. f.* **1** parte ou parcela que pertence a um todo; **2** divisão ou subdivisão de um serviço, de um estabelecimento comercial, de uma repartição, etc.; sector; **3** parte de um trabalho escrito, como um livro, jornal, documento, etc.; capítulo; **4** subdivisão de uma unidade militar

seco *adj.* **1** sem humidade; enxuto; **2** (rio) sem água; **3** (tempo) sem chuva; **4** (planta) ressequido; murcho; **5** (*fig.*) (pessoa) áspero; ríspido

secreção *s. f.* **1** acto ou efeito de segregar; **2** FISIOL. conjunto das substâncias elaboradas pelas células, que podem ser ou não expelidas pelo organismo

secretaria *s. f.* casa, repartição ou escritório onde se faz o expediente de qualquer serviço público ou privado; ~ ***de Estado*** departamento ministerial à frente do qual se encontra um secretário de Estado

secretária *s. f.* **1** mulher que exerce funções de secretariado; **2** móvel de escritório utilizado para escrever, que geralmente possui gavetas para guardar papéis e documentos

secretariado *s. m.* funções ou cargo de quem é responsável pela correspondência de pessoa ou serviço que o emprega para este fim

secretário *s. m.* homem que exerce funções de secretariado; ~ ***de Estado*** entidade governamental, de categoria geralmente inferior à de ministro, que tem a seu cargo um departamento importante de um ministério

secretário-geral *s. m.* {*pl.* secretários-gerais} **1** título de um funcionário principal de uma instituição pública ou privada; **2** designação atribuída ao dirigente de um partido político ou ao mais alto cargo administrativo de uma organização

secretismo *s. m.* carácter do que se mantém secreto, do que não se divulga

secreto *adj.* **1** que se mantém em segredo ou oculto; que não se divulga; **2** confidencial; particular

sectário I *adj.* **1** relativo a seita; **2** que pertence a seita; **3** *(fig.)* intolerante; **II** *s. m.* **1** membro de uma seita; **2** partidário obstinado de qualquer sistema doutrinário ou político; **3** *(fig., pej.)* fanático

sectarismo *s. m.* **1** espírito limitado, pouco aberto; **2** intolerância; intransigência

sector *s. m.* **1** subdivisão de um distrito, de uma região, etc.; **2** secção de qualquer serviço ou actividade; **3** campo de acção; âmbito; **4** ECON. área de actividade classificada em função do seu grau de dependência relativamente à natureza; ~ ***primário*** conjunto das actividades económicas que produzem matérias-primas (agricultura, pesca, caça, extracção de minerais, etc.); ~ ***secundário*** conjunto das actividades económicas relacionadas com a indústria e a construção, responsáveis pela transformação das matérias-primas em bens de consumo; ~ ***terciário*** conjunto das actividades económicas responsáveis pelos serviços em geral (comércio, transportes, educação, saúde, etc.)

sectorial *adj. 2 gén.* relativo a sector

secular I *adj. 2 gén.* **1** que se realiza de século a século; **2** que tem séculos; muito antigo; **3** profano; temporal; **4** que não fez votos religiosos; leigo; **II** *s. 2 gén.* pessoa que não fez votos religiosos; leigo

século *s. m.* **1** período de cem anos; **2** período de cem anos, contados a partir de um ponto cronológico (geralmente a partir do nascimento de Cristo); **3** [*pl.*] período de tempo muito longo

secundário I *adj.* **1** que está em segundo lugar; **2** de menor importância; **3** (ensino) intermédio entre o básico e o superior; **4** ECON. (sector de actividades) relativo às actividades industriais e de construção; **II** *s. m.* grau de ensino intermédio entre o básico e o superior

secura *s. f.* **1** qualidade ou estado de seco; **2** *(fig.)* frieza; indiferença

seda *s. f.* **1** substância filamentosa segregada pela larva do bicho-da-seda, com a qual este faz o seu casulo; **2** tecido feito com essa substância

sedativo I *adj.* que acalma; **II** *s. m.* substância calmante; tranquilizante

sede[1] [ɛ] *s. f.* **1** lugar onde funciona um tribunal, uma administração ou um governo; **2** local onde uma empresa tem o seu principal estabelecimento; **3** ponto onde se concentram certos factos ou fenómenos

sede[2] [e] *s. f.* **1** sensação causada pela necessidade de água; **2** *(fig.)* ânsia; ***matar a ~*** saciar a sede

sedentário *adj. 2 gén.* **1** que ou o que está quase sempre sentado; **2** que ou aquele que não faz exercício; **3** que ou o que vive sempre na mesma região, país ou local

sedentarismo *s. m.* vida e/ou hábitos sedentários

sedento *adj.* **1** cheio de sede; **2** *(fig.)* ávido

sediado *adj.* que tem sede (em determinado local)

sedimentação *s. f.* **1** deposição de sedimentos; **2** GEOL. processo de acumulação de materiais sólidos desagregados em camadas, formando rochas sedimentares

sedimentar I *adj. 2 gén.* **1** que contém sedimento; **2** formado por sedimentação; **II** *v. intr.* **1** formar sedimento; **2** tornar-se estável; consolidar-se

sedimento *s. m.* **1** substâncias sólidas desagregadas que são transportadas e depositadas pelo ar, água ou gelo; **2** parte sólida que se deposita no fundo de um recipiente; borra

sedoso *adj.* fino e macio como a seda

sedução *s. f.* **1** capacidade de persuadir ou convencer; **2** capacidade de seduzir ou atrair; encanto; fascínio

sedutor I *adj.* que atrai ou encanta; **II** *s. m.* **1** o que atrai ou encanta; **2** indivíduo que procura seduzir

seduzir *v. tr.* **1** persuadir de modo astucioso; **2** atrair de modo irresistível; fascinar

segmentação *s. f.* **1** acto ou efeito de segmentar(-se); fragmentação; **2** BIOL. divisão do ovo, que corresponde aos primeiros fenómenos do desenvolvimento embrionário

segmentar I *adj. 2 gén.* **1** relativo a segmento; **2** formado por segmentos; **II** *v. tr.* dividir em segmentos ou partes

segmento *s. m.* **1** parte que constitui um todo; secção; **2** GEOM. parte limitada de uma recta; **3** ZOOL. parte de um organismo que se separa dele por divisão natural; anel

segredar I *v. tr.* dizer em segredo; murmurar; **II** *v. intr.* dizer segredos

segredo *s. m.* **1** aquilo que se deve manter oculto, que não se deve revelar; **2** algo conhecido apenas por um ou poucos indivíduos; **3** confidência; confissão; ***em ~*** ao ouvido; em particular; ***~ de Estado*** facto cuja divulgação prejudica os interesses da Nação; ***~ de justiça*** factos conhecidos no decurso de um processo, que não podem ser divulgados publicamente para não prejudicar as partes envolvidas

segregação *s. f.* **1** acto de segregar(-se); separação; **2** acto de isolar pessoas ou grupos em função da sua condição social, cultural, etc.; marginalização; **3** BIOL. separação dos cromossomas homólogos durante o processo de divisão celular; POL. ***~ racial*** atitude ou política que se traduz numa discriminação de minorias que pertencem a populações de origem diferente

segregar I *v. tr.* **1** pôr de lado; separar; **2** marginalizar; discriminar; **3** produzir (secreção); **II** *v. refl.* isolar-se

seguida *s. f.* seguimento; continuação; ***de ~*** logo após; sem interrupção; ***em ~*** imediatamente; depois

seguido *adj.* **1** sem interrupção; contínuo; **2** que vem logo a seguir; imediato; **3** adoptado; escolhido; **4** acompanhado

seguidor *adj. e s. m.* que ou aquele que segue; continuador

seguimento *s. m.* **1** acto de seguir; continuação; **2** acto de acompanhar a evolução de um assunto, de um doente, etc.; **3** resultado; consequência

seguinte *adj. 2 gén.* que segue ou vem a seguir; imediato

seguir I *v. tr.* **1** ir atrás ou imediatamente depois de; **2** ir no encalço de; perseguir; **3** suceder a; **4** acompanhar atentamente a evolução de (assunto, acontecimento, doente, etc.); **5** imitar; **6** aderir a (partido, religião, etc.); **7** entrar na profissão de; **II** *v. intr.* **1** prosseguir; continuar; **2** ir embora; **III** *v. refl.* **1** vir depois; **2** decorrer; resultar; ***a ~*** depois; após; ***a ~ a*** depois de

segunda *s. f.* **1** *(coloq.)* segunda-feira; **2** (automóvel) mudança de velocidade a seguir à primeira; **3** MÚS. intervalo de um tom ou de dois semitons na escala musical

segunda-feira *s. f.* {*pl.* segundas-feiras} dia da semana imediatamente a seguir ao domingo

segundanista *s. 2 gén.* estudante que frequenta o segundo ano de qualquer curso ou faculdade

segundo[1] **I** *num. ord.* que, numa série, ocupa a posição imediatamente a seguir à primeira; **II** *s. m.* **1** o que, numa série, ocupa o lugar correspondente ao número 2; **2** (tempo) sexagésima parte de um minuto; **3** *(fig.)* intervalo de tempo muito reduzido; **III** *adj.* **1** que ocupa uma posição secundária; **2** inferior; **3** novo; **IV** *adv.* **1** em lugar a seguir ao primeiro; **2** posteriormente

segundo[2] **I** *prep.* **1** de acordo com; em harmonia com; **2** conforme; consoante; **II** *conj.* **1** de acordo com; **2** conforme; **3** à medida que; ao passo que

segurado *s. m.* aquele que paga o prémio do seguro, obtendo determinadas garantias estabelecidas no contrato

segurador *adj. e s. m.* que ou aquele que, segundo um contrato de seguro, se obriga a indemnizar o segurado de prejuízos eventuais

seguradora *s. f.* companhia de seguros

segurança I *s. f.* **1** ausência de perigo, de riscos ou incertezas; **2** característica do que é seguro, firme, do que não implica riscos; **3** sensação de protecção; confiança; **4** garantia; **5** certeza; convicção; **6** conjunto de medidas e precauções para evitar um perigo ou assegurar o sucesso de algo; **II** *s. 2 gén.* pessoa cuja função é proteger outra(s) pessoa(s), uma empresa, um estabelecimento comercial, etc.

segurança social *s. f.* sistema de assistência e protecção económica que garante um conjunto de regalias sociais aos beneficiários em situações de reforma, doença, desemprego, etc.

segurar I *v. tr.* **1** prender; agarrar; **2** firmar; fixar; **3** levar na(s) mão(s); **4** pôr no seguro; fazer contrato com seguradora sobre; **II** *v. refl.* **1** agarrar-se; apoiar-se; **2** fazer contrato de seguro

seguro I *adj.* **1** livre de perigo; protegido; **2** que não oferece perigo ou risco; garantido; **3** digno de confiança; **4** firme; estável; **5** que foi posto no seguro; **II** *s. m.* contrato pelo qual o segurado se obriga ao pagamento de certa quantia e o segurador se compromete a indemnizar o primeiro ou um terceiro, no caso de se verificar qualquer dos riscos assumidos

seio *s. m.* **1** ANAT. glândula mamária da mulher; mama; **2** parte do corpo humano onde se situam as glândulas mamárias; peito; **3** *(fig.)* intimidade; familiaridade

seis I *num. card.* cinco mais um; **II** *s. m.* *2 núm.* o número 6 e a quantidade representada por esse número

seiscentésimo I *num. ord.* que, numa série, ocupa a posição imediatamente a seguir à quingentésima nonagésima nona; **II** *num. frac.* que resulta da divisão de um todo por seiscentos; **III** *s. m.* o que, numa série, ocupa o lugar correspondente ao número 600

seiscentos I *num. card.* quinhentos mais cem; **II** *s. m. 2 núm.* **1** o número 600 e a quantidade representada por esse número; **2** o século XVII

seita *s. f.* **1** doutrina ou sistema que se afasta da crença geral; **2** RELIG. grupo que se afasta de uma religião ou das convicções principais

seiva *s. f.* BOT. líquido nutritivo que circula nas plantas

seixo *s. m.* pedra geralmente lisa, dura e de tamanho reduzido; calhau

sela *s. f.* assento, geralmente de couro, que se coloca no dorso do cavalo para o montar; ***cavalo de ~*** cavalo treinado para ser montado

selado *adj.* **1** que tem selo; **2** fechado; cerrado; **3** com sela

selar *v. tr.* **1** pôr selo ou carimbo em; **2** fechar bem; serrar; **3** validar (contrato); **4** pôr sela em; aparelhar (cavalo)

selecção *s. f.* **1** escolha criteriosa e fundamentada; **2** DESP. conjunto dos melhores atletas, em qualquer modalidade, escolhidos para representarem um país ou uma região num encontro desportivo; BIOL. ***~ natural*** de acordo com a teoria darwinista, sobrevivência dos mais aptos na luta pela vida

seleccionador I *adj.* que selecciona; **II** *s. m.* **1** aquele que selecciona segundo determinados critérios; **2** DESP. aquele que escolhe e prepara um grupo de atletas ou jogadores para representar um clube, uma região ou um país num determinado desafio

seleccionar *v. tr.* **1** fazer a selecção de; escolher; **2** INFORM. destacar (elementos ou dados) no ecrã do computador

selectivo *adj.* **1** relativo a selecção; **2** que faz selecção

selecto *adj.* **1** escolhido; seleccionado; **2** distinto; excelente

selénio *s. m.* QUÍM. elemento com o número atómico 34 e símbolo Se, não-metal, quimicamente análogo ao enxofre

self-service *s. m.* serviço feito pela própria pessoa, existente geralmente em bombas de gasolina, restaurantes, etc.

selim *s. m.* **1** assento de bicicleta ou motocicleta, de forma semelhante a um triângulo; **2** espécie de sela pequena, sem arção

selo *s. m.* **1** pequeno papel impresso, geralmente rectangular, adesivo numa das faces, destinado a pagar o envio de correspondência pelo correio; **2** carimbo utilizado para autenticar documentos; **3** *(fig.)* sinal; marca

selva *s. f.* **1** floresta equatorial densa ou floresta-virgem, caracterizada pelo máximo desenvolvimento vegetal; **2** *(fig.)* grande quantidade de

coisas misturadas; **3** (*fig.*) lugar onde se luta pela sobrevivência
selvagem I *adj. 2 gén.* **1** próprio da selva; **2** que nasce sem ser cultivado; silvestre; **3** não domesticado; bravo; **4** (*fig., pej.*) bruto; grosseiro; **II** *s. 2 gén.* **1** pessoa que vive nas selvas; **2** (*fig., pej.*) pessoa bruta, grosseira
selvajaria *s. f.* dito ou acto de selvagem; grosseria
sem *prep.* introduz expressões que designam ausência, falta, privação ou exclusão ⟨*sem talento; sem família; sem recursos*⟩ ❖ **~ *dúvida*** claro; certamente; **~ *mais nem menos*** sem qualquer motivo; sem razão; **~ *mais nem para quê*** sem motivo aparente; sem razão conhecida; **~ *tirar nem pôr*** exactamente; tal e qual
sem-abrigo *s. 2 gén. e 2 núm.* pessoa que vive na rua em condições de extrema pobreza
semáforo *s. m.* poste de sinalização luminosa, automática, nos cruzamentos de ruas, estradas, etc., para regularização do trânsito
semana *s. f.* série de sete dias consecutivos
semanada *s. f.* quantia que se paga ou se dá por semana
semanal *adj. 2 gén.* **1** relativo a semana; **2** que acontece ou se repete de semana a semana
semanário *s. m.* jornal que se publica uma vez por semana
semântica *s. f.* LING. disciplina que se ocupa da significação das palavras e da evolução do seu sentido
semântico *adj.* relativo a semântica
semblante *s. m.* **1** rosto; face; **2** (*fig.*) cara
sêmea *s. f.* **1** parte que fica da farinha, depois de peneirada; **2** pão feito dessa farinha
semeador *adj. e s. m.* que ou aquele que semeia
semear I *v. tr.* **1** lançar (sementes) para que se desenvolvam; **2** deitar sementes em; **3** (*fig.*) espalhar; **II** *v. intr.* lançar sementes
semelhança *s. f.* **1** qualidade de semelhante; **2** parecença; analogia
semelhante I *adj. 2 gén.* **1** parecido; análogo; **2** do mesmo género; similar; **II** *s. m.* **1** pessoa ou coisa da mesma espécie que outra; **2** qualquer ser humano
sémen *s. m.* FISIOL. líquido segregado pelos órgãos genitais masculinos, que contém os espermatozóides; esperma
semente *s. f.* **1** BOT. parte do fruto que provém do desenvolvimento do óvulo (vegetal) após a fecundação e que contém o embrião; **2** (*fig.*) causa; origem
semestral *adj. 2 gén.* **1** relativo a semestre; **2** que acontece ou se repete de seis em seis meses
semestre *s. m.* período de seis meses consecutivos
sem-fim *s. m.* **1** número indeterminado; **2** imensidade; infinidade
semibreve *s. f.* MÚS. figura musical que vale metade de uma breve, ou duas mínimas
semicírculo *s. m.* metade de um círculo
semicondutor *s. m.* FÍS. substância com resistividade entre os bons condutores metálicos e os isoladores
semieixo *s. m.* MEC. eixo que transmite o movimento a cada uma das rodas motoras de um veículo automóvel
semifinal *s. f.* DESP. competição que antecede a final de um campeonato; meia-final
seminal *adj. 2 gén.* relativo a sémen

seminário *s. m.* **1** estabelecimento onde se formam os sacerdotes; **2** congresso cultural ou científico; **3** grupo de estudos que inclui pesquisa e debate

seminarista *s. m.* aluno de um seminário

seminu *adj.* meio nu

semi-recta *s. f.* {*pl.* semi-rectas} GEOM. parte de uma recta limitada por um ponto

semi-rígido *adj.* quase rígido ou apenas em certas partes

semita I *s. 2 gén.* indivíduo pertencente ao grupo que engloba os Hebreus, os Assírios, os Aramaicos, os Fenícios e os Árabes; **II** *adj. 2 gén.* relativo a esse grupo

semítico I *adj.* relativo aos Semitas; **II** *s. m.* LING. grupo de línguas da família afro-asiática, faladas do Norte de África ao Sudoeste da Ásia

sem-número *s. m.* **1** número muito elevado; infinidade; **2** número indeterminado

sêmola *s. f.* CUL. substância alimentar feita de grãos de cereais, geralmente utilizada em sopas, massas, etc.

sempre *adv.* **1** a todo o momento; constantemente; **2** sem fim; eternamente; **3** afinal; **~ *que*** todas as vezes que

sem-vergonha *adj. e s. 2 gén.* {*pl.* sem-vergonhas} que ou aquele que não tem vergonha; descarado

senado *s. m.* **1** HIST. conjunto dos patrícios que constituíam o conselho supremo da antiga Roma; **2** câmara legislativa, geralmente resultante de sufrágio directo

senador *s. m.* membro do senado

senão I *prep.* excepto; salvo; a não ser; **II** *conj.* de outro modo; ao contrário; **III** *s. m.* defeito; problema

senegalense I *s. 2 gén.* pessoa natural do Senegal; **II** *adj. 2 gén.* relativo ao Senegal

senha *s. f.* **1** palavra ou fórmula convencionada e secreta, que os membros de um grupo utilizam como meio de identificação; **2** bilhete usado para viajar em transportes públicos; **3** INFORM. sequência de caracteres que permite o acesso a um conjunto de operações num sistema de computadores ou em equipamentos computadorizados

senhor *s. m.* **1** tratamento cerimonioso dado aos homens; **2** homem indeterminado; **3** dono; proprietário; **4** aquele que tem domínio sobre si mesmo; ***ser ~ do seu nariz*** ser autónomo; não dar satisfações a ninguém; ***ser ~ de si*** ser consciente das suas atitudes; ser responsável

Senhor *s. m.* **1** RELIG. Deus; **2** RELIG. hóstia consagrada

senhorio *s. m.* **1** domínio; posse; **2** proprietário de um prédio ou terreno arrendado

senil *adj. 2 gén.* **1** relativo à velhice ou às pessoas velhas; **2** que sofre de debilidade mental próprio da velhice

senilidade *s. f.* **1** estado de senil; velhice; **2** debilidade física e mental motivada pelo envelhecimento

sénior I *adj. 2 gén.* mais velho; **II** *s. 2 gén.* desportista, em geral, com mais de dezoito anos de idade

seno *s. m.* MAT. razão entre o cateto oposto a um ângulo de um triângulo rectângulo e a hipotenusa

sensação *s. f.* **1** impressão provocada num órgão sensorial por um estímulo; **2** sentimento; emoção; **3** grande impressão; admiração; ***causar ~*** produzir grande impressão; impressionar

sensacional *adj. 2 gén.* **1** relativo a sensação; **2** que provoca sensação; **3** espectacular; extraordinário

sensatez *s. f.* **1** qualidade de sensato; **2** bom senso; prudência; equilíbrio

sensato *adj.* equilibrado; ponderado; ajuizado

sensibilidade *s. f.* **1** qualidade de sensível; **2** capacidade de sentir; disposição para se comover ou impressionar; **3** propriedade dos organismos receberem e reagirem a estímulos internos ou externos; **4** tendência especial para se ofender; susceptibilidade; **5** MEDIC. reacção especial de um organismo ou de parte dele a determinado factor ou substância

sensibilizar I *v. tr.* **1** tornar sensível; comover; **2** impressionar; tocar; **3** tornar sensível à acção de um agente interno ou externo; **II** *v. refl.* **1** comover-se; **2** tornar-se sensível a

sensitivo *adj.* **1** relativo aos sentidos; **2** relativo às sensações

sensível *adj. 2 gén.* **1** que possui sensibilidade; **2** que pode ser percebido pelos sentidos; **3** com tendência para sentir as emoções de modo profundo; emotivo; **4** facilmente impressionável; **5** compreensivo; solidário; **6** (assunto) que requer tacto e delicadeza

senso *s. m.* **1** sensatez; prudência; **2** faculdade de entender e de julgar; ***bom ~*** capacidade de julgar e de agir com equilíbrio; ***~ comum*** conjunto das opiniões geralmente aceites sobre uma questão pela maioria das pessoas em determinado meio

sensor *s. m.* dispositivo electrónico que reage a estímulos (luz, calor, som, etc.), servindo para detectar corpos numa dada área, localizar alvos, etc.

sensorial *adj. 2 gén.* relativo a sensação

sensual *adj. 2 gén.* **1** relativo aos sentidos; **2** relativo a sensualidade; **3** fisicamente atraente

sensualidade *s. f.* **1** qualidade de sensual; **2** inclinação para o prazer físico ou sexual

sentar I *v. tr.* colocar em assento; fazer sentar-se; **II** *v. refl.* dobrar as pernas até apoiar as nádegas num assento

sentença *s. f.* **1** decisão do juiz sobre um facto submetido à sua autoridade; veredicto; **2** frase curta que encerra um pensamento moral; máxima; **3** opinião fundamentada

sentenciado *adj. e s. m.* que ou o que recebe uma sentença do tribunal

sentenciar *v. tr.* **1** decidir por meio de sentença; **2** condenar por sentença; **3** *(fig.)* decidir

sentencioso *adj.* **1** em forma de sentença; **2** que encerra sentença

sentido I *s. m.* **1** cada uma das faculdades que recebe um determinado tipo de sensações (visão, audição, paladar, olfacto e tacto); **2** cada um dos órgãos através dos quais é possível experimentar essas sensações; **3** significado; **4** objectivo; propósito; **5** direcção; orientação; **6** posição de tropas ou ginastas em formatura; **II** *adj.* **1** magoado; melindrado; **2** triste; pesaroso; ***não fazer ~*** não ter lógica; ***sem sentidos*** desmaiado; ***sentido!*** voz de comando para que as tropas assumam uma posição ordenada

sentimental I *adj. 2 gén.* **1** relativo a sentimento; **2** que se comove facilmente; sensível; **3** romântico; **II** *s. 2 gén.* **1** pessoa sensível; **2** pessoa romântica

sentimentalismo *s. m.* **1** qualidade de sentimental; **2** exagero de sentimentos e emoções

sentimentalista I *adj. 2 gén.* **1** relativo a sentimentalismo; **2** que exagera os sentimentos e as emoções; **II** *s. 2 gén.* pessoa que exagera os sentimentos e as emoções

sentimento *s. m.* **1** acto de sentir; **2** disposição afectiva em relação a algo ou alguém; **3** entusiasmo; emoção; **4** [*pl.*] pêsames

sentinela *s. f.* **1** soldado encarregado de vigiar e guardar um quartel, um acampamento, etc.; **2** guarda; vigia

sentir I *v. tr.* **1** receber uma impressão por meio dos sentidos; **2** experimentar (impressão física ou moral); **3** pressentir; adivinhar; **II** *v. intr.* **1** ter sensibilidade; **2** lamentar; **III** *v. refl.* **1** passar (bem/mal); **2** ofender-se; melindrar-se

separação *s. f.* **1** acto de separar(-se); **2** afastamento; **3** aquilo que serve para separar; divisória; **4** quebra; ruptura; **5** ruptura de união conjugal

separado *adj.* **1** que está à parte; isolado; **2** afastado; **3** (cônjuges) que não vivem em comum

separador I *s. m.* **1** aquilo que serve para separar; divisória; **2** dispositivo destinado a separar fluxos de tráfego; **3** folha de cartolina ou plástico que se coloca numa pasta de arquivo para separar papéis ou documentos; **II** *adj.* que separa

separar I *v. tr.* **1** pôr à parte; isolar; **2** apartar; afastar; **3** dividir por meio de barreira; **4** estabelecer distinção entre; **II** *v. refl.* **1** afastar-se; distanciar-se; **2** desligar-se; **3** (cônjuges) deixar de viver em comum

separável *adj. 2 gén.* que se pode separar

septilião *num. card. e s. m.* um milhão de sextiliões; a unidade seguida de quarenta e dois zeros (10^{42})

septingentésimo I *num. ord.* que, numa série, ocupa a posição imediatamente a seguir à seiscentésima nonagésima nona; **II** *num. frac.* que resulta da divisão de um todo por setecentos; **III** *s. m.* o que, numa série, ocupa o lugar correspondente ao número 700

septissílabo I *s. m.* GRAM. palavra de sete sílabas; **II** *adj.* que tem sete sílabas

septuagenário *adj. e s. m.* que ou aquele que tem entre setenta e setenta e nove anos de idade

septuagésimo I *num. ord.* que, numa série, ocupa a posição imediatamente a seguir à sexagésima nona; **II** *num. frac.* que resulta da divisão de um todo por setenta; **III** *s. m.* o que, numa série, ocupa o lugar correspondente ao número 70

séptuplo I *num. mult.* que contém sete vezes a mesma quantidade; **II** *adj.* que é sete vezes maior; **III** *s. m.* valor ou quantidade sete vezes maior

sepulcro *s. m.* túmulo; sepultura

sepultura *s. f.* lugar ou cova onde se deposita um cadáver; túmulo

sequela *s. f.* **1** consequência; resultado; **2** MEDIC. perturbação ou lesão que persiste após a eliminação de uma doença

sequência *s. f.* **1** seguimento; continuação; **2** sucessão; série

sequencial *adj. 2 gén.* em que existe sequência

sequenciar *v. tr.* dispor em sequência

sequer *adv.* ao menos; pelo menos

sequestrador *adj. e s. m.* que ou aquele que sequestra

sequestrar *v. tr.* **1** raptar (alguém), geralmente para pedir resgate; **2** desviar (avião, autocarro, etc.), fazendo os passageiros reféns

sequestro *s. m.* **1** acto de raptar alguém; **2** acto de desviar um avião, autocarro, etc., fazendo os passageiros reféns

séquito *s. m.* conjunto de pessoas que acompanham outra, geralmente alguém de importância; comitiva

ser I *v. intr.* **1** ter existência; existir; **2** ter determinada característica ou qualidade; **3** apresentar-se em determinada condição ou estado; **4** desempenhar determinado cargo ou função; **5** situar-se; localizar-se; **6** ocorrer; realizar-se; **7** passar-se; desenrolar-se; **8** ser constituído por; **9** pertencer (a); ter como dono; **10** ter determinado preço; custar; **II** *s. m.* **1** o que tem vida; criatura; **2** pessoa; indivíduo; **3** aquilo que constitui e define uma pessoa; essência; ***~ breve*** ir direito ao assunto; ***~ humano*** pessoa; Homem; *(fig.)* ***~ todo ouvidos*** prestar muita atenção ao que se ouve; ***~ vivo*** animal ou planta

serão *s. m.* **1** trabalho feito à noite, fora do horário normal; **2** espaço de tempo desde a refeição da noite até se ir dormir

serapilheira *s. f.* tecido grosseiro utilizado para envolver fardos, fazer sacos resistentes, etc.

sereia *s. f.* MITOL. ser lendário, metade mulher e metade peixe, que atraía os navegantes com a harmonia do seu canto

serenar *v. tr. e intr.* tornar(-se) sereno; acalmar(-se)

serenata *s. f.* **1** MÚS. concerto vocal e/ou instrumental dado à noite e ao ar livre; **2** *(acad.)* (universidade) concerto que dá início à semana da Queima das Fitas e em que se ouve apenas o fado

serenidade *s. f.* **1** qualidade de sereno; **2** tranquilidade; calma

sereno *adj.* calmo; tranquilo

série *s. f.* **1** sequência; sucessão; **2** quantidade limitada de objectos semelhantes que formam um conjunto; **3** grande quantidade; **4** TV filme ou programa transmitido em partes que formam uma sequência, com horário definido; ***fora de ~*** invulgar; extraordinário; ***produção em ~*** produção de um grande número de artigos idênticos

seriedade *s. f.* **1** qualidade de sério; **2** importância; gravidade

serigrafia *s. f.* **1** processo de reprodução de imagens no papel, pano, vidro, etc., utilizando um caixilho com tela de seda, nylon ou aço inoxidável, que forma uma espécie de estêncil; **2** estampa obtida por este processo

seringa *s. f.* pequeno instrumento cilíndrico de plástico ou vidro, ao qual se aplica uma agulha para retirar líquidos do organismo ou injectá-los no sangue, numa cavidade, ou num órgão do corpo

sério *adj.* **1** pouco risonho; sisudo; **2** verdadeiro; real; **3** de consequências graves; importante; **4** recto; honesto; **5** cumpridor

sermão *s. m.* **1** discurso moralizador; **2** *(pop.)* reprimenda

serôdio *adj.* **1** que vem tarde; tardio; **2** (fruto) que aparece depois do tempo próprio

seropositividade *s. f.* **1** estado de seropositivo; **2** MED. presença de determinados anticorpos no soro sanguíneo; **3** MED. presença do vírus da sida numa pessoa

seropositivo *adj. e s. m.* **1** MED. designativo do doente ou doente em cujo soro sanguíneo foi detectada a presença de determinado anticorpo; **2** MED. que ou aquele que é portador do vírus da sida

serpente *s. f.* ZOOL. réptil de corpo comprido e cilíndrico, coberto de escamas e sem membros, que pode ser venenoso; cobra

serpentina *s. f.* rolo de fita de papel colorido que se costuma atirar desenrolando-se, na altura do Carnaval

serra *s. f.* **1** instrumento formado por uma lâmina de aço, comprida e dentada, que se utiliza para cortar madeira, pedra, metais, etc.; **2** GEOG. grande extensão de montanhas ligadas umas às outras; **3** GEOG. elevação natural de terreno; montanha

serração *s. f.* **1** acto de serrar madeira; **2** oficina onde se serra madeira

serrador *adj. e s. m.* que ou aquele que serra

serradura *s. f.* partículas muito pequenas que caem da madeira quando se serra; serrim

serralharia *s. f.* **1** arte de trabalhar o ferro, incluindo o fabrico e conserto de fechaduras, grades, etc.; **2** oficina de serralheiro

serralheiro *s. m.* indivíduo que trabalha o ferro, especialmente fechaduras, grades, etc.

serrania *s. f.* conjunto de serras; cordilheira

serrar *v. tr.* cortar com serra ou serrote

serrilha *s. f.* **1** sucessão de pequenas saliências no contorno de uma moeda metálica; **2** bordo denteado

serrim *s. m.* partículas muito pequenas que caem da madeira quando se serra; serradura

serrote *s. m.* **1** espécie de serra curta e geralmente mais larga numa das extremidades, onde se adapta um cabo; **2** *(fig.)* má-língua

sertã *s. f.* espécie de frigideira larga e pouco funda

sertão *s. m.* **1** região interior, afastada da costa e distante de povoações; **2** floresta longe da costa

servente I *adj. 2 gén.* que serve; **II** *s. 2 gén.* **1** pessoa que serve; **2** empregado auxiliar

serventia *s. f.* **1** proveito; préstimo; **2** uso; utilização; **3** passagem

serviçal *adj. 2 gén.* que gosta de prestar serviços; prestável

serviço *s. m.* **1** acto de servir; **2** acto de desempenhar qualquer actividade; **3** tarefa; ocupação; **4** conjunto das peças, geralmente de loiça, destinadas a uma refeição; **5** actividade profissional; emprego; **6** secção ou departamento de uma empresa ou de um estabelecimento público; **7** DESP. (ténis, voleibol, etc.) batimento na bola que inicia ou reinicia o jogo

servidão *s. f.* estado de servo; escravidão

servido *adj.* **1** usado; gasto; **2** fornecido; provido

servidor *s. m.* **1** INFORM. computador que disponibiliza informação e serviços a outros computadores ligados em rede; **2** INFORM. sistema fornecedor de ligação à Internet

servil *adj. 2 gén.* **1** relativo a servo; **2** que aceita servir outra pessoa de modo humilhante; subserviente

sérvio I *s. m.* {*f.* sérvia} **1** pessoa natural da Sérvia; **2** um dos dois dialectos do servo-croata, falado na Croácia; **II** *adj.* relativo à Sérvia

servir I *v. tr.* **1** trabalhar para; **2** prestar serviço a; **3** ajudar; auxiliar; **4** atender (cliente), trazendo o que foi pedido; **II** *v. intr.* **1** ser útil; convir; **2** ser suficiente; **3** (roupa, calçado) ser adequado; ajustar-se; **4** atender clientes; **5** DESP. (ténis, voleibol, etc.) pôr a bola em jogo; **III** *v. refl.* **1** fazer uso (de); utilizar; **2** tirar para si (uma parte da comida ou bebida à disposição)

servo *s. m.* **1** HIST. (feudalismo) indivíduo ligado a uma terra e dependente de um senhor; **2** criado; servente

servo-croata I *adj. 2 gén.* relativo à Sérvia e à Croácia; **II** *s. m.* língua do grupo eslávico, falada por sérvios e croatas

sessão *s. f.* **1** espaço de tempo em que está reunido um congresso, uma assembleia, etc.; **2** espaço de tempo em que se realiza determinado trabalho, ou parte dele; **3** duração de certos espectáculos (cinematográficos, teatrais, etc.)

sessenta I *num. card.* cinquenta mais dez; **II** *s. m.* o número 60 e a quantidade representada por esse número

sesta *s. f.* repouso ou sono que se dorme depois do almoço

set *s. m.* {*pl.* sets} DESP. cada uma das partes em que se divide um jogo de voleibol ou uma partida de ténis

seta *s. f.* **1** arma de arremesso constituída por uma haste aguçada numa das pontas, que se lança por meio de um arco; flecha; **2** sinal com a forma dessa arma que geralmente indica um sentido determinado; **3** (*fig.*) pessoa ou coisa que se desloca com muita rapidez; **4** (*fig.*) aquilo que fere a susceptibilidade de alguém

sete I *num. card.* seis mais um; **II** *s. m.* o número 7 e a quantidade representada por esse número

setecentos I *num. card.* seiscentos mais cem; **II** *s. m. 2 núm.* **1** o número 700 e a quantidade representada por esse número; **2** o século XVIII

Setembro *s. m.* nono mês do ano civil, com trinta dias

setenta I *num. card.* sessenta mais dez; **II** *s. m.* o número 70 e a quantidade representada por esse número

setentrional *adj. 2 gén.* **1** situado a norte; **2** natural do norte

sétimo I *num. ord.* que, numa série, ocupa a posição imediatamente a seguir à sexta; **II** *num. frac.* que resulta da divisão de um todo por sete; **III** *s. m.* o que, numa série, ocupa o lugar correspondente ao número 7

setingentésimo *num. e s. m.* vd. **septingentésimo**

setter *s. m.* {*pl.* setters} ZOOL. cão de estatura média, com pêlo longo, sedoso e ondulado, e temperamento calmo e afectuoso

seu *pron. poss.* {*f.* sua} **1** refere-se à terceira pessoa do singular e indica posse ou pertença ⟨*o seu automóvel*⟩; **2** (*coloq.*) usa-se como forma de interpelação ⟨*seu tolo!*⟩

severidade *s. f.* **1** qualidade de severo; **2** rigidez; inflexibilidade; **3** austeridade; rigor; **4** (clima) aspereza; rigor

severo *adj.* **1** rígido; inflexível; **2** austero; rigoroso; **3** (clima) áspero; rigoroso

sexagenário *adj. e s. m.* que ou aquele que tem entre 60 e 69 anos de idade

sexagésimo I *num. ord.* que, numa série, ocupa a posição imediatamente a seguir à quinquagésima nona; **II** *num. frac.* que resulta da divisão de um todo por sessenta; **III** *s. m.* o que, numa série, ocupa o lugar correspondente ao número 60

sexcentésimo *num. e s. m.* vd. **seiscentésimo**

sexo *s. m.* **1** conjunto de características físicas e funcionais que distinguem o homem e a mulher, e nos animais, o macho da fêmea; **2** conjunto de pessoas que têm morfologia idêntica relativamente ao aparelho sexual; **3** órgãos sexuais externos; **4** relação sexual

sexologia *s. f.* estudo da sexualidade e dos problemas com ela relacionados

sexólogo *s. m.* especialista em sexologia

sexta *s. f.* **1** *(coloq.)* sexta-feira; **2** (automóvel) mudança de velocidade a seguir à quinta; **3** MÚS. intervalo que compreende seis graus da escala musical

sexta-feira *s. f.* {*pl.* sextas-feiras} dia imediatamente a seguir à quinta-feira; RELIG. ***Sexta-Feira Santa*** sexta-feira da Semana Santa, em que se lembra a morte de Cristo

sextanista *s. 2 gén.* estudante que frequenta o sexto ano de qualquer curso ou faculdade

sextante *s. m.* **1** GEOM. sexta parte de um círculo; **2** GEOM. arco de 60°; **3** ASTRON., NÁUT. instrumento óptico que permite medir ângulos, a altura dos astros e as distâncias angulares dos astros

sextilha *s. f.* LIT. estância de seis versos

sextilião *num. card. e s. m.* um milhão de quintiliões; a unidade seguida de trinta e seis zeros (10^{36})

sexto I *num. ord.* que, numa série, ocupa a posição imediatamente a seguir à quinta; **II** *num. frac.* que resulta da divisão de um todo por seis; **III** *s. m.* o que, numa série, ocupa o lugar correspondente ao número 6

sêxtuplo I *num. mult.* que contém seis vezes a mesma quantidade; **II** *adj.* que é seis vezes maior; **III** *s. m.* valor ou quantidade seis vezes maior

sexuado *adj.* **1** que possui órgãos sexuais; **2** que se reproduz sexuadamente

sexual *adj. 2 gén.* relativo a sexo; ***órgãos sexuais*** órgãos que pertencem ao aparelho sexual, genital ou reprodutor

sexualidade *s. f.* conjunto das características morfológicas, fisiológicas e psicológicas determinadas pelo sexo

sexy *adj. 2 gén.* **1** sexualmente atraente; **2** que estimula o desejo sexual

SGML [*sigla de* **s**tandard **g**eneralized **m**arkup **l**anguage] linguagem de programação que permite descrever páginas em hipertexto

share *s. m.* TV número de pessoas, expresso em percentagem, que assiste a determinado programa ou que vê determinado canal

shopping *s. m.* vd. **centro comercial**

shorts *s. m. pl.* calções curtos

show *s. m.* {*pl.* shows} **1** espectáculo; **2** *(fig., coloq.)* divertimento; desbunda; **3** *(fig., coloq.)* comportamento ostensivo

si I *s. m.* **1** MÚS. sétima nota da escala musical natural; **2** MÚS. sinal representativo dessa nota; **II** *pron. pess.* **1** designa a terceira pessoa do singular ou do plural e indica a pessoa ou pessoas de quem se fala ou escreve ⟨*ele quer tudo para si*⟩; **2** designa a terceira pessoa do singular e indica a pessoa a quem se fala ou escreve ⟨*pense em si*⟩

Si QUÍM. [*símbolo de* **silício**]

SI [*sigla de* **S**istema **I**nternacional de Unidades]

siamês I *s. m.* **1** gémeo (pessoa ou animal) que nasceu ligado a outro, partilhando um ou mais órgãos; **2** ZOOL. gato com o corpo alongado e elegante, pêlo curto e macio e olhos azuis; **II** *adj.* **1** relativo àquele gémeo; **2** relativo àquele gato

siberiano I *s. m.* pessoa natural da Sibéria; **II** *adj.* relativo à Sibéria

sibila *s. f.* mulher que predizia o futuro; profetisa

sibilante *adj. 2 gén.* **1** que produz um som agudo e prolongado; **2** LING. (consoante) que se articula apoiando a língua na zona alveolar, o que produz um ruído semelhante a um assobio

siciliano I *s. m.* **1** pessoa natural da Sicília; **2** dialecto da Sicília; **II** *adj.* relativo à Sicília

sicrano *s. m.* sujeito; indivíduo

SIDA MED. [*abrev. de* **S**índrome da **I**muno**d**eficiência **A**dquirida] doença grave causada por um vírus transmitido por via sexual ou sanguínea, que destrói as defesas imunitárias do organismo, expondo-o a infecções

sidecar *s. m.* {*pl.* sidecars} atrelado lateral de motocicleta para transporte de uma ou duas pessoas

siderado *adj.* **1** fulminado; **2** (*fig.*) perplexo; atónito

siderar *v. tr.* **1** fulminar; aniquilar; **2** (*fig.*) tornar perplexo, atónito

siderurgia *s. f.* conjunto das técnicas empregadas para extrair o ferro dos seus minérios e trabalhá-lo com vista a diferentes aplicações

sidra *s. f.* bebida alcoólica de baixa graduação obtida pela fermentação do sumo de maçã; vinho de maçã

sifão *s. m.* tubo curvo, com braços desiguais, destinado a transvasar líquidos de um recipiente para outro a nível inferior, sem lhes alterar a posição

sífilis *s. f. 2 núm.* MED. doença infecciosa, causada por uma bactéria e transmissível por contacto sexual

sigilo *s. m.* **1** aquilo que não se pode divulgar, ou que se revela apenas a um grupo restrito de pessoas; segredo; **2** discrição; reserva

sigla *s. f.* GRAM. expressão formada pelas letras iniciais de diversas palavras, sendo estas letras geralmente pronunciadas uma a uma

sigma *s. m.* décima oitava letra do alfabeto grego, correspondente ao s

signatário *adj. e s. m.* que ou aquele que assina um documento

significação *s. f.* **1** aquilo que uma coisa significa ou representa; **2** sentido de uma palavra; significado

significado *s. m.* **1** aquilo que uma coisa exprime ou representa; significação; **2** sentido de uma palavra ou de uma frase; **3** importância; valor

significante *s. 2 gén.* conjunto de sons associados a um determinado significado numa língua

significar *v. tr.* **1** ter o significado de; querer dizer; **2** ser sinal de; manifestar

significativo *adj.* **1** que tem significado; **2** que significa ou exprime com clareza; **3** que contém informação importante ou interessante

signo *s. m.* **1** ASTRON. cada uma das doze partes em que se divide o zodíaco; **2** ASTROL. cada um das doze constelações que correspondem a essas doze partes, e cada uma das figuras que as representam; **3** LING. unidade linguística com significante e significado; palavra; **4** símbolo; sinal

sílaba *s. f.* LING. som ou conjunto de sons de uma palavra que se pronunciam numa só emissão de voz

silábico *adj.* relativo a sílaba

silenciador *s. m.* dispositivo adaptável ao cano de uma arma de fogo, usado para silenciar o disparo

silenciar *v. tr.* **1** manter silêncio sobre (algo); **2** impor silêncio a; calar

silêncio *s. m.* **1** ausência de som ou de ruído; **2** estado de alguém que parou ou se abstém de falar; **3** paz; sossego

silencioso *adj.* **1** que está em silêncio; **2** em que não há ruído; **3** calmo; sossegado; **4** que fala pouco

silhueta *s. f.* desenho do perfil definido pelos contornos da sombra projectada por uma pessoa ou objecto

silício *s. m.* QUÍM. elemento com o número atómico 14 e símbolo Si, que é um não-metal componente da sílica

silicone *s. m.* QUÍM. substância plástica resistente à oxidação e repelente da água, muito utilizada no fabrico de tintas e vernizes e como isolador eléctrico

silo *s. m.* **1** reservatório onde se guardam e comprimem as colheitas verdes, para sofrerem fermentação e servirem de forragem; **2** reservatório destinado à armazenagem de cereais, cimento e outras substâncias sólidas

silo-auto *s. m.* {*pl.* silo-autos} parque de estacionamento para automóveis em edifício de forma circular

silogismo *s. m.* FIL. raciocínio dedutivo que parte de duas premissas para chegar a uma conclusão

silva *s. f.* BOT. arbusto silvestre, com caules longos e espinhosos

silvar *v. intr.* produzir um som agudo e prolongado, como um silvo; assobiar

silvestre *adj. 2 gén.* **1** que nasce e cresce sem ser cultivado; espontâneo; **2** próprio da selva; selvagem

silvo *s. m.* som agudo e prolongado; assobio

sim I *adv.* exprime consentimento ou afirmação (partícula oposta à negativa não); **II** *s. m.* anuência; consentimento ❖ ***pelo sim, pelo não*** por causa das dúvidas; ***dia sim, dia não*** de dois em dois dias

simbiose *s. f.* **1** BIOL. associação de dois indivíduos de espécie diferente, com benefício mútuo (como acontece com as algas e os fungos que constituem os líquenes); **2** (*fig.*) associação íntima

simbólico *adj.* **1** relativo a símbolo; **2** que tem carácter de símbolo; **3** que serve de símbolo

simbolismo *s. m.* **1** expressão ou interpretação de algo através de símbolos; **2** conjunto ou sistema de símbolos; **3** movimento artístico e literário surgido no final do século XIX, com uma visão simbólica e subjectiva do mundo, valorizando os sentimentos e pensamentos, como reacção ao Parnasianismo

simbolista I *adj. 2 gén.* **1** relativo ao simbolismo; **2** seguidor do simbolismo; **II** *s. 2 gén.* seguidor do simbolismo

simbolizar *v. tr.* **1** exprimir ou representar por meio de símbolos; **2** ser o símbolo de

símbolo *s. m.* **1** aquilo que representa ou sugere algo; **2** objecto que serve para evocar algo, frequentemente de carácter mágico ou religioso; **3** sinal gráfico que serve para realizar ou esclarecer algo; **4** QUÍM. inicial, ou inicial e outra letra, do nome latino ou latinizado de cada elemento químico, que representa um átomo desse elemento; **5** LING. signo que mantém uma relação convencional ou arbitrária com aquilo que representa

simbologia *s. f.* sistema de símbolos

simetria *s. f.* **1** qualidade de simétrico; **2** harmonia resultante da combinação e proporção de elementos dispostos de cada lado de um eixo, de um centro, ou de uma linha divisória

simétrico *adj.* **1** que tem simetria; **2** que tem harmonia; equilibrado

similar *adj. 2 gén.* **1** da mesma natureza ou espécie; **2** semelhante; análogo

símio I *s. m.* ZOOL. mamífero primata com cérebro desenvolvido, duas mamas peitorais, membros compridos e delgados, e olhos voltados para a frente (é o caso do homem e do macaco); **II** *adj.* relativo a esse mamífero

simpatia *s. f.* **1** afinidade entre duas ou mais pessoas; **2** amabilidade; afabilidade; **3** atracção por algo, como uma ideia, causa, etc.

simpático *adj.* **1** que inspira simpatia; **2** que agrada ou atrai; **3** amável; afável

simpatizante *adj. e s. 2 gén.* **1** que ou aquele que simpatiza; **2** que ou pessoa que apoia um partido, um clube desportivo, uma associação, etc.

simpatizar *v. intr.* ter simpatia; sentir afinidade ou interesse por alguém ou alguma coisa

simples *adj. 2 gén. 2 núm.* **1** não complicado; **2** fácil de resolver; **3** vulgar; comum; **4** modesto; sem luxo; **5** espontâneo; natural; **6** crédulo; ingénuo

simplicidade *s. f.* **1** qualidade de simples; **2** ausência de complicação ou de dificuldade; **3** ausência de luxo ou de requinte; **4** naturalidade; espontaneidade; **5** ingenuidade; credulidade

simplicíssimo *adj.* ‹*superl. de* **simples**› muito simples

simplificar *v. tr.* **1** tornar simples ou mais simples; **2** tornar menos complicado; facilitar

simplório *adj. e s. m.* que ou aquele que se deixa enganar com muita facilidade; ingénuo

simpósio *s. m.* reunião científica para discutir determinado assunto; colóquio

simulação *s. f.* **1** acto de simular; **2** experiência ou ensaio ralizada/o para verificar o funcionamento ou desempenho de algo (de uma máquina, de um procedimento, etc.); **3** falta de sinceridade; dissimulação

simulacro *s. m.* **1** imitação; representação; **2** disfarce; fingimento

simulador *adj. e s. m.* que ou o que simula

simular *v. tr.* **1** fazer parecer real; **2** fingir; aparentar

simultaneidade *s. f.* **1** qualidade de simultâneo; **2** coincidência, no tempo, de dois ou mais factos ou acontecimentos

simultâneo *adj.* que ocorre ou se realiza ao mesmo tempo que outra coisa

sina *s. f.* (*pop.*) sorte; destino

sinagoga *s. f.* templo israelita

sinal *s. m.* **1** facto ou acontecimento que permite prever alguma coisa; indício; **2** marca; vestígio; **3** atitude ou gesto utilizada/o como meio de comunicação; **4** manifestação; exteriorização; **5** pequena mancha na pele; **6** símbolo gráfico que possui um significado convencional; **7** MAT. símbolo que representa uma operação; **8** placa ou tabuleta com aviso ou indicação; **9** dinheiro que uma parte dá à outra para assegurar o compromisso num contrato ainda não consumado

sinalização *s. f.* **1** sistema de sinais utilizados para comunicar (através de luz, som, etc.); **2** conjunto de sinais que orientam e facilitam a circulação em ruas, estradas, aeroportos, etc.

sinalizar *v. tr.* **1** pôr sinalização em; **2** assinalar; marcar

sincelo *s. m.* pedaços de gelo suspensos das árvores e dos beirais dos telhados, resultantes da congelação da chuva miúda ou do orvalho

sinceridade *s. f.* qualidade do que é sincero; franqueza

sincero *adj.* **1** franco; que não disfarça; **2** verdadeiro; leal

síncope *s. f.* **1** MED. suspensão brusca e momentânea da actividade cardíaca; **2** GRAM. supressão de um fonema no meio de uma palavra

sincronia *s. f.* ocorrência em simultâneo de dois ou mais factos ou acontecimentos; simultaneidade

sincrónico *adj.* **1** relativo a sincronia; **2** que se realiza ao mesmo tempo; simultâneo

sincronização *s. f.* acto ou efeito de sincronizar

sincronizar *v. tr.* **1** tornar simultâneo (movimento, acção, etc.); **2** narrar (factos), relacionando-os

sindical *adj. 2 gén.* relativo a sindicato

sindicalismo *s. m.* movimento que procura agrupar os trabalhadores em associações para defender os seus interesses

sindicalista I *adj. 2 gén.* **1** relativo a sindicato ou a sindicalismo; **2** partidário do sindicalismo; **II** *s. 2 gén.* partidário do sindicalismo

sindicalizar I *v. tr.* organizar em sindicato; **II** *v. refl.* tornar-se membro de sindicato

sindicato *s. m.* associação de defesa dos interesses dos trabalhadores, fundamentalmente perante o patronato

síndroma *s. f.* vd. **síndrome**

síndrome *s. f.* MED. conjunto de sintomas que não caracterizam necessariamente uma só doença, mas podem traduzir um determinado estado patológico

sinédoque *s. f.* LING. figura de estilo que consiste em designar a parte pelo todo ou o todo pela parte, o plural pelo singular ou o singular pelo plural, etc.

sinergia *s. f.* **1** acção ou esforço conjuntos; **2** ANAT. associação de diversos sistemas (músculos, órgãos) para a realização de uma tarefa

sinestesia *s. f.* LIT. combinação de sensações diferentes numa só expressão

sineta *s. f.* ⟨*dim. de* **sino**⟩ sino pequeno

sinfonia *s. f.* MÚS. trecho de música em forma de sonata, destinado a ser executado por uma orquestra

sinfónico *adj.* relativo a sinfonia

singelo *adj.* **1** simples; **2** sem enfeites

single *s. m.* MÚS. disco gravado, de curta duração, geralmente com uma música ou canção em cada face

singrar *v. intr.* **1** NÁUT. navegar à vela; velejar; **2** *(fig.)* progredir; ter êxito

singular I *adj. 2 gén.* **1** único; sem igual; **2** raro; invulgar; **3** notável; **4** GRAM. (número) que indica apenas uma pessoa, um animal ou uma coisa; **II** *s. m.* GRAM. número que indica apenas uma pessoa, um animal ou uma coisa

singularidade *s. f.* **1** qualidade de singular; **2** característica distintiva; particularidade; **3** qualidade do que é fora de vulgar, extraordinário

sinistrado *adj. e s. m.* que ou aquele que sofreu sinistro

sinistralidade *s. f.* grau de ocorrência de sinistros

sinistro I *adj.* **1** (pessoa) que utiliza preferencialmente a mão esquerda; **2** que traz maus presságios; **3** ameaçador; assustador; **II** *s. m.* acontecimento que provoca prejuízo, sofrimento ou morte; acidente

sino *s. m.* instrumento metálico, em forma de campânula, que produz som quando se percute com uma peça interior, o badalo, ou com um martelo exterior ❖ ***andar num ~*** andar extremamente contente

sinonímia *s. f.* LING. relação de proximidade semântica entre duas ou mais palavras

sinónimo *s. m.* LING. palavra que tem o mesmo significado que outra, ou um significado muito próximo

sinopse *s. f.* **1** resumo; síntese; **2** breve apresentação do conteúdo de algo, de um artigo, livro, filme, etc.

sintáctico *adj.* relativo a sintaxe

sintagma *s. m.* LING. sequência de palavras que formam um núcleo no interior de uma frase (sintagma nominal, sintagma verbal, etc.)

sintagmático *adj.* relativo a sintagma

sintaxe *s. f.* GRAM. disciplina que estuda a combinação e disposição das palavras na frase

síntese *s. f.* **1** processo pelo qual se reunem vários elementos sobre um tema para se chegar a uma conclusão coerente; **2** resumo; sumário

sintético *adj.* **1** relativo a síntese; **2** que resulta de síntese; **3** conciso; resumido

sintetizar *v. tr.* **1** realizar a síntese de; **2** resumir; condensar

sintoma *s. m.* **1** MED. manifestação espontânea de uma doença, que geralmente auxilia ao seu diagnóstico; **2** indício; sinal

sintomático *adj.* relativo a sintoma

sintomatologia *s. f.* MED. estudo dos sintomas de uma doença que se manifestam num paciente

sintonia *s. f.* **1** ELECTR. qualidade de selecção dos receptores de radiofonia nos quais o efeito de frequências diferentes é mínimo; **2** *(fig.)* harmonia; acordo mútuo

sintonização *s. f.* acto ou efeito de sintonizar

sintonizar *v. tr.* **1** ajustar (rádio, televisor) ao comprimento de onda da emissora pretendida; **2** estabelecer sintonia entre; harmonizar

sinuoso *adj.* que descreve curvas; ondulante

sinusite *s. f.* MED. inflamação da mucosa que reveste as cavidades nasais

sirene *s. f.* instrumento que produz um som estridente como sinal de alarme ou de chamada

sírio I *s. m.* {*f.* síria} pessoa natural da Síria; **II** *adj.* relativo à Síria

sisa *s. f.* imposto sobre a transmissão de bens imobiliários (por compra, venda ou doação)

sísmico *adj.* relativo a sismo

sismo *s. m.* GEOL. abalo ou tremor de terra causado pela deslocação das placas tectónicas no seu interior

sismografia *s. f.* descrição dos sismos por meio de um sismógrafo

sismógrafo *s. m.* instrumento destinado a registar a intensidade, hora e duração dos sismos

sismologia *s. f.* GEOL. estudo da estrutura da Terra e dos terramotos por meio de ondas sísmicas

sismólogo *s. m.* especialista em sismologia

siso *s. m.* juízo; bom senso; *(pop.)* ***dentes do ~*** os últimos dentes grandes, molares, em cada lado de cada maxilar

sistema *s. m.* **1** conjunto de princípios que se articulam entre si, formando uma doutrina, uma teoria, uma tese, etc.; **2** disposição de vários elementos coordenados que funcionam como estrutura organizada; **3** POL. forma de governo ou de administração; **4** ANAT. conjunto de órgãos e/ou tecidos que desempenham funções complementares (sistema nervoso, sistema digestivo, etc.); **5** INFORM. conjunto de hardware e software de um ou vários computadores que, em conjunto, permitem o processamento de informação; **~ *métrico*** sistema de medida que tem por base o metro; ANAT. **~ *nervoso*** conjunto de elementos nervosos (encéfalo, espinal medula e tecidos) em estreita conexão, que ordena as várias actividades de um indivíduo em relação com o mundo exterior; ***por ~*** por costume ou hábito

sistema solar *s. m.* ASTRON. sistema que tem o Sol como centro e que compreende todos os planetas, satélites, cometas, etc. que gravitam à sua volta

sistemático *adj.* **1** relativo a sistema; **2** que obedece a um sistema; **3** (*fig.*) metódico; ordenado; **4** (*fig.*) constante

sistematização *s. f.* acto ou efeito de sistematizar

sistematizar *v. tr.* **1** organizar em sistema; **2** ordenar de forma coerente; organizar

sístole *s. f.* FISIOL. contracção das paredes do coração que provoca a saída do sangue da aurícula para o ventrículo ou desta cavidade para as artérias (opõe-se a diástole)

sisudo *adj.* **1** sério; circunspecto; **2** carrancudo

sitcom *s. m.* {*pl.* sitcoms} TV série que retrata situações da vida do cidadão comum em tom de comédia

site *s. m.* {*pl.* sites} INFORM. (Internet) vd. **sítio**

sítio *s. m.* **1** ponto determinado de uma zona; local; lugar; **2** INFORM. (Internet) página ou conjunto de páginas da Internet que disponibilizam informação variada; site

sito *adj.* situado; estabelecido

situação *s. f.* **1** acto de situar; **2** posição; localização; **3** estado; condição; **4** conjunto de acontecimentos; conjuntura

situar I *v. tr.* **1** estabelecer ou colocar em determinado lugar; **2** localizar no tempo ou no espaço; enquadrar; **II** *v. refl.* localizar-se

skate *s. m.* {*pl.* skates} pequena prancha de madeira ou plástico, assente em quatro rodas, usada para deslizar com os dois pés

sketch *s. m.* {*pl.* sketches} peça teatral, radiofónica ou televisiva muito curta, humorística, e com um número reduzido de actores

skinhead *s. 2 gén.* {*pl.* skinheads} jovem que normalmente pertence a um grupo que manifesta comportamento violento e defende posições racistas; cabeça-rapada

slalom *s. m.* {*pl.* slaloms} **1** DESP. prova de esqui, descendente e em ziguezage, em trajecto definido por obstáculos artificiais; **2** DESP. qualquer percurso em ziguezague, entre obstáculos

slide *s. m.* {*pl.* slides} vd. **diapositivo**

slip *s. m.* {*pl.* slips} calção muito curto e justo, usado como peça de roupa interior de homem ou senhora, ou como calção de banho

slogan *s. m.* {*pl.* slogans} frase curta e apelativa, muito usada em publicidade ou propaganda política

slow *s. m.* dança lenta, geralmente executada por pares

Sm QUÍM. [*símbolo de* **samário**]

SME (União Europeia) [*sigla de* **S**istema **M**onetário **E**uropeu]

SMI [*sigla de* **S**istema **M**onetário **I**nternacional]

smoking *s. m.* {*pl.* smokings} traje masculino de cerimónia que inclui um casaco geralmente preto com a lapela revestida de cetim, laço de cetim e calças a condizer

SMS [*sigla de* Short Message Service] serviço de mensagens curtas

Sn QUÍM. [*símbolo de* **estanho**]

snack-bar *s. m.* estabelecimento onde se servem refeições simples e rápidas

snifar *v. tr.* **1** *(cal.)* cheirar; aspirar; **2** *(cal.)* aspirar intensamente (droga)

snobe *adj. e s. 2 gén.* que ou pessoa que se comporta de forma arrogante ou afectada

snobismo *s. m.* comportamento arrogante e afectado

snooker *s. m.* variedade do jogo de bilhar em que se utilizam 15 bolas vermelhas, 6 de outras cores e uma branca

snowboard *s. m.* {*pl.* snowboards} **1** DESP. actividade que consiste em descer encostas cobertas de neve com uma pequena prancha com suportes para os pés, sem a ajuda de bastões; **2** essa prancha

SO GEOG. [*símbolo de* **sudoeste**]

só I *adj.* **1** sozinho; sem companhia; **2** isolado; afastado; **3** único; **II** *adv.* apenas; somente; ***a sós*** isoladamente

soalheiro *adj.* **1** exposto ao sol; **2** quente

soalho *s. m.* pavimento de madeira

soar *v. intr.* **1** emitir som; **2** fazer-se ouvir; **3** constar; divulgar-se; ***~ bem*** ter um som agradável; agradar; ***~ mal*** ter um som desagradável; não inspirar confiança

sob *prep.* **1** debaixo de; por baixo de ⟨*sob o guarda-sol*⟩; **2** no tempo de ⟨*sob o seu governo*⟩; **3** em relação a ⟨*sob esse ponto de vista*⟩

soberania *s. f.* **1** qualidade de soberano; **2** poder independente e supremo de soberano; **3** conjunto dos poderes que formam uma nação politicamente organizada; ***órgãos de ~*** entidades que representam os poderes do Estado (Presidente da República, Assembleia da República, Governo e Tribunais)

soberano I *s. m.* **1** pessoa ou entidade que exerce o poder supremo; **2** chefe de estado monárquico; monarca; **3** *(fig.)* pessoa muito poderosa; **II** *adj.* **1** que detém autoridade suprema ou absoluta; **2** *(fig.)* poderoso

soberbo *adj.* **1** arrogante; altivo; **2** magnífico; grandioso

sobra *s. f.* aquilo que sobra; resto; ***de ~*** em excesso

sobranceiro *adj.* **1** que está acima de; superior; **2** que sobressai; **3** orgulhoso; arrogante

sobrancelha *s. f.* conjunto de pêlos dispostos em forma de arco, por cima de cada órbita ocular

sobrar *v. intr.* ficar como resto ou em excesso; restar

sobre *prep.* **1** na parte superior de ⟨*sobre a plataforma*⟩; **2** acima de ⟨*sobre todos*⟩; **3** a respeito de ⟨*falar sobre o problema*⟩; **4** perto de ⟨*chegar sobre a hora*⟩; **5** ao longo de ⟨*caminhar sobre as dunas*⟩; **6** na direcção de ⟨*janela sobre o rio*⟩; **7** um tanto ⟨*cabelo sobre o ruivo*⟩

sobreaquecimento *s. m.* **1** aquecimento excessivo; **2** FÍS. elevação da temperatura de um líquido acima do seu ponto de ebulição

sobreaviso *s. m.* prevenção; precaução; ***estar de ~*** estar prevenido/alerta

sobrecapa *s. f.* cobertura impressa de papel que reveste e protege a capa de um livro

sobrecarga *s. f.* **1** carga ou peso em excesso; **2** excesso de trabalho

sobrecarregar *v. tr.* **1** carregar em excesso; **2** obrigar a esforço excessivo

sobredotado *adj. e s. m.* que ou aquele que possui capacidades intelectuais ou físicas acima do que é considerado normal

sobre-humano *adj.* que ultrapassa a natureza humana; sobrenatural

sobreiro *s. m.* BOT. árvore com casca espessa, de que se extrai a cortiça

sobrelotação *s. f.* condição de um local ou meio de transporte em que os lugares se encontram todos ocupados; superlotação

sobrelotado *adj.* **1** com lotação em excesso; **2** muito cheio

sobremaneira *adv.* de modo excessivo

sobremesa *s. f.* parte final da refeição, em que geralmente se come fruta, doce, e/ou queijo

sobrenatural **I** *adj. 2 gén.* **1** que ultrapassa o natural; **2** que está acima da natureza humana; **3** *(fig.)* extraordinário; **II** *s. m.* **1** aquilo que é superior às leis da natureza; **2** aquilo que transcende a natureza humana

sobrenome *s. m.* **1** apelido; nome de família; **2** alcunha

sobrepor **I** *v. tr.* **1** pôr por cima de; **2** acrescentar; juntar; **3** considerar mais importante; dar preferência a; **II** *v. refl.* **1** colocar-se sobre; **2** revelar-se mais importante

sobreposição *s. f.* acto ou efeito de sobrepor

sobrescrito *s. m.* invólucro para carta ou cartão, geralmente em papel dobrado em forma de bolsa

sobressair *v. intr.* **1** estar ou ficar saliente; **2** salientar-se; destacar-se

sobressaltar *v. tr. e refl.* **1** supreender(-se); **2** assustar(-se); atemorizar(-se)

sobressalto *s. m.* perturbação repentina; susto

sobresselente *adj. 2 gén.* **1** destinado a substituir algo (acessório, peça) gasto ou avariado; **2** que serve para preencher uma falta

sobrestimar *v. tr.* atribuir importância exagerada a

sobretaxa *s. f.* valor adicional em relação ao estabelecido

sobretudo **I** *adv.* principalmente; **II** *s. m.* casaco largo e comprido usado como protecção contra o frio

sobrevir *v. intr.* **1** acontecer depois de outra coisa; **2** ocorrer inesperadamente

sobrevivência *s. f.* acto de ou efeito de sobreviver

sobrevivente *adj. e s. 2 gén.* **1** que ou pessoa que escapou à morte após um perigo, um desastre ou uma catástrofe; **2** que ou pessoa que continua a existir após a morte de outra

sobreviver *v. intr.* **1** manter-se vivo; resistir; **2** continuar a viver após a morte de alguém; **3** durar; perdurar

sobrevoar *v. tr.* voar por cima de

sobriedade *s. f.* **1** moderação; comedimento; **2** estado do que não se encontra embriagado; **3** estilo sóbrio, sem enfeites ou ornamentos

sobrinho *s. m.* filho de irmão ou irmã, ou de cunhado ou cunhada

sobrinho-neto *s. m.* {*pl.* sobrinhos-netos} filho do sobrinho ou da sobrinha

sóbrio *adj.* **1** moderado; comedido; **2** que não está embriagado; **3** sem grandes enfeites ou ornamentos

sobrolho *s. m.* conjunto de pêlos dispostos por cima de cada órbita ocular; sobrancelha; ***carregar/franzir o ~*** mostrar aparência severa

soca *s. f.* calçado simples, geralmente com base de madeira, em que se enfia o pé, ficando o calcanhar a descoberto

socalco *s. m.* parcela de terreno mais ou menos plano, situado numa encosta

socapa *s. f.* disfarce; ***à ~*** disfarçadamente; furtivamente

socar *v. tr.* dar socos em

sociabilizar *v. tr. e refl.* tornar(-se) social; socializar(-se)

social *adj. 2 gén.* **1** relativo a sociedade; **2** que gosta de viver em sociedade; sociável

socialismo *s. m.* POL. doutrina que defende uma reforma da organização social, suprimindo as desigualdades e tornando colectivos os meios de produção

socialista I *adj. 2 gén.* **1** relativo ao socialismo; **2** partidário do socialismo; **II** *s. 2 gén.* partidário do socialismo

socialização *s. f.* **1** SOCIOL. desenvolvimento do espírito colectivo, de cooperação e solidariedade; **2** SOCIOL. integração de indivíduos numa sociedade; **3** ECON., POL. apropriação pelo Estado dos meios de produção

socializar *v. tr. e refl.* **1** tornar(-se) social; **2** integrar(-se) num grupo ou numa sociedade

sociável *adj. 2 gén.* **1** dado a viver em sociedades ou grupos; **2** que aprecia o convívio; comunicativo; **3** educado; civilizado

sociedade *s. f.* **1** agrupamento de seres que vivem em conjunto cooperando mutuamente; **2** conjunto de pessoas que se regem por normas comuns; comunidade; **3** relação entre pessoas; convivência; **4** associação (civil, comercial, etc.); agremiação; **5** alta-roda; elite social; ***~ anónima*** empresa cujo capital se encontra dividido por sócios, que possuem acções livremente negociáveis, e que são responsáveis apenas pelo seu próprio capital; ***~ de consumo*** sistema económico que estimula o consumo de bens não essenciais através de técnicas de publicidade

sócio I *s. m.* **1** indivíduo que se associa a outro na formação ou gestão de uma empresa; **2** membro de associação ou clube; **3** companheiro; parceiro; **4** cúmplice; **II** *adj.* que se associou

sociocultural *adj. 2 gén.* relativo a aspectos culturais e sociais de um grupo

socioeconómico *adj.* relativo a factores sociais e económicos

sócio-gerente *s. m.* {*pl.* sócios-gerentes} COM. sócio encarregado da administração de uma sociedade

sociolinguística *s. f.* LING. disciplina que se dedica ao estudo da inter-relação entre a linguagem e os factores sociais e culturais

sociologia *s. f.* ciência que se dedica ao estudo das sociedades humanas, incluindo as suas leis, instituições, valores, etc.

sociológico *adj.* relativo à sociologia

sociólogo *s. m.* especialista em sociologia

soco[1] [o] *s. m.* pancada com a mão fechada; murro

soco[2] [ɔ] *s. m.* calçado com base de madeira; tamanco

socorrer I *v. tr.* **1** ir em defesa ou protecção de; acudir a; **2** prestar auxílio a; ajudar; **II** *v. refl.* servir-se de; valer-se de

socorrismo *s. m.* conjunto de procedimentos e meios para prestar os primeiros socorros a feridos ou doentes

socorrista *s. 2 gén.* pessoa que pratica o socorrismo

socorro I *s. m.* **1** ajuda; auxílio; **2** assistência prestada a alguém em situação de dificuldade ou de perigo;

II *interj.* exprime um pedido de auxílio ou de defesa; ***primeiros socorros*** auxílio médico de emergência

soda *s. f.* **1** água artificialmente gaseificada, que geralmente se serve misturada com sumo de frutas ou bebidas alcoólicas; **2** QUÍM. designação vulgar do carbonato de sódio; ***~ cáustica*** hidróxido de sódio

sódio *s. m.* QUÍM. elemento com o número atómico 11 e símbolo Na, que é um metal alcalino, mole, extremamente oxidável

sofá *s. m.* assento estofado com encosto e geralmente com braços, para duas ou mais pessoas

sofá-cama *s. m.* {*pl.* sofás-camas} peça de mobiliário que serve de sofá e de cama, sendo esta, geralmente, articulada e recolhida na estrutura do sofá

sofisma *s. m.* **1** raciocínio em se empregam argumentos falsos, simulando as regras da lógica, para enganar; **2** *(pop.)* engano

sofisticado *adj.* **1** não natural; artificial; **2** requintado ao máximo; **3** desenvolvido; complexo

sôfrego *adj.* **1** que come ou bebe com sofreguidão ou avidez; **2** *(fig.)* desejoso; ansioso

sofreguidão *s. f.* **1** qualidade de sôfrego; **2** acto de comer ou beber com avidez; **3** ambição; ânsia

sofrer I *v. tr.* **1** padecer; ser atormentado por; **2** suportar; aguentar; **II** *v. intr.* estar em sofrimento; experimentar dores físicas ou morais

sofrimento *s. m.* **1** acto de sofrer; **2** dor física; **3** amargura; angústia

software *s. m.* INFORM. conjunto dos meios não materiais (em oposição a hardware) que permitem e controlam o funcionamento do computador e o tratamento automático da informação

sogra *s. f.* mãe da esposa em relação ao marido, ou mãe do marido em relação à esposa

sogro *s. m.* pai do marido em relação à esposa, ou pai da esposa em relação ao marido

soirée *s. f.* {*pl.* soirées} **1** reunião nocturna; serão; **2** espectáculo nocturno; sarau

soja *s. f.* BOT. planta muito cultivada, cujas sementes fornecem óleo e proteínas de alto valor nutritivo

sol *s. m.* **1** *(fig.)* brilho; resplendor; **2** *(fig.)* alegria; felicidade; **3** MÚS. quinta nota da escala musical natural; **4** MÚS. sinal representativo dessa nota; ***de ~ a ~*** desde o nascer ao pôr do Sol; o dia inteiro

Sol *s. m.* ASTRON. estrela que consitui o centro do nosso sistema planetário, em torno do qual giram a Terra e os outros planetas

sola *s. f.* pedaço, geralmente de couro ou borracha, que forma a parte inferior, mais dura e resistente do calçado ❖ *(coloq.)* ***dar à ~*** fugir

solar I *adj.* relativo ao Sol; **II** *s. m.* **1** casa ou mansão de família nobre; palácio; **2** casa de aspecto majestoso

solário *s. m.* estabelecimento devidamente equipado onde as pessoas se podem bronzear artificialmente

solavanco *s. m.* sacudidela inesperada e por vezes violenta de um veículo em andamento

solda *s. f.* **1** liga metálica, fusível, empregada para unir peças metálicas; **2** *(fig.)* união

soldado *s. m.* MIL. militar sem graduação

soldador *adj. e s. m.* que ou o que solda

soldadura *s. f.* **1** acto de unir peças de metal com solda; **2** parte que se soldou

soldar *v. tr.* unir com solda
soleira *s. f.* elemento de cantaria que reveste a parte inferior de um vão
solene *adj. 2 gén.* **1** cerimonioso; **2** formal; **3** imponente; majestoso
soletração *s. f.* processo de ler letra por letra
soletrar *v. tr.* **1** ler letra por letra; **2** *(fig.)* ler mal
solfejo *s. m.* MÚS. exercício musical para se aprender a ler as notas
solha *s. f.* **1** ZOOL. peixe de forma oval e corpo achatado, cuja carne possui grande valor comercial; linguado; **2** *(coloq.)* bofetada
solicitação *s. f.* **1** pedido com insistência; súplica; **2** convite; apelo
solicitador *s. m.* DIR. pessoa devidamente habilitada, que geralmente auxilia os advogados em actos relativos a questões jurídicas
solicitar *v. tr.* **1** procurar conseguir; requerer; **2** pedir com insistência
solícito *adj.* **1** prestável; atencioso; **2** diligente; cuidadoso
solidão *s. f.* estado do que está só; isolamento
solidariedade *s. f.* **1** qualidade de solidário; **2** espírito de compreensão e entreajuda; **3** manifestação desse espírito através de atitudes que melhoram a situação e conduzem ao bem-estar dos outros
solidário *adj.* **1** que compreende o sofrimento ou as dificuldades dos outros; **2** que se empenha activamente para prestar auxílio ou assistência
solidez *s. f.* **1** qualidade de sólido; **2** resistência; durabilidade; **3** segurança; firmeza
solidificação *s. f.* passagem de um líquido ao estado sólido
solidificar *v. tr., intr. e refl.* tornar(-se) sólido; endurecer(-se)
sólido I *adj.* **1** duro; consistente; **2** resistente; robusto; **3** seguro; fiável; **II** *s. m.* **1** GEOM. corpo que possui três dimensões e é limitado por superfícies fechadas; **2** FÍS. estado da matéria com forma própria e dimensões definidas
solilóquio *s. m.* fala de alguém consigo próprio; monólogo
solista *s. 2 gén.* MÚS. pessoa que executa as partes de um trecho musical a uma voz ou com um só instrumento
solitário I *adj.* **1** que vive só; **2** que gosta de estar só; que evita a convivência com outros; **3** (lugar) afastado; deserto; **II** *s. m.* **1** indivíduo que vive ou gosta de viver só; **2** anel ou jóia com uma só pedra engastada
solo *s. m.* **1** parte sólida da superfície terrestre sobre a qual nos deslocamos; chão; **2** AGRIC. camada superficial da terra, constituída por matéria orgânica e bactérias, onde se desenvolvem as culturas; **3** GEOL. massa natural constituída por elementos minerais e elementos orgânicos dispostos em camadas; **4** MÚS. trecho executado por uma só pessoa ou um só instrumento
solstício *s. m.* ASTRON. momento em que o Sol alcança, no movimento anual aparente, qualquer dos dois pontos da eclíptica mais afastados do equador (solstício de Junho e solstício de Dezembro)
solta *s. f.* acto ou efeito de soltar; ***à ~*** em liberdade
soltar I *v. tr.* **1** tornar livre; libertar; **2** desatar; desprender; **3** largar; **4** emitir (palavra, som); **II** *v. refl.* libertar-se; ***~ a língua*** dizer o que se sabe
solteirão *s. m.* homem que, passada a idade mais comum do casamento, ainda se conserva solteiro

solteiro *adj. e s. m.* que ou homem que não é casado
solto *adj.* **1** em liberdade; livre; **2** desatado; desprendido; **3** que não está esticado ou apertado; largo
soltura *s. f.* destreza; desembaraço
solubilidade *s. f.* qualidade de solúvel, do que é susceptível de se dissolver
solução *s. f.* **1** resolução de um problema ou de uma dificuldade; saída; **2** MAT. resultado de um problema ou de uma equação; **3** FÍS., QUÍM. mistura homogénea de duas ou mais substâncias
soluçar *v. intr.* **1** ter soluços; **2** chorar
solucionar *v. tr.* arranjar solução para; resolver
soluço *s. m.* contracção involuntária do diafragma que provoca inspiração, subitamente interrompida ao passar pela glote; ***aos soluços*** de forma intermitente; aos solavancos
soluto *s. m.* FÍS., QUÍM. substância que se dissolve noutra, o solvente, formando uma mistura homogénea
solúvel *adj. 2 gén.* **1** susceptível de se dissolver; **2** que é possível resolver; que tem solução
solvência *s. f.* qualidade de solvente
solvente **I** *adj. 2 gén.* que paga ou pode pagar as suas dívidas; **II** *s. m.* FÍS., QUÍM. substância que dissolve outra(s) substância(s), originando uma solução
som *s. m.* **1** barulho; ruído; **2** FÍS. vibração que se propaga em ondas sonoras através de um meio material elástico, como o ar; **3** unidade monetária do Quirguistão; ***ao ~ de*** acompanhado por
soma *s. f.* **1** MAT. operação que consiste em juntar quantidades homogéneas para obter o total; adição; **2** quantia em dinheiro
somar *v. tr.* **1** MAT. fazer a soma de; adicionar; **2** juntar; reunir
somatório *s. m.* **1** soma total; **2** totalidade
sombra *s. f.* **1** parte de uma superfície sem luz pela interposição de um corpo opaco entre ela e o objecto luminoso; **2** local pouco iluminado; escuro; **3** ART. PLÁST. parte mais escura de desenho ou pintura, que dá relevo e/ou reproduz a ausência de luz; **4** cosmético que se aplica nas pálpebras; *(fig.)* ***fazer ~ a*** ofuscar o brilho de ❖ ***nem por sombras*** de modo nenhum
sombreado *s. m.* ART. PLÁST. conjunto de tons claros e escuros num desenho ou numa pintura, que dão relevo e/ou reproduzem a ausência de luz
sombrinha *s. f.* guarda-sol de senhora
sombrio *adj.* **1** com sombra; escuro; **2** triste; lúgubre; **3** taciturno; carrancudo
somente *adv.* unicamente; apenas
somítico *adj. e s. m.* que ou o que é excessivamente apegado ao dinheiro; avarento
sonambulismo *s. m.* actividade física inconsciente que se manifesta durante o sono por actos mais ou menos coordenados (andar, falar, etc.)
sonâmbulo *adj. e s. m.* que ou aquele que sofre de sonambulismo
sonata *s. f.* MÚS. peça composta de vários trechos de carácter e andamento diferentes
sonda *s. f.* **1** instrumento para recolha de dados relativos à profundidade da água e à natureza do fundo do mar, rio, etc.; **2** MED. espécie de tubo longo, delgado e geralmente flexível, que se introduz no organismo para realizar um diagnóstico ou extrair algo

sondagem *s. f.* **1** investigação feita com auxílio de uma sonda; **2** (estatística) método de investigação que consiste na recolha de dados parciais que permitam obter um resultado representativo do assunto em análise

sondar *v. tr.* **1** explorar ou medir com sonda; **2** *(fig.)* investigar; indagar

soneca *s. f.* sono curto

sonegar *v. tr.* ocultar (objectos, informação) de forma fraudulenta

soneira *s. f. (pop.)* grande carga de sono; sonolência

soneto *s. m.* LIT. composição poética formada por catorze versos dispostos em duas quadras seguidas de dois tercetos ❖ ***é pior a emenda que o ~*** a correcção do erro é pior que o próprio erro

sonhador *adj. e s. m.* **1** que ou aquele que sonha; **2** que ou aquele que fantasia ou sonha acordado

sonhar *v. intr.* **1** ter sonhos enquanto se dorme; **2** *(fig.)* imaginar; fantasiar

sonho *s. m.* **1** actividade mental inconsciente (imagens, pensamentos, etc.), que se manifesta durante o sono; **2** produto da imaginação; fantasia; **3** algo impossível; ilusão; **4** CUL. bolo fofo de farinha e ovos, frito em azeite e passado depois por calda de açúcar ❖ ***um ~*** muito bonito; encantador

sono *s. m.* **1** estado fisiológico que se caracteriza por uma interrupção temporária da consciência e por um abrandamento de grande parte das funções orgânicas, nomeadamente do ritmo respiratório e cardíaco; **2** vontade de dormir; sonolência; ***~ de pedra*** sono pesado/muito profundo

sonolência *s. f.* vontade de dormir; sono

sonolento *adj.* **1** relativo a sonolência; **2** com sono; ensonado

sonoplastia *s. f.* CIN., TEAT., TV técnica de reconstituição artificial dos efeitos acústicos que constituem a parte sonora de um filme, espectáculo ou programa

sonorização *s. f.* **1** processo de gravação de sons sobre imagens registadas em suporte material (fotográfico, magnético, etc.); **2** acto de instalar e utilizar equipamento de difusão de som num local (destinado a um espectáculo, comício, etc.); **3** GRAM. transformação de uma consoante surda em sonora

sonoro *adj.* **1** que tem som; **2** que produz som; **3** GRAM. (som) produzido com vibração das cordas vocais

sonso *adj.* que finge ser ingénuo; dissimulado

sopa *s. f.* **1** CUL. alimento composto de caldo, geralmente com legumes cortados em pedaços pequenos, que se toma normalmente no princípio da refeição; **2** *(fig.)* coisa encharcada em água ❖ ***ou sim ou sopas*** ou sim ou não; ***viver às sopas de*** viver às custas de

sopapo *s. m.* pancada com a mão; palmada

sopé *s. m.* base ou parte inferior de uma montanha

sopeira *s. f.* **1** terrina para sopa; **2** *(pop.)* empregada doméstica

soporífero *adj. e s. m.* **1** que ou substância que produz sono; **2** *(fig.)* que ou o que é maçador

soprano I *s. m.* MÚS. (canto) timbre de voz mais agudo de mulher ou de rapaz muito novo; **II** *s. 2 gén.* pessoa que possui esse tipo de voz

soprar I *v. tr.* **1** dirigir o sopro para; bufar; **2** encher de ar (balão); **II** *v. intr.* fazer sair ar pela boca

sopro *s. m.* **1** acto de expelir o ar inspirado pela boca; **2** bafo; hálito; **3** MED. som pouco intenso que se detecta por auscultação, geralmente no coração e nos pulmões

soquete *s. f.* meia curta; peúga

sórdido *adj.* **1** sujo; imundo; **2** repugnante; **3** baixo; vil

sorna I *s. f.* grande preguiça; moleza; **II** *s. 2 gén.* pessoa preguiçosa ou vagarosa

soro *s. m.* **1** líquido amarelado que se separa do sangue depois de este ter coagulado; **2** líquido que se separa do leite depois de este ter coagulado; **3** MED. solução de substância mineral ou orgânica que se introduz no organismo de pacientes para alimentar, hidratar, e/ou veicular medicamentos; FARM. **~ *fisiológico*** solução de cloreto de sódio em água

sorrateiro *adj.* que faz as coisas dissimuladamente

sorridente *adj. 2 gén.* **1** que sorri; risonho; **2** afável; amável

sorrir *v. intr.* esboçar um sorriso como manifestação de boa disposição, agrado ou aprovação

sorriso *s. m.* **1** acto de sorrir; **2** expressão facial alegre, estendendo os lábios para os lados, que manifesta boa disposição, agrado ou aprovação; **~ *amarelo*** sorriso forçado

sorte *s. f.* **1** fado; destino; **2** fortuna; felicidade; **3** género; espécie; **4** acaso; ***à ~*** ao acaso; ***boa sorte!*** exprime o desejo de sucesso ou êxito; ***por ~*** felizmente; **~ *grande*** primeiro prémio da lotaria

sortear *v. tr.* tirar à sorte; escolher por sorteio

sorteio *s. m.* acto de escolher ou determinar ao acaso, geralmente tirando um papel ou uma bola numerado/a do meio de outros

sortido I *adj.* de várias espécies; variado; **II** *s. m.* conjunto de produtos de várias espécies; variedade

sortilégio *s. m.* **1** feitiço; bruxaria; **2** encanto; fascinação; **3** trama; conspiração

sortimento *s. m.* provisão de produtos de várias espécies; variedade

sortudo *adj. e s. m.* que ou o que tem sorte; felizardo

sorumbático *adj.* triste; macambúzio

sorver *v. tr.* beber lentamente, fazendo barulho

sorvete *s. m.* doce, geralmente preparado com leite, natas, açúcar e frutos ou chocolate, tornado frio e consistente por meio de refrigeração; gelado

SOS [*sigla de* **s**ave **o**ur **s**ouls] sinal internacional utilizado para pedir socorro

sós *elem. da loc. adv.* ***a ~*** isoladamente; sem companhia

sósia *s. 2 gén.* pessoa muito parecida com outra

soslaio *s. m.* obliquidade; ***de ~*** obliquamente; de esguelha

sossegado *adj.* **1** tranquilo; calmo; **2** quieto; **3** com pouco movimento; pacato

sossegar I *v. tr.* tranquilizar; acalmar; **II** *v. intr.* **1** ficar quieto; **2** acalmar-se

sossego *s. m.* **1** ausência de agitação; tranquilidade; **2** ausência de preocupações e de problemas; **3** descanso; repouso

sótão *s. m.* compartimento situado imediatamente abaixo da cobertura de um edifício, entre o tecto e o último andar ❖ ***ter macaquinhos no ~*** ter manias

sotaque *s. m.* pronúncia particular de uma pessoa de determinada região

sotavento *s. m.* **1** direcção oposta àquela de onde sopra o vento; **2** NÁUT. lado da embarcação oposta à que recebe o vento

soterrar *v. tr.* cobrir de terra; enterrar
soturno *adj.* **1** tristonho; taciturno; **2** (local) sombrio; lúgubre
soufflé *s. m.* CUL. refeição preparada com carne picada ou queijo e claras de ovo batidas, que cresce durante a cozedura no forno
soul *s. m.* MÚS. estilo popular americano com raízes africanas, cujas principais características são a improvisação e a forte componente emocional
soutien *s. m.* {*pl.* soutiens} vd. **sutiã**
souto *s. m.* plantação de castanheiros
souvenir *s. m.* objecto característico de um lugar ou região, que se costuma trazer como recordação; lembrança
sovaco *s. m.* ANAT. cavidade da parte interna da região onde o braço se insere no tronco; axila
sovar *v. tr.* dar uma sova a; bater em
soviético **I** *s. m.* pessoa natural da antiga União Soviética; **II** *adj.* relativo à antiga União Soviética
sovina *adj. e s. 2 gén.* que ou pessoa que é avarenta ou muito apegada ao dinheiro
sozinho *adj.* **1** sem companhia; só; isolado; **2** abandonado; desamparado; **3** deserto; desabitado
speed *s. m.* {*pl.* speeds} **1** *(gír.)* substância excitante do sistema nervoso central; anfetamina; **2** *(fig.)* genica; ***estar com ~*** estar acelerado
spray *s. m.* {*pl.* sprays} **1** jacto de um líquido pulverizado; **2** recipiente com bomba de pressão que projecta esse jacto; vaporizador
spread *s. m.* {*pl.* spreads} ECON. margem aplicada pelo banco sobre o valor da taxa de juro de referência
sprint *s. m.* {*pl.* sprints} **1** DESP. aumento de velocidade na parte final ou em cada etapa de uma corrida (de atletismo ou ciclismo); **2** DESP. corrida a grande velocidade numa curta distância
squash *s. m.* DESP. actividade praticada em recinto fechado, em que dois jogadores lançam uma bola contra uma parede com raquetes
Sr QUÍM. [*símbolo de* **estrôncio**]
SSE GEOG. [*símbolo de* **su-sudeste**]
SSO GEOG. [*símbolo de* **su-sudoeste**]
SSW GEOG. [*símbolo de* **su-sudoeste**]
staff *s. m.* {*pl.* staffs} conjunto de pessoas que compõem os quadros de uma empresa ou instituição; pessoal
stand *s. m.* {*pl.* stands} **1** espaço reservado a cada participante numa exposição ou feira; **2** espaço de exposição e venda ao público, geralmente de automóveis e outros veículos motorizados
standard **I** *adj. 2 gén.* **1** sem característica especial; comum; **2** que obedece a parâmetros convencionados; **II** *s. m.* padrão; modelo
status *s. m. 2 núm.* **1** condição, circunstância ou estado em que se encontra algo ou alguém num determinado momento; **2** distinção; prestígio
stick *s. m.* {*pl.* sticks} **1** DESP. espécie de taco recurvado na extremidade inferior, usado para conduzir ou bater a bola no hóquei e no golfe; **2** vara longa e flexível utilizada para incitar animais como o cavalo; pingalim
stock *s. m.* {*pl.* stocks} **1** COM. quantidade de mercadorias em armazém; **2** reserva; provisão
stop *s. m.* **1** sinal de trânsito que indica paragem obrigatória; **2** sinal luminoso constituído por duas ou três lâmpadas situadas na parte traseira dos veículos, que acendem quando se trava
storyboard *s. m.* {*pl.* storyboards} CIN., INFORM., TV sequência de desenhos ou

ilustrações, acompanhados de indicações sonoras e informações técnicas, para a apresentação de um filme, programa ou projecto audiovisual

stress *s. m.* **1** MED. estado de tensão física, emocional e/ou mental provocado pela reacção e tentativa de adaptação do organismo a determinados estímulos, como uma infecção, ansiedade, excesso de trabalho, etc.; **2** tensão; pressão

stressado *adj.* que se encontra sob pressão; tenso

stressante *adj. 2 gén.* que provoca stress ou tensão

stressar *v. intr.* sentir stress ou tensão

stresse *s. m.* vd. **stress**

stripper *s. 2 gén.* {*pl.* strippers} pessoa que faz striptease

striptease *s. m.* {*pl.* stripteases} espectáculo no qual uma ou mais pessoas se despem progressivamente, ao som de música, com movimentos eróticos

suado *adj.* coberto de suor; transpirado

suar *v. intr.* **1** deitar suor pelos poros da pele; transpirar; **2** (*fig.*) esforçar-se muito

suástica *s. f.* **1** símbolo religioso de algumas civilizações antigas, em forma de cruz com as hastes dobradas para a esquerda; **2** emblema da Alemanha hitleriana em forma de cruz com as hastes dobradas para a direita

suave *adj. 2 gén.* **1** leve; brando; **2** delicado; **3** macio; meigo; **4** agradável; aprazível; **5** que se faz sem custo; **6** (clima) ameno

suavidade *s. f.* **1** qualidade do que é suave; **2** delicadeza; **3** doçura; meiguice

suavizar *v. tr.* **1** tornar suave; **2** atenuar; abrandar

subalimentação *s. f.* **1** alimentação deficiente durante um período mais ou menos longo; **2** estado daí resultante, caracterizado por perturbações funcionais e orgânicas

subalimentado *adj.* em estado de carência alimentar; subnutrido

subalterno *adj. e s. m.* que ou o que está dependente de outrem; subordinado

subalugar *v. tr.* vd. **sublocar**

subaproveitado *adj.* de que não se tirou todo o proveito; mal aproveitado

subaproveitar *v. tr.* não tirar todo o proveito de

subaquático *adj.* que está ou vive debaixo de água

subcategoria *s. f.* divisão de uma categoria

subchefe *s. 2 gén.* empregado ou funcionário imediatamente inferior ao chefe

subclasse *s. f.* grupo sistemático de categoria inferior à classe e superior à ordem

subcolateral *adj. 2 gén.* GEOG. (ponto) intermédio entre um ponto cardeal e um ponto colateral

subconsciente I *adj. 2 gén.* relativo à subconsciência; **II** *s. m.* PSIC. nível da vida mental do qual uma pessoa tem pouca ou nenhuma consciência

subcultura *s. f.* grupo, geralmente minoritário, com um conjunto de características próprias, que representa uma subdivisão dentro de uma cultura

subdesenvolvido *adj.* em estado de subdesenvolvimento

subdesenvolvimento *s. m.* **1** desenvolvimento inferior ao normal; **2** estado de um país ou região com baixo nível de vida de acordo com um fraco desenvolvimento económico e sociocultural

subdirector *s. m.* indivíduo com cargo imediatamente inferior ao do director e que o substitui nos seus impedimentos
subdirectório *s. m.* INFORM. directório que faz parte de outro mais abrangente
súbdito *adj. e s. m.* que ou aquele que está dependente da vontade de outrem; vassalo
subdividir *v. tr.* **1** dividir mais uma vez (o resultado de uma outra divisão); **2** dividir em várias partes
subdivisão *s. f.* **1** divisão de algo que já estava dividido; **2** divisão de algo em várias partes; ramificação
subentender *v. tr.* entender ou perceber (algo implícito, que não se exprime claramente)
subentendido *adj.* **1** que se subentendeu; **2** que se entende, mas não se exprimiu claramente
subestimar *v. tr.* não dar o devido valor ou apreço a
subida *s. f.* **1** acto ou efeito de subir; ascensão; **2** encosta; inclinação; **3** aumento; crescimento
subir I *v. intr.* **1** deslocar-se de baixo para cima; **2** aumentar; crescer; **3** alcançar uma posição superior; **II** *v. tr.* **1** percorrer de baixo para cima; **2** trepar por; galgar; **3** aumentar o preço de; **4** promover; elevar ❖ ***~ à cabeça*** perturbar a razão; ***~ a mostarda ao nariz*** irritar-se
súbito I *adj.* repentino; inesperado; **II** *adv.* repentinamente; ***de ~*** de repente
subjacente *adj. 2 gén.* **1** que está colocado por baixo; **2** *(fig.)* implícito; subentendido
subjectividade *s. f.* **1** carácter do que é subjectivo; **2** característica de uma opinião ou atitude marcada por sentimentos, impressões ou preferências pessoais
subjectivo *adj.* **1** relativo ao sujeito; **2** que pertence ao sujeito; **3** individual; particular; pessoal; **4** que não é objectivo
subjugar *v. tr.* **1** submeter pela força; **2** reprimir; dominar
subjuntivo *s. m.* GRAM. vd. **conjuntivo**
sublevação *s. f.* rebelião; revolta
sublevar-se *v. refl.* revoltar-se; amotinar-se
sublime *adj. 2 gén.* **1** que apresenta grau máximo de perfeição; elevado; **2** magnífico; esplêndido
sublinhar *v. tr.* **1** traçar uma linha por baixo de (uma ou mais palavras); **2** *(fig.)* fazer sobressair; realçar
sublocar *v. tr.* dar de aluguer a outrem (o que se tinha tomado de aluguer do proprietário); subarrendar
sublocatário *s. m.* aquele que toma por sublocação; subarrendatário
submarino I *s. m.* navio de guerra próprio para se deslocar debaixo de água; **II** *adj.* que se encontra no fundo do mar
submergir I *v. tr.* **1** cobrir de água; inundar; **2** mergulhar na água; afundar; **II** *v. intr.* **1** ficar mergulhado na água; **2** afundar-se
submerso *adj.* **1** coberto de água; mergulhado; **2** *(fig.)* oculto; escondido
submeter I *v. tr.* sujeitar; subjugar; **II** *v. refl.* sujeitar-se; expor-se
submissão *s. f.* **1** sujeição; obediência; **2** disposição para obedecer; docilidade
submisso *adj.* **1** que se submeteu; **2** obediente; dócil
submundo *s. m.* círculo de actividades ilícitas ou marginais; marginalidade
subnutrição *s. f.* vd. **subalimentação**
subnutrido *adj.* vd. **subalimentado**
subordinação *s. f.* **1** submição; obediência; **2** GRAM. dependência de uma oração em relação a outra

subordinado I *s. m.* aquele que está sob as ordens de alguém; subalterno; II *adj.* **1** que está sob a dependência de outrem; **2** GRAM. (oração) cujo sentido depende de outra oração

subordinar *v. tr.* sujeitar; submeter

subornar *v. tr.* dar ou prometer bens, geralmente dinheiro, para conseguir algo ilegal; comprar

subornável *adj. 2 gén.* susceptível de ser subornado

suborno *s. m.* acto ou efeito de subornar; compra

subscrever I *v. tr.* **1** escrever o próprio nome no fim de; assinar; **2** aprovar; aceitar; **3** comprar antecipadamente números de uma publicação (jornal, revista etc.), durante determinado período; assinar; **II** *v. refl.* assinar

subscrição *s. f.* **1** acto ou efeito de subscrever; assinatura; **2** contrato que permite a uma pessoa receber determinado produto (revista, jornal, etc.) ou usufruir de um serviço (de telefone, Internet etc.)

subscritor *adj. e s. m.* que ou aquele que subscreve; assinante

subsecretário *s. m.* funcionário de uma instituição ou de um governo, que está abaixo do secretário ou do ministro

subsequente *adj. 2 gén.* que se segue; seguinte

subserviência *s. f.* submissão servil à vontade de outrem; sujeição

subserviente *adj. 2 gén.* que se submete servilmente à vontade de outrem; servil

subsidiar *v. tr.* **1** dar subsídio a; financiar; **2** auxiliar

subsídio *s. m.* **1** auxílio pecuniário que se concede a uma empresa ou a um particular; **2** quantia entregue pelo Estado, sem contrapartida directa, a empresas ou colectividades; subvenção

subsistência *s. f.* **1** conservação; permanência; **2** sustento; sobrevivência

subsistir *v. intr.* **1** continuar a existir; perdurar; **2** manter-se; sustentar-se

subsolo *s. m.* camada do solo imediatamente abaixo da camada visível, constituída por elementos minerais

substância *s. f.* **1** qualquer tipo de matéria; **2** aquilo que alimenta e dá sensação de saciedade; **3** ideia principal; essência

substancial *adj. 2 gén.* **1** relativo a substância; **2** nutritivo; alimentar; **3** *(fig.)* essencial

substantivar *v. tr.* GRAM. empregar como substantivo (palavra de outra categoria gramatical)

substantivo *s. m.* GRAM. palavra que designa entidades concretas (pessoa, objecto, animal, etc.) ou entidades abstractas (acção, estado, qualidade, etc.)

substituição *s. f.* **1** acto ou efeito de substituir; **2** colocação de pessoa ou coisa no lugar de outra; troca

substituir *v. tr.* **1** pôr pessoa ou coisa em lugar de; trocar; **2** fazer as vezes de; **3** tomar o lugar de

substituível *adj. 2 gén.* que pode ser substituído

substituto I *adj.* que substitui; **II** *s. m.* pessoa que faz as vezes de outra, na sua ausência ou impedimento

substrato *s. m.* **1** aquilo que forma a parte essencial do ser; essência; **2** fundamento; base; **3** camada do solo imediatamente abaixo da camada visível; subsolo

subterfúgio *s. m.* meio subtil de sair de uma dificuldade; evasiva

subterrâneo I *adj.* situado debaixo da terra; **II** *s. m.* compartimento ou construção abaixo do nível do solo

subtil *adj. 2 gén.* **1** ténue; fino; **2** leve; delicado; **3** quase imperceptível; **4** (*fig.*) hábil; engenhoso
subtileza *s. f.* **1** qualidade de subtil; **2** delicadeza; suavidade; **3** perspicácia; sagacidade; **4** qualidade do que é feito sem chamar a atenção; discrição
subtítulo *s. m.* título secundário que complementa o principal
subtotal *s. m.* resultado obtido a partir da adição de algumas parcelas; resultado parcial
subtracção *s. f.* **1** MAT. operação aritmética pela qual se subtrai um número (subtractivo) a outro (aditivo), sendo o resultado a diferença entre os dois; diminuição; **2** roubo; furto
subtractivo *s. m.* MAT. número que se subtrai de outro; diminuidor
subtrair *v. tr.* **1** MAT. deduzir (um número) de outro; diminuir; **2** roubar; furtar
subtropical *adj. 2 gén.* **1** situado próximo dos trópicos; **2** cujas características se aproximam das tropicais
suburbano *adj.* **1** relativo a subúrbio; **2** que vive em subúrbio
subúrbio *s. m.* localidade situada nas proximidades de uma cidade e dependente desta; arredores
subvenção *s. f.* vd. **subsídio**
subversão *s. f.* **1** insubordinação em relação às autoridades estabelecidas; revolta; **2** perturbação do funcionamento normal ou da ordem de algo
subversivo **I** *adj.* **1** que subverte; **2** revolucionário; **II** *s. m.* aquele que procura destruir ou alterar a ordem estabelecida; revolucionário
subverter *v. tr.* **1** voltar de baixo para cima; **2** perturbar; transtornar; **3** corromper; perverter; **4** agitar; revolucionar
sucata *s. f.* **1** local de depósito de ferro-velho; **2** conjunto de objectos inúteis
sucateiro *s. m.* aquele que negoceia em sucata
sucção *s. f.* **1** acto ou efeito de sugar; **2** absorção; aspiração
sucedâneo **I** *adj.* **1** que sucede ou vem depois; **2** que pode substituir outro por ter as mesmas propriedades ou os mesmos efeitos; **II** *s. m.* **1** substância que pode substituir outra; **2** FARM. medicamento que pode substituir outro produzindo efeitos análogos
suceder **I** *v. intr.* **1** vir ou acontecer depois; seguir-se; **2** acontecer; ocorrer; **3** tomar o lugar de outra pessoa (num emprego, cargo, etc.); **II** *v. refl.* seguir-se; vir um após outro
sucedido *adj. e s. m.* que ou aquilo que sucedeu ou aconteceu
sucessão *s. f.* **1** sequência; série; **2** continuação; seguimento; **3** transmissão de bens, direitos ou encargos a herdeiros; herança; **4** (*fig.*) conjunto dos descendentes ou herdeiros
sucessivo *adj.* que sucede sem interrupção; consecutivo
sucesso *s. m.* **1** acontecimento; ocorrência; **2** êxito; bom resultado
sucessor *adj. e s. m.* **1** que ou o que substitui outro em cargo, função, etc.; **2** que ou aquele que herda; herdeiro
sucinto *adj.* breve; conciso
suco *s. m.* **1** líquido nutritivo que se extrai da carne e dos vegetais; sumo; **2** (*fig.*) essência; substância
sucre *s. m.* {*pl.* sucres} unidade monetária do Equador
suculento *adj.* **1** que tem suco; **2** nutritivo; substancial; **3** agradável ao paladar
sucumbir *v. tr.* **1** cair sob o peso de; vergar-se; **2** não resistir; ceder; **3** morrer

sucursal *s. f.* estabelecimento comercial ou financeiro subordinado a uma agência central; filial

sudanês I *s. m.* {*f.* sudanesa} **1** pessoa natural do Sudão (África); **2** língua falada no Sudão; **II** *adj.* relativo ao Sudão

sudeste *s. m.* GEOG. ponto colateral entre o sul e o este

sudoeste *s. m.* GEOG. ponto colateral entre o sul e o oeste

sueco I *s. m.* {*f.* sueca} **1** pessoa natural da Suécia; **2** língua oficial da Suécia; **II** *adj.* relativo à Suécia

sueste *s. m.* vd. **sudeste**

suficiência *s. f.* **1** qualidade do que é suficiente; **2** aptidão; capacidade

suficiente I *adj. 2 gén.* **1** que basta; **2** que satisfaz; **3** médio; razoável; **II** *s. m. (acad.)* classificação escolar entre o sofrível e o bom, ou o medíocre e o bom, consoante a escala

sufixação *s. f.* GRAM. formação de palavras por meio de sufixos

sufixo *s. m.* GRAM. partícula que se pospõe a uma palavra para formar uma palavra nova

sufocante *adj. 2 gén.* **1** que causa falta de ar ou asfixia; **2** (clima, ar) abafado

sufocar I *v. tr.* **1** impedir ou dificultar a respiração a; **2** causar a morte por asfixia; asfixiar; **II** *v. intr.* **1** asfixiar; **2** sentir falta de ar

sufoco *s. m.* dificuldade em respirar; asfixia

sufrágio *s. m.* acto de escolher por meio de voto; eleição; ~ ***directo*** sufrágio em que os cidadãos elegem os governantes sem intermediários; ~ ***universal*** direito do voto para eleição dos representantes de uma nação exercido por todos os cidadãos com capacidade legal

sugar *v. tr.* **1** sorver; chupar; **2** tirar; extrair; **3** *(fig.)* extorquir

sugerir *v. tr.* **1** insinuar; dar a entender; **2** lembrar; propor

sugestão *s. f.* **1** proposta; conselho; **2** inspiração; estímulo

sugestionar *v. tr.* influenciar por meio de sugestão

sugestionável *adj. 2 gén.* **1** que aceita sugestões; **2** impressionável

sugestivo *adj.* **1** que sugere; **2** que estimula; que desperta novas ideias

suíça *s. f.* barba que se deixa crescer em cada uma das partes laterais da face

suicida I *s. 2 gén.* pessoa que, voluntariamente, põe termo à própria vida; **II** *adj. 2 gén.* **1** que põe termo à própria vida; **2** que envolve ruína ou suicídio

suicidar-se *v. refl.* acabar com a própria vida; matar-se

suicídio *s. m.* **1** acto ou efeito de suicidar-se; **2** *(fig.)* desgraça causada a si próprio; **3** *(fig.)* acto muito perigoso

suíço I *s. m.* {*f.* suíça} pessoa natural da Suíça; **II** *adj.* relativo à Suíça

suinicultor *s. m.* aquele que se dedica à suinicultura

suinicultura *s. f.* criação de porcos

suíno I *s. m.* ZOOL. porco; **II** *adj.* relativo a porco

suite *s. f.* quarto de hotel ou residência com quarto de banho anexo e, por vezes, vestiário e saleta

sujar *v. tr. e refl.* tornar(-se) sujo; conspurcar(-se)

sujeição *s. f.* obediência; submissão

sujeira *s. f.* atitude incorrecta ou inconveniente

sujeitar I *v. tr.* **1** dominar; subjugar; **2** tornar obediente; **3** expor (a algo desagradável); **II** *v. refl.* **1** submeter-se; **2** suportar

sujeito I *s. m.* **1** pessoa indeterminada, ou cujo nome não se refere; **2** GRAM. pessoa que pratica a acção expressa pelo verbo; agente; **II** *adj.* **1** que se sujeitou; **2** obediente; subordinado; **3** exposto

sujidade *s. f.* **1** imundície; porcaria; **2** qualidade de sujo

sujo *adj.* **1** que não está limpo; porco; imundo; **2** *(fig.)* desonesto

sul *s. m.* GEOG. ponto cardeal oposto ao norte

sul-africano I *s. m.* {*pl.* sul-africanos} pessoa natural da África do Sul; **II** *adj.* relativo à África do Sul

sul-americano I *s. m.* {*pl.* sul-americanos} pessoa natural da América do Sul; **II** *adj.* relativo à América do Sul

sulco *s. m.* **1** rego feito no terreno pelo arado; **2** rasto deixado por um navio ao cortar as águas; **3** pequena depressão num material; ranhura; **4** traço na pele; ruga

sulfatar *v. tr.* AGRIC. borrifar (plantas) com uma solução de sulfato de cobre e cal, para as proteger de determinadas doenças

sulfato *s. m.* QUÍM. sal de ácido sulfúrico

sulfúrico *adj.* QUÍM. designativo do ácido de fórmula H_2SO_4, com larga aplicação industrial (produção de detergentes, fertilizantes, etc.)

sultana *s. f.* **1** mulher de sultão, especialmente a sua preferida; **2** variedade de uva

sultão *s. m.* **1** antigo título do imperador da Turquia; **2** título de certos príncipes muçulmanos; **3** *(fig.)* senhor muito poderoso; **4** *(fig.)* indivíduo que possui muitas mulheres

suma *s. f.* resumo; síntese; ***em ~*** em resumo

sumarento *adj.* que tem muito sumo; suculento

sumário I *adj.* breve; resumido; **II** *s. m.* resumo dos pontos principais de um assunto

sumaúma *s. f.* **1** BOT. árvore gigantesca, originária da América do Sul e da África, que fornece madeira macia e leve; **2** fibras que envolvem as sementes dessa árvore, utilizadas para encher almofadas, colchões, etc.

sumidade *s. f.* **1** ponto mais alto; cume; topo; **2** *(fig.)* pessoa de grande talento ou importância

sumido *adj.* **1** que se sumiu; desaparecido; **2** débil; fraco; **3** apagado

sumir I *v. tr.* **1** fazer desaparecer; **2** esconder; ocultar; **II** *v. intr. e refl.* **1** desaparecer; **2** ocultar-se; esconder-se

sumo I *s. m.* **1** líquido nutritivo que se extrai de frutos ou vegetais; suco; **2** bebida preparada a partir desse líquido, que frequentemente se serve fresca; **3** *(fig.)* o principal; o essencial; **4** DESP. tipo de luta de origem japonesa, praticada entre atletas grandes e corpulentos que procuram derrubar o adversário ou empurrá-lo para fora de um espaço circunscrito; **5** aquilo que se encontra no lugar mais elevado; supremo; **6** *(fig.)* auge; máximo; **II** *adj.* **1** que é o mais elevado; supremo; **2** máximo; superior; RELIG. ***Sumo Pontífice*** Papa

sumptuosidade *s. f.* **1** qualidade de sumptuoso; **2** luxo; magnificência; **3** pompa; ostentação

sumptuoso *adj.* luxuoso; pomposo

suor *s. m.* **1** líquido incolor, de odor característico, segregado pelas glândulas sudoríparas do homem e de alguns animais; **2** *(fig.)* trabalho árduo; esforço; ***com o ~ do rosto*** à custa de muito trabalho

super I *adv.* *(coloq.)* muito; extremamente; **II** *adj.* muito bom; excelente

superabundância *s. f.* grande abundância; fartura

superabundante *adj. 2 gén.* **1** que é muito abundante; farto; **2** excessivo; supérfluo

superar I *v. tr.* **1** vencer; **2** ultrapassar; exceder; **II** *v. refl.* ultrapassar as próprias capacidades ou expectativas

superável *adj. 2 gén.* que pode ser superado

superficial *adj. 2 gén.* **1** relativo a superfície; **2** situado à superfície; **3** pouco profundo; **4** *(fig.)* que não aprofunda as coisas; frívolo

superficialidade *s. f.* **1** qualidade de superficial; **2** falta de profundidade

superfície *s. f.* **1** parte externa de um corpo; face; **2** parte superior de um líquido, que está em contacto com o ar; **3** GEOM. forma com duas dimensões; **4** área; extensão; **5** *(fig.)* aspecto exterior; aparência

supérfluo *adj.* **1** demasiado; excessivo; **2** inútil; desnecessário

super-homem *s. m.* {*pl.* super-homens} homem muito superior aos outros, com poderes ou qualidades extraordinárias

superintender *v. tr.* **1** coordenar; orientar; **2** fiscalizar; inspeccionar

superior I *adj.* **1** ⟨*comp. de* **alto**⟩ em posição mais elevada; **2** de maior qualidade; **3** que está acima de outro em autoridade, categoria, dignidade, etc.; **4** distinto; elevado; **5** (ensino) que tem grau mais elevado do que o médio ou secundário; **II** *s. m.* aquele que tem autoridade sobre outro

superioridade *s. f.* **1** condição do que está em posição mais elevada; autoridade; **2** condição do que está em vantagem em relação a outro; primazia; **3** qualidade do que se acha melhor que os outros; arrogância

superlativo I *s. m.* GRAM. forma de um adjectivo que mostra que a qualidade por ele expressa existe em grau elevado ou no grau mais elevado; **II** *adj.* que exprime uma qualidade num grau elevado ou no grau mais elevado

superlotação *s. f.* condição de um local ou meio de transporte em que os lugares se encontram todos ocupados; sobrelotação

superlotado *adj.* **1** com lotação em excesso; **2** muito cheio

supermercado *s. m.* grande estabelecimento de venda de produtos alimentares e outros artigos de consumo corrente, em que os clientes se servem por si próprios, pagando à saída numa das caixas

supermodelo *s. 2 gén.* manequim muito célebre, muito procurado(a) por estilistas e fotógrafos famosos; top model

superpotência *s. f.* nação que se destaca pelo seu poder político, económico e militar

superpovoado *adj.* com elevada densidade populacional

superprodução *s. f.* **1** ECON. produção em quantidade superior às possibilidades de absorção do mercado; **2** CIN., TEAT., TV filme, espectáculo ou programa produzido com elevado investimento e geralmente muito publicitado

supersónico *adj.* FÍS. que se move com velocidade superior à do som

superstição *s. f.* **1** crença sem fundamento nos efeitos mágicos de determinado objecto, acção ou ritual; **2** crença em sinais ou presságios resultantes de coincidências

supersticioso I *adj.* **1** que acredita em superstições; **2** que envolve superstição; **II** *s. m.* indivíduo que acredita em superstições

superstrutura *s. f.* **1** parte de uma construção ao nível do solo; **2** parte da construção de uma ponte situada acima da água

supervisão *s. f.* acto ou efeito de supervisionar; controlo
supervisionar *v. tr.* orientar ou dirigir, inspeccionando; controlar
suplantar *v. tr.* vencer; superar
suplementar *adj. 2 gén.* **1** que serve de suplemento; que preenche uma falta; **2** adicional; complementar
suplemento *s. m.* **1** aquilo que serve para suprir uma falta; **2** aquilo que se acrescenta; complemento; **3** caderno que completa determinados números de um de um jornal; anexo
suplente *adj. e s. 2 gén.* que ou pessoa que substitui outra
súplica *s. f.* **1** pedido humilde; **2** prece; oração
suplicar *v. tr.* pedir de modo humilde e insistente; implorar
suplício *s. m.* **1** castigo corporal; tortura; **2** pena de morte; **3** grande sofrimento
supor *v. tr.* **1** admitir por hipótese; **2** pressupor; presumir
suportar *v. tr.* **1** aguentar o peso de; sustentar; **2** aguentar; resistir a; **3** aturar; tolerar
suportável *adj. 2 gén.* que se pode suportar; tolerável
suporte *s. m.* objecto que serve para sustentar (algo); base; apoio; INFORM. ***~ de informação*** dispositivo destinado a armazenar informação (banda magnética, disco rígido, disquete, etc.)
suposição *s. f.* conjectura; hipótese
supositório *s. m.* FARM. produto de forma cónica que contém um medicamento e que funde facilmente à temperatura do corpo, destinado a ser introduzido pelo ânus
suposto *adj.* **1** ⟨*p. p. de* **supor**⟩ admitido por hipótese; hipotético; **2** fictício; imaginário
supracitado *adj.* citado anteriormente; mencionado
supranumerário I *adj.* que excede o número estabelecido; excessivo; **II** *s. m.* **1** funcionário que excede o número estabelecido ou fixado para um dado sector ou serviço; excedentário; **2** funcionário que tem preferência para preencher a vaga de um efectivo
supra-renal *adj.* ANAT. que está por cima dos rins; ***glândula ~*** órgão glandular que reveste a parte superior do rim, com importante secreção endócrina, indispensável à vida
supra-sumo *s. m.* {*pl.* supra-sumos} máximo; cúmulo
supremacia *s. f.* poder ou autoridade suprema; superioridade
supremo *adj.* **1** ⟨*superl. de* **alto**⟩ que está acima de tudo; **2** no mais alto grau; máximo; **3** divino
supressão *s. f.* **1** eliminação; extinção; **2** corte; **3** omissão
suprimir *v. tr.* **1** eliminar; extinguir; **2** retirar; cortar; **3** omitir
suprir *v. tr.* **1** preencher (uma falta); **2** substituir; remediar; **3** abastecer
surdez *s. f.* **1** diminuição significativa ou perda completa do sentido da audição; **2** *(fig.)* indiferença
surdina *s. f.* **1** MÚS. peça móvel que se aplica a muitos instrumentos para lhes abafar e suavizar a sonoridade; **2** MÚS. pedal esquerdo do piano; ***em ~*** em voz baixa
surdo I *s. m.* aquele que não ouve ou ouve muito mal; **II** *adj.* **1** que não ouve ou ouve muito mal; **2** que se ouve mal; **3** secreto; oculto; **4** (som) que é produzido sem vibração das cordas vocais; **5** *(fig.)* indiferente ❖ ***ser ~ como uma porta*** não ouvir nada
surdo-mudo *adj. e s. m.* {*pl.* surdos-mudos} que ou aquele que é surdo e mudo, ao mesmo tempo
surf *s. m.* DESP. desporto náutico que consiste em acompanhar o rebentar

das ondas ou passar por baixo delas, mantendo-se em equilíbrio sobre uma prancha

surfar *v. intr.* praticar surf

surfista *s. 2 gén.* praticante de surf

surgir *v. intr.* **1** aparecer; assomar; **2** despontar; nascer; **3** (ideia) ocorrer

surpreendente *adj. 2 gén.* **1** que causa surpresa; **2** admirável; magnífico

surpreender I *v. tr.* **1** causar surpresa a; admirar; **2** aparecer de repente a; **3** apanhar (alguém) em flagrante; **II** *v. refl.* espantar-se; admirar-se

surpreendido *adj.* **1** apanhado de repente, de surpresa; **2** admirado; espantado

surpresa *s. f.* **1** aquilo que surpreende, que provoca espanto ou admiração; **2** acontecimento imprevisto; **3** alegria inesperada; presente ❖ ***de ~*** de modo inesperado; de repente

surpreso *adj.* vd. **surpreendido**

surra *s. f.* sova; tareia

surrar *v. tr.* dar uma surra a; bater em

surreal *adj. 2 gén.* que está para além do real; estranho; absurdo

surrealismo *s. m.* ART., PLÁST., LIT. movimento surgido no segundo quartel do século XX, que valorizava a importância do sonho e do inconsciente, e a liberdade em relação a qualquer preocupação racional, moral ou estética

surrealista I *adj. 2 gén.* **1** relativo a surrealismo; **2** *(fig.)* bizarro; insólito; **II** *s. 2 gén.* artista ou escritor que segue o surrealismo

surripiar *v. tr.* tirar às escondidas; furtar

surtir I *v. tr.* ter como consequência; provocar; **II** *v. intr.* obter resultado; ***~ efeito*** dar bom resultado

surto *s. m.* surgimento de vários casos da mesma doença numa região; epidemia

susceptibilidade *s. f.* **1** qualidade do que é susceptível; **2** disposição especial para se ofender ou melindrar; sensibilidade; **3** tendência para contrair doenças com facilidade

susceptibilizar *v. tr.* ferir a susceptibilidade de; melindrar

susceptível *adj. 2 gén.* **1** apto para receber ou experimentar determinadas impressões; **2** que se ofende ou melindra com muita facilidade

suscitar *v. tr.* provocar; originar

suserano *s. m.* HIST. senhor de um domínio, ao qual os vassalos rendem homenagens ou pagam tributo

sushi *s. m.* CUL. prato japonês que consiste num bolinho de arroz cozido avinagrado e doce, coberto com pedaços de peixe cru ou vegetais e frequentemente envolto em algas

suspeita *s. f.* desconfiança baseada em certos indícios; suposição

suspeitar I *v. tr.* ter suspeita de; desconfiar de; **II** *v. intr.* duvidar da sinceridade ou da honestidade de algo ou alguém

suspeito I *adj.* **1** que suscita suspeitas ou dúvidas; **2** que inspira desconfiança; **3** que pode ser responsável por uma acção desonesta ou ilegal; **II** *s. m.* possível responsável por determinada acção, geralmente desonesta ou ilegal

suspender I *v. tr.* **1** prender no alto, de modo a ficar suspenso; pendurar; **2** interromper temporariamente; **3** fazer cessar temporária ou permanentemente (uma actividade, um cargo, uma função, etc.); **II** *v. refl.* **1** pendurar-se; **2** parar; interromper-se

suspensão *s. f.* **1** interrupção ou privação temporária de uma actividade ou função; **2** punição que se impõe a um funcionário, estudante ou desportista que o obriga a interromper temporária ou definitivamente a sua actividade; **3** estado do que se encontra suspenso no ar ou pendurado;

4 MEC. conjunto de molas e amortecedores que atenuam os efeitos da trepidação num veículo automóvel; 5 QUÍM. estado das substâncias sólidas que se mantêm suspensas num líquido, sem se dissolverem

suspense *s. m.* estado de ansiedade e impaciência em relação a um acontecimento futuro ou a uma informação; tensão

suspenso *adj.* **1** ⟨*p. p. de* **suspender**⟩ pendurado; pendente; **2** que flutua (num líquido); **3** parado; interrompido; **4** privado temporária ou definitivamente da sua actividade ou função; **5** *(fig.)* perplexo

suspensórios *s. m. pl.* duas tiras de tecido, geralmente elástico, que se fazem passar pelos ombros para segurar as calças

suspirar *v. intr.* **1** dar suspiros; **2** *(fig.)* ter saudades de alguém ou de algo; **~ *por*** desejar ardentemente; ansiar

suspiro *s. m.* **1** respiração mais ou menos prolongada, em que a expiração é audível, geralmente devido a cansaço, tristeza, desejo, alegria, etc.; **2** CUL. doce feito com claras de ovos e açúcar

sussurrar **I** *v. tr.* dizer baixinho; segredar; **II** *v. intr.* **1** emitir sussurro; murmurar; **2** produzir um leve ruído; rumorejar

sussurro *s. m.* **1** ruído muito leve de vozes; murmúrio; **2** ruído leve, como o da água ou o do vento na folhagem

sustenido **I** *s. m.* MÚS. sinal gráfico que eleva meio tom a nota musical que precede; **II** *adj.* MÚS. (nota) elevado meio tom

sustentação *s. f.* **1** apoio; sustentáculo; **2** conservação; manutenção; **3** argumentação; defesa

sustentáculo *s. m.* **1** o que sustém ou sustenta (algo); suporte; apoio; **2** *(fig.)* fundamento; base

sustentado *adj.* **1** apoiado; financiado; **2** (crescimento, medida) que mantém o equilíbrio de (algo)

sustentar **I** *v. tr.* **1** suportar o peso de; suster; **2** firmar; apoiar; **3** conservar; manter; **4** assegurar a subsistência de; garantir os meios materiais para a sobrevivência de; **5** defender com argumentos; fundamentar; **II** *v. refl.* **1** equilibrar-se; **2** resistir; aguentar-se; **3** possuir os meios materiais necessários para viver

sustento *s. m.* **1** conjunto de condições materiais (alimentação, vestuário, habitação, etc.) que permitem a subsistência; **2** aquilo que sustenta; apoio; **3** conservação; manutenção

suster **I** *v. tr.* **1** segurar para que não caia; sustentar; **2** fazer parar; deter; **3** conter; reprimir (respiração, riso); **4** alimentar; nutrir; **II** *v. refl.* **1** segurar-se; equilibrar-se; **2** manter-se; **3** conter-se

susto *s. m.* **1** medo inesperado; sobressalto; **2** receio; inquietação

sutiã *s. m.* peça do vestuário feminino que serve para amparar e modelar os seios

sutura *s. f.* **1** costura que se faz para unir as partes de um objecto; **2** MED. costura que une os rebordos de uma ferida ou incisão

suturar *v. tr.* fazer a sutura de

SW GEOG. [*símbolo de* **sudoeste**]

sweater *s. f.* {*pl.* sweaters} vd. **sweatshirt**

sweatshirt *s. f.* {*pl.* sweatshirts} camisola de malha de algodão com mangas, que se usa como agasalho

swing *s. m.* MÚS. estilo de música jazz muito popular nos anos 1930-40, geralmente tocado por bandas com muitos elementos, caracterizado pelo ritmo animado

T

t *s. m.* vigésima letra e décima sexta consoante do alfabeto
Ta QUÍM. [*símbolo de* **tântalo**]
tabacaria *s. f.* estabelecimento onde se vendem jornais, revistas, tabaco e outros pequenos artigos
tabaco *s. m.* **1** BOT. planta cujas folhas previamente preparadas servem para fumar, cheirar ou mascar; **2** produto obtido dessas folhas
tabagismo *s. m.* **1** consumo excessivo de tabaco; **2** MED. intoxicação provocada pelo abuso de tabaco
tabagista *adj. e s. 2 gén.* que ou pessoa que abusa ou depende do tabaco
tabaqueira *s. f.* caixa ou bolsa para guardar tabaco
tabefe *s. m. (pop.)* bofetada
tabela *s. f.* **1** quadro onde se registam nomes de pessoas ou coisas e outras indicações; lista; **2** registo de cálculos ou de informações organizados segundo determinada ordem; **3** cada uma das quatro peças que formam o caixilho do bilhar; **4** DESP. (futebol) jogada que assenta na troca de passes entre jogadores; **5** DESP. (basquetebol) superfície plana e rectangular posterior e perpendicular a cada cesto; QUÍM. ~ ***periódica*** quadro sistematizado dos elementos químicos que os distribui em colunas e linhas segundo os seus números atómicos, registando nas colunas verticais os grupos com propriedades químicas semelhantes, e nas linhas horizontais (ou períodos) os elementos com o mesmo número de níveis de energia ❖ ***apanhar por*** ~ receber censuras de alguém indirectamente; ***à*** ~ no horário previsto; à hora certa
taberna *s. f.* estabelecimento onde se serve vinho e refeições ligeiras; tasca
tabernáculo *s. m.* **1** templo portátil dos Judeus; **2** santuário do templo de Jerusalém; **3** local onde se guardam objectos sagrados; sacrário
tabique *s. m.* parede interior que divide um compartimento; divisória
tablete *s. f.* **1** produto alimentar ou farmacêutico em forma de placa rectangular; **2** barra rectangular de chocolate
tablier *s. m.* (automóvel) painel onde se encontram os instrumentos de controlo
tabopan *s. m.* aglomerado de madeira
tabu *s. m.* **1** interdição social, religiosa ou cultural de abordar determinado assunto ou adoptar determinado comportamento; **2** *(fig.)* aquilo que não é discutido ou mencionado por pudor ou educação
tábua *s. f.* peça de madeira lisa e delgada ❖ ***fazer ~ rasa de*** não dar importância a; ~ ***de salvação*** último recurso
tabuada *s. f.* MAT. quadro das quatro operações aritméticas feitas com os números de um a dez
tabuleiro *s. m.* **1** utensílio rectangular ou redondo de bordo baixo para servir alimentos, bebidas, etc.;

2 pavimento de uma ponte; 3 peça móvel em impressora ou fotocopiadora onde se coloca o papel; 4 quadro com divisões ou casas para se jogarem certos jogos (damas, xadrez, etc.)

tabuleta *s. f.* placa com informação de interesse público

TAC MED. [*sigla de* **t**omografia **a**xial **c**omputorizada]

taça *s. f.* **1** copo de boca larga e com pé; **2** conteúdo desse copo; **3** troféu com a forma desse copo; **4** DESP. campeonato que inclui um conjunto de etapas ou eliminatórias; torneio

tacada *s. f.* (bilhar) pancada com o taco

tacanho *adj.* **1** que tem pequenas dimensões; acanhado; **2** que tem vistas curtas; limitado; **3** avarento; mesquinho

tacão *s. m.* salto do calçado

tacha *s. f.* prego curto de cabeça chata e larga ❖ ***arreganhar a ~*** rir abertamente; mostrar os dentes

tacho *s. m.* **1** recipiente geralmente redondo, com pegas ou cabo, usado para cozinhar alimentos; **2** *(pop.)* refeição; **3** *(pop.)* emprego bem pago ❖ ***ter um bom ~*** ter um emprego bem remunerado

tácito *adj.* que se subentende; implícito

taciturno *adj.* **1** que fala pouco; reservado; **2** triste; melancólico

taco *s. m.* **1** vara de madeira para jogar bilhar; **2** pedaço de madeira rectangular, utilizado no revestimento de pisos; **3** DESP. haste com que se bate a bola em certos jogos (golfe, pólo, hóquei e basebol) ❖ ***~ a ~*** em pé de igualdade

tactear I *v. tr.* **1** reconhecer pelo tacto; apalpar; **2** *(fig.)* pesquisar; **II** *v. intr.* tocar em algo para se orientar

táctica *s. f.* **1** MIL. técnica de combate; **2** *(fig.)* conjunto dos meios e planos para atingir um fim; estratégia

táctico *adj.* **1** relativo a táctica; **2** *(fig.)* hábil

táctil *adj. 2 gén.* **1** relativo a tacto; **2** palpável

tacto *s. m.* **1** sentido ou forma de sensibilidade que permite conhecer as coisas através do toque; **2** *(fig.)* delicadeza; **3** *(fig.)* habilidade

taekwondo *s. m.* DESP. arte marcial e exercício de combate semelhante ao karaté, que consiste em golpes vigorosos de mãos e pés

tagarela *adj. e s. 2 gén.* que ou pessoa que fala muito; linguareiro

tagarelar *v. intr.* falar muito, geralmente sobre coisas pouco importantes

tagarelice *s. f.* **1** hábito de falar muito; **2** conversa sobre coisas pouco importantes

tai-chi *s. m.* arte terapêutica de origem chinesa que consiste em exercícios de relaxamento e meditação executados de forma muito lenta

tailandês I *s. m.* {*f.* tailandesa} **1** pessoa natural da Tailândia (Sudeste da Ásia); **2** língua oficial da Tailândia; **II** *adj.* relativo à Tailândia

tailleur *s. m.* {*pl.* tailleurs} traje feminino composto por saia e casaco curto do mesmo tecido; saia-casaco

tainha *s. f.* ZOOL. peixe teleósteo com riscas escuras longitudinais

takeaway *s. m.* {*pl.* takeaways} restaurante ou secção de um estabelecimento que vende comida pronta para ser consumida em casa ou noutro lugar

tal I *pron. dem.* **1** este; esta; isto; **2** esse; essa; isso; **3** aquele; aquela; aquilo; **II** *pron. indef.* **1** pouco(s); tanto(s); **2** alguém; algum; **III** *adj. 2 gén.* igual; semelhante; **IV** *adv.* assim; **V** *s. 2 gén.* sujeito; indivíduo ❖ ***como ~*** assim sendo; por esse motivo; ***~ qual*** assim mesmo; exactamente

tala I *s. f.* MED. placa utilizada para imobilizar um membro fracturado ou lesionado; **II** *s. m.* unidade monetária da Samoa Ocidental

talão *s. m.* parte de um bilhete ou recibo com uma indicação resumida do seu conteúdo

talco *s. m.* **1** MIN. silicato básico de magnésio; **2** pó muito fino desse mineral, usado em farmácia, na conservação de objectos de borracha, etc.

talento *s. m.* **1** aptidão natural ou adquirida; **2** habilidade; jeito; **3** pessoa brilhante

talentoso *adj.* **1** dotado; **2** habilidoso

talha *s. f.* **1** corte; incisão; **2** obra de arte em madeira; **3** vaso grande para líquidos

talhado *adj.* **1** cortado; aparado; **2** que tem um certo feitio; **3** *(fig.)* destinado; vocacionado; **4** *(fig.)* próprio; apto; **5** (leite) coalhado

talhante *s. 2 gén.* proprietário ou funcionário de um talho

talhar I *v. tr.* **1** dividir em partes iguais ou proporcionais; cortar; **2** cortar (tecido) à medida do corpo; **3** esculpir (pedra, madeira, etc.); **II** *v. intr. e refl.* **1** cortar-se; **2** (leite) transformar-se em massa ou sólido; coalhar

talhe *s. m.* **1** forma; feitio; **2** tipo de corte de uma peça de vestuário; **3** maneira de esculpir uma obra de arte

talher *s. m.* **1** conjunto de garfo, colher e faca; **2** cada um desses utensílios ❖ ***ser um bom ~*** comer muito; ser um apreciador de boa comida

talho *s. m.* estabelecimento onde se vende carne fresca ❖ ***vir a ~ de foice*** vir a propósito

talibã *s. m.* membro de um movimento islâmico extremista originário do Afeganistão

tálio *s. m.* QUÍM. elemento metálico com o número atómico 81 e símbolo Tl, semelhante ao chumbo

talismã *s. m.* objecto que se supõe ter poderes sobrenaturais; amuleto

talk-show *s. m.* {*pl.* talk-shows} TV programa de variedades com entrevistas, geralmente a pessoas célebres

talo *s. m.* BOT. corpo da planta não diferenciado em caule e folhas

taluda *s. f.* *(pop.)* prémio maior da lotaria; sorte grande

talude *s. m.* terreno com forte declive; rampa

talvez *adv.* é possível; se calhar; porventura

tamanca *s. f.* calçado grosseiro de couro com base de madeira; soca

tamanco *s. m.* vd. **tamanca**

tamanho I *adj.* **1** tão grande; **2** tão distinto; **II** *s. m.* dimensão; grandeza

tâmara *s. f.* BOT. fruto da tamareira, muito apreciado depois de seco

tamareira *s. f.* BOT. palmeira que produz as tâmaras

também *adv.* **1** do mesmo modo; igualmente; **2** além disso; ainda; **3** mas; porém; ***não só... mas ~*** não só... mas ainda; não só... como

tambor *s. m.* **1** MÚS. instrumento de percussão, formado por uma caixa cilíndrica com os fundos em pele sobre os quais se bate com baquetas; **2** cilindro de ferro, usado em certas máquinas

tamboril *s. m.* **1** ZOOL. peixe teleósteo, comestível, por vezes de grandes dimensões; **2** MÚS. instrumento composto por um fuste cilíndrico alongado com bordões em ambas as peles, que se toca com uma baqueta

tamborilar *v. intr.* bater com as pontas dos dedos numa superfície, imitando o rufo do tambor

tampa *s. f.* peça com que se tapa ou cobre um recipiente ❖ *(coloq.)* ***levar uma ~*** ser rejeitado

tampão *s. m.* **1** tampa grande; **2** porção de material absorvente em forma de tubo que se introduz na vagina para absorver o fluxo menstrual; **3** MED. porção de algodão ou gaze que se usa para estancar uma hemorragia; **4** (automóvel) peça com que se tapa o depósito de gasolina; **5** (automóvel) peça que se aplica às jantes para tapar os parafusos que fixam as rodas

tampo *s. m.* **1** peça móvel com que se tapa ou cobre um recipiente; **2** parte superior e horizontal de uma mesa, cadeira, etc.

tanga *s. f.* **1** parte inferior de um fato de banho de dimensões muito reduzidas; **2** peça de roupa usada à volta da anca por alguns povos índigenas de países quentes ❖ ***dar ~ a*** divertir-se à custa de alguém; ***estar/ficar de ~*** estar/ficar na penúria

tangencial *adj. 2 gén.* **1** relativo a tangente; **2** que não é aprofundado; superficial

tangente *s. f.* GEOM. linha, curva ou superfície que toca outra curva ou superfície num único ponto, sem a intersectar ❖ ***à ~*** a custo; por pouco

tanger *v. tr.* **1** tocar (instrumento musical); **2** tocar ou espicaçar (animal) para fazer andar mais depressa

tangerina *s. f.* BOT. fruto da tangerineira, pequeno e arredondado, composto de gomos carnudos e sumarentos, com casca alaranjada

tangerineira *s. f.* BOT. árvore que produz tangerinas

tangível *adj. 2 gén.* **1** que se pode tocar ou apalpar; palpável; **2** que tem existência física; concreto

tango *s. m.* **1** MÚS. dança de origem africana e que se desenvolveu especialmente na América do Sul; **2** bebida composta por uma mistura de cerveja com groselha

tangram *s. m.* {*pl.* tangrams} puzzle de origem chinesa cujo objectivo é formar figuras diferentes com sete peças (um quadrado, um paralelogramo e cinco triângulos)

tanque *s. m.* **1** reservatório para líquidos; **2** MIL. carro de combate armado e blindado

tanso *adj. e s. m. (coloq.)* ingénuo; pateta

tântalo *s. m.* QUÍM. elemento com o número atómico 73 e símbolo Ta, que é um metal raro, muito dúctil e maleável

tanto I *pron. indef.* em tal quantidade; tão numeroso; **II** *adv.* **1** de tal modo; **2** em tão grande quantidade; **3** por tão longo período; **4** com tal insistência; **5** a tal ponto; **III** *s. m.* **1** porção ou quantia indeterminada; **2** extensão ou tamanho igual ao de outro ❖ ***a páginas tantas*** a certa altura; ***às tantas*** muito tarde; se calhar; ***~ mais que*** além de que; ***~ melhor*** ainda bem; ***~ quanto*** segundo; conforme

tantra *s. m.* FIL., RELIG. conjunto de livros esotéricos anónimos que reúnem crenças, símbolos, rituais e práticas mágicas diversas, elaborados na Índia a partir do século VII

tântrico *adj.* relativo ao tantrismo

tantrismo *s. m.* FIL., RELIG. técnica de coordenação subtil entre a mente e o corpo inspirada nos livros esotéricos hindus (tantras)

tão *adv.* **1** tanto; **2** em tal grau; **3** de tal maneira

tão-pouco *adv.* **1** também não; **2** sequer

tão-só *adv.* unicamente

tapado *adj.* **1** (local) cercado; vedado; **2** (buraco) que se encheu e cobriu; **3** (nariz) entupido; **4** *(acad.)* (estudante) que atingiu o máximo de faltas permitidas por lei; **5** *(fig., pej.)* (pessoa) bronco; estúpido

tapar I *v. tr.* **1** cobrir com tampa (recipiente); **2** obstruir; entupir (buraco, entrada); **3** vedar (local); **4** cobrir (com agasalho); **II** *v. refl.* cobrir-se (de roupa) ❖ **~ *a boca a*** fazer calar; **~ *os ouvidos*** não querer ouvir

tapeçaria *s. f.* tecido trabalhado ou bordado com que se revestem soalhos, paredes, etc.

tapete *s. m.* **1** estofo com que se reveste (total ou parcialmente) um pavimento; **2** (de relva, flores) aquilo que cobre uma determinada superfície; **3** superfície plana e pequena, em que se faz deslizar o rato do computador

tapete rolante *s. m.* mecanismo constituído por uma superfície plana em movimento, que transporta pessoas, bagagens e mercadorias

tapioca *s. f.* **1** fécula extraída das raízes da mandioca; **2** CUL. doce feito com fécula de mandioca, açúcar, leite e, por vezes, gema de ovo

tapir *s. m.* ZOOL. mamífero de corpo pesado e focinho prolongado em tromba, que vive nas florestas da América e da Ásia

tapume *s. m.* **1** vedação usada para resguardar construções ou obras na via pública; **2** vedação de madeira, silvas ou ramos de árvore

taquicardia *s. f.* MED. aumento da frequência das pulsações cardíacas

tara *s. f.* **1** invólucro que reveste qualquer produto; **2** peso de um veículo sem carga; **3** *(coloq.)* desequilíbrio mental; mania; **4** *(coloq.)* pessoa ou coisa muito atraente

tarado I *adj.* **1** (pessoa) que é mentalmente desequilibrado; **2** *(coloq.)* (pessoa) fascinado; apaixonado; **II** *s. m.* **1** pessoa que sofre de desequilíbrio mental; anormal; **2** pessoa moralmente degenerada; depravado

tarântula *s. f.* ZOOL. aranha grande e peluda, cuja picada geralmente é venenosa

tardar I *v. intr.* demorar(-se); vir tarde; **II** *v. tr.* **1** demorar; **2** adiar

tarde I *s. f.* espaço que decorre desde o meio-dia ao anoitecer; **II** *adv.* **1** depois do tempo previsto ou esperado; **2** fora de tempo; **3** perto do fim do dia

tardinha *s. f.* ⟨*dim. de* **tarde**⟩ fim da tarde; últimas horas da tarde

tardio *adj.* **1** que surge depois do tempo esperado; **2** que demora muito

tareco *s. m.* **1** *(coloq.)* gato; **2** objecto velho, de pouco valor; traste; **3** *(fig.)* indivíduo irrequieto e traquinas

tarefa *s. f.* trabalho que se deve executar num certo prazo

tarefeiro *s. m.* pessoa que é remunerada por cada tarefa que executa

tareia *s. f.* agressão física; surra

tarifa *s. f.* **1** conjunto de normas que fixam os preços e as taxas e regras da sua aplicação; **2** tabela de preços; tarifário

tarifar *v. tr.* aplicar tarifa a

tarifário *s. m.* tabela de preços cobrados por determinado serviço; preçário

tarot *s. m.* **1** baralho de cartas composto por figuras simbólicas, utilizado para adivinhação; **2** jogo em que se utilizam essas cartas

tarraxa *s. f.* **1** parafuso; **2** cavilha

tarso *s. m.* **1** ANAT. região posterior do esqueleto do pé; **2** ANAT. formação de tecido conjuntivo denso que constitui o bordo das pálpebras; **3** ZOOL. (insecto) região terminal da pata; **4** ZOOL. (ave) região da pata em cuja extremidade distal se inserem os dedos

tártaro *s. m.* **1** substância que adere às paredes das vasilhas de vinho;

sarro; **2** MED. depósito calcário que se acumula nos dentes; pedra; **3** depósito calcário que se forma em determinados recipientes

tartaruga *s. f.* ZOOL. réptil aquático ou terrestre, com o corpo protegido por uma carapaça

tarte *s. f.* CUL. base de massa que pode conter recheio doce ou salgado

tasca *s. f.* estabelecimento onde se serve vinho e refeições ligeiras; taberna

tasco *s. m. (pop.)* taberna; tasca

tatu *s. m.* ZOOL. mamífero desdentado, frequente no Brasil, com o corpo protegido por uma couraça

tatuagem *s. f.* desenho que se grava na pele, introduzindo sob a epiderme matérias corantes

tatuar *v. tr.* fazer tatuagem em

tau I *interj.* imitativa de pancada, detonação, etc; **II** *s. m.* décima nona letra do alfabeto grego, correspondente ao *t*; **III** *adj. 2 gén.* relativo ao tauismo

tauismo *s. m.* RELIG. doutrina de origem chinesa que segue o *tau* (o *caminho*), o princípio universal considerado como a síntese de tudo

tauista *adj. e s. 2 gén.* que ou pessoa que segue o tauismo

taurino *adj.* relativo a touro

tauromaquia *s. f.* arte de tourear

tauromáquico *adj.* relativo a tauromaquia

tautau *s. m. (infant.)* palmada; bofetada

taverna *s. f.* vd. **taberna**

taxa *s. f.* **1** prestação a pagar pela utilização de um serviço público; **2** quantia fixa cobrada por certos serviços; **3** percentagem; índice; **4** imposto; **5** ECON. percentagem do dinheiro aplicado que gera juros; ECON. ***~ de juro*** coeficiente de rendimento ou remuneração do capital; ***~ de natalidade/mortalidade*** relação entre o número de habitantes e os nascimentos/óbitos registados em determinado ano

taxar *v. tr.* **1** lançar um imposto sobre; **2** regular o preço de; tabelar; **3** limitar; restringir

taxativo *adj.* **1** que taxa; limitativo; restritivo; **2** que não se pode contestar; imperativo

táxi *s. m.* automóvel munido de taxímetro que marca o preço da viagem; destinado ao transporte de passageiros

taxímetro *s. m.* aparelho instalado num táxi para marcar a quantia a pagar pelo trajecto efectuado

taxinomia *s. f.* **1** estudo dos princípios gerais de classificação; **2** BIOL. classificação sistemática dos seres vivos com base nas suas características comuns

taxionómico *adj.* relativo a taxinomia

taxista *s. 2 gén.* pessoa que conduz um táxi

taxonómico *adj.* vd. **taxionómico**

Tb [*símbolo de* **térbio**]

Tc QUÍM. [*símbolo de* **tecnécio**]

tchau *interj.* usada como saudação de despedida

te *pron. pess.* designa a segunda pessoa do singular e indica a pessoa a quem se fala ou escreve ⟨*não te viu; logo ligo-te*⟩

tear *s. m.* máquina para tecer

teatral *adj. 2 gén.* **1** relativo a teatro; **2** *(fig., pej.)* artificial; **3** *(fig., pej.)* exibicionista

teatralidade *s. f.* **1** qualidade do que é teatral; **2** *(fig., pej.)* artificialidade; **3** *(fig., pej.)* exibicionismo

teatro *s. m.* **1** lugar ou edifício onde se representam obras dramáticas e outros espectáculos; **2** conjunto das obras dramáticas de um autor, época ou país; **3** arte de representar; **4** *(fig.)* fingimento

teatro de guerra *s. m.* MIL. território, mar ou espaço aéreo onde se desenrolam ou podem vir a desenrolar-se operações de guerra

teatro de operações *s. m.* MIL. local onde se desenrolam operações tácticas e as actividades logísticas correspondentes

tecelagem *s. f.* **1** operação de tecer; **2** ofício de tecelão

tecelão *s. m.* operário que trabalha em teares

tecer I *v. tr.* **1** entrelaçar regularmente os fios de (tecido); **2** elaborar (um comentário ou raciocínio); **3** *(fig.)* engendrar; organizar; **4** *(fig.)* tramar; armar; **II** *v. intr.* fazer obra de tear

tecido *s. m.* **1** material têxtil resultante da tecelagem de várias fibras; **2** BIOL. conjunto de células associadas; **3** *(fig.)* encadeamento de coisas

tecido industrial *s. m.* conjunto das empresas de determinada região

tecido urbano *s. m.* rede dos elementos (construções, sistemas viários, terrenos, etc.) que constituem uma cidade

tecla *s. f.* **1** MÚS. cada uma das peças de alguns instrumentos que se pressionam com os dedos para se produzir som; **2** cada uma das peças das máquinas de escrever e outras análogas que, sob pressão dos dedos, faz imprimir o sinal que lhe corresponde; **3** botão que cumpre determinado papel no funcionamento de certos aparelhos (de rádio, gravador, etc.) ❖ ***bater na mesma ~*** repisar o mesmo assunto; insistir

teclado *s. m.* **1** conjunto de teclas de um computador, aparelho ou máquina; **2** MÚS. conjunto de teclas de um instrumento; **3** MÚS. instrumento de teclado (como o piano)

teclar I *v. intr.* **1** bater as teclas; **2** comunicar com alguém através do computador; **II** *v. tr.* **1** marcar, batendo as teclas ou premindo os botões de um teclado; **2** introduzir (dados, informação) através de teclas

teclista *s. 2 gén.* MÚS. pessoa que toca instrumentos de teclas

tecnécio *s. m.* QUÍM. elemento com o número atómico 43 e símbolo Tc, que é um metal radioactivo produzido artificialmente

técnica *s. f.* **1** conjunto de processos de uma arte, ciência ou ofício; **2** conjunto de meios utilizados para obter certo resultado; **3** conhecimento prático; habilidade

técnico I *adj.* **1** relativo a técnica; **2** relativo a uma determinada área; **II** *s. m.* indivíduo versado numa técnica; perito

tecnocracia *s. f.* POL. sistema político e social baseado na predominância dos técnicos no processo socioeconómico

tecnocrata *s. 2 gén.* **1** pessoa adepta da tecnocracia; **2** *(pej.)* ministro ou alto funcionário que privilegia os aspectos técnicos e burocráticos de um problema

tecnologia *s. f.* **1** conjunto dos instrumentos, métodos e processos específicos de uma arte ou ciência; **2** qualquer técnica moderna e complexa; ***~ de ponta*** conjunto de processos técnicos que resultam da aplicação dos mais avançados conhecimentos e instrumentos; ***tecnologias de informação*** conjunto de equipamentos técnicos e procedimentos recentes que permitem o tratamento e a difusão de informação de forma mais rápida e eficiente

tecnológico *adj.* relativo a tecnologia

tecto *s. m.* **1** cobertura superior e interna de um edifício ou de uma construção; **2** *(fig.)* habitação; casa; **~ *falso*** tecto construído sob um outro de modo a diminuir a altura de uma ou mais divisões da casa; **~ *salarial*** valor considerado máximo para o aumento dos salários ❖ ***viver debaixo do mesmo ~*** viver na mesma casa

tectónica *s. f.* GEOL. estudo das deformações produzidas na crosta terrestre pela acção de forças internas

tectónico *adj.* GEOL. relativo à estrutura da crosta terrestre

tédio *s. m.* aborrecimento; enfado

tegumento *s. m.* **1** ZOOL. revestimento externo dos animais (pele, escamas, penas, etc.); **2** BOT. revestimento de certos órgãos vegetais

teia *s. f.* **1** tecido feito em tear; **2** rede tecida por uma aranha, para captura da presa; **3** *(fig.)* estrutura complexa; **4** *(fig.)* enredo; intriga

teima *s. f.* birra; obstinação

teimar *v. intr.* insistir; obstinar-se

teimosia *s. f.* **1** qualidade do que não muda facilmente de opinião ou de atitude; **2** insistência; teima

teimoso I *adj.* **1** obstinado; **2** insistente; **3** persistente; **II** *s. m.* pessoa que teima

teína *s. f.* QUÍM. princípio activo do chá que pode funcionar como estimulante

tejadilho *s. m.* tecto de um veículo

tela *s. f.* **1** tecido de linho, lã, seda, etc.; **2** pano grosso sobre o qual se pintam quadros; **3** quadro; pintura

telecarregamento *s. m.* aquisição de crédito telefónico por meios electrónicos, nomeadamente por multibanco

telecomando *s. m.* **1** comando à distância (de projécteis, aeronaves, aparelhos); **2** dispositivo manual usado para controlar aparelhos electrónicos como televisores, vídeos, etc.

telecompra *s. f.* compra efectuada por telefone

telecomunicações *s. f. pl.* conjunto de meios técnicos para a transmissão de informação à distância

teleconferência *s. f.* conferência em que várias pessoas em locais diferentes comunicam entre si através de telefone, televisão ou computador

teledisco *s. m.* sequência filmada de curta duração destinada a apresentar e promover uma canção, um disco, um intérprete ou um grupo musical

teleférico *s. m.* cabina que se desloca sobre um cabo aéreo, para transporte de pessoas ou de materiais

telefilme *s. m.* filme de duração menor que uma longa-metragem, especialmente realizado para televisão

telefonadela *s. f. (coloq.)* telefonema rápido

telefonar *v. intr.* fazer um telefonema

telefone *s. m.* **1** aparelho que transmite a voz ou o som à distância; **2** conjunto de algarismos com que se faz uma ligação telefónica; número

telefonema *s. m.* comunicação transmitida ou recebida por telefone

telefónico *adj.* relativo a telefone

telefonista *s. 2 gén.* pessoa cuja função é atender telefonemas, estabelecendo as ligações externas ou internas pretendidas

telegénico *adj.* **1** (pessoa) que tem uma boa imagem em televisão; **2** (televisor) que faz boa captação de imagens

telegrafar I *v. tr.* transmitir por meio do telégrafo; **II** *v. intr.* enviar telegramas

telegráfico *adj.* **1** relativo a telégrafo; **2** *(fig.)* conciso; breve

telégrafo *s. m.* aparelho que transmite mensagens à distância, por meio de códigos

telegrama *s. m.* comunicação transmitida ou recebida por meio do telégrafo

telejornal *s. m.* TV conjunto de notícias do dia apresentadas na televisão; noticiário

telemarketing *s. m.* promoção ou venda de produtos e serviços por telefone

telemática *s. f.* INFORM. conjunto de técnicas e serviços que associam as redes de telecomunicação e a informática

telemóvel *s. m.* telefone portátil que estabelece comunicação com outros aparelhos sem necessitar de uma ligação física fixa à rede de telecomunicações

telenovela *s. f.* TV série dramática transmitida sob a forma de capítulos diários

teleobjectiva *s. f.* FOT. objectiva com distância focal bastante grande, usada para fazer fotografias a grande distância

teleósteo **I** *adj.* ZOOL. relativo ou pertencente aos teleósteos; **II** *s. m. pl.* ZOOL. ordem de peixes, cujo esqueleto é fortemente ossificado

telepatia *s. f.* transmissão ou coincidência de pensamentos entre pessoas distanciadas, sem intervenção dos sentidos

teleponto *s. m.* TV dispositivo electrónico dotado de um ecrã no qual passa um texto que é lido por um locutor

teleprocessamento *s. m.* INFORM. processamento de dados através da utilização de equipamento informático, possibilitando a transmissão da informação à distância

telescópico *adj.* **1** relativo a telescópio; **2** que se vê apenas com telescópio

telescópio *s. m.* ÓPT. instrumento para observação de objectos ou astros situados a grande distância

telespectador *adj. e s. m.* que ou pessoa que assiste a um programa de televisão

teletexto *s. m.* **1** TV serviço de informação e publicidade, em modo gráfico, difundido em simultâneo com o serviço de televisão; **2** TV texto desse serviço

teletrabalhador *s. m.* pessoa que exerce a sua actividade profissional no domicílio, recorrendo às novas tecnologias telemáticas (Internet, email, etc.)

teletrabalho *s. m.* actividade profissional exercida geralmente no domicílio, recorrendo às novas tecnologias telemáticas (Internet, email, etc.)

televenda *s. f.* venda de produtos pela televisão ou por telefone

televisão *s. f.* **1** sistema de transmissão de imagens e sons à distância; **2** aparelho que recebe imagens e sons por este sistema; televisor; **3** meio de comunicação de massas assente nessa técnica de transmissão; **4** entidade que explora este meio de comunicação; estação

televisivo *adj.* relativo a televisão

televisor *s. m.* aparelho que recebe imagens e sons à distância

telex *s. m.* **1** sistema telegráfico que permite transmitir directamente um texto por meio de um teclado; **2** mensagem enviada ou recebida por esse sistema

telha *s. f.* **1** peça de barro cozido ou de vidro usada na cobertura de edifícios;

2 *(coloq.)* ideia fixa; mania ❖ ***dar na ~*** vir à ideia; ter um impulso; ***estar com a ~*** estar mal-humorado

telhado *s. m.* cobertura externa e superior de um edifício, formada pelas telhas e suporte respectivo

telhudo *adj.* *(pop.)* mal-humorado; carrancudo

tema *s. m.* **1** assunto que se aborda ou de que se trata; tópico; motivo; **2** GRAM. elemento fundamental de uma palavra, a que se juntam afixos e desinências

temática *s. f.* conjunto dos temas de uma obra literária ou artística

temer *v. tr.* ter medo de; recear

temerário *adj.* **1** audacioso; ousado; **2** arriscado; perigoso; **3** (juízo) sem fundamento

temeroso *adj.* **1** (pessoa) que tem medo; **2** (situação) que provoca medo

temido *adj.* **1** que provoca medo; **2** que inspira respeito

temível *adj. 2 gén.* **1** que deve ser temido; **2** que causa medo

temor *s. m.* medo; receio

têmpera *s. f.* **1** banho em que os metais são mergulhados para ganharem consistência; **2** consistência que os metais adquirem nessa operação; **3** *(fig.)* maneira de ser; temperamento

temperado *adj.* **1** CUL. (alimento) que levou tempero; condimentado; **2** (clima) nem muito frio, nem muito quente; ameno

temperamental *adj. 2 gén.* **1** relativo a temperamento; **2** (pessoa) que age repentinamente e sem reflectir

temperamento *s. m.* **1** carácter; índole; **2** *(fig.)* personalidade forte; feitio

temperar *v. tr.* **1** CUL. condimentar (alimentos); **2** *(fig.)* suavizar; moderar

temperatura *s. f.* **1** grau de calor ou de frio de um corpo ou lugar; **2** excesso de calor no corpo; febre

tempero *s. m.* **1** CUL. substância que realça o sabor dos alimentos; condimento; **2** estado da comida temperada

tempestade *s. f.* METEOR. agitação violenta do ar, acompanhada, geralmente, de chuva e trovoada; temporal ❖ ***fazer uma ~ num copo de água*** causar uma grande agitação sem motivo forte; ter uma reacção exagerada

tempestivo *adj.* que sucede no tempo próprio; oportuno

tempestuoso *adj.* **1** sujeito a tempestade; **2** *(fig.)* agitado

templo *s. m.* **1** edifício destinado ao culto de uma religião; igreja; **2** monumento em honra de uma divindade

tempo *s. m.* **1** sucessão de momentos, horas, dias, anos, em que se dão os acontecimentos; **2** época; período; **3** ocasião; oportunidade; **4** METEOR. condições atmosféricas em dado momento e lugar; **5** GRAM. flexão verbal que indica o momento em que a acção se realiza; **6** MÚS. duração de cada uma das partes de um compasso musical; **7** DESP. duração cronometrada de uma prova; GRAM. (conjugação verbal) ***~ composto*** tempo formado por um verbo auxiliar e uma forma nominal do verbo principal; GRAM. (conjugação verbal) ***~ simples*** tempo que não é formado por um verbo auxiliar ❖ ***a ~*** oportunamente; ***a ~ e horas*** no momento adequado; ***dar ~ ao ~*** esperar com paciência; ***de tempos a tempos*** de vez em quando; ***~ das vacas gordas*** época de prosperidade; ***~ das vacas magras*** época de escassez

tempo de antena *s. m.* período da programação da televisão e/ou da rádio que o governo, os partidos políticos e associações sindicais e profissionais podem legalmente ocupar com programas próprios

têmpora *s. f.* ANAT. cada uma das regiões laterais da cabeça; fonte

temporada *s. f.* **1** certo espaço de tempo; época; **2** época destinada à realização de determinada actividade

temporal I *adj. 2 gén.* **1** relativo a tempo; **2** transitório; passageiro; **3** mundano; secular; **4** ANAT. relativo a cada uma das regiões laterais da cabeça; **II** *s. m.* tempestade

temporão *adj.* **1** prematuro; precoce; **2** (flor, fruto) que aparece ou amadurece demasiado cedo

temporário *adj.* provisório; passageiro

temporizador *s. m.* dispositivo automático programável que activa ou desactiva um aparelho no momento pré-seleccionado

tempura *s. m.* CUL. prato japonês preparado com camarões e legumes panados e fritos

tenacidade *s. f.* **1** qualidade de tenaz; **2** *(fig.)* persistência; **3** *(fig.)* afinco

tenaz I *adj. 2 gén.* **1** (material) que adere fortemente; **2** (substância) cujas moléculas têm grande coesão entre si; **3** *(fig.)* (pessoa) persistente; **II** *s. f.* instrumento para prender, segurar ou apertar alguma coisa

tenção *s. f.* intenção; propósito

tencionar *v. tr.* ter a intenção de; planear; pretender

tenda *s. f.* **1** barraca desmontável de tecido resistente que se arma ao ar livre, para servir de abrigo; **2** barraca de feira

tendão *s. m.* ANAT. tecido fibroso que liga os músculos aos ossos ou a outros órgãos

tendência *s. f.* **1** inclinação; vocação; **2** POL. corrente de opinião; **3** (moda) estilo dominante

tendencioso *adj.* que não julga com isenção; parcial

tender I *v. tr.* **1** estender; **2** desfraldar (bandeira, vela); **3** bater ou enformar (massa do pão); **II** *v. intr.* **1** ter tendência ou inclinação (para); **2** esforçar-se por alcançar; **3** ter por fim; **4** inclinar-se

tendinite *s. f.* MED. inflamação dos tendões

tenebroso *adj.* **1** escuro; sombrio; **2** *(fig.)* assustador

tenente *s. m.* MIL. oficial de posto imediatamente superior ao de alferes e inferior ao de capitão

tenente-coronel *s. m.* {*pl.* tenentes-coronéis} MIL. oficial de posto imediatamente inferior ao de coronel e superior ao de major

ténia *s. f.* ZOOL. verme parasita do homem e de outros animais, cujo corpo é formado por uma série de segmentos que constituem um conjunto em forma de fita

ténis *s. m. 2 núm.* **1** DESP. jogo que se pratica com raquetes e bola, num pavimento dividido ao meio por uma rede; **2** sapato de lona, tecido ou pele, com sola de borracha e atacadores; sapatilha

ténis-de-mesa *s. m.* DESP. vd. **pingue-pongue**

tenista *s. 2 gén.* DESP. pessoa que joga ténis

tenor *s. m.* **1** MÚS. (canto) voz masculina mais aguda; **2** MÚS. cantor que possui esse tipo de voz

tenro *adj.* **1** (alimento) que se pode cortar, partir ou mastigar facilmente; **2** *(fig.)* recente; **3** *(fig.)* delicado

tensão *s. f.* **1** qualidade ou estado do que é tenso; **2** situação de conflito; **3** sensação de medo, incerteza e preocupação; **4** ELECTR. voltagem; FISIOL.

~ ***arterial*** pressão da corrente sanguínea nas artérias
tenso *adj.* **1** (objecto) muito esticado; **2** (músculo) contraído; **3** (*fig.*) (pessoa) preocupado; **4** (*fig.*) (situação) difícil
tentação *s. f.* **1** desejo intenso de algo geralmente considerado censurável; **2** coisa ou pessoa que provoca desejo
tentáculo *s. m.* **1** ZOOL. apêndice móvel, flexível, que serve de órgão do tacto ou de preensão a certos animais invertebrados; **2** (*fig.*) meio (geralmente desonesto) para alcançar determinado fim
tentador *adj.* que provoca desejo; aliciante; sedutor
tentar I *v. tr.* **1** provocar um desejo em; aliciar; seduzir; **2** fazer um esforço para (atingir um objectivo); **3** experimentar; **II** *v. intr.* fazer esforço(s) para atingir um objectivo; **III** *v. refl.* **1** deixar-se seduzir; **2** desejar muito
tentativa *s. f.* **1** acção de fazer esforços para conseguir alguma coisa; **2** experiência
tentilhão *s. m.* ZOOL. pássaro pequeno, sedentário, de cores vivas e canto agradável
tento *s. m.* **1** cuidado; atenção; **2** juízo; tino; **3** (*pop.*) golo
ténue *adj. 2 gén.* **1** delgado; fino; **2** fraco; débil; **3** súbtil; leve
teocracia *s. f.* POL. regime em que o poder, considerado como emanação da divindade, é exercido por sacerdotes
teologia *s. f.* **1** estudo dos princípios e questões de uma religião; **2** meditação a respeito da existência de Deus e dos Seus atributos e relações com o Universo
teológico *adj.* relativo a teologia
teólogo *s. m.* **1** indivíduo versado em teologia; **2** estudante de teologia
teor *s. m.* **1** conteúdo de um texto; **2** grau de uma substância numa mistura; proporção; **3** (*fig.*) natureza de algo
teorema *s. m.* proposição que se demonstra por dedução lógica a partir de proposições já demonstradas ou admitidas como verdadeiras
teoria *s. f.* **1** princípios fundamentais de uma arte ou ciência; **2** conhecimento sistematizado sobre determinado domínio; **3** ideia ou sistema que resulta da especulação ou de conjecturas
teórico I *adj.* relativo a teoria; **II** *s. m.* **1** pessoa que conhece os princípios ou fundamentos de uma arte ou ciência; **2** pessoa que cria, estabelece e/ou desenvolve uma teoria; **3** (*pej.*) pessoa com pouco sentido prático
teórico-prático *adj.* **1** relativo simultaneamente à teoria e à prática; **2** que envolve o estudo da teoria e a execução prática
tépido *adj.* **1** (água) pouco quente; morno; **2** (*fig.*) frouxo; fraco
tequila *s. f.* bebida alcoólica mexicana feita da destilação do agave (planta sul-americana)
ter I *v. tr.* **1** estar na posse de; possuir; **2** usufruir de; **3** segurar; **4** obter; **5** conter; **6** sofrer de (doença); **7** sentir (sensação); **8** passar por (experiência); **9** dar à luz; **10** ser composto de; **11** medir (extensão, comprimento, altura); **II** *v. intr.* ser possuidor de recursos; **III** *v. refl.* **1** manter-se; **2** segurar-se ❖ ***ir ~ a*** ir dar a; dirigir-se a; ***ir ~ com*** aproximar-se de; ***~ a ver com*** dizer respeito a; ***~ de*** ser obrigado a; precisar de
terapeuta *s. 2 gén.* especialista em terapêutica
terapêutica *s. f.* MED. estudo do tratamento de doenças

terapêutico *adj.* relativo a terapêutica

terapia *s. f.* tratamento de determinada doença ou estado patológico; terapêutica; ~ ***da fala*** tratamento que procura corrigir alguns distúrbios da fala; ~ ***de grupo*** técnica que visa a participação do paciente em sessões de grupo em que cada pessoa é encorajada a falar dos seus problemas com os outros; ~ ***ocupacional*** tratamento de certas perturbações mentais através do envolvimento do paciente numa actividade pela qual ele tenha interesse

térbio *s. m.* QUÍM. elemento metálico com o número atómico 65 e símbolo Tb

terça *s. f. (coloq.)* terça-feira

terça-feira *s. f.* {*pl.* terças-feiras} dia da semana imediatamente a seguir à segunda-feira

terceira *s. f.* (automóvel) mudança de velocidade a seguir à segunda

terceira idade *s. f.* faixa etária a partir dos 65 anos aproximadamente

terceiranista *s. 2 gén.* estudante que frequenta o terceiro ano de um curso superior

terceiro I *num. ord.* que, numa série, ocupa a posição imediatamente a seguir à segunda; **II** *s. m.* **1** o que, numa série, ocupa o lugar correspondente ao número 3; **2** mediador; intercessor

terceiro-mundista *adj. 2 gén.* **1** relativo ao Terceiro Mundo; **2** *(pej.)* subdesenvolvido; atrasado

Terceiro Mundo *s. m.* conjunto dos países e povos menos desenvolvidos do ponto de vista socioeconómico

terceto *s. m.* **1** LIT. estrofe composta de três versos; **2** MÚS. conjunto de três instrumentos musicais ou de três vozes; **3** MÚS. composição para esse conjunto

terciário *adj.* **1** que ocupa o terceiro lugar; **2** ECON. (sector de actividade) que congrega os serviços (comércio, transportes, finanças, educação, saúde, etc.)

terço *s. m.* **1** cada uma das três partes em que um todo foi dividido; **2** RELIG. terça parte de um rosário

terçolho *s. m.* MED. pequeno furúnculo no bordo de uma pálpebra; terçol

terebintina *s. f.* QUÍM. essência extraída da resina do pinheiro e usada na produção de tintas e vernizes

termal *adj. 2 gén.* **1** relativo a termas; **2** (água) que tem propriedades medicinais e temperatura elevada

termas *s. f. pl.* estabelecimento onde se fazem tratamentos com águas medicinais

térmico *adj.* **1** relativo a calor ou a termas; **2** (garrafa) que conserva a temperatura do seu conteúdo

terminação *s. f.* **1** conclusão; fim; **2** modo como uma coisa acaba; **3** extremidade; ponta; **4** GRAM. sufixo de uma palavra que contém as significações determinadas pela sua flexão

terminal I *adj. 2 gén.* **1** relativo a termo; **2** que se localiza na extremidade; **3** MED. (doença) que não tem cura; **II** *s. m.* **1** parte que termina; fim; **2** infra-estrutura para onde convergem ou onde terminam linhas ou ramais de transporte; **3** ELECTR. lugar onde se ligam os fios condutores num dispositivo eléctrico; **4** INFORM. dispositivo de entrada e saída de dados que permite o acesso a um computador situado à distância

terminantemente *adv.* **1** categoricamente; **2** definitivamente

terminar I *v. tr.* concluir; acabar; **II** *v. intr.* chegar ao fim; acabar

término *s. m.* **1** limite; fim; **2** baliza; marco

terminologia *s. f.* **1** conjunto dos termos técnicos específicos de uma ciência ou arte; nomenclatura; **2** estudo dos termos técnicos usados numa ciência ou arte

térmite *s. f.* ZOOL. insecto das regiões quentes que vive em comunidades, alimentando-se de madeira

termo *s. m.* **1** limite; fim; **2** palavra; vocábulo; **3** [*pl.*] boas maneiras; educação ❖ ***em termos de*** no que diz respeito a; ***pôr ~ a*** acabar com

termodinâmica *s. f.* FÍS. estudo das relações entre o calor e as outras formas de energia

termómetro *s. m.* instrumento para medir a temperatura

termóstato *s. m.* dispositivo destinado a regular automaticamente a temperatura

ternário *adj.* **1** que tem três elementos; **2** MÚS. (compasso) que tem três tempos

terno I *adj.* meigo; afectuoso; **II** *s. m.* **1** carta de jogar, peça de dominó ou face de dado com três pintas; **2** (*Bras.*) conjunto de casaco, colete e calça ❖ ***dar um ~*** cair

ternura *s. f.* meiguice; carinho

terra *s. f.* **1** parte sólida da superfície terrestre; **2** terreno; propriedade; **3** região; localidade; **4** (*fig.*) mundo ❖ ***cair/lançar por ~*** derrubar; ***ficar em ~*** perder o meio de transporte

Terra *s. f.* ASTRON. planeta do sistema solar, situado entre Vénus e Marte, habitado pelo homem

terra-a-terra *adj. 2 gén. 2 núm.* **1** simples; natural; **2** franco; sincero

terraço *s. m.* pavimento descoberto, no alto, ao nível do pavimento ou contíguo a um edifício

terramoto *s. m.* **1** GEOL. tremor de terra; sismo; **2** (*fig.*) grande convulsão ou estrondo; agitação

terra-nova *s. m.* ZOOL. cão grande, de pêlo comprido e macio, pertencente a uma raça originária da ilha da Terra Nova

terraplenagem *s. f.* conjunto de trabalhos de aterro e escavação necessários para a execução de determinada obra

terraplenar *v. tr.* fazer trabalhos de aterro e escavação necessários para a execução de determinada obra

terreno I *s. m.* **1** porção de terra mais ou menos extensa; **2** (*fig.*) área de conhecimento; esfera de acção; **II** *adj.* **1** relativo a Terra; terrestre; **2** próprio do mundo; mundano ❖ ***perder ~*** ficar sem argumentos; ficar para trás

térreo *adj.* **1** relativo a terra; **2** (andar) que fica ao nível do solo

terrestre *adj. 2 gén.* **1** próprio da Terra; **2** que provém da terra; **3** mundano; terreno

terrier *s. m.* {*pl.* terriers} ZOOL. cão de origem inglesa, de focinho quadrado e pêlo comprido

terrina *s. f.* recipiente em que se serve a sopa

terriola *s. f.* (*depr.*) terra pequena, geralmente isolada e pouco desenvolvida

territorial *adj. 2 gén.* relativo a território; ***águas territoriais*** porção de mar junto da costa de um país que se encontra sob a sua jurisdição

território *s. m.* **1** grande extensão de terra; **2** área de um país, distrito, estado ou província; **3** área ocupada por um animal ou grupo de animais

terrível *adj. 2 gén.* **1** (situação) medonho; assustador; **2** (esforço, vontade) enorme; extraordinário

terror *s. m.* **1** medo; pavor; **2** coisa ou pessoa que mete medo

terrorismo *s. m.* prática de actos violentos com o objectivo de fazer impor determinados objectivos, geralmente políticos

terrorista *adj. e s. 2 gén.* **1** que ou pessoa que pratica o terrorismo; **2** que ou pessoa ue recorre à violência como meio de coacção para fazer impor determinados objectivos

tertúlia *s. f.* **1** reunião habitual de pessoas para troca de ideias sobre diversos temas; **2** encontro de pessoas com interesses comuns

tesão *s. m.* **1** rigidez; **2** *(vulg.)* erecção; **3** *(vulg.)* desejo sexual

tesauro *s. m.* **1** colecção exaustiva e ordenada de termos relativos a determinada área do conhecimento; **2** dicionário que regista palavras associadas semanticamente a outras, apresentando sinónimos e, por vezes, antónimos

tese *s. f.* **1** afirmação ou conclusão de um teorema; ideia; **2** (universidade) trabalho original escrito para obtenção do grau de mestre ou doutor; **3** FIL. primeiro momento do processo dialéctico, ao qual se contrapõe uma antítese, gerando-se uma argumentação que se resolve numa síntese

teso *adj.* **1** esticado; **2** duro; rígido; **3** *(pop.)* sem dinheiro

tesoira *s. f.* vd. **tesoura**

tesoiro *s. m.* vd. **tesouro**

tesoura *s. f.* instrumento cortante com duas lâminas que se movem em torno de um eixo

tesourada *s. f.* golpe ou corte com tesoura

tesouraria *s. f.* secção de uma instituição onde se efectuam operações monetárias

tesoureiro *s. m.* **1** encarregado da administração do tesouro público; **2** encarregado da tesouraria de um banco, companhia, empresa, associação, etc.

tesouro *s. m.* **1** grande porção de dinheiro, jóias ou objectos preciosos; **2** recursos financeiros públicos; erário; **3** *(fig.)* pessoa ou coisa muito estimada ou valiosa

tesouro público *s. m.* **1** conjunto das repartições financeiras onde se conservam e administram os dinheiros públicos; **2** administração que gere esses rendimentos

testa *s. f.* ANAT. parte ântero-superior da cabeça, compreendida entre os olhos e o couro cabeludo; fronte ❖ ***à ~ de*** à frente de

testamentário I *adj.* relativo a testamento; **II** *s. m.* **1** indivíduo que executa ou faz executar as disposições de um testamento; **2** indivíduo que herda por testamento; herdeiro

testamento *s. m.* **1** DIR. documento em que uma pessoa declara a quem vai deixar os seus bens depois de morrer; **2** *(fig.)* carta muito extensa; RELIG. ***Antigo/Velho Testamento*** conjunto dos livros da Bíblia anteriores a Cristo; RELIG. ***Novo Testamento*** conjunto dos livros da Bíblia posteriores a Cristo

testar *v. tr.* **1** submeter a teste ou a experiência; **2** pôr à prova o funcionamento de (máquina, aparelho); **3** avaliar (conhecimento)

teste *s. m.* **1** prova de avaliação de conhecimentos e aptidões; exame; **2** prova para verificar a eficiência ou o bom funcionamento de um equipamento ou mecanismo

testemunha *s. f.* **1** pessoa que presenciou ou ouviu algo; **2** DIR. pessoa que é chamada a depor; **3** aquilo que atesta a verdade de um facto; prova

testemunhar I *v. tr.* **1** dar testemunho de; atestar; **2** confirmar; certificar; **3** presenciar; ver; **II** *v. intr.* DIR. depor como testemunha

testemunho *s. m.* **1** DIR. depoimento; **2** prova; comprovação; **3** indício; vestígio; **4** DESP. (estafeta) pequeno bastão que cada corredor passa ao companheiro de equipa que o vai substituir na corrida; ***falso ~*** afirmação intencional de algo que não é verdade; calúnia

testículo *s. m.* ANAT. cada uma das glândulas genitais masculinas que produzem os espermatozóides e a testosterona

testo *s. m.* tampa de um recipiente, geralmente de um tacho ou de uma panela

testosterona *s. f.* FISIOL. hormona sexual masculina que se forma nos testículos

teta[1] [ɛ] *s. m.* oitava letra do alfabeto grego, correspondente ao dígrafo *th*

teta[2] [e] *s. f.* (animal) glândula que segrega o leite nas fêmeas dos mamíferos; mama

tétano *s. m.* MED. doença infecciosa, provocada pela acção de um bacilo e caracterizada por contracções musculares persistentes e dolorosas

tetina *s. f.* peça de borracha em forma de mamilo que tapa o recipiente que serve de biberão

tetraedro *s. m.* GEOM. sólido limitado por quatro faces triangulares

tetralogia *s. f.* conjunto de quatro obras de um autor, ligadas por um tema comum

tetrassílabo I *s. m.* GRAM. palavra de quatro sílabas; **II** *adj.* que tem quatro sílabas

tetravó *s. f.* mãe do trisavô ou da trisavó

tetravô *s. m.* pai do trisavô ou da trisavó

tétrico *adj.* **1** muito triste; **2** fúnebre; **3** medonho

tétum *s. m.* língua nacional de Timor Lorosae

teu *pron. poss.* {*f.* tua} refere-se à segunda pessoa do singular e indica posse ou pertença ⟨*o teu dicionário*⟩

têxtil *adj. 2 gén.* **1** que serve para tecer; **2** relativo a tecidos ou ao seu fabrico

texto *s. m.* **1** conjunto ordenado de palavras ou frases escritas; **2** trecho ou fragmento da obra de um autor; passagem; **3** redacção original de uma obra escrita

textual *adj. 2 gén.* **1** relativo a texto; **2** que reproduz fielmente o texto

textura *s. f.* **1** acto ou efeito de tecer; **2** tecido; **3** organização e distribuição das partes de um todo; **4** consistência; **5** GEOL. conjunto de características de forma, dimensão e arranjo dos elementos mineralógicos constituintes de uma rocha ou de um solo

texugo *s. m.* ZOOL. mamífero carnívoro, atarracado, com focinho pontiagudo e pêlo cinzento e preto, com riscas brancas na testa e na face

tez *s. f.* pele (principalmente do rosto)

TGV [*sigla de* **T**rain à **G**rande **V**itesse] comboio de alta velocidade

Th QUÍM. [*símbolo de* **tório**]

thriller *s. m.* {*pl.* thrillers} narrativa ficcional, peça de teatro ou filme caracterizado por uma atmosfera de suspense

ti *pron. pess.* designa a segunda pessoa do singular e indica a pessoa a quem se fala ou escreve ⟨*para ti; sem ti*⟩

Ti QUÍM. [*símbolo de* **titânio**]

tia *s. f.* **1** irmã do pai ou da mãe; **2** esposa do tio; **3** (*pop., pej.*) mulher solteira ❖ ***ficar para ~*** ficar solteira; não casar

tia-avó *s. f.* {*pl.* tias-avós} irmã do avô ou da avó

tibetano I *s. m.* {*f.* tibetana} **1** pessoa natural do Tibete (leste da Ásia);

2 língua falada no Tibete; **II** *adj.* relativo ao Tibete

tíbia *s. f.* ANAT. o mais grosso e interno osso da perna

tie-break *s. m.* {*pl.* tie-breaks} DESP. (ténis) sistema utilizado para decidir o vencedor de um jogo ou competição quando há empate

tifo *s. m.* MED. doença febril, infecto--contagiosa e epidémica, provocada por bactérias

tifóide *adj.* MED. relativo ao tifo

tigela *s. f.* **1** recipiente em forma de meia esfera, onde se serve sopa, caldo, etc.; malga; **2** conteúdo desse recipiente ❖ ***de meia ~*** de pouco valor

tigre *s. m.* ZOOL. mamífero carnívoro, de pêlo amarelo com ricas transversais negras

tijoleira *s. f.* peça de barro cozido, de formato regular e pequena espessura, utilizada no revestimento de pavimentos e paredes

tijolo *s. m.* **1** peça de barro moldado e cozido, em forma de paralelepípedo, usada em construções; **2** *(fig.)* livro volumoso

til *s. m.* {*pl.* tiles} GRAM. sinal gráfico (~) para indicar a nasalação de uma vogal ou de um ditongo

tília *s. f.* BOT. árvore de grande porte, copa ampla, cujas folhas e flores têm aplicação medicinal

tilintar *v. intr.* produzir som como o das campainhas ou moedas quando caem

timbale *s. m.* MÚS. tambor semiesférico, de estrutura metálica e que se usa nas orquestras

timbrado *adj.* **1** (papel) marcado com timbre; **2** (voz) que possui sonoridade harmoniosa

timbre *s. m.* **1** carimbo; selo; **2** MÚS. qualidade que distingue um som de outro, da mesma altura e intensidade; **3** MÚS. qualidade acústica da voz humana que permite distinguir uma voz de outra

time-sharing *s. m.* {*pl.* time-sharings} **1** sistema de partilha de uma propriedade de férias em que cada pessoa tem direito a utilizá-la durante uma época do ano preestabelecida; **2** INFORM. sistema que permite a utilização de um computador por diferentes pessoas simultaneamente

timidez *s. f.* acanhamento; vergonha

tímido *adj.* **1** acanhado; envergonhado; **2** reservado; inibido

timing *s. m.* {*pl.* timings} tempo determinado para a realização de determinada tarefa ou actividade; prazo

timorense I *s. 2 gén.* pessoa natural de Timor (Sudeste da Ásia); **II** *adj. 2 gén.* relativo a Timor

tímpano *s. m.* **1** ANAT. cavidade do ouvido; **2** ARQ. superfície situada entre as três cornijas do frontão; **3** ARQ. superfície limitada por arcos ou linhas rectas; **4** [*pl.*] *(pop.)* ouvidos

tina *s. f.* **1** recipiente para conter líquidos; **2** recipiente grande para tomar banho

tingir I *v. tr.* **1** meter em tinta; **2** mudar a cor de; **II** *v. refl.* adquirir determinada cor

tinha *s. f.* MED. doença cutânea, grave e contagiosa, que ataca o couro cabeludo

tinhoso *adj.* **1** MED. que sofre de tinha; **2** *(coloq.)* nojento; **3** *(pop.)* que implica com tudo

tinir *v. intr.* **1** (vidro, metal) emitir sons agudos ou metálicos; **2** (ouvidos) zunir; **3** *(pop.)* tremer de frio ou de medo

tino *s. m.* **1** juízo; bom senso; **2** prudência; tacto ❖ ***perder o ~*** desorientar-se

tinta *s. f.* líquido colorido para escrever, pintar, tingir ou imprimir

❖ ***estar-se nas tintas*** não se importar; mostrar-se desinteressado ou indiferente

tinta-da-china *s. f.* {*pl.* tintas-da-china} tinta preta utilizada em desenhos e aguarelas; nanquim

tinteiro *s. m.* recipiente para a tinta de escrever

tintim *elem. da loc. adv.* **~ *por* ~** com todos os pormenores; sem omitir nada

tinto *adj.* **1** (cor) tingido; **2** (vinho) de cor vermelho-escura; **3** *(fig.)* sujo; manchado

tintura *s. f.* FARM. solução obtida por maceração de substratos vegetais ou minerais em álcool ou éter; **~ *de iodo*** solução alcoólica à base de iodo, usada como desinfectante

tinturaria *s. f.* fábrica ou secção de fábrica onde se tingem tecidos e outros materiais

tio *s. m.* **1** irmão do pai ou da mãe; **2** marido da tia ❖ ***ficar para* ~** ficar solteiro; não casar

tio-avô *s. m.* {*pl.* tios-avôs} irmão do avô ou da avó

típico *adj.* **1** próprio; característico; **2** representativo; simbólico

tipo *s. m.* **1** conjunto de características que distinguem uma classe; **2** modelo; estilo; **3** *(pop.)* indivíduo; sujeito; **4** BIOL. grande grupo taxionómico que se divide em subtipos ou em classes; **5** BIOL. exemplar que serviu de padrão na descrição original de uma espécie, subespécie, etc.; **6** LIT. personagem cujas características a tornam representativa de uma classe ou de um grupo

tipografia *s. f.* **1** arte de composição e impressão de textos; **2** oficina onde se realizam essas operações

tique *s. m.* **1** contracção involuntária de certos músculos; **2** *(fig.)* movimento ou gesto próprio de determinada pessoa; **3** *(fig., pej.)* hábito repetitivo; mania

tiquetaque *s. m.* **1** som cadenciado (de relógio); **2** batimento cardíaco

TIR [*sigla de* **T**ransportes **I**nternacionais **R**odoviários]

tira *s. f.* **1** tecido estreito e comprido para atar ou enfeitar; **2** fita; faixa; **3** (banda desenhada) faixa horizontal constituída por três ou mais quadros em que se conta uma história através de desenhos

tiracolo *s. m.* correia atravessada obliquamente de um lado do pescoço para o lado oposto, na cintura, passando por debaixo do braço; ***a* ~** obliquamente, de um ombro para o lado oposto

tiragem *s. f.* **1** número de exemplares de uma publicação; **2** corrente de ar quente que sobe pelo cano de uma chaminé

tira-linhas *s. m. 2 núm.* instrumento com dois bicos que podem ser regulados para controlar a espessura das linhas a traçar

tiramisu *s. m.* CUL. doce preparado com camadas de bolo ou biscoitos de massa fofa, envolvidas em café e alternadas com camadas de creme de ovos, natas, queijo, rum ou conhaque

tirania *s. f.* **1** forma de governo absoluto, em que o poder é exercido sem limitações legais; **2** abuso de poder; opressão; **3** *(fig.)* (moda, sentimento) influência excessiva que certas coisas exercem sobre as pessoas

tirânico *adj.* **1** relativo a tirania ou a tirano; **2** despótico; cruel

tiranizar *v. tr.* **1** exercer um domínio cruel e injusto sobre; **2** oprimir; violentar; **3** *(fig.)* constranger; **4** *(fig.)* influenciar de forma excessiva

tirano *s. m.* **1** governante que exerce o poder de modo absoluto e arbitrário; déspota; **2** pessoa cruel e autoritária

tira-nódoas *s. m. 2 núm.* substância ou preparado com que se eliminam nódoas dos tecidos

tiranossauro *s. m.* ZOOL. dinossauro carnívoro do Cretáceo, bípede e de grandes dimensões

tira-olhos *s. m. 2 núm.* ZOOL. vd. **libélula**

tirar *v. tr.* **1** fazer sair; retirar; **2** arrancar (dente); **3** inferir (conclusão); **4** eliminar; **5** obter (classificação, documento); **6** privar de (liberdade); **7** ganhar (lucro, salário); **8** esclarecer (dúvidas); **9** apontar (notas); **10** puxar por (objecto); **11** despir (roupa); **12** descalçar (sapato, luva) ❖ ***sem ~ nem pôr*** exactamente; ***~ a limpo*** averiguar; ***~ à sorte*** sortear; ***~ partido*** aproveitar-se

tira-teimas *s. m. 2 núm.* **1** argumento decisivo ou irrefutável; **2** objecto ou meio com que se castiga

tiritar *v. intr.* tremer de frio ou de medo

tiro *s. m.* explosão da carga de uma arma de fogo; disparo; DESP. ***~ ao alvo*** modalidade em que, com uma arma de fogo, arco ou flecha, se dispara sobre um alvo fixo ou móvel ❖ ***sair o ~ pela culatra*** ter o resultado contrário à expectativa; ***ser ~ e queda*** ter pontaria certeira; produzir efeito imediato

tiróide *s. f.* ANAT. glândula endócrina situada na laringe, que desempenha funções importantes no metabolismo humano

tiroteio *s. m.* troca de tiros entre grupos ou pessoas que lutam

tisana *s. f.* bebida preparada com ervas medicinais; chá

tísico *adj. e s. m.* **1** MED. que ou pessoa que sofre de tuberculose pulmonar; tuberculoso; **2** *(fig., pej.)* que ou pessoa que é muito magra

titânio *s. m.* QUÍM. elemento metálico com o número atómico 22 e símbolo Ti

titi *s. 2 gén. (infant.)* tia; tio

titular *s. 2 gén.* **1** DIR. pessoa que tem pertença efectiva de algo; detentor; **2** ocupante efectivo de cargo ou função; **3** DESP. atleta ou jogador efectivo de uma equipa

titularidade *s. f.* **1** qualidade de titular; **2** efectividade

título *s. m.* **1** designação de um livro, capítulo, jornal ou artigo, que indica geralmente o tema que se aborda; **2** inscrição com informações; letreiro; rótulo; **3** qualificação que exprime uma função, um cargo ou uma dignidade; **4** denominação honorífica; **5** motivo; pretexto; **6** DIR. documento que autentica um direito; **7** ECON. papel de crédito ❖ ***a ~ de*** a pretexto de; na qualidade de

Tl QUÍM. [*símbolo de* **tálio**]

TLB (ensino) [*sigla de* **T**écnicas **L**aboratoriais de **B**iologia]

tlim *s. m.* som imitativo do toque da sineta, do tilintar de moedas, campainhas, etc.

TLQ (ensino) [*sigla de* **T**écnicas **L**aboratoriais de **Q**uímica]

Tm QUÍM. [*símbolo de* **túlio**]

toa *s. f.* corda de rebocar ❖ ***à ~*** ao acaso

toalha *s. f.* **1** pano para cobrir uma mesa; **2** pano para enxugar o corpo; **3** *(fig.)* camada extensa

toalhão *s. m.* toalha grande para secar o corpo depois do banho

toalheiro *s. m.* cabide ou suporte para pendurar toalhas

toalhete *s. m.* **1** lenço de papel húmido descartável; **2** toalha pequena

tobogã *s. m.* DESP. trenó baixo, de dois patins, tripulado por uma ou duas pessoas, usado para prova de velocidade em pista gelada com grande declive

toca *s. f.* **1** buraco onde se acolhem animais; covil; **2** *(fig.)* refúgio; esconderijo

tocado *adj.* **1** (fruta, legume) que começou a apodrecer; **2** (assunto, tema) mencionado; **3** (pessoa) ligeiramente embriagado

tocante *adj. 2 gén.* **1** relativo; concernente; **2** comovente

tocar I *v. tr.* **1** pôr a mão ou o dedo em; **2** MÚS. fazer soar (instrumento); executar música; **3** estar próximo de; **4** *(fig.)* comover; **II** *v. intr.* **1** caber (a alguém); dizer respeito; **2** mencionar (assunto)

tocha *s. f.* **1** archote; facho; **2** vela grande e grossa de cera

toco *s. m.* parte do tronco ou da raiz que fica na terra após o corte de uma árvore

todavia *conj.* mas; contudo; no entanto; porém

todo I *pron. indef.* a totalidade de pessoas ou coisas; **II** *s. m.* **1** conjunto de partes que constituem uma unidade; **2** soma; **3** totalidade; **III** *adj.* completo; inteiro; total; **IV** *adv.* inteiramente; completamente; absolutamente ❖ ***ao ~*** na totalidade; ***de ~*** absolutamente; ***estar de ~*** estar muito cansado; ***sabê-la toda*** saber enganar qualquer pessoa; ser esperto

todo-o-terreno *s. m. 2 núm.* veículo automóvel com tracção às quatro rodas, que se adapta a qualquer tipo de terreno

todo-poderoso *adj.* que tem poder ilimitado

tofu *s. m.* CUL. alimento preparado com leite de soja comprimido, reduzido a pasta

toga *s. f.* vestimenta comprida e geralmente preta, usada por professores universitários, magistrados e advogados em certas cerimónias

toilette *s. f.* **1** traje feminino e acessórios combinados com algum cuidado para usar em determinada ocasião; **2** higiene pessoal

toirada *s. f.* vd. **tourada**

toiro *s. m.* vd. **touro**

tola *s. f.* *(pop.)* cabeça

toldar I *v. tr.* **1** cobrir com toldo; **2** encobrir; **3** *(fig.)* perturbar (raciocínio); **II** *v. refl.* **1** (céu) tornar-se escuro; **2** (vinho) perder a transparência ou a limpidez

toldo *s. m.* cobertura para abrigar do sol ou da chuva

tolerância *s. f.* **1** aceitação e respeito de opiniões contrárias; **2** compreensão; indulgência; **3** MED. capacidade de um organismo suportar determinadas substâncias químicas; ***~ de ponto*** permissão dada a um funcionário para não comparecer no serviço em determinados dias úteis; ***~ religiosa*** possibilidade que se dá a cada pessoa de praticar a religião que professa

tolerante *adj. 2 gén.* **1** que aceita e respeita opiniões contrárias; **2** MED. (organismo) que suporta determinadas substâncias químicas; **3** que perdoa com facilidade; indulgente

tolerar *v. tr.* **1** aceitar; respeitar (opinião contrária); **2** suportar (coisa desagradável); **3** MED. (organismo) ser capaz de suportar (determinadas substâncias químicas)

tolerável *adj. 2 gén.* que se pode tolerar; suportável

tolher *v. tr.* **1** dificultar (a acção, o movimento); **2** impedir; **3** paralisar

tolice *s. f.* **1** disparate; asneira; **2** qualidade de tolo

tolo I *adj.* 1 pouco inteligente; 2 imprudente; insensato; 3 louco; demente; 4 disparatado; II *s. m.* 1 pessoa considerada insensata ou pouco inteligente; 2 pessoa que sofre de perturbação mental

tom *s. m.* 1 altura de um som; 2 modo de dizer; 3 inflexão de voz; 4 gradação de cor; 5 grau de elevação ou de intensidade de uma voz ou de um som; 6 carácter; estilo; 7 MÚS. intervalo entre os graus conjuntos da escala diatónica; (atitude, comportamento) ***ser de bom ~*** ser bem aceite; ser conveniente

toma *s. f.* 1 acto de tomar (um medicamento); 2 porção de uma amostra sobre a qual se efectua a respectiva análise

tomada *s. f.* 1 acto de tomar ou de se apoderar; 2 ELECTR. peça que se monta nas instalações eléctricas para obter energia ou corrente; 3 MIL. conquista; ocupação ❖ ***~ de consciência*** acto de perceber e aceitar conscientemente todos os factos; ***~ de posição*** manifestação, geralmente pública ou oficial, de opinião sobre determinado assunto; ***~ de posse*** cerimónia de investimento num cargo, numa dignidade, num direito, etc.

tomar *v. tr.* 1 pegar em; agarrar; 2 ingerir (alimento, bebida); 3 ganhar (coragem); 4 apanhar (ar); 5 ocupar (tempo, espaço); 6 considerar; julgar; 7 MIL. conquistar (território); 8 adquirir (aspecto, estado) ❖ ***~ a dianteira*** passar adiante; ***~ de ponta*** embirrar com; ***~ medidas*** fazer uso dos meios necessários para prevenir uma situação; propor ou fazer algo

tomate *s. m.* 1 BOT. fruto avermelhado, com superfície lisa e brilhante, usado em culinária; 2 [*pl.*] (*vulg.*) testículos ❖ (*cal., fig.*) ***ter tomates*** ter coragem ou ousadia; atrever-se

tombadilho *s. m.* NÁUT. parte mais elevada na popa de um navio

tombar I *v. tr.* 1 fazer cair; 2 derrubar; II *v. intr.* 1 dar tombo ou queda; cair; 2 inclinar-se

tombo *s. m.* queda; trambolhão ❖ ***andar aos tombos*** sofrer muitas contrariedades inesperadas; não ter rumo na vida

tômbola *s. f.* 1 recipiente cilíndrico oco que roda sobre si mesmo, usado na realização de sorteios; 2 espécie de lotaria com prémios variados

tomilho *s. m.* BOT. planta aromática, utilizada como condimento e na extracção de óleos essenciais

tomo *s. m.* cada um dos volumes que formam uma obra

tomografia *s. f.* 1 MED. técnica que utiliza os raios X para obter imagens de um órgão ou tecido; 2 imagem obtida por esse processo; MED. ***~ axial computorizada*** exame médico cujo objectivo é obter imagens detalhadas do interior do corpo humano

tona *s. f.* 1 pele ou casca fina de fruto; 2 camada fina; película ❖ ***à ~*** à superfície; ***vir à ~*** saber-se

tonalidade *s. f.* 1 propriedade que caracteriza um tom; 2 (cor) matiz; coloração; 3 MÚS. preponderância de um tom num trecho

tonel *s. m.* recipiente grande com aduelas, para guardar vinho

tonelada *s. f.* 1 unidade de massa equivalente a 1000 quilogramas; 2 (*fig., coloq.*) grande quantidade

tonelagem *s. f.* capacidade de carga de um veículo de transporte

toner *s. m.* {*pl.* toners} tinta em pó ou em estado líquido utilizada nas impressoras a laser e nas fotocopiadoras

tónica *s. f.* **1** LING. vogal ou sílaba que se pronuncia com maior intensidade de voz; **2** MÚS. nota que dá o tom; **3** *(fig.)* tema principal; ***pôr a ~ em*** destacar; dar mais relevo a

tónico I *adj.* **1** LING. (vogal, tónica) que se pronuncia com maior intensidade; **2** (bebida, medicamento) que aumenta a vitalidade dos tecidos; revigorante; **II** *s. m.* FARM. medicamento que tonifica ou fortalece

tonificar *v. tr.* fortalecer (pele, músculo)

tonsila *s. f.* ANAT. amígdala

tonto *adj.* **1** que tem tonturas; atordoado; **2** parvo; pateta

tontura *s. f.* sensação de falta de equilíbrio; vertigem

top *s. m.* {*pl.* tops} **1** posição mais elevada numa determinada hierarquia ou classificação; **2** produto mais vendido num dado período; **3** peça de roupa feminina justa ao corpo, cobrindo a parte superior do corpo

topar *v. tr.* **1** deparar com; **2** *(coloq.)* perceber; **3** *(coloq.)* aceitar (convite, proposta)

topázio *s. m.* MIN. mineral meio transparente de cor amarela, usado como pedra preciosa

topete *s. m.* atrevimento; descaramento

tópico I *adj.* **1** relativo a lugar; **2** relativo ao assunto de que se trata; **II** *s. m.* **1** assunto principal de uma conersa ou de um discurso; tema; **2** FARM. medicamento de uso externo, que actua na área onde é aplicado

topless *s. m.* utilização apenas da parte inferior do biquíni na praia

top model *s. 2 gén.* manequim muito célebre, muito procurado por estilistas e fotógrafos famosos; supermodelo

topo *s. m.* **1** ponto mais alto; cume; **2** *(fig.)* grau mais elevado que se pode alcançar; auge

topografia *s. f.* **1** técnica de representar num desenho a configuração de um terreno com todos os seus acidentes; **2** descrição minuciosa de uma região

topográfico *adj.* relativo a topografia; ***mapa ~*** mapa de uma pequena região, em escala grande, o que permite a representação minuciosa de uma área

toque *s. m.* **1** acto ou efeito de tocar; contacto; **2** melodia apropriada a determinado fim; **3** acção de tocar instrumentos musicais; **4** *(acad.)* som, geralmente de campainha, que anuncia o começo e o fim de uma aula; **5** DESP. pontapé leve que se dá na bola; **6** *(fig.)* traço distintivo

torácico *adj.* ANAT. relativo ao tórax

toranja *s. f.* BOT. fruto arredondado, com casca amarela, sumarento e sabor ácido

tórax *s. m.* {*pl.* tóraces} **1** ANAT. cavidade superior do tronco humano; **2** ZOOL. região média do corpo de alguns insectos

torção *s. f.* **1** acto de torcer; **2** estado de coisa torcida; **3** MED. lesão dos ligamentos das articulações

torcer I *v. tr.* **1** fazer girar sobre si; **2** entortar; **3** deslocar (articulação, osso); **4** alterar (o sentido de); **5** espremer (roupa); **II** *v. refl.* (corpo) contrair-se ❖ ***dar o braço a ~*** ceder; concordar; ***~ o nariz*** mostrar desagrado; ***~ por*** ser adepto de

torcicolo *s. m.* MED. contracção dos músculos do pescoço, que torna o seu movimento doloroso

torcida *s. f.* **1** cordão ou fita de fios de algodão entrançados para mecha de candeeiro; pavio; **2** *(Bras.)* claque

torcido *adj.* **1** (fio, arame) que se torceu; **2** (articulação, osso) deslocado; **3** (palavra) mal interpretado

tordo *s. m.* ZOOL. pássaro de bico negro e cauda muito comprida

tório *s. m.* QUÍM. elemento com o número atómico 90 e símbolo Th

tormenta *s. f.* **1** tempestade violenta acompanhada, geralmente, de chuva e trovoada; **2** *(fig.)* agitação; **3** *(fig.)* sofrimento

tormento *s. m.* **1** sofrimento; tortura; **2** dor física violenta; **3** aquilo que provoca sofrimento ou angústia

tornado *s. m.* METEOR. vento ciclónico devastador, com a aparência de uma grande nuvem negra em forma de cone invertido

tornar I *v. intr.* **1** voltar; regressar; **2** repetir (um acto); **3** transformar; mudar; **4** virar; **II** *v. tr.* **1** transformar em; **2** fazer; **III** *v. refl.* **1** passar a ser; **2** transformar-se (em)

torneado *adj.* **1** (peça, objecto) preparado ao torno; **2** *(fig.)* (parte do corpo) que tem contornos ou formas elegantes

tornear *v. tr.* **1** lavrar ao torno (peça, objecto); **2** dar forma arredondada a; **3** circundar (espaço, lugar); **4** *(fig.)* evitar (obstáculo)

torneio *s. m.* DESP. campeonato que inclui um conjunto de etapas ou eliminatórias

torneira *s. f.* peça tubular com uma espécie de chave que permite fechar, abrir ou regular o escoamento de um líquido ou gás contido num recipiente ou disponível numa canalização

torniquete *s. m.* **1** MED. instrumento usado para deter temporariamente o fluxo sanguíneo por compressão das artérias; **2** espécie de cruz móvel em posição horizontal, colocado na entrada de ruas ou estradas, para passagem de peões

torno *s. m.* aparelho onde se faz girar uma peça de madeira ou metal que se quer trabalhar ❖ ***em ~ de*** em volta de

tornozelo *s. m.* ANAT. cada uma das saliências ósseas da articulação da perna com o pé

toro *s. m.* **1** tronco de árvore derrubada limpo dos ramos; **2** segmento de tronco de árvore; **3** tronco humano ou de animal privado de membros

torpe *adj. 2 gén.* **1** desonesto; **2** nojento; **3** indecente

torpedear *v. tr.* MIL. atacar por meio de torpedo(s)

torpedeiro *s. m.* NÁUT. navio de guerra destinado a lançar torpedos

torpedo *s. m.* MIL. arma submarina com propulsão e direcção próprias, destinado a produzir explosões em navios

torpor *s. m.* **1** MED. estado de diminuição de sensibilidade ou de movimento de alguma parte do corpo; **2** *(fig.)* indiferença; apatia

torrada *s. f.* fatia de pão tostado, geralmente barrada com manteiga

torradeira *s. f.* utensílio eléctrico para torrar pão

torrão *s. m.* **1** pedaço de terra endurecida que não se desagrega por si mesma; **2** pedaço endurecido de uma substância; **3** CUL. doce feito com amêndoas e açúcar ou mel

torrar *v. tr.* **1** tostar; **2** estorricar (alimento); **3** *(coloq.)* bronzear intensamente o corpo

torre *s. f.* **1** construção alta e estreita; **2** edifício alto; **3** posto de observação ou de comando; **4** (xadrez) peça com valor imediatamente inferior ao da rainha e que pode ser movida na vertical ou na horizontal

torreão *s. m.* **1** torre larga e com ameias, construída sobre um castelo; **2** pavilhão levantado no ângulo de um edifício
torre de controlo *s. f.* (aeroporto) edifício elevado, a partir do qual se coordenam as descolagens e aterragens na pista
torrencial *adj. 2 gén.* **1** (curso de água) relativo a torrente; **2** (chuva) muito abundante
torrente *s. f.* **1** curso de água rápido e impetuoso, proveniente das chuvas e dos degelos; **2** *(fig.)* grande quantidade
torresmo *s. m.* CUL. resíduo da banha de porco ou de outro animal, depois de extraída a gordura pela acção do fogo
tórrido *adj.* muito quente; abrasador
torta *s. f.* CUL. massa enrolada com recheio doce ou salgado
tortilha *s. f.* CUL. omeleta não enrolada de ovos com batata e outros ingredientes
torto **I** *adj.* **1** que não é direito; torcido; **2** inclinado; oblíquo; **II** *adv.* mal ❖ ***a ~ e a direito*** à toa; para todos os lados; irreflectidamente; ***não sair da cepa torta*** não progredir
tortuoso *adj.* **1** que descreve curvas; sinuoso; **2** *(fig.)* desleal; injusto
tortura *s. f.* **1** sofrimento físico causado a alguém; **2** *(fig.)* tormento; angústia
torturar **I** *v. tr.* **1** infligir tortura a; **2** *(fig.)* afligir; atormentar; **II** *v. refl.* atormentar-se; angustiar-se
tosco *adj.* **1** (material) bruto; **2** (material, objecto) de má qualidade; grosseiro; **3** *(fig.)* (pessoa) rude; inculto
tosquia *s. f.* **1** (animal) acto ou efeito de tosquiar; **2** *(coloq.)* corte de cabelo
tosquiadela *s. f.* **1** tosquia leve; **2** *(coloq.)* corte de cabelo
tosquiar *v. tr.* cortar rente (lã ou pêlo de animal); aparar
tosse *s. f.* expiração brusca, convulsa e ruidosa do ar contido nos pulmões
tossir *v. intr.* ter tosse
tosta *s. f.* **1** fatia de pão torrado; torrada; **2** biscoito em forma de torrada
tostado *adj.* **1** (alimento) queimado; **2** (pão) torrado; **3** (pessoa) moreno; bronzeado
tosta-mista *s. f.* {*pl.* tostas-mistas} sanduíche aquecida, feita com duas fatias de pão de forma entremeadas de queijo e fiambre
tostão *s. m.* antiga moeda portuguesa ❖ ***não ter um ~*** não ter dinheiro nenhum; ***não valer um ~ (furado)*** não valer nada
tostar *v. tr.* queimar levemente; torrar
total **I** *adj. 2 gén.* que forma ou abrange um todo; **II** *s. m.* **1** resultado de uma adição; soma; **2** reunião de diversas partes que formam um todo; totalidade
totalidade *s. f.* **1** reunião das partes que formam um todo; **2** soma; total
totalista *s. 2 gén.* (totoloto, totobola) pessoa que perfaz o total de pontos num jogo
totalitário *adj.* **1** que não admite divisões; **2** POL. relativo a totalitarismo
totalitarismo *s. m.* POL. sistema em que todas as actividades sociais são dominadas pelo Estado
totalizar *v. tr.* **1** formar ou calcular o total de; **2** perfazer um todo
totó **I** *s. m.* **1** pequena porção de cabelo preso; **2** elástico para prender o cabelo; **II** *adj. 2 gén.* **1** *(coloq., pej.)* tímido; **2** *(coloq., pej.)* parvo
totobola *s. m.* jogo de apostas sobre resultados de jogos de futebol, em que se marcam os palpites em impressos próprios, ganhando quem

acertar nos treze resultados dos jogos relativos a essas apostas

totoloto *s. m.* jogo de azar que consiste em registar em boletim próprio seis números diferentes e em que o primeiro prémio é atribuído a quem acertar nos números que forem extraídos num sorteio

touca *s. f.* **1** cobertura de cabeça para proteger o cabelo, usada no banho ou na natação; **2** peça do vestuário das freiras, que lhes cobre a cabeça e os ombros

toucinho *s. m.* gordura por baixo da pele do porco, usada na alimentação

toucinho-do-céu *s. m.* {*pl.* toucinhos-do-céu} CUL. doce preparado com açúcar em ponto, gemas de ovos, amêndoas e por vezes doce de chila ou abóbora cristalizada

toupeira *s. f.* ZOOL. pequeno mamífero insectívoro, de olhos pequenos e pêlo denso, que vive em galerias que cava com os membros anteriores espalmados

tourada *s. f.* **1** espectáculo, em recinto fechado, no qual se enfrenta e procura dominar um touro bravo; corrida de touros; **2** *(fig.)* tumulto; desordem

toureiro *s. m.* indivíduo que toureia, por hábito ou profissão

tournée *s. f.* {*pl.* tournées} viagem de carácter profissional com paragens que obedecem a um itinerário predeterminado, geralmente para dar espectáculos; digressão

touro *s. m.* **1** ZOOL. animal bovino do sexo masculino, adulto e não castrado; **2** *(fig.)* homem robusto

Touro *s. m.* **1** ASTRON. segunda constelação do zodíaco, situada no hemisfério norte; **2** ASTROL. segundo signo do zodíaco (21 de Abril a 21 de Maio)

toxicidade *s. f.* qualidade do que é tóxico

tóxico *adj. e s. m.* **1** que ou substância que produz efeitos nocivos no organismo; **2** que ou substância que contém veneno

toxicodependência *s. f.* dependência física e/ou psicológica de drogas ou narcóticos

toxicodependente *adj. e s. 2 gén.* que ou pessoa que depende física ou psicologicamente do consumo regular de drogas ou narcóticos

toxicomania *s. f.* hábito de consumir produtos tóxicos ou estupefacientes

toxicomaníaco *adj. e s. m.* que ou indivíduo que sofre de toxicomania

toxina *s. f.* MED. substância tóxica, proveniente do metabolismo de um organismo ou de parasitas

TPC *(acad.)* [*sigla de* trabalho **p**ara **c**asa]

TPI [*sigla de* **T**ribunal **P**enal **I**nternacional]

trabalhador I *adj.* **1** que trabalha muito; **2** que gosta de trabalhar; **II** *s. m.* pessoa que exerce determinado emprego ou função; ~ ***estudante*** pessoa que trabalha e estuda paralelamente; ~ ***independente*** profissional que trabalha por conta própria; profissional liberal

trabalhão *s. m.* grande esforço; trabalheira

trabalhar I *v. tr.* **1** dar determinada forma a (madeira, metal, tecido); **2** lavrar (a terra); **3** aperfeiçoar através da prática e do estudo; **4** fazer com arte; **II** *v. intr.* **1** exercer uma actividade; **2** executar uma tarefa; **3** (motor, carro, máquina) funcionar; **4** empenhar-se em

trabalheira *s. f.* **1** grande trabalho; canseira; **2** maçada

trabalho *s. m.* **1** exercício de actividade humana produtiva; **2** actividade profissional remunerada; emprego; **3** local onde é exercida essa actividade; **4** esforço necessário para que uma tarefa seja realizada; **5** obra realizada; **6** [*pl.*] preocupações; ~ ***de campo*** actividade de recolha de dados para serem posteriormente estudados e analisados; ~ ***de parto*** fase final da gestação, que inclui o período de dilatação do colo do útero e das contracções uterinas, e que culmina no nascimento do bebé e na expulsão da placenta ❖ ***dar*** ~ exigir esforço ou atenção; ***dar-se ao*** ~ empenhar-se em; esforçar-se e por

trabalhoso *adj.* que dá muito trabalho

traça *s. f.* **1** ZOOL. insecto desprovido de asas que rói peles, tecidos, livros, etc.; **2** *(coloq.)* vontade muito forte de comer; fome intensa

traçado **I** *s. m.* **1** conjunto de linhas que constituem o plano de uma obra; **2** forma dada ao que se traça; **3** bebida composta por uma mistura de cerveja com um refrigerante com sabor a lima; **II** *adj.* **1** representado por traços ou riscos; **2** (plano, projecto) esboçado; **3** (papel, tecido) roído por traça; **4** (destino) determinado

traçar *v. tr.* **1** representar por meio de traços ou riscos; **2** delinear; esboçar (plano, projecto); **3** descrever (retrato, imagem, trajectória); **4** assinalar (fronteira, limite); **5** fazer mistura de (bebida); **6** roer (tecido, papel); **7** cruzar (peça de vestuário); **8** determinar (destino)

tracção *s. f.* **1** acção de uma força que desloca um objecto; **2** acto de puxar, de movimentar; (veículo) ~ ***às quatro rodas*** dispositivo através do qual a transmissão da força de deslocação é distribuída pelos eixos traseiro e dianteiro

tracejado *adj. e s. m.* que ou linha que é formada pela sequência de pequenos traços

tracejar **I** *v. tr.* **1** fazer tracejado em; **2** esboçar; **II** *v. intr.* fazer traços; riscar

traço *s. m.* **1** risco; linha; **2** linha do rosto; feição; **3** *(fig.)* vestígio; sinal; **4** *(pop.)* pessoa elegante e atraente ❖ ***a traços largos*** sem entrar em minúcias; ***de um*** ~ de uma só vez

tractor *s. m.* veículo motorizado usado como reboque ou em trabalhos agrícolas

tradição *s. f.* **1** transmissão e conservação de usos e costumes de geração em geração; **2** conjunto de lendas, hábitos e práticas transmitidas de geração em geração; herança cultural; **3** costume; hábito

tradicional *adj. 2 gén.* **1** relativo a tradição; **2** fundado na tradição

tradicionalista **I** *adj. 2 gén.* **1** relativo a tradicionalismo; **2** conservador; **II** *s. 2 gén.* pessoa adepta do tradicionalismo

tradução *s. f.* **1** passagem de uma língua para outra; **2** texto ou obra traduzida; **3** *(fig.)* imagem; reflexo; **4** *(fig.)* interpretação; explicação

tradutor *adj. e s. m.* que ou pessoa que traduz

traduzir **I** *v. tr.* **1** passar de uma língua para outra; verter; **2** *(fig.)* exprimir; **3** *(fig.)* explicar; **II** *v. refl.* manifestar-se

traduzível *adj. 2 gén.* que se pode traduzir

tráfego *s. m.* **1** conjunto dos veículos que circulam numa via de comunicação; **2** transporte de mercadorias

traficante *adj. e s. 2 gén.* que ou pessoa que se dedica ao tráfico de estupefacientes ou a outros negócios ilegais

traficar *v. tr. e intr.* **1** fazer tráfico de; **2** fazer negócios ilegais

tráfico *s. m.* **1** troca de mercadorias; comércio; **2** *(pej.)* negócio ilegal; contrabando; ~ ***de drogas*** transporte e comércio ilegal de estupefacientes; ~ ***de influências*** uso de autoridade ou de prestígio junto de um órgão de poder para obter benefícios pessoais

trafulha *adj. e s. 2 gén. (pop.)* aldrabão; intrujão

trafulhice *s. f. (pop.)* intrujice; aldrabice

tragar *v. tr.* **1** engolir com avidez; **2** *(fig.)* fazer desaparecer

tragédia *s. f.* **1** TEAT. peça dramática que geralmente tem um final triste ou infeliz; **2** LIT. género a que pertence essa peça; **3** *(fig.)* acontecimento infeliz; desgraça

trágico-marítimo *adj.* (acontecimento infeliz) que sucedeu no mar

tragicomédia *s. f.* **1** TEAT. obra dramática que contém simultaneamente elementos da tragédia e da comédia e cujo desenlace não é trágico; **2** *(fig.)* situação em que se misturam acontecimentos trágicos e divertidos

trago *s. m.* porção de líquido engolido de uma só vez; gole ❖ ***de um*** ~ de uma vez só

traição *s. f.* **1** acto ou efeito de trair; **2** deslealdade; **3** infidelidade conjugal

traiçoeiro *adj.* que atraiçoa; desleal

traidor I *adj.* desleal; falso; **II** *s. m.* pessoa que comete traição

traineira *s. f.* barco de pesca aparelhado com redes para a pesca da sardinha

trair *v. tr.* **1** atraiçoar; enganar; **2** faltar ao cumprimento de; **3** ser infiel a; **4** divulgar (segredo)

trajar *v. tr.* usar como traje; vestir

traje *s. m.* roupa exterior; vestuário; ~ ***académico*** fato utilizado pelos estudantes universitários; ~ ***de cerimónia*** fato utilizado em ocasiões solenes ❖ ***estar em trajes menores*** estar só com roupa interior

trajecto *s. m.* espaço percorrido ou a percorrer; percurso

trajectória *s. f.* **1** linha descrita por um corpo em movimento; trajecto; **2** *(fig.)* percurso; caminho

trajo *s. m.* vd. **traje**

tralha *s. f.* **1** pequena rede de pesca; **2** *(pop.)* conjunto de objectos de pouco valor; amontoado de coisas

trama *s. f.* **1** conjunto de fios que se cruzam no sentido transversal de um tecido; **2** *(fig.)* enredo; intriga; **3** *(fig.)* conspiração

tramar I *v. tr.* **1** tecer; **2** *(fig.)* maquinar; **3** *(pop.)* prejudicar; **II** *v. refl. (fig.)* prejudicar-se

trambolhão *s. m.* queda com ruído; tombo ❖ ***andar aos trambolhões*** sofrer desaires; ter dissabores; ***cair do céu aos trambolhões*** surgir sem razão ou sem esforço; aparecer inesperadamente; ***dar um*** ~ cair

trâmite *s. m.* **1** caminho com direcção determinada; **2** [*pl.*] meios prescritos; **3** [*pl.*] via legal

tramóia *s. f. (pop.)* artimanha; embuste

trampa *s. f.* **1** *(cal.)* excremento; fezes; **2** *(cal., fig.)* porcaria

trampolim *s. m.* **1** prancha elástica que fornece impulso para uma pessoa saltar ou mergulhar; **2** *(fig.)* meios habilidosos para conseguir alcançar um objectivo

tranca *s. f.* barra de ferro ou de madeira que segura por dentro uma porta

trança *s. f.* madeixa de cabelos entrelaçados

trancar *v. tr.* **1** fechar com tranca (porta, janela); **2** riscar (documento escrito)

tranquilidade *s. f.* sossego; calma; paz

tranquilizador *adj. e s. m.* que ou o que tranquiliza

tranquilizante *s. m.* FARM. medicamento de acção neuro-sedativa, usado em situações de ansiedade; calmante

tranquilizar *v. tr. e refl.* acalmar(-se); serenar(-se)

tranquilo *adj.* calmo; sossegado; sereno

transacção *s. f.* **1** negócio ou operação comercial; **2** operação de compra e venda; **3** compromisso; combinação

transaccionar *v. tr. e intr.* **1** negociar; fazer transacções; **2** vender

transacto *adj.* que já passou; anterior

transatlântico *adj.* **1** situado do outro lado do Atlântico; **2** que atravessa o Atlântico

transbordar I *v. intr.* **1** sair das bordas; **2** *(fig.)* irradiar; **II** *v. tr.* passar (passageiro, mercadoria) de um meio de transporte para outro

transbordo *s. m.* (de passageiros, mercadorias) passagem de um meio de transporte para outro

transcendental *adj. 2 gén.* **1** que transcende; transcendente; **2** FIL. que é conhecido como uma condição a priori e não como um dado da experiência

transcendente *adj. 2 gén.* **1** que excede os limites normais; **2** que transcende a natureza física das coisas; metafísico; **3** sublime; superior

transcender *v. tr.* **1** passar além de; **2** ultrapassar; exceder

transcontinental *adj. 2 gén.* que atravessa um continente

transcrever *v. tr.* reproduzir por cópia; copiar

transcrição *s. f.* **1** reprodução de um texto escrito; cópia; **2** texto transcrito; **~ *fonética*** representação gráfica dos sons de uma língua através de alfabeto fonético próprio

transe *s. m.* **1** situação difícil e perigosa; crise; **2** estado de êxtase; exaltação

transeunte I *adj. 2 gén.* que passa; **II** *s. 2 gén.* pessoa que circula a pé nas ruas; peão

transexual *adj. e s. 2 gén.* **1** que ou pessoa que se identifica fortemente com o sexo oposto; **2** que ou pessoa que foi submetida a tratamento hormonal e cirúrgico para mudar de sexo

transferência *s. f.* **1** acto ou efeito de transferir; **2** (de funcionário, jogador) deslocação para diferente secção, cargo ou equipa; **3** (de estudante) mudança de escola, faculdade ou curso; **4** permuta; mudança; **5** ECON. movimento de dinheiro entre contas bancárias

transferidor *s. m.* utensílio semicircular, próprio para medir ângulos

transferir I *v. tr.* **1** mudar de um lugar para outro; **2** transmitir a outrem (bens, direitos); **3** ECON. movimentar dinheiro entre contas bancárias; **4** adiar (no tempo); **II** *v. refl.* ir para outro lugar; mudar-se

transferível *adj. 2 gén.* que se pode transferir

transfiguração *s. f.* transformação; mudança

transfigurar *v. tr. e refl.* transformar(-se); alterar(-se)

transformação *s. f.* modificação; alteração

transformador *s. m.* ELECTR. aparelho cujo objectivo é transferir energia eléctrica, em corrente alternada, de um circuito de baixa tensão para outro de alta tensão, ou vice-versa

transformar *v. tr. e refl.* modificar(-se); alterar(-se)

transfusão *s. f.* MED. operação que consiste em passar sangue, plasma ou soro de um indivíduo (dador) para outro (receptor)

transgénico *adj.* **1** BIOL. (animal, planta) que possui genes de outras espécies; **2** (organismo, planta) que foi submetido a alteração do código genético

transgredir *v. tr.* infringir; violar (lei, regras)

transgressão *s. f.* violação de lei ou convenção; infracção

transgressor *adj. e s. m.* que ou o que transgride; infractor

transição *s. f.* passagem de um lugar, de um estado ou de um assunto para outro; mudança gradual

transigência *s. f.* tolerância; condescendência

transigente *adj. 2 gén.* tolerante; condescendente

transigir *v. intr.* **1** chegar a acordo; ceder; **2** condescender

transístor *s. m.* ELECTR. dispositivo electrónico semicondutor, usado como amplificador, detector e modulador

transitar *v. intr.* passar; andar; circular

transitável *adj. 2 gén.* por onde se pode transitar

transitivo *adj.* **1** que dura pouco; passageiro; **2** GRAM. (verbo) que tem complemento directo (transitivo directo), ou complemento indirecto (transitivo indirecto), ou ambos (transitivo directo e indirecto)

trânsito *s. m.* **1** movimento de veículos numa via de comunicação; tráfego; **2** circulação de pessoas; afluência

transitoriedade *s. f.* qualidade do que é transitório; brevidade

transitório *adj.* que dura pouco tempo; passageiro; breve

translação *s. f.* ASTRON. movimento elíptico que a Terra realiza em torno do Sol

transladação *s. f.* acto ou efeito de transladar; transferência

transladar *v. tr.* transportar de um lugar para outro; mudar; transferir

translúcido *adj.* que deixa passar a luz; diáfano

transmissão *s. f.* **1** acto de transmitir; **2** comunicação de ideia ou informação; **3** passagem de bens, caracteres ou doenças a descendentes; **4** MED. contágio; **5** emissão radiofónica ou televisiva

transmissor **I** *adj.* que transmite; **II** *s. m.* aparelho que envia sinais à distância

transmitir **I** *v. tr.* **1** enviar de um lugar para outro; **2** conduzir; transportar; **3** transferir para a posse de outra pessoa (cargo, direito); **4** legar (bens); **5** passar a outrem (conhecimentos); **6** comunicar (mensagem, notícia); **7** contaminar (por vírus, doença); **II** *v. refl.* **1** propagar-se; **2** comunicar-se

transparecer *v. intr.* **1** aparecer através de; **2** *(fig.)* manifestar-se

transparência *s. f.* **1** qualidade do que é transparente; **2** fenómeno pelo qual os raios luminosos visíveis são observados através de certas substâncias; **3** acetato

transparente *adj. 2 gén.* **1** que se deixa atravessar pela luz e permite distinguir os objectos através de si; **2** *(fig.)* evidente; claro

transpiração *s. f.* **1** eliminação de suor pelas glândulas da pele; **2** suor

transpirar *v. intr.* **1** (pessoa) suar; **2** *(fig.)* (notícia) constar

transplantar *v. tr.* **1** MED. transferir (órgão); **2** arrancar (planta) de um sítio para plantar noutro

transplante *s. m.* **1** MED. transferência de orgão ou tecido, de um lugar ou de um corpo para outro; **2** mudança de plantas de um lugar para outro

transponível *adj. 2 gén.* que se pode transpor
transpor *v. tr.* **1** passar além de ou por cima de; **2** saltar; **3** ultrapassar
transportador *adj. e s. m.* que ou o que transporta
transportadora *s. f.* empresa de transporte de mercadorias
transportar *v. tr.* conduzir de um lugar para outro; levar
transportável *adj. 2 gén.* que pode ser transportado
transporte *s. m.* **1** acto ou efeito de transportar; **2** deslocação de objectos ou pessoas de um lugar para outro; **3** barco, veículo ou animal que serve para transportar; **4** [*pl.*] conjunto dos meios utilizados para a deslocação de pessoas ou objectos
transtornado *adj.* **1** (ordem) alterado; **2** (pessoa) perturbado
transtornar *v. tr.* **1** causar transtorno a; **2** alterar a ordem de; **3** (*fig.*) incomodar; **4** (*fig.*) perturbar
transtorno *s. m.* **1** acto ou efeito de transtornar; **2** (*fig.*) contratempo; incómodo; **3** (*fig.*) perturbação mental
transversal *adj. 2 gén.* **1** que atravessa; **2** colocado obliquamente
transviar *v. tr.* **1** desencaminhar; **2** (*fig.*) desviar (do caminho correcto); **3** (*fig.*) corromper
trapaça *s. f.* burla; engano
trapacear **I** *v. tr.* tratar com fraude; **II** *v. intr.* enganar
trapaceiro *adj. e s. m.* batoteiro; intrujão
trapalhada *s. f.* **1** mistura de coisas; confusão; **2** coisa que não se entende
trapalhão *s. m.* atabalhoado; desorganizado
trapalhice *s. f.* confusão; desordem
trapézio *s. m.* **1** DESP. aparelho com barra horizontal, para exercícios de ginástica; **2** ANAT. músculo que se insere nas vértebras dorsais e na parte ínfero-posterior da cabeça e a movimenta; **3** ANAT. primeiro osso da segunda série do carpo; **4** GEOM. quadrilátero com dois lados desiguais e paralelos entre si
trapezista *s. 2 gén.* DESP. pessoa que trabalha em trapézio
trapo *s. m.* **1** pedaço de pano velho; farrapo; **2** (*fig.*) pessoa muito abatida ou doente ❖ (*pop.*) ***juntar os trapos*** casar; ir viver com
traque *s. m.* porção de gases expelida pelo ânus
traqueia *s. f.* ANAT. canal situado entre a laringe e os brônquios, que conduz o ar para os pulmões
traquejo *s. m.* (*pop.*) destreza; perícia
traquina *adj. e s. 2 gén.* que ou criança que é travessa e irrequieta
traquinice *s. f.* diabrura; travessura
trás **I** *prep.* **1** (espacial) na parte posterior; atrás de; **2** (temporal) depois de; após; **II** *interj.* designativa da queda de um corpo ou de pancada
traseira *s. f.* **1** parte de trás; retaguarda; **2** [*pl.*] face ou compartimento posterior de um edifício
traseiro **I** *adj.* que está atrás; **II** *s. m.* rabo; nádegas
trasladação *s. f.* **1** transferência; **2** versão; **3** adiamento
trasladar *v. tr.* **1** transferir (de um lugar para outro); **2** traduzir (língua); **3** adiar (data)
trasorelho *s. m.* (*pop.*) vd. **papeira**
traste *s. m.* **1** utensílio velho; **2** (*pej.*) pessoa de mau carácter; velhaco
tratado *s. m.* **1** estudo ou obra escrita sobre tema científico, artístico, etc.; **2** acordo entre Estados; convenção
tratador *adj. e s. m.* **1** que ou pessoa que trata ou cuida de algo; **2** que ou o que trata de animais, especialmente cavalos

tratamento *s. m.* **1** acto ou efeito de tratar; **2** comportamento em relação a alguém; **3** modo de cumprimentar; **4** conjunto das terapias, remédios e cuidados usados num processo de cura; **5** (de lixo, resíduos) operação que permite modificar uma substância; INFORM. **~ *de informação*** recolha e elaboração de dados, e dos resultados respectivos, obtidos informaticamente

tratante *s. 2 gén.* pessoa que procede com má-fé; patife

tratar **I** *v. tr.* **1** proceder para com alguém de determinada forma; **2** ocupar-se de; **3** MED. submeter a processo terapêutico; **4** chamar alguém de; designar por; **5** expor (tema); **6** submeter uma substância (lixo, resíduos) a um processo que a modifique; **II** *v. intr.* **1** cuidar; **2** aplicar curativo; **3** negociar; **4** discorrer; **III** *v. refl.* **1** receber cuidados médicos; **2** curar-se; **3** ser o caso de

trato *s. m.* **1** tratamento; **2** convivência; **3** acordo

trauma *s. m.* **1** PSIC. acontecimento emocionalmente doloroso que torna o paciente particularmente sensível em situações semelhantes; **2** MED. ferimento, lesão ou contusão provocada por acção violenta de um agente externo; traumatismo

traumático *adj.* relativo a trauma

traumatismo *s. m.* **1** MED. ferimento, lesão ou contusão provocada por acção violenta de um agente externo; trauma; **2** (*fig.*) choque emocional

traumatizar *v. tr.* provocar trauma ou traumatismo em

trautear *v. tr. e intr.* cantarolar

travado *adj.* **1** (veículo) que tem as rodas imobilizadas por acção de travões; **2** (saia) apertado; justo; **3** (porta de veículo) fechado por dentro

travagem *s. f.* imobilização de um veículo pela acção dos travões

travão *s. m.* **1** (veículo) alavanca ou mecanismo que faz suster ou moderar o movimento; **2** (*fig.*) obstáculo; impedimento; freio

travar *v. tr.* **1** suster ou moderar o movimento de (aparelho ou veículo); **2** retardar ou impedir o andamento de; **3** iniciar (conversa); **4** fechar (porta); **5** (*fig.*) refrear (acção ou processo)

trave *s. f.* **1** peça de madeira gossa e comprida que sustenta as partes elevadas de uma construção; barrote; viga; **2** DESP. barra que suporta os postes de uma baliza; ARQ. **~ *mestra*** viga que recebe a maior carga numa construção

través *s. m.* esguelha; soslaio ❖ ***de ~*** de modo oblíquo; de lado

travessa *s. f.* **1** rua estreita e curta entre duas ruas principais; **2** prato alongado em que se serve comida; **3** peça de madeira ou metálica; **4** pequeno pente usado para segurar ou enfeitar o cabelo

travessão *s. m.* **1** gancho de cabelo; **2** GRAM. sinal gráfico (-) para marcar a fala dos interlocutores ou substituir o parêntese; **3** MÚS. (pauta) traço vertical para dividir graficamente os compassos

travesseira *s. f.* **1** almofada mais curta que o travesseiro; **2** capa de tecido que envolve e protege essa almofada; fronha

travesseiro *s. m.* **1** saco cheio de uma substância fofa para recosto ou decoração, que se atravessa sobre o colchão de lado a lado; **2** almofada; **3** capa de tecido que envolve e protege essa almofada; fronha; **4** CUL. doce de massa folhada, com recheio de ovos moles

travessia *s. f.* **1** acto de atravessar; **2** passagem através de uma grande extensão de terra ou de mar

travesso *adj.* **1** posto de través; oblíquo; **2** (criança) traquina; irrequieto

travessura *s. f.* **1** acto de pessoa travessa; **2** diabrura (de criança)

travesti *s. 2 gén.* pessoa que se veste com roupas associadas normalmente ao sexo oposto

travo *s. m.* **1** gosto amargo; **2** *(fig.)* impressão desagradável

trazer *v. tr.* **1** conduzir; transportar; **2** fazer-se acompanhar de; **3** vestir (roupa); **4** levar; **5** causar; ocasionar ❖ ***~ à memória*** recordar; ***~ consigo*** usar; ***~ debaixo de olho*** vigiar

trecentésimo I *num. ord.* que, numa série, ocupa a posição imediatamente a seguir à ducentésima nonagésima nona; **II** *num. frac.* que resulta da divisão de um todo por trezentos; **III** *s. m.* o que, numa série, ocupa o lugar correspondente ao número 300

trecho *s. m.* **1** fragmento de uma obra literária ou musical; **2** espaço de tempo ou lugar

treco *s. m.* *(pop.)* mal-estar súbito; indisposição

trégua *s. f.* **1** cessação temporária de uma dor, incómodo, etc.; **2** [*pl.*] suspensão temporária de hostilidades ❖ ***não dar tréguas*** não dar descanso

treinador *adj. e s. m.* que ou aquele que orienta um treino desportivo

treinar I *v. tr.* **1** tornar apto a desempenhar determinada actividade; **2** DESP. preparar para a prática de um desporto; exercitar; **II** *v. intr.* exercitar-se

treino *s. m.* **1** prepararação de animal, pessoa ou equipa, para o exercício de uma actividade ou desporto; **2** destreza adquirida através da experiência; prática

trejeito *s. m.* **1** tique nervoso; **2** esgar; careta

trela *s. f.* tira que se prende à coleira para conduzir os cães ❖ ***dar ~*** puxar conversa; dar confiança a (alguém)

trem *s. m.* **1** conjunto dos utensílios de cozinha; **2** *(Bras.)* comboio; AERON. ***~ de aterragem*** sistema articulado de suporte de um avião, que se apoia no solo por meio de rodas

trema *s. m.* GRAM. sinal gráfico (¨) formado por dois pontos justapostos, que em certas línguas se coloca sobre as vogais *i*, *e* ou *u*

tremelicar *v. intr.* **1** tremer de frio ou de susto; **2** tremer repetidamente

tremelique *s. m.* **1** acto de tremelicar; **2** susto; medo

tremendo *adj.* **1** que inspira horror; terrível; **2** *(fig.)* descomunal; enorme

tremer *v. intr.* **1** ter tremuras; **2** estremecer; oscilar; **3** *(fig.)* assustar-se

tremido *adj.* **1** (voz) vacilante; **2** (imagem) sem nitidez; **3** (negócio) arriscado; **4** *(coloq.)* (relação) instável

tremoço *s. m.* BOT. semente em forma de grão, utilizada na alimentação

tremor *s. m.* **1** acto ou efeito de tremer; **2** agitação convulsiva; ***~ de terra*** terramoto; sismo

trémulo *adj.* **1** que treme ou estremece; **2** *(fig.)* indeciso; hesitante

tremura *s. f.* **1** acto ou efeito de tremer; **2** tremor

trenó *s. m.* veículo sem rodas, próprio para deslizar sobre a neve e sobre o gelo

trepadeira *s. f.* BOT. planta que se eleva fixando-se a suportes

trepar I *v. tr.* subir a; **II** *v. intr.* **1** subir; **2** (planta) crescer elevando-se; **3** *(pop.)* (vinho) toldar o entendimento

trepidação *s. f.* **1** acto ou efeito de trepidar; **2** tremor; abalo

trepidante *adj. 2 gén.* **1** que trepida; **2** *(fig.)* vacilante; **3** *(fig.)* agitado

trepidar *v. intr.* **1** estremecer; tremer; **2** *(fig.)* hesitar

três I *num. card.* dois mais um; **II** *s. m.* *2 núm.* o número 3 e a quantidade representada por esse número ❖ ***não há duas sem ~*** uma desgraça nunca vem só

tresandar *v. intr.* **1** andar para trás; **2** exalar (cheiro, odor) em demasia

tresloucado *adj.* **1** desvairado; **2** louco

trespassar *v. tr.* **1** fazer o trespasse de (estabelecimento comercial); **2** furar de lado a lado; perfurar (bala, seta, etc.)

trespasse *s. m.* **1** acto ou efeito de trespassar; **2** transferência definitiva de um estabelecimento comercial

treta *s. f.* **1** conversa sem importância; lábia; léria; **2** *(fig.)* estratagema; astúcia

trevas *s. f. pl.* **1** ausência de luz; escuridão; **2** *(fig.)* ignorância; desconhecimento

trevo *s. m.* BOT. planta herbácea que apresenta três folhas muito pequenas

trevo-de-quatro-folhas *s. m.* {*pl.* trevos-de-quatro-folhas} BOT. planta herbácea que apresenta quatro folhas muito pequenas

treze I *num. card.* dez mais três; **II** *s. m.* o número 13 e a quantidade representada por esse número

trezentos I *num. card.* duzentos mais cem; **II** *s. m.* **1** o número 300 e a quantidade representada por esse número; **2** o século XIV

tríade *s. f.* conjunto de três coisas ou três pessoas

triagem *s. f.* escolha; selecção

triangular *adj. 2 gén.* **1** GEOM. que tem a forma de um triângulo; **2** GEOM. que tem por base um triângulo

triângulo *s. m.* **1** GEOM. polígono que tem três ângulos e três lados; **2** MÚS. instrumento com a forma de um triângulo de metal, que se percute com um pequeno ferro

triatlo *s. m.* DESP. conjunto de três provas ou modalidades

tribal *adj. 2 gén.* relativo a tribo

tribalismo *s. m.* organização das sociedades formadas por tribos

tribo *s. f.* conjunto de pessoas que provêm de um tronco comum, sob a autoridade de um chefe

tribuna *s. f.* **1** plataforma elevada de onde os oradores falam; **2** lugar alto e reservado a autoridades, numa cerimónia ou sessão solene; **3** (sala de espectáculos) plataforma situada num nível acima da plateia

tribunal *s. m.* **1** órgão de autoridade que pode julgar e fazer cumprir a justiça; **2** edifício onde se realizam os julgamentos e as audiências judiciais

tributar *v. tr.* lançar tributo sobre; taxar

tributário *adj.* **1** (direito, sistema) relativo a imposto; **2** (pessoa) que paga imposto

tributo *s. m.* **1** taxa exigida pelo Estado para fazer face às despesas públicas; imposto; **2** expressão pública de admiração ou respeito por alguém; homenagem

tricentenário *s. m.* comemoração de um facto ocorrido há trezentos anos

tricentésimo *num. e s. m.* vd. **trecentésimo**

triciclo *s. m.* velocípede de três rodas

tricô *s. m.* trabalho de malha feito com agulhas, à mão ou à máquina

tricolor *adj. 2 gén.* que tem três cores

tricot *s. m.* vd. **tricô**

tricotar *v. intr.* **1** fazer tricô; **2** executar um tecido em malha, com agulhas próprias, à mão ou à máquina

tridimensional *adj. 2 gén.* que tem três dimensões (comprimento, largura e altura)

trienal *adj. 2 gén.* **1** que dura três anos; **2** que se realiza de três em três anos

triénio *s. m.* período de três anos
trifásico *adj.* que tem três fases
trigémeo *s. m.* **1** pessoa que nasceu do mesmo parto que outros dois; **2** ANAT. nervo sensitivo-motor que pertence ao quinto par de nervos cranianos
trigésimo I *num. ord.* que, numa série, ocupa a posição imediatamente a seguir à vigésima nona; **II** *num. frac.* que resulta da divisão de um todo por trinta; **III** *s. m.* o que, numa série, ocupa o lugar correspondente ao número 30
trigo *s. m.* **1** BOT. planta herbácea, cujo grão se reduz a farinha para fazer pão; **2** grão dessa planta ❖ ***separar o ~ do joio*** distinguir entre o bom e o mau
trigonometria *s. f.* MAT. estudo das funções e relações trigonométricas, e da sua aplicação à resolução dos problemas relativos aos triângulos
trigueiro *adj.* **1** que é da cor do trigo maduro; **2** semelhante a trigo; **3** moreno
tríler *s. m.* vd. **thriller**
trilha *s. f.* **1** AGRIC. debulha dos cereais com o trilho; **2** rasto; **3** caminho
trilhadela *s. f.* ferida ou escoriação produzida por calcadela ou apertão
trilhar *v. tr.* **1** entalar; ferir (parte do corpo); **2** calcar; pisar (com o pé); **3** percorrer (caminho); **4** AGRIC. debulhar (cereais)
trilho *s. m.* **1** carril onde circulam veículos como o comboio e o eléctrico; **2** caminho; vereda; **3** AGRIC. utensílio para debulhar cereais
trilião *num. card. e s. m.* um milhão de biliões; a unidade seguida de dezoito zeros (10^{18})
trilingue *adj. 2 gén.* **1** (texto) escrito em três línguas; **2** (pessoa) que fala três línguas
trilo *s. m.* MÚS. articulação rápida e alternada de duas notas musicais conjuntas
trilogia *s. f.* conjunto de três obras de um autor, ligadas por um tema comum
trimestral *adj. 2 gén.* que se realiza de três em três meses
trimestre *s. m.* período de três meses
trinca *s. f.* golpe feito com os dentes; dentada
trincadela *s. f.* **1** acto de trincar; **2** dentada; mordidela
trinca-espinhas *s. 2 gén. 2 núm. (pop.)* pessoa alta e muito magra
trincar *v. tr.* **1** partir ou cortar com os dentes; **2** apertar com os dentes; **3** *(pop.)* comer; petiscar
trincha *s. f.* pincel espalmado
trinchar *v. tr.* CUL. cortar (carne) em pedaços ou fatias
trincheira *s. f.* MIL. obra de fortificação constituída por uma escavação do terreno, destinada a proteger os soldados
trinco *s. m.* tranca da porta que se levanta ou faz correr por meio de chave
trindade *s. f.* grupo de três pessoas ou três coisas semelhantes
Trindade *s. f.* RELIG. mistério fundamental do Cristianismo, segundo o qual em Deus uno há três pessoas distintas (Pai, Filho e Espírito Santo)
trineta *s. f.* filha de bisneto ou de bisneta
trineto *s. m.* filho de bisneto ou de bisneta
trinitário *adj.* **1** composto por três; **2** RELIG. relativo a Trindade
trinta I *num. card.* vinte mais dez; **II** *s. m.* o número 30 e a quantidade representada por esse número
trinta-e-um *s. m. 2 núm.* **1** jogo cuja finalidade é perfazer trinta e um pontos ou aproximar-se desse número por defeito e nunca por excesso;

2 *(pop.)* tumulto; desordem; 3 *(pop.)* grande problema; complicação

trintão *s. m.* pessoa cuja idade se situa entre os 30 e os 40 anos

trio *s. m.* 1 conjunto de três elementos; 2 MÚS. composição musical executada por três instrumentos ou interpretada por três vozes

tripa *s. f.* 1 intestino de animal; 2 *(pop.)* intestino humano; 3 [*pl.*] CUL. prato preparado com vísceras de vaca ou vitela; dobrada ❖ ***fazer das tripas coração*** suportar com paciência; ***pau de virar tripas*** pessoa muito magra

tripar *v. intr.* *(gír.)* entrar em delírio; descontrolar-se

tripartir *v. tr.* partir em três partes

tripé *s. m.* suporte de três pernas articuladas

tripeiro I *adj.* *(reg.)* *(coloq.)* relativo à cidade do Porto; portuense; II *s. m.* *(reg.)* *(coloq.)* pessoa natural da cidade do Porto; portuense

tripla *s. f.* 1 ELECTR. (ficha) peça com dois pinos que permite a ligação simultânea de três fichas à corrente; 2 marcação dos três resultados possíveis (vitória, empate, derrota) num boletim de apostas mútuas desportivas

triplicado I *adj.* multiplicado por três; II *s. m.* 1 terceiro exemplar; 2 segunda cópia

triplicar *v. tr.* 1 achar o triplo de; multiplicar por três; 2 *(fig.)* tornar muito maior; aumentar muito

triplo I *num. mult.* que contém três vezes a mesma quantidade; II *adj.* que é três vezes maior; III *s. m.* valor ou quantidade três vezes maior

tripulação *s. f.* conjunto das pessoas que trabalham a bordo de um navio ou de um avião

tripulante *s. 2 gén.* pessoa que trabalha a bordo de um navio ou de um avião

tripular *v. tr.* governar ou dirigir (uma embarcação ou um avião)

trisavó *s. f.* mãe de um dos bisavós

trisavô *s. m.* pai de um dos bisavós

trissílabo I *s. m.* GRAM. palavra de três sílabas; II *adj.* que tem três sílabas

triste I *adj. 2 gén.* 1 deprimido; melancólico; 2 que inspira tristeza; penoso; 3 sombrio; 4 lúgubre; 5 insignificante; 6 rídiculo; II *s. 2 gén.* pessoa infeliz

tristeza *s. f.* estado de quem sente insatisfação, mal-estar ou abatimento; angústia

tristonho *adj.* *(coloq.)* melancólico

tritongo *s. m.* GRAM. reunião de três vogais que se pronunciam numa só emissão de voz

triturado *adj.* 1 moído; esmagado; 2 *(fig.)* atormentado

trituradora *s. f.* aparelho munido de um recipiente com lâminas giratórias e removíveis para triturar alimentos

triturar *v. tr.* 1 reduzir a pó; 2 moer; esmagar; 3 mastigar (alimento); 4 *(fig.)* torturar

triunfal *adj. 2 gén.* 1 relativo a triunfo; 2 apoteótico

triunfante *adj. 2 gén.* 1 vitorioso; 2 radiante; 3 pomposo

triunfar *v. intr.* 1 alcançar uma vitória; ter êxito; 2 sair-se bem

triunfo *s. m.* 1 vitória; 2 êxito

triunvirato *s. m.* governo de três pessoas

trivial *adj. 2 gén.* comum; vulgar; banal

trivialidade *s. f.* dito ou coisa trivial; banalidade

triz *s. m.* momento; instante ❖ ***por um ~*** por pouco

troca *s. f.* 1 operação pela qual se transfere um bem; 2 mudança; substituição; 3 câmbio de valores;

4 comunicação recíproca de informações ou documentos

troça *s. f.* **1** acto ou efeito de troçar; **2** escárnio; zombaria

trocadilho *s. m.* **1** jogo de palavras; **2** expressão ambígua

trocado *s. m.* dinheiro miúdo

trocar **I** *v. tr.* **1** fazer a troca de; permutar; **2** tomar uma coisa em vez de outra; **3** substituir; **4** converter em dinheiro miúdo (moeda ou nota de maior valor); **5** partilhar (experiências, ideias); **II** *v. refl.* **1** transformar-se; **2** mudar de roupa ❖ ***~ as voltas*** confundir

troçar *v. intr.* fazer troça de; zombar de

troca-tintas *s. 2 gén. e 2 núm.* pessoa de pouco crédito; pessoa que está sempre a mudar de opinião

trocista *adj. e s. 2 gén.* que ou pessoa que faz ou gosta de fazer troça

troco *s. m.* **1** quantia que se recebe quando se paga algo com moeda superior ao preço devido; **2** conjunto de moedas ou notas de baixo valor, equivalente a uma quantia superior ❖ ***a ~ de*** em resposta a, por; ***não dar ~*** não ligar importância; não responder

troço *s. m.* **1** pedaço de qualquer coisa; fragmento; **2** parte de uma estrada ou de um rio; **3** caule de certas plantas, especialmente couves

troféu *s. m.* qualquer símbolo de uma vitória

troglodita **I** *adj. 2 gén.* que vive em cavernas; **II** *s. 2 gén.* **1** pessoa que vive em cavernas ou debaixo da terra; **2** *(fig., pej.)* pessoa grosseira

trolha *s. m.* operário que assenta a argamassa nas paredes, caia, conserta telhados, etc.

tromba *s. f.* **1** ZOOL. focinho saliente, muito alongado; **2** METEOR. coluna de água que o vento levanta e faz girar; **3** *(pop.)* cara ❖ ***estar/ficar de trombas*** estar/ficar de mau humor

trombada *s. f.* **1** pancada com a tromba; **2** choque; colisão

tromba-d'água *s. f.* {*pl.* trombas-d'água} METEOR. fenómeno de formação de uma coluna de água que, saindo de uma nuvem e girando rapidamente sobre si própria, produz um redemoinho que descarrega num aguaceiro forte

trombeta *s. f.* MÚS. instrumento de sopro, formado por um tubo metálico, comprido e afunilado

trombone *s. m.* MÚS. instrumento de sopro, formado por dois tubos encaixados um no outro, que se alongam ou encolhem

trombonista *s. 2 gén.* pessoa que toca trombone

trombose *s. f.* MED. formação de coágulos sanguíneos no interior dos vasos onde circula o sangue

trombudo *adj.* **1** que tem tromba grande; **2** *(fig.)* amuado; carrancudo

trompa *s. f.* **1** MÚS. instrumento de sopro, metálico e curvo, maior que a trombeta; **2** ANAT. órgão tubular que estabelece comunicação entre duas cavidades

trompete *s. f.* MÚS. instrumento de sopro de metal, em forma de tubo alongado que termina em pavilhão cónico

trompetista *s. 2 gén.* pessoa que toca trompete

tronco *s. m.* **1** BOT. caule lenhoso das árvores e arbustos; **2** ANAT. região do tórax e abdómen, que suporta a cabeça e os membros; **3** origem de família; linhagem; ascendência

trono *s. m.* **1** assento que os monarcas e o Papa ocupam em ocasiões solenes; **2** *(fig.)* poder soberano; **3** *(fig.)* realeza

tropa *s. f.* 1 MIL. conjunto de soldados; exército; 2 *(coloq.)* serviço militar

tropeção *s. m.* acto de tropeçar; queda

tropeçar *v. intr.* 1 embater com o pé em alguma coisa; esbarrar; 2 deparar inesperadamente com; 3 *(fig.)* cair em erro; enganar-se

trôpego *adj.* que sente dificuldade em andar ou mover algum membro

tropical *adj. 2 gén.* 1 relativo a trópico; 2 (temperatura, clima) quente

trópico *s. m.* GEOG. cada um dos dois círculos menores da Terra, paralelos ao equador, o do hemisfério norte denominado *de Câncer* e o do hemisfério sul *de Capricórnio*

troposfera *s. f.* GEOG. camada inferior da atmosfera em contacto com a superfície terrestre

trote *s. m.* modo de locomoção do cavalo e de certos quadrúpedes, entre o passo e o galope

trotineta *s. f.* brinquedo constituído por uma tábua montada sobre duas rodas, munida de uma haste com guiador

trouxa I *s. f.* embrulho de roupa; II *adj. e s. 2 gén. (coloq.)* palerma

trouxa-de-ovos *s. f.* {*pl.* trouxas-de-ovos} CUL. doce de ovos que lembra uma trouxa

trova *s. f.* LIT. composição poética ligeira e popular

trovador *s. m.* LIT. (Idade Média) poeta provençal e peninsular que cultivava a poesia lírica

trovadoresco *adj.* 1 relativo a trovador medieval; 2 relativo à sua poesia

trovão *s. m.* ruído que acompanha a descarga eléctrica nas trovoadas

trovejar *v. intr.* soar (o trovão); haver trovoada

trovoada *s. f.* 1 série de trovões; 2 *(fig.)* grande estrondo

trucidar *v. tr.* matar com crueldade; mutilar

trufa *s. f.* 1 BOT. cogumelo subterrâneo de constituição tubercular, aromático e comestível; 2 CUL. bombom de chocolate

truncar *v. tr.* 1 separar (uma parte do tronco); 2 omitir uma parte importante de (obra literária, texto); 3 GEOM. cortar (sólido geométrico) por um plano secante

trunfa *s. f.* cabelo abundante e com muito volume

trunfar I *v. intr.* (jogo de cartas) jogar trunfo; II *v. tr.* cortar (uma jogada) com trunfo

trunfo *s. m.* 1 (jogo de cartas) naipe superior aos outros; 2 *(fig.)* vantagem

truque *s. m.* 1 forma habilidosa de fazer algo; 2 ardil; manha

truta *s. f.* ZOOL. peixe de água doce ou salgada

truz *interj.* imitativa do ruído produzido pela queda de um corpo ou detonação de uma arma de fogo

truz-truz *interj.* imitativa do ruído produzido pelo acto de bater a uma porta

tsé-tsé *s. f.* ZOOL. mosca africana, transmissora da doença-do-sono

TSF [*sigla de* Telefonia Sem Fios]

t-shirt *s. f.* {*pl.* t-shirts} camisa de malha de algodão com manga curta

tsunami *s. m.* GEOG. vaga oceânica provocada por tremor de terra submarino, erupção vulcânica ou tufão

TTA (ensino) [*sigla de* Técnicas de Tradução de Alemão]

TTF (ensino) [*sigla de* Técnicas de Tradução de Francês]

TTI (ensino) [*sigla de* Técnicas de Tradução de Inglês]

tu *pron. pess.* designa a segunda pessoa do singular e indica a pessoa a quem se fala ou escreve ⟨*foste tu?*⟩

❖ ***tratar por ~*** ser familiar; ter à-vontade; ***~ cá, ~ lá*** com familiaridade

tuba *s. f.* MÚS. instrumento de sopro de três pistões; trombeta

tubagem *s. f.* conjunto ou disposição de tubos; canalização

tubarão *s. m.* ZOOL. peixe de grande porte e muito voraz, frequente nos mares quentes

tubérculo *s. m.* **1** BOT. caule grosso, em regra subterrâneo, com folhas reduzidas e carregadas de reservas nutritivas; **2** MED. tumor

tuberculose *s. f.* MED. doença contagiosa produzida por um bacilo (de Koch), geralmente pulmonar

tuberculoso I *adj.* **1** MED. relativo a tuberculose; **2** BOT. relativo a tubérculo; **II** *s. m.* MED. pessoa que sofre de tuberculose

tubo *s. m.* **1** cano cilíndrico para condução de fluidos; **2** vaso estreito e cilíndrico; **3** embalagem cilíndrica fechada numa ponta e aberta na outra, para produto medicinal; QUÍM. ***~ de ensaio*** tubo de vidro fechado numa das extremidades, usado em laboratório; MEC. ***~ de escape*** tubo de descarga do automóvel; ANAT. ***~ digestivo*** conjunto dos órgãos por onde passam os alimentos para serem transformados e assimilados

tucano *s. m.* ZOOL. ave trepadora de cores vivas, com o bico grande e longo

tudo *pron. indef.* a totalidade de pessoas ou coisas ❖ ***acima de ~*** em primeiro lugar; principalmente; ***dar ~ por ~*** fazer todos os possíveis; ***estar por ~*** estar disposto a sofrer todas as consequências

tufão *s. m.* METEOR. vento tempestuoso e muito violento

tufo *s. m.* **1** porção de plantas, flores, penas, etc., muito juntas; **2** (vestuário) saliência ou refolho do tecido

tugir *v. intr.* falar muito baixo ❖ ***sem ~ nem mugir*** sem dizer nada

tule *s. m.* tecido transparente de seda ou de algodão

túlio *s. m.* QUÍM. elemento metálico com o número atómico 69 e símbolo Tm

tulipa *s. f.* vd. **túlipa**

túlipa *s. f.* **1** BOT. planta ornamental de raiz bulbosa e com uma única flor de cor vistosa; **2** BOT. flor dessa planta

tumba I *s. f.* túmulo; **II** *interj.* imitativa do ruído produzido por queda ou pancada

tumor *s. m.* MED. formação patológica de tecido novo que se forma por multiplicação anormal de células

tumular *adj. 2 gén.* relativo a túmulo

túmulo *s. m.* monumento construído em memória da pessoa nele sepultada; sepultura

tumulto *s. m.* **1** movimento barulhento e desordenado de pessoas; **2** motim; **3** (*fig.*) inquietação

tumultuoso *adj.* agitado; desordeiro

tuna *s. f.* grupo musical, geralmente constituído por estudantes universitários, em que predominam os instrumentos de corda

tundra *s. f.* GEOG. vegetação característica da zona árctica, que se desenvolve após os degelos, constituída fundamentalmente por líquenes e por musgos

túnel *s. m.* passagem coberta, usada como via de comunicação

tuneladora *s. f.* máquina, própria para abrir túneis

tungsténio *s. m.* QUÍM. elemento metálico com o número atómico 74 e símbolo W, muito duro e dificilmente fusível

túnica *s. f.* **1** peça de vestuário comprida e larga; **2** BIOL. membrana que forma as paredes de um órgão; **3** BOT. invólucro de um bolbo

tunisiano I *s. m.* {*f.* tunisiana} pessoa natural da Tunísia (Norte de África); **II** *adj.* relativo à Tunísia

tuno *s. m.* *(acad.)* pessoa que faz parte de uma tuna

tupperware *s. m.* {*pl.* tupperwares} recipiente de plástico com tampa, usado para conservar alimentos

turbante *s. m.* pano que se enrola à volta da cabeça, usado pelos homens em alguns países orientais

turbilhão *s. m.* **1** vento tempestuoso que sopra girando; **2** movimento rápido e rotativo de uma massa de água; **3** *(fig.)* agitação

turbina *s. f.* motor cujo movimento é provocado pelo impulso de uma corrente de um fluido

turbo *s. m.* MEC. pequena turbina que, ao comprimir os gases de escape, permite aumentar o rendimento do automóvel

turbulência *s. f.* **1** agitação; **2** METEOR. instabilidade atmosférica

turbulento *adj.* **1** desordeiro; **2** agitado

turco I *s. m.* {*f.* turca} **1** pessoa natural da Turquia (Sudoeste da Ásia); **2** língua oficial da Turquia; **II** *adj.* **1** relativo a Turquia; **2** (tecido) que é muito felpudo (usado em toalhas de banho e roupões)

turismo *s. m.* **1** actividade de viajar por lazer ou com objectivo cultural; **2** conjunto dos serviços necessários para essa actividade; **3** movimento de turistas

turista *s. 2 gén.* pessoa que viaja por recreio ou para se instruir

turístico *adj.* relativo a turismo

turma *s. f.* **1** grupo de estudantes que seguem o mesmo programa e frequentam as mesmas aulas; **2** *(Bras.)* grupo de amigos; pessoal

turno *s. m.* **1** grupo de pessoas que se alternam em certos serviços ou actos; **2** vez; ordem ❖ ***por seu ~*** por sua vez

turquês *s. f.* utensílio de metal, semelhante a uma tenaz, que serve para apertar ou arrancar um objecto

turquesa I *s. f.* MIN. pedra preciosa azul ou verde-azulada; **II** *s. m.* cor dessa pedra; **III** *adj. 2 gén.* que tem essa cor

turra *s. f.* *(pop.)* pancada com a testa; cabeçada ❖ ***andar às turras*** andar zangado; dar-se mal com (alguém)

turrão *adj.* *(fig.)* teimoso

turvação *s. f.* **1** acto ou efeito de turvar; **2** inquietação; **3** confusão

turvar *v. tr.* **1** tornar turvo; **2** escurecer; **3** perturbar

turvo *adj.* **1** opaco; embaciado; **2** escuro; **3** *(fig.)* perturbado; **4** *(fig.)* confuso

tuta-e-meia *s. f.* {*pl.* tuta-e-meias} *(pop.)* insignificância; bagatela

tutano *s. m.* **1** ANAT. medula dos ossos; **2** *(fig.)* âmago

tutela *s. f.* **1** autoridade legal sobre uma pessoa menor ou incapaz; **2** *(fig.)* protecção; **3** *(fig.)* sujeição

tutelar I *v. tr.* **1** pôr sob tutela; **2** proteger como tutor; **II** *adj. 2 gén.* relativo a tutela

tutor *s. m.* **1** DIR. encarregado da tutela de alguém; **2** *(fig.)* protector

tutorial *s. m.* INFORM. série de instruções que explicam o funcionamento de um determinado programa

tutti frutti *adj. 2 gén. 2 núm.* constituído por ou aromatizado com diversos frutos

tutu *s. m.* *(infant.)* nádegas

TV [*abrev. de* televisão]

twist *s. m.* {*pl.* twists} dança de origem norte-americana, caracterizada por um ritmo rápido e movimentos ágeis de pernas, braços e quadris

U

u *s. m.* vigésima primeira letra e quinta vogal do alfabeto

U QUÍM. [*símbolo de* **urânio**]

úbere **I** *adj. 2 gén.* **1** fértil; **2** abundante; **II** *s. m.* órgão mamário das fêmeas de alguns animais; teta

ubíquo *adj.* que está ao mesmo tempo em toda a parte; omnipresente

ucraniano **I** *s. m.* {*f.* ucraniana} **1** pessoa natural da Ucrânia (leste da Europa); **2** língua indo-europeia falada na Ucrânia; **II** *adj.* relativo à Ucrânia

UE [*sigla de* **U**nião **E**uropeia]

UEFA [*sigla de* **U**nion **E**uropéenne de **F**ootball **A**ssociation] União Europeia de Futebol

UEM [*sigla de* **U**nião **E**conómica e **M**onetária]

UEO [*sigla de* **U**nião da **E**uropa **O**cidental]

uf *interj.* exprime alívio ou cansaço

ufa *interj.* exprime alívio, cansaço ou admiração

ufano *adj.* orgulhoso; vaidoso

ugandês **I** *s. m.* {*f.* ugandesa} pessoa natural do Uganda (África oriental); **II** *adj.* relativo ao Uganda

uh *interj.* exprime dor, repugnância ou intenção de assustar alguém

UHF [*sigla de* **u**ltra **h**igh **f**requency] frequência ultra-alta

ui *interj.* exprime dor, espanto, surpresa ou repugnância

uísque *s. m.* vd. **whisky**

uivar *v. intr.* **1** (lobo, cão) emitir uivos; **2** (vento) produzir um som agudo e prolongado; **3** (*fig.*) gritar; vociferar

uivo *s. m.* **1** som produzido pelo lobo, cão e por outros animais; **2** grito humano, agudo e contínuo

úlcera *s. f.* MED. lesão de difícil cicatrização que ocorre no revestimento cutâneo ou numa mucosa; ferida

ulite *s. f.* MED. inflamação das gengivas; gengivite

ulmeiro *s. m.* BOT. árvore de grande porte, com folhas caducas e frutos sem pedúnculo

ulmo *s. m.* vd. **ulmeiro**

ulterior *adj. 2 gén.* que está, vem ou sucede depois; posterior

ultimamente *adv.* recentemente; há pouco

ultimar *v. tr.* **1** pôr fim a; terminar; **2** fechar (um negócio)

últimas *s. f. pl.* **1** ponto extremo; limite; **2** (*coloq.*) notícia recente ❖ ***dar as/estar nas ~*** estar perto do fim

ultimato *s. m.* **1** últimas propostas ou condições que uma nação apresenta a outra, e de cuja aceitação ou recusa depende a paz ou a guerra; **2** resolução irrevogável

último **I** *adj.* **1** que está, vai ou vem no fim de todos; **2** definitivo; irrevogável; **3** que está em vigor; actual; **4** o mais recente; **II** *s. m.* aquilo que está ou vem no final ❖ ***por ~*** finalmente; em conclusão

ultra *adj. e s. 2 gén.* que ou pessoa que é extremista ou radical

ultrajado *adj.* que recebeu ultraje; ofendido

ultrajante *adj. 2 gén.* que ofende a dignidade de alguém
ultrajar *v. tr.* fazer ultraje a; insultar; injuriar
ultraje *s. m.* ofensa grave; insulto
ultraleve **I** *s. m.* AERON. aparelho de voo muito leve, constituído por asas de fibra ou tela, leme simples, um pequeno motor e um assento para o tripulante; **II** *adj. 2 gén.* extremamente leve
ultramar *s. m.* região ou regiões que estão além-mar
ultramarino *adj.* relativo ou pertencente ao ultramar
ultramoderno *adj.* que é muito moderno
ultrapassado *adj.* **1** que se ultrapassou; **2** que foi superado; **3** antiquado; desactualizado
ultrapassagem *s. f.* passagem de um veículo para diante de outro que circule no mesmo sentido, ou para diante de qualquer obstáculo que surja na sua frente
ultrapassar *v. tr.* **1** passar além de; transpor; **2** passar para diante de (um automóvel); **3** exceder; superar
ultra-secreto *adj.* que é altamente secreto
ultra-som *s. m.* {*pl.* ultra-sons} FÍS. onda sonora de frequência superior ao limite dos sons audíveis
ultra-sónico *adj.* relativo a ultra-som
ultravioleta *adj. 2 gén. 2 núm.* FÍS. (radiação electromagnética) que tem um comprimento de onda compreendido entre o do extremo violeta do espectro visível e os dos raios X moles
ulular *v. intr.* **1** (ave nocturna) produzir som lamentoso; **2** (cão, lobo) uivar; ganir; **3** (*fig.*) (pessoa) queixar-se
um **I** *art. indef.* antecede um substantivo, indicando referência imprecisa e indeterminada ⟨*um texto*⟩; **II** *pron. indef.* **1** alguma pessoa; alguém; **2** alguma coisa; algum; **III** *num. card.* **1** a unidade; **2** MAT. o primeiro da série dos números inteiros positivos; **3** MAT. o primeiro (o menor) dos números naturais; **IV** *s. m.* **1** o número 1 e a quantidade representada por esse número; **2** o que, numa série, ocupa o primeiro lugar
umbigo *s. m.* ANAT. cicatriz abdominal resultante do corte do cordão umbilical
umbilical *adj. 2 gén.* referente ao umbigo; ***cordão ~*** cordão que une o feto à placenta
umbral *s. m.* ombreira de porta; entrada
úmero *s. m.* ANAT. osso longo que vai do ombro ao cotovelo
unânime *adj. 2 gén.* **1** que está de acordo; **2** que exprime concordância geral
unanimidade *s. f.* conformidade geral de ideias, pensamentos, opiniões, votos, etc.; concordância ❖ ***por ~*** por consenso
unção *s. f.* RELIG. aplicação dos santos óleos a uma pessoa para a sagrar ou conferir-lhe uma graça
undécimo **I** *num. ord.* que, numa série, ocupa a posição imediatamente a seguir à décima; décimo primeiro; **II** *num. frac.* que resulta da divisão de um todo por onze; **III** *s. m.* o que, numa série, ocupa o lugar correspondente ao número 11
UNESCO [*sigla de* United Nations Educational, Scientific and Cultural Organization] Organização das Nações Unidas para a Educação, Ciência e Cultura
ungido *adj.* RELIG. que recebeu unção
ungir *v. tr.* **1** untar com óleo; **2** RELIG. dar a extrema-unção a

unguento *s. m.* FARM. medicamento para uso externo, de consistência pastosa

unha *s. f.* ANAT. órgão córneo (de origem cutânea) que reveste a extremidade dos dedos de muitos animais ❖ ***com unhas e dentes*** afincadamente; ***por uma ~ negra*** por pouco; ***ser ~ e carne com*** ser íntimo de

unhas-de-fome *s. 2 gén. e 2 núm. (depr.)* pessoa agarrada ao dinheiro e pouco generosa

união *s. f.* **1** ligação; associação; **2** acordo; pacto; **3** casamento; DIR. ***~ de facto*** relação íntima entre duas pessoas que vivem juntas sem o vínculo do matrimónio; ***traço de ~*** hífen

unicamente *adv.* **1** somente; **2** simplesmente

UNICEF [*sigla de* United Nations International Children's Emergency Fund] Fundo das Nações Unidas para a Infância

unicelular *adj. 2 gén.* BIOL. constituído por uma única célula

unicidade *s. f.* qualidade do que é único

único *adj.* **1** que é só um; **2** que não tem igual; exclusivo; **3** que aconteceu uma só vez; **4** *(fig.)* excepcional

unicórnio *s. m.* ZOOL. rinoceronte asiático que apresenta um corno na linha média e superior da cabeça

unidade *s. f.* **1** carácter do que é uno, do que forma um todo; **2** o número um; **3** MAT. cada um dos elementos de uma colecção ou conjunto, perante a operação de contar os objectos; **4** grandeza determinada, adoptada por convenção e utilizada para exprimir quantitativamente grandezas da mesma espécie; ***~ de medida*** grandeza que se toma para medir outra da mesma espécie

unido *adj.* **1** junto com outro; ligado; **2** *(fig.)* amigo; íntimo

unificação *s. f.* **1** união de vários elementos num todo; **2** associação; **3** centralização

unificar **I** *v. tr.* **1** tornar uno ou unido; **2** reunir várias partes num todo; **II** *v. refl.* reunir-se em um todo

uniforme **I** *adj. 2 gén.* **1** que tem uma só forma; **2** idêntico em todas as suas partes; homogéneo; **II** *s. m.* vestuário com características específicas, para uso profissional; farda

uniformidade *s. f.* **1** qualidade de uniforme; **2** constância; regularidade; **3** coerência; harmonia

uniformizar **I** *v. tr.* **1** tornar uniforme; **2** tratar segundo determinado critério; sistematizar; **II** *v. refl.* **1** tornar-se uniforme; **2** fardar-se

unilateral *adj. 2 gén.* **1** situado só de um lado; **2** DIR. (contrato) que só uma das partes contrai obrigações para com a outra

unilingue *adj. 2 gén.* escrito ou transmitido numa só língua

unir *v. tr.* **1** ligar; **2** reunir; **3** casar

unissexo *adj. 2 gén. 2 núm.* que se destina aos dois sexos

unissexuado *adj.* vd. **unissexual**

unissexual *adj. 2 gén.* **1** BIOL. que tem um só sexo; **2** BOT. (flor) que não tem androceu ou gineceu

uníssono **I** *adj.* **1** que tem um som da mesma frequência que outro; **2** *(fig.)* unânime; consensual; **II** *s. m.* MÚS. acorde de vozes ou instrumentos que fazem ouvir os mesmos sons ❖ ***em ~*** ao mesmo tempo; em coro

unitário *adj.* relativo a unidade

universal *adj. 2 gén.* **1** relativo ou pertencente ao universo; **2** de todo o mundo; mundial; **3** que abrange tudo; geral

universalidade *s. f.* **1** qualidade do que é universal; **2** totalidade; generalidade
universalismo *s. m.* **1** carácter do que é universal; **2** tendência para universalizar alguma coisa
universalizar *v. tr.* tornar universal; generalizar
universalmente *adv.* **1** de modo universal; **2** em toda a parte
universidade *s. f.* **1** instituição de ensino superior constituída pelas várias Faculdades; **2** edifício ou conjunto de edifícios onde funciona essa instituição
universitário **I** *s. m.* professor ou estudante de universidade; **II** *adj.* relativo a universidade
universo *s. m.* **1** conjunto de tudo quanto existe, como um todo; mundo; Terra; **2** ASTRON. conjunto formado pelo espaço com todos os corpos celestes; cosmos; **3** ambiente ou meio onde se vive; contexto
univitelino *adj.* BIOL. (gémeo) que provém de um único óvulo; monozigótico
unívoco *adj.* que só admite uma interpretação; inequívoco
uno *adj.* **1** que é único no seu género ou na sua espécie; singular; **2** que não se pode decompor; indivisível
untar *v. tr.* esfregar com qualquer substância oleosa; besuntar; olear; *(coloq.)* **~ *as unhas/as mãos a (alguém)*** corromper com dinheiro; subornar
unto *s. m.* **1** banha de porco; **2** qualquer substância gordurosa
upa *interj.* **1** usada para incitar alguém a levantar-se ou a subir; **2** exprime esforço ao levantar um peso
urânio *s. m.* QUÍM. elemento metálico e radioactivo, com o número atómico 92 e símbolo U
Urano *s. m.* ASTRON. planeta do sistema solar, cuja órbita fica entre a de Saturno e a de Neptuno
urbanismo *s. m.* **1** conjunto das questões relativas à organização e planeamento das cidades e à sua evolução; **2** arquitectura urbana
urbanista *adj. e s. 2 gén.* que ou pessoa que se dedica a questões ou a trabalhos de urbanismo
urbanístico *adj.* **1** relativo a urbanização; **2** relativo a arquitectura urbana
urbanização *s. f.* **1** zona residencial dotada das infra-estruturas necessárias à habitação; **2** processo de criação, desenvolvimento e embelezamento dos espaços urbanos; **3** fenómeno crescente de concentração da população em espaços urbanos
urbanizar *v. tr.* **1** tornar urbano; **2** fazer a urbanização de
urbano *adj.* relativo ou próprio da cidade
urbe *s. f.* cidade
ureia *s. f.* QUÍM. substância orgânica azotada que entra na composição da urina e é uma amida do ácido carbónico, de fórmula $CO(NH_2)_2$
uréter *s. m.* ANAT. canal que conduz a urina do rim para a bexiga
uretra *s. f.* ANAT. (aparelho urinário) canal que conduz a urina da bexiga para o exterior
urgência *s. f.* **1** necessidade que requer uma solução imediata; pressa; **2** situação muito grave ou crítica; **3** (em hospital) serviço onde se prestam cuidados médicos em situações de emergência
urgente *adj. 2 gén.* **1** que não pode ser adiado; iminente; **2** que indica prioridade; **3** de que não se pode prescindir; indispensável
urgentemente *adv.* com urgência; sem demora

úrico *adj.* relativo a urina; QUÍM. ***ácido ~*** ácido orgânico azotado que se encontra em pequenas quantidades na urina humana

urina *s. f.* líquido segregado pelos rins e expelido pelo aparelho urinário, constituído por água com substâncias minerais e orgânicas

urinar *v. intr.* expelir a urina

urinário *adj.* relativo a urina

urinol *s. m.* local próprio para urinar; mictório

urna *s. f.* **1** pequena caixa com tampa onde se recolhem os votos de um escrutínio; **2** recipiente onde se depositam as cinzas dos mortos; **3** caixão funerário; ***ir às urnas*** votar

urografia *s. f.* MED. radiografia do aparelho urinário

urologia *s. f.* MED. especialidade que se ocupa das doenças do aparelho urinário dos dois sexos e do sistema reprodutor masculino

urologista *s. 2 gén.* MED. especialista em urologia

urrar *v. intr.* (animal) dar urros

urro *s. m.* voz forte e aguda de alguns animais; bramido

Ursa Maior *s. f.* ASTRON. constelação boreal formada por 7 estrelas utilizadas para se encontrar a Estrela Polar, também denominada *Carro de David* e *Caçarola*

Ursa Menor *s. f.* ASTRON. constelação formada por 7 estrelas, com disposição idêntica à da Ursa Maior, também denominada *Carro Pequeno*

urso *s. m.* **1** ZOOL. mamífero carnívoro, com pêlo longo e denso, pescoço grosso e curto, orelhas pequenas e arredondadas; **2** *(acad.)* melhor aluno de um curso ou de uma turma ❖ ***fazer figura de ~*** comportar-se de forma ridícula; ser alvo de troça

urticária *s. f.* MED. erupção cutânea que produz uma ardência semelhante à do contacto da urtiga

urtiga *s. f.* BOT. planta herbácea de folhas rugosas, elípticas e revestidas de pêlos secretores de uma substância que provoca comichão e irritação ao entrar em contacto com a pele

urubu *s. m.* ZOOL. ave de rapina de grande porte, com plumagem predominantemente preta e cabeça nua, que se alimenta da carne de animais mortos

uruguaio **I** *s. m.* {*f.* uruguaia} pessoa natural do Uruguai (América do Sul); **II** *adj.* relativo a Uruguai

urze *s. f.* BOT. planta espontânea, ramosa, de folhas lineares sem pilosidade, flores pequenas e raízes grossas

USA [*sigla de* **U**nited **S**tates of **A**merica] Estados Unidos da América

usado *adj.* **1** que está em uso; experimentado; **2** que está gasto; velho

usar **I** *v. tr.* **1** pôr em uso ou em prática; utilizar; **2** fazer ou trazer habitualmente; **3** servir-se de (alguém); manipular; **II** *v. intr.* **1** ter o hábito de; **2** servir-se; **III** *v. refl.* estar em uso; desgastar-se pelo uso

uso *s. m.* **1** emprego frequente de alguma coisa para satisfação de necessidades humanas; utilização; **2** prática habitual; hábito; costume

usual *adj. 2 gén.* que é habitual, comum, frequente

usuário *adj. e s. m.* que ou pessoa que usufrui de algo por direito de uso

usufruir *v. tr.* **1** ter o usufruto de; gozar de; **2** possuir; ter

usufruto *s. m.* **1** DIR. direito de gozar (de usar ou de fruir) temporária e plenamente uma coisa ou de um direito alheio; **2** posse ou fruição de algo por esse direito

usura *s. f.* **1** juro superior ao estabelecido por lei; especulação; **2** lucro excessivo

usurário *adj. e s. m.* que ou pessoa que empresta e exige juros superiores aos estabelecidos por lei

usurpação *s. f.* acto ou efeito de se apoderar violenta ou astuciosamente de algo que pertence a outrem

usurpar *v. tr.* **1** apoderar-se violenta ou astuciosamente de; **2** possuir ilegitimamente

utensílio *s. m.* **1** instrumento que serve para o fabrico de um produto ou para o exercício de uma arte ou indústria; **2** [*pl.*] conjunto de objectos destinados ao mesmo uso

utente *adj. e s. 2 gén.* que ou pessoa que utiliza bens ou serviços públicos ou privados

uterino *adj.* **1** relativo a útero; **2** nascido da mesma mãe (mas de pai diferente)

útero *s. m.* ANAT. órgão oco e musculoso que faz parte do aparelho genital feminino, situado na cavidade pélvica entre a bexiga e o recto, que acolhe o ovo fecundado e o expulsa no final da gestação

útil I *adj. 2 gén.* **1** que tem utilidade ou préstimo; **2** vantajoso; proveitoso; **II** *s. m.* aquilo que tem utilidade; ***dias úteis*** tempo destinado ao exercício de actividades profissionais ❖ ***juntar o ~ ao agradável*** aumentar um benefício com outro

utilidade *s. f.* **1** vantagem; proveito; **2** pessoa ou coisa úti

utilitário *s. m.* **1** automóvel ligeiro destinado ao transporte de mercadorias; **2** INFORM. programa cujo objectivo é melhorar alguma função do sistema operativo ou de uma aplicação

utilização *s. f.* acto ou modo de utilizar; uso

utilizador I *adj.* que utiliza; **II** *s. m.* INFORM. pessoa que utiliza sistemas informáticos, sem contudo possuir conhecimentos informáticos especializados

utilizar I *v. tr.* **1** fazer uso de; servir-se de; **2** tirar partido de; aproveitar; **II** *v. refl.* servir-se; tirar proveito de

utilizável *adj. 2 gén.* que se pode utilizar

utopia *s. f.* projecto imaginário ou irreal; fantasia

utópico *adj.* que tem carácter de utopia; idealista

UV [*sigla de* **u**ltra**v**ioleta]

uva *s. f.* BOT. fruto da videira que consiste numa baga arredondada, rica em açúcar, que nasce geralmente em cachos; **~ *passa*** uva seca; passa ❖ ***muita parra e pouca ~*** muitas palavras e poucos actos

úvula *s. f.* ANAT. saliência carnosa da parte posterior do véu palatino

uvular *adj. 2 gén.* **1** relativo a úvula; **2** (som) articulado com vibração da úvula

V

v *s. m.* vigésima segunda letra e décima sétima consoante do alfabeto

V **I** *s. m.* (numeração romana) número 5; **II** QUÍM. [*símbolo de* **vanádio**]; **III** ELECTR., FÍS. [*símbolo de* **volt**]

VA ECON. [*sigla de* **v**alor **a**crescentado]

vá *interj.* usada para aconselhar cautela ou moderação

vaca *s. f.* **1** ZOOL. mamífero herbívoro ruminante que produz leite; **2** (alimento) carne de gado bovino ❖ ***tempo das vacas gordas*** época de prosperidade; ***tempo das vacas magras*** época de escassez

vacaria *s. f.* **1** instalação para abrigo e ordenha de vacas; **2** manada de vacas

vacilante *adj. 2 gén.* que vacila; trémulo; hesitante

vacilar *v. intr.* **1** oscilar por não ter firmeza; balançar; **2** *(fig.)* hesitar

vacina *s. f.* MED. substância que se introduz num organismo, a fim de imunizar contra determinada doença

vacinação *s. f.* MED. administração de uma vacina de forma a imunizar contra determinada doença

vacinado *adj.* **1** (animal, pessoa) que se encontra protegido por vacinação; imunizado; **2** *(fig.)* que está preparado para uma situação desagradável por já ter passado por situação idêntica; imune ❖ ***ser maior e ~*** ter idade para saber o que é melhor para si próprio

vacinar *v. tr.* **1** MED. introduzir uma vacina num organismo, a fim de imunizar contra determinada doença; **2** *(fig.)* preparar para situações desagradáveis

vácuo **I** *adj.* **1** vazio; oco; **2** desocupado; vago; **II** *s. m.* **1** FÍS. espaço onde não existem moléculas nem átomos; **2** *(fig.)* privação; falta

vadiagem *s. f.* vida de vadio; ociosidade; vagabundagem

vadiar *v. intr.* **1** viver na ociosidade; não querer trabalhar; **2** andar de um lado para o outro, sem se fixar; vaguear; errar

vadio **I** *s. m.* **1** pessoa que não tem ocupação ou que não quer trabalhar; **2** pessoa que se desloca de um sítio para outro sem ter um lugar fixo onde viver; **II** *adj.* que não tem ocupação ou que não quer trabalhar; ocioso; vagabundo

vaga *s. f.* **1** onda grande; **2** lugar que não está ocupado; lugar livre; **3** cargo ou função disponível; **4** *(fig.)* grande quantidade de algo que se alastra; **5** *(fig.)* grande afluência de pessoas; multidão

vagabundo *adj. e s. m.* que ou pessoa que vagueia pelas ruas e que geralmente não quer trabalhar; vadio

vagão *s. m.* veículo ferroviário destinado normalmente a transporte de mercadorias

vagar **I** *s. m.* **1** tempo livre; ocasião; **2** falta de pressa; lentidão; **II** *v. intr.* estar ou ficar vago; desocupar-se

vagaroso *adj.* **1** que anda devagar; lento; pausado; **2** sereno, calmo

vagem *s. f.* BOT. fruto de alguns feijoeiros, quando ainda verde, utilizado em culinária

vagina *s. f.* ANAT. órgão genital feminino definido por um canal que se estende do colo do útero à vulva

vaginal *adj. 2 gén.* relativo a vagina

vago *adj.* **1** (lugar, cargo) desocupado; livre; **2** *(fig.)* indefinido; incerto

vaguear *v. intr.* **1** movimentar-se sem rumo certo; vagabundear; errar; **2** (barco) andar sobre as ondas; flutuar; **3** *(fig.)* (espírito, pensamento) divagar

vaidade *s. f.* **1** presunção; ostentação; **2** coisa insignificante ou sem valor; futilidade

vaidoso *adj.* presunçoso; orgulhoso

vaipe *s. f.* *(gír.)* impulso

vaivém *s. m.* {*pl.* vaivéns} **1** AERON. nave espacial preparada para efectuar viagens de ida e volta entre a Terra e uma estação orbital; **2** movimento oscilatório de um corpo; balanço; **3** deslocação de pessoas ou veículos de um lado para o outro

vala *s. f.* **1** escavação longa que recebe ou conduz águas de rega; **2** cova; fosso; ~ ***comum*** sepultura onde se enterram em conjunto muitos cadáveres

vale *s. m.* **1** GEOG. planície entre duas montanhas ou colina; **2** GEOG. zona banhada por um rio; bacia; **3** documento com que se transferem fundos entre particulares; **4** valor escrito, sem forma legal, que representa dívida ou empréstimo; ~ ***postal/do correio*** documento que comprova a entrega aos Correios, por parte de um remetente, de uma quantia a ser paga por esses serviços ao destinatário

valência *s. f.* **1** QUÍM. capacidade de combinação de um átomo expressa no número de ligações que forma com outros átomos; **2** LING. conjunto de argumentos que um verbo pode ter

valente *adj. 2 gén.* forte; robusto; corajoso

valentia *s. f.* **1** robustez; força; energia; coragem; **2** *(fig.)* façanha; proeza

valer I *v. tr.* ter o valor de; **II** *v. intr.* **1** ter validade; **2** ter valor; prestar; **3** compensar; merecer; **4** ajudar; socorrer; **III** *v. refl.* **1** servir-se; **2** socorrer-se ❖ ***a*** ~ a sério; ~ ***a pena*** merecer o esforço ou o trabalho

valeriana *s. f.* BOT. planta herbácea de caule robusto e flores rosadas, com aplicações medicinais

valeta *s. f.* pequena vala para escoamento das águas em cada um dos lados das ruas ou estradas

valete *s. m.* **1** escudeiro jovem representado em carta de joga, cujo valor é geralmente inferior à dama e ao rei; **2** carta com essa figura

valia *s. f.* **1** valor intrínseco ou estimativo de alguma coisa; **2** merecimento; préstimo

validação *s. f.* acção de tornar algo válido

validade *s. f.* **1** qualidade do que é válido; **2** legitimidade

validar I *v. tr.* **1** tornar válido; **2** legitimar; **II** *v. refl.* enaltecer-se

válido *adj.* **1** que tem validade; que está dentro do prazo; **2** que tem valor; valioso; **3** que tem saúde; são

valioso *adj.* **1** que tem muito valor; precioso; **2** importante

valor *s. m.* **1** aquilo que uma coisa representa para alguém; importância; **2** ECON. qualidade de um produto ou serviço em função da sua capacidade de ser negociado no mercado; preço; **3** qualidade que desperta admiração por alguém; mérito; **4** princípio moral ou ético

valorização *s. f.* **1** aumento do valor ou do preço de algo; **2** atribuição de maior importância a algo ou alguém; **3** reconhecimento do valor ou do mérito de algo ou alguém

valorizar I *v. tr.* **1** aumentar o valor de; **2** atribuir mais importância a; **3** reconhecer o valor de; **II** *v. refl.* alcançar mais valor ou importância

valquíria *s. f.* MITOL. (Escandinávia) cada uma das virgens que incitavam os heróis ao combate e transportavam os mortos ao paraíso

valsa *s. f.* **1** dança a três tempos; **2** MÚS. composição que acompanha essa dança

valsar *v. intr.* dançar a valsa

válvula *s. f.* **1** dispositivo que permite a passagem de uma substância em determinado sentido, fechando e abrindo cavidades ou orifícios; **2** MEC. dispositivo que permite a descarga de um recipiente, quando a pressão do seu conteúdo ultrapassa certo valor; **3** ANAT. membrana ou conjunto de membranas que deixam passar num organismo os líquidos num único sentido, não permitindo o seu refluxo

vampiro *s. m.* **1** ZOOL. morcego que suga o sangue de alguns animais; **2** ser imaginário que durante a noite suga o sangue das pessoas

vanádio *s. m.* QUÍM. elemento com o número atómico 23 e símbolo V

vandalismo *s. m.* **1** acto próprio de vândalo; devastação; **2** destruição indiscriminada da propriedade alheia (pública ou privada)

vandalizar *v. tr.* destruir de forma selvagem (um bem, uma propriedade); danificar

vândalo *s. m.* pessoa que destrói por maldade (bens públicos ou privados)

vangloriar-se *v. refl.* orgulhar-se; gabar-se

vanguarda *s. f.* **1** movimento artístico que procura a renovação radical dos processos criativos e dos seus pressupostos estéticos; **2** primeira linha; dianteira ❖ ***de ~*** precursor; progressista; ***na ~*** à frente

vanguardismo *s. m.* movimento artístico ou cultural que se caracteriza pela procura da renovação radical dos processos criativos e dos seus pressupostos estéticos

vanguardista I *adj. 2 gén.* relativo a vanguarda; progressista; **II** *s. 2 gén.* pessoa que, pelas suas ideias inovadoras ou radicais, tem um papel precursor na sociedade; progressista

vantagem *s. f.* **1** aspecto positivo; benefício; **2** proveito; lucro; **3** DESP. diferença de pontos de uma equipa ou de um atleta em relação à outra equipa em jogo ou aos restantes concorrentes em prova; avanço

vantajoso *adj.* que traz vantagens; lucrativo; proveitoso

vão I *s. m.* espaço vazio entre dois espaços preenchidos; **II** *adj.* **1** vazio; oco; **2** sem valor; insignificante; **3** sem fundamento; falso ❖ ***em ~*** inutilmente, debalde

vapor *s. m.* **1** FÍS., QUÍM. substância no estado gasoso que, nas condições habituais do ambiente, se apresenta no estado líquido ou sólido; **2** conjunto de partículas gasosas que ficam suspensas no ar por efeito da ebulição de água ❖ ***a todo o ~*** rapidamente, com grande velocidade

vaporização *s. f.* passagem de uma substância do estado líquido ao estado gasoso

vaporizador *s. m.* **1** recipiente de onde, mediante pressão, sai um líquido em gotas finas; pulverizador; **2** aparelho próprio para fazer passar um líquido ao estado gasoso

vaporizar *v. tr.* **1** pulverizar; borrifar; **2** fazer passar do estado líquido ao estado gasoso

vaqueiro *s. m.* guarda ou condutor de gado bovino

vaquinha *s. f.* ⟨*dim. de* **vaca**⟩ vaca pequena ❖ ***fazer uma ~*** juntar-se com outras pessoas para partilhar uma despesa

vara *s. f.* **1** pau comprido; haste delgada e comprida; **2** DESP. instrumento comprido e fino utilizado no salto à vara; **3** conjunto de porcos

varanda *s. f.* estrutura saliente na abertura de uma janela ou de uma porta, rodeada de uma grade com parapeitos; balcão; terraço

varandim *s. m.* **1** varanda estreita; **2** grade assente sobre o peitoril de janelas

varão I *adj.* que é do sexo masculino; **II** *s. m.* **1** indivíduo do sexo masculino; **2** vara grande de ferro ou de outro metal (em escadas, etc.)

vareja *s. f.* ZOOL. mosca grande, de cor azul, verde ou cinzenta, que põe os ovos nas carnes mortas e nas feridas expostas

varejeira *s. f. (pop.)* vd. **vareja**

vareta *s. f.* vara da armação de guarda-chuva ou guarda-sol

variação *s. f.* mudança; modificação

variado *adj.* diverso; sortido

variante *s. f.* **1** (em estrada) desvio que substitui um percurso interrompido ou constitui alternativa para o mesmo destino; **2** LING. unidade que constitui alternativa de outra, podendo substituí-la no mesmo contexto morfológico ou fonológico

variar I *v. tr.* tornar variado ou diverso; alterar; mudar; **II** *v. intr.* **1** sofrer mudança; **2** ser inconstante; **3** ser diferente; **4** ser de opinião diferente; divergir; **5** *(coloq.)* perder o juízo; delirar

variável I *adj. 2 gén.* **1** que varia ou pode variar; mutável; **2** GRAM. (palavra) em que a terminação sofre alteração, conforme o género, o número, o tempo e a pessoa; **II** *s. f.* **1** MAT. símbolo (geralmente uma letra) com que se designa qualquer dos elementos de um conjunto; **2** MAT. quantidade ou termo que pode tomar valores diferentes

varicela *s. f.* MED. doença febril, infecto-contagiosa, caracterizada por uma erupção cutânea

variedade *s. f.* conjunto de coisas diferentes; multiplicidade; diversidade

varinha *s. f.* ⟨*dim. de* **vara**⟩ vara pequena e estreita; (contos populares) ***~ de condão*** vara mágica com que as fadas e feiticeiras fazem ou desfazem feitiços

varinha mágica *s. f.* CUL. utensílio eléctrico usado para esmagar ou bater alimentos cozinhados

varíola *s. f.* MED. doença febril infecto-contagiosa, aguda, que provoca erupções cutâneas; bexigas

vários *adj.* diversos; variados; numerosos

variz *s. f.* MED. dilatação anormal e persistente de uma veia

varredor *s. m.* pessoa que tem por ofício varrer espaços públicos (passeios, jardins, etc.)

varrer I *v. tr.* **1** limpar com a vassoura; **2** arrastar; **3** *(fig.)* fazer esquecer; apagar; **4** *(fig.)* fazer desaparecer; destruir; **II** *v. refl.* desvanecer-se; dissipar-se

varrido *adj.* **1** (chão) limpo; **2** (pessoa) que perdeu o juízo; *(coloq.)* ***doido ~*** sem juízo nenhum

várzea *s. f.* planície cultivada nas margens de um rio

vascular *adj. 2 gén.* ANAT. relativo ou pertencente a vasos

vasculhar *v. tr. (coloq.)* revistar; remexer

vaselina *s. f.* FARM., QUÍM. substância pastosa constituída por hidrocarbonetos sólidos e líquidos, derivada do petróleo, usada na preparação de medicamentos de uso externo

vasilha *s. f.* **1** recipiente para líquidos; **2** barril; pipa; tonel

vasilhame *s. m.* conjunto de recepientes para líquidos

vaso *s. m.* **1** objecto côncavo próprio para conter substâncias líquidas ou sólidas; jarro; **2** recipiente que se enche de terra para cultura de plantas; **3** ANAT. canal por onde circulam líquidos nutritivos

vassalagem *s. f.* **1** HIST. relação de fidelidade entre um vassalo e um nobre (suserano); **2** HIST. tributo pago pelo vassalo ao suserano; **3** *(fig.)* estado de submissão; dependência; obediência

vassalo *s. m.* **1** HIST. (sistema feudal) pessoa dependente de um nobre por juramento de fé e fidelidade; súbdito; **2** *(fig.)* pessoa que se subordina a algo ou alguém; dependente; submisso

vassoira *s. f.* vd. **vassoura**

vassoura *s. f.* utensílio constituído por um cabo ao qual se fixa uma escova e que serve para varrer

vassourada *s. f.* **1** pancada com vassoura; **2** limpeza rápida com vassoura

vastidão *s. f.* **1** espaço de grande dimensão; extensão; **2** grande dimensão; importância

vasto *adj.* **1** muito extenso; amplo; **2** desenvolvido em diversos aspectos; variado

vátio *s. m.* FÍS. vd. **watt**

vau *s. m.* **1** sítio pouco fundo de um rio, por onde se pode passar a pé; **2** NÁUT. trave onde assenta a coberta do navio

vaza *s. f.* conjunto das cartas jogadas em cada lance e que são recolhidas pelo parceiro que ganha

vazão *s. f.* **1** movimento de saída (de pessoas); esvaziamento; **2** venda (de produtos); escoamento ❖ ***dar ~*** escoar (produtos para venda); dar solução ou andamento (a problema ou trabalho)

vazar **I** *v. tr.* **1** despejar; esvaziar; **2** entornar; verter; **3** furar; trespassar; **II** *v. intr.* **1** despejar-se; entornar-se; **2** (rio) desaguar; **3** *(coloq.)* ir embora; sair

vazio **I** *adj.* **1** que não contém nada; oco; **2** desocupado; vago; **3** *(fig.)* inútil; vão; **4** *(fig.)* sem interesses; frívolo; **II** *s. m.* **1** espaço que não é ocupado por matéria; vácuo; **2** *(fig.)* ausência de interesses ou ocupações; **3** *(fig.)* sentimento de perda ou de saudade (sobretudo pela morte de alguém); **4** parte da perna dianteira do bovídeo, junto à barriga, abaixo da pá

vd. [*abrev. de* **vid**e] fórmula com que se remete o leitor para um outro texto

veado *s. m.* ZOOL. mamífero ruminante, de grande porte, com cornos (no macho) extensos e ramificados; cervo

vector *s. m.* **1** MAT. segmento de recta orientado; **2** MED. ser vivo, geralmente um insecto, capaz de transmitir um agente infeccioso (parasita, bactéria ou vírus); portador

vectorial *adj. 2 gén.* relativo a vector

vedação *s. f.* construção que serve para vedar o acesso a um local ou delimitar uma área

vedado *adj.* **1** (terreno) que tem vedação; **2** (entrada, passagem) cujo acesso é interdito; proibido

vedar I *v. tr.* 1 tapar (terreno) com vedação; 2 proibir (o acesso, a passagem); 3 não deixar que corra (água, sangue); estancar; II *v. intr.* (água, sangue) deixar de correr; estancar

vedeta *s. f.* artista principal de uma peça de teatro ou de um filme; estrela

veemência *s. f.* intensidade; vigor; convicção

veemente *adj. 2 gén.* 1 enérgico; impetuoso; 2 caloroso; ardente

vegetação *s. f.* BOT. conjunto de plantas de uma região ou país

vegetal I *s. m.* 1 ser vivo que se fixa ao solo através de raiz, que se alimenta essencialmente de sais minerais e que contém clorofila; 2 [*pl.*] legumes; II *adj. 2 gén.* 1 relativo a planta; 2 proveniente de planta

vegetar *v. intr.* 1 *(coloq.)* viver de forma puramente física, sem actividade mental; 2 *(coloq.)* levar uma vida monótona ou aborrecida

vegetarianismo *s. m.* sistema alimentar à base de vegetais, que exclui a carne e o peixe, podendo incluir leite, ovos e seus derivados

vegetariano *adj. e s. m.* que ou pessoa que se alimenta à base de vegetais

vegetativo *adj.* 1 BOT. característico das plantas; 2 BIOL. (parte do organismo) que realiza funções vitais não reprodutoras; 3 (estado, vida) que se caracteriza pela ausência de actividade; alheado de tudo

veia *s. f.* 1 ANAT. vaso sanguíneo que transporta o sangue vindo de todas as partes do corpo para o coração; 2 *(fig.)* tendência; vocação; inclinação

veicular *v. tr.* transmitir; difundir

veículo *s. m.* 1 qualquer meio de transporte; viatura; 2 aquilo que conduz alguma coisa; condutor; 3 *(fig.)* meio de transmissão de algo

veio *s. m.* 1 faixa comprida e estreita que, num terreno, madeira ou rocha, se distingue pela sua cor diferente ou pela natureza da sua substância; 2 fio de água corrente

vela *s. f.* 1 pano forte que, por acção do vento, faz navegar um barco ou mover a mó de um moinho; 2 rolo de cera ou outra substância gordurosa, que contém no interior um pavio e que serve para dar luz; 3 MEC. peça dos motores de explosão onde se produz a faísca; 4 DESP. modalidade náutica com embarcações à vela

velado *adj.* coberto com véu; vendado; oculto

velar *v. tr.* 1 cobrir com véu; 2 tapar; ocultar; 3 assistir (um doente)

veleidade *s. f.* desejo que não chega a realizar-se; capricho; fantasia

veleiro *s. m.* navio com muitas velas, que constituem o seu único meio propulsor

velejador *s. m.* pessoa que navega em barco à vela

velejar *v. intr.* navegar à vela

velhaco *s. m.* pessoa traiçoeira; patife

velharia *s. f.* objecto antigo; antiguidade

velhice *s. f.* 1 estado do que é velho; 2 idade avançada

velho I *s. m.* pessoa de idade avançada; II *adj.* 1 que tem muita idade; 2 antiquado; antigo; 3 muito usado

velhote I *s. m.* 1 *(pop.)* pessoa de idade avançada; 2 *(coloq.)* pai; II *adj.* que está velho

velocidade *s. f.* 1 espaço ou distância percorrida em certa unidade de tempo (a medida é referida em quilómetros por hora); 2 rapidez; ligeireza

velocímetro *s. m.* instrumento que serve para determinar a velocidade de um veículo

velocípede *s. m.* veículo de duas rodas accionado por pedais

velódromo *s. m.* DESP. recinto próprio para a realização de corridas de velocípedes

velório *s. m.* acto de velar um defunto nas horas que antecedem o seu enterro ou a sua cremação

veloz *adj. 2 gén.* rápido; ligeiro

veludo *s. m.* tecido de seda ou algodão, com pêlo curto e muito macio

vencedor *adj. e s. m.* que ou pessoa que vence

vencer I *v. tr.* **1** conseguir uma vitória sobre (alguém); derrotar; **2** ultrapassar (uma dificuldade, um problema); **II** *v. intr.* sair vitorioso; **III** *v. refl.* (prazo) chegar ao fim

vencido *adj.* **1** (pessoa) derrotado; **2** (pessoa) enfraquecido; **3** (prazo) que completou o tempo fixado para a sua realização

vencimento *s. m.* **1** ordenado; salário; **2** termo do prazo para se fazer um pagamento

venda *s. f.* **1** acto ou efeito de vender; **2** transferência da posse de alguma coisa por meio de pagamento de um dado preço; **3** tira com que se tapam os olhos ou o rosto

vendar *v. tr.* cobrir com venda; tapar

vendaval *s. m.* vento forte, por vezes acompanhado de aguaceiros; temporal

vendável *adj. 2 gén.* **1** que se pode vender; **2** que se vende com muita facilidade

vendedor *s. m.* pessoa que vende

vender I *v. tr.* **1** ceder por determinada quantia; comercializar; negociar; **2** *(fig.)* trair por interesse; denunciar; **II** *v. refl.* deixar-se subornar

vendido *adj.* **1** cedido por certo preço; comercializado; **2** subornado

veneno *s. m.* **1** substância que, tomada ou aplicada num organismo, lhe destrói ou altera as funções vitais; **2** líquido venenoso introduzido num organismo por meio de picada ou mordedura de um animal; **3** *(fig.)* intenção perversa; maldade; **4** *(fig.)* interpretação deturpada ou maldosa

venenoso *adj.* **1** que tem veneno; **2** *(fig.)* em que há intenção perversa; maldoso; **3** *(fig.)* malicioso

veneração *s. f.* **1** profundo respeito por algo ou alguém; reverência; **2** adoração; estima

venerado *adj.* **1** respeitado; reverenciado; **2** adorado; estimado

venerar *v. tr.* **1** respeitar; **2** adorar

venerável *adj. 2 gén.* digno de veneração; respeitável

venéreo *adj.* MED. que se transmite através de relações sexuais

venezuelano I *s. m.* {*f.* venezuelana} pessoa natural da Venezuela; **II** *adj.* relativo à Venezuela

vénia *s. f.* gesto que se faz com a cabeça ao passar por alguém; mesura; reverência

venoso *adj.* relativo a veia

venta *s. f.* **1** *(coloq.)* cada uma das aberturas nasais ou do focinho; nariz; **2** [*pl.*] rosto; cara; *(cal.)* ***levar nas ventas*** apanhar pancada

ventania *s. f.* vento forte e prolongado

ventilação *s. f.* **1** sistema de renovação do ar de um espaço fechado; arejo; **2** FISIOL. entrada e saída de gases nas vias respiratórias com vista às trocas gasosas nos pulmões

ventilador *s. m.* aparelho que renova o ar num recinto fechado

ventilar *v. tr.* arejar; refrescar

vento *s. m.* deslocação do ar provocada pelas diferenças de pressão ou de temperatura ❖ ***de ~ em popa*** com prosperidade; muito bem

ventoinha *s. f.* **1** aparelho de ventilação constituído por uma roda com pás que gira, provocando corrente de ar; **2** lâmina metálica presa a uma haste que gira por acção do vento, indicando a sua direcção; **3** brinquedo feito de papel, semelhante às asas de um moinho, que gira quando lhe dá o vento

ventosa *s. f.* **1** ZOOL. órgão de certos seres vivos, com que eles se fixam ou com que aspiram os alimentos; **2** peça de borracha que se aplica sobre uma superfície e que fica presa devido à pressão exercida

ventoso *adj.* (local) exposto ou sujeito ao vento

ventre *s. m.* ANAT. cavidade abdominal; barriga

ventrículo *s. m.* ANAT. cavidade do coração, de onde sai o sangue (por artérias) para as diversas partes do corpo

ventríloquo *s. m.* pessoa que fala sem movimentar os lábios e que tem a faculdade de imitar a voz de outras pessoas

ventura *s. f.* **1** boa sorte; felicidade; **2** destino; acaso

Vénus *s. f.* **1** ASTRON. planeta primário do sistema solar, cuja órbita fica entre a de Mercúrio e a da Terra; **2** MITOL. deusa da beleza e do amor

ver I *v. tr.* **1** usar o sentido da vista; olhar; examinar; **2** assistir; presenciar; **3** ponderar; considerar; **4** visitar; percorrer; **II** *v. intr.* possuir o sentido da vista; **III** *v. refl.* **1** encontrar-se; **2** imaginar-se; reconhecer-se ❖ ***a meu ~*** segundo a minha opinião; ***até ~*** por enquanto; para já; ***ter a ~ com*** estar relacionado com; dizer respeito a

veracidade *s. f.* qualidade do que é verdadeiro ou verídico

veranear *v. intr.* passar o Verão em determinado local em descanso

Verão *s. m.* estação do ano entre a Primavera e o Outono (de 21 de Junho a 21 de Setembro)

verba *s. f.* quantia (de dinheiro); montante

verbal *adj. 2 gén.* **1** relativo a verbo ou a palavras; **2** que se faz de viva voz; oral

verbalizar *v. tr.* exprimir por palavras

verbalmente *adv.* por palavras; oralmente

verbo *s. m.* GRAM. palavra variável que exprime a acção praticada ou sofrida pelo sujeito, ou o estado ou qualidade que se lhe atribui

verdade *s. f.* **1** exactidão; realidade; **2** coisa ou facto verdadeiro; **3** sinceridade ❖ ***na ~*** efectivamente; realmente

verdadeiro *adj.* **1** (história) real; autêntico; **2** (afirmação) conforme à verdade; **3** (pessoa) que fala verdade; **4** (sentimento) sincero

verde I *adj. 2 gén.* **1** que é da cor da erva; **2** (fruta) que ainda não está maduro; **3** *(fig.)* (pessoa) inexperiente; **4** (vinho) que apresenta maior grau de acidez e menor quantidade de álcool que o vinho maduro; **II** *s. m.* cor do arco-íris situada entre o amarelo e o azul

verde-claro I *adj.* (cor) que está entre o verde e o branco; **II** *s. m.* cor intermédia entre o verde e o branco

verde-escuro I *adj.* (cor) que está entre o verde e o preto; **II** *s. m.* cor intermédia entre o verde e o preto

verde-garrafa I *adj.* (cor) que tem um tom de verde muito escuro; **II** *s. m.* verde-escuro

verdejante *adj. 2 gén.* que é verde; que se torna verde

verdete *s. m.* substância de cor verde que resulta da alteração superficial dos objectos de cobre ou das suas ligas e que é produzida pelos agentes atmosféricos

verdura *s. f.* **1** cor verde das plantas; **2** estado do fruto que ainda não amadureceu; **3** *(fig.)* inexperiência; **4** [*pl.*] vegetais; hortaliça

vereador *s. m.* pessoa eleita para a câmara municipal

vereda *s. f.* caminho estreito; atalho

veredicto *s. m.* DIR. resposta do júri sobre uma causa civil ou criminal; decisão; sentença

verga *s. f.* junco com que se fazem cadeiras, cestos e outros artefactos; vime

vergar I *v. tr.* **1** dobrar em arco; curvar; **2** *(fig.)* subjugar; humilhar; **II** *v. intr.* **1** curvar-se; inclinar-se; **2** ceder ao peso; **3** *(fig.)* submeter-se; humilhar-se

vergonha *s. f.* **1** sentimento de humilhação; desonra; **2** timidez; acanhamento; **3** *(coloq.)* coisa mal feita ou mal acabada

vergonhoso *adj.* **1** que causa vergonha; **2** indigno; obsceno

verídico *adj.* verdadeiro; autêntico

verificação *s. f.* **1** exame; confirmação; **2** prova; constatação

verificar I *v. tr.* examinar; conferir; certificar-se; constatar; **II** *v. refl.* realizar-se; cumprir-se

verme *s. m.* ZOOL. qualquer animal de corpo alongado e mole; minhoca; larva

vermelhidão *s. f.* **1** cor vermelha; **2** *(fig.)* rubor

vermelho I *adj.* **1** que é da cor do sangue; **2** *(fig.)* corado; **3** *(fig.)* envergonhado; **II** *s. m.* cor vermelha

vermelhusco *adj.* **1** que é um pouco vermelho; avermelhado; **2** *(fig.)* exaltado

vermicida *adj. e s. m.* FARM. que ou substância que provoca a expulsão dos vermes intestinais

vermute *s. m.* licor de vinho branco preparado com infusão de substâncias amargas, que se toma como aperitivo

vernáculo I *s. m.* língua própria de um país ou de uma região; idioma nacional; **II** *adj.* **1** próprio do país a que pertence; nacional; **2** (língua) que conserva a pureza original; genuíno, sem estrangeirismos

vernissage *s. f.* cerimónia de abertura de uma exposição de arte

verniz *s. m.* **1** substância de resina ou goma resinosa com álcool, para polir móveis e outros objectos; **2** produto que se aplica sobre as unhas para lhes dar brilho ou cor; **3** *(fig.)* conhecimento superficial de alguma coisa; **4** *(fig.)* boa educação

verosímil *adj. 2 gén.* **1** que parece ser verdadeiro; provável; **2** em que se pode acreditar; credível

verosimilhança *s. f.* qualidade do que é verosímil

verruga *s. f.* MED. pequena saliência cutânea que aparece sobretudo no rosto e nas mãos

verruma *s. f.* **1** pequeno instrumento, em forma de parafuso e de ponta aguda, destinado a abrir furos na madeira; **2** broca para abrir buracos em pedra

versado *adj.* **1** (pessoa) perito; experimentado; **2** (assunto) que foi tratado; discutido

versão *s. f.* **1** modo de contar alguma coisa; variante; **2** interpretação; explicação; **3** tradução de uma língua para outra

versar *v. intr.* dizer respeito a

versátil *adj. 2 gén.* **1** que se adapta facilmente a situações novas; **2** que revela falta de firmeza; instável

versatilidade *s. f.* **1** qualidade do que é versátil; **2** falta de firmeza; instabilidade
versículo *s. m.* **1** RELIG. cada uma das divisões de um capítulo da Bíblia; **2** RELIG. pequeno verso tirado das Escrituras
versificação *s. f.* arte de compor versos; metrificação
versificar I *v. tr.* pôr em verso; **II** *v. intr.* compor versos; versejar
verso *s. m.* **1** LIT. cada uma das linhas de um texto poético; **2** composição poética; poema; poesia; **3** (de folha) página oposta à da frente; **4** (de objecto) face posterior
vértebra *s. f.* ANAT. cada um dos ossos que formam a coluna vertebral
vertebrado I *s. m.* ZOOL. animal que possui crânio e vértebras individualizadas que constituem a coluna vertebral; **II** *adj.* (animal) que possui vértebras
vertebral *adj. 2 gén.* relativo a vértebras
vertente I *s. f.* **1** declive de uma montanha; encosta; **2** ponto de vista; ângulo; perspectiva; **II** *adj.* **1** que verte; **2** (assunto) que é objecto de discussão; de que se trata
verter I *v. tr.* **1** entornar; derramar; **2** traduzir de uma língua para outra; **II** *v. intr.* transbordar ❖ *(pop.)* ~ ***águas*** urinar
vertical I *s. f.* **1** linha que forma um ângulo recto com uma superfície plana (horizontal); **2** direcção daquilo que sobe ou desce; **II** *adj. 2 gén.* **1** que segue a direcção do fio-de-prumo; perpendicular ao plano do horizonte; **2** *(fig.)* direito; **3** *(fig.)* honesto
verticalidade *s. f.* **1** posição vertical; **2** *(fig.)* carácter honesto; integridade
vértice *s. m.* GEOM. ponto onde se encontram duas linhas de um ângulo
vertigem *s. f.* **1** sensação de falta de equilíbrio; tontura; **2** *(fig.)* tentação súbita; loucura
vertiginoso *adj.* **1** que tem ou produz vertigens; **2** *(fig.)* rápido; impetuoso
very-light *s. m.* {*pl.* very-lights} foguete luminoso e colorido disparado de uma pistola
vesgo *adj.* (pessoa) que tem desvio num ou em ambos os olhos; estrábico; zarolho
vesícula *s. f.* ANAT. pequeno saco membranoso semelhante à bexiga; ~ ***biliar*** órgão em forma de saco onde se acumula a bílis
vespa *s. f.* **1** ZOOL. insecto de quatro asas, semelhante à abelha e que possui um ferrão; **2** motociclo com duas rodas pequenas, de cilindrada inferior a cinquenta centímetros cúbicos
véspera *s. f.* dia imediatamente anterior a outro
vespertino I *adj.* relativo à tarde; **II** *s. m.* jornal que se publica à tarde ou à noite
veste *s. f.* peça de roupa; vestuário
vestiário *s. m.* lugar onde as pessoas se vestem ou guardam a roupa
vestíbulo *s. m.* **1** pátio de entrada; átrio; **2** ANAT. cavidade do labirinto ósseo do ouvido interno
vestido I *s. m.* peça de vestuário feminino que cobre o tronco e as pernas; **II** *adj.* coberto com roupa
vestígio *s. m.* **1** sinal de uma coisa que sucedeu; indício; **2** pegada; pisada; **3** [*pl.*] restos; indícios
vestimenta *s. f.* **1** roupa; vestuário; **2** [*pl.*] vestes sacerdotais; hábito
vestir *v. tr. e refl.* cobrir(-se) com roupa
vestuário *s. m.* conjunto de peças para vestir; roupa
vetar *v. tr.* **1** POL. impedir através do veto; **2** não autorizar; proibir

veterano I *s. m.* **1** pessoa que serviu muitos anos como militar; **2** *(fig.)* pessoa que exerceu durante muito tempo um dado serviço ou tem muita prática de determinada actividade; **3** *(acad.)* estudante universitário que ultrapassou o número de anos estabelecido para o seu curso completo; **II** *adj.* que tem muitos anos de prática; experiente

veterinária *s. f.* MED. ciência que trata das doenças dos animais

veterinário I *s. m.* médico que trata os animais; **II** *adj.* relativo a veterinária

veto *s. m.* **1** POL. direito (do chefe de Estado ou de certas comissões) de recusar a sanção a uma lei votada pelo poder legislativo; **2** impedimento; proibição

véu *s. m.* **1** tecido transparente com que se encobre o rosto ou qualquer objecto; **2** *(fig.)* tudo o que serve para encobrir ou esconder; ANAT. ***~ palatino*** órgão membranoso, móvel, situado atrás da abóbada palatina ❖ ***tirar o ~ a*** desvendar; descobrir

vexado *adj.* **1** envergonhado; **2** humilhado

vexame *s. m.* **1** vergonha; **2** humilhação

vexar *v. tr.* **1** fazer passar alguém por uma vergonha; **2** humilhar

vez *s. f.* **1** ocasião; época indeterminada; **2** turno; **3** alternativa; **4** [*pl.*] MAT. sinal da multiplicação (x) ❖ ***às vezes*** ocasionalmente; ***de ~*** para sempre; ***de ~ em quando*** ocasionalmente; ***em ~ de*** em lugar de; ***por vezes*** de quando em quando; ***tirar a ~*** tirar o lugar de alguém; ***uma ~ que*** visto que

VHF [*sigla de* very high frequency] frequência muito alta

VHS [*sigla de* video home system] sistema de leitura e gravação de programas de vídeo

via I *s. f.* **1** caminho; estrada; **2** direcção; rumo; **3** *(fig.)* meio de obter uma coisa; **II** *prep.* através de; por meio de por por ⟨*voo via Lisboa; transmissão via satélite*⟩; ***~ rápida*** estrada larga destinada ao tráfego motorizado, com parte ou totalidade dos acessos condicionados e, geralmente, sem cruzamentos de nível ❖ ***estar em vias de*** estar prestes a

viabilidade *s. f.* qualidade do que é viável ou pode ser percorrido; possibilidade

viabilizar *v. tr.* tornar viável; tornar realizável; possibilitar

viação *s. f.* **1** conjunto das vias de um território ou localidade para serviço de veículos; **2** serviço de veículos que fazem carreira entre vários lugares, para serviço público

viaduto *s. m.* ponte sobre uma via de comunicação

via-férrea *s. f.* {*pl.* vias-férreas} caminho-de-ferro

viagem *s. f.* **1** deslocação de um lugar para outro; **2** descrição do que se viu ou aconteceu durante um passeio ou jornada

viajante *adj. e s. 2 gén.* que ou pessoa que viaja

viajar I *v. tr.* transitar, por qualquer meio de locomoção, para um lugar relativamente afastado; percorrer (em viagem); visitar; **II** *v. intr.* deslocar-se para um local distante

Via Láctea *s. f.* ASTRON. projecção da Galáxia na superfície interna da esfera celeste, constituída por milhões de estrelas, cúmulos estelares, nebulosas galácticas luminosas e matéria interestelar ou nebulosas escuras

via-sacra *s. f.* {*pl.* vias-sacras} RELIG. oração geralmente feita diante de pequenas cruzes ou quadros que representam cenas da Paixão de Cristo

viatura *s. f.* qualquer veículo para transporte de pessoas ou coisas
viável *adj. 2 gén.* **1** que se pode percorrer; transitável; **2** que se pode realizar; possível
víbora *s. f.* **1** ZOOL. réptil cuja mordedura é muito venenosa; **2** *(fig.)* pessoa maldosa
vibração *s. f.* **1** oscilação; balanço; **2** movimento rápido das moléculas de um corpo sonoro, quando percutido
vibrador *s. m.* **1** aparelho que produz ou transmite vibrações; **2** ELECTR. dispositivo que serve para produzir uma corrente alternada por interrupção ou inversão periódica de uma corrente contínua
vibrante I *adj. 2 gén.* **1** que vibra; **2** que faz vibrar; **II** *s. f.* LING. consoante cuja articulação faz vibrar a língua ou a garganta
vibrar I *v. tr.* produzir vibrações; **II** *v. intr.* **1** entrar em vibração; **2** ter som claro e distinto; soar; **3** comover-se; entusiasmar-se
vibratório *adj.* que vibra; em que há vibrações
vice-almirante *s. m.* {*pl.* vice-almirantes} MIL. oficial general da marinha de patente inferior à de almirante e superior à de contra-almirante
vice-campeão *s. m.* {*pl.* vice-campeões} pessoa que ficou em segundo lugar num campeonato
vice-presidente *s. 2 gén.* {*pl.* vice-presidentes} pessoa que exerce as funções de presidente, na ausência daquele
vice-primeiro-ministro *s. m.* {*pl.* vice-primeiros-ministros} ministro que substitui o primeiro-ministro, na ausência daquele
vice-rei *s. m.* {*pl.* vice-reis} governador de um Estado que depende de um reino ou de outro Estado
vice-reitor *s. m.* {*pl.* vice-reitores} pessoa que substitui o reitor na sua ausência
vice-versa *adv.* **1** em sentido contrário; **2** reciprocamente
viciado I *s. m.* pessoa que depende de um vício; **II** *adj.* **1** (pessoa) dependente; **2** (documento) falsificado
viciar I *v. tr.* **1** tornar ou ficar dependente de; **2** corromper; deturpar; falsificar; **II** *v. refl.* **1** tornar-se dependente; **2** corromper-se; depravar-se
vício *s. m.* **1** mau hábito; costume condenável; **2** (de drogas, álcool) dependência em relação ao consumo de determinada substância
vicissitude *s. f.* **1** eventualidade; acaso; **2** infortúnio; contrariedade
viçoso *adj.* **1** (vegetação) coberto de verdura; **2** *(fig.)* (pessoa) cheio de vigor
vida *s. f.* **1** estado de actividade dos animais e das plantas; **2** tempo que decorre desde o nascimento até à morte; **3** vigor; energia ❖ ***fazer pela ~*** trabalhar, esforçar-se; ***~ de cão*** vida cheia de trabalhos ou dificuldades
videira *s. f.* BOT. casta de um arbusto com gavinhas, cujos frutos (uvas) são utilizados na alimentação e na preparação do vinho
vidente *s. 2 gén.* pessoa a quem se atribui o conhecimento, por meios sobrenaturais, das coisas divinas
vídeo *s. m.* **1** aparelho electromagnético que grava imagens e sons e os reproduz num ecrã; **2** filme gravado numa videocassete
videoamador *s. m.* pessoa que filma videocassetes por gosto, mas que não é profissional
videocassete *s. m.* pequena caixa que contém uma fita magnética na qual se registam imagens e sons que se podem reproduzir num aparelho de

vídeo ligado a um televisor; cassete vídeo
videoclipe *s. m.* vd. **teledisco**
videoclube *s. m.* estabelecimento onde se compram ou alugam filmes gravados em videocassetes
videoconferência *s. f.* tecnologia de comunicação que, por intermédio do videotelefone, permite que as pessoas que participam numa reunião se vejam e se ouçam, embora estando em locais diferentes
videodisco *s. m.* disco magnético no qual estão registados, por meio de gravação, sons e imagens que se podem reproduzir num televisor
videogravador *s. m.* aparelho que capta mensagens audiovisuais, efectua gravações em videocassetes e lê o que se encontra gravado nessas cassetes
videojogo *s. m.* **1** programa para computador de carácter recreativo; **2** aparelho electrónico de carácter lúdico que inclui um dispositivo de entrada de dados e um dispositivo de exibição visual
videoporteiro *s. m.* dispositivo electrónico que permite visualizar e comunicar do interior de uma casa com as pessoas que se encontram à porta
videoteca *s. f.* colecção organizada de videocassetes e videodiscos, com a aparelhagem necessária à sua utilização
videotelefone *s. m.* dispositivo que pode transmitir e receber sinais vídeo e áudio, permitindo que as pessoas se vejam e se ouçam durante o tempo de conversação
videotexto *s. m.* serviço público de informação a que se pode aceder através de um receptor de televisão adaptado ou de um terminal especial ligado a uma linha telefónica
vidraça *s. f.* **1** lâmina de vidro; **2** caixilho com vidros
vidraceiro *s. m.* pessoa que fabrica ou vende vidros
vidrado *adj.* **1** (olhos) embaciado(s); **2** *(coloq.)* encantado; apaixonado
vidrão *s. m.* recipiente onde é colocado o vidro para ser reciclado
vidraria *s. f.* fábrica ou estabelecimento de vidros;
vidrinho *s. m.* **1** ⟨*dim. de* **vidro**⟩ vidro pequeno; **2** *(fig.)* pessoa muito susceptível ❖ ***ser um ~ de cheiro*** ser muito susceptível; ofender-se com facilidade
vidro *s. m.* **1** (material) substância sólida, transparente e frágil; **2** lâmina que se coloca em caixilho
vieira *s. f.* **1** ZOOL. molusco marinho bivalve; **2** concha desse molusco
viela *s. f.* rua estreita; quelha
viés *s. m.* **1** direcção oblíqua; esguelha; **2** tira de pano cortada da peça, em diagonal ❖ ***de ~*** obliquamente; na diagonal
vietnamita I *s. 2 gén.* pessoa natural do Vietname; **II** *adj. 2 gén.* relativo ao Vietname
viga *s. f.* ENG. peça de madeira, ferro ou betão armado que sustenta horizontalmente uma construção, transmitindo esforço às colunas; trave
vigarice *s. f.* burla; intrujice
vigário *s. m.* RELIG. sacerdote; padre ❖ ***conto do ~*** burla; ***ensinar o pai-nosso ao ~*** pretender ensinar a alguém o que essa pessoa já sabe
vigarista *s. 2 gén.* pessoa que procura enganar alguém para obter uma vantagem; burlão; trapaceiro
vigarizar *v. tr.* enganar; burlar
vigência *s. f.* tempo durante o qual uma coisa vigora; duração
vigente *adj. 2 gén.* que está em vigor
vigésimo I *num. ord.* que, numa série, ocupa a posição imediatamente

a seguir à décima nona; **II** *num. frac.* que resulta da divisão de um todo por vinte; **III** *s. m.* **1** o que, numa série, ocupa o lugar correspondente ao número 20; **2** (lotaria) fracção correspondente à vigésima parte do bilhete

vigia I *s. f.* **1** vigilância; sentinela; **2** (de navio) janela por onde entra a luz nos camarotes; **II** *s. 2 gén.* pessoa que vigia; guarda; sentinela

vigiar I *v. tr.* **1** exercer vigilância sobre; **2** espiar; espreitar; **3** observar; examinar; **II** *v. intr.* **1** estar acordado; **2** estar de sentinela

vigilância *s. f.* atenção; cuidado

vigilante I *s. 2 gén.* pessoa encarregada de vigiar o trabalho, a disciplina e/ou a segurança de outras pessoas; **II** *adj. 2 gén.* atento; cuidadoso; diligente

vigília *s. f.* **1** estado de quem não tem sono durante a noite; insónia; **2** cuidado; desvelo

vigor *s. m.* **1** força; energia; **2** (de lei, regulamento) funcionamento; actividade ❖ ***entrar em ~*** ter início; ***pôr em ~*** fazer vigorar; ordenar

vigorante *adj. 2 gén.* que dá vigor; fortificante

vigorar I *v. intr.* estar em vigor; estar em prática; **II** *v. tr.* dar vigor a; fortalecer

vigoroso *adj.* robusto; forte

vil *adj. 2 gén.* **1** de pouco valor; insignificante; **2** mesquinho; desprezível

vila *s. f.* povoação de categoria superior a aldeia e inferior a cidade

vilão I *s. m.* {*f.* vilã} pessoa má ou mesquinha; **II** *adj.* **1** desprezível; **2** avarento

vileza *s. f.* **1** qualidade de vil; **2** acto perverso; baixeza

vime *s. m.* ramo flexível com que serve para atar, fazer cestos, etc.

vimeiro *s. m.* BOT. planta lenhosa com flores em forma de espiga, ramos longos, finos e flexíveis; vime

vinagre *s. m.* produto da fermentação do vinho e de outras substâncias alcoólicas

vinagrete *s. f.* CUL. molho preparado com azeite, vinagre, sal, pimenta e salsa (ou outra planta aromática)

vincar *v. tr.* **1** fazer vincos em; dobrar; **2** (*fig.*) marcar; gravar; **3** (*fig.*) sublinhar; destacar

vinco *s. m.* marca deixada por uma dobra; prega

vincular I *v. tr.* **1** ligar; unir; **2** obrigar; sujeitar; **3** impor encargo; comprometer; **II** *v. refl.* **1** ligar-se; unir-se; **2** comprometer-se

vinculativo *adj.* que vincula ou serve para vincular

vínculo *s. m.* **1** aquilo que liga duas ou mais coisas; laço; nó; **2** relação lógica ou de dependência; **3** norma que impõe uma restrição; **4** (*fig.*) ligação; parentesco

vinda *s. f.* regresso; chegada

vindima *s. f.* colheita das uvas

vindimar *v. intr.* colher uvas

vindouro *adj.* que há-de vir; futuro; ***gerações vindouras*** gerações futuras

vingança *s. f.* **1** acto praticado por uma pessoa em seu nome ou em nome de outrem, para castigar alguém pelo mal que causou; desforra; represália; **2** castigo; punição

vingar I *v. tr.* **1** tirar vingança de; desforrar-se de; **2** castigar; punir; **II** *v. intr.* (plano, negócio) ter êxito; prosperar; **III** *v. refl.* desforrar-se

vingativo *adj.* **1** que encerra vingança; **2** que tem prazer em vingar-se

vinha *s. f.* BOT. terreno plantado de videiras

vinha-d'alhos *s. f.* {*pl.* vinhas-d'alhos} CUL. molho feito com vinho, alhos, sal, loureiro, pimenta e outros aromas, para temperar carne antes de ser cozinhada; marinada

vinheta *s. f.* **1** (banda desenhada) cada um dos quadrados ou rectângulos que constituem a sequência da história; **2** espécie de selo para fins beneficentes, sem o valor dos selos postais e fiscais

vinho *s. m.* bebida alcoólica proveniente do sumo das uvas fermentado

vinícola *adj. 2 gén.* relativo a vinicultura

vinicultor *s. m.* pessoa que se dedica à preparação do vinho

vinicultura *s. f.* preparação dos vinhos

vinífero *adj.* que produz vinho

vinil *s. m.* **1** QUÍM. radical monovalente CH_2; **2** composto usado no fabrico de plásticos

vinte I *num. card.* dez mais dez; **II** *s. m.* o número 20 e a quantidade representada por esse número ❖ ***dar no ~*** adivinhar

vintena *s. f.* **1** grupo de vinte; **2** vigésima parte

viola *s. f.* MÚS. instrumento musical de cordas, com caixa de madeira em forma de 8

violação *s. f.* **1** (de pessoa) acto de ter relações sexuais contra a vontade da outra pessoa; estupro; **2** (de lei, regras) transgressão; infracção

violador *adj. e s. m.* **1** que ou pessoa que viola; **2** (de lei, compromisso) infractor; **3** (de local sagrado) profanador

violão *s. m.* MÚS. instrumento de seis cordas muito utilizado para acompanhar a guitarra portuguesa ou a viola

violar *v. tr.* **1** obrigar (alguém) a ter relações sexuais; **2** infringir (lei, regras); **3** profanar (local sagrado)

violência *s. f.* **1** acção violenta; brutalidade; **2** força; intensidade; **3** crueldade

violentar I *v. tr.* **1** exercer violência sobre; **2** forçar; coagir; **II** *v. refl.* **1** forçar a própria vontade; **2** constranger-se

violento *adj.* **1** que actua com violência; agressivo; **2** intenso; forte; **3** impetuoso; fogoso

violeta I *s. f.* BOT. planta que dá flores arroxeadas e muito perfumadas; **II** *s. m.* cor que resulta da mistura do azul com o vermelho; cor roxa; **III** *adj. 2 gén. 2 núm.* da cor da violeta; roxo

violinista *s. 2 gén.* pessoa que toca violino

violino *s. m.* MÚS. instrumento musical de cordas, que se toca com um arco

violista *s. 2 gén.* pessoa que toca viola

violoncelista *s. 2 gén.* pessoa que toca violoncelo

violoncelo *s. m.* MÚS. instrumento musical de cordas, maior que o violino

violonista *s. 2 gén.* pessoa que toca violão

VIP [*sigla de* Very Important Person] pessoa muito importante

vir *v. intr.* **1** encaminhar-se para o lugar onde estamos; **2** chegar; **3** aparecer; surgir; **4** regressar; voltar; **5** provir; descender; ***~ à baila*** surgir numa conversa; ***~ a ser*** tornar-se; ***~ a tempo*** chegar no momento oportuno

vira *s. m.* **1** MÚS. música popular de compasso binário, acompanhada por cavaquinho, guitarra e tambor; **2** dança popular executada ao som dessa música

vira-casaca *s. 2 gén.* {*pl.* vira-casacas} pessoa que muda frequentemente de opinião

viragem *s. f.* **1** mudança de rumo; **2** transição

vira-lata *s. m.* {*pl.* vira-latas} *(coloq.)* cão da rua; rafeiro

virar I *v. tr.* **1** inverter; voltar; **2** pôr do avesso; **3** despejar; **4** entornar;

II *v. intr.* mudar de direcção; III *v. refl.* voltar-se; ~ ***as costas*** ir-se embora; ~ ***do avesso*** fazer mudar de opinião

viravolta *s. f.* 1 volta inteira; 2 cambalhota; 3 contratempo

virgem *adj. 2 gén.* 1 (pessoa) que ainda não teve relações sexuais; 2 que está intacto; intocado; 3 (cassete, CD) que não foi utilizado; ***azeite*** ~ o primeiro azeite que se extrai da azeitona depois de moída, mas antes de ser caldeada

Virgem *s. f.* 1 RELIG. mãe de Jesus Cristo; Maria; 2 ASTRON. sexta constelação do zodíaco, situada no equador celeste; 3 ASTROL. sexto signo do zodíaco (23 de Agosto a 22 de Setembro) ❖ ***fiar-se na ~ (e não correr)*** confiar apenas na protecção divina para resolver uma dificuldade

virginal *adj. 2 gén.* 1 puro; intacto; 2 (terra) que ainda não foi cultivada

virgindade *s. f.* 1 qualidade ou estado de virgem; 2 estado daquilo que está intacto; pureza

virginiano *s. m.* ASTROL. pessoa que nasceu sob o signo de Virgem

vírgula *s. f.* sinal gráfico (,) que indica uma pausa ou uma enumeração

viril *adj. 2 gén.* 1 relativo a homem; 2 com características consideradas próprias do homem; 3 (*fig.*) corajoso; destemido

virilha *s. f.* ANAT. região situada no ângulo superior da coxa, que representa o ponto de ligação desta ao abdómen

virilidade *s. f.* 1 qualidade ou estado de viril; 2 aparência masculina; 3 (*fig.*) energia; vigor

virose *s. f.* MED. qualquer doença causada por vírus

virtual *adj. 2 gén.* 1 que se pode realizar; possível; 2 que é simulado por meios electrónicos

virtude *s. f.* 1 qualidade moral; 2 rectidão; integridade ❖ ***em ~ de*** por causa de

virtuoso *adj.* 1 que tem virtudes; honesto; 2 que revela excelência; que tem muito talento

vírus *s. m. 2 núm.* 1 MED. agente infeccioso de muitas doenças; 2 INFORM. programa capaz de se reproduzir, que interfere com o funcionamento do computador e pode danificar alguns ficheiros

visão *s. f.* 1 faculdade de ver; vista; 2 imagem que se julga ver em sonho; alucinação; 3 modo de apreciar ou julgar; ponto de vista

visar *v. tr.* 1 ter em vista; ter por fim; 2 pôr o visto em (documento); 3 referir-se a

víscera *s. f.* ANAT. qualquer órgão alojado dentro do tórax e do abdómen

visceral *adj. 2 gén.* 1 relativo a vísceras; 2 (*fig.*) profundo

visco *s. m.* substância pegajosa obtida da casca do azevinho, utilizada na captura de pequenas aves

visconde *s. m.* {*f.* viscondessa} 1 título nobiliárquico imediatamente inferior ao de conde e superior ao de barão; 2 pessoa que possui esse título

viscose *s. f.* QUÍM. substância derivada do xantato de celulose, utilizada no fabrico de sedas artificiais e películas fotográficas e cinematográficas

viscosidade *s. f.* 1 característica do que é viscoso; 2 FÍS. propriedade dos fluidos de oferecerem resistência ao escoamento (nos líquidos diminui quando a temperatura aumenta, nos gases aumenta com o aumento da temperatura)

viscoso *adj.* pegajoso; que adere facilmente

viseira *s. f.* pala de boné ou capacete

visibilidade *s. f.* **1** qualidade ou estado do que é visível; **2** percepção por meio do sentido da vista; visão

visionário *s. m.* **1** pessoa que julga ver coisas fantásticas; **2** pessoa que acredita em ideais; sonhador

visita *s. f.* **1** ida de uma pessoa a um local para se encontrar com alguém; **2** pessoa que visita outra; visitante

visitante *adj. e s. 2 gén.* que ou pessoa que visita (algo ou alguém)

visitar *v. tr.* **1** ir a casa de alguém ou a algum lugar; **2** viajar por; percorrer

visível *adj. 2 gén.* **1** que se pode ver; perceptível; **2** claro; evidente

visivelmente *adv.* **1** de modo visível; **2** claramente

vislumbrar *v. tr.* ver indistintamente; entrever

vislumbre *s. m.* **1** luz indecisa; **2** indício; vestígio

vison *s. m.* **1** ZOOL. mamífero carnívoro parecido com a lontra, de pele pardacenta, macia e luzidia; **2** pele desse mamífero

visor *s. m.* **1** FOT. dispositivo dos aparelhos fotográficos que permite apanhar um campo fotográfico ajustado ao enquadramento e composição desejados; **2** INFORM. monitor de computador; ecrã

vista *s. f.* **1** *(pop.)* órgãos da visão; olhos; **2** sentido da visão; olhar; **3** aquilo que se vê; panorama; **4** *(fig.)* maneira de ver ou encarar um assunto; perspectiva ❖ ***a perder de ~*** a grande distância; ***dar nas vistas*** chamar a atenção; ***ponto de ~*** modo de ver ou julgar um assunto; ***ter em ~*** fazer tenção de, considerar

visto I *s. m.* **1** declaração de uma autoridade em certos documentos submetidos à sua inspecção, e que lhes dá validade; **2** sinal de confirmação; **II** *adj.* que se viu; **III** *prep.* por causa de; dado que; ***a olhos vistos*** à vista de todos; ***pelos vistos*** perante o que se viu, em face do que se verificou; ***~ que*** uma vez que; dado que

vistoria *s. f.* inspecção feita por uma autoridade a um local para verificar se estão satisfeitas as exigências estabelecidas por entidades ou organismos competentes

vistoriar *v. tr.* fazer vistoria a; inspeccionar

vistoso *adj.* que dá nas vistas; que chama a atenção

visual I *s. m.* aparência de uma pessoa ou de uma coisa; **II** *adj. 2 gén.* relativo à vista ou à visão

visualização *s. f.* **1** capacidade de formar imagens visuais de coisas que não estão presentes; **2** transformação de conceitos abstractos em formas visíveis; **3** INFORM. aquilo que é visível no monitor

visualizar *v. tr.* **1** formar imagens visuais de coisas que não estão presentes; **2** transformar conceitos abstractos em formas visíveis; **3** INFORM. tornar visível num monitor

vital *adj. 2 gén.* **1** relativo a vida; **2** que dá força; **3** *(fig.)* essencial; fundamental

vitalício *adj.* que dura toda a vida

vitalidade *s. f.* **1** qualidade do que é vital; **2** energia; entusiasmo

vitamina *s. f.* BIOL. substância fornecida por alimentos frescos ou por medicamentos, indispensável ao equilíbrio fisiológico do indivíduo

vitaminado *adj.* que contém vitamina(s); enriquecido com vitamina(s)

vitamínico *adj.* relativo a vitaminas

vitaminose *s. f.* MED. perturbação causada pela ingestão ou pela actividade excessiva de certas vitaminas

vitela *s. f.* **1** ZOOL. cria da vaca, com menos de um ano; **2** CUL. carne desse animal ou de vitelo

vitelo *s. m.* ZOOL. novilho com alguns meses de idade

viticultor *adj. e s. m.* que ou pessoa que cultiva vinhas

viticultura *s. f.* cultura de vinhas

vítima *s. f.* **1** ser humano ou animal morto em ritual sagrado; **2** pessoa oprimida, maltratada ou assassinada por outra; **3** pessoa que sofre as consequências traumáticas de um desastre ou de uma calamidade; **4** *(coloq.)* pessoa que cede a vício ou sentimento

vitimar I *v. tr.* **1** oferecer a vida de; sacrificar; **2** provocar a morte de; matar; **3** causar dano a; prejudicar; **II** *v. refl.* apresentar-se como vítima; lastimar-se

vitivinícola *adj. 2 gén.* relativo a vitivinicultura

vitivinicultura *s. f.* cultura de vinhas e preparação de vinhos

vitória *s. f.* **1** triunfo; sucesso; êxito; **2** superação de uma adversidade

vitorioso *adj.* **1** que obteve vitória; vencedor; **2** triunfante

vitral *s. m.* vidraça formada de pedaços de vidro coloridos que formam desenhos

vítreo *adj.* **1** relativo a vidro; **2** que tem a natureza do vidro; **3** que tem aspecto ou aparência de vidro

vitrina *s. f.* **1** montra envidraçada onde se expõem objectos para venda; **2** armário ou qualquer móvel envidraçado onde se expõem ou resguardam objectos

vitrine *s. f.* vd. **vitrina**

viuvez *s. f.* estado de viúvo ou viúva

viúvo *adj. e s. m.* que ou pessoa a quem morreu o cônjuge

viva *s. m.* **1** expressão com que se saúda ou se deseja felicidade a alguém que está presente; **2** grito de aplauso, de vitória; ***viva!*** exclamação designativa de aclamação, aplauso, alegria

vivacidade *s. f.* **1** prontidão em agir, mover-se ou falar; actividade; **2** compreensão rápida; esperteza

vivaço *adj.* **1** que revela vivacidade; **2** animado

vivalma *s. f.* ninguém

viveiro *s. m.* recinto próprio para a criação e reprodução de animais e plantas

vivência *s. f.* **1** modo como alguém vive ou se comporta; **2** conhecimento adquirido no processo de existência; experiência; **3** aquilo que se viveu ou experimentou

vivencial *adj. 2 gén.* relativo a vivência

vivenciar *v. tr.* viver uma determinada situação; experimentar

vivenda *s. f.* casa de um ou mais pisos, geralmente com jardim; moradia

viver I *v. intr.* **1** ter vida; existir; **2** morar; residir; **II** *v. tr.* **1** experimentar; **2** gozar

víveres *s. m. pl.* géneros alimentícios; mantimentos

vivido *adj.* experimentado; sentido

vivo *adj.* **1** que vive; que tem vida; **2** esperto; perspicaz; **3** activo; ágil

vizinhança *s. f.* **1** qualidade do que está próximo (de algo ou alguém); proximidade; **2** conjunto das pessoas que moram perto; vizinhos; **3** região localizada perto de um local; arredores

vizinho I *s. m.* pessoa que mora perto de alguém; **II** *adj.* que fica junto; próximo

vizir *s. m.* oficial do conselho do sultão da Turquia

voador I *adj.* que voa; **II** *s. m.* aparelho constituído por uma estrutura de metal, plástico ou outro material, com pequenas rodas e que se utiliza para as crianças aprenderem a andar

voar *v. intr.* **1** deslocar-se no ar com auxílio de asas ou de membros semelhantes; **2** (tempo) passar rapidamente; **3** (*fig.*) correr com grande velocidade

vocabulário *s. m.* **1** conjunto de palavras de uma língua; léxico; **2** conjunto dos termos especializados de uma ciência ou arte; terminologia

vocábulo *s. m.* GRAM. unidade de sentido constituída por fonemas organizados numa determinada ordem, que geralmente é delimitada por espaços brancos e não admite a inserção de outros elementos; palavra

vocação *s. f.* **1** inclinação; tendência; predisposição; **2** talento; jeito

vocacional *adj. 2 gén.* relativo a vocação

vocal *adj. 2 gén.* **1** relativo a voz; **2** que serve para a produção de voz; ANAT. ***cordas vocais*** pregas e ligamentos de constituição muscular, situados de um e outro lado da laringe, e cujas vibrações produzem a voz

vocalista *s. 2 gén.* MÚS. pessoa que canta integrada num grupo ou numa banda

vocativo *s. m.* **1** GRAM. palavra ou expressão que serve para chamar; **2** GRAM. (declinação) caso que exprime uma interpelação

você *pron. pess.* designa a segunda pessoa do singular e indica a pessoa a quem se fala ou escreve ⟨*você ouviu?*⟩, (Brasil) ⟨*falámos de você*⟩

vociferar I *v. tr.* proferir em voz alta; exclamar; **II** *v. intr.* **1** falar alto; berrar; **2** insultar

vodka *s. f.* bebida alcoólica de origem russa preparada à base de cereais (centeio, cevada, arroz etc.)

voga *s. f.* **1** popularidade; fama; **2** uso corrente; moda; ***estar em ~*** estar na moda

vogal I *s. f.* GRAM. som produzido sem obstrução à passagem do ar nas cavidades bucal ou nasal; **II** *s. 2 gén.* pessoa que tem voto em assembleia, júri, etc.

voice-mail *s. m.* {*pl.* voice-mails} atendedor e gravador de chamadas

volante *s. m.* **1** peça de forma circular com que se dirige um automóvel; **2** guiador com que se dirigem as bicicletas; **3** DESP. (badmínton) objecto de material leve com penas espetadas em torno, que se joga com uma raqueta

volátil *adj. 2 gén.* **1** que pode voar; **2** (*fig.*) volúvel; inconstante; **3** QUÍM. que se evapora com facilidade

volatilizar *v. tr. e refl.* QUÍM. reduzir(-se) a gás ou a vapor; evaporar(-se)

vólei *s. m.* (*coloq.*) vd. **voleibol**

voleibol *s. m.* DESP. jogo entre duas equipas de seis jogadores, separadas por uma rede horizontal, que consiste em atirar uma bola por cima da rede para o campo do adversário, que tem de a reenviar, sem a deixar tocar no chão

voleibolista *s. 2 gén.* DESP. praticante de voleibol

volfrâmio *s. m.* QUÍM. elemento químico com o número atómico 74 e símbolo W

volt *s. m.* ELECTR., FÍS. unidade de medida de potencial eléctrico, de diferença de potencial, de tensão eléctrica e de força electromotriz

volta *s. f.* **1** regresso; **2** mudança; transformação; **3** pequeno passeio; giro; **4** movimento circular; **5** movimento em torno de algo; rotação; **6** circuito; **7** espécie de colar fino; ***à ~ de*** cerca de; ***dar a ~ a (alguém)*** fazê-lo mudar de opinião; ***mandar dar uma ~*** mandar bugiar; ***~ e meia*** a cada passo

voltagem *s. f.* ELECTR. força electromotriz de um gerador eléctrico (em volts)
voltar I *v. tr.* **1** dar a volta a; virar; **2** pôr do avesso; **II** *v. intr.* **1** regressar; retornar; **2** fazer alguma coisa pela segunda vez; **3** virar; **III** *v. refl.* virar-se; **~ *à carga*** fazer nova tentativa, insistir; **~ *a si*** recuperar os sentidos; **~ *com a palavra atrás*** não cumprir um compromisso
voltímetro *s. m.* ELECTR. instrumento que mede diferenças de potencial eléctrico
vóltio *s. m.* vd. **volt**
volume *s. m.* **1** GEOM. espaço ocupado por um corpo; **2** extensão ou grossura de um objecto; **3** livro impresso ou manuscrito; tomo; **4** intensidade do som; **5** pacote
volumetria *s. f.* ARQ. conjunto das dimensões que definem o volume de um edifício
volumoso *adj.* **1** que tem grande volume; **2** que ocupa muito espaço; **3** (som, voz) forte; intenso
voluntariado *s. m.* **1** entrada para o serviço militar por vontade própria, e não por imposição legal; **2** conjunto de pessoas que se dedicam a uma actividade por vontade própria; **3** classe dos voluntários
voluntariamente *adv.* **1** espontaneamente; **2** por vontade própria
voluntário I *s. m.* pessoa que se oferece para fazer alguma coisa; **II** *adj.* que se faz de livre vontade; espontâneo
voluntarioso *adj.* **1** que age apenas segundo a sua vontade; **2** caprichoso; obstinado
voluntarismo *s. m.* **1** atitude de quem privilegia sua própria vontade; **2** tendência para impor a sua própria vontade; autoritarismo
voluntarista *s. 2 gén.* **1** pessoa que privilegia a sua própria vontade; **2** pessoa autoritária
volúpia *s. f.* **1** prazer dos sentidos; deleite; **2** prazer sexual; luxúria
voluptuoso *adj.* em que há prazer ou volúpia; sensual; lascivo
volúvel *adj. 2 gén.* inconstante; instável
volver I *v. tr.* **1** voltar; virar; **2** mexer; revolver; **II** *v. intr.* tornar; voltar; **III** *v. refl.* agitar-se
vomitado I *s. m.* matérias do estômago expelidas pela boca; **II** *adj.* **1** sujo pelo vómito; **2** (*fig.*) expelido; cuspido
vomitar *v. tr.* **1** expelir pela boca (substâncias contidas no estômago); **2** (*fig.*) dizer ou proferir (injúrias ou obscenidades)
vómito *s. m.* expulsão súbita pela boca de matérias do estômago
vontade *s. f.* **1** forma plenamente consciente de actividade; **2** capacidade de tomar uma decisão; **3** desejo; intenção; ***boa* ~** disposição favorável para qualquer pessoa ou coisa; ***força de* ~** grande energia de carácter; ***pôr-se à* ~** não fazer cerimónias
voo *s. m.* **1** meio de locomoção, através do ar, próprios das aves e de outros animais dotados de órgãos em forma de asa; **2** viagem pelo ar em aparelho adequado; **3** trajecto percorrido por via aérea; **4** movimento ou deslocamento muito rápido
voracidade *s. f.* **1** avidez; sofreguidão; **2** (*fig.*) ímpeto destruidor
voraz *adj. 2 gén.* **1** que devora; ávido; **2** insaciável; **3** (*fig.*) destruidor
vos *pron. pess.* designa a segunda pessoa do plural e indica as pessoas com quem se fala ou a quem se escreve ⟨*eu bem vos disse*⟩
vós *pron. pess.* designa a segunda pessoa do plural e indica as pessoas com quem se fala ou a quem escreve ⟨*irei sem vós*⟩

vossemecê *pron. pess. (pop.)* designa a segunda pessoa do singular e indica a pessoa com quem se fala ou a quem se escreve

vosso *pron. poss.* refere-se à segunda pessoa do plural e indica posse ou pertença ⟨*o vosso filho; a vossa casa*⟩

votação *s. f.* **1** escolha por meio de voto; **2** conjunto dos votos dados em assembleia

votar I *v. tr.* aprovar ou eleger por meio de voto; **II** *v. intr.* dar o seu voto numa eleição ou numa votação; **III** *v. refl.* dedicar-se a; empenhar-se em

voto *s. m.* **1** acto de escolher por meio de votação; **2** opinião; parecer; **3** RELIG. promessa; juramento; ***ter ~ na matéria*** ser competente para; ter poder de decisão

vovó *s. f. (infant.)* mãe do pai ou da mãe; avó

vôvô *s. m. (infant.)* pai do pai ou da mãe; avô

voyeur *s. 2 gén.* pessoa que sente prazer na observação, às escondidas, de cenas íntimas ou eróticas praticadas por outras pessoas

voyeurismo *s. m.* tendência para observar, às escondidas, cenas íntimas ou eróticas praticadas por outras pessoas, com o fim de obter prazer sexual

voyeurista *s. m.* vd. **voyeur**

voz *s. f.* **1** produção de sons humanos emitidos pela laringe com o ar que sai dos pulmões; **2** sons ou ruídos característicos produzidos por animais; **3** faculdade de falar; **4** GRAM. modificação em certos verbos para indicar se o sujeito pratica ou sofre uma acção; **5** direito de exprimir uma opinião; **6** expressão de uma opinião

vozearia *s. f.* **1** som de muitas vozes; gritaria; berreiro; **2** ruído; barulho

vozeirão *s. m.* voz forte e grossa

voz-off *s. f.* CIN., TV voz exterior à cena, que comenta os acontecimentos

vs. [*abrev. de* versus]

vudu *s. m.* **1** prática de feitiçaria de origem africana; **2** pessoa que pratica esse tipo de bruxaria

vulcânico *adj.* GEOL. relativo a vulcão; ***rocha vulcânica*** rocha magmática proveniente da consolidação dos magmas à superfície

vulcanologia *s. f.* GEOL. ciência que estuda os fenómenos vulcânicos

vulcanólogo *s. m.* GEOL. pessoa que se dedica ao estudo dos fenómenos vulcânicos

vulcão *s. m.* **1** GEOL. fenda na crosta terrestre através da qual são expelidas substâncias gasosas, sólidas e líquidas (lavas), a temperaturas muito altas; **2** *(fig.)* pessoa impetuosa

vulgar *adj. 2 gén.* **1** comum; corrente; **2** usual; frequente; **3** grosseiro; reles

vulgaridade *s. f.* **1** qualidade do que é vulgar; **2** banalidade

vulgarismo *s. m.* **1** característica do que é comum; vulgaridade; **2** expressão grosseira ou obscena; palavrão

vulgarizar I *v. tr.* **1** tornar conhecido; divulgar; **2** tornar comum; banalizar; **II** *v. refl.* tornar-se vulgar; divulgar-se

vulgarmente *adv.* habitualmente; usualmente

vulgo *s. m.* **1** classe popular da sociedade; povo; **2** maioria das pessoas

vulnerável *adj. 2 gén.* **1** que pode ser atingido ou ferido; frágil; **2** que tem poucas defesas

vulto *s. m.* **1** figura ou imagem pouco nítida; **2** rosto; face; semblante; **3** *(fig.)* pessoa de importância; figura notável; ***de ~*** importante

vulva *s. f.* ANAT. conjunto das partes externas do aparelho genital feminino

W

w *s. m.* vigésima terceira letra do alfabeto

W I GEOG. [*símbolo de* **oeste**]; **II** QUÍM. [*símbolo de* **tungsténio**]; **III** QUÍM. [*símbolo de* **volfrâmio**]

walkie-talkie *s. m.* {*pl.* walkie-talkies} emissor-receptor radiofónico portátil que permite a comunicação entre duas pessoas a certa distância

walkman *s. m.* {*pl.* walkmans} pequeno aparelho portátil de rádio ou leitor de cassetes com auscultadores

watt *s. m.* {*pl.* watts} FÍS. unidade de potência de símbolo W

WC [*sigla de* **w**ater **c**loset] casa de banho

web *s. f.* INFORM. (Internet) sistema de acesso à informação, apresentada sob a forma de hipertexto

weber *s. m.* ELECTR. unidade de medida de fluxo magnético e de fluxo de indução, de símbolo Wb

western *s. m.* {*pl.* westerns} CIN. filme que retrata a conquista do Oeste norte-americano

whisky *s. m.* {*pl.* whiskies} aguardente de cereais fermentados (milho, centeio ou cevada)

whist *s. m.* jogo de cartas em que cada jogador recebe treze cartas e forma equipa com outro

windsurf *s. m.* DESP. actividade náutica praticada com uma prancha munida de mastro e vela

windsurfista *s. 2 gén.* DESP. pessoa que pratica windsurf

WNW GEOG. [*símbolo de* **oés-noroeste**]

won *s. m.* {*pl.* wons} unidade monetária da Coreia do Norte e da Coreia do Sul

workshop *s. m.* **1** {*pl.* workshops} sessão em que se discute ou elabora um trabalho prático sobre um dado tema e em que os participantes trocam experiências e conhecimentos; **2** atelier; oficina

WSW GEOG. [*símbolo de* **oés-sudoeste**]

WWW INFORM. [*sigla de* **W**orld **W**ide **W**eb] rede mundial de comunicação

X

x **I** *s. m.* vigésima quarta letra e décima oitava consoante do alfabeto; **II** MAT. [*símbolo de* **incógnita**]

X *s. m.* (numeração romana) número 10

xá *s. m.* título do antigo soberano do Irão

x-acto *s. m.* {*pl.* x-actos} instrumento cortante com lâmina retractável, usado sobretudo para cortar papel

xadrez *s. m.* **1** jogo em que duas pessoas dispõem de 16 peças e as movem alternadamente sobre um tabuleiro com 64 casas, pretas e brancas, dispostas em filas verticais e horizontais; **2** padrão de tecido de cores dispostas em quadrados e alternadas; **3** *(Bras.) (pop.)* cadeia

xadrezista *s. 2 gén.* pessoa que joga xadrez

xaile *s. m.* peça de vestuário em forma de triângulo ou quadrado dobrado na diagonal que se coloca sobre os ombros

xale *s. m.* vd. **xaile**

xamã *s. m.* feiticeiro, sacerdote e curandeiro em certas culturas africanas e ameríndias

xamanismo *s. m.* sistema religioso de certos povos e tribos baseado na crença nos espíritos, no culto da natureza e em práticas terapêuticas ou de adivinhação, tais como o transe e o êxtase

xamanista *adj. e s. 2 gén.* que ou pessoa que pratica xamanismo

xamanístico *adj.* relativo ao xamanismo

xaputa *s. f.* ZOOL. peixe teleósteo com a barbatana caudal em forma de cauda de andorinha

xaropada *s. f.* **1** porção de xarope que se toma de uma vez; **2** *(coloq.)* coisa desagradável; aborrecimento

xarope *s. m.* **1** FARM. solução concentrada de açúcar com substâncias aromáticas ou medicamentosas; **2** bebida açucarada misturada com sumo de fruta; **3** *(coloq.)* coisa desagradável; aborrecimento

Xe QUÍM. [*símbolo de* **xénon**]

xelim *s. m.* {*pl.* xelins} antiga unidade monetária da Áustria, substituída pelo euro em 1999

xelindró *s. m. (pop.)* cadeia; prisão

xenofilia *s. f.* simpatia pelos estrangeiros ou por tudo o que é estrangeiro

xenófilo *adj. e s. m.* que ou pessoa que tem simpatia por estrangeiros ou pelo que é estrangeiro

xenofobia *s. f.* aversão a pessoas ou coisas estrangeiras

xenófobo *adj. e s. m.* que ou pessoa que tem aversão a pessoas ou coisas estrangeiras

xénon *s. m.* QUÍM. elemento com o número atómico 54 e símbolo Xe

xeque *s. m.* **1** (em xadrez) posição em que uma peça pode tomar o rei; **2** chefe de tribo árabe; **3** *(fig.)* situação arriscada; perigo; ***pôr em ~*** colocar em situação embaraçosa; colocar em dúvida

xeque-mate *s. m.* {*pl.* xeques-mate} lance que põe fim ao jogo de xadrez, em que o rei não pode deslocar-se sem ser tomado

xerez *s. m.* vinho branco de origem espanhola

xerifado *s. m.* cargo ou dignidade do xerife

xerife *s. m.* funcionário investido de poder policial nos municípios rurais dos Estados Unidos

xerófilo *adj.* (vegetal) que vive em lugares secos

xerófito *s. m.* BOT. vegetal próprio de lugares secos e de regiões áridas que sofrem longos períodos de seca

xexé *adj. 2 gén.* *(pop.)* envelhecido; senil

xícara *s. f.* *(Bras.)* vd. **chávena**

xilofone *s. m.* MÚS. instrumento de percussão composto por um conjunto de teclas de madeira que se percutem com baquetas

xilofonista *s. 2 gén.* MÚS. pessoa que toca xilofone

xilografia *s. f.* arte de gravar em madeira

xilógrafo *s. m.* pessoa que grava em madeira

xisto *s. m.* rocha metamórfica composta de placas finas dispostas em camadas

xistoso *adj.* relativo ao xisto

xixi *s. m.* *(coloq.)* urina

XML INFORM. (Internet) [*sigla de* e**x**tensible **m**arkup **l**anguage] linguagem universal para criar aplicações e interligá-las

xó *interj.* usada para fazer parar animais de carga

xô *interj.* usada para afugentar galinhas e outras aves

xonar *v. intr.* *(coloq.)* dormir

Y

y I *s. m.* vigésima quinta letra do alfabeto; **II** MAT. [*símbolo de* **segunda incógnita**] (quando a primeira é *x*); **III** MAT. [*símbolo de* **função de variável dependente**]

Y QUÍM. [*símbolo de* **ítrio**]

yang *s. m.* (filosofia chinesa) princípio masculino que representa a actividade, o calor e a luminosidade (uma das forças essenciais da natureza, juntamente com o yin)

Yb QUÍM. [*símbolo de* **itérbio**]

yen *s. m.* {*pl.* yenes} unidade monetária do Japão; iene

yin *s. m.* (filosofia chinesa) princípio feminino que representa a passividade, a frieza e a obscuridade (uma das forças essenciais da natureza, juntamente com o yang)

yoga *s. m.* vd. **ioga**

yuan *s. m.* {*pl.* yuans} unidade monetária da China

yuppie *s. m.* {*pl.* yuppies} jovem bem-sucedido que ocupa cargo de responsabilidade ou de direcção numa organização financeira ou comercial e revela gosto por bens materiais de valor elevado

Z

z *s. m.* vigésima sexta letra e vigésima consoante do alfabeto
zagaia *s. f.* lança curta de arremesso
zagaiada *s. f.* golpe ou ferimento produzido por zagaia
zaire *s. m.* unidade monetária da República Democrática do Congo (ex-Zaire)
zairense **I** *s. 2 gén.* pessoa natural da República Democrática do Congo (ex-Zaire); **II** *adj. 2 gén.* relativo à República Democrática do Congo (ex-Zaire)
zambiano **I** *s. m.* {*f.* zambiana} pessoa natural da Zâmbia (África Central); **II** *adj.* relativo à Zâmbia
zanga *s. f.* desavença; desentendimento
zangado *adj.* irritado; aborrecido
zangão *s. m.* ZOOL. macho da abelha que tem a seu cargo fecundar a abelha-mestra e não produz mel
zangar *v. tr. e refl.* irritar(-se); incomodar(-se); aborrecer(-se)
zanzar *v. intr.* andar ao acaso; vaguear
zapping *s. m.* mudança rápida e consecutiva de canal de televisão através de um comando à distância
zaragata *s. f.* **1** desordem; bulha; **2** algazarra; confusão
zaragateiro *adj. e s. m.* que ou pessoa que arma zaragatas; desordeiro
zarolho *adj.* **1** que tem desvio nos olhos; vesgo; **2** cego de um olho
zarpar *v. intr.* **1** NÁUT. levantar âncora; **2** *(coloq.)* (pessoa) deixar um local; partir
zás *interj.* **1** imitativa do som produzido por uma pancada ou queda; **2** designativa de acção rápida
zebra *s. f.* ZOOL. mamífero veloz com pêlo às riscas claras e escuras e crina curta
zebrado **I** *adj.* que tem riscas como a zebra; raiado; **II** *s. m.* (de rua) faixa para travessia de peões; passadeira
zelador *s. m.* **1** pessoa que zela; **2** empregado que fiscaliza um serviço
zelar *v. tr.* **1** ter zelo por; cuidar; vigiar; **2** tomar conta de; administrar
zelo *s. m.* **1** afeição; dedicação; **2** cuidado; interesse; **3** empenho
zeloso *adj.* **1** cuidadoso; **2** diligente; **3** empenhado
zen **I** *s. m.* FIL. (budismo) ramo que privilegia a meditação sem objecto ou a pura concentração do espírito, insistindo em posturas corporais específicas; **II** *adj. 2 gén.* relativo ao zen
zé-ninguém *s. m.* {*pl.* zés-ninguéns} pessoa insignificante ou com poucos recursos económicos
zénite *s. m.* **1** ASTRON. ponto da esfera celeste que, relativamente a cada lugar da Terra, é encontrado pela vertical levantada desse lugar; **2** *(fig.)* ponto mais elevado; apogeu
zepelim *s. m.* AERON. balão dirigível rígido de grandes dimensões
zé-povinho *s. m.* {*pl.* zés-povinhos} **1** *(coloq.)* indivíduo do povo; **2** *(coloq.)* povo português
zero **I** *num. card.* primeiro número do conjunto de inteiros não-negativo;

II *s. m.* **1** o número 0 e quantidade representada por esse número; **2** nada; coisa nenhuma ❖ ***começar do ~*** começar com poucos ou nenhuns recursos; ***ser um ~ à esquerda*** não valer nada, não saber nada

zigoto *s. m.* BIOL. célula resultante da união do espermatozóide com o óvulo; ovo

ziguezague *s. m.* **1** linha sinuosa; **2** forma de andar, descrevendo essa linha

ziguezaguear *v. intr.* **1** descrever ziguezagues; **2** andar aos ziguezagues

zimbório *s. m.* ARQ. parte superior e exterior da cúpula de um edifício; domo

zimbro *s. m.* BOT. árvore de folhas estreitas e pontiagudas

zincagem *s. f.* aplicação de revestimento de zinco num metal

zincar *v. tr.* revestir de zinco

zinco *s. m.* QUÍM. elemento metálico com o número atómico 30 e símbolo Zn

zip *s. m.* INFORM. disco flexível com uma capacidade de armazenamento superior a uma disquete

zipar *v. tr.* INFORM. compactar; comprimir (ficheiro)

zíper *s. m.* *(Bras.)* fecho ecler

zircónio *s. m.* QUÍM. elemento com o número atómico 40 e símbolo Zr

zlóti *s. m.* unidade monetária da Polónia

Zn QUÍM. [*símbolo de* **zinco**]

zodiacal *adj. 2 gén.* ASTRON. relativo a zodíaco

zodíaco *s. m.* **1** ASTRON. zona da esfera celeste que o Sol parece percorrer num ano, por onde se distribuem as 12 constelações; **2** ASTROL. conjunto dos doze signos que representam as constelações da esfera celeste

zombar *v. intr.* **1** fazer troça; escarnecer; **2** gozar; gracejar

zombaria *s. f.* troça; chacota

zombie *s. 2 gén.* *(coloq.)* pessoa sem energia ou vivacidade, por cansaço, sono ou debilidade física

zona *s. f.* **1** extensão de terreno; faixa; área; **2** espaço reservado a uma função específica; **3** qualquer parte do corpo humano

zonzo *adj.* atordoado; tonto

zoo *s. m.* *(coloq.)* jardim zoológico

zoofilia *s. f.* amizade ou simpatia pelos animais

zoófilo *adj. e s. m.* que ou aquele que é amigo ou se interessa por animais

zoologia *s. f.* ciência que estuda os animais

zoológico *adj.* relativo a zoologia

zoologista *s. 2 gén.* pessoa especializada em zoologia

zoólogo *s. m.* vd. **zoologista**

zoom *s. m.* **1** CIN., FOT., TV objectiva de máquina fotográfica ou de câmara de filmar de distância focal variável; **2** CIN., FOT., TV enquadramento com esse tipo de lente, que permite a aproximação ou o afastamento do objecto focado, sem afastamento ou aproximação reais da câmara

zumba *interj.* imitativa do som produzido por uma pancada ou queda

zumbido *s. m.* **1** ruído produzido pelos insectos quando esvoaçam; **2** impressão nos ouvidos semelhante ao ruído que os insectos fazem

zumbir *v. intr.* **1** (insecto) emitir som; **2** (ouvidos) sentir um ruído surdo e constante, semelhante ao que é produzido pelos insectos quando esvoaçam

zunzum *s. m.* **1** (de pessoas) rumor; boato; **2** (ruído) zumbido

zurrar *v. intr.* (burro) emitir zurro

zurro *s. m.* voz do burro

Dicionários Académicos

▲ LÍNGUA PORTUGUESA
▲ VERBOS PORTUGUESES

▲ FRANCÊS-PORTUGUÊS
▼ PORTUGUÊS-FRANCÊS
▲ VERBOS FRANCESES

▲ INGLÊS-PORTUGUÊS
▼ PORTUGUÊS-INGLÊS
▲ VERBOS INGLESES

▲ ALEMÃO-PORTUGUÊS
▼ PORTUGUÊS-ALEMÃO

▲ ESPANHOL-PORTUGUÊS
▼ PORTUGUÊS-ESPANHOL

▲ LATIM-PORTUGUÊS
▼ PORTUGUÊS-LATIM

◆ FRANCÊS-PORTUGUÊS / PORTUGUÊS-FRANCÊS
◆ INGLÊS-PORTUGUÊS / PORTUGUÊS-INGLÊS
◆ ALEMÃO-PORTUGUÊS / PORTUGUÊS-ALEMÃO
◆ ESPANHOL-PORTUGUÊS / PORTUGUÊS-ESPANHOL
◆ ITALIANO-PORTUGUÊS / PORTUGUÊS-ITALIANO
◆ LATIM-PORTUGUÊS / PORTUGUÊS-LATIM
◆ GREGO-PORTUGUÊS / PORTUGUÊS-GREGO
◆ SÉRVIO E CROATA-PORTUGUÊS / PORTUGUÊS-
-SÉRVIO E CROATA
◆ POLACO-PORTUGUÊS / PORTUGUÊS-POLACO

Guia de consulta

entrada

editar *v. tr.* **1** fazer a edição de; **2** publicar; **3** reproduzir e divulgar (software, discos, gravuras); **4** CIN., TV seleccionar e combinar (materiais gravados e filmados) com vista à obtenção de um produto final; **5** INFORM. escrever ou montar (texto) utilizando um programa de processamento

definição

categoria gramatical

editor *s. m.* **1** o que edita; **2** o que publica a obra de um autor assumindo as despesas de composição, impressão e difusão; INFORM. **~ *de texto*** programa de computador utilizado para redacção e edição de textos; **~ *literário*** pessoa que reúne e coordena os textos de um ou vários autores, preparando-os para publicação

área temática

distinção de categorias gramaticais

equiparar I *v. tr.* **1** comparar; pôr em paralelo; **2** igualar; **II** *v. refl.* igualar-se

equiparável *adj. 2 gén.* que se pode equiparar; comparável

equipe *s. f.* (*Bras.*) vd. **equipa**

variante

equitação *s. f.* DESP. arte de montar a cavalo

escrita *s. f.* **1** representação do pensamento e da palavra por meio de sinais convencionais; **2** conjunto de caracteres adoptado num sistema de representação gráfica; **3** estilo pessoal de expressão escrita; **4** caligrafia

análise morfológica

escrito I *adj.* **1** ⟨*p. p. de* **escrever**⟩ representado por signos gráficos ou letras; **2** predestinado; **II** *s. m.* **1** qualquer documento expresso por sinais gráficos em papel ou material semelhante; **2** bilhete

escritor *s. m.* autor de obras literárias ou científicas